中國國家圖書館編

國家圖書館藏敦煌遺書

第二十七册　北敦〇一九三二號——北敦〇二〇〇〇號

北京圖書館出版社

圖書在版編目(CIP)數據

國家圖書館藏敦煌遺書·第二十七册/中國國家圖書館編;任繼愈主編.—北京:北京圖書館出版社,2006.4

ISBN 7-5013-2969-9

Ⅰ.國… Ⅱ.①中…②任… Ⅲ.敦煌學—文獻 Ⅳ.K870.6

中國版本圖書館 CIP 數據核字(2006)第 007295 號

ISBN 7-5013-2969-9

9 787501 329694 >

書　　名　國家圖書館藏敦煌遺書·第二十七册

著　　者　中國國家圖書館編　任繼愈主編

責任編輯　徐　蜀　孫　彦

封面設計　李　璀

出　　版　北京圖書館出版社　(100034　北京西城區文津街 7 號)

發　　行　010-66139745　66151313　66175620　66126153
66174391(傳真)　66126156(門市部)

E-mail　cbs@nlc.gov.cn(投稿)　btsfxb@nlc.gov.cn(郵購)

Website　www.nlcpress.com

經　　銷　新華書店

印　　刷　北京文津閣印務有限責任公司

開　　本　八開

印　　張　60.25

版　　次　2006 年 4 月第 1 版第 1 次印刷

印　　數　1-150 册(套)

書　　號　ISBN 7-5013-2969-9/K·1252

定　　價　990.00 圓

編輯委員會

主　　編　任繼愈
常務副主編　方廣錩
副　主　編　李際寧　張志清
編委（按姓氏筆畫排列）　王克芬　王姿怡　吳玉梅　胡新英　陳　穎　黄　霞（常務）　劉玉芬

出版委員會

主　任　詹福瑞
副主任　陳　力
委　員（按姓氏筆畫排列）　李　健　姜　紅　郭又陵　徐　蜀　孫　彦

攝製人員（按姓氏筆畫排列）

于向洋　王富生　王遂新　谷韶軍　張　軍　張紅兵　張　陽　曹　宏　郭春紅　楊　勇　嚴　平

目錄

佛土淨者我世尊
而是佛土不淨若此
意云何日月豈不淨耶而
也世尊是盲者過非日
罪故不見如來佛國嚴淨
我此土淨而汝不見尒時螺髻梵王語舍利弗
勿作是意謂此佛土以為不淨所以者何我
見釋迦牟尼佛土清淨譬如自在天宮舍
利弗言我見此土丘陵坑坎荊棘沙礫土石諸
山穢惡充滿螺髻梵言仁者心有高下不依
佛慧故見此土為不淨耳舍利弗菩薩於一
切衆生悉皆平等深心清淨依佛智慧則能
見此佛土清淨於是佛以足指按地即時
三千大千世界若干百千珍寶嚴飾譬如寶
莊嚴佛无量功德寶莊嚴土一切大衆歎未
曾有而皆自見坐寶蓮華佛告舍利弗汝且
觀是佛土嚴淨舍利弗言唯然世尊本所不
見本所不聞今佛國土嚴淨悉現佛語舍利
弗我佛國土常淨若此為欲度斯下劣人故
示是衆惡不淨土耳譬如諸天共寶器食隨
其福德飯色有異如是舍利弗若人心淨便
見此土功德莊嚴當佛現此國土嚴淨之時
寶積所將五百長者子皆得无生法忍八万
四千人皆發阿耨多羅三藐三菩提心佛攝

BD01932 號　維摩詰所說經卷上　（21–1）

弗我佛國土常淨若此為欲度斯下劣人故
示是衆惡不淨土耳譬如諸天共寶器食隨
其福德飯色有異如是舍利弗若人心淨便
見此土功德莊嚴當佛現此國土嚴淨之時
寶積所將五百長者子皆得无生法忍八万
四千人皆發阿耨多羅三藐三菩提心佛攝
神足於是世界還復如故求聲聞乘三万二
千天及人知有為法皆悉无常遠塵離垢
得法眼淨八千比丘不受諸法漏盡意解
方便品第二
尒時毗耶離大城中有長者名維摩詰已
曾供養无量諸佛深殖善本得无生忍辯才
无閡遊戲神通逮諸摠持獲无所畏降魔勞
怨入深法門善於智度通達方便大願成就明
了衆生心之所趣又能分別諸根利鈍久於
佛道心已純淑決定大乘諸有所作能善思
量住佛威儀心大如海諸佛咨嗟弟子釋梵
世主所敬欲度人故以善方便居毗耶離資
財无量攝諸貧民奉戒清淨攝諸毀禁以忍
調行攝諸恚怒以大精進攝諸懈怠一心禪
定攝諸亂意以決定慧攝諸无智雖為白衣
奉持沙門清淨律行雖處居家不著三界
示有妻子常脩梵行現有眷屬常樂遠離雖服
寶飾而以相好嚴身雖復飲食而以禪悅為
味若至博弈戲處輒以度人受諸異道不毀
正信雖明世典常樂佛法一切見敬為供養
中最執持正法攝諸長幼一切治生諧偶雖

BD01932 號　維摩詰所說經卷上　（21–2）

寶飾而以相好嚴身雖復飲食而以禪悅為
味若至博弈戲處輒以度人受諸異道不毀
正信雖明世典常樂佛法一切見敬為供養
中最執持正法攝諸長幼一切治生諧偶雖
獲俗利不以喜悅遊諸四衢饒益衆生入治
正法救護一切入講論處導以大乘入諸學
堂誘開童蒙入諸婬舍示欲之過入諸酒肆
能立其志若在長者長者中尊為說勝法若
在居士居士中尊斷其貪著若在剎利剎利
中尊教以忍辱若在婆羅門婆羅門中尊除
其我慢若在大臣大臣中尊教以正法若在
王子王子中尊示以忠孝若在內官內官中
尊化正宮女若在庶民庶民中尊令興福力
若在梵天梵天中尊誨以勝慧若在帝釋帝
釋中尊示現无常若在護世護世中尊護諸
衆生長者維摩詰以如是等无量方便饒益
衆生其以方便現身有疾以其疾故國王大
臣長者居士婆羅門等及諸王子并餘官屬
无數千人皆往問疾其往者維摩詰因以身
疾廣為說法諸仁者是身无常无強无力无
堅速朽之法不可信也為苦為惱衆病所集
諸仁者如此身明智者所不怙是身如聚沫
不可撮摩是身如泡不得久立是身如炎從
渴愛生是身如芭蕉中无有堅是身如幻從
顛倒起是身如夢為虛妄見是身如影從業
緣現是身如響屬諸因緣是身如浮雲須

BD01932 號　維摩詰所說經卷上　（21–3）

不可撮摩是身如泡不得久立是身如炎從
渴愛生是身如芭蕉中无有堅是身如幻從
顛倒起是身如夢為虛妄見是身如影從業
緣現是身如響屬諸因緣是身如浮雲須
臾變滅是身如電念念不住是身无主為如
地是身无我為如火是身无壽為如風是身
无人為如水是身不實四大為家是身為空
離我我所是身无知如草木瓦礫是身无作
風力所轉是身不淨穢惡充滿是身為虛偽雖
假以澡浴衣食必歸磨滅是身為灾百一
病惱是身如丘井為老所逼是身无定為要
當死是身如毒蛇如怨賊如空聚陰界諸入
所共合成諸仁者此可患厭當樂佛身所以
者何佛身者即法身也從无量功德智慧生
從戒定慧解脫解脫知見生從慈悲喜捨生
從布施持戒忍辱柔和勤行精進禪定解脫
三昧多聞智慧諸波羅蜜生從方便生從六
通生從三明生從三十七道品生從止觀生
從十力四无所畏十八不共法生從斷一切
不善法集一切善法生從真實生從不放逸
生從如是无量清淨法生如來身諸仁者欲
得佛身斷一切衆生病者當發阿耨多羅三
藐三菩提心如是長者維摩詰為諸問疾者
如應說法令无數千人皆發阿耨多羅三藐
三菩提心

弟子品第三

尒時長者維摩詰自念寢疾于床世尊大

BD01932 號　維摩詰所說經卷上　（21–4）

如應說法令无數千人皆發阿耨多羅三藐
三菩提心
弟子品第三
爾時長者維摩詰自念寢疾于床世尊大
慈寧不垂愍佛知其意即告舍利弗汝行詣維
摩詰問疾舍利弗白佛言世尊我不堪任詣
彼問疾所以者何憶念我昔曾於林中宴坐
樹下時維摩詰來謂我言唯舍利弗不必是
坐為宴坐也夫宴坐者不於三界現身意是
為宴坐不起滅定而現諸威儀是為宴坐不
捨道法而現凡夫事是為宴坐心不住內亦不
在外是為宴坐於諸見不動而脩行卅七
品是為宴坐不斷煩惱而入涅槃是為宴坐
若能如是坐者佛所印可時我世尊聞說是語
黙然而止不能加報故我不任詣彼問疾
佛告大目揵連汝行詣維摩詰問疾目連白
佛言世尊我不堪任詣彼問疾所以者何憶
念我昔入毗耶離大城於里巷中為諸居士
說法時維摩詰來謂我言唯大目連為白衣
居士說法不當如仁者所說夫說法者當如
法說法无眾生離眾生垢故法无有我離我
垢故法无壽命離生死故法无有人前後際
斷故法常寂然滅諸相故法離於相无所緣
故法无名字言語斷故法无有說離覺觀故
法无形相如虛空故法无戲論畢竟空故法无
我所離我所故法无分別離諸識故法无
有比无相待故法不屬因不在緣故法同法

BD01932號　維摩詰所說經卷上　（21–5）

斷故法常寂然滅諸相故法離於相无所緣
故法无名字言語斷故法无有說離覺觀故
法无形相如虛空故法无戲論畢竟空故法无
我所離我所故法无分別離諸識故法无
有比无相待故法不屬因不在緣故法同法
性入諸法故法隨於如无所隨故法住實際
諸邊不動故法无動搖不依六塵故法无去
來常不住故法順空隨无相應无作法離好
醜法无增損法无生滅法无所歸法過眼耳鼻
舌身心法无高下法常住不動法離一切觀
行唯大目連法相如是豈可說乎夫說法
者无說无示其聽法者无聞无得譬如幻士
為幻人說法當建是意而為說法當了眾生
根有利鈍善於知見无所罣閡以大悲心讚
于大乘念報佛恩不斷三寶然後說法維摩
詰說是法時八百居士發阿耨多羅三藐三
菩提心我无此辯是故不任詣彼問疾
佛告大迦葉汝行詣維摩詰問疾迦葉白佛
言世尊我不堪任詣彼問疾所以者何憶念
我昔於貧里而行乞食時維摩詰來謂我言
唯大迦葉有慈悲心而不能普捨豪富從貧乞
迦葉住平等法應次行乞食為不食故應行
乞食為壞和合相故應取揣食為不受故應
受彼食以空聚想入於聚落所見色與盲等
所聞聲與響等所嗅香與風等所食味不分
別受諸觸如智證知諸法如幻相无自性无
他性本自不然今則无滅迦葉若能不捨八

BD01932號　維摩詰所說經卷上　（21–6）

乞食爲壞和合相故應取揣食爲不受故應
受彼食以空聚想入於聚落所見色與盲等
所聞聲與響等所嗅香與風等所食味不分
別受諸觸如智證知諸法如幻相无自性无
他性本自不然今則无滅迦葉若能不捨八
邪入八解脫以邪相入正法以一食施一切
供養諸佛及衆賢聖然後可食如是食者
非有煩惱非離煩惱非入定意非起定意非
住世間非住涅槃其有施者无大福无小福
不爲益不爲損是爲正入佛道不依聲聞迦
葉若如是食爲不空食人之施也時我世尊
聞說是語得未曾有即於一切菩薩深起敬
心復作是念斯有家名辯才智慧乃能如是
其誰不發阿耨多羅三藐三菩提心我從是
來不復勸人以聲聞辟支佛行是故不任詣
彼問疾
佛告須菩提汝行詣維摩詰問疾須菩提白
佛言世尊我不堪任詣彼問疾所以者何憶念
我昔入其舍從乞食時維摩詰取我鉢盛
滿飯謂我言唯須菩提若能於食等者諸法
亦等諸法等者於食亦等如是行乞乃可取
食若須菩提不斷婬怒癡亦不與俱不壞於
身而隨一相不滅癡愛起於明脫以五逆相
而得解脫亦不解不縛不見四諦非不見諦
非得果非不得果非凡夫非離凡夫法非聖人非不
聖人雖成就一切法而離諸法相乃可取食若

BD01932號　維摩詰所說經卷上　（21-7）

身而隨一相不滅癡愛起於明脫以五逆相
而得解脫亦不解不縛不見四諦非不見諦
非得果非不得果非凡夫非離凡夫法非聖人非不
聖人雖成就一切法而離諸法相乃可取食若
須菩提不見佛不聞法彼外道六師富蘭那
迦葉末伽梨拘賖梨子刪闍夜毗羅胝子阿
耆多翅舍欽婆羅迦羅鳩馱迦旃延尼犍陀
若提子等是汝之師因其出家彼師所墮汝
亦隨墮乃可取食若須菩提入諸邪見不到
彼岸住於八難不得无難同於煩惱離清淨
法汝得无諍三昧一切衆生亦得是定其施汝
者不名福田供養汝者墮三惡道爲與衆
魔共一手作諸勞侶汝與衆魔及諸塵勞等
无有異於一切衆生而有怨心謗諸佛毀於法
不入衆數終不得滅度汝若如是乃可取
食時我世尊聞此茫然不識是何言不知以
何荅便置鉢欲出其舍維摩詰言唯須菩提
取鉢勿懼於意云何如來所作化人若以是
事詰寧有懼不我言不也維摩詰言一切諸
法如幻化相汝今不應有所懼也所以者何
一切言說不離是相至於智者不著文字故
无所懼何以故文字性離无有文字是則解
脫解脫相者則諸法也維摩詰說是法時二
百天子得法眼淨故我不任詣彼問疾
佛告富樓那彌多羅尼子汝行詣維摩詰問
疾富樓那白佛言世尊我不堪任詣彼問疾

BD01932號　維摩詰所說經卷上　（21-8）

百天子得法眼淨故我不任詣彼問疾
佛告富樓那弥多羅尼子汝行詣維摩詰問
疾富樓那白佛言世尊我不堪任詣彼問疾
所以者何憶念我昔於大林中在一樹下為
諸新學比丘說法時維摩詰來謂我言唯富
樓那先當入定觀此人心然後說法无以穢
食置於寶器當知是比丘心之所念无以琉
璃同彼水精汝不能知眾生根原无得發起
以小乘法彼自无瘡勿傷之也欲行大道莫
示小徑无以大海內於牛跡无以日光等彼螢
火富樓那此比丘久發大乘心中忘此意
如何以小乘法而教導之我觀小乘智慧微
淺猶如盲人不能分別一切眾生根之利鈍
時維摩詰即入三昧令此比丘自識宿命曾
於五百佛所殖眾德本迴向阿耨多羅三藐
三菩提即時豁然還得本心於是諸比丘稽
首礼維摩詰足時維摩詰因為說法於阿耨
多羅三藐三菩提不復退轉我念聲聞不觀
人根不應說法是故不任詣彼問疾
佛告摩訶迦旃延汝行詣維摩詰問疾迦旃
延白佛言世尊我不堪任詣彼問疾所以者何
憶念昔者佛為諸比丘略說法要我即於後
敷演其義謂无常義苦義空義无我義寂滅
義時維摩詰來謂我言唯迦旃延无以生滅
心行說實相法迦旃延諸法畢竟不生不滅是
无常義五受陰洞達空无所起是苦義諸

BD01932號　維摩詰所說經卷上　（21–9）

憶念昔者佛為諸比丘略說法要我即於後
敷演其義謂无常義苦義空義无我義寂滅
義時維摩詰來謂我言唯迦旃延无以生滅
心行說實相法迦旃延諸法畢竟不生不滅是
无常義五受陰洞達空无所起是苦義諸
法究竟无所有是空義於我无我而不二是
无我義法本不然今則无滅是寂滅義說是
法時彼諸比丘心得解脫故我不任詣彼問疾
佛告阿那律汝行詣維摩詰問疾阿那律白
佛言世尊我不堪任詣彼問疾所以者何憶
念我昔於一處經行時有梵王名曰嚴淨與
万梵俱放淨光明來詣我所稽首作礼問我言
幾何阿那律天眼所見我即答言仁者吾見此
釋迦牟尼佛土三千大千世界如觀掌中菴摩
勒果時維摩詰來謂我言唯阿那律天眼所
見為作相耶无作相耶假使作相則與外道五
通等若无作相即是无為不應有見世尊我
時默然彼諸梵聞其言得未曾有即為作礼
而問曰世孰有真天眼者維摩詰言有佛世
尊得真天眼常在三昧悉見諸佛國土不以二
相於是嚴淨梵王及其眷屬五百梵天皆發
阿耨多羅三藐三菩提心礼維摩詰足已忽然
不現故我不任詣彼問疾
佛告優波離汝行詣維摩詰問疾優波離白
佛言世尊我不堪任詣彼問疾所以者何憶
念昔者有二比丘犯律行以為恥不敢問佛
來問我言唯優波離我等犯律誠以為恥不

BD01932號　維摩詰所說經卷上　（21–10）

佛言世尊我不堪任詣彼問疾所以者何憶
念昔者有二比丘犯律行以為恥不敢問佛
来問我言唯優波離我等犯律誠以為恥不
敢問佛願解疑悔得免斯咎我即為其如法
解說時維摩詰来謂我言唯優波離无重增
此二比丘罪當直除滅勿擾其心所以者何彼
罪性不在內不在外不在中間如佛所說
心垢故衆生垢心淨故衆生淨心亦不在內
不在外不在中間如其心然罪垢亦然諸法
亦然不出於如如優波離以心相得解脫時
寧有垢不我言不也維摩詰言一切衆生心
相无垢亦復如是唯優波離妄想是垢无妄
想是淨顛倒是垢无顛倒是淨取我是垢不
取我是淨優波離一切法生滅不住如幻如
電諸法不相待乃至一念不住諸法皆妄見
如夢如炎如水中月如鏡中像以妄想生其
知此者是名奉律其知此者是名善解於是
二比丘言上智哉是優波離所不能及持律
之上而不能說我荅言自捨如来未有聲聞
及菩薩能制其樂說之辯其智慧明達為若
此也時二比丘疑悔即除發阿耨多羅三藐
三菩提心作是願言令一切衆生皆得是辯故
我不任詣彼問疾
佛告羅睺羅汝行詣維摩詰問疾羅睺羅白
佛言世尊我不堪任詣彼問疾所以者何憶念
昔時毗耶離諸長者子来詣我所稽首作礼

BD01932號　維摩詰所說經卷上　（21-11）

我不任詣彼問疾
佛告羅睺羅汝行詣維摩詰問疾羅睺羅白
佛言世尊我不堪任詣彼問疾所以者何憶念
昔時毗耶離諸長者子来詣我所稽首作礼
問我言唯羅睺羅汝佛之子捨轉輪王位出
家為道其出家者有何等利我即如法為
說出家功德之利時維摩詰来謂我言唯羅
睺羅不應說出家功德之利所以者何无利
无功德是為出家有為法者可說有利有
功德夫出家者為无為法无為法中无利无功
德羅睺羅夫出家者无彼无此亦无中間離
六十二見處於涅槃智者所受聖所行處降
伏衆魔度五道淨五眼得五力立五根不惱
於彼離衆雜惡摧諸外道超越假名出淤泥
无繫著无我所无所受无擾乱內懷喜護彼
意隨禪定離衆過若能如是是真出家於是
維摩詰語諸長者子汝等於正法中宜共出
家所以者何佛世難值諸長者子言居士我
聞佛言父母不聽不得出家維摩詰言然汝
等便發阿耨多羅三藐三菩提心是即出家
是即具足尒時三十二長者子皆發阿耨多
羅三藐三菩提心故我不任詣彼問疾
佛告阿難汝行詣維摩詰問疾阿難白佛言
世尊我不堪任詣彼問疾所以者何憶念昔
時世尊身小有疾當用牛乳我即持鉢詣大
婆羅門家門下立時維摩詰来謂我言唯阿

BD01932號　維摩詰所說經卷上　（21-12）

世尊我不堪任詣彼問疾所以者何憶念昔
時世尊身小有疾當用牛乳我即持鉢詣大
婆羅門家門下立時維摩詰來我言唯阿
難何為晨朝持鉢住此我言居士世尊身小
有疾當用牛乳故來至此維摩詰言止止阿
難莫作是語如來身者金剛之體諸惡已斷
衆善普會當有何疾當有何惱默往阿難勿
謗如來莫使異人聞此麁言无令大威德諸
天及他方淨土諸來菩薩得聞斯語阿難轉
輪聖王以少福故尚得无疾豈况如來无量
福會普勝者哉行矣阿難勿使我等受斯恥
也外道梵志若聞此語當作是念何名為師
自疾不能救而能救諸疾人可密速去勿使
人聞當知阿難諸如來身即是法身非思欲
身佛為世尊過於三界佛身无漏諸漏已盡
佛身无為不墮諸數如此之身當有何疾時
我世尊實懷慙愧得无近佛而謬聽耶即聞
空中聲曰阿難如居士言但為佛出五濁惡
世現行斯法度脫衆生行矣阿難取乳勿慙世
尊維摩詰智慧辯才為若此也是故不任
詣彼問疾如是五百大弟子各各向佛說其
本緣稱述維摩詰所言比日不任詣彼問疾

菩薩品第四

於是佛告彌勒菩薩汝行詣維摩詰問疾彌
勒白佛言世尊我不堪任詣彼問疾所以者
何憶念我昔為兜率天王及其眷屬說不退

BD01932 號　維摩詰所說經卷上

（21–13）

菩薩品第四

於是佛告彌勒菩薩汝行詣維摩詰問疾彌
勒白佛言世尊我不堪任詣彼問疾所以者
何憶念我昔為兜率天王及其眷屬說不退
轉地之行時維摩詰來謂我言彌勒世尊授
仁者記一生當得阿耨多羅三藐三菩提為
用何生得受記乎過去耶未來耶現在耶若
過去生過去生已滅若未來生未來生未至
若現在生現在生无住如佛所說比丘汝今即
時亦生亦老亦滅若以无生得受記者无
生即是正位於正位中亦无受記亦无得阿
耨多羅三藐三菩提云何彌勒受一生記乎
為從如生得受記耶為從如滅得受記耶若
以如生得受記者如无有生若以如滅得受
記者如无有滅一切衆生皆如也一切法亦如
也衆聖賢亦如也至於彌勒亦如也若彌
勒得受記者一切衆生亦應受記所以者何
夫如者不二不異若彌勒得阿耨多羅三藐
三菩提者一切衆生皆亦應得所以者何一切
衆生即菩提相若彌勒滅度者一切衆生
亦當滅度所以者何諸佛知一切衆生畢竟
寂滅即涅槃相不復更滅是故彌勒无以此
法誘諸天子實无發阿耨多羅三藐三菩提
心者亦无退者彌勒當令此諸天子捨於分
別菩提之見所以者何菩提者不可以身得
不可以心得寂滅是菩提滅諸相故不觀是菩

BD01932 號　維摩詰所說經卷上

（21–14）

法誘諸天子實无發阿耨多羅三藐三菩提
心者亦无退者弥勒當令此諸天子捨於分
別菩提之見所以者何菩提者不可以身得
不可以心得寂滅是菩提滅諸相故不觀是菩
提離諸緣故不行是菩提无憶念故斷是菩
提捨諸見故離是菩提離諸妄想故鄣是菩
提鄣諸願故不入是菩提无貪著故順是
菩提順於如故住是菩提住法性故至是菩
提至實際故不二是菩提離意法故等是菩
提等虛空故无爲是菩提无生住滅故智是
菩提了衆生心行故不會是菩提諸入不會
故不合是菩提離煩惱習故无處是菩提无
形色故假名是菩提名字空故如化是菩提
无取捨故不亂是菩提常自静故善寂是菩
提性清淨故无取是菩提離攀緣故无異是
菩提諸法等故无比是菩提无可喻故微妙
是菩提諸法難知故世尊維摩詰說是法時
二百天子得无生法忍故我不任詣彼問疾
佛告光嚴童子汝行詣維摩詰問疾光嚴白
佛言世尊我不堪任詣彼問疾所以者何憶
念我昔出毗耶離大城時維摩詰方入城我
即爲作礼而問言居士從何所來荅我言吾
從道場來我問道場者何所是荅曰直心是
道場无虛假故發行是道場能辯事故深心
是道場增益功德故菩提心是道場无錯謬
故布施是道場不望報故持戒是道場得願

BD01932號　維摩詰所說經卷上　（21–15）

道場无虛假故發行是道場能辯事故深心
是道場增益功德故菩提心是道場无錯謬
故布施是道場不望報故持戒是道場得願
具故忍辱是道場於諸衆生心无閡故精進
是道場不懈退故禪定是道場心調柔故智
慧是道場現見諸法故慈是道場等衆生故
悲是道場忍疲苦故喜是道場悦樂法故捨
是道場憎愛斷故神通是道場成就六通故
解脫是道場能背捨故方便是道場教化衆
生故四攝是道場攝衆生故多聞是道場如
聞行故伏心是道場正觀諸法故三十七品
是道場捨有爲法故諦是道場不誑世間故
緣起是道場无明乃至老死皆无盡故諸煩
惱是道場知如實故衆生是道場知无我故
一切法是道場知諸法空故降魔是道場不
傾動故三界是道場无所趣故師子吼是道
場无所畏故力无畏不共法是道場无諸過
故三明是道場无餘閡故一念知一切法是
道場成就一切智故如是善男子菩薩若應
諸波羅蜜教化衆生諸有所作舉足下足當
知皆從道場來住於佛法矣說是法時五百
天人皆發阿耨多羅三藐三菩提心故我不
任詣彼問疾
佛告持世菩薩汝行詣維摩詰問疾持世白
佛言世尊我不堪任詣彼問疾所以者何憶
念我昔住於靜室時魔波旬從万二千天女

BD01932號　維摩詰所說經卷上　（21–16）

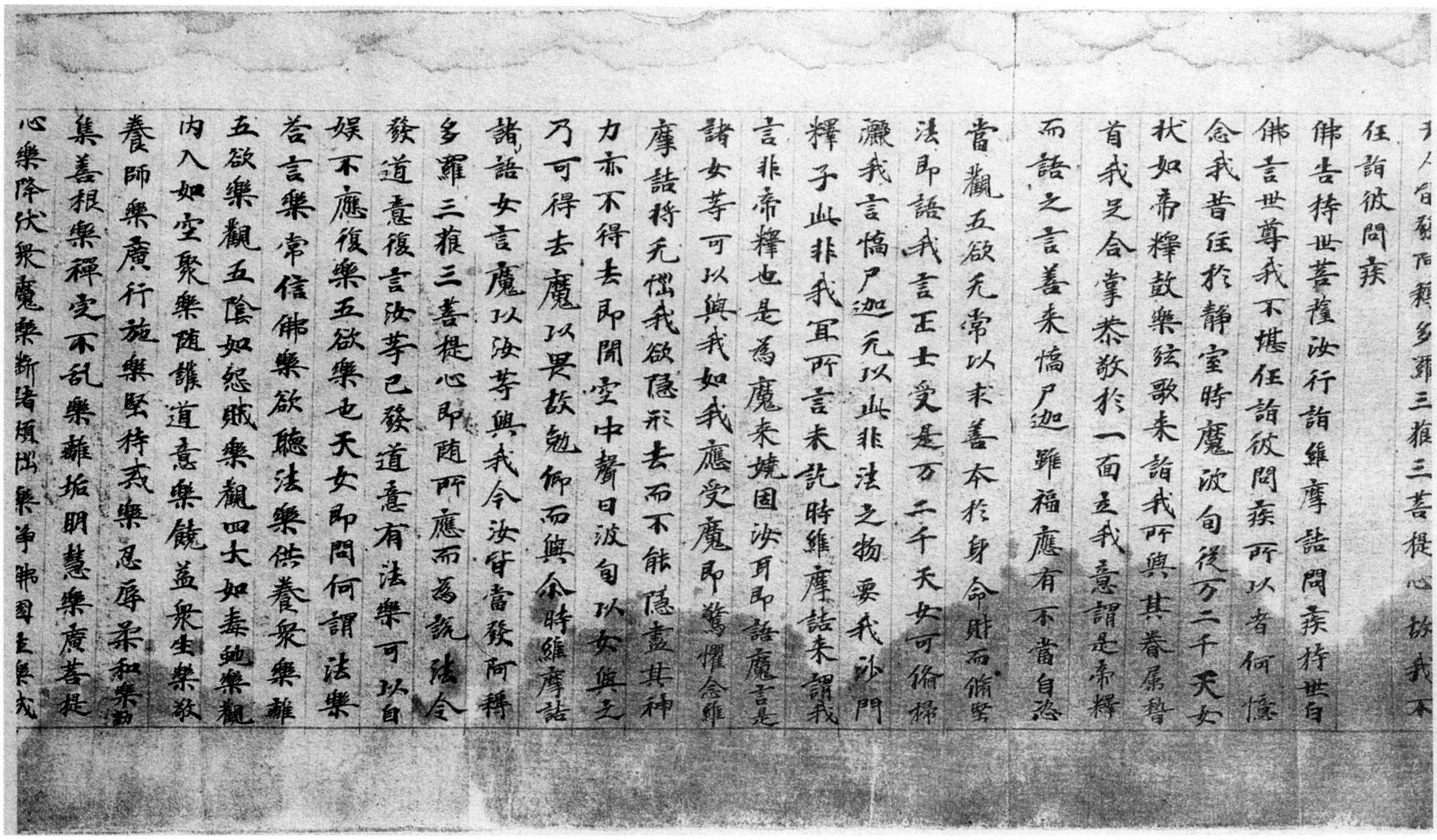
天人皆發阿耨多羅三藐三菩提心故我不
任詣彼問疾
佛告持世菩薩汝行詣維摩詰問疾持世白
佛言世尊我不堪任詣彼問疾所以者何憶
念我昔住於靜室時魔波旬從万二千天女
狀如帝釋鼓樂絃歌来詣我所與其眷屬稽
首我足合掌恭敬於一面立我意謂是帝釋
而語之言善来憍尸迦雖福應有不當自恣
當觀五欲无常以求善本於身命財而脩堅
法即語我言正士受是万二千天女可備掃
灑我言憍尸迦无以此非法之物要我沙門
釋子此非我宜所言未訖時維摩詰来謂我
言非帝釋也是為魔来嬈固汝耳即語魔言是
諸女等可以與我如我應受魔即驚懼念維
摩詰將无惱我欲隱形去而不能隱盡其神
力亦不得去即聞空中聲曰波旬以女與之
乃可得去魔以畏故俛仰而與尒時維摩詰
語諸女言魔以汝等與我今汝皆當發阿耨
多羅三藐三菩提心即隨所應而為說法令
發道意復言汝等已發道意有法樂可以自
娛不應復樂五欲樂也天女即問何謂法樂
荅言樂常信佛樂欲聽法樂供養衆樂離
五欲樂觀五陰如怨賊樂觀四大如毒虵樂觀
內入如空聚樂隨護道意樂饒益衆生樂敬
養師樂廣行施樂堅持戒樂忍辱柔和樂勤
集善根樂禪定不亂樂離垢明慧樂廣菩提
心樂降伏衆魔樂斷諸煩惱樂淨佛國土樂成

BD01932號　維摩詰所說經卷上　（21–17）

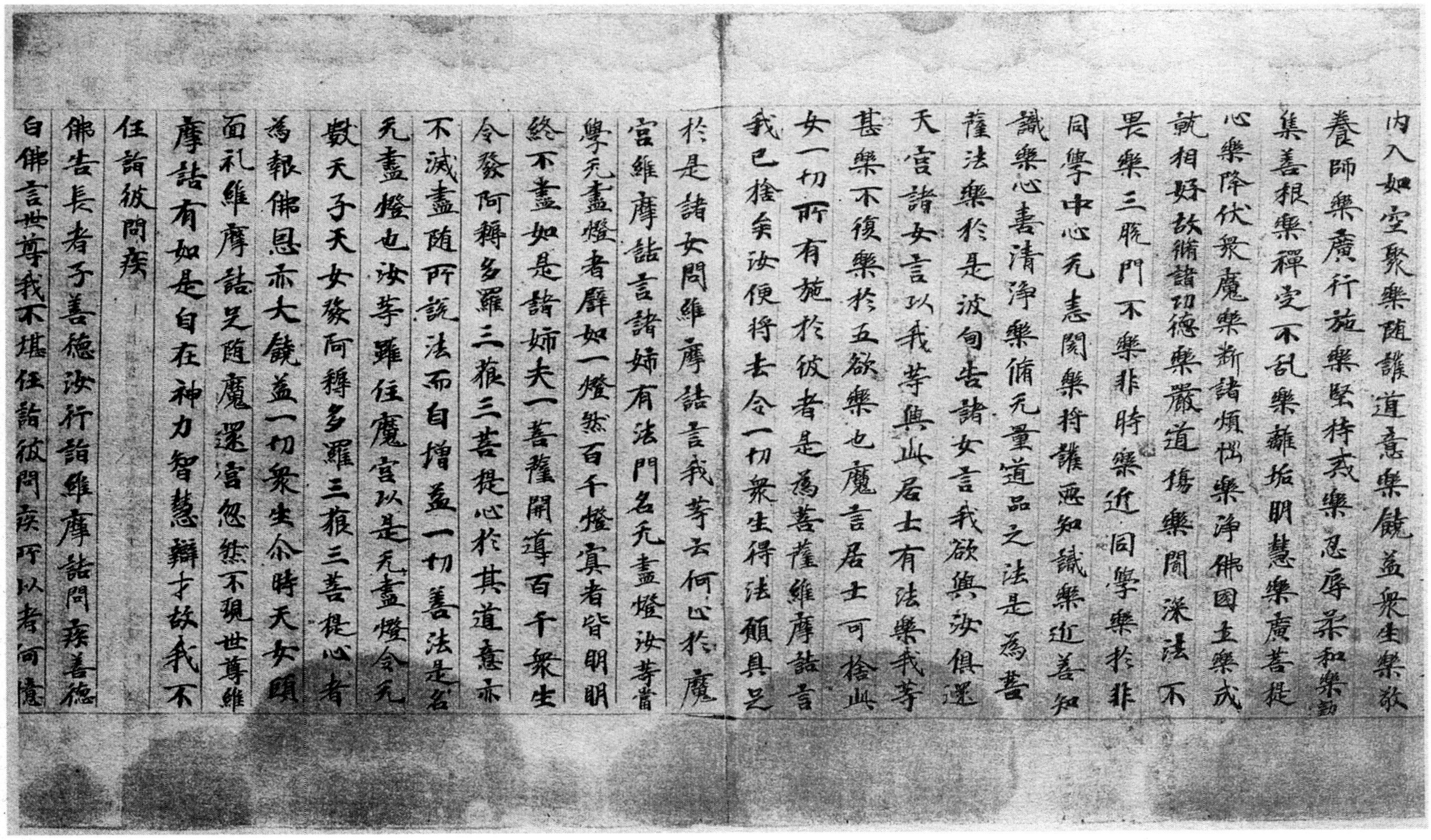
內入如空聚樂隨護道意樂饒益衆生樂敬
養師樂廣行施樂堅持戒樂忍辱柔和樂勤
集善根樂禪定不亂樂離垢明慧樂廣菩提
心樂降伏衆魔樂斷諸煩惱樂淨佛國土樂成
就相好故脩諸功德樂嚴道場樂聞深法不
畏樂三脫門不樂非時樂近同學樂於非
同學中心无恚閡樂將護惡知識樂近善知
識樂心喜清淨樂脩无量道品之法是為菩
薩法樂於是波旬告諸女言我欲與汝俱還
天宮諸女言以我等與此居士有法樂我等
甚樂不復樂於五欲樂也魔言居士可捨此
女一切所有施於彼者是為菩薩維摩詰言
我已捨矣汝便將去令一切衆生得法願具足
於是諸女問維摩詰我等云何止於魔
宮維摩詰言諸姊有法門名无盡燈汝等當
學无盡燈者譬如一燈然百千燈冥者皆明明
終不盡如是諸姊夫一菩薩開導百千衆生
令發阿耨多羅三藐三菩提心於其道意亦
不滅盡隨所說法而自增益一切善法是名
无盡燈也汝等雖住魔宮以是无盡燈令无
數天子天女發阿耨多羅三藐三菩提心者
為報佛恩亦大饒益一切衆生尒時天女頭
面礼維摩詰足隨魔還宮忽然不現世尊維
摩詰有如是自在神力智慧辯才故我不
任詣彼問疾
佛告長者子善德汝行詣維摩詰問疾善德
白佛言世尊我不堪任詣彼問疾所以者何憶

BD01932號　維摩詰所說經卷上　（21–18）

任詣彼問疾
佛告長者子善德汝行詣維摩詰問疾善德
白佛言世尊我不堪任詣彼問疾所以者何憶
念我昔自於父舍設大施會供養一切沙
門婆羅門及諸外道貧窮下賤孤獨乞人期
滿七日時維摩詰來入會中謂我言長者子
夫大施會不當如汝所設當為法施之會何
用是財施會為我言居士何謂法施之會法
施會者无前无後一時供養一切眾生是名
法施之會曰何謂也謂以菩提起於慈心以
救眾生起大悲心以治正法起於喜心以攝
智慧行於捨心以攝慳貪起檀波羅蜜以化
犯戒起尸波羅蜜以无我法起羼提波羅蜜
以離身心相起毗梨耶波羅蜜以菩提相起
禪波羅蜜以一切智起般若波羅蜜以化眾
生而起於空不捨有為法而起无相示現受
生而起无作護持正法起方便力以度眾生
起四攝法以敬事一切起除慢法於身命財
起三堅法於六念中起思念法於六和敬起
質直心正行善法起於淨命心淨歡喜起近
賢聖不憎惡人起調伏心以出家法起於深
心以如說行起於多聞以无諍法起空閑處
趣向佛慧起於晏坐解眾生縛起脩行地以
具相好及淨佛土起福德業知一切眾生心
念如應說法起於智業知一切法不取不捨
入一相門起於慧業斷一切煩惱一切鄣閡
一切下善法起一切善業以得一切智慧一

BD01932號　維摩詰所說經卷上　（21–19）

具相好及淨佛土起福德業知一切眾生心
念如應說法起於智業知一切法不取不捨
入一相門起於慧業斷一切煩惱一切鄣閡
一切不善法起一切善業以得一切智慧一
切善法起於一切助佛道法如是善男子是
為法施之會若菩薩住是法施會者為大施
主亦為一切世間福田世尊維摩詰說是法
時婆羅門眾中二百人皆發阿耨多羅三藐
三菩提心我時心得清淨歎未曾有稽首禮
維摩詰足即解瓔珞價直百千以上之不肯
取我言居士願必納受隨意所與維摩詰乃
受瓔珞分作二分持一分施此會中一最下
乞人持一分奉彼難勝如來一切眾會皆見
光明國土難勝如來又見珠瓔在彼佛上變
成四柱寶臺四面嚴飾不相鄣蔽時維摩詰
現神變已作是言若施主等心施一最下乞
人猶如如來福田之相无所分別等于大悲
不求果報是則名曰具足法施城中一最下
乞人見是神力聞其所說皆發阿耨多羅三
藐三菩提心故我不任詣彼問疾如是諸菩
薩各各向佛說其本緣稱述維摩詰所言
皆曰不任詣彼問疾

維摩詰所說經卷上

BD01932號　維摩詰所說經卷上　（21–20）

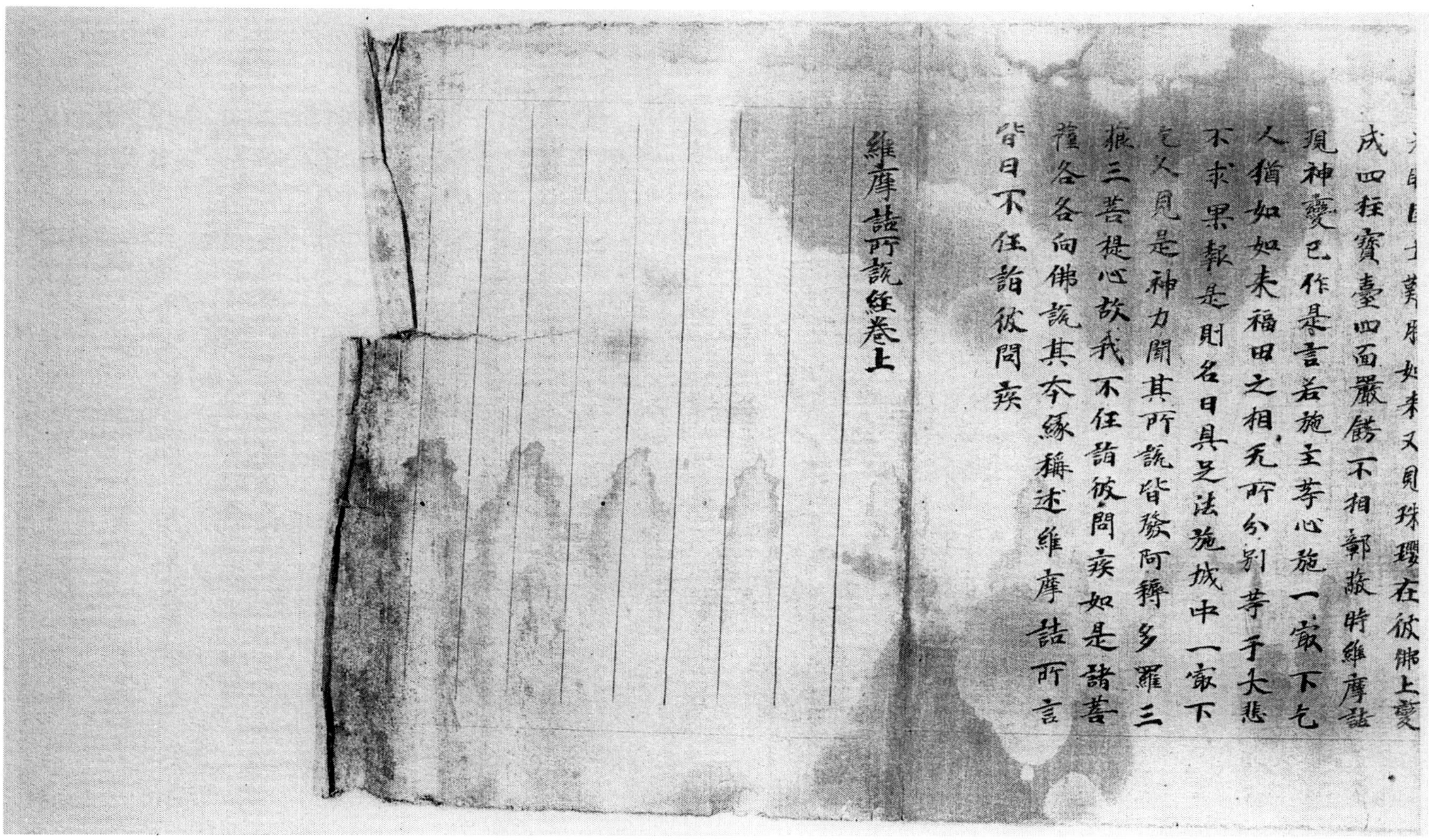
光明國土難勝如來又見珠瓔在彼佛上變
成四柱寶臺四面嚴飾不相鄣蔽時維摩詰
現神變已作是言若施主等心施一最下乞
人猶如如來福田之相无所分別等于大悲
不求果報是則名曰具足法施城中一最下
乞人見是神力聞其所說皆發阿耨多羅三
藐三菩提心故我不任詣彼問疾如是諸菩
薩各各向佛說其本緣稱述維摩詰所言
皆曰不任詣彼問疾

維摩詰所說經卷上

BD01932 號　維摩詰所說經卷上　　（21–21）

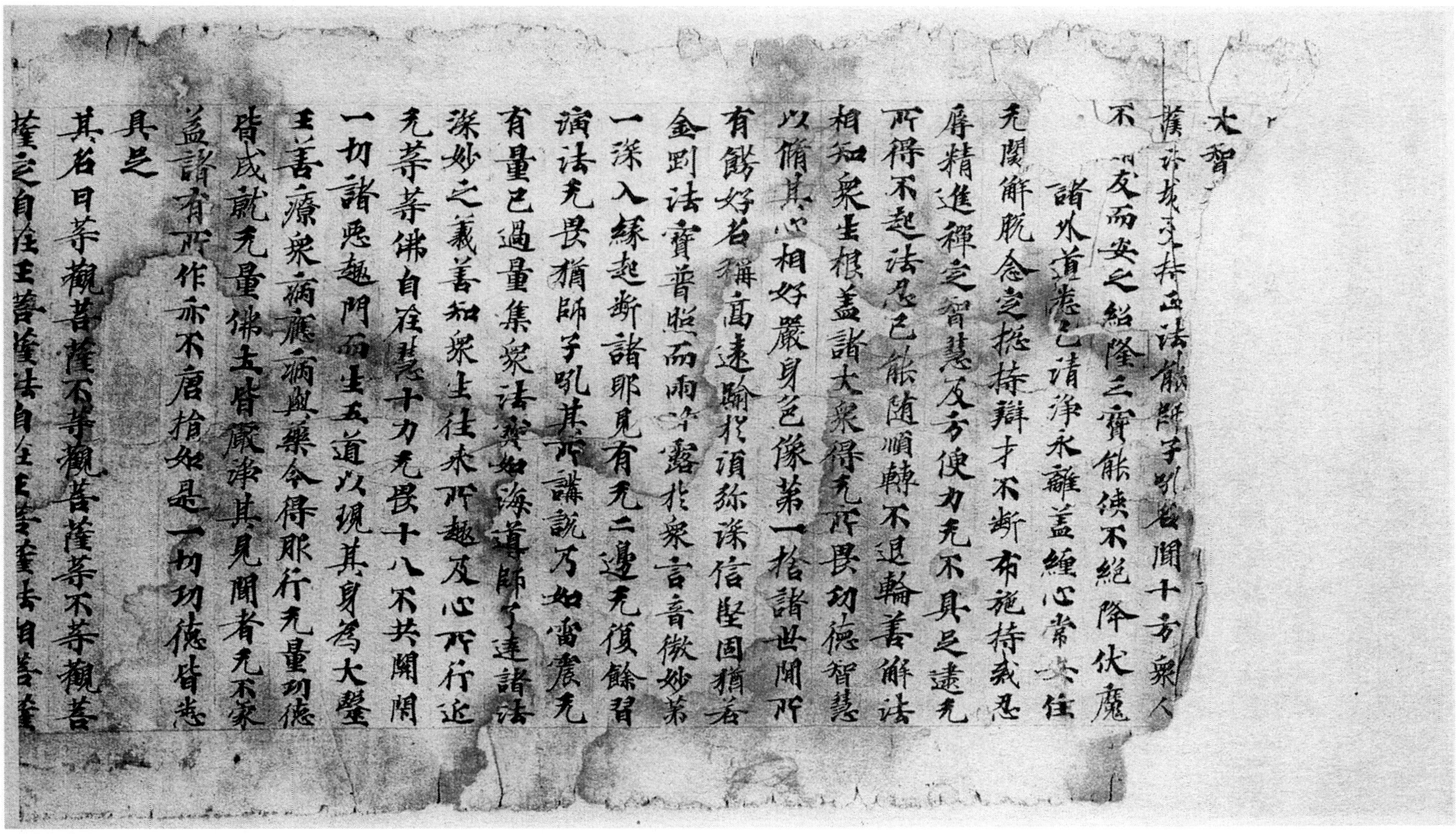
大智
護法城受持正法能師子吼名聞十方衆人
不請友而安之紹隆三寶能使不絕降伏魔
[illegible]諸外道悉已清淨永離蓋纏心常安住
无閡解脫念定總持辯才不斷布施持戒忍
辱精進禪定智慧及方便力无不具足逮无
所得不起法忍已能隨順轉不退輪善解法
相知衆生根蓋諸大衆得无所畏功德智慧
以脩其心相好嚴身色像第一捨諸世間所
有飾好名稱高遠踰於須彌深信堅固猶若
金剛法寶普照而雨甘露於衆言音微妙第
一深入緣起斷諸邪見有无二邊无復餘習
演法无畏猶師子吼其所講說乃如雷震无
有量已過量集衆法寶如海導師了達諸法
深妙之義善知衆生往來所趣及心所行近
无等等佛自在慧十力无畏十八不共關閉
一切諸惡趣門而生五道以現其身爲大醫
王善療衆病應病與藥令得服行无量功德
皆成就无量佛土皆嚴淨其見聞者无不蒙
益諸有所作亦不唐捐如是一切功德皆悉
具足
其名曰等觀菩薩不等觀菩薩等不等觀菩
薩定自在王菩薩法自在王菩薩法相菩薩

BD01933 號　維摩詰所說經卷上　　（28–1）

蓋諸有所作亦不唐捐如是一切功德皆悉
具之
其名曰等觀菩薩不等觀菩薩等不等觀菩
薩定自在王菩薩法自在王菩薩法相菩薩
光相菩薩光嚴菩薩大嚴菩薩寶積菩薩辯
積菩薩寶手菩薩寶印手菩薩常舉手菩薩
常下手菩薩常慘菩薩喜根菩薩喜王菩薩
辯音菩薩虛空藏菩薩執寶炬菩薩寶勇菩
薩寶見菩薩帝網菩薩明網菩薩无緣觀菩
薩慧積菩薩寶勝菩薩天王菩薩壞魔菩薩
電得菩薩自在王菩薩功德相嚴菩薩師子
吼菩薩雷音菩薩山相擊音菩薩香象菩薩
白香象菩薩常精進菩薩不休息菩薩妙生
菩薩華嚴菩薩觀世音菩薩得大勢菩薩梵
網菩薩寶杖菩薩无勝菩薩嚴土菩薩金髻
菩薩珠髻菩薩彌勒菩薩文殊師利法王子菩
薩如是等三万二千人
復有万梵天王尸棄等從餘四天下來詣佛所
而聽法復有万二千天帝亦從餘四天下來
在會坐并餘大威力諸天龍神夜叉乾闥婆
阿脩羅迦樓羅緊那羅摩睺羅伽等悉來會
坐諸比丘比丘尼優婆塞優婆夷俱來會坐
彼時佛與无量百千之衆恭敬圍遶而為說
法譬如須弥山王顯于大海安處衆寶師子
之坐蔽於一切諸來大衆
尒時維耶離城有長者子名曰寶積與五百

BD01933 號　維摩詰所說經卷上　（28–2）

彼時佛與无量百千之衆恭敬圍遶而為說
法譬如須弥山王顯于大海安處衆寶師子
之坐蔽於一切諸來大衆
尒時維耶離城有長者子名曰寶積與五百
長者子俱持七寶蓋來詣佛所頭面禮足各
以其蓋共供養佛佛之威神令諸寶蓋合成
一蓋遍覆三千大千世界而此世界廣長之
相悉於中現又此三千大千世界諸須弥山
雪山目真鄰陁山摩訶目真鄰陁山香山寶
山金山黑山鐵圍山大鐵圍山大海江河川
流泉源及日月星辰天宮龍宮諸尊神宮悉
現於寶蓋中又十方諸佛諸佛說法亦現於
寶蓋中尒時一切大衆覩佛神力嘆未曾有
合掌礼佛瞻仰尊顏目不暫捨長者子寶
積即於佛前以偈頌曰
目淨脩廣如青蓮　心淨已度諸禪定
久積淨業稱无量　導衆以寂故稽首
既見大聖以神變　普現十方无量土
其中諸佛演說法　於是一切悉見聞
法王法力超群生　常以法財施一切
能善分別諸法相　於第一義而不動
已於諸法得自在　是故稽首此法王
說法不有亦不无　以因緣故諸法生
无我无造无受者　善惡之業亦不亡
始在佛樹力降魔　得甘露滅覺道成
已无心意无受行　而悉摧伏諸外道

BD01933 號　維摩詰所說經卷上　（28–3）

說法不有亦不无　以因緣故諸法生
无我无造无受者　善惡之業亦不亡
始在佛樹力降魔　得甘露滅覺道成
已无心意无受行　而悉摧伏諸外道
三轉法輪於大千　其輪本來常清淨
天人得道此爲證　三寶於是現世間
以斯妙法濟群生　一受不退常寂然
度老病死大醫王　當礼法海德无邊
毀譽不動如須彌　於善不善等以慈
心行平等如虛空　孰聞人寶不敬承
今奉世尊此微蓋　於中現我三千界
諸天龍神所居宮　乾闥婆等及夜叉
悉見世間諸所有　十力哀現是變化
衆覩希有皆歎佛　今我稽首三界尊
大聖法王衆所歸　淨心觀佛靡不欣
各見世尊在其前　斯則神力不共法
佛以一音演說法　衆生隨類各得解
皆謂世尊同其語　斯則神力不共法
佛以一音演說法　衆生各各隨所解
普得受行獲其利　斯則神力不共法
佛以一音演說法　或有恐畏或歡喜
或生猒離或斷疑　斯則神力不共法
稽首十力大精進　稽首已得无所畏
稽首住於不共法　稽首一切大導師
稽首能斷衆結縛　稽首已到於彼岸
稽首能度諸世間

BD01933號　維摩詰所說經卷上　（28–4）

稽首十力大精進　稽首已得无所畏
稽首住於不共法　稽首一切大導師
稽首能斷衆結縛　稽首已到於彼岸
稽首能度諸世間　稽首永離生死道
悉知衆生來去相　善於諸法得解脫
不著世間如蓮華　常善入於空寂行
達諸法相无罣閡　稽首如空无所依
爾時長者子寶積說此偈已白佛言世尊是
五百長者子皆已發阿耨多羅三藐三菩提
心願聞得佛國土清淨唯願世尊說諸菩薩
淨土之行佛言善哉寶積乃能爲諸菩薩問
於如來淨土之行諦聽諦聽善思念之當爲
汝說於是寶積及五百長者子受教而聽佛
言寶積衆生之類是菩薩佛土所以者何菩
薩隨所化衆生而取佛土隨所調伏衆生而
取佛土隨諸衆生應以何國入佛智慧而取
佛土隨諸衆生應以何國起菩薩根而取佛
土所以者何菩薩取於淨國皆爲饒益諸衆
生故譬如有人欲於空地造立宮室隨意无
导若於虛空終不能成菩薩如是爲成就衆
生故願取佛國願取佛國者非於空也寶積
當知直心是菩薩淨土菩薩成佛時不諂衆
生來生其國深心是菩薩淨土菩薩成佛時
具足功德衆生來生其國大乘心是菩薩淨
土菩薩成佛時大乘衆生來生其國布施是
菩薩淨土菩薩成佛時一切能捨衆生來生

BD01933號　維摩詰所說經卷上　（28–5）

生來生其國深心是菩薩淨土菩薩成佛時
具足功德眾生來生其國大乘心是菩薩淨
土菩薩成佛時大乘眾生來生其國布施是
菩薩淨土菩薩成佛時一切能捨眾生來生
其國持戒是菩薩淨土菩薩成佛時行十善
道滿願眾生來生其國忍辱是菩薩淨土菩
薩成佛時三十二相莊嚴眾生來生其國精
進是菩薩淨土菩薩成佛時勤脩一切功德
眾生來生其國禪定是菩薩淨土菩薩成佛時
攝心不亂眾生來生其國智慧是菩薩淨土
菩薩成佛時正定眾生來生其國四无量心
是菩薩淨土菩薩成佛時成就慈悲喜捨眾
生來生其國四攝法是菩薩淨土菩薩成佛
時解脫所攝眾生來生其國方便是菩薩淨
土菩薩成佛時於一切法方便无㝵眾生來
生其國三十七道品是菩薩淨土菩薩成佛
時念處正勤神足根力覺道眾生來生其國
迴向心是菩薩淨土菩薩成佛時得一切具足
功德國土說除八難是菩薩淨土菩薩成佛
時國土无有三惡八難自守戒行不譏彼闕
是菩薩淨土菩薩成佛時國土无有犯禁之
名十善是菩薩淨土菩薩成佛時命不中夭
大富梵行所言誠諦常以軟語眷屬不離善
和諍訟言必饒益不嫉不恚正見眾生來生
其國如是寶積菩薩隨其直心則能發行隨
其發行則得深心隨其深心則意調伏隨意

和諍訟言必饒益不嫉不恚正見眾生來生
其國如是寶積菩薩隨其直心則能發行隨
其發行則得深心隨其深心則意調伏隨意
調伏則如說行隨如說行則能迴向隨其迴
向則有方便隨其方便則成就眾生隨成就
眾生則佛土淨隨佛土淨則說法淨隨說法
淨則智慧淨隨智慧淨則其心淨隨其心淨
則一切功德淨是故寶積若菩薩欲得淨土
當淨其心隨其心淨則佛土淨
尒時舍利弗承佛威神作是念若菩薩心淨
則佛土淨者我世尊本為菩薩時意豈不淨
而是佛土不淨若此佛知其念即告之言於
意云何日月豈不淨耶而盲者不見對曰不
也世尊是盲者過非日月咎舍利弗眾生罪
故不見如來佛國嚴淨非如來咎舍利弗我
此土淨而汝不見尒時螺髻梵王語舍利弗
勿作是意謂此佛土以為不淨所以者何我
見釋迦牟尼佛土清淨譬如自在天宮舍利
弗言我見此土丘陵坑坎荊棘沙礫土石諸
山穢惡充滿螺髻梵言仁者心有高下不依
佛慧故見此土為不淨耳舍利弗菩薩於一
切眾生悉皆平等深心清淨依佛智慧則
能見此佛土清淨於是佛以足指按地即時
三千大千世界若干百千珎寶嚴飾譬如寶
莊嚴佛无量功德寶莊嚴土一切大眾歎未
曾有而皆自見坐寶蓮華佛告舍利弗汝且

能見此佛土清淨於是佛以足指按地即時
三千大千世界若干百千珍寶嚴飾譬如寶
莊嚴佛无量功德寶莊嚴土一切大衆歎未
曾有而皆自見坐寶蓮華佛告舍利弗汝且
觀是佛土嚴淨舍利弗言唯然世尊本所不
見本所不聞今佛國土嚴淨悉現佛語舍利
弗我佛國土常淨若此為欲度斯下劣人故
示是衆惡不淨土耳譬如諸天共寶器食隨
其福德飯色有異如是舍利弗若人心淨便
見此土功德莊嚴當佛現此國土嚴淨之時
寶積所將五百長者子皆得无生法忍八万
四千人發阿耨多羅三藐三菩提心佛攝神
足於是世界還復如故求聲聞乘三万二千天
及人知有為法皆悉无常遠塵離垢得法眼
淨八千比丘不受諸法漏盡意解

維摩詰方便品第二

尒時毗耶離大城中有長者名維摩詰已曾
供養无量諸佛深殖善本得无生忍辯才无
閡遊戲神通逮諸揔持獲无所畏降魔勞怨
入深法門善於智度通達方便大願成就明了
衆生心之所趣又能分别諸根利鈍久於佛
道心已純淑決定大乘諸有所作能善思
量住佛威儀心大如海諸佛咨嗟弟子釋梵
世主所敬欲度人故以善方便居毗耶離
資財无量攝諸貧民奉戒清淨攝諸毀禁以

BD01933號　維摩詰所說經卷上　（28–8）

道心已純淑決定大乘諸有所作能善思
量住佛威儀心大如海諸佛咨嗟弟子釋梵
世主所敬欲度人故以善方便居毗耶離
資財无量攝諸貧民奉戒清淨攝諸毀禁以
忍調行攝諸恚怒以大精進攝諸懈怠一心禪
寂攝諸亂意以決定慧攝諸无智雖為白衣
奉持沙門清淨律行雖處居家不著三界示
有妻子常脩梵行現有眷屬常樂遠離雖
服寶飾而以相好嚴身雖復飲食而以禪悅
為味若至博弈戲處輙以度人受諸異道不
毀正信雖明世典常樂佛法一切見敬為供
養中最執持正法攝諸長幼一切治生諧偶
雖獲俗利不喜悅遊諸四衢饒益衆生入
治政法救護一切入講論處導以大乘入諸
學堂誘開童蒙入諸婬舍示欲之過入諸酒
肆能立其志若在長者長者中尊為說勝
法若在居士居士中尊斷其貪著若在刹利
刹利中尊教以忍辱若在婆羅門婆羅門中尊
除其我慢若在大臣大臣中尊教以正法若
在王子王子中尊示以忠孝若在內官內官中
尊化正宮女若在庶民庶民中尊令興福力
若在梵天梵天中尊誨以勝慧若在帝釋帝
釋中尊示現无常若在護世護世中尊護諸
衆生長者維摩詰以如是等无量方便饒益
衆生其以方便現身有疾以其疾故國王大
臣長者居士婆羅門等及諸王子并餘官

BD01933號　維摩詰所說經卷上　（28–9）

釋中尊示現无常若在護世護世中尊護諸
衆生長者維摩詰以如是等无量方便饒益
衆生其以方便現身有疾以其疾故國王大
臣長者居士婆羅門等及諸王子并餘官
屬无數千人皆往問疾其往者維摩詰因以
身疾廣為說法諸仁者是身无常无强无力
无堅速朽之法不可信也為苦為惱衆病所
集諸仁者如此身明智者所不怙是身如聚
沫不可撮摩是身如泡不得久立是身如炎
從渇愛生是身如芭蕉中无有堅是身如幻
從顛倒起是身如夢為虛妄見是身如影從
業緣現是身如響屬諸因緣是身如浮雲須
臾變滅是身如電念念不住是身无主為如
地是身无我為如火是身无壽為如風是身
无人為如水是身不實四大為家是身為空
離我我所是身无知如草木瓦礫是身无作
風力所轉是身不淨穢惡充滿是身為虛偽
雖假以澡浴衣食必歸磨滅是身為災百一
病惱是身如丘井為老所逼是身无定為要
當死是身如毒蛇如怨賊如空聚陰界諸入
所共合成諸仁者此可患厭當樂佛身所以
者何佛身者即法身也從无量功德智慧生
從戒定慧解脫解脫知見生從慈悲喜捨生
從布施持戒忍辱柔和勤行精進禪定解脫
三昧多聞智慧諸波羅蜜生從方便生從六
通生從三明生從三十七道品生從止觀生

BD01933號　維摩詰所說經卷上　（28–10）

從戒定慧解脫解脫知見生從慈悲喜捨生
從布施持戒忍辱柔和勤行精進禪定解脫
三昧多聞智慧諸波羅蜜生從方便生從六
通生從三明生從三十七道品生從止觀生
從十力四无所畏十八不共法生從斷一切不
善法集一切善法生從真實生從不放逸生
從如是无量清淨法生如來身諸仁者欲得
佛身斷一切衆生病者當發阿耨多羅三
藐三菩提心如是長者維摩詰為諸問疾者
如應說法令无數千人皆發阿耨多羅三藐
三菩提心

維摩詰弟子品第三

尒時長者維摩詰自念寢疾于床世尊大慈
寧不垂愍佛知其意即告舍利弗汝行詣維
摩詰問疾舍利弗白佛言世尊我不堪任詣
彼問疾所以者何憶念我昔曾於林中宴坐
樹下時維摩詰來謂我言唯舍利弗不必是
坐為宴坐也夫宴坐者不於三界現身意是
為宴坐不起滅定而現諸威儀是為宴坐不
捨道法而現凡夫事是為宴坐心不住內亦
不在外是為宴坐於諸見不動而脩行三十
七品是為宴坐不斷煩惱而入涅槃是為宴
坐若能如是坐者佛所印可時我世尊聞是
語默然而止不能加報故我不任詣彼問疾
佛告大目揵連汝行詣維摩詰問疾目連白
佛言世尊我不堪任詣彼問疾所以者何憶

BD01933號　維摩詰所說經卷上　（28–11）

坐若能如是坐者佛所印可時我世尊聞是
語默然而止不能加報故我不任詣彼問疾
佛告大目揵連汝行詣維摩詰問疾目連白
佛言世尊我不堪任詣彼問疾所以者何憶
念我昔入毗耶離大城於里巷中為諸居士
説法時維摩詰來謂我言唯大目連為白衣
居士説法不當如仁者所説夫説法者當如
法説法无衆生離衆生垢故法无有我離我
垢故法无壽命離生死故法无有人前後際斷
故法常寂然滅諸相故法離於相无所緣故
法无名字言語斷故法无有説離覺觀故法
无形相如虚空故法无戲論畢竟空故法无
我所離我所故法无分別離諸識故法无有
比无相待故法不屬因不在緣故法同法性
入諸法故法隨於如无所隨故法住實際諸
邊不動故法无動搖不依六塵故法无去來
常不住故法順空隨无相應无作法離好醜
法无增損法无生滅法无所歸法過眼耳鼻
舌身心法无高下法常住不動法離一切觀
行唯大目連法相如是豈可説乎夫説法者
无説无示其聽法者无聞无得譬如幻士為
幻人説法當建是意而為説法當了衆生
根有利鈍善於知見无所罣㝵以大悲心讚
于大乘念報佛恩不斷三寶然後説法維摩
詰説是法時八百居士發阿耨多羅三藐三
菩提心我无此辯是故不任詣彼問疾

BD01933 號　維摩詰所説經卷上　（28–12）

于大乘念報佛恩不斷三寶然後説法維摩
詰説是法時八百居士發阿耨多羅三藐三
菩提心我无此辯是故不任詣彼問疾
佛告大迦葉汝行詣維摩詰問疾迦葉白佛
言世尊我不堪任詣彼問疾所以者何憶念
我昔於貧里而行乞食時維摩詰來謂我言
唯大迦葉有慈悲心而不能普捨豪富從貧乞
迦葉住平等法應次行乞食為不食故應行
乞食為壞和合相故應取揣食為不受故應受
彼食以空聚想入於聚落所見色與盲等所
聞聲與響等所嗅香與風等所食味不分別
受諸觸如智證知諸法如幻相无自性无他
性本自不然今則无滅迦葉若能不捨八邪入
八解脱以邪相入正法以一食施一切供養
諸佛及衆賢聖然後可食如是食者非有
煩惱非離煩惱非入定意非起定意非住世
間非住涅槃其有施者无大福无小福不
為益不為損是為正入佛道不依聲聞迦葉
若如是食為不空食人之施也時我世尊聞
説是語得未曾有即於一切菩薩深起敬心
復作是念斯有家名辯才智慧乃能如是其誰
不發阿耨多羅三藐三菩提心我從是來不
復勸人以聲聞辟支佛行是故不任詣彼
問疾
佛告須菩提汝行詣維摩詰問疾須菩提白

BD01933 號　維摩詰所説經卷上　（28–13）

復勸人以聲聞辟支佛行是故不任詣彼
問疾
佛告須菩提汝行詣維摩詰問疾須菩提白
佛言世尊我不堪任詣彼問疾所以者何憶
念我昔入其舍從乞食時維摩詰取我鉢盛
滿飯謂我言唯須菩提若能於食等者諸法
亦等諸法等者於食亦等如是行乞乃可取
食若須菩提不斷婬怒癡亦不與俱不壞於
身而隨一相不滅癡愛起於明脫以五逆相
而得解脫亦不解不縛不見四諦非不見諦非
得果非不得果非凡夫非離凡夫法非聖人非不
聖人雖成就一切法而離諸法相乃可取食若
須菩提不見佛不聞法彼外道六師富蘭那
迦葉末伽梨拘賒梨子刪闍耶毗羅胝子阿
耆多翅舍欽婆羅迦羅鳩馱迦旃延尼揵陀
若提子等是汝之師因其出家彼師所墮汝
亦隨墮乃可取食若須菩提入諸邪見不到
彼岸住於八難不得无難同於煩惱離清淨
法汝得无諍三昧一切衆生亦得是定其施
汝者不名福田供養汝者墮三惡道為與衆
魔共一手作諸勞侶汝與衆魔及諸塵勞等
无有異於一切衆生而有怨心謗諸佛毀於
法不入衆數終不得滅度汝若如是乃可取
食時我世尊聞此茫然不識是何言不知以
何荅便置鉢欲出其舍維摩詰言唯須菩提
取鉢勿懼於意云何如來所作化人若以是

BD01933號　維摩詰所說經卷上　(28-14)

无有異於一切衆生而有怨心謗諸佛毀於
法不入衆數終不得滅度汝若如是乃可取
食時我世尊聞此茫然不識是何言不知以
何荅便置鉢欲出其舍維摩詰言唯須菩提
取鉢勿懼於意云何如來所作化人若以是
事詰寧有懼不我言不也維摩詰言一切諸
法如幻化相汝今不應有所懼也所以者何一切
言說不離是相至於智者不著文字故无所
懼何以故文字性離无有文字是則解脫解
脫相者則諸法也維摩詰說是法時二百天
子得法眼淨故我不任詣彼問疾
佛告富樓那彌多羅尼子汝行詣維摩詰問
疾富樓那白佛言世尊我不堪任詣彼問疾所
以者何憶念我昔於大林中在一樹下為諸
新學比丘說法時維摩詰來謂我言唯富
樓那先當入定觀此人心然後說法无以穢食
置於寶器當知是比丘心之所念无以琉璃
同彼水精汝不能知衆生根源无得發起以
小乘法彼自无瘡勿傷之也欲行大道莫示
小徑无以大海內於牛跡无以日光等彼
螢火富樓那此比丘久發大乘心中忘此意
如何以小乘法而教導之我觀小乘智慧微
淺猶如盲人不能分別一切衆生根之利鈍
時維摩詰即入三昧令此比丘自識宿命曾
於五百佛所殖衆德本迴向阿耨多羅三藐
三菩提即時豁然還得本心於是諸比丘稽

BD01933號　維摩詰所說經卷上　(28-15)

淺猶如盲人不能分別一切衆生根之利鈍
時維摩詰即入三昧令此比丘自識宿命曾
於五百佛所殖衆德本迴向阿耨多羅三藐
三菩提即時豁然還得本心於是諸比丘稽
首礼維摩詰足時維摩詰因爲説法於阿
耨多羅三藐三菩提不復退轉我念聲聞
不觀人根不應説法是故不任詣彼問疾
佛告摩訶迦旃延汝行詣維摩詰問疾迦旃
延白佛言世尊我不堪任詣彼問疾所以者
何憶念昔者佛爲諸比丘略説法要我即於
後敷演其義謂无常義苦義空義无我義寂
滅義時維摩詰來謂我言唯迦旃延无以生
滅心行説實相法迦旃延諸法畢竟不生不滅
是无常義五受陰洞達空无所起是苦義
諸法究竟无所有是空義於我无我而不二
是无我義法本不然今則无滅是寂滅義説
是法時彼諸比丘心得解脱故我不任詣彼
問疾
佛告阿那律汝行詣維摩詰問疾阿那律白
佛言世尊我不堪任詣彼問疾所以者何憶
念我昔於一處經行時有梵王名曰嚴淨與
万梵俱放淨光明來詣我所稽首作礼問我
言幾何阿那律天眼所見我即荅言仁者吾
見此釋迦牟尼佛土三千大千世界如觀掌
中菴摩勒菓時維摩詰來謂我言唯阿那律

BD01933 號　維摩詰所說經卷上　（28–16）

見此釋迦牟尼佛土三千大千世界如觀掌
中菴摩勒菓時維摩詰來謂我言唯阿那律
天眼所見爲作相耶无作相耶假使作相則與
外道五通等若无作相即是无爲不應有見世
尊我時嘿然彼諸梵聞其言得未曾有即
爲作礼而問曰世孰有真天眼者維摩詰言
有佛世尊得真天眼常在三昧悉見諸佛國
不以二相於是嚴淨梵王及其眷屬五百梵
天皆發阿耨多羅三藐三菩提心礼維摩詰
足已忽然不現故我不任詣彼問疾
佛告優波離汝行詣維摩詰問疾優波離白
佛言世尊我不堪任詣彼問疾所以者何憶
念昔者有二比丘犯律行以爲恥不敢問佛
來問我言唯優波離我等犯律誠以爲恥不
敢問佛願解疑悔得免斯咎我即爲其如法
解説時維摩詰來謂我言唯優波離无重增
此二比丘罪當直除滅勿擾其心所以者何
彼罪性不在内不在外不在中間如佛所説心
垢故衆生垢心淨故衆生淨心亦不在内不
在外不在中間如其心然罪垢亦然諸法亦
然不出於如如優波離以心相得解脱時寧
有垢不我言不也維摩詰言一切衆生心相
无垢亦復如是唯優波離妄想是垢无妄想
是淨顛倒是垢无顛倒是淨取我是垢不取
我是淨優波離一切法生滅不住如幻如電

BD01933 號　維摩詰所說經卷上　（28–17）

有垢不我言不也維摩詰言一切衆生心相
无垢亦復如是唯優波離妄想是垢无妄想
是淨顛倒是垢无顛倒是淨取我是垢不取
我是淨優波離一切法生滅不住如幻如電
諸法不相待乃至一念不住諸法皆妄見如
夢如炎如水中月如鏡中像以妄想生其知
此者是名奉律其知此者是名善解於是二
比丘言上智者哉是優波離所不及持律之上而
不能說我荅言自捨如來未有聲聞及菩薩
能制其樂說之辯其智慧明達爲若此也時
二比丘疑悔即除發阿耨多羅三藐三菩提
心作是願言令一切衆生皆得是辯故我不
任詣彼問疾
佛告羅睺羅汝行詣維摩詰問疾羅睺羅
白佛言世尊我不堪任詣彼問疾所以者何
憶念昔時毗耶離諸長者子來詣我所稽首
作礼問我言唯羅睺羅汝佛之子捨轉輪王
位出家爲道其出家者有何等利我即如法
爲說出家功德之利時維摩詰來謂我言唯
羅睺羅不應說出家功德之利所以者何无
利无功德是爲出家有爲法者可說有利有
功德夫出家者爲无爲法无爲法中无利无
功德唯羅睺羅夫出家者无彼无此亦无中
間離六十二見處於涅槃智者所受聖所行處降
伏衆魔度五道淨五眼得五力立五根不惱
於彼離衆雜惡摧諸外道超越假名出淤泥

BD01933號　維摩詰所說經卷上　（28–18）

功德唯羅睺羅夫出家者无彼无此亦无中
間離六十二見處於涅槃智者所受聖所行處降
伏衆魔度五道淨五眼得五力立五根不惱
於彼離衆雜惡摧諸外道超越假名出淤泥
无繫著无我所无所受无擾亂內懷喜護彼
意隨禪定離衆過若能如是真出家於是
維摩詰語諸長者子汝等於正法中宜共出
家所以者何佛世難值諸長者子言居士我聞
佛言父母不聽不得出家維摩詰言然汝等
便發阿耨多羅三藐三菩提心即是出家是
即具足尒時三十二長者子皆發阿耨多羅
三藐三菩提心故我不任詣彼問疾
佛告阿難汝行詣維摩詰問疾阿難白佛言
世尊我不堪任詣彼問疾所以者何憶念昔
時世尊身少有疾當用牛乳我即持鉢詣大
婆羅門家門下立時維摩詰來謂我言唯阿
難何爲晨朝持鉢住此我言居士世尊身少
有疾當用牛乳故來至此維摩詰言止止阿
難莫作是語如來身者金剛之體諸惡已斷
衆善普會當有何疾當有何惱嘿往阿難勿
謗如來莫使異人聞此麤言无令大威德諸
天及他方淨土諸來菩薩得聞斯語阿難轉
輪聖王以少福故尚得无病豈况如來无量
福會普勝者哉行矣阿難勿使我等受斯恥
世外道梵志若聞此語當作是念何名爲師
自疾不能救而能救諸疾人可密速去勿使

BD01933號　維摩詰所說經卷上　（28–19）

福會普勝者我行矣阿難勿使我等受斯恥
世外道梵志若聞此語當作是念何名為師
自疾不能救而能救諸疾人可密速去勿使
人聞當知阿難諸如來身即是法身非思欲
身佛為世尊過於三界佛身无漏諸漏已
盡佛身无為不墮諸數如此之身當有何疾
時我世尊實懷慚愧得无近佛而謬聽耶即
聞空中聲曰阿難如居士言但為佛出五濁
惡世現行斯法度脫衆生行矣阿難取乳勿
慚世尊維摩詰智慧辯才為若此也是故不
任詣彼問疾如是五百大弟子各各向佛說其
本緣稱述維摩詰所言皆曰不任詣彼問疾

維摩詰菩薩品第四

於是佛告弥勒菩薩汝行詣維摩詰問疾
弥勒白佛言世尊我不堪任詣彼問疾所以
者何憶念我昔為兜率天王及其眷屬說不
退轉地之行時維摩詰來謂我言弥勒世尊
授仁者記一生當得阿耨多羅三藐三菩提
為用何生得受記乎過去耶未來耶現在耶若
過去生過去生已滅若未來生未來生未至
若現在生現在生无住如佛所說比丘汝今即
時亦生亦老亦滅若以无生得受記者无生
即是正位於正位中亦无受記亦无得阿耨
多羅三藐三菩提云何弥勒受一生記乎為
從如生得受記耶為從如滅得受記耶若以

BD01933號　維摩詰所說經卷上　（28–20）

即是正位於正位中亦无受記亦无得阿耨
多羅三藐三菩提云何弥勒受一生記乎為
從如生得受記耶為從如滅得受記耶若以
如生得受記者如无有生若以如滅得受記
者如无有滅一切衆生皆如也一切法亦如
也衆賢聖亦如也至於弥勒亦如也若弥勒
得受記者一切衆生亦應受記所以者何夫
如者不二不異若弥勒得阿耨多羅三藐三
菩提者一切衆生皆亦應得所以者何一切
衆生即菩提相若弥勒得滅度者一切衆生
亦當滅度所以者何諸佛知一切衆生畢竟
寂滅即涅槃相不復更滅是故弥勒无以此法
誘諸天子實无發阿耨多羅三藐三菩提心
者亦无退者弥勒當令此諸天子捨於分
別菩提之見所以者何菩提者不可以身得
不可以心得寂滅是菩提滅諸相故不觀是
菩提離諸緣故不行是菩提无憶念故斷
是菩提捨諸見故離是菩提離諸妄想故鄣
是菩提鄣諸願故不入是菩提无貪著故順
是菩提順於如故住是菩提住法性故至是
菩提至實際故不二是菩提離意法故等是
菩提等虛空故无為是菩提无生住滅故智
是菩提了衆生心行故不會是菩提諸入不
會故不合是菩提離煩惱習故无處是菩提
无形色故假名是菩提名字空故如化是菩

BD01933號　維摩詰所說經卷上　（28–21）

是菩提了衆生心行故不會是菩提諸入不
會故不合是菩提離煩惱習故无處是菩提
无形色故假名是菩提名字空故如化是菩
提无取捨故无亂是菩提常自靜故善寂是
菩提性清淨故无取是菩提離攀緣故无異
是菩提諸法等故无比是菩提无可喻故微
妙是菩提諸法難知故世尊維摩詰說是
法時二百天子得无生法忍故我不任詣彼
問疾
佛告光嚴童子汝行詣維摩詰問疾光嚴
白佛言世尊我不堪任詣彼問疾所以者何
憶念我昔出毗耶離大城時維摩詰方入城
我即為作礼而問言居士從何所來荅我言
吾從道場來我問道場者何所是荅曰直心
是道場无虛假故發行是道場能辦事故深
心是道場增益功德故菩提心是道場无錯
謬故布施是道場不望報故持戒是道場
得願具故忍辱是道場於諸衆生心无㝵
故精進是道場不懈退故禪定是道場心
調柔故智慧是道場現見諸法故慈是道
場等衆生故悲是道場忍疲苦故喜是道場
悅樂法故捨是道場憎愛斷故神通是道場成
就六通故解脫是道場能背捨故方便是道
場教化衆生故四攝是道場攝衆生故多聞是
道場如聞行故伏心是道場正觀諸法故三十

就六通故解脫是道場能背捨故方便是道
場教化衆生故四攝是道場攝衆生故多聞是
道場如聞行故伏心是道場正觀諸法故三十
七品是道場捨有為法故諦是道場不誑世
間故緣起是道場无明乃至老死皆无盡故諸煩
惱是道場知如實故衆生是道場知无我故
一切法是道場知諸法空故降魔是道場不
傾動故三界是道場无所趣故師子吼是道場
无所畏故力无畏不共法是道場无諸過故
三明是道場无餘㝵故一念知一切法是道
場成就一切智故如是善男子菩薩若應諸
波羅蜜教化衆生諸有所作舉足下足當知
皆從道場來住於佛法矣說是法時五百天
人皆發阿耨多羅三藐三菩提心故我不任
詣彼問疾
佛告持世菩薩汝行詣維摩詰問疾持世白
佛言世尊我不堪任詣彼問疾所以者何憶
念我昔住於靜室時魔波旬從万二千天女
狀如帝釋鼓樂絃歌來詣我所與其眷屬稽
首我足合掌恭敬於一面立我意謂是帝釋
而語之言善來憍尸迦雖福應有不當自恣當
觀五欲无常以求善本於身命財而脩堅法
即語我言正士受是万二千天女可備掃灑我
言憍尸迦无以此非法之物要我沙門釋子此
非我宜所言未訖時維摩詰來謂我言非

即語我言正士受是万二千天女備掃灑我
言憍尸迦无以此非法之物要我沙門釋子此
非我宜所言未訖時維摩詰来謂我言非
帝釋也是為魔来嬈固汝耳即語魔言是
諸女等可以與我如我應受魔即驚懼念
維摩詰將无惱我欲隱形去而不能隱盡其
神力亦不得去即聞空中聲曰波旬以女與
之乃可得去魔以畏故俛仰而與尒時維摩
詰語諸女言魔以汝等與我令汝皆當發阿
耨多羅三藐三菩提心即隨所應而為說法
令發道意復言汝等以發道意有法樂可以
自娯不應復樂五欲樂也天女即問何謂法
樂荅言樂常信佛樂欲聽法樂供養衆樂
離五欲樂觀五陰如怨賊樂觀四大如毒虵樂
觀内入如空聚樂隨護道意樂饒益衆生樂
敬養師樂廣行施樂堅持戒樂忍辱柔和樂
懃集善根樂禪定不亂樂離垢明慧樂廣菩
提心樂降伏衆魔樂斷諸煩惱樂淨佛國土
樂成就相好故脩諸功德樂莊嚴道場樂聞
深法不畏樂三脫門不樂非時樂近同學樂
於非同學中心无恚导樂將護惡知識樂近
善知識樂心喜清淨樂脩无量道品之法是
為菩薩法樂於是波旬告諸女言我欲與汝
俱還天宫諸女言以我等與此居士有法樂
我等甚樂不復樂五欲樂也魔言居士可捨
此女一切有施於彼者是為菩薩維摩詰言

為菩薩法樂於是波旬告諸女言我欲與汝
俱還天宫諸女言以我等與此居士有法樂
我等甚樂不復樂五欲樂也魔言居士可捨
此女一切有施於彼者是為菩薩維摩詰言
我以捨矣汝便將去令一切衆生得法願具足
於是諸女問維摩詰我等云何止於魔宫維
摩詰言諸姊有法門名无盡燈汝等當學无
盡燈者譬如一燈燃百千燈冥者皆明明終
不盡如是諸姊夫一菩薩開導百千衆生令
發阿耨多羅三藐三菩提心於其道意亦不
滅盡隨所說法而自增益一切善法是名无盡
燈也汝等雖住魔宫以是无盡燈令无數天
子天女發阿耨多羅三藐三菩提心者為
報佛恩亦大饒益一切衆生尒時天女頭面
礼維摩詰足隨魔還宫忽然不現世尊維
摩詰有如是自在神力智慧辯才故我不任
詣彼問疾
佛告長者子善德汝行詣維摩詰問疾善德
白佛言世尊我不堪任詣彼問疾所以者何憶
念我昔自於父舍設大施會供養一切沙門
婆羅門及諸外道貧窮下賤孤獨乞人期滿
七日時維摩詰来入會中謂我言長者子夫
大施會不當如汝所設當為法施之會何用
是財施會為我言居士何謂法施之會法施
會者无前无後一時供養一切衆生是名法
施之會曰何謂也謂以菩提起於慈心以救

七日時維摩詰來入會中謂我言長者子夫
大施會不當如汝所設當為法施之會何用
是財施會為我言居士何謂法施之會法施
會者无前无後一時供養一切衆生是名法
施之會曰何謂也謂以菩提起於慈心以救
衆生起大悲心以持正法起於喜心以攝智
慧行於捨心以攝慳貪起檀波羅蜜以化犯
戒起尸波羅蜜以无我法起羼提波羅蜜以
離身心相起毗梨耶波羅蜜以菩提相起禪
波羅蜜以一切智起般若波羅蜜教化衆生
而起於空不捨有為法而起无相示現受生
而起无作護持正法起方便力以度衆生起
四攝法以敬事一切起除慢法於身命財起
三堅法於六念中起思念法於六和敬起質
直心正行善法起於淨命心淨歡喜起近賢
聖不憎惡人起調伏心以出家法起於深心
以如說行起於多聞以无諍法起空閑處起
向佛慧起於宴坐解衆生縛起脩行地以具
相好及淨佛土起福德業知一切衆生心念
如應說法起於智業知一切法不取不捨入
一相門起於慧業斷一切煩惱一切鄣㝵一
切不善法起一切善業以得一切智慧一切
善法起於一切助佛道法如是善男子是為
法施之會若菩薩住是法施會者為大施主
亦為一切世間福田世尊維摩詰說是法時
婆羅門衆中二百人皆發阿耨多羅三藐三菩
[illegible]

BD01933號　維摩詰所說經卷上　（28–26）

善法起於一切助佛道法如是善男子是為
法施之會若菩薩住是法施會者為大施主
亦為一切世間福田世尊維摩詰說是法時
婆羅門衆中二百人皆發阿耨多羅三藐三菩
提心我時心得清淨歎未曾有稽首礼維摩詰
足即解瓔珞價直百千以上之不肯取我言
居士願必納受隨意所與維摩詰乃受瓔珞
分作二分持一分施此會中一最下乞人持一
分奉彼難勝如來一切衆會皆見光明國土難
勝如來又見珠瓔在彼佛上變成四柱寶臺
四面嚴餝不相障蔽時維摩詰現神變已作
是言若施主等心施一最下乞人猶如如來
福田之相无所分別等于大悲不求果報是
則名曰具足法施城中一最下乞人見是神
力聞其所說皆發阿耨多羅三藐三菩提心
故我不任詣彼問疾如是諸菩薩各各向佛
說其本緣稱述維摩詰所言皆曰不任詣彼
問疾

維摩詰經卷上

BD01933號　維摩詰所說經卷上　（28–27）

故我不任詣彼問疾如是諸菩薩各各向佛
說其本緣稱述維摩詰所言皆曰不任詣彼
問疾

維摩詰經卷上

BD01933 號　維摩詰所說經卷上　（28–28）

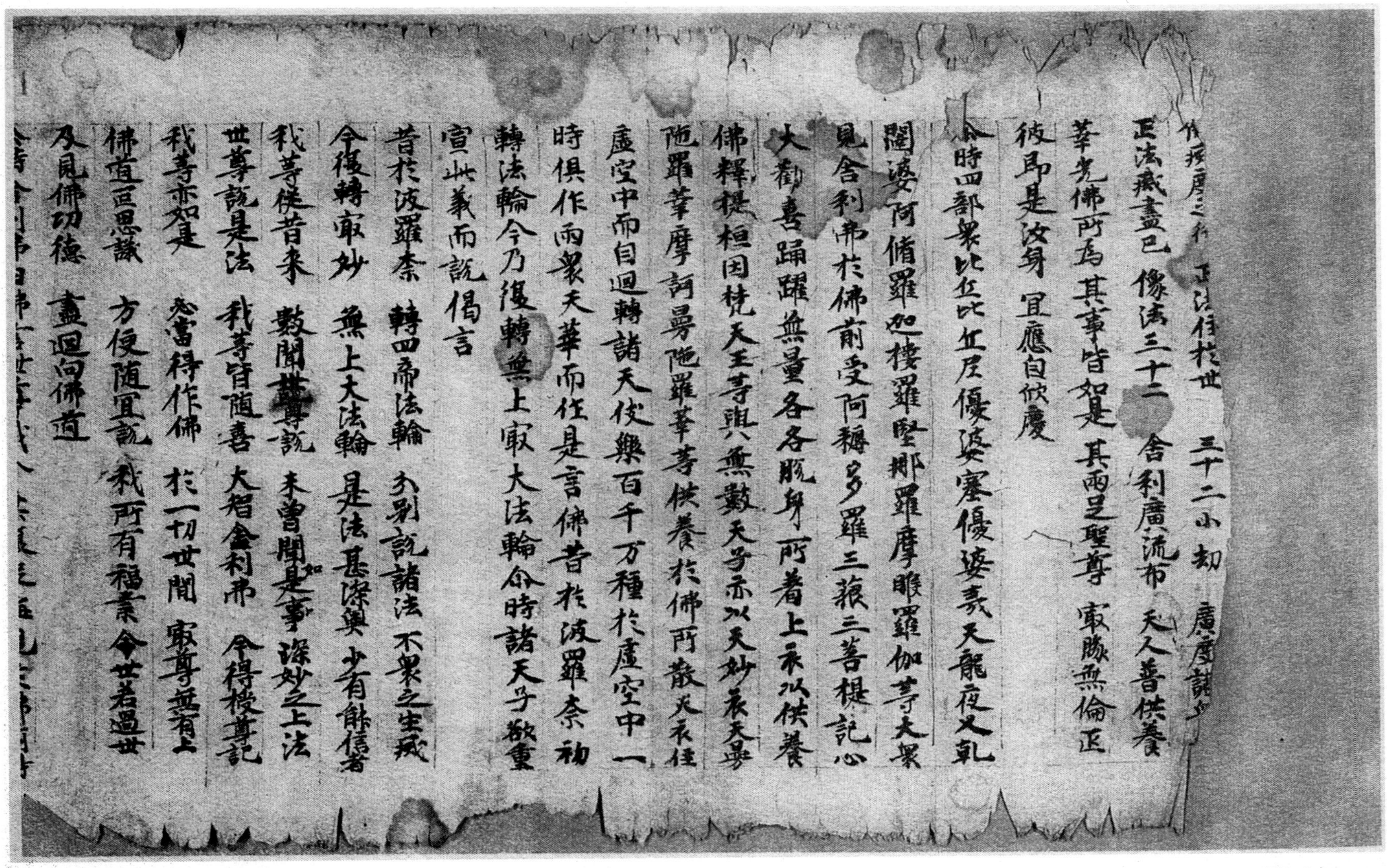

正法住於世　三十二小劫　廣度諸□
正法滅盡已　像法三十二　舍利廣流布　天人普供養
華光佛所為　其事皆如是　其兩足聖尊　最勝無倫匹
彼即是汝身　宜應自欣慶
爾時四部眾比丘比丘尼優婆塞優婆夷天龍夜叉乾
闥婆阿脩羅迦樓羅緊那羅摩睺羅伽等大眾
見舍利弗於佛前受阿耨多羅三藐三菩提記心
大歡喜踊躍無量各各脫身所著上衣以供養
佛釋提桓因梵天王等與無數天子亦以天妙衣天曼
陀羅華摩訶曼陀羅華等供養於佛所散天衣住
虛空中而自迴轉諸天伎樂百千万種於虛空中一
時俱作雨眾天華而作是言佛昔於波羅奈初
轉法輪今乃復轉無上最大法輪爾時諸天子欲重
宣此義而說偈言
昔於波羅奈　轉四諦法輪　分別說諸法　五眾之生滅
今復轉最妙　無上大法輪　是法甚深奧　少有能信者
我等從昔來　數聞世尊說　未曾聞如是　深妙之上法
世尊說是法　我等皆隨喜　大智舍利弗　今得受尊記
我等亦如是　必當得作佛　於一切世間　最尊無有上
佛道叵思議　方便隨宜說　我所有福業　今世若過世
及見佛功德　盡迴向佛道

BD01934 號　妙法蓮華經卷二　（8–1）

世尊說是法　我等皆隨喜　大智舍利弗　今得受尊記
我等亦如是　必當得作佛　於一切世間　最尊無有上
佛道叵思議　方便隨宜說　我所有福業　今世若過世
及見佛功德　盡迴向佛道
爾時舍利弗白佛言世尊我今無復疑悔親於佛前得
受阿耨多羅三藐三菩提記是諸千二百心自在者
昔住學地佛常教化言我法能離生老病死究
竟涅槃是學無學人亦各自以離我見及有無見
等謂得涅槃而今於世尊前聞所未聞皆墮疑惑善
哉世尊願為四眾說其因緣令離疑悔爾時佛告舍利
弗我先不言諸佛世尊以種種因緣譬喻言辭方便
說法皆為阿耨多羅三藐三菩提耶是諸所說皆
為化菩薩故然舍利弗今當復以譬喻更明此義
諸有智者以譬喻得解舍利弗若國邑聚落有大長
者其年衰邁財富無量多有田宅及諸僮僕其家
廣大唯有一門多諸人眾一百二百乃至五百人止住其
中堂閣朽故墻壁頹落柱根腐敗梁棟傾危周匝
俱時欻然火起焚燒舍宅長者諸子若十二十或至
三十在此宅中長者見是大火從四面起即大驚怖而
作是念我雖能於此所燒之門安隱得出而諸子等
於火宅內樂著嬉戲不覺不知不驚不怖火來逼
身苦痛切己心不厭患無求出意舍利弗是長者
長作是思惟我身手有力當以衣裓若以几案從
舍出之復更思惟是舍唯有一門而復狹小

BD01934 號　妙法蓮華經卷二　（8–2）

於火宅內樂著嬉戲不覺不知不驚不怖火來逼
身苦痛切己心不厭患無求出意舍利弗是長者
長作是思惟我身手有力當以衣裓若以几案從
舍出之復更思惟是舍唯有一門而復狹小諸子幼
稚未有所識戀著戲處或當墮落為火所燒我
當為說怖畏之事此舍已燒宜時疾出無令為火
之所燒害作是念已如所思惟具告諸子汝等速
出父雖憐愍善言誘喻而諸子等樂著嬉戲不
肯信受不驚不畏了無出心亦復不知何者是
火何者為舍云何為失但東西走戲視父而已爾
時長者即作是念此舍已為大火所燒我及諸
子若不時出必為所焚我今當設方便令諸子等
得免斯害父知諸子先心各有所好種種珍玩奇
異之物情必樂著而告之言汝等所可玩好希有
難得汝若不取後必憂悔如此種種羊車鹿車牛
車今在門外可以遊戲汝等於此火宅宜速出來隨
汝所欲皆當與汝爾時諸子聞父所說珍玩之物適其願
故心各勇銳互相推排競共馳走爭出火宅是時長
者見諸子等安隱得出皆於四衢道中露地而坐無
復障礙其心泰然歡喜踴躍時諸子等各白父言父
先所許玩好之具羊車鹿車牛車願時賜與舍
利弗爾時長者各賜諸子等一大車其車高廣眾寶
莊校周匝欄楯四面懸鈴又於其上張設幰蓋亦以
珍奇雜寶而嚴飾之寶繩絞絡垂諸華瓔重敷

BD01934 號　妙法蓮華經卷二　（8–3）

先所許玩好之具羊車鹿車牛車願時賜與舍
利弗爾時長者各賜諸子等一大車其車高廣衆寶
莊校周帀欄楯四面懸鈴又於其上張設幰蓋亦以
珍奇雜寶而嚴飾之寶繩絞絡垂諸華瓔重敷
綩綖安置丹枕駕以白牛膚色充潔形體姝好有大
筋力行步平正其疾如風又多僕從而侍衛之所以
者何是大長者財富無量種種諸藏悉皆充溢而作
是念我財物無極不應以下劣小車與諸子等今此
幼童皆是吾子愛無偏黨我有如是七寶大車
其數無量應當等心各各與之不宜差別所以者何以
我此物周給一國猶尚不匱何況諸子是時諸子各
乘大車得未曾有非本所望舍利弗於汝意云
何是長者等與諸子珍寶大車寧有虛妄不
舍利弗言不也世尊是長者但令諸子得免火
難全其軀命非為虛妄何以故若全身命便為
已得玩好之具况復方便於彼火宅而拔濟之世尊
若是長者乃至不與最小一車猶不虛妄何以故是
長者先作是意我以方便令子得出以是因緣無
虛妄也何况長者自知財富無量欲饒益諸子等
與大車佛告舍利弗善哉善哉如汝所言舍利弗
如來亦復如是則為一切世間之父於諸怖畏衰惱
憂患無明闇蔽永盡無餘而悉成就無量知見
力無所畏有大神力及慧智力具足方便智慧波

BD01934號　妙法蓮華經卷二　（8–4）

與大車佛告舍利弗善哉善哉如汝所言舍利弗
如來亦復如是則為一切世間之父於諸怖畏衰惱
憂患無明闇蔽永盡無餘而悉成就無量知見
力無所畏有大神力及慧智力具足方便智慧波
羅蜜大慈大悲常無懈惓恒求善事利益一切而
生三界朽故火宅為度衆生生老病死憂悲苦惱
愚癡闇蔽三毒之火教化令得阿耨多羅三藐三
菩提見諸衆生為生老病死憂悲苦惱之所燒
煮亦以五欲財利故受種種苦又以貪著追求故
現受衆苦後受地獄畜生餓鬼之苦若生天上
及在人間貧窮困苦愛別離苦怨憎會苦如是等
種種諸苦衆生沒在其中歡喜遊戲不覺不知不
驚不怖亦不生厭不求解脫於此三界火宅東西
馳走雖遭大苦不以為患舍利弗佛見此已便作是
念我為衆生之父應拔其苦難與無量無邊
佛智慧樂令其遊戲舍利弗如來復作是念若我
但以神力及智慧力捨於方便為諸衆生讚如來知
見力無所畏者衆生不能以是得度所以者何是
諸衆生未免生老病死憂悲苦惱而為三界火宅
所燒何由能解佛之智慧舍利弗如彼長者雖復
身手有力而不用之但以慇懃方便免濟諸子火
宅之難然後各與珍寶大車如來亦復如是雖有
力無所畏而不用之但以智慧方便於三界火宅拔

BD01934號　妙法蓮華經卷二　（8–5）

所燒何由能解佛之智慧舍利弗如彼長者雖復
身手有力而不用之但以慇懃方便勉濟諸子火
宅之難然後各與珍寶大車如來亦復如是雖有
力無所畏而不用之但以智慧方便於三界火宅拔
濟衆生為說三乘聲聞辟支佛佛乘而作是言
汝等莫得樂住三界火宅勿貪麁弊色聲香
味觸也若貪著生愛則為所燒汝速出三界當
得三乘聲聞辟支佛佛乘我今為汝保任此事
終不虛也汝等但當勤修精進如來以是方便
誘進衆生復作是言汝等當知此三乘法皆
是聖所稱歎自在無繫無所依求乘是三乘以
無漏根力覺道禪定解脫三昧等而自娛樂便
得無量安隱快樂舍利弗若有衆生內有智性
從佛世尊聞法信受慇懃精進欲速出三界
求涅槃是名聲聞乘如彼諸子為求羊車出於
火宅若有衆生從佛世尊聞法信受慇懃精進
求自然慧樂獨善寂深知諸法因緣是名辟
支佛乘如彼諸子為求鹿車出於火宅若有
衆生從佛世尊聞法信受勤修精進求一切智
佛智自然智無師智如來知見力無所畏愍念
安樂無量衆生利益天人度脫一切是名大乘菩薩
求此乘故名為摩訶薩如彼諸子為求牛車
出於火宅舍利弗如彼長者見諸子等安隱得

衆生從佛世尊聞法信受勤修精進求一切智
佛智自然智無師智如來知見力無所畏愍念
安樂無量衆生利益天人度脫一切是名大乘菩薩
求此乘故名為摩訶薩如彼諸子為求牛車
出於火宅舍利弗如彼長者見諸子等安隱得
出火宅到無畏處自惟財富無量等以大車而
賜諸子如來亦復如是為一切衆生之父若見無
量億千衆生以佛教門出三界苦怖畏險道得
涅槃樂如來爾時便作是念我有無量無邊
智慧力無畏等諸佛法藏是諸衆生皆是
我子等與大乘不令有人獨得滅度皆以如來
滅度而滅度之是諸衆生脫三界者悉與諸佛禪
定解脫等娛樂之具皆是一相一種聖所稱歎能
生淨妙第一之樂舍利弗如彼長者初以三車誘引
諸子然後但與大車寶物莊嚴安隱第一然彼長
者無虛妄之咎如來亦復如是無有虛妄初說
三乘引導衆生然後但以大乘而度脫之何以故
如來有無量智慧力無所畏諸法之藏能與一
切衆生大乘之法但不盡能受舍利弗以是因
緣當知諸佛方便力故於一佛乘分別說三佛欲
重宣此義而說偈言
譬如長者　有一大宅　其宅久故　而復頓弊
堂舍高危　柱根摧朽　梁棟傾斜　基陛頹毀

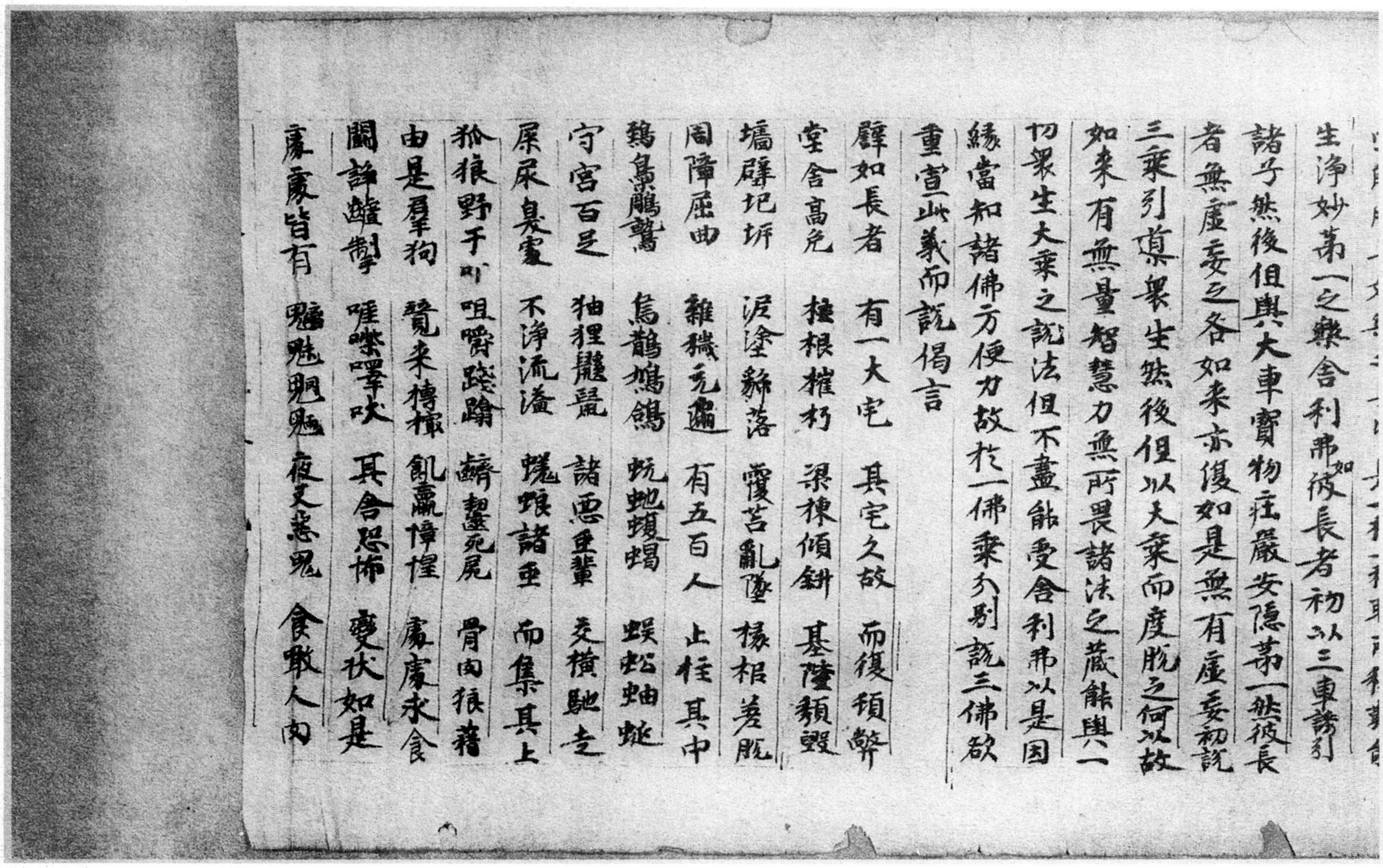

生淨妙第一之樂舍利弗如彼長者初以三車誘引
諸子然後但與大車寶物莊嚴安隱第一然彼長
者無虛妄之咎如來亦復如是無有虛妄初說
三乘引導衆生然後但以大乘而度脫之何以故
如來有無量智慧力無所畏諸法之藏能與一
切衆生大乘之法但不盡能受舍利弗以是因
緣當知諸佛方便力故於一佛乘分別說三佛欲
重宣此義而說偈言
譬如長者 有一大宅 其宅久故 而復頓弊
堂舍高危 柱根摧朽 梁棟傾斜 基陛頹毀
牆壁圮坼 泥塗褫落 覆苫亂墜 椽梠差脫
周障屈曲 雜穢充遍 有五百人 止住其中
鵄梟鵰鷲 烏鵲鳩鴿 蚖蛇蝮蝎 蜈蚣蚰蜒
守宮百足 鼬狸鼷鼠 諸惡虫輩 交橫馳走
屎尿臭處 不淨流溢 蜣蜋諸虫 而集其上
狐狼野干 咀嚼踐蹋 嚌齧死屍 骨肉狼藉
由是群狗 競來搏撮 飢羸慞惶 處處求食
鬪諍齟掣 啀喍嗥吠 其舍恐怖 變狀如是
處處皆有 魑魅魍魎 夜叉惡鬼 食噉人肉

BD01934號　妙法蓮華經卷二　　（8–8）

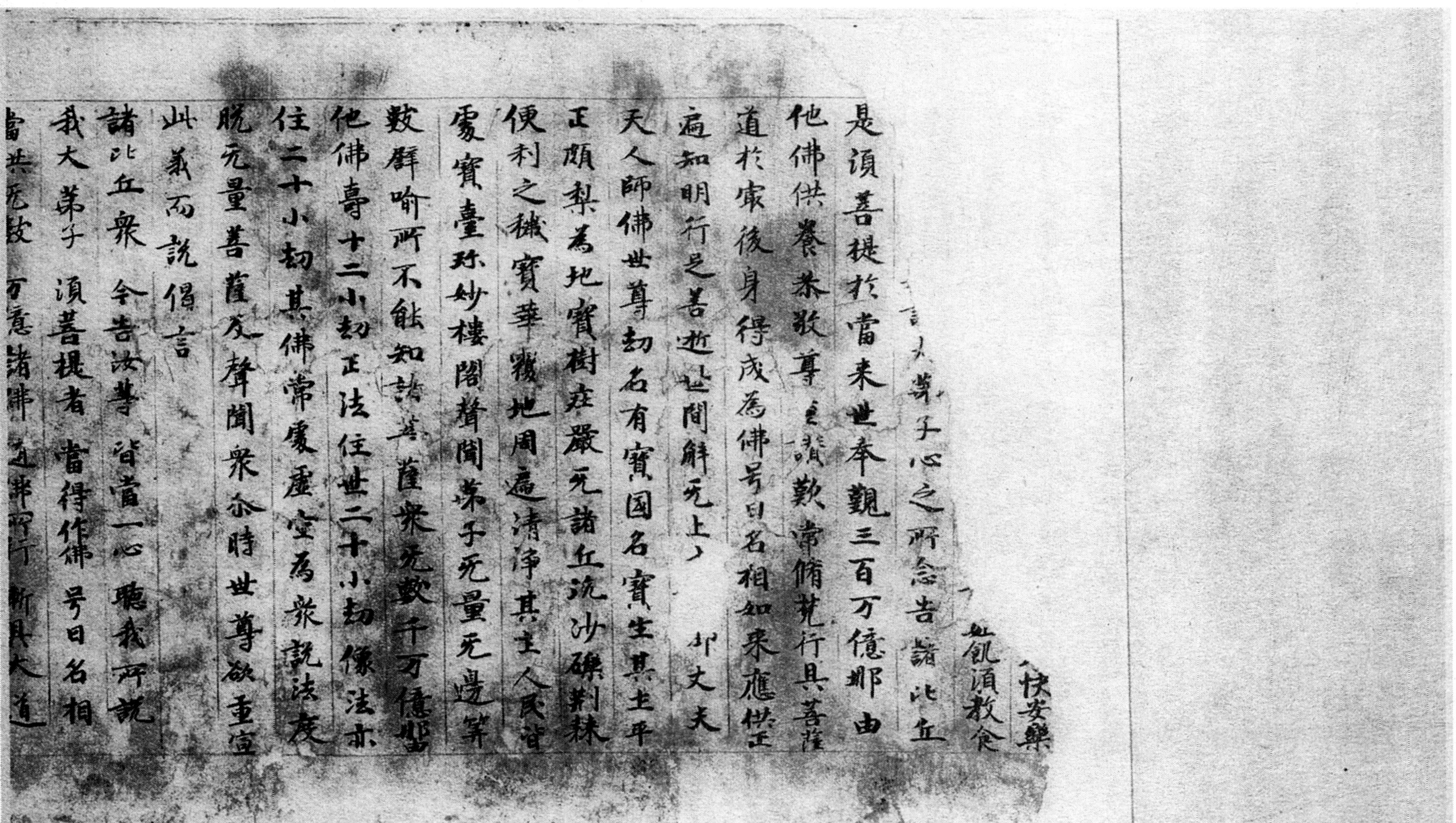

快安樂
如飢須教食
言大弟子心之所念告諸比丘
是須菩提於當來世奉覲三百万億那由
他佛供養恭敬尊重讚歎常脩梵行具菩薩
道於最後身得成為佛号曰名相如來應供正
遍知明行足善逝世間解无上士調御丈夫
天人師佛世尊劫名有寶國名寶生其土平
正頗梨為地寶樹莊嚴无諸丘坑沙礫荊棘
便利之穢寶華覆地周遍清淨其土人民皆
處寶臺珍妙樓閣聲聞弟子无量无邊筭
數譬喻所不能知諸菩薩衆无數千万億那
他佛壽十二小劫正法住世二十小劫像法亦
住二十小劫其佛常處虛空為衆說法度
脫无量菩薩及聲聞衆尒時世尊欲重宣
此義而說偈言
諸比丘衆 今告汝等 皆當一心 聽我所說
我大弟子 須菩提者 當得作佛 号曰名相
當供无數 万億諸佛 隨佛所行 漸具大道

BD01935號　妙法蓮華經卷三　　（6–1）

住二十小劫其佛常處虛空為衆說法度
脫无量菩薩及聲聞衆尒時世尊欲重宣
此義而說偈言
諸比丘衆　今告汝等　皆當一心　聽我所說
我大弟子　須菩提者　當得作佛　號曰名相
當供无數　万億諸佛　隨佛所行　漸具大道
㝡後身得　三十二相　端正姝妙　猶如寶山
其佛國土　嚴淨第一　衆生見者　无不愛樂
佛於其中　度无量衆　其佛法中　多諸菩薩
皆悉利根　轉不退輪　彼國常以　菩薩莊嚴
諸聲聞衆　不可稱計　皆得三明　具六神通
住八解脫　有大威德　其佛說法　現於无量
神通變化　不可思議　諸天人民　數如恒沙
皆共合掌　聽受佛語　其佛當壽　十二小劫
正法住世　二十小劫　像法亦住　二十小劫
尒時世尊復告諸比丘衆我今語汝是大
迦栴延於當來世以諸供具供養奉事八千
億佛恭敬尊重諸佛滅後各起塔廟高千
由旬縱廣正等五百由旬以金銀琉璃車𤦲馬瑙
真珠玫瑰七寶合成衆華瓔珞塗香末香燒
香繒蓋幢幡供養塔廟過是已後當復供
養二万億佛亦復如是供養是諸佛已具菩薩
道當得作佛號曰閻浮那提金光如來應供
正遍知明行足善逝世間解无上士調御丈
夫天人師佛世尊其土平正頗梨為地寶樹

BD01935號　妙法蓮華經卷三　（6–2）

香繒蓋幢幡供養塔廟過是已後當復供
養二万億佛亦復如是供養是諸佛已具菩薩
道當得作佛號曰閻浮那提金光如來應供
正遍知明行足善逝世間解无上士調御丈
夫天人師佛世尊其土平正頗梨為地寶樹
莊嚴黃金為繩以界道側妙華覆地周遍
清淨見者歡喜无四惡道地獄餓鬼畜生阿
脩羅道多有天人諸聲聞衆及諸菩薩无量
万億莊嚴其國佛壽十二小劫正法住世二十
小劫像法亦住二十小劫尒時世尊欲重宣
此義而說偈言
諸比丘衆　皆一心聽　如我所說　真實无異
是迦栴延　當以種種　妙好供具　供養諸佛
諸佛滅後　起七寶塔　亦以華香　供養舍利
其㝡後身　得佛智慧　成等正覺　國土清淨
度脫无量　万億衆生　皆為十方　之所供養
佛之光明　无能勝者　其佛號曰　閻浮金光
菩薩聲聞　斷一切有　无量无數　莊嚴其國
尒時世尊復告大衆我今語汝是大目揵連
當以種種供具供養八千諸佛恭敬尊重諸
佛滅後各起塔廟高千由旬縱廣正等五百
由旬以金銀琉璃車𤦲馬瑙真珠玫瑰七寶合
成衆華瓔珞塗香末香燒香繒蓋幢幡以用
供養過是已後當復供養二百万億諸佛
亦復如是當得成佛號曰多摩羅跋栴檀香

BD01935號　妙法蓮華經卷三　（6–3）

佛滅後各起塔廟高千由旬縱廣正等五百
由旬以金銀琉璃車𤦲馬瑙真珠玫瑰七寶合
成衆華瓔珞塗香末香燒香繒蓋幢幡以用
供養過是已後當復供養二百万億諸佛
亦復如是當得成佛號曰多摩羅跋栴檀香
如來應供正遍知明行足善逝世間解无上
士調御丈夫天人師佛世尊劫名喜滿國名
意樂其土平正頗梨為地寶樹莊嚴散真珠
華周遍清淨見者歡喜多諸天人菩薩聲聞
其數无量佛壽二十四小劫正法住世四十小
劫像法亦住四十小劫尒時世尊欲重宣此
義而說偈言
我此弟子　大目揵連　捨是身已　得見八千
二百万億　諸佛世尊　為佛道故　供養恭敬
於諸佛所　常脩梵行　於无量劫　奉持佛法
諸佛滅後　起七寶塔　長表金剎　華香伎樂
而以供養　諸佛塔廟　漸漸具足　菩薩道已
於意樂國　而得作佛　號多摩羅　栴檀之香
其佛壽命　二十四劫　常為天人　演說佛道
聲聞无量　如恒河沙　三明六通　有大威德
菩薩无數　志固精進　於佛智慧　皆不退轉
佛滅度後　正法當住　四十小劫　像法亦尒
我諸弟子　威德具足　其數五百　皆當授記
於未來世　咸得成佛　我及汝等　宿世因緣
吾今當說　汝等善聽

BD01935號　妙法蓮華經卷三　（6–4）

佛滅度後　正法當住　四十小劫　像法亦尒
我諸弟子　威德具足　其數五百　皆當授記
於未來世　咸得成佛　我及汝等　宿世因緣
吾今當說　汝等善聽
妙法蓮華經化城喻品第七
佛告諸比丘乃往過去无量无邊不可思議
阿僧祇劫尒時有佛名大通智勝如來應
供正遍知明行足善逝世間解无上士調御丈
夫天人師佛世尊其國名好成劫名大相諸
比丘彼佛滅度已來甚大久遠譬如三千大
千世界所有地種假使有人磨以為墨過於
東方千國土乃下一點大如微塵又過千國
土復下一點如是展轉盡地種墨於汝等意
云何是諸國土若筭師若筭師弟子能得
邊際知其數不不也世尊諸比丘是人所經國
土若點不點盡末為塵一塵一劫彼佛滅度
已來復過是數无量无邊百千万億阿僧
祇劫我以如來知見力故觀彼久遠猶若今
日尒時世尊欲重宣此義而說偈言
我念過去世　无量无邊劫　有佛兩足尊　名大通智勝
如人以力磨　三千大千土　盡此諸地種　皆悉以為墨
過於千國土　乃下一塵點　如是展轉點　盡此諸塵墨
如是諸國土　點與不點等　復盡末為塵　一塵為一劫
此諸微塵數　其劫復過是　彼佛滅度來　如是无量劫
如來无礙智　知彼佛滅度　及聲聞菩薩　如見今滅度

BD01935號　妙法蓮華經卷三　（6–5）

我念過去世　无量无邊劫　有佛兩足尊　名大通智勝
如人以力磨　三千大千土　盡此諸地種　皆悉以為墨
過於千國土　乃下一塵點　如是展轉點　盡此諸塵墨
如是諸國土　點與不點等　復盡末為塵　一塵為一劫
此諸微塵數　其劫復過是　彼佛滅度來　如是无量劫
如來无礙智　知彼佛滅度　及聲聞菩薩　如見今滅度
諸比丘當知　佛智淨微妙　无漏无所礙　通達无量劫
佛告諸比丘大通智勝佛壽五百四十万億
那由他劫其佛本坐道場破魔軍已垂得阿
耨多羅三藐三菩提而諸佛法不現在前如
是一小劫乃至十小劫結跏趺坐身心不動而
諸佛法猶不在前尒時忉利諸天先為彼佛
於菩提樹下敷師子座高一由旬佛於此座
當得阿耨多羅三藐三菩提適坐此座時
諸梵天王雨天華面百由旬香風時來吹去
萎華更雨新者如是不絶滿十小劫供養
於佛乃至滅度常雨此華四王諸天為供養
佛常擊天鼓其餘諸天作天伎樂滿十小劫
至于滅度亦復如是諸比丘大通智勝佛過十

BD01935 號　妙法蓮華經卷三　（6–6）

小劫諸佛之法乃現在前成阿耨多羅三
藐三菩提其佛未出家時有十六子其第一
者名曰智積諸子各有種種珎異玩好之具
聞父得成阿耨多羅三藐三菩提皆捨所珎
往詣佛所諸母涕泣而隨送之其祖轉輪聖
王與一百大臣及餘百千万億人民皆共圍
繞隨至道場咸欲親近大通智勝如來供養
恭敬尊重讚歎到已頭面礼足繞佛畢已一
心合掌瞻仰世尊以偈頌曰
大威德世尊　為度衆生故　於无量億歲　尒乃得成佛
諸願已具足　善哉吉无上　世尊甚希有　一坐十小劫
身體及手足　靜然安不動　其心常憺怕　未曾有散亂
究竟永寂滅　安住无漏法　今者見世尊　安隱成佛道
我等得善利　稱慶大歡喜　衆生常苦惱　盲瞑无導師
不識苦盡道　不知求解脫　長夜增惡趣　減損諸天衆
從瞑入於瞑　永不聞佛名　今佛得最上　安隱无漏法
我等及天人　為得最大利　是故咸稽首　歸命无上尊
尒時十六王子偈讚佛已勸請世尊轉於法輪
咸作是言世尊說法多所安隱憐愍饒益
諸天人民重說偈言
世雄无等倫　百福自莊嚴　得无上智慧　願為世間說

BD01936 號　妙法蓮華經卷三　（15–1）

尒時十六王子偈讚佛已勸請世尊轉於法輪
咸作是言世尊說法多所安隱憐愍饒益
諸天人民重說偈言
世雄无等倫　百福自莊嚴　得无上智慧　願為世間說
度脫於我等　及諸衆生類　為分別顯示　令得是智慧
若我等得佛　衆生亦復然　世尊知衆生　深心之所念
亦知所行道　又知智慧力　欲樂及修福　宿命所行業
世尊悉知已　當轉无上輪
佛告諸比丘大通智勝佛得阿耨多羅三藐
三菩提時十方各五百万億諸佛世界六種
震動其国中間幽冥之處日月威光所不
能照而皆大明其中衆生各得相見咸作是
言此中云何忽生衆生又其国界諸天宮殿乃
至梵宮六種震動大光普照遍滿世界勝諸
天光尒時東方五百万億諸国土中梵天宮
殿光明照曜倍於常明諸梵天王各作是念
今者宮殿光明昔所未有以何因緣而現此
相是時諸梵天王即各相詣共議此事而彼
衆中有一大梵天王名救一切為諸梵衆而
說偈言
我等諸宮殿　光明昔未有　此是何因緣　宜各共求之
為大德天生　為佛出世間　而此大光明　遍照於十方
尒時五百万億国土諸梵天王與宮殿俱作
以衣祴盛諸天華共詣西方推尋是相見大
通智勝如來處于道場菩提樹下坐師子

BD01936號　妙法蓮華經卷三　（15–2）

為大德天生　為佛出世間　而此大光明　遍照於十方
尒時五百万億国土諸梵天王與宮殿俱作
以衣祴盛諸天華共詣西方推尋是相見大
通智勝如來處于道場菩提樹下坐師子
座諸天龍王乹闥婆緊那羅摩睺羅伽人非
人等恭敬圍繞及見十六王子請佛轉法輪即
時諸梵天王頭面礼佛繞百千帀即以天華
而散佛上其所散華如須弥山并以供養
佛菩提樹其菩提樹高十由旬華供養已各
以宮殿奉上彼佛而作是言唯見哀愍饒益
我等所獻宮殿願垂納處時諸梵天王即於
佛前一心同聲以偈頌曰
世尊甚希有　難可得值遇　具无量功德　能救護一切
天人之大師　哀愍於世間　十方諸衆生　普皆蒙饒益
我等所從來　五百万億国　捨深禪定樂　為供養佛故
我等先世福　宮殿甚嚴飾　今以奉世尊　唯願哀納受
尒時諸梵天王偈讚佛已各作是言唯願世
尊轉於法輪度脫衆生開涅槃道時諸梵
天王一心同聲而說偈言
世雄兩足尊　唯願演說法　以大慈悲力　度苦惱衆生
尒時大通智勝如來默然許之又諸比丘東南
方五百万億国土諸大梵王各自見宮殿光
明照曜昔所未有歡喜踊躍生希有心即各
相詣共議此事而彼衆中有一大梵天王名
曰大悲為諸梵衆而說偈言

BD01936號　妙法蓮華經卷三　（15–3）

方五百万億国土諸大梵王各自見宮殿光
明照曜昔所未有歡喜踊躍生希有心即各
相詣共議此事而彼衆中有一大梵天王名
曰大悲為諸梵衆而説偈言
是事何因緣　而現如此相　我等諸宮殿　光明昔未有
為大德天生　為佛出世間　未曾見此相　當共一心求
過千万億土　尋光共推之　多是佛出世　度脫苦衆生
尒時五百万億諸梵天王與宮殿俱各以衣
裓盛諸天華共詣西北方推尋是相見大
通智勝如來處于道場菩提樹下坐師子座
諸天龍王乾闥婆緊那羅摩睺羅伽人非人等
恭敬圍繞及見十六王子請佛轉法輪時諸
梵天王頭面礼佛繞百千帀即以天華而散
佛上所散之華如須弥山并以供養佛菩
提樹華供養已各以宮殿奉上彼佛而作是
言唯見哀愍饒益我等所獻宮殿願垂納
處尒時諸梵天王即於佛前一心同聲以偈頌曰
聖主天中王　迦陵頻伽聲　哀愍衆生者　我等今敬礼
世尊甚希有　久遠乃一現　一百八十劫　空過无有佛
三惡道充滿　諸天衆減少　今佛出於世　為衆生作眼
世間所歸趣　救護於一切　為衆生之父　哀愍饒益者
我等宿福慶　今得值世尊
尒時諸梵天王偈讚佛已各作是言唯願世
尊哀愍一切轉於法輪度脫衆生時諸梵天
王一心同聲而説偈言

BD01936 號　妙法蓮華經卷三　（15–4）

我等宿福慶　今得值世尊
尒時諸梵天王偈讚佛已各作是言唯願世
尊哀愍一切轉於法輪度脫衆生時諸梵天
王一心同聲而説偈言
大聖轉法輪　顯示諸法相　度苦惱衆生　令得大歡喜
衆生聞此法　得道若生天　諸惡道減少　忍善者增益
尒時大通智勝如來嘿然許之又諸比丘南
方五百万億国土諸大梵王各自見宮殿光
明照曜昔所未有歡喜踊躍生希有心即各
相詣共議此事以何因緣我等宮殿有此光
曜而彼衆中有一大梵天王名曰妙法為諸
梵衆而説偈言
我等諸宮殿　光明甚威曜　此非无因緣　是相宜求之
過於百千劫　未曾見是相　為大德天生　為佛出世間
尒時五百万億諸梵天王與宮殿俱各以衣
裓盛諸天華共詣北方推尋是相見大通智
勝如來處于道場菩提樹下坐師子座諸天
龍王乾闥婆緊那羅摩睺羅伽人非人等恭
敬圍繞及見十六王子請佛轉法輪時諸梵
天王頭面礼佛繞百千帀即以天華而散佛
上所散之華如須弥山并以供養佛菩提樹
華供養已各以宮殿奉上彼佛而作是言唯
見哀愍饒益我等所獻宮殿願垂納處尒
時諸梵天王即於佛前一心同聲以偈頌曰
世尊甚難見　破諸煩惱者　過百三十劫　今乃得一見

BD01936 號　妙法蓮華經卷三　（15–5）

華供養已各以宮殿奉上彼佛而作是言唯
見哀愍饒益我等所獻宮殿願垂納處尒
時諸梵天王即於佛前一心同聲以偈頌曰
世尊甚難見 破諸煩惱者 過百三十劫 今乃得一見
諸飢渴衆生 以法雨充滿 昔所未曾覩 无量智慧者
如優曇波羅 今日乃值遇 我等諸宮殿 蒙光故嚴飾
世尊大慈愍 唯願垂納受
尒時諸梵天王偈讚佛已各作是言唯願世
尊轉於法輪令一切世間諸天魔梵沙門婆
羅門皆獲安隱而得度脫時諸梵天王一心
同聲以偈頌曰
唯願天人尊 轉无上法輪 擊于大法鼓 而吹大法螺
普雨大法雨 度无量衆生 我等咸歸請 當演深遠音
尒時大通智勝如來嘿然許之西南方乃至
下方亦復如是尒時上方五百万億國土諸
大梵王皆悉自覩所止宮殿光明威曜昔所
未有歡喜踊躍生希有心即各相詣共議此
事以何因緣我等宮殿有斯光明而彼衆中
有一大梵天王名曰尸棄為諸梵衆而說偈
言
今以何因緣 我等諸宮殿 威德光明曜 嚴飾未曾有
如是之妙相 昔所未聞見 為大德天生 為佛出世間
尒時五百万億諸梵天王與宮殿俱各以衣
祴盛諸天華共詣下方推尋是相見大通
智勝如來處于道場菩提樹下坐師子座

BD01936號 妙法蓮華經卷三 （15–6）

如是之妙相 昔所未聞見 為大德天生 為佛出世間
尒時五百万億諸梵天王與宮殿俱各以衣
祴盛諸天華共詣下方推尋是相見大通
智勝如來處于道場菩提樹下坐師子座
諸天龍王乾闥婆緊那羅摩睺羅伽人非人等
恭敬圍繞及見十六王子請佛轉法輪時諸
梵天王頭面礼佛繞百千帀即以天華而散
佛上所散之華如須弥山并以供養佛菩
提樹華供養已各以宮殿奉上彼佛而作是言
唯見哀愍饒益我等所獻宮殿願垂納處
時諸梵天王即於佛前一心同聲以偈頌曰
善哉見諸佛 救世之聖尊 能於三界獄 勉出諸衆生
普智天人尊 哀愍群萌類 能開甘露門 廣度於一切
於昔无量劫 空過无有佛 世尊未出家 十方常暗瞑
三惡道增長 阿脩羅亦盛 諸天衆轉減 死多墮惡道
不從佛聞法 常行不善事 色力及智慧 斯等皆減少
罪業因緣故 失樂及樂想 住於耶見法 不識善儀則
不蒙佛所化 常墮於惡道 佛為世間眼 久遠時乃出
哀愍諸衆生 故現於世間 超出成正覺 我等甚欣慶
及餘一切衆 喜歎未曾有 我等諸宮殿 蒙光故嚴飾
今以奉世尊 唯垂哀納受 願以此功德 普及於一切
我等與衆生 皆共成佛道
尒時五百万億諸梵天王偈讚佛已各白佛言
唯願世尊轉於法輪多所安隱多所度脫時
諸梵天王而說偈言

BD01936號 妙法蓮華經卷三 （15–7）

我等與衆生　皆共成佛道
尒時五百万億諸梵天王偈讃佛已各白佛言
唯願世尊轉於法輪多所安隱多所度脫時
諸梵天王而說偈言
世尊轉法輪　擊甘露法鼓　度苦惱衆生　開示涅槃道
唯願受我請　以大微妙音　哀愍而敷演　无量劫習法
尒時大通智勝如来受十方諸梵天王及十六
王子請即時三轉十二行法輪若沙門婆羅
門若天魔梵及餘世間所不能轉謂是苦集
是苦滅是苦滅道及廣說十二因緣法无明
緣行行緣識識緣名色名色緣六入六入
緣觸觸緣受受緣愛愛緣取取緣有有緣
生生緣老死憂悲苦惱无明滅則行滅行
滅則識滅識滅則名色滅名色滅則六入滅
六入滅則觸滅觸滅則受滅受滅則愛滅愛
滅則取滅取滅則有滅有滅則生滅生滅則
老死憂悲苦惱滅佛於天人大衆之中說是
法時六百万億那由他人以不受一切法故而
於諸漏心得解脫皆得深妙禪定三明六通
具八解脫第二第三第四說法時千万億恒河
沙那由他等衆生亦以不受一切法故而
於諸漏心得解脫從是已後諸聲聞衆已
无量无邊不可稱數尒時十六王子皆以童子
出家而為沙弥諸根通利智慧明了已曾供
養百千万億諸佛淨脩梵行求阿耨多羅三

沙那由他等衆生亦以不受一切法故而
於諸漏心得解脫從是已後諸聲聞衆已
无量无邊不可稱數尒時十六王子皆以童子
出家而為沙弥諸根通利智慧明了已曾供
養百千万億諸佛淨脩梵行求阿耨多羅三
藐三菩提俱白佛言世尊是諸无量千万
億大德聲聞皆已成就世尊亦當為我等說
阿耨多羅三藐三菩提法我等聞已皆共脩學
世尊我等志願如来知見深心所念佛自證知
尒時轉輪聖王所将衆中八万億人見十六
王子出家亦求出家王即聽許尒時彼佛
受沙弥請過二万劫已乃於四衆之中說是大
乘經名妙法蓮華教菩薩法佛所護念說
是經已十六沙弥為阿耨多羅三藐三菩提故
皆共受持諷誦通利說是經時十六菩薩
沙弥皆悉信受聲聞衆中亦有信解其餘衆
生千万億種皆生疑惑佛說是經於八千劫
未曾休廢說此經已即入靜室住於禪定八
万四千劫是時十六菩薩沙弥知佛入室寂
然禪定各昇法座亦於八万四千劫為四部衆
廣說分別妙法華經一一皆度六百万億那
由他恒河沙等衆生示教利喜令發阿耨
多羅三藐三菩提心大通智勝佛過八万四
千劫已從三昧起往詣法座安詳而坐普告
大衆是十六菩薩沙弥甚為希有諸根通

由他恒河沙等衆生示教利喜令發阿耨
多羅三藐三菩提心大通智勝佛過八万四
千劫已從三昧起往詣法座安詳而坐普告
大衆是十六菩薩沙弥甚爲希有諸根通
利智慧明了已曾供養无量千万億數諸佛
於諸佛所常脩梵行受持佛智開示衆生令
入其中汝等皆當數數親近而供養之所以者
何若聲聞辟支佛及諸菩薩能信是十六菩
薩所說經法受持不毀者是人皆當得阿耨
多羅三藐三菩提如來之慧佛告諸比丘是
十六菩薩常樂說是妙法蓮華經二菩薩
所化六百万億那由他恒河沙等衆生世世
所生與菩薩俱從其聞法悉皆信解以此因
緣得值四万億諸佛世尊于今不盡諸比丘
我今語汝彼佛弟子十六沙弥今皆得阿耨
多羅三藐三菩提於十方國土現在說法有
无量百千万億菩薩聲聞以爲眷屬其二沙
弥東方作佛一名阿閦在歡喜國二名須弥
頂東南方二佛一名師子音二名師子相南
方二佛一名虛空住二名常滅西南方二佛一
名帝相二名梵相西方二佛一名阿弥陀二
名度一切世間苦惱西北方二佛一名多摩
羅跋栴檀香神通二名須弥相北方二佛
一名雲自在二名雲自在王東北方佛名壞一切
世間怖畏第十六我釋迦牟尼佛於娑婆

BD01936號　妙法蓮華經卷三　（15–10）

名度一切世間苦惱西北方二佛一名多摩
羅跋栴檀香神通二名須弥相北方二佛
一名雲自在二名雲自在王東北方佛名壞一切
世間怖畏第十六我釋迦牟尼佛於娑婆
國土成阿耨多羅三藐三菩提諸比丘我等
爲沙弥時各各教化无量百千万億恒河
沙等衆生從我聞法爲阿耨多羅三藐三菩
提此諸衆生于今有住聲聞地者我常教
化阿耨多羅三藐三菩提是諸人等應以是法
漸入佛道所以者何如來智慧難信難解尒
時所化无量恒河沙等衆生者汝等諸比丘
及我滅度後未來世中聲聞弟子是也我滅
度後復有弟子不聞是經不知不覺菩薩
所行自於所得功德生滅度想當入涅槃我於
餘國作佛更有異名是人雖生滅度之想入
於涅槃而於彼土求佛智慧得聞是經唯以
佛乘而得滅度更无餘乘除諸如來方便說
法諸比丘若如來自知涅槃時到衆又清淨
信解堅固了達空法深入禪定便集諸菩薩
及聲聞衆爲說是經世間无有二乘而得滅
度唯一佛乘得滅度耳比丘當知如來方便深
入衆生之性知其志樂小法深着五欲爲是
等故說於涅槃是人若聞則便信受譬如
五百由旬險難惡道曠絕无人怖畏之處若
有多衆欲過此道至珎寶處有一道師聰慧

BD01936號　妙法蓮華經卷三　（15–11）

入衆生之性知其志樂小法深着五欲為是
等故說於涅槃是人若聞則便信受譬如
五百由旬險難惡道曠絕无人怖畏之處若
有多衆欲過此道至珎寶處有一導師聦慧
明達善知險道通塞之相將導衆人欲過此
難所將人衆中路懈退白導師言我等疲極
而復怖畏不能復進前路猶遠今欲退還導
師多諸方便而作是念此等可愍云何捨大
珎寶而欲退還作是念已以方便力於險道
中過三百由旬化作一城告衆人言汝等勿
怖莫得退還今此大城可於中止隨意所作
若入是城快得安隱若能前至寶所亦可得
去是時疲極之衆心大歡喜歎未曾有我等
今者免斯惡道快得安隱於是衆人前入化
城生已度想生安隱想尒時導師知此人衆
既得止息无復疲惓即滅化城語衆人言汝等
去來寶處在近向者大城我所化作為止
息耳諸比丘如來亦復如是今為汝等作大
導師知諸生死煩惱惡道險難長遠應去
應度若衆生但聞一佛乘者則不欲見佛不欲
親近便作是念佛道長遠久受勤苦乃可得
成佛知是心怯弱下劣以方便力而於中道
為止息故說二涅槃若衆生住於二地如來
尒時即便為說汝等所作未辦汝所住地近
於佛慧當觀察籌量所得涅槃非真實也

BD01936號　妙法蓮華經卷三　（15-12）

成佛知是心怯弱下劣以方便力而於中道
為止息故說二涅槃若衆生住於二地如來
尒時即便為說汝等所作未辦汝所住地近
於佛慧當觀察籌量所得涅槃非真實也
但是如來方便之力於一佛乘分別說三如彼導
師為止息故化作大城既知息已而告之言
寶處在近此城非實我化作耳尒時世尊
欲重宣此義而說偈言
大通智勝佛　十劫坐道場　佛法不現前　不得成佛道
諸天神龍王　阿脩羅衆等　常雨於天華　以供養彼佛
諸天擊天鼓　并作衆伎樂　香風吹萎華　更雨新好者
過十小劫已　乃得成佛道　諸天及世人　心皆懷踊躍
彼佛十六子　皆與其眷屬　千万億圍繞　俱行至佛所
頭面礼佛足　而請轉法輪　聖師子法雨　充我及一切
世尊甚難值　久遠時一現　為覺悟群生　震動於一切
東方諸世界　五百万億國　梵宮殿光曜　昔所未曾有
諸梵見此相　尋來至佛所　散華以供養　并奉上宮殿
請佛轉法輪　以偈而讚歎　佛知時未至　受請嘿然坐
三方及四維　上下亦復尒　散華奉宮殿　請佛轉法輪
世尊甚難值　願以大慈悲　廣開甘露門　轉无上法輪
无量慧世尊　受彼衆人請　為宣種種法　四諦十二緣
无明至老死　皆從生緣有　如是衆過患　汝等應當知
宣暢是法時　六百万億姟　得盡諸苦際　皆成阿羅漢
第二說法時　千万恒沙衆　於諸法不受　亦得阿羅漢
從是後得道　其數无有量　万億劫筭數　不能得其邊
時十六王子　出家作沙弥　皆共請彼佛　演說大乘法

BD01936號　妙法蓮華經卷三　（15-13）

宣暢是法時　六百万億姟　得盡諸苦際　皆成阿羅漢
第二說法時　千万恒沙衆　於諸法不受　亦得阿羅漢
從是後得道　其數无有量　万億劫筭數　不能得其邊
時十六王子　出家作沙弥　皆共請彼佛　演說大乘法
我等及營從　皆當成佛道　願得如世尊　慧眼第一淨
佛知童子心　宿世之所行　以无量因緣　種種諸譬喻
說六波羅蜜　及諸神通事　分別真實法　菩薩所行道
說是法華經　如恒河沙偈　彼佛說經已　靜室入禪定
一心一處坐　八万四千劫　是諸沙弥等　知佛禪未出
為无量億衆　說佛无上慧　各各坐法坐　說是大乘經
於佛宴寂後　宣揚助法化　一一沙弥等　所度諸衆生
有六百万億　恒河沙等衆　彼佛滅度後　是諸聞法者
在在諸佛土　常與師俱生　是十六沙弥　具足行佛道
今現在十方　各得成正覺　尒時聞法者　各在諸佛所
其有住聲聞　漸教以佛道　我在十六數　曾亦為汝說
是故以方便　引汝趣佛慧　以是本因緣　今說法華經
令汝入佛道　慎勿懷驚懼　譬如險惡道　迥絕多毒獸
又復无水草　人所怖畏處　无數千万衆　欲過此險道
其路甚曠遠　經五百由旬　時有一導師　強識有智慧
明了心決定　在險濟衆難　衆人皆疲惓　而白導師言
我等今頓乏　於此欲退還　導師作是念　此輩甚可愍
如何欲退還　而失大珎寶　尋時思方便　當設神通力
化作大城郭　莊嚴諸舍宅　周帀有園林　渠流及浴池
重門高樓閣　男女皆充滿　即作是化已　慰衆言勿懼
汝等入此城　各可隨所樂　諸人既入城　心皆大歡喜

BD01936號　妙法蓮華經卷三　（15–14）

是故以方便　引汝趣佛慧　以是本因緣　今說法華經
令汝入佛道　慎勿懷驚懼　譬如險惡道　迥絕多毒獸
又復无水草　人所怖畏處　无數千万衆　欲過此險道
其路甚曠遠　經五百由旬　時有一導師　強識有智慧
明了心決定　在險濟衆難　衆人皆疲惓　而白導師言
我等今頓乏　於此欲退還　導師作是念　此輩甚可愍
如何欲退還　而失大珎寶　尋時思方便　當設神通力
化作大城郭　莊嚴諸舍宅　周帀有園林　渠流及浴池
重門高樓閣　男女皆充滿　即作是化已　慰衆言勿懼
汝等入此城　各可隨所樂　諸人既入城　心皆大歡喜
皆生安隱想　自謂已得度　導師知息已　集衆而告言
汝等當前進　此是化城耳　我見汝疲極　中路欲退還
[illegible]方便力　權化作此城　汝今勤精進　當共至寶所
[illegible]　為一切導師　見諸求道者　中路而懈廢
[illegible]　煩惱諸險道　故以方便力　為息說涅槃
[illegible]　所作皆已辦　既知到涅槃　皆得阿羅漢
[illegible]　為說真實法　諸佛方便力　分別說三乘
[illegible]　息處故說二　今為汝說實　汝所得非滅
[illegible]當發大[illegible]　證一切智　十力等佛法
[illegible]佛之導師　為息說涅槃

BD01936號　妙法蓮華經卷三　（15–15）

毒虫之屬　諸惡禽獸　孚乳產生　各自藏護
夜叉競來　爭取食之　食之既飽　惡心轉熾
鬭諍之聲　甚可怖畏　鳩槃荼鬼　蹲踞土埵
或時離地　一尺二尺　往返遊行　縱逸嬉戲
捉狗兩足　撲令失聲　以腳加頸　怖狗自樂
復有諸鬼　其身長大　裸形黑瘦　常住其中
發大惡聲　叫呼求食　復有諸鬼　其咽如針
復有諸鬼　首如牛頭　或食人肉　或復噉狗
頭髮蓬亂　殘害凶險　飢渴所逼　叫喚馳走
夜叉餓鬼　諸惡鳥獸　飢急四向　窺看窗牖
如是諸難　恐畏無量　是朽故宅　屬于一人
其人近出　未久之間　於後舍宅　欻然火起
四面一時　其焰俱熾　棟梁椽柱　爆聲震裂
摧折墮落　牆壁崩倒　諸鬼神等　揚聲大叫
鵰鷲諸鳥　鳩槃荼等　周慞惶怖　不能自出
惡獸毒虫　藏竄孔穴　毗舍闍鬼　亦住其中
薄福德故　為火所逼　共相殘害　飲血噉肉
野干之屬　並已前死　諸大惡獸　競來食噉
臭煙熢㶿　四面充塞　蜈蚣蚰蜒　毒蛇之類
為火所燒　爭走出穴　鳩槃荼鬼　隨取而食
又諸餓鬼　頭上火然　飢渴熱惱　周慞悶走

BD01937 號　妙法蓮華經卷二　（18–1）

野干之屬　並已前死　諸大惡獸　競來食噉
臭煙熢㶿　四面充塞　蜈蚣蚰蜒　毒蛇之類
為火所燒　爭走出穴　鳩槃荼鬼　隨取而食
又諸餓鬼　頭上火然　飢渴熱惱　周慞悶走
其宅如是　甚可怖畏　毒害火災　衆難非一
是時宅主　在門外立　聞有人言　汝諸子等
先因遊戲　來入此宅　稚小無知　歡娛樂著
長者聞已　驚入火宅　方宜救濟　令無燒害
告喻諸子　說衆患難　惡鬼毒虫　災火蔓莚
衆苦次第　相續不絕　毒蛇蚖蝮　及諸夜叉
鳩槃荼鬼　野干狐狗　鵰鷲鵄梟　百足之屬
飢渴惱急　甚可怖畏　此苦難處　況復大火
諸子無知　雖聞父誨　猶故樂著　嬉戲不已
是時長者　而作是念　諸子如此　益我愁惱
今此舍宅　無一可樂　而諸子等　耽湎嬉戲
不受我教　將為火害　即便思惟　設諸方便
告諸子等　我有種種　珍玩之具　妙寶好車
羊車鹿車　大牛之車　今在門外　汝等出來
吾為汝等　造作此車　隨意所樂　可以遊戲
諸子聞說　如此諸車　即時奔競　馳走而出
到於空地　離諸苦難　長者見子　得出火宅
住於四衢　坐師子座　而自慶言　我今快樂
此諸子等　生育甚難　愚小無知　而入險宅
多諸毒虫　魑魅可畏　大火猛焰　四面俱起

BD01937 號　妙法蓮華經卷二　（18–2）

住於四衢　坐師子座　而自慶言　我今快樂
此諸子等　生育甚難　愚小無知　而入險宅
多諸毒虫　魑魅可畏　大火猛焰　四面俱起
而此諸子　貪樂嬉戲　我已救之　令得脫難
是故諸人　我今快樂　尒時諸子　知父安坐
皆詣父所　而白父言　願賜我等　三種寶車
如前所許　諸子出來　當以三車　隨汝所欲
今正是時　唯垂給與　長者大富　庫藏眾多
金銀琉璃　車𤦲馬瑙　以眾寶物　造諸大車
莊校嚴飾　周帀欄楯　四面懸鈴　金繩交絡
真珠羅網　張施其上　金華諸瓔　處處垂下
眾綵雜飾　周匝圍繞　柔軟繒纊　以為茵褥
上妙細疊　價直千億　鮮白淨潔　以覆其上
有大白牛　肥壯多力　形體姝好　以駕寶車
多諸儐從　而侍衛之　以是妙車　等賜諸子
諸子是時　歡喜踊躍　乘是寶車　遊於四方
嬉戲快樂　自在無礙　告舍利弗　我亦如是
眾聖中尊　世間之父　一切眾生　皆是吾子
深著世樂　無有慧心　三界無安　猶如火宅
眾苦充滿　甚可怖畏　常有生老　病死憂患
如是等火　熾然不息　如來已離　三界火宅
寂然閑居　安處林野　今此三界　皆是我有
其中眾生　悉是吾子　而今此處　多諸患難
唯我一人　能為救護　雖復教詔　而不信受

BD01937號　妙法蓮華經卷二　（18-3）

寂然閑居　安處林野　今此三界　皆是我有
其中眾生　悉是吾子　而今此處　多諸患難
唯我一人　能為救護　雖復教詔　而不信受
於諸欲染　貪著深故　是以方便　為說三乘
令諸眾生　知三界苦　開示演說　出世間道
是諸子等　若心決定　具足三明　及六神通
有得緣覺　不退菩薩　汝舍利弗　我為眾生
以此譬喻　說一佛乘　汝等若能　信受是語
一切皆當　得成佛道　是乘微妙　清淨第一
於諸世間　為無有上　佛所悅可　一切眾生
所應稱讚　供養礼拜　無量億千　諸力解脫
禪定智慧　及佛餘法　得如是乘　令諸子等
日夜劫數　常得遊戲　與諸菩薩　及聲聞眾
乘此寶乘　直至道場　以是因緣　十方諦求
更無餘乘　除佛方便　告舍利弗　汝諸人等
皆是吾子　我則是父　汝等累劫　眾苦所燒
我皆濟拔　令出三界　我雖先說　汝等滅度
但盡生死　而實不滅　今所應作　唯佛智慧
若有菩薩　於是眾中　能一心聽　諸佛實法
諸佛世尊　雖以方便　所化眾生　皆是菩薩
若人小智　深著愛欲　為此等故　說於苦諦
眾生心喜　得未曾有　佛說苦諦　真實無異
若有眾生　不知苦本　深著苦因　不能暫捨

BD01937號　妙法蓮華經卷二　（18-4）

若人小智　深著愛欲　爲此等故　說於苦諦
衆生心喜　得未曾有　佛說苦諦　真實無異
若有衆生　不知苦本　深著苦因　不能暫捨
爲是等故　方便說道　諸苦所因　貪欲爲本
若滅貪欲　無所依止　滅盡諸苦　名第三諦
爲滅諦故　修行於道　離諸苦縛　名得解脫
是人於何　而得解脫　但離虛妄　名爲解脫
其實未得　一切解脫　佛說是人　未實滅度
斯人未得　無上道故　我意不欲　令至滅度
我爲法王　於法自在　安隱衆生　故現於世
汝舍利弗　我此法印　爲欲利益　世間故說
在所遊方　勿妄宣傳　若有聞者　隨喜頂受
當知是人　阿鞞跋致　若有信受　此經法者
是人已曾　見過去佛　恭敬供養　亦聞是法
若人有能　信汝所說　則爲見我　亦見於汝
及比丘僧　并諸菩薩　斯法華經　爲深智說
淺識聞之　迷惑不解　一切聲聞　及辟支佛
於此經中　力所不及　汝舍利弗　尚於此經
以信得入　況餘聲聞　其餘聲聞　信佛語故
隨順此經　非己智分　又舍利弗　憍慢懈怠
計我見者　莫說此經　凡夫淺識　深著五欲
聞不能解　亦勿爲說　若人不信　毀謗此經
則斷一切　世間佛種　或復顰蹙　而懷疑惑
汝當聽說　此人罪報　若佛在世　若滅度後

BD01937 號　妙法蓮華經卷二　（18–5）

則斷一切　世間佛種　或復顰蹙　而懷疑惑
汝當聽說　此人罪報　若佛在世　若滅度後
其有誹謗　如斯經典　見有讀誦　書持經者
輕賤憎嫉　而懷結恨　此人罪報　汝今復聽
其人命終　入阿鼻獄　具足一劫　劫盡更生
如是展轉　至無數劫　從地獄出　當墮畜生
若狗野干　其形頊瘦　黧黮疥癩　人所觸嬈
又復爲人　之所惡賤　常困飢渴　骨肉枯竭
生受楚毒　死被瓦石　斷佛種故　受斯罪報
若作駱駝　或生驢中　身常負重　加諸杖捶
但念水草　餘無所知　謗斯經故　獲罪如是
有作野干　來入聚落　身體疥癩　又無一目
爲諸童子　之所打擲　受諸苦痛　或時致死
於此死已　更受蟒身　其形長大　五百由旬
聾騃無足　宛轉腹行　爲諸小虫　之所唼食
晝夜受苦　無有休息　謗斯經故　獲罪如是
若得爲人　諸根暗鈍　矬陋攣躄　盲聾背傴
有所言說　人不信受　口氣常臭　鬼魅所著
貧窮下賤　爲人所使　多病痟瘦　無所依怙
雖親附人　人不在意　若有所得　尋復忘失
若修醫道　順方治病　更增他疾　或復致死
若自有病　無人救療　設服良藥　而復增劇
若他逆叛　抄劫竊盜　如是等罪　橫羅其殃

BD01937 號　妙法蓮華經卷二　（18–6）

若脩醫道　順方治病　更增他疾　或復致死
若自有病　無人救療　設服良藥　而復增劇
若他反逆　抄劫竊盜　如是等罪　橫罹其殃
如斯罪人　永不見佛　衆聖之王　說法教化
如斯罪人　常生難處　狂聾心亂　永不聞法
於无數劫　如恒河沙　生輒聾瘂　諸根不具
常處地獄　如遊園觀　在餘惡道　如己舍宅
駝驢猪狗　是其行處　謗斯經故　獲罪如是
若得為人　聾盲瘖瘂　貧窮諸衰　以自莊嚴
水腫乾痟　疥癩癰疽　如是等病　以為衣服
身常臭處　垢穢不淨　深著我見　增益瞋恚
婬欲熾盛　不擇禽獸　謗斯經故　獲罪如是
告舍利弗　謗斯經者　若說其罪　窮劫不盡
以是因緣　我故語汝　无智人中　莫說此經
若有利根　智慧明了　多聞強識　求佛道者
如是之人　乃可為說　若人曾見　億百千佛
植諸善本　深心堅固　如是之人　乃可為說
若人精進　常脩慈心　不惜身命　乃可為說
若人恭敬　无有異心　離諸凡愚　獨處山澤
如是之人　乃可為說　又舍利弗　若見有人
捨惡知識　親近善友　如是之人　乃可為說
若見佛子　持戒清潔　如淨明珠　求大乘經
如是之人　乃可為說　若人无瞋　質直柔軟

BD01937號　妙法蓮華經卷二　（18-7）

若見佛子　持戒清潔　如淨明珠　求大乘經
如是之人　乃可為說　若人无瞋　質直柔軟
常愍一切　恭敬諸佛　如是之人　乃可為說
復有佛子　於大衆中　以清淨心　種種因緣
譬喻言辭　說法无礙　如是之人　乃可為說
若有比丘　為一切智　四方求法　合掌頂受
但樂受持　大乘經典　乃至不受　餘經一偈
如是之人　乃可為說　如人至心　求佛舍利
如是求經　得已頂受　其人不復　志求餘經
亦未曾念　外道典籍　如是之人　乃可為說
告舍利弗　我說是相　求佛道者　窮劫不盡
如是等人　則能信解　汝當為說　妙法華經
妙法蓮華經信解品第四
尒時慧命須菩提摩訶迦旃延摩訶迦葉摩訶
目揵連從佛所聞未曾有法世尊授舍利弗阿
耨多羅三藐三菩提記發希有心歡喜踊躍即從
座起整衣服偏袒右肩右膝著地一心合掌曲
躬恭敬瞻仰尊顏而白佛言我等居僧之首年
並朽邁自謂已得涅槃無所堪任不復進求阿
耨多羅三藐三菩提世尊往昔說法既久我時在
座身體疲懈但念空無相無作於菩薩法遊戲
神通淨佛國土成就衆生心不喜樂所以者何世尊
令我等出於三界得證涅槃又今我等年已朽

BD01937號　妙法蓮華經卷二　（18-8）

耨多羅三藐三菩提世尊往昔說法既久我時在
座身體疲懈但念空無相無作於菩薩法遊戲
神通淨佛國土成就眾生心不喜樂所以者何世尊
令我等出於三界得涅槃證又今我等年已朽
邁於佛教化菩薩阿耨多羅三藐三菩提不生一念
好樂之心我等今於佛前聞授聲聞阿耨多羅
三藐三菩提記心甚歡喜得未曾有不謂於今
忽然得希（聞）有之法深自慶幸獲大善利無量珍
寶不求自得世尊我等今者樂說譬喻以明
斯義譬若有人年既幼稚捨父逃逝久住他國
或十二十至五十歲年既長大加復窮困馳騁四方
以求衣食漸漸遊行遇向本國其父先來求子
不得中止一城其家大富財寶無量金銀琉璃
珊瑚虎珀頗梨珠等其諸倉庫悉皆盈溢多
有僮僕臣佐吏民象馬車乘牛羊無數出入息
利乃遍他國商估賈客亦甚眾多時貧窮子
遊諸聚落經歷國邑遂到其父所止之城父每念
子與子離別五十餘年而未曾向人說如此事但
自思惟心懷悔恨自念老朽多有財物金銀珍寶
倉庫盈溢無有子息一旦終沒財物散失無所
委付是以慇懃每憶其子復作是念我若得子委
付財物坦然快樂無復憂慮世尊爾時窮子傭
賃展轉遇到父舍住立門側遙見其父踞師子

BD01937 號　妙法蓮華經卷二

（18–9）

委付是以慇懃每憶其子復作是念我若得子委
付財物坦然快樂無復憂慮世尊爾時窮子傭
賃展轉遇到父舍住立門側遙見其父踞師子
床寶几承足諸婆羅門剎利居士皆恭敬圍
繞以真珠瓔珞價直千万莊嚴其身吏民
僮僕手執白拂侍立左右覆以寶帳垂諸華
幡香水灑地散眾名華羅列寶物出內取與
有如是等種種嚴飾威德特尊窮子見父有
大力勢即懷恐怖悔來至此竊作是念此或
是王或是（王）等非我傭力得物之處不如往至貧
里肆力有地衣食易得若久住此或見逼迫強
使我（作）是念已疾走而去時富長者於師子座見
子便識心大歡喜即作是念我財物庫藏今有
所付我常思念此子無由見之而忽自來甚適
我願我雖年朽猶故貪惜即遣傍人急追將
還爾時使者疾走往捉窮子驚愕稱怨大喚我
不相犯何為見捉使者執之逾急強牽將還于
時窮子自念無罪而被囚執此必定死轉更惶怖
悶絕躄地父遙見之而語使言不須此人勿強將
來以冷水灑面令得醒悟莫復與語所以者何父
知其子志意下劣自知豪貴為子所難
審知是子而以方便不語他人云是我子使
者語之（我）今放汝隨意所趣窮子歡喜得

BD01937 號　妙法蓮華經卷二

（18–10）

來以冷水灑面令得醒悟莫復與語所以者何父
知其子志意下劣自知豪貴為子所難
審知是子而以方便不語他人云是我子使
者語之我今放汝隨意所趣窮子歡喜得
未曾有從地而起往至貧里以求衣食尒時
長者將欲誘引其子而設方便密遣二人形
色憔悴無威德者汝可詣彼徐語窮子此有
作處倍與汝直窮子若許將來使作若言欲
何所作便可語之雇汝除糞我等二人亦共
汝作時二使人即求窮子既已得之具陳上
事尒時窮子先取其價尋與除糞其父見子
愍而怪之又以他日於窗牖中遙見子身羸瘦
憔悴糞土塵坌汙穢不淨即脫瓔珞細軟上
服嚴飾之具更著麤弊垢膩之衣塵土坌身
右手執持除糞之器狀有所畏語諸作人汝
等勤作勿得懈息以方便故得近其子後復
告言咄男子汝常此作勿復餘去當加汝價
諸有所須瓮器米麵鹽醋之屬莫自疑難亦
有老弊使人須者相給好自安意我如汝父
勿復憂慮所以者何我年老大而汝少壯汝
常作時無有欺怠瞋恨怨言都不見汝有此
諸惡如餘作人自今已後如所生子即時長
者更與作字名之為兒尒時窮子雖欣此遇

BD01937號　妙法蓮華經卷二　（18–11）

勿復憂慮所以者何我年老大而汝少壯汝
常作時無有欺怠瞋恨怨言都不見汝有此
諸惡如餘作人自今已後如所生子即時長
者更與作字名之為兒尒時窮子雖欣此遇
猶故自謂客作賤人由是之故於二十年中常
令除糞過是已後心相體信入出無難然
其所止猶在本處世尊尒時長者有疾自知
將死不久語窮子言我今多有金銀珍寶倉
庫盈溢其中多少所應取與汝悉知之我心
如是當體此意所以者何今我與汝便為不
異宜加用心無令漏失尒時窮子即受教勑
領知眾物金銀珍寶及諸庫藏而無悕取一
飡之意然其所止故在本處下劣之心亦未
能捨復經少時父知子意漸已通泰成就大
志自鄙先心臨欲終時而命其子并會親族
國王大臣剎利居士皆悉已集即自宣言諸
君當知此是我子我之所生於某城中捨吾
逃走跉跰辛苦五十餘年其本字某我名某
甲昔在本城懷憂推覓忽於此間遇會得之
此實我子我實其父今我所有一切財物皆
是子有先所出內是子所知世尊是時窮子
聞父此言即大歡喜得未曾有而作是念我
本無心有所悕求今此寶藏自然而至世尊
大富長者則是如來我等皆似佛子如來常

BD01937號　妙法蓮華經卷二　（18–12）

聞父此言即大歡喜得未曾有而作是念我
我本無心有所悕求今此寶藏自然而至世尊
大富長者則是如來我等皆似佛子如來常
說我等為子世尊我等以三苦故於生死中
受諸熱惱迷惑無知樂著小法今日世尊令
我等思惟蠲除諸法戲論之糞我等於中勤
加精進得至涅槃一日之價既得此已心大
歡喜自已為足便自謂於佛法中勤精進故
所得弘多然世尊先知我等心著弊欲樂於
小法便見縱舍不為分別汝等當有如來知
見寶藏之分世尊以方便力說如來智慧我
等從佛得涅槃一日之價以為大得於此大
乘無有志求我等又因如來智慧為諸菩薩
開示演說而自於此無有志願所以者何佛
知我等心樂小法以方便力隨我等說而
我等不知真是佛子今我等方知世尊於佛
智慧無所悋惜所以者何我等昔來真是佛
子而但樂小法若我等有樂大之心佛則為
我說大乘法於此經中唯說一乘而昔於菩薩
前毀呰聲聞樂小法者然佛實以大乘教化
是故我等說本無心有所悕求今法王大寶
自然而至如佛子所應得者皆已得之爾時摩訶
迦葉欲重宣此義而說偈言
我等今日　聞佛音教　歡喜踊躍　得未曾有

迦葉欲重宣此義而說偈言
我等今日　聞佛音教　歡喜踊躍　得未曾有
佛說聲聞　當得作佛　無上寶聚　不求自得
譬如童子　幼稚無識　捨父逃逝　遠到他土
周流諸國　五十餘年　其父憂念　四方推求
求之既疲　頓止一城　造立舍宅　五欲自娛
其家巨富　多諸金銀　車𤦲馬瑙　真珠瑠璃
象馬牛羊　輦輿車乘　田業僮僕　人民眾多
出入息利　乃遍他國　商估賈人　無處不有
千万億眾　圍繞恭敬　常為王者　之所愛念
群臣豪族　皆共宗重　以諸緣故　往來者眾
豪富如是　有大力勢　而年朽邁　益憂念子
夙夜惟念　死時將至　癡子捨我　五十餘年
庫藏諸物　當如之何　爾時窮子　求索衣食
從邑至邑　從國至國　或有所得　或無所得
飢餓羸瘦　體生瘡癬　漸次經歷　到父住城
傭賃展轉　遂至父舍　爾時長者　於其門內
施大寶帳　處師子座　眷屬圍繞　諸人侍衛
或有計算　金銀寶物　出內財產　注記券疏
窮子見父　豪貴尊嚴　謂是國王　若是王等
驚怖自怪　何故至此　覆自念言　我若久住
或見逼迫　強驅使作　思惟是已　馳走而去
借問貧里　欲往傭作　長者是時　在師子座
遙見其子　嘿而識之　即勑使者　追捉將來

或見逼迫　強駈使作　思惟是已　馳走而去
借問貧里　欲往傭作　長者是時　在師子座
遙見其子　嘿而識之　即勑使者　追捉將來
窮子驚喚　迷悶躃地　是人執我　必當見殺
何用衣食　使我至此　長者知子　愚癡狹劣
不信我言　不信是父　即以方便　更遣餘人
眇目矬陋　無威德者　汝可語之　云當相雇
除諸糞穢　倍與汝價　窮子聞之　歡喜隨來
為除糞穢　淨諸房舍　長者於牖　常見其子
念子愚劣　樂為鄙事　於是長者　著弊垢衣
執除糞器　往到子所　方便附近　語令勤作
既益汝價　并塗足油　飲食充足　薦席厚暖
如是苦言　汝當勤作　又以軟語　若如我子
長者有智　漸令入出　經二十年　執作家事
示其金銀　真珠頗梨　諸物出入　皆使令知
猶處門外　止宿草菴　自念貧事　我無此物
父知子心　漸已曠大　欲與財物　即聚親族
國王大臣　剎利居士　於此大眾　說是我子
捨我他行　經五十歲　自見子來　已二十年
昔於某城　而失是子　周行求索　遂來至此
凡我所有　舍宅人民　悉以付之　恣其所用
子念昔貧　志意下劣　今於父所　大獲珍寶
并及舍宅　一切財物　甚大歡喜　得未曾有

BD01937號　妙法蓮華經卷二　（18–15）

凡我所有　舍宅人民　悉以付之　恣其所用
子念昔貧　志意下劣　今於父所　大獲珍寶
并及舍宅　一切財物　甚大歡喜　得未曾有
佛亦如是　知我樂小　未曾說言　汝等作佛
而說我等　得諸無漏　成就小乘　聲聞弟子
佛勑我等　說最上道　修習此者　當得成佛
我承佛教　為大菩薩　以諸因緣　種種譬喻
若干言辭　說無上道　諸佛子等　從我聞法
日夜思惟　精勤修習　是時諸佛　即授其記
汝於來世　當得作佛　一切諸佛　祕藏之法
但為菩薩　演其實事　而不為我　說斯真要
如彼窮子　得近其父　雖知諸物　心不希取
我等雖說　佛法寶藏　自無志願　亦復如是
我等內滅　自謂為足　唯了此事　更無餘事
我等若聞　淨佛國土　教化眾生　都無欣樂
所以者何　一切諸法　皆悉空寂　無生無滅
無大無小　無漏無為　如是思惟　不生喜樂
我等長夜　於佛智慧　無貪無著　無復志願
而自於法　謂是究竟　我等長夜　修習空法
得脫三界　苦惱之患　住最後身　有餘涅槃
佛所教化　得道不虛　則為已得　報佛之恩
我等雖為　諸佛子等　說菩薩法　以求佛道
而於是法　永無願樂　導師見捨　觀我心故

BD01937號　妙法蓮華經卷二　（18–16）

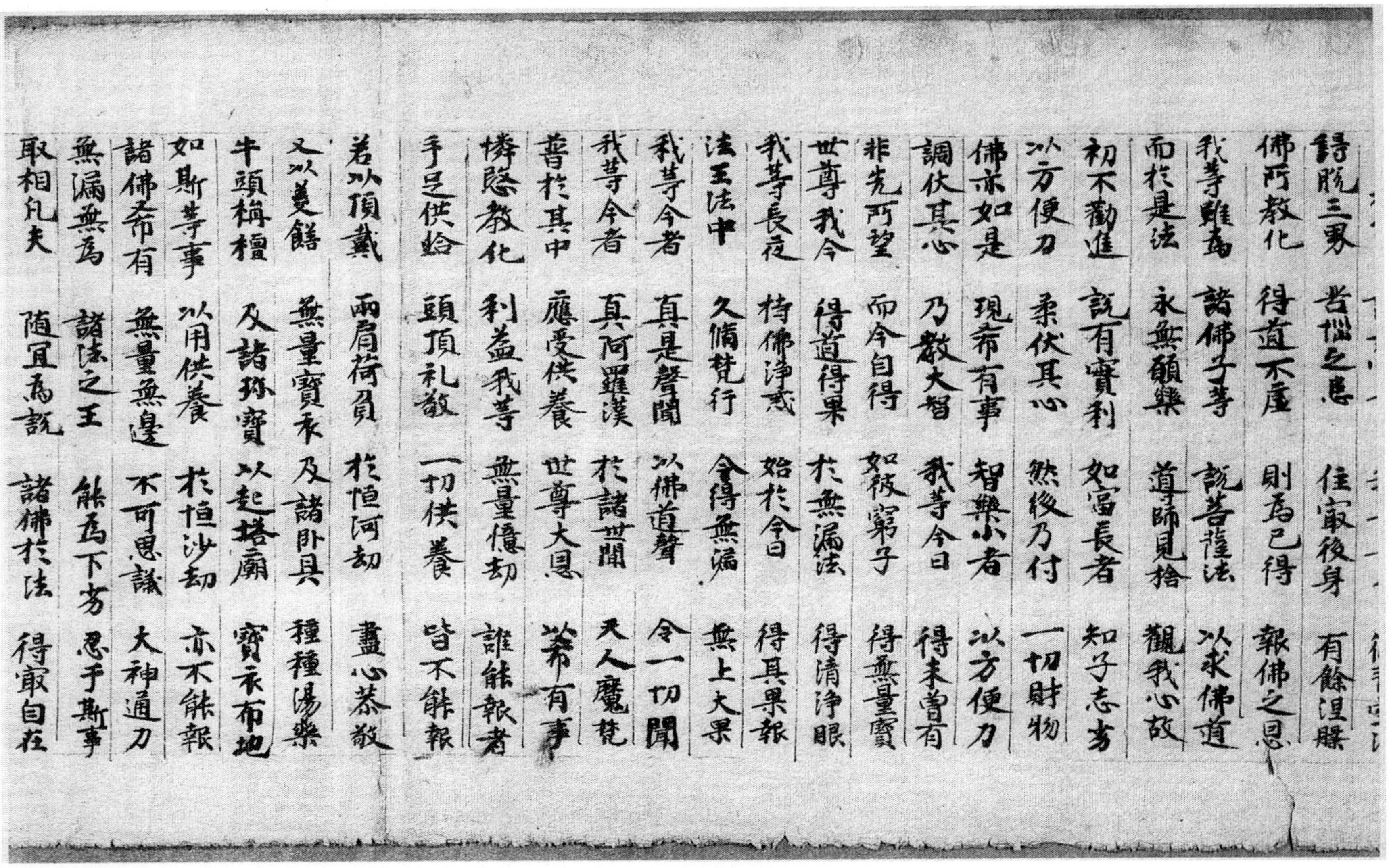

得脫三界　苦惱之患　住最後身　有餘涅槃
佛所教化　得道不虛　則為已得　報佛之恩
我等雖為　諸佛子等　說菩薩法　以求佛道
而於是法　永無願樂　導師見捨　觀我心故
初不勸進　說有實利　如富長者　知子志劣
以方便力　柔伏其心　然後乃付　一切財物
佛亦如是　現希有事　知樂小者　以方便力
調伏其心　乃教大智　我等今日　得未曾有
非先所望　而今自得　如彼窮子　得無量寶
世尊我今　得道得果　於無漏法　得清淨眼
我等長夜　持佛淨戒　始於今日　得其果報
法王法中　久脩梵行　今得無漏　無上大果
我等今者　真是聲聞　以佛道聲　令一切聞
我等今者　真阿羅漢　於諸世間　天人魔梵
普於其中　應受供養　世尊大恩　以希有事
憐愍教化　利益我等　無量億劫　誰能報者
手足供給　頭頂礼敬　一切供養　皆不能報
若以頂戴　兩肩荷負　於恒沙劫　盡心恭敬
又以美饍　無量寶衣　及諸卧具　種種湯藥
牛頭栴檀　及諸珍寶　以起塔廟　寶衣布地
如斯等事　以用供養　於恒沙劫　亦不能報
諸佛希有　無量無邊　不可思議　大神通力
無漏無為　諸法之王　能為下劣　忍于斯事
取相凡夫　隨宜為說　諸佛於法　得最自在

BD01937號　妙法蓮華經卷二　（18–17）

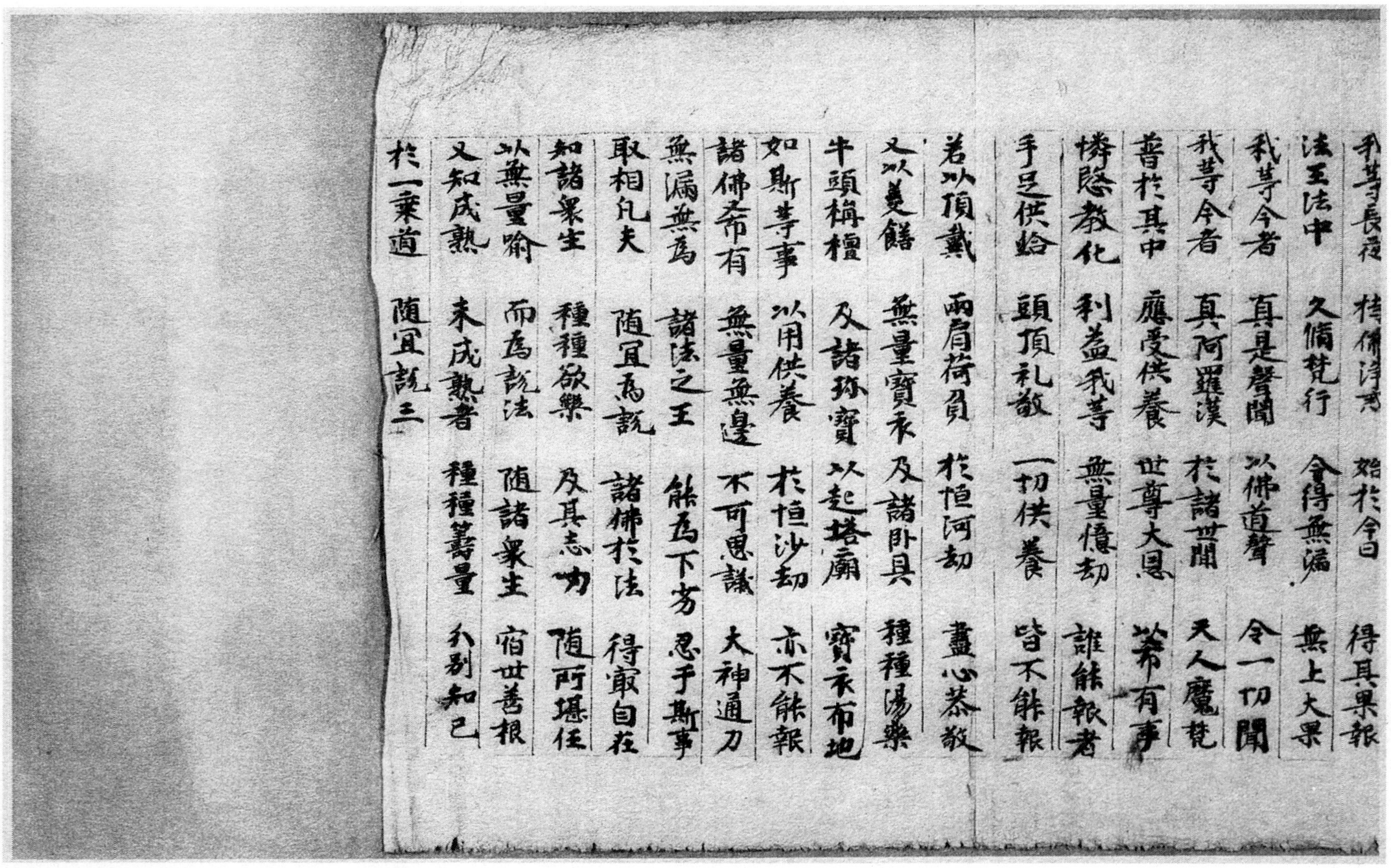

我等長夜　持佛淨戒　始於今日　得其果報
法王法中　久脩梵行　今得無漏　無上大果
我等今者　真是聲聞　以佛道聲　令一切聞
我等今者　真阿羅漢　於諸世間　天人魔梵
普於其中　應受供養　世尊大恩　以希有事
憐愍教化　利益我等　無量億劫　誰能報者
手足供給　頭頂礼敬　一切供養　皆不能報
若以頂戴　兩肩荷負　於恒沙劫　盡心恭敬
又以美饍　無量寶衣　及諸卧具　種種湯藥
牛頭栴檀　及諸珍寶　以起塔廟　寶衣布地
如斯等事　以用供養　於恒沙劫　亦不能報
諸佛希有　無量無邊　不可思議　大神通力
無漏無為　諸法之王　能為下劣　忍于斯事
取相凡夫　隨宜為說　諸佛於法　得最自在
知諸衆生　種種欲樂　及其志力　隨所堪任
以無量喻　而為說法　隨諸衆生　宿世善根
又知成熟　未成熟者　種種籌量　分別知已
於一乘道　隨宜說三

BD01937號　妙法蓮華經卷二　（18–18）

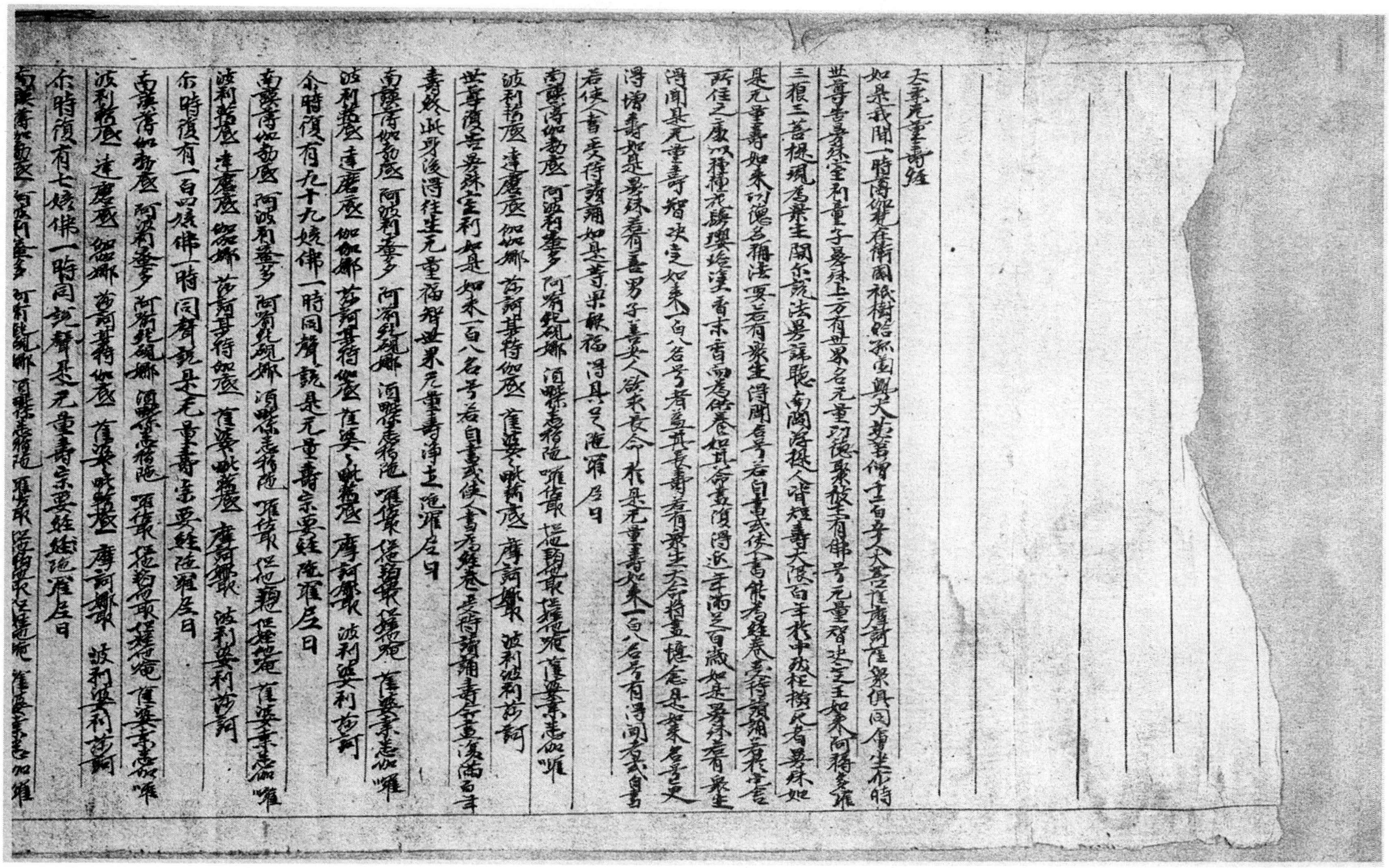

大乘無量壽經
如是我聞一時薄伽梵在舍衛國祇樹給孤獨園與大苾芻僧千二百五十人大菩薩摩訶薩衆俱會坐爾時
世尊告曼殊室利童子曼殊上方有世界名無量功德聚彼土有佛號無量智決定王如來阿羅訶三藐
三菩提現爲衆生開示說法曼殊諦聽南閻浮提人皆短壽大限百年於中夭枉橫死者衆曼殊如
是無量壽如來功德名稱法要若有衆生得聞名號若自書或使人書能爲經卷受持讀誦於其舍宅
所住之處以種種花鬘瓔珞塗香末香而爲供養如其命盡復得延年滿足百歲如是曼殊若有衆生
得聞是無量壽智決定如來一百八名號者益其長壽若有衆生大命將盡憶念是如來名號更
得增壽如是曼殊若有善男子善女人欲求長命於是無量壽如來一百八名號有得聞者或自書
若使人書受持讀誦如是等果報福得具足陀羅尼曰
南謨薄伽勃底 阿波利蜜多 阿喻紇硯娜 須毗你悉指陀 囉佐耶 怛他揭他耶 怛姪他唵 薩婆桑悉迦囉
波利輸底 達磨底 伽伽娜 莎訶莫持伽底 薩婆婆毗秫底 摩訶娜耶 波利婆利莎訶
世尊復告曼殊室利如是如來一百八名號若自書或使人書爲經卷受持讀誦壽命盡復滿百年
壽終之後得往生無量福智世界無量壽淨土陀羅尼曰
南謨薄伽勃底 阿波利蜜多 阿喻紇硯娜 須毗你悉指陀 囉佐耶 怛他揭他耶 怛姪他唵 薩婆桑悉迦囉
波利輸底 達磨底 伽伽娜 莎訶莫持伽底 薩婆婆毗秫底 摩訶娜耶 波利婆利莎訶
爾時復有九十九姟佛一時同聲說是無量壽宗要經陀羅尼曰
南謨薄伽勃底 阿波利蜜多 阿喻紇硯娜 須毗你悉指陀 囉佐耶 怛他揭他耶 怛姪他唵 薩婆桑悉迦囉
波利輸底 達磨底 伽伽娜 莎訶莫持伽底 薩婆婆毗秫底 摩訶娜耶 波利婆利莎訶
爾時復有一百四姟佛一時同聲說是無量壽宗要經陀羅尼曰
南謨薄伽勃底 阿波利蜜多 阿喻紇硯娜 須毗你悉指陀 囉佐耶 怛他揭他耶 怛姪他唵 薩婆桑悉迦囉
波利輸底 達磨底 伽伽娜 莎訶莫持伽底 薩婆婆毗秫底 摩訶娜耶 波利婆利莎訶
爾時復有七姟佛一時同說聲是無量壽宗要經陀羅尼曰
南謨薄伽勃底 阿波利蜜多 阿喻紇硯娜 須毗你悉指陀 囉佐耶 怛他揭他耶 怛姪他唵 薩婆桑悉迦囉

BD01938 號　無量壽宗要經　（5–1）

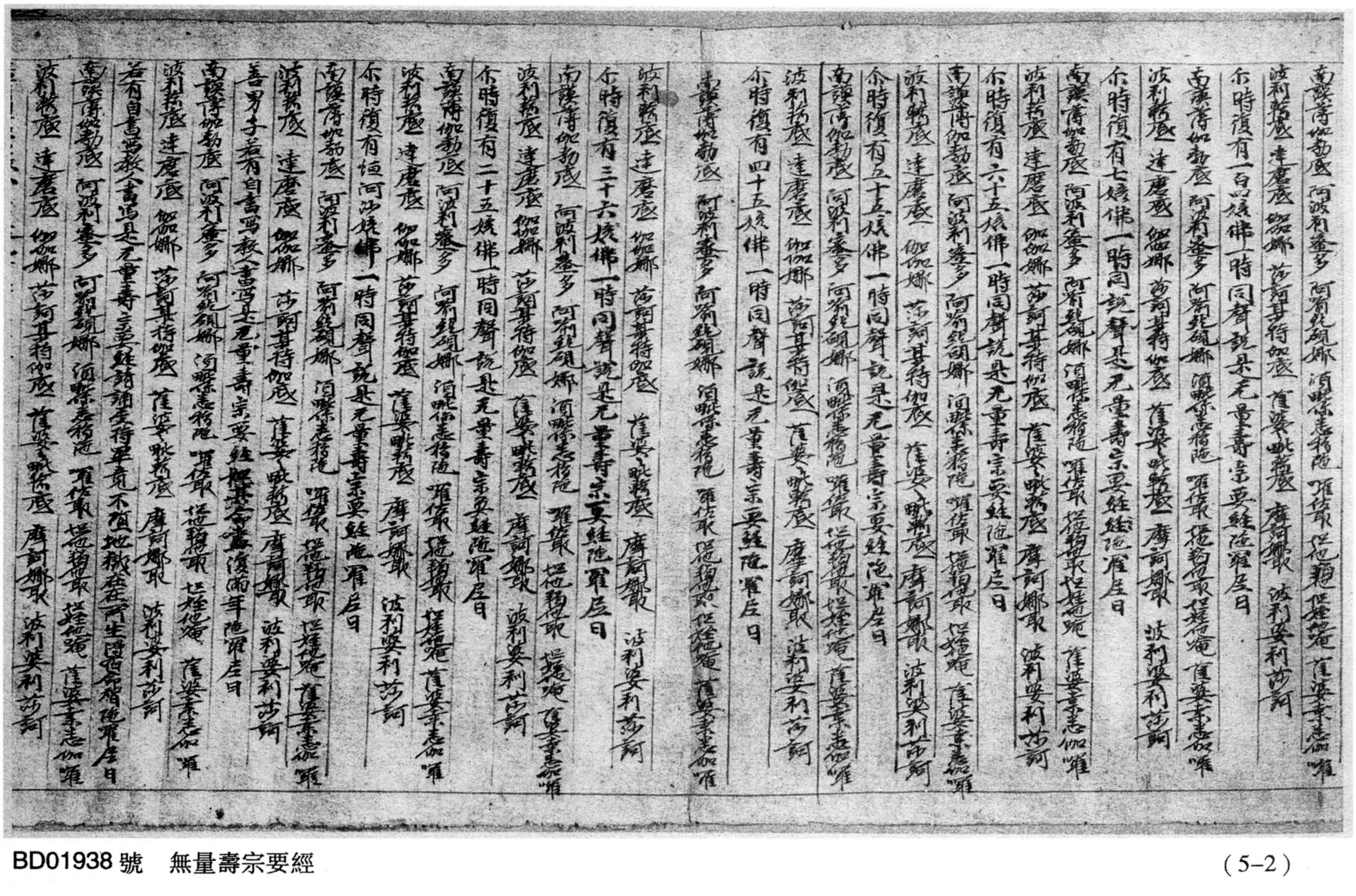

南謨薄伽勃底 阿波利蜜多 阿喻紇硯娜 須毗你悉指陀 囉佐耶 怛他揭他耶 怛姪他唵 薩婆桑悉迦囉
波利輸底 達磨底 伽伽娜 莎訶莫持伽底 薩婆婆毗秫底 摩訶娜耶 波利婆利莎訶
爾時復有一百姟佛一時同聲說是無量壽宗要經陀羅尼曰
南謨薄伽勃底 阿波利蜜多 阿喻紇硯娜 須毗你悉指陀 囉佐耶 怛他揭他耶 怛姪他唵 薩婆桑悉迦囉
波利輸底 達磨底 伽伽娜 莎訶莫持伽底 薩婆婆毗秫底 摩訶娜耶 波利婆利莎訶
爾時復有七姟佛一時同說聲是無量壽宗要經陀羅尼曰
南謨薄伽勃底 阿波利蜜多 阿喻紇硯娜 須毗你悉指陀 囉佐耶 怛他揭他耶 怛姪他唵 薩婆桑悉迦囉
波利輸底 達磨底 伽伽娜 莎訶莫持伽底 薩婆婆毗秫底 摩訶娜耶 波利婆利莎訶
爾時復有六十五姟佛一時同聲說是無量壽宗要經陀羅尼曰
南謨薄伽勃底 阿波利蜜多 阿喻紇硯娜 須毗你悉指陀 囉佐耶 怛他揭他耶 怛姪他唵 薩婆桑悉迦囉
波利輸底 達磨底 伽伽娜 莎訶莫持伽底 薩婆婆毗秫底 摩訶娜耶 波利婆利莎訶
爾時復有五十五姟佛一時同聲說是無量壽宗要經陀羅尼曰
南謨薄伽勃底 阿波利蜜多 阿喻紇硯娜 須毗你悉指陀 囉佐耶 怛他揭他耶 怛姪他唵 薩婆桑悉迦囉
波利輸底 達磨底 伽伽娜 莎訶莫持伽底 薩婆婆毗秫底 摩訶娜耶 波利婆利莎訶
爾時復有四十五姟佛一時同聲說是無量壽宗要經陀羅尼曰
南謨薄伽勃底 阿波利蜜多 阿喻紇硯娜 須毗你悉指陀 囉佐耶 怛他揭他耶 怛姪他唵 薩婆桑悉迦囉
波利輸底 達磨底 伽伽娜 莎訶莫持伽底 薩婆婆毗秫底 摩訶娜耶 波利婆利莎訶
爾時復有三十六姟佛一時同聲說是無量壽宗要經陀羅尼曰
南謨薄伽勃底 阿波利蜜多 阿喻紇硯娜 須毗你悉指陀 囉佐耶 怛他揭他耶 怛姪他唵 薩婆桑悉迦囉
波利輸底 達磨底 伽伽娜 莎訶莫持伽底 薩婆婆毗秫底 摩訶娜耶 波利婆利莎訶
爾時復有二十五姟佛一時同聲說是無量壽宗要經陀羅尼曰
南謨薄伽勃底 阿波利蜜多 阿喻紇硯娜 須毗你悉指陀 囉佐耶 怛他揭他耶 怛姪他唵 薩婆桑悉迦囉
波利輸底 達磨底 伽伽娜 莎訶莫持伽底 薩婆婆毗秫底 摩訶娜耶 波利婆利莎訶
爾時復有恒河沙姟佛一時同聲說是無量壽宗要經陀羅尼曰
南謨薄伽勃底 阿波利蜜多 阿喻紇硯娜 須毗你悉指陀 囉佐耶 怛他揭他耶 怛姪他唵 薩婆桑悉迦囉
波利輸底 達磨底 伽伽娜 莎訶莫持伽底 薩婆婆毗秫底 摩訶娜耶 波利婆利莎訶
善男子若有自書寫教人書寫是無量壽宗要經壽命欲盡復滿百年陀羅尼曰
南謨薄伽勃底 阿波利蜜多 阿喻紇硯娜 須毗你悉指陀 囉佐耶 怛他揭他耶 怛姪他唵 薩婆桑悉迦囉
波利輸底 達磨底 伽伽娜 莎訶莫持伽底 薩婆婆毗秫底 摩訶娜耶 波利婆利莎訶
若有自書寫教人書寫是無量壽宗要經讀誦受持畢竟不墮地獄畜生所生國宿命陀羅尼曰
南謨薄伽勃底 阿波利蜜多 阿喻紇硯娜 須毗你悉指陀 囉佐耶 怛他揭他耶 怛姪他唵 薩婆桑悉迦囉
波利輸底 達磨底 伽伽娜 莎訶莫持伽底 薩婆婆毗秫底 摩訶娜耶 波利婆利莎訶

BD01938 號　無量壽宗要經　（5–2）

若有自書寫教人書寫是無量壽宗要經[illegible]其命盡復滿年陀羅尼曰

南謨薄伽勃底 阿波利蜜多 阿喻紇硯娜 須毗你悉指陀 囉佐耶 怛他羯他耶 怛姪他唵 薩婆桑悉迦囉

波利輸底 達磨底 伽伽娜 莎摩訥伽底 莎婆婆毗輸底 摩訶娜耶 波利婆利莎訶

若有自書寫教人書寫是無量壽宗要經讀誦受持畢竟不墮地獄在在所生得宿命智陀羅尼曰

南謨薄伽勃底 阿波利蜜多 阿喻紇硯娜 須毗你悉指陀 囉佐耶 怛他羯他耶 怛姪他唵 薩婆桑悉迦囉

波利輸底 達磨底 伽伽娜 莎摩訥伽底 莎婆婆毗輸底 摩訶娜耶 波利婆利莎訶

若有自書寫教人書寫是無量壽宗要經受持讀誦如同書寫八萬四千一切經典陀羅尼曰

南謨薄伽勃底 阿波利蜜多 阿喻紇硯娜 須毗你悉指陀 囉佐耶 怛他羯他耶 怛姪他唵 薩婆桑悉迦囉

波利輸底 達磨底 伽伽娜 莎摩訥伽底 莎婆婆毗輸底 摩訶娜耶 波利婆利莎訶

若有自書寫教人書寫是無量壽宗要經即如書寫八萬四千部建立塔廟陀羅尼曰

南謨薄伽勃底 阿波利蜜多 阿喻紇硯娜 須毗你悉指陀 囉佐耶 怛他羯他耶 怛姪他唵 薩婆桑悉迦囉

波利輸底 達磨底 伽伽娜 莎摩訥伽底 莎婆婆毗輸底 摩訶娜耶 波利婆利莎訶

若有自書寫教人書寫是無量壽宗要經能消五無間等一切重罪陀羅尼曰

南謨薄伽勃底 阿波利蜜多 阿喻紇硯娜 須毗你悉指陀 囉佐耶 怛他羯他耶 怛姪他唵 薩婆桑悉迦囉

波利輸底 達磨底 伽伽娜 莎摩訥伽底 莎婆婆毗輸底 摩訶娜耶 波利婆利莎訶

若有自書寫教人書寫是無量壽宗要經受持讀誦設有重罪猶如須彌盡能消除滅陀羅尼曰

南謨薄伽勃底 阿波利蜜多 阿喻紇硯娜 須毗你悉指陀 囉佐耶 怛他羯他耶 怛姪他唵 薩婆桑悉迦囉

波利輸底 達磨底 伽伽娜 莎摩訥伽底 莎婆婆毗輸底 摩訶娜耶 波利婆利莎訶

若有自書寫教人書寫是無量壽宗要經受持讀誦者魔魔之眷屬夜叉羅剎不得其便終無枉橫

死陀羅尼曰

南謨薄伽勃底 阿波利蜜多 阿喻紇硯娜 須毗你悉指陀 囉佐耶 怛他羯他耶 怛姪他唵 薩婆桑悉迦囉

波利輸底 達磨底 伽伽娜 莎摩訥伽底 莎婆婆毗輸底 摩訶娜耶 波利婆利莎訶

若有自書寫教人書寫是無量壽宗要經受持讀誦當命終時有九十九億佛現其人前來千佛授手能

遊一切佛剎莫於此經生於疑惑陀羅尼曰

南謨薄伽勃底 阿波利蜜多 阿喻紇硯娜 須毗你悉指陀 囉佐耶 怛他羯他耶 怛姪他唵 薩婆桑悉迦囉

波利輸底 達磨底 伽伽娜 莎摩訥伽底 莎婆婆毗輸底 摩訶娜耶 波利婆利莎訶

若有自書寫教人書寫是無量壽宗要經受持讀誦常得四天大王隨其護衛陀羅尼曰

南謨薄伽勃底 阿波利蜜多 阿喻紇硯娜 須毗你悉指陀 囉佐耶 怛他羯他耶 怛姪他唵 薩婆桑悉迦囉

波利輸底 達磨底 伽伽娜 莎摩訥伽底 莎婆婆毗輸底 摩訶娜耶 波利婆利莎訶

若有自書寫教人書寫是無量壽宗要經受持讀誦當得往生西方極樂世界阿彌陀淨土陀羅

尼曰

南謨薄伽勃底 阿波利蜜多 阿喻紇硯娜 須毗你悉指陀 囉佐耶 怛他羯他耶 怛姪他唵 薩婆桑悉迦囉

BD01938號 無量壽宗要經 （5–3）

波利輸底 達磨底 伽伽娜 莎摩訥伽底 莎婆婆毗輸底 摩訶娜耶 波利婆利莎訶

若有自書寫教人書寫是無量壽宗要經受持讀誦當得往生西方極樂世界阿彌陀淨土陀羅

尼曰

南謨薄伽勃底 阿波利蜜多 阿喻紇硯娜 須毗你悉指陀 囉佐耶 怛他羯他耶 怛姪他唵 薩婆桑悉迦囉

波利輸底 達磨底 伽伽娜 莎摩訥伽底 莎婆婆毗輸底 摩訶娜耶 波利婆利莎訶

若有自書寫教人書寫是無量壽宗要經典之處即為是塔皆應恭敬作禮若是畜生或為鳥獸

得聞是經如是等類皆當不久得成

南謨薄伽勃底 阿波利蜜多 阿喻紇硯娜 須毗你悉指陀 囉佐耶 怛他羯他耶 怛姪他唵 薩婆桑悉迦囉

波利輸底 達磨底 伽伽娜 莎摩訥伽底 莎婆婆毗輸底 摩訶娜耶 波利婆利莎訶

若有能於是無量壽經自書若使書寫畢竟不受女人之身陀羅尼曰

南謨薄伽勃底 阿波利蜜多 阿喻紇硯娜 須毗你悉指陀 囉佐耶 怛他羯他耶 怛姪他唵 薩婆桑悉迦囉

波利輸底 達磨底 伽伽娜 莎摩訥伽底 莎婆婆毗輸底 摩訶娜耶 波利婆利莎訶

若有能於是經少分能惠施者等於三千大千世界滿中七寶而施陀羅尼曰

南謨薄伽勃底 阿波利蜜多 阿喻紇硯娜 須毗你悉指陀 囉佐耶 怛他羯他耶 怛姪他唵 薩婆桑悉迦囉

波利輸底 達磨底 伽伽娜 莎摩訥伽底 莎婆婆毗輸底 摩訶娜耶 波利婆利莎訶

若有能於供養是經者即是供養一切諸經等無有異陀羅尼曰

南謨薄伽勃底 阿波利蜜多 阿喻紇硯娜 須毗你悉指陀 囉佐耶 怛他羯他耶 怛姪他唵 薩婆桑悉迦囉

波利輸底 達磨底 伽伽娜 莎摩訥伽底 莎婆婆毗輸底 摩訶娜耶 波利婆利莎訶

如是毗婆尸佛 尸棄佛 俱舍浮佛 俱留孫佛 俱那含牟尼 迦葉佛 釋迦牟尼曰

若有人以七寶供養如是七佛其福有限書寫受持是無量壽經典所生功德不可限量陀羅尼曰

南謨薄伽勃底 阿波利蜜多 阿喻紇硯娜 須毗你悉指陀 囉佐耶 怛他羯他耶 怛姪他唵 薩婆桑悉迦囉

波利輸底 達磨底 伽伽娜 莎摩訥伽底 莎婆婆毗輸底 摩訶娜耶 波利婆利莎訶

若有七寶等於須彌以用布施其福上能知其限量量是無量壽經典所生功德其福不可知數陀羅尼曰

南謨薄伽勃底 阿波利蜜多 阿喻紇硯娜 須毗你悉指陀 囉佐耶 怛他羯他耶 怛姪他唵 薩婆桑悉迦囉

波利輸底 達磨底 伽伽娜 莎摩訥伽底 莎婆婆毗輸底 摩訶娜耶 波利婆利莎訶

如是四大海水可知滴數是無量壽經典所生果報其福不可數量陀羅尼曰

南謨薄伽勃底 阿波利蜜多 阿喻紇硯娜 須毗你悉指陀 囉佐耶 怛他羯他耶 怛姪他唵 薩婆桑悉迦囉

波利輸底 達磨底 伽伽娜 莎摩訥伽底 莎婆婆毗輸底 摩訶娜耶 波利婆利莎訶

若有自書或使人書寫是無量壽經典又能護持供養即如恭敬供養一切十方佛如來無有別

異陀羅尼曰

南謨薄伽勃底 阿波利蜜多 阿喻紇硯娜 須毗你悉指陀 囉佐耶 怛他羯他耶 怛姪他唵 薩婆桑悉迦囉

波利輸底 達磨底 伽伽娜 莎摩訥伽底 莎婆婆毗輸底 摩訶娜耶 波利婆利莎訶

BD01938號 無量壽宗要經 （5–4）

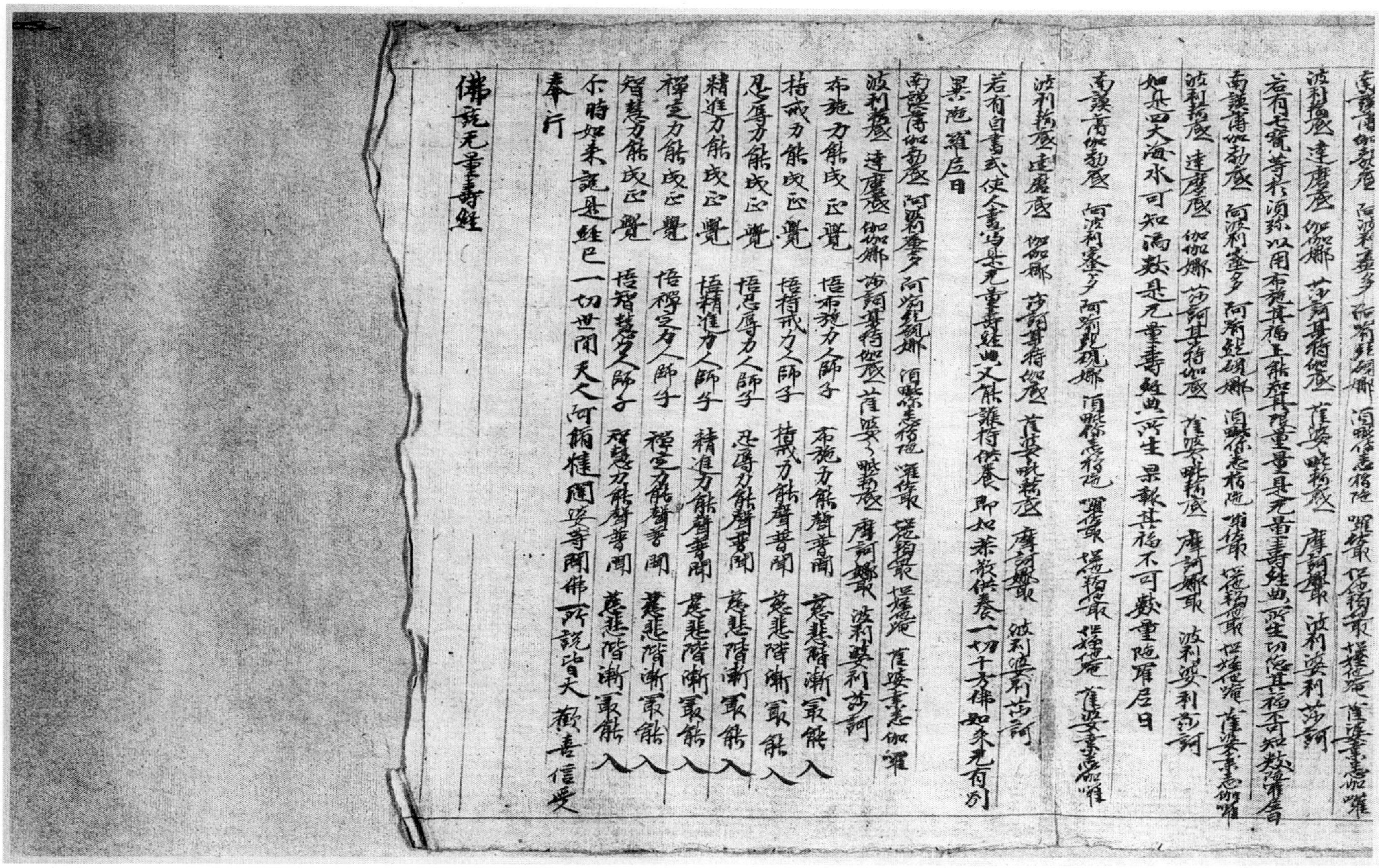

南謨薄伽勃底 阿波利蜜多 阿喻紇硯那 須毗你悉指陀 囉佐耶 怛他揭他耶 薩婆桑悉迦囉
波利輸底 達磨底 伽伽那 莎訶娑婆毗輸底 摩訶娜耶 波利婆利莎訶
若有七寶等於須弥以用布施其福上能知其限量量是无量壽經典所生功德其福不可知數復有善
南謨薄伽勃底 阿波利蜜多 阿喻紇硯那 須毗你悉指陀 囉佐耶 怛他揭他耶 薩婆桑悉迦囉
波利輸底 達磨底 伽伽那 莎訶娑婆毗輸底 摩訶娜耶 波利婆利莎訶
如是四大海水可知滴數是无量壽經典所生果報其福不可數量陀羅尼曰
南謨薄伽勃底 阿波利蜜多 阿喻紇硯那 須毗你悉指陀 囉佐耶 怛他揭他耶 薩婆桑悉迦囉
波利輸底 達磨底 伽伽那 莎訶娑婆毗輸底 摩訶娜耶 波利婆利莎訶
若有自書式使人書寫是无量壽經典又能護持供養即如恭敬供養一切十方佛如來无有別
異陀羅尼曰
南謨薄伽勃底 阿波利蜜多 阿喻紇硯那 須毗你悉指陀 囉佐耶 怛他揭他耶 薩婆桑悉迦囉
波利輸底 達磨底 伽伽那 莎訶娑婆毗輸底 摩訶娜耶 波利婆利莎訶
布施力能成正覺 悟布施力人師子 布施力能聲普聞 慈悲階漸最能入
持戒力能成正覺 悟持戒力人師子 持戒力能聲普聞 慈悲階漸最能入
忍辱力能成正覺 悟忍辱力人師子 忍辱力能聲普聞 慈悲階漸最能入
精進力能成正覺 悟精進力人師子 精進力能聲普聞 慈悲階漸最能入
禪定力能成正覺 悟禪定力人師子 禪定力能聲普聞 慈悲階漸最能入
智慧力能成正覺 悟智慧力人師子 智慧力能聲普聞 慈悲階漸最能入
尒時如來說是經已一切世間天人阿脩羅乾闥婆等聞佛所說皆大歡喜信受
奉行
佛說无量壽經

BD01938號　無量壽宗要經　（5–5）

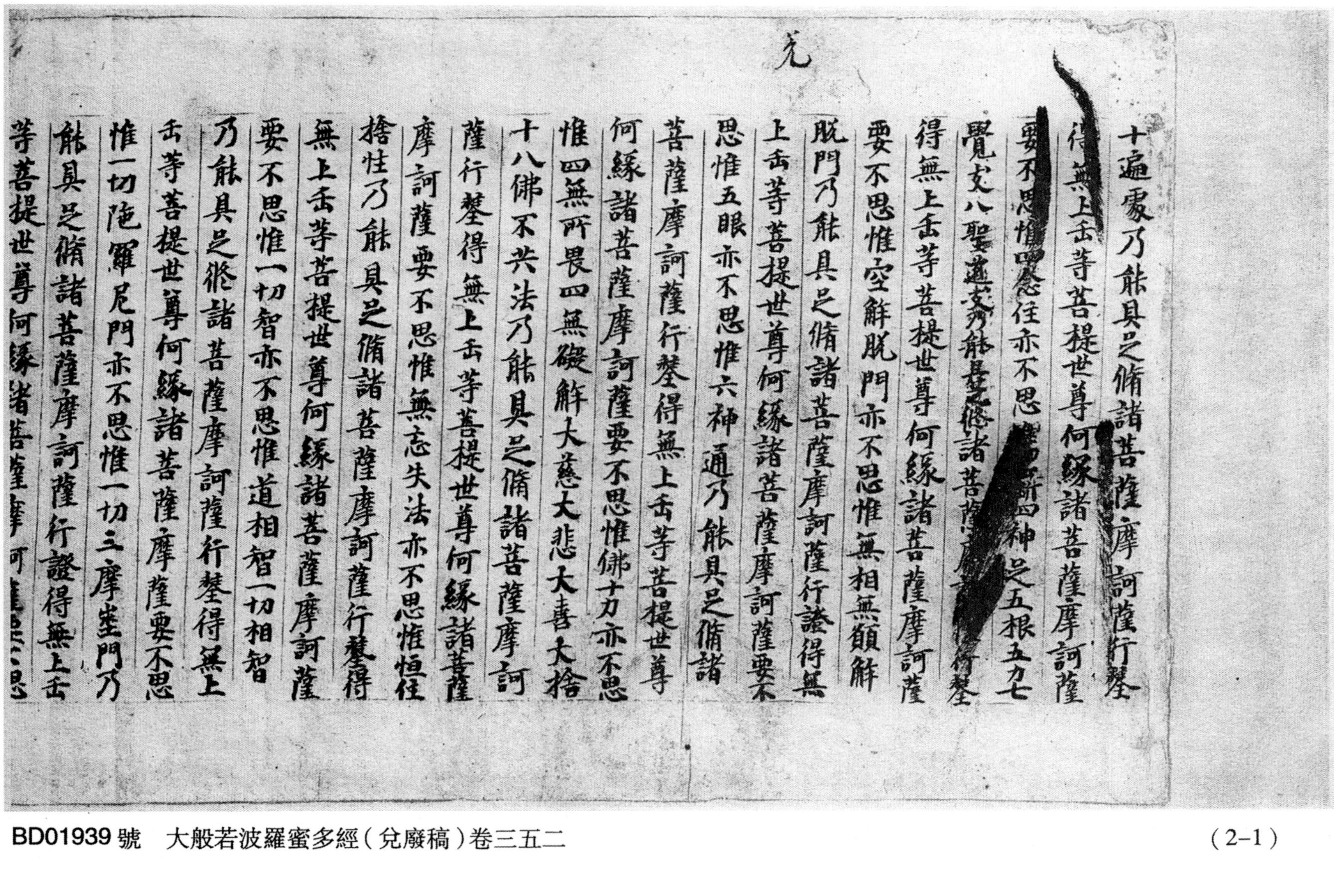

十遍處乃能具足脩諸菩薩摩訶薩行埶
得無上正等菩提世尊何緣諸菩薩摩訶薩
要不思惟四念住亦不思惟四正斷四神足五根五力七
覺支八聖道支乃能具足脩諸菩薩摩訶薩行埶
得無上正等菩提世尊何緣諸菩薩摩訶薩
要不思惟空解脫門亦不思惟無相無願解
脫門乃能具足脩諸菩薩摩訶薩行證得無
上正等菩提世尊何緣諸菩薩摩訶薩要不
思惟五眼亦不思惟六神通乃能具足脩諸
菩薩摩訶薩行埶得無上正等菩提世尊
何緣諸菩薩摩訶薩要不思惟佛十力亦不思
惟四無所畏四無礙解大慈大悲大喜大捨
十八佛不共法乃能具足脩諸菩薩摩訶
薩行埶得無上正等菩提世尊何緣諸菩薩
摩訶薩要不思惟無忘失法亦不思惟恒住
捨性乃能具足脩諸菩薩摩訶薩行埶得
無上正等菩提世尊何緣諸菩薩摩訶薩
要不思惟一切智亦不思惟道相智一切相智
乃能具足脩諸菩薩摩訶薩行埶得無上
正等菩提世尊何緣諸菩薩摩訶薩要不思
惟一切陀羅尼門亦不思惟一切三摩地門乃
能具足脩諸菩薩摩訶薩行證得無上正
等菩提世尊何緣諸菩薩摩訶薩要不思

BD01939號　大般若波羅蜜多經（兌廢稿）卷三五二　（2–1）

思惟五眼亦不思惟六神通乃能具足脩諸
菩薩摩訶薩行證得無上正等菩提世尊
何緣諸菩薩摩訶薩要不思惟佛十力亦不思
惟四無所畏四無礙解大慈大悲大喜大捨
十八佛不共法乃能具足脩諸菩薩摩訶
薩行證得無上正等菩提世尊何緣諸菩薩
摩訶薩要不思惟無忘失法亦不思惟恒住
捨性乃能具足脩諸菩薩摩訶薩行證得
無上正等菩提世尊何緣諸菩薩摩訶薩
要不思惟一切智亦不思惟道相智一切相智
乃能具足脩諸菩薩摩訶薩行證得無上
正等菩提世尊何緣諸菩薩摩訶薩要不思
惟一切陁羅尼門亦不思惟一切三摩地門乃
能具足脩諸菩薩摩訶薩行證得無上正
等菩提世尊何緣諸菩薩摩訶薩要不思
惟預流果亦不思惟一來還阿羅漢果乃能具
足脩諸菩薩摩訶薩行證得無上正等菩
提世尊何緣諸菩薩摩訶薩要不思惟獨
覺菩薩乃能具足脩諸菩薩摩訶薩行
證得無上正等菩提世尊何緣諸菩薩摩

BD01939 號　大般若波羅蜜多經（兌廢稿）卷三五二　（2–2）

金有陁羅尼經
如是我聞一時薄伽梵住如雞雞與藥叉大將
金剛手俱
尒時天百施往世尊所到已頂礼佛足退坐
一面坐一面已天帝百施白佛言世尊我入戰
陣而鬪戰時時以阿修羅幻惑呪術藥力
墮於貧處而知已不雜然願世尊慈愍於
我為令催伏阿修羅衆幻惑呪術及藥力故
善說最勝大密之呪時薄伽梵告天帝百
施日憍尸如是如是與阿修羅而鬪戰時實
以明呪秘密藥而墮貧處憍尸迦為息愍
故今說明呪欲令幻惑明呪退散鬪戰諍
訟悉皆消滅一切秘呪及諸藥等而得
斷除於說明呪
尒時薄伽梵說大金有明呪之日我今為說
三无數劫諸餘外道行者遍遊塞刑而起
惡思作諸鄣㝵我從彼來所有幻惑一切明
呪悉能降伏六度圓滿斷除諸餘外道行
者遍於塞刑諸惱亂曰明呪秘呪藥及一切諸
魔明熏大明之呪憍尸迦汝當攝受諸有
有情故受持最勝大秘密呪天帝白言如
是世尊唯然受教尒時世尊即說金有大明
呪日怛也他奄　希你希你　希離希離　命離命離

BD01940 號　金有陁羅尼經　（4–1）

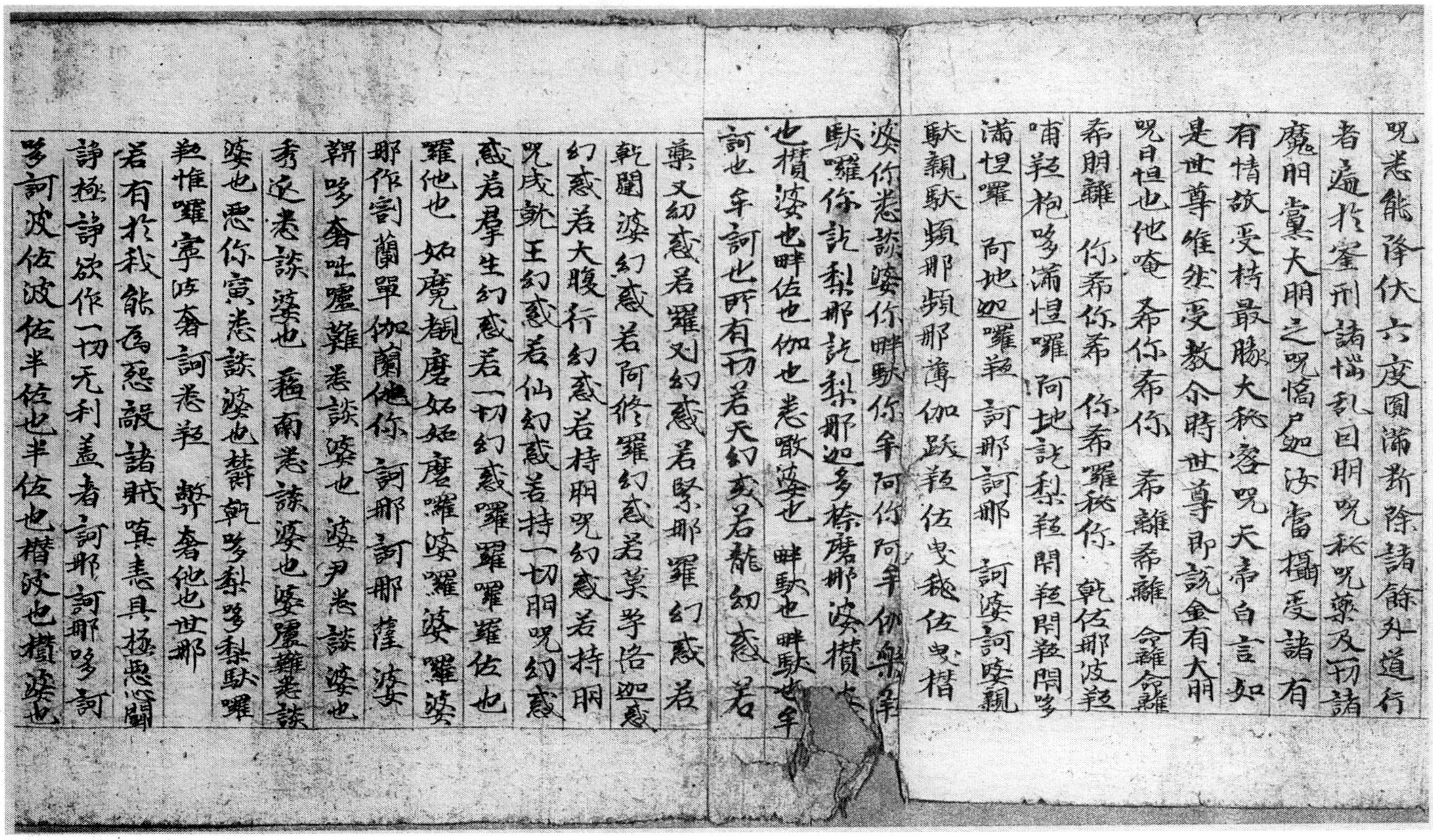

呪悉能降伏六度圓滿斷除諸餘外道行
者遍於奎刑諸惱亂曰明呪秘呪藥及一切諸
魔明黨大明之呪憍尸迦汝當攝受諸有
有情故受持最勝大秘密呪天帝白言如
是世尊唯然受教尒時世尊即說金有大明
呪曰怛也他唵　希你希你　希離希離　命離命離
希朋離　你希你希　你希羅秘你　乾佐耶波羝
哺羝枹哆滿怛囉阿地訖梨羝閉羝閉羝閉哆
滿怛囉　阿地迦囉羝　訶耶訶耶　訶婆訶唆䞋
馱䞋馱頻耶頻耶薄伽跋羝佐曳秘佐曳揩
婆你悉詃婆你畔馱你牟阿你阿牟伽樂牟
馱囉你訖梨耶訖梨耶迦多榛磨耶婆攢大
也攢婆也畔佐也伽也悉噉婆也　畔馱也畔馱也牟
訶也牟訶也所有一切若天幻惑若龍幻惑若
藥叉幻惑若羅刹幻惑若緊那羅幻惑若
乾闥婆幻惑若阿修羅幻惑若莫乎洛迦惑
幻惑若大腹行幻惑若持明呪幻惑若持明
呪成就王幻惑若仙幻惑若持一切明呪幻惑
惑若孝生幻惑若一切幻惑囉羅囉羅佐也
羅他也　婼麑覩磨婼婼磨囉婆囉婆囉婆
耶作劄蘭單伽蘭他你　訶耶訶耶揵婆
䟽哆奢吐嚧難悉詃婆也　婆尹悉詃婆也
秀逐悉詃婆也　黿南悉詃婆也婆𡀔難悉詃
婆也悉你寅悉詃婆也欝乾哆梨哆梨馱囉
𩌏惟囉寧咗奢訶悉羝　弊奢他也世耶
若有於我能爲惡敲諸賊嗔恚具極惡心鬪
諍極諍欲作一切无利益者訶耶訶耶哆訶
哆訶波佐波佐半佐也半佐也揩波也攢婆也

BD01940 號　金有陀羅尼經　（4–2）

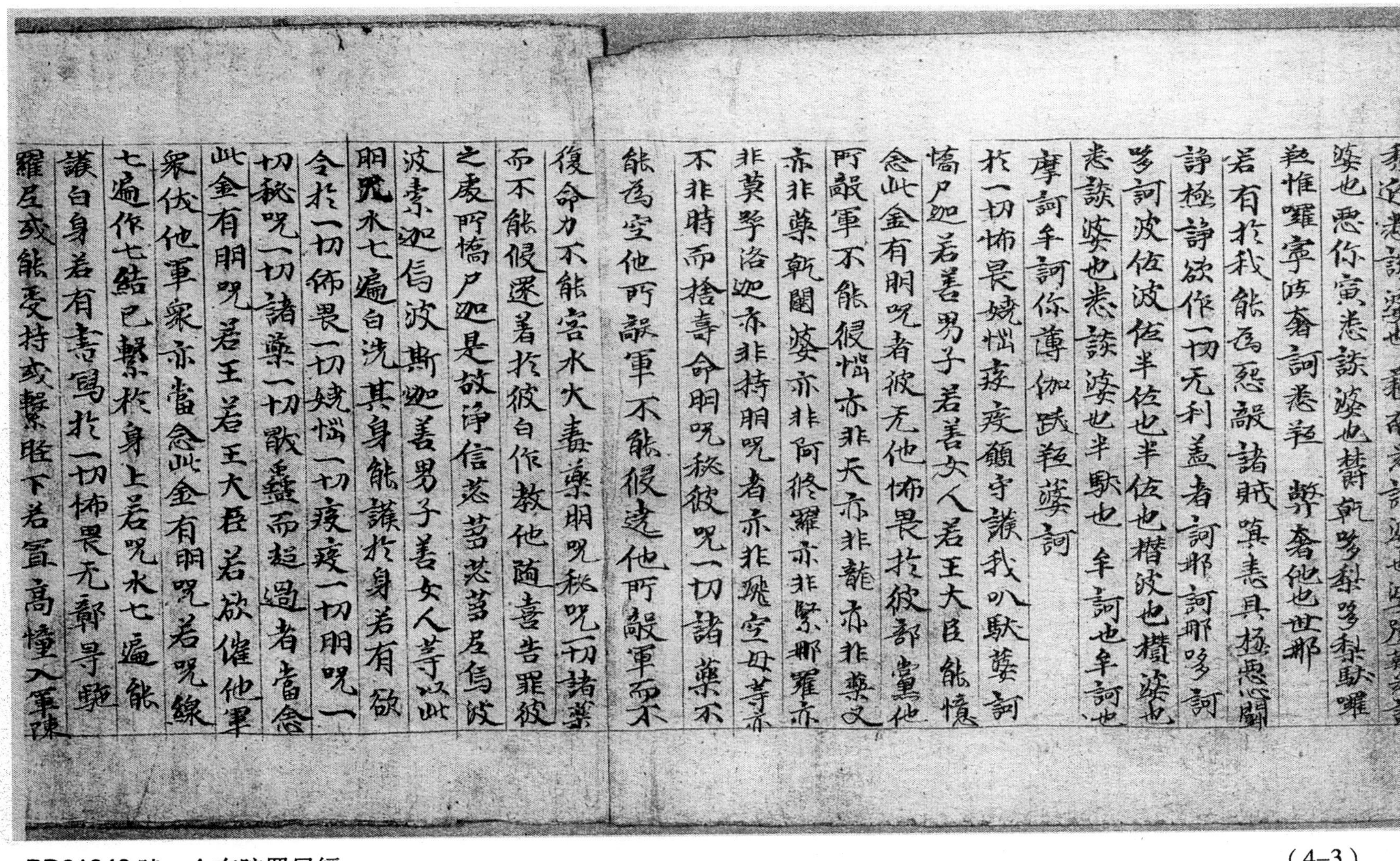

秀逐悉詃婆也　黿南悉詃婆也婆𡀔難悉詃
婆也悉你寅悉詃婆也欝乾哆梨哆梨馱囉
𩌏惟囉寧咗奢訶悉羝　弊奢他也世耶
若有於我能爲惡敲諸賊嗔恚具極惡心鬪
諍極諍欲作一切无利益者訶耶訶耶哆訶
哆訶波佐波佐半佐也半佐也揩波也攢婆也
悉詃婆也悉詃婆也半馱也　牟訶也牟訶也
摩訶牟訶你薄伽跋羝婆訶
於一切怖畏嬈惱疫疫願守護我叭馱婆訶
憍尸迦若善男子若善女人若王大臣能憶
念此金有明呪者彼无他怖畏於彼部黨他
所敲軍不能侵惱亦非天亦非龍亦非藥叉
亦非藥乾闥婆亦非阿修羅亦非緊那羅亦
非莫乎洛迦亦非持明呪者亦非飛空母等亦
不非時而捨壽命明呪秘彼呪一切諸藥不
能爲空他所敲軍不能侵逮他所敲軍而不
復命力不能害水大毒藥明呪秘呪一切諸藥
而不能侵逐着於彼自作教他隨喜告罪彼
之處所憍尸迦是故淨信苾蒭苾蒭尼烏波
波索迦烏波斯迦善男子善女人等以此
明呪水七遍自洗其身能護於身若有欲
令於一切怖畏一切嬈惱一切疫疫一切明呪一
切秘呪一切諸藥一切歌蠱而起過者當念
此金有明呪若王若王大臣若欲催他軍
衆伏他軍衆亦當念此金有明呪若呪綫
七遍作七結已繫於身上若呪水七遍能
護自身若有書寫於一切怖畏无鄣导驗
羅尼或能受持或繫臂下若冒高幢入軍陳

BD01940 號　金有陀羅尼經　（4–3）

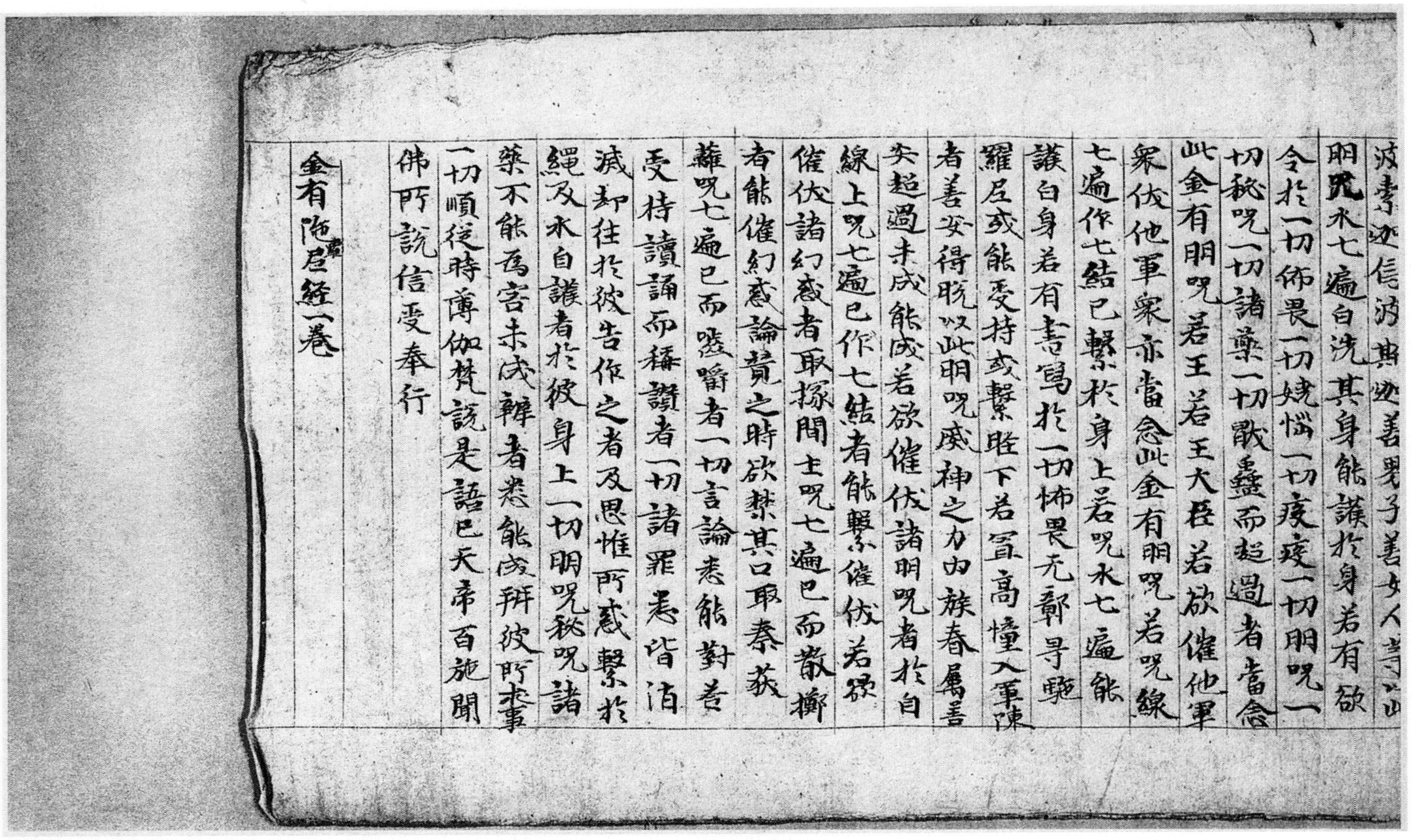
波耆迦信済其迦善男子善女人等以此
明咒水七遍自洗其身能護於身若有欲
令於一切怖畏一切嬈惱一切疫疫一切明咒一
切秘咒一切諸藥一切獸蠱而起過者當念
此金有明咒若王若王大臣若欲催他軍
衆伏他軍衆亦當念此金有明咒若咒線
七遍作七結已繫於身上若咒水七遍能
護自身若有書寫於一切怖畏无鄣导驗
羅尼或能受持或繫臂下若置高幢入軍陣
者善安得勝以此明咒威神之力由族眷屬善
矣超過未成能成若欲催伏諸明咒者於自
線上咒七遍已作七結者能繫催伏若欲
催伏諸幻惑者取掾間土咒七遍已而散擲
者能催幻惑論義之時欲禁其口取秦艽
蘿咒七遍已而嚼者一切言論悉能對答
受持讀誦而稱讚者一切諸罪悉皆消
滅却往於彼告作之者及思惟所惑繫於
繩及水自護者於彼身上一切明咒秘咒諸
藥不能爲害未成辦者悉能成辦彼所求事
一切順從時薄伽梵說是語已天帝百施聞
佛所說信受奉行
金有陁羅尼經一卷

BD01940 號　金有陀羅尼經　　（4–4）

BD01940 號背　寺院題名　　（1–1）

喜以是三種煩惱因緣中
如印印埿印壞文成生時
者見色則生於貪生於貪
生貪是名无明貪愛无明二因
緣皆悉顛倒无常見常无我見我无樂
无淨見淨以四倒故作善惡行煩惱作業業
作煩惱是名繫縛以是義故名五陰生是人
若得親近於佛及佛弟子諸善知識便得聞
受十二部經以聞法故觀善境界觀善境界
故得大智慧大智慧者名正智見得知見故
於生死中而生悔心生悔心故不生歡樂不
生歡樂故能破貪心破貪心故脩八聖道脩八
聖道故得无生死无生死故名得解脫如火
不遇薪名之為滅滅生死故名為滅度以是
義故名五陰滅師子吼言空中无刺云何言
拔陰无繫者云何繫縛佛言善男子以煩惱
鏁繫縛五陰離五陰已无別煩惱離煩惱已
无別五陰善男子如柱持屋離屋无柱離柱
无屋眾生五陰亦復如是有煩惱故名為繫
縛无煩惱故名為解脫善男子如拳合掌繫
結等三合散生滅更无別法眾生五陰亦復
[illegible]

BD01941號　大般涅槃經（北本）卷二九　（20–1）

无別五陰善男子如柱持屋離屋无柱離柱
无屋眾生五陰亦復如是有煩惱故名為繫
縛无煩惱故名為解脫善男子如拳合掌繫
結等三合散生滅更无別法眾生五陰亦復
如是有煩惱故名為繫縛无煩惱故名為解
脫善男子如說名色繫縛眾生名色若滅則
无眾生離名色已无別眾生離眾生已无別
名色亦名名色繫縛眾生亦名眾生繫縛名
色師子吼言世尊如眼不自見指不自觸刀
不自割受不自受云何如來說言名色繫縛
名色何以故言名色者即是眾生言眾生者
即是名色若言名色繫縛眾生即是名色
繫縛名色佛言善男子如二手合時更无異
法而來合也名之與色亦復如是以是義故我
言名色繫縛眾生若離名色則得解脫是故
我言眾生解脫師子吼言世尊若有名色是
繫縛者諸阿羅漢未離名色亦應繫縛善男
子解脫二種一者子斷二者果斷言子斷者
名斷煩惱阿羅漢等已斷煩惱眾結爛壞是
故子結不能繫縛未斷果故名果繫縛諸阿
羅漢不見佛性以不見故不得阿耨多羅三
藐三菩提以是義故可言果繫不得說言名
色繫縛善男子譬如燃燈油未盡時明則不
滅若油盡者滅則无疑善男子所言油者喻
諸煩惱燈喻眾生一切眾生煩惱油故不入
涅槃若得斷者則入涅槃師子吼言世尊燈

BD01941號　大般涅槃經（北本）卷二九　（20–2）

非三菩提以是義故可言畢竟不得說言名
色繫縛善男子譬如燃燈油未盡時明則不
滅若油盡者滅則无疑善男子所言油者喻
諸煩惱燈喻衆生一切衆生煩惱油故不入
涅槃若得斷者則入涅槃師子吼言世尊燈
之與油二性各異衆生煩惱則不如是衆生
即是煩惱煩惱即是衆生衆生名五陰五陰
名衆生五陰名煩惱煩惱名五陰云何如来
喻之於燈佛言善男子喻有八種一者順喻
二者逆喻三者現喻四者非喻五者先喻六
者後喻七者先後喻八者遍喻云何順喻如
經中說天降大雨溝瀆皆滿溝瀆滿故小坑
滿小坑滿故大坑滿大坑滿故小泉滿小泉
滿故大泉滿大泉滿故小池滿小池滿故大
池滿大池滿故小河滿小河滿故大河滿大
河滿故大海滿如来法雨亦復如是衆生戒
滿戒滿足故不悔心滿不悔心滿故歡喜滿
歡喜滿故遠離滿遠離滿故安隱滿安隱滿
故三昧滿三昧滿故正知見滿正知見滿故
猒離滿猒離滿故呵嘖滿呵嘖滿故解脫滿
解脫滿故涅槃滿是名順喻云何逆喻大海
有本所謂大河大河有本所謂小河小河有
本所謂大池大池有本所謂小池小池有本
所謂大泉大泉有本所謂小泉小泉有本所
謂大坑大坑有本所謂小坑小坑有本所謂
溝瀆溝瀆有本所謂大雨涅槃有本所謂解

BD01941號　大般涅槃經（北本）卷二九　（20–3）

本所謂大池大池有本所謂小池小池有本
所謂大泉大泉有本所謂小泉小泉有本所
謂大坑大坑有本所謂小坑小坑有本所謂
溝瀆溝瀆有本所謂大雨涅槃有本所謂解
脫解脫有本所謂呵嘖呵嘖有本所謂猒離
猒離有本所謂正知見正知見有本所謂三
昧三昧有本所謂安隱安隱有本所謂遠離
遠離有本所謂喜心喜心有本所謂不悔不
悔有本所謂持戒持戒有本所謂法雨是名
逆喻云何現喻如經中說衆生心性猶如獼
猴獼猴之性捨一取一衆生心性亦復如是
取著色聲香味觸法无暫住時是名現喻云
何非喻如我昔告波斯匿王大王有親信人
從四方来各作是言大王有四大山從四方
来欲害人民王若聞者當設何計王言世尊
設有此来无逃避處唯當專心持戒布施我
即讚言善哉大王我說四山即是衆生生老
病死生老病死常来切人云何大王不脩戒
施王言世尊持戒布施得何等果我言大王
於人天中多受快樂王言世尊尼拘陁樹持
戒布施亦於人天受安隱耶我言大王尼拘
陁樹不能持戒脩行布施如其能者則受无
異是名非喻云何先喻我經中說譬如有人
貪著妙華採取之時為水所漂衆生亦尒貪
受五欲為生老病死之所漂沒是名先喻云
何後喻如法句經說

BD01941號　大般涅槃經（北本）卷二九　（20–4）

異是名非喻云何先喻我經中說譬如有人
貪著妙華採取之時為水所漂眾生亦尒貪
受五欲為生老病死之所漂沒是名先喻云
何後喻如法句經說
莫輕小罪 以為无殃 水渧雖微 漸盈大器
是名後喻云何先後喻譬如芭蕉生菓則死
愚人得養亦復如是如驢懷妊命不久全云
何遍喻如經中說三十三天有波利質多樹
其根入地深五由延高百由延枝葉四布五
十由延葉熟則黃諸天見已心生歡喜是葉
不久必當隨落其葉既落復生歡喜是枝不
久必當變色枝既變色復生歡喜是色不久
必當生皰見已復喜是皰不久必當生嘴見
已復喜是嘴不久必當開剖開剖之時香
氣周遍五十由延光明遠照八十由延尒時
諸天夏三月時在下受樂善男子我諸弟子
亦復如是葉色黃者喻我弟子念欲出家其
葉落者喻我弟子剃除鬚髮其色變者喻我
弟子白四羯磨受具足戒初生皰者喻我弟
子發阿耨多羅三藐三菩提心嘴者喻於十
住菩薩得見佛性開剖者喻於菩薩得阿耨
多羅三藐三菩提香者喻於十方无量眾生
受持禁戒光者喻於如來名号无㝵周遍十
方夏三月者喻三三昧三十三天受快樂者
喻於諸佛在大涅槃得常樂我淨是名遍喻

BD01941號　大般涅槃經（北本）卷二九　（20–5）

多羅三藐三菩提香者喻於十方无量眾生
受持禁戒光者喻於如來名号无㝵周遍十
方夏三月者喻三三昧三十三天受快樂者
喻於諸佛在大涅槃得常樂我淨是名遍喻
善男子凡所引喻不必盡取或取少分或取
多分或復全取如言如來面如滿月是名少分
善男子譬如有人初不見乳轉問他言乳為
何類彼人荅言如水蜜貝水則濕相蜜則甜
相貝則色相雖引三喻未即乳實善男子我
言燈喻喻於眾生亦復如是善男子離水无
河眾生亦尒離五陰已无別眾生善男子如
離箱轂輪軸輻輞更无別車眾生亦尒善男
子若欲得合彼燈喻者諦聽諦聽我今當說
炷者喻於二十五有油者喻愛明喻智慧除破
黑闇喻破无明燸喻聖道如燈油盡明炎則滅
眾生愛盡則見佛性雖有名色不能繫縛雖
復處在二十五有不為諸有之所汙染師子吼
言世尊眾生五陰空无所有誰有受教脩集
道者佛言善男子一切眾生皆有念心慧心
發心懃精進心信心定心如是等法雖念念
生滅猶故相似相續不斷故名脩道師子吼
言世尊如是等法皆念念滅是念念滅中亦
相似相續云何脩集佛言善男子如燈雖念
念滅而有光明除破闇冥念等諸法亦復如是
善男子如眾生食雖念念滅亦令飢者而得
飽滿譬如上藥雖念念滅亦能愈病日月光

BD01941號　大般涅槃經（北本）卷二九　（20–6）

念滅而有光明除破闇冥念等諸法亦復如是
善男子如衆生食雖念念滅亦令飢者而得
飽滿譬如上藥雖念念滅亦能愈病日月光
明雖念念滅亦能增長樹林草木善男子汝
言念念滅云何增長者心不斷故名為增長
善男子如人誦書所誦字句不得一時前不
至中中不至後人之與字及以心想俱念念
滅以久脩故而得通利善男子譬如金師從
初習作至于晧首雖念念滅前不至後以積
習故所作遂妙是故得名善好金師讀誦經
書亦復如是善男子譬如種子地亦不教汝
當生牙以法性故牙則自生乃至華菓亦復
不教汝當作菓以法性故而菓自生衆生脩
道亦復如是善男子譬如數法一不至二二不
至三雖念念滅而至千万衆生脩道亦復如
是善男子如燈念念滅初滅之炎不教後炎
我滅汝生當破諸闇善男子譬如犢子生便
求乳求乳之智實无人教雖念念滅而初飢後
飽是故當知不應相似若相似者不應異生
衆生脩道亦復如是初雖未增以久脩故則
能破壞一切煩惱師子吼言世尊如佛所說
須陁洹人得果證已雖生惡國猶故持戒不
煞盜婬兩舌飲酒須陁洹陰即此處滅不至
惡國脩道亦尒不至惡國若相似者何故不
生淨妙國土若惡國陰非須陁洹陰云何而
得不作惡業佛言善男子須陁洹者雖生惡

BD01941 號　大般涅槃經（北本）卷二九

（20–7）

煞盜婬兩舌飲酒須陁洹陰即此處滅不至
惡國脩道亦尒不至惡國若相似者何故不
生淨妙國土若惡國陰非須陁洹陰云何而
得不作惡業佛言善男子須陁洹者雖生惡
國終不失於須陁洹名陰不相似是故我引
犢子為喻須陁洹人雖生惡國以道力故不
作惡業善男子譬如香山有師子王是故一切
飛鳥走獸絶跡此山无敢近者有時是王至
雪山中一切鳥獸猶故不住須陁洹人亦復
如是雖不脩道以道力故不作諸惡善男子
譬如有人服食甘露甘露雖滅以其力勢能
令是人不生不死善男子如須弥山有上妙
藥名楞伽利有人服之雖念念滅以藥力故
不遇患苦善男子如轉輪王所坐之處王雖
不在无人敢近何以故王威力故須陁洹人
亦復如是雖生惡國不脩集道以道力故不
作惡業善男子須陁洹陰於此而滅雖生異
陰猶故不失須陁洹陰善男子譬如衆生為
菓實故於種子中多役作業糞治溉灌未得
菓實而子復滅亦復名為因子得菓須陁洹
陰亦復如是善男子譬如有人資生巨富唯
有一子先已終沒其子有子復在他土其人
忽然奄便終亡孫聞是已還收產業雖知財
貨非其所作然其收取无遮護者何以故以
姓一故須陁洹陰亦復如是師子吼言如佛
說偈

BD01941 號　大般涅槃經（北本）卷二九

（20–8）

忽然奄便終亡孫聞是已還收産業雖知財
貨非其所作然其收取无遮護者何以故以
姓一故須陁洹隂亦復如是師子吼言如佛
說偈
比丘若脩集 戒定及智慧 當知是不退 親近大涅槃
世尊云何脩戒云何脩定云何脩慧佛言善
男子若有人能受持禁戒但為自利人天受
樂不為度脫一切衆生不為擁護无上正法
但為利養畏三惡道為命色力安无㝵辯畏
懼王法惡名穢稱為世事業如是護戒則不
得名脩集戒也善男子云何名為真脩集戒
受持戒時若為度脫一切衆生為護正法度不
度故解未解故歸未歸故未入涅槃令得入
故如是脩時不見戒不見戒相不見持者不
見果報不觀毀犯善男子若能如是是則名
為脩集戒也云何復名脩集三昧脩三昧時
為自度脫為於利養不為衆生不為護法為
見貪欲穢食等過男女等根九孔不淨鬪訟
打剌手相煞害若為此事脩三昧者是則不
名脩集三昧善男子云何復名真脩三昧若
為衆生脩集三昧於衆生中得平等心為令
衆生得不退法為令衆生得聖心故為令衆
生得大乘故為欲護持无上法故為令衆生
不退菩提心故為令衆生得首楞嚴三昧故
為令衆生得金剛三昧故為令衆生得陁羅
尼故為令衆生得四无㝵故為令衆生見佛

生得大乘故為欲護持无上法故為令衆生
不退菩提心故為令衆生得首楞嚴三昧故
為令衆生得金剛三昧故為令衆生得陁羅
尼故為令衆生得四无㝵故為令衆生見佛
性故作是行時不見三昧不見三昧相不見
脩者不見果報善男子若能如是是則名為脩
集三昧云何復名脩於智慧若有脩者作是思
惟我若脩集如是智慧則得解脫度三惡道
誰能利益一切衆生誰能度人於生死道佛
出世難如憂曇華我今能斷諸煩惱結得解
脫果是故我當懃脩智慧速斷煩惱早得度
脫如是脩者不得名為脩集智慧云何名為
真脩集者智者若觀生死老苦一切衆生无明
所覆不知脩集无上正道願我此身悉代衆
生受大苦惱衆生所有貧窮下賤破戒之心
貪瞋癡業願皆悉來集于我身願諸衆生不
生貪取不為名色之所繫縛願諸衆生早度
生死令我一身處之不猒願令一切皆得阿
耨多羅三藐三菩提如是脩時不見智慧不
見智慧相不見脩者不見果報是則名為脩
集智慧善男子脩集如是戒定智慧是名菩
薩不能如是脩戒定慧是名聲聞復次善男
子云何復名脩集於戒若能破壞一切衆生十
六惡律儀何等十六一者為利餧養羔羊肥已
轉賣二者為利買已屠煞三者為利餧養豬
豚肥已轉賣四者為利買已屠煞五者為利

子云何復名脩集於戒若能破壞一切衆生十
六惡律儀何等十六一者為利餧養羔羊肥已
轉賣二者為利買已屠煞三者為利餧養豬
豚肥已轉賣四者為利買已屠煞五者為利
餧養牛犢肥已轉賣六者為利買已屠煞七
者為利養雞令肥肥已轉賣八者為利買已
屠煞九者釣魚十者獵師十一者初奪十二
者魁膾十三者網捕飛鳥十四者兩舌十五
者獄卒十六者呪龍能為衆生永斷如是十
六惡業是名脩戒云何脩定能斷一切世間
三昧所謂无身三昧能令衆生生顛倒心謂
是涅槃有无邊心三昧淨聚三昧世邊三昧
世斷三昧世性三昧世丈夫三昧非想非非想
三昧如是等定能令衆生生顛倒心謂是涅
槃若能永斷如是三昧是則名為脩集三昧
云何復名脩集智慧能破世間所有惡見一
切衆生悉有惡見所謂色即是我亦是我所
色中有我我中有色乃至識亦如是常即是
我色滅我存色即是我色滅我滅復有人言
作者名我受者名色復有人言信者名色受
者名我復有人言无作无受自生自滅悉非
因緣復有人言无作无受悉是自在之所造
作復有人言无有作者无有受者一切悉是
時節所作復有人言作者受者悉无所有地
等五大名為衆生善男子若能破壞一切衆
生如是惡見是則名為脩智慧也善男子脩

BD01941號　大般涅槃經（北本）卷二九

（20–11）

作復有人言无有作者无有受者一切悉是
時節所作復有人言作者受者悉无所有地
等五大名為衆生善男子若能破壞一切衆
生如是惡見是則名為脩智慧也善男子脩
集戒者為身寂靜脩集三昧為心寂靜脩集
智慧為壞疑心壞疑心者為脩集道脩集道
者為見佛性見佛性者為得阿耨多羅三藐
三菩提故得阿耨多羅三藐三菩提者為得
无上大涅槃故得大涅槃為斷衆生一切生
死一切煩惱一切諸有一切諸界一切諸諦
故斷於生死乃至斷諦為得常樂我淨法故
師子吼言世尊如佛所說若不生滅名大涅
槃生亦如是不生不滅何故不得名為涅槃
善男子如是如是如汝所言是生雖復不生
不滅而有始終世尊是生死法亦无始終若
无始終則名為常常即涅槃何故不名生死
為涅槃耶善男子是生死法悉有因果有因
果故不得名之為涅槃也何以故涅槃之體
无因果故師子吼言世尊夫涅槃者亦有因
果如佛所說
從因故生天　從因墮惡道　從因故涅槃　是故皆有果
如佛往昔告諸比丘我今當說沙門道果言
沙門者謂能具脩戒定智慧道者謂八聖道
沙門果者所謂涅槃世尊涅槃如是豈非果
耶云何說言涅槃之體无因无果佛言善男
子我所宣說涅槃因者所謂佛性佛性之性

BD01941號　大般涅槃經（北本）卷二九

（20–12）

如佛往昔告諸比丘我今當說沙門道果言
沙門者謂能具脩戒定智慧道者謂八聖道
沙門果者所謂涅槃世尊涅槃如是豈非果
耶云何說言涅槃之體无因无果佛言善男
子我所宣說涅槃因者所謂佛性佛性之性
不生涅槃是故我言涅槃无因能破煩惱故
名大果不從道生故名无果是故涅槃无因
无果師子吼言世尊衆生佛性為悉共有為
各各有若共有者一人得阿耨多羅三藐三
菩提時一切衆生亦應同得世尊如二十人同
有一怨若一人能除餘十九人皆亦同除佛
性若尒一人得時餘亦應得若各各有則是
无常何以故可筭數故然佛所說衆生佛性
不一不二若各各有不應說言諸佛平等亦
不應說佛性如空佛言善男子衆生佛性不
一不二諸佛平等猶如虛空一切衆生同共
有之若有能脩八聖道者當知是人則得明
見善男子雪山有草名曰忍辱牛若食之則
成醍醐衆生佛性亦復如是師子吼言如佛所
說忍辱草者一耶多耶如其一者牛食則盡
如其多者云何而言衆生佛性亦如是耶如
佛所說若有脩集八聖道者則見佛性是義
不然何以故道若一者如忍辱草則應有盡
如其有盡一人脩已餘則无分道若多者云
何得言具足脩集亦不得名薩婆若智佛言

不然何以故道若一者如忍辱草則應有盡
如其有盡一人脩已餘則无分道若多者云
何得言具足脩集亦不得名薩婆若智佛言
善男子如平坦路一切衆生悉於中行无鄣
㝵者中路有樹其蔭清涼行人在下憩駕止
息然其樹蔭常住不異亦不消壞无持去者
路喻聖道蔭喻佛性善男子譬如大城唯有
一門雖有多人逕由入出都无有能作鄣㝵
者亦復无人破壞毀落而賫持去善男子譬
如橋梁行人所由亦无有人遮止鄣㝵毀壞
持去善男子譬如良毉遍療衆病亦无有能
遮止是毉治此捨彼聖道佛性亦復如是師
子吼言世尊所引諸喻義不如是何以故先
者在路於後則妨云何而言无有鄣㝵餘亦
皆尒聖道佛性若如是者一人脩時應妨餘者
佛言善男子如汝所說義不相應我所喻道
是少分喻非一切世善男子世閒道者則有
鄣㝵此彼之異无有平等无有漏道者則不
如是能令衆生无有鄣㝵平等无二无有方
處此彼之異如是正道能為一切衆生佛性而
作了因不作生因猶如明燈照了於物善男
子一切衆生皆同无明因緣於行不可說言
一人无明因緣行已其餘應无一切衆生悉
有无明因緣於行是故說言十二因緣一切
平等衆生所脩无漏正道亦復如是等斷衆

子一切衆生皆同无明因緣於行不可説言
一人无明因緣行已其餘應无一切衆生悉
有无明因緣於行是故説言十二因緣一切
平等衆生所脩无漏正道亦復如是等斷衆
生煩惱四生諸界有道以是義故名爲平等
其有證者彼此知見无有鄣㝵是故得名薩
婆若智師子吼言一切衆生身不一種或有
天身或有人身畜生餓鬼地獄之身如是多
身差別非一云何而言佛性爲一佛言善男
子辟如有人置毒乳中乃至醍醐皆悉有毒
乳不名酪酪不名乳乃至醍醐亦復如是名
字雖變毒性不失遍五味中皆悉如是若服
醍醐亦能煞人實不置毒於醍醐中衆生佛
性亦復如是雖處五道受別異身而是佛性
常一无變師子吼言世尊十六大國有六大
城所謂舍婆提城婆枳多城瞻婆城毗舍離
城波羅㮈城王舍城如是六城世中㝡大何
故如来捨之在此邊地弊惡極陋隘小拘尸
那城入般涅槃善男子汝不應言拘尸那城
邊地弊惡㝡陋隘小應言是城微妙功德之
所莊嚴何以故諸佛菩薩所行處故善男子
如賤人舍王若過者則應讚嘆是舍嚴麗福
德成就乃令大王迴駕臨顧善男子如人重
病服織弊藥服以病愈即應歡喜讚嘆是藥
㝡上㝡妙能愈我病善男子如人乘船在大
海中其船卒壞无所依倚因倚死屍得到彼

德成就乃令大王迴駕臨顧善男子如人重
病服織弊藥服以病愈即應歡喜讚嘆是藥
㝡上㝡妙能愈我病善男子如人乘船在大
海中其船卒壞无所依倚因倚死屍得到彼
岸到彼岸已應大歡喜讚嘆是屍我賴相遇
而得安隱拘尸那城亦復如是乃是諸佛菩
薩行處云何而言邊地弊惡隘陋小城善男
子我念往昔過恒沙劫劫名善覺時有聖王
性憍尸迦七寶成就千子具足其王始初造
立此城周迊縱廣十二由延七寶莊嚴土多
有河其水清淨柔濡甘美所謂尼連禪河伊
羅跋提河熙連禪河伊槃未埵河毗婆舍那
河如是等河其數五百河此彼岸樹木鬱茂
華菓鮮潔尒時人民壽命无量時轉輪聖王
過百年已作是唱言如佛所説一切諸法皆
悉无常若能脩集十善法者法斷如是无常
大苦人民聞已咸共奉脩十善之法我於尒
時聞佛名号受持十善思惟脩集初發阿耨
多羅三藐三菩提心發是心已復以是法轉
教无量无邊衆生言一切法无常變壞是故
我今續於此處亦説諸法无常變壞唯説佛
身是常住法我憶往昔所行因緣是故今來在
此涅槃亦欲酬報此地往恩以是義故我經
中説我眷屬者受恩能報復次善男子往昔
衆生壽无量劫尒時此城名拘舍跋提周迊

我今緣於此處亦說諸法无常變壞呵諸
身是常住法我憶往昔所行因緣是故今来在
此涅槃亦欲酬報此地往恩以是義故我經
中說我眷屬者受恩能報復次善男子往昔
衆生壽无量劫尒時此城名拘舍跋提周逥
縱廣五十由延時閻浮提居民隣接雞飛相
及有轉輪王名曰善見七寶成就千子具足
王四天下第一太子思惟正法得辟支佛時
轉輪王見其太子成辟支佛威儀詳序神通
希有見是事已即捨王位如棄涕唾出家在
此娑羅樹間八万歲中脩集慈心悲喜捨心
各八万歲善男子欲知尒時善見聖王則我
身是是故我今常樂遊止如是四法是四法
者名為三昧善男子以是義故如来之身常
樂我淨善男子以是因緣今来在此拘尸那
城娑羅樹間三昧正受善男子我念往昔過
无量劫此城尒時名加毗羅衛其城有王名
曰白淨其王夫人名曰摩耶王有一子名悉達
多尒時王子不由師教自然思惟得阿耨多
羅三藐三菩提有二弟子一名舍利弗二名大
目揵連給侍弟子名曰阿難尒時世尊在雙
樹間演說如是大涅槃經我時在會得豫斯
事聞諸衆生悲有佛性聞是事已即於菩提
得不退轉尋自發願願未来世成佛之時父
母國土名字弟子侍使之人說法教化如今
世尊等无有異以是因緣今来在此敷揚演
[illegible]

BD01941 號　大般涅槃經（北本）卷二九　（20–17）

事聞諸衆生悲有佛性聞是事已即於菩提
得不退轉尋自發願願未来世成佛之時父
母國土名字弟子侍使之人說法教化如今
世尊等无有異以是因緣今来在此敷揚演
說大涅槃經善男子我初出家未得阿耨多
羅三藐三菩提時頻婆娑羅王遣使而言悉
達太子若為聖王我當臣屬若不樂家得阿
耨多羅三藐三菩提者願先来至此王舍城
說法度人受我供養我時嘿然已受彼請善
男子我初得阿耨多羅三藐三菩提已向竭
闍國時伊連禪河有婆羅門姓迦葉氏與五
百弟子在彼河側求无上道我為是人故往
說法迦葉言瞿曇我今年邁已百二十摩伽國
所有人民及其大王頻婆娑羅咸謂我已證
羅漢果我今若當在於汝前聽受法者一切人
民或生倒心大德迦葉非羅漢耶幸願瞿曇
速往餘處若此人民定知瞿曇功德勝我我
等无由復得供養我時荅言迦葉汝若於我
不生慇重大瞋恨者見容一宿明當早去迦
葉言瞿曇我心无他深相愛重但我住處有
一毒龍其性暴急恐相危害我言迦葉毒中
之毒不過三毒我今已斷世間之毒我所不
畏迦葉復言茍能不畏善哉聽住善男子我
於尒時故為迦葉現十八變如經中說尒時
迦葉及其眷屬五百等輩見聞是已證羅漢
果是時迦葉復有二弟一名伽耶迦葉二名

BD01941 號　大般涅槃經（北本）卷二九　（20–18）

畏迦葉復言苟能不畏善哉聽任善男子我
於尒時故爲迦葉現十八變如經中說尒時
迦葉及其眷屬五百等輩見聞是已證羅漢
果是時迦葉復有二弟一名伽耶迦葉二名
那提迦葉師徒眷屬復有五百亦皆證得阿
羅漢果時王舍城六師之徒聞是事已即於
我所生大惡心我時赴信受彼王請詣王舍
城未至中路王與无量百千之衆悉來奉迎
我爲說法時聞法已欲界諸天八万六千發
阿耨多羅三藐三菩提心頻婆娑羅王所將
營從十二万人得須陁洹果无量衆生成就
忍心既入城已度舍利弗大目揵連及其眷
屬二百五十令捨本心出家學道我即住彼
受王供養外道六師相與集衆詣舍衛城時
彼城中有一長者名須達多爲兒娉婦詣王
舍城既達彼城寄止長者珊檀那舍時此長
者中夜而起告諸眷屬仁者可起速共莊嚴
掃治宅舍辨具餚饍須達聞已尋自思惟將
非欲請摩伽王耶爲有婚姻歡樂會乎思惟
是已尋前問言大士欲請摩伽陁王頻婆娑
羅耶爲有婚姻歡樂會乎忩務不安乃如是
耶長者答言不也居士我明請佛无上法王
須達長者初聞佛名身毛皆竪尋復問言何
等名佛長者答言汝不聞耶迦毗羅城有釋
種子字悉達多姓瞿曇氏父名白淨其生未
久相師占之定當得作轉輪聖王如菴羅菓

BD01941號　大般涅槃經（北本）卷二九　（20–19）

舍城既達彼城寄止長者珊檀那舍時此長
者中夜而起告諸眷屬仁者可起速共莊嚴
掃治宅舍辨具餚饍須達聞已尋自思惟將
非欲請摩伽王耶爲有婚姻歡樂會乎思惟
是已尋前問言大士欲請摩伽陁王頻婆娑
羅耶爲有婚姻歡樂會乎忩務不安乃如是
耶長者答言不也居士我明請佛无上法王
須達長者初聞佛名身毛皆竪尋復問言何
等名佛長者答言汝不聞耶迦毗羅城有釋
種子字悉達多姓瞿曇氏父名白淨其生未
久相師占之定當得作轉輪聖王如菴羅菓
已在手中心不顧樂捨之出家无師自覺得
阿耨多羅三藐三菩提貪恚癡盡常住不變
不生不滅无有憂畏於諸衆生其心平等猶
如父母等視一子所有身心衆中最勝雖勝
一切而无憍慢塗割二事其心无二智慧通
達於法无㝵具足十力四无所畏五智三昧
大慈大悲及三念處故号爲佛明受我請是
故忩忩未暇相瞻

BD01941號　大般涅槃經（北本）卷二九　（20–20）

讚歎住在一面欣樂瞻仰於二世尊是諸菩
薩摩訶薩從初踊出以諸菩薩種種讚法而
讚於佛如是時間經五十小劫是時釋迦牟尼
佛嘿然而坐及諸四衆亦皆嘿然五十小劫佛
神力故令諸大衆謂如半日尒時四衆亦以
佛神力故見諸菩薩遍滿无量百千万億國
土虚空是菩薩衆中有四導師一名上行二
名无邊行三名淨行四名安立行是四菩薩
於其衆中最為上首唱導之師在大衆前各共
合掌觀釋迦牟尼佛而問訊言世尊少病少
惱安樂行不所應度者受教易不不令世尊
生疲勞耶尒時四大菩薩而說偈言
世尊安樂　少病少惱　教化衆生　得无疲惓
又諸衆生　受化易不　不令世尊　生疲勞耶
尒時世尊於菩薩大衆中而作是言如是如是
諸善男子如來安樂少病少惱諸衆生
等易可化度无有疲勞所以者何是諸衆生
世世已來常受我化亦於過去諸佛供養尊
重種諸善根此諸衆生始見我身聞我所說
即皆信受入如來慧除先修習學小乘者如

BD01942 號　妙法蓮華經卷五　（14-1）

等易可化度无有疲勞所以者何是諸衆生
世世已來常受我化亦於過去諸佛供養尊
重種諸善根此諸衆生始見我身聞我所說
即皆信受入如來慧除先修習學小乘者如
是之人我今亦令得聞是經入於佛慧尒時諸
大菩薩而說偈言
善哉善哉　大雄世尊　諸衆生等　易可化度
能問諸佛　甚深智慧　聞已信行　我等隨喜
於時世尊讚歎上首諸大菩薩善哉善哉善
男子汝等能於如來發隨喜心尒時弥勒菩
薩及八千恒河沙諸菩薩衆皆作是念我等
從昔已來不見不聞如是大菩薩摩訶薩衆
弥勒菩薩摩訶薩知八千恒河沙諸菩薩等
心之所念并欲自決所疑合掌向佛以偈問曰
无量千万億　大衆諸菩薩　昔所未曾見　願兩足尊說
是從何所來　以何因緣集　巨身大神通　智慧叵思議
其志念堅固　有大忍辱力　衆生所樂見　為從何所來
一一諸菩薩　所將諸眷屬　其數无有量　如恒河沙等
或有大菩薩　將六万恒沙　如是諸大衆　一心求佛道
是諸大師等　六万恒河沙　俱來供養佛　及護持此經
將五万恒沙　其數過於是　四万及三万　二万至一万
一千一百等　乃至一恒沙　半及三四分　億万分之一
千万那由他　万億諸弟子　乃至於半億　其數復過上
百万至一万　一千及一百　五十與一十　及至三二一
單己無眷屬　樂於獨處者　俱來至佛所　其數轉過上
如是諸大衆　若人行籌數　過於恒沙劫　猶不能盡知

BD01942 號　妙法蓮華經卷五　（14-2）

千万那由他　万億諸弟子　乃至於半億　其數復過上
百万至一万　一千及一百　五十與一十　及至三二一
單己無眷屬　樂於獨處者　俱來至佛所　其數轉過上
如是諸大衆　若人行籌數　過於恒沙劫　猶不能盡知
是諸大威德　精進菩薩衆　誰為其說法　教化而成就
從誰初發心　稱揚何佛法　受持行誰經　修習何佛道
如是諸菩薩　神通大智力　四方地震裂　皆從中踊出
世尊我昔來　未曾見是事　願說其所從　國土之名号
我常遊諸國　未曾見是衆　我於此衆中　乃至識一人
忽然從地出　願說其因緣　今此之大衆　无量百千億
是諸菩薩等　皆欲知此事　是諸菩薩衆　本末之因緣
无量德世尊　唯願決衆疑
尒時釋迦牟尼佛分身諸佛從无量千万億他
方國土来者在於八方諸寶樹下師子座上
結跏趺坐其佛侍者各各見是菩薩大衆於
三千大千世界四方從地踊出住於虛空各
白佛言世尊此諸无量无邊阿僧祇菩薩大
衆從何所來尒時諸佛各告侍者諸善男
子且待須臾有菩薩摩訶薩名弥勒釋迦牟
尼佛之所授記次後作佛已問斯事佛今荅之
汝等自當因是得聞尒時釋迦牟尼佛告弥
勒菩薩善哉善哉阿逸多乃能問佛如是大事
汝等當共一心被精進鎧發堅固意如來今
欲顯發宣示諸佛智惠諸佛自在神通之力諸
佛師子奮迅之力諸佛威猛大勢之力尒時

BD01942 號　妙法蓮華經卷五　（14–3）

勒菩薩善哉善哉阿逸多乃能問佛如是大事
汝等當共一心被精進鎧發堅固意如來今
欲顯發宣示諸佛智惠諸佛自在神通之力諸
佛師子奮迅之力諸佛威猛大勢之力尒時
世尊欲重宣此義而說偈言
當精進一心　我欲說此事　勿得有疑悔　佛智叵思議
汝今出信力　住於忍善中　昔所未聞法　今皆當得聞
我今安慰汝　勿得懷疑懼　佛无不實語　智惠不可量
所得第一法　甚深叵分別　如是今當說　汝等一心聽
尒時世尊說此偈已告弥勒菩薩我今於此
大衆宣告汝等阿逸多是諸大菩薩摩訶薩
无量无數阿僧祇從地踊出汝等昔所未見
者我於是娑婆世界得阿耨多羅三藐三菩
提已教化示導是諸菩薩調伏其心令發道
意此諸菩薩皆於是娑婆世界之下此界虛
空中住於諸經典讀誦通利思惟分別正憶
念阿逸多是諸善男子等不樂在衆多有說
常樂靜處勤行精進未曾休息亦不依止人
天而住常樂深智無有障礙亦常樂於諸佛
之法一心精進求無上惠尒時世尊欲重宣
此義而說偈言
阿逸汝當知　是諸大菩薩　從無數劫來　修習佛智惠
悉是我所化　令發大道心　此等是我子　依止是世界
常行頭陁事　志樂於靜處　捨大衆憒閙　不樂多所說
如是諸子等　學習我道法　晝夜常精進　為求佛道故

BD01942 號　妙法蓮華經卷五　（14–4）

悉是我所化　令發大道心　此等是我子　依止是世界
常行頭陀事　志樂於靜處　捨大衆憒閙　不樂多所說
如是諸子等　學習我道法　晝夜常精進　為求佛道故
在娑婆世界　下方空中住　志念力堅固　常勤求智慧
說種種妙法　其心無所畏　我於伽耶城　菩提樹下坐
得成最正覺　轉無上法輪　尒乃教化之　令初發道心
今皆住不退　悉當得成佛　我今說實語　汝等一心信
我從久遠来　教化是等衆
尒時彌勒菩薩摩訶薩及無數諸菩薩等心生
疑惑怪未曾有而作是念云何世尊於少時
間教化如是无量无邊阿僧祇諸大菩薩
令住阿耨多羅三藐三菩提即白佛言世尊
如来為太子時出於釋宮去伽耶城不遠坐
於道場得成阿耨多羅三藐三菩提從是已
来始過四十餘年世尊云何於此少時大作
佛事以佛勢力以佛功德教化如是无量大
菩薩衆當成阿耨多羅三藐三菩提世尊
此大菩薩衆假使有人於千萬億劫數不能盡
不得其邊斯等久遠已来於无量无邊諸佛
所殖諸善根成就菩薩道常脩梵行世尊
如此之事世所難信譬如有人色美髮黑年
二十五指百歲人言是我子其百歲人亦指年
少言是我父生育我等是事難信佛亦如是
得道已来其實未久而此大衆諸菩薩等已
於无量千萬億劫為佛道故勤行精進善

BD01942號　妙法蓮華經卷五　（14–5）

如此之事世所難信譬如有人色美髮黑年
二十五指百歲人言是我子其百歲人亦指年
少言是我父生育我等是事難信佛亦如是
得道已来其實未久而此大衆諸菩薩等已
於无量千萬億劫為佛道故勤行精進善
入出住无量百千万億三昧得大神通久脩
梵行善能次第習諸善法巧於答問人中之
寶一切世間甚為希有今日世尊方云得佛
道時初令發心教化示導令向阿耨多羅三
藐三菩提世尊得佛未久乃能作此大功德
事我等雖復信佛隨宜所說佛所出言未
曾虛妄佛所知者皆悉通達然諸新發意
菩薩於佛滅後若聞是語或不信受而起
破法罪業因緣唯然世尊願為解說除我等
疑及未来世諸善男子聞此事已亦不生疑尒
時彌勒菩薩欲重宣此義而說偈言
佛昔從釋種　出家近伽耶　坐於菩提樹　尒来尚未久
此諸佛子等　其數不可量　久已行佛道　住於神通力
善學菩薩道　不染世間法　如蓮華在水　從地而踊出
皆起恭敬心　住於世尊前　是事難思議　云何而可信
佛得道甚近　所成就甚多　願為除衆疑　如實分別說
譬如少壯人　年始二十五　示人百歲子　髮白而面皺
是等我所生　子亦說是父　父少而子老　舉世所不信
世尊亦如是　得道来甚近　是諸菩薩等　志固無怯弱
從无量劫来　而行菩薩道　巧於難問答　其心无所畏

BD01942號　妙法蓮華經卷五　（14–6）

譬如少壯人　年始二十五　示人百歲子　髮白而面皺
是等我所生　子亦說是父　父少而子老　舉世所不信
世尊亦如是　得道來甚近　是諸菩薩等　志固無怯弱
從无量劫來　而行菩薩道　巧於難問答　其心无所畏
忍辱心決定　端正有威德　十方佛所讚　善能分別說
不樂在人衆　常好在禪定　為求佛道故　下方空中住
我等從佛聞　於此事无疑　願佛為未來　演說令開解
若有於此經　生疑不信者　即當墮惡道　願佛今解說
是无量菩薩　云何於少時　教化令發心　而住不退地

妙法蓮華經如來壽量品第十六

尒時佛告諸菩薩及一切大衆諸善男子汝
等當信解如來誠諦之語復告大衆汝等當
信解如來誠諦之語又復告諸大衆汝等當
信解如來誠諦之語是時菩薩大衆弥勒為
首合掌白佛言世尊唯願說之我等當信受
佛語如是三白已復言唯願說之我等當信
受佛語尒時世尊知諸菩薩三請不止而告
之言汝等諦聽如來秘密神通之力一切
世間天人及阿脩羅皆謂今釋迦牟尼佛出
釋氏宮去伽耶城不遠坐於道場得阿耨多
羅三藐三菩提然善男子我實成佛已來无
量无邊百千万億那由他劫譬如五百千万億
那由他阿僧祇三千大千世界假使有人末
為微塵過於東方五百千万億那由他阿僧
祇國乃下一塵如是東行盡是微塵諸善男

BD01942號　妙法蓮華經卷五　（14–7）

量无邊百千万億那由他劫譬如五百千万億
那由他阿僧祇三千大千世界假使有人末
為微塵過於東方五百千万億那由他阿僧
祇國乃下一塵如是東行盡是微塵諸善男
子於意云何是諸世界可得思惟校計知其
數不弥勒菩薩等俱白佛言世尊是諸世界
无量无邊非筭數所知亦非心力所及一切
聲聞辟支佛以无漏智不能思惟知其限數
我等住阿惟越致地於是事中亦所不達世
尊如是諸世界无量无邊尒時佛告大菩薩
衆諸善男子今當分明宣語汝等是諸世界
若著微塵及不著者盡以為塵一塵一劫我
成佛已來復過於此百千万億那由他阿僧
祇劫自從是來我常在此娑婆世界說法教化
亦餘處百千万億那由他阿僧祇國導利
衆生諸善男子於是中間我說然燈佛等又
復言其入於涅槃如是皆以方便分別諸善
男子若有衆生來至我所我以佛眼觀其信等
諸根利鈍隨所應度處處自說名字不同
年紀大小亦復現言當入涅槃又以種種方
便說微妙法能令衆生發歡喜心諸善男子
如來見諸衆生樂於小法德薄垢重者為是
人說我少出家得阿耨多羅三藐三菩提然
我實成佛已來久遠若斯但以方便教化衆
生令入佛道作如是說諸善男子如來所演

BD01942號　妙法蓮華經卷五　（14–8）

人說我少出家得阿耨多羅三藐三菩提然
我實成佛已來久遠若斯但以方便教化衆
生令入佛道作如是說諸善男子如來所演
經典皆為度脫衆生或說己身或說他身
或示己身或示他身或示己事或示他事諸
所言說皆實不虛所以者何如來如實知見
三界之相無有生死若退若出亦無在世及
滅度者非實非虛非如非異不如三界見於三
界如斯之事如來明見無有錯謬以諸衆生
有種種性種種欲種種行種種憶想分別故
欲令生諸善根以若干因緣譬喻言辭種種
說法所作佛事未曾暫廢如是我成佛已來
甚大久遠壽命无量阿僧祇劫常住不滅諸
善男子我本行菩薩道所成壽命今猶未盡
復倍上數然今非實滅度而便唱言當取滅
度如來以是方便教化衆生所以者何若佛
久住於世薄德之人不種善根貧窮下賤貪
著五欲入於憶想妄見網中若見如來常在
不滅便起憍恣而懷厭怠不能生難遭之想
恭敬之心是故如來以方便說比丘當知諸
佛出世難可值遇所以者何諸薄德人過无
量百千万億劫或有見佛或不見者以此事故
我作是言諸比丘如來難可得見斯衆生等
聞如是語必當生於難遭之想心懷戀慕渴
仰於佛便種善根是故如來雖不實滅而言

BD01942號　妙法蓮華經卷五　　（14–9）

量百千万億劫或有見佛或不見者以此事故
我作是言諸比丘如來難可得見斯衆生等
聞如是語必當生於難遭之想心懷戀慕渴
仰於佛便種善根是故如來雖不實滅而言
滅度又善男子諸佛如來法皆如是為度衆
生皆實不虛譬如良醫智慧聰達明練方
藥善治衆病其人多諸子息若十二十乃至
百數以有事緣遠至餘國諸子於後飲他毒
藥藥發悶亂宛轉于地是時其父還來歸家
諸子飲毒或失本心或不失者遙見其父皆
大歡喜拜跪問訊善安隱歸我等愚癡誤服
毒藥願見救療更賜壽命父見子等苦惱如
是依諸經方求好藥草色香美味皆悉具
足擣篩和合與子令服而作是言此大良藥
色香美味皆悉具足汝等可服速除苦惱无
復衆患其諸子中不失心者見此良藥色香
俱好即便服之病盡除愈餘失心者見其父
來雖亦歡喜問訊求索治病然與其藥而不
肯服所以者何毒氣深入失本心故於此好色
香藥而謂不美父作是念此子可愍為毒
所中心皆顛倒雖見我喜求索救療如是好
藥而不肯服我今當設方便令服此藥即作
是言汝等當知我今衰老死時已至是好良
藥今留在此汝可取服勿憂不差作是教已
復至他國遣使還告汝父已死是時諸子聞父

BD01942號　妙法蓮華經卷五　　（14–10）

所中心皆顛倒雖見我喜求索救療如是好
藥而不肯服我今當設方便令服此藥即作
是言汝等當知我今衰老死時已至是好良
藥今留在此汝可取服勿憂不差作是教已
復至他國遣使還告汝父已死是時諸子聞父
背喪心大憂惱而作是念若父在者慈愍我
等能見救護今者捨我遠喪他國自惟孤
露无復恃怙常懷悲感心遂醒悟乃知此藥
色味香美即取服之毒病皆愈其父聞子悉
已得差尋便來歸咸使見之諸善男子於意
云何頗有人能說此良醫虛妄罪不不也世
尊佛言我亦如是成佛已來无量无邊百千
万億那由他阿僧秖劫為衆生故以方便力
言當滅度亦無有能如法說我虛妄過者尒
時世尊欲重宣此義而說偈言
自我得佛來　所經諸劫數　无量百千万　億載阿僧秖
常說法教化　无數億衆生　令入於佛道　尒來无量劫
為度衆生故　方便現涅槃　而實不滅度　常住此說法
我常住於此　以諸神通力　令顛倒衆生　雖近而不見
衆見我滅度　廣供養舍利　咸皆懷戀慕　而生渴仰心
衆生既信伏　質直意柔耎　一心欲見佛　不自惜身命
時我及衆僧　俱出靈鷲山　我時語衆生　常在此不滅
以方便力故　現有滅不滅　餘國有衆生　恭敬信樂者
我復於彼中　為說无上法　汝等不聞此　但謂我滅度
我見諸衆生　沒在於苦惱　故不為現身　令其生渴仰

BD01942 號　妙法蓮華經卷五　（14–11）

時我及衆僧　俱出靈鷲山　我時語衆生　常在此不滅
以方便力故　現有滅不滅　餘國有衆生　恭敬信樂者
我復於彼中　為說无上法　汝等不聞此　但謂我滅度
我見諸衆生　沒在於苦惱　故不為現身　令其生渴仰
因其心戀慕　乃出為說法　神通力如是　於阿僧秖劫
常在靈鷲山　及餘諸住處　衆生見劫盡　大火所燒時
我此土安隱　天人常充滿　園林諸堂閣　種種寶莊嚴
寶樹多華菓　衆生所遊樂　諸天擊天鼓　常作衆伎樂
雨曼陀羅華　散佛及大衆　我淨土不毀　而衆見燒盡
憂怖諸苦惱　如是悉充滿　是諸罪衆生　以惡業因緣
過阿僧秖劫　不聞三寶名　諸有脩功德　柔和質直者
則皆見我身　在此而說法　或時為此衆　說佛壽无量
久乃見佛者　為說佛難值　我智力如是　慧光照无量
壽命无數劫　久脩業所得　汝等有智者　勿於此生疑
當斷令永盡　佛語實不虛　如醫善方便　為治狂子故
實在而言死　无能說虛妄　我亦為世父　救諸苦患者
為凡夫顛倒　實在而言滅　以常見我故　而生憍恣心
放逸著五欲　墮於惡道中　我常知衆生　行道不行道
隨應所可度　為說種種法　每自作是意　以何令衆生
得入无上道　速成就佛身
妙法蓮華經分別功德品第十七
尒時大會聞佛說壽命劫數長遠如是无量
无邊阿僧秖衆生得大饒益於時世尊告彌
勒菩薩摩訶薩阿逸多我說是如來壽命長
遠時六百八十万億那由他恒河沙衆生得
无生法忍復千倍菩薩摩訶薩得聞持陁羅

BD01942 號　妙法蓮華經卷五　（14–12）

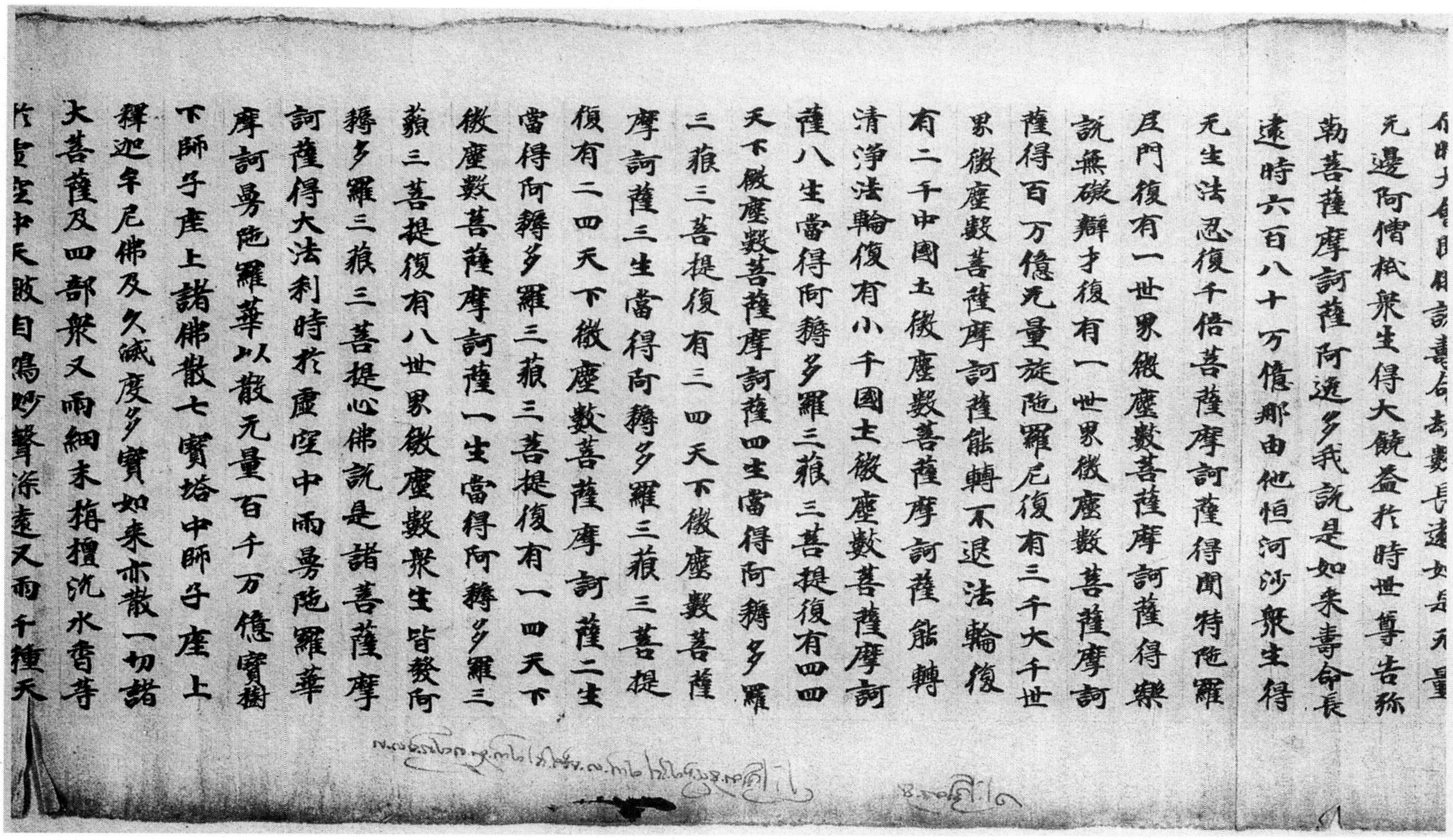
尒時大會聞佛說壽命劫數長遠如是无量
无邊阿僧祇衆生得大饒益於時世尊告弥
勒菩薩摩訶薩阿逸多我說是如来壽命長
遠時六百八十万億那由他恒河沙衆生得
无生法忍復千倍菩薩摩訶薩得聞持陁羅
尼門復有一世界微塵數菩薩摩訶薩得樂
說無礙辯才復有一世界微塵數菩薩摩訶
薩得百万億无量旋陁羅尼復有三千大千世
界微塵數菩薩摩訶薩能轉不退法輪復
有二千中國土微塵數菩薩摩訶薩能轉
清淨法輪復有小千國土微塵數菩薩摩訶
薩八生當得阿耨多羅三藐三菩提復有四四
天下微塵數菩薩摩訶薩四生當得阿耨多羅
三藐三菩提復有三四天下微塵數菩薩
摩訶薩三生當得阿耨多羅三藐三菩提
復有二四天下微塵數菩薩摩訶薩二生
當得阿耨多羅三藐三菩提復有一四天下
微塵數菩薩摩訶薩一生當得阿耨多羅三
藐三菩提復有八世界微塵數衆生皆發阿
耨多羅三藐三菩提心佛說是諸菩薩摩
訶薩得大法利時於虚空中雨曼陁羅華
摩訶曼陁羅華以散无量百千万億寶樹
下師子座上諸佛散七寶塔中師子座上
釋迦牟尼佛及久滅度多寶如来亦散一切諸
大菩薩及四部衆又雨細末栴檀沉水香等
於虚空中天鼓自鳴妙聲深遠又雨千種天

BD01942 號　妙法蓮華經卷五　（14–13）

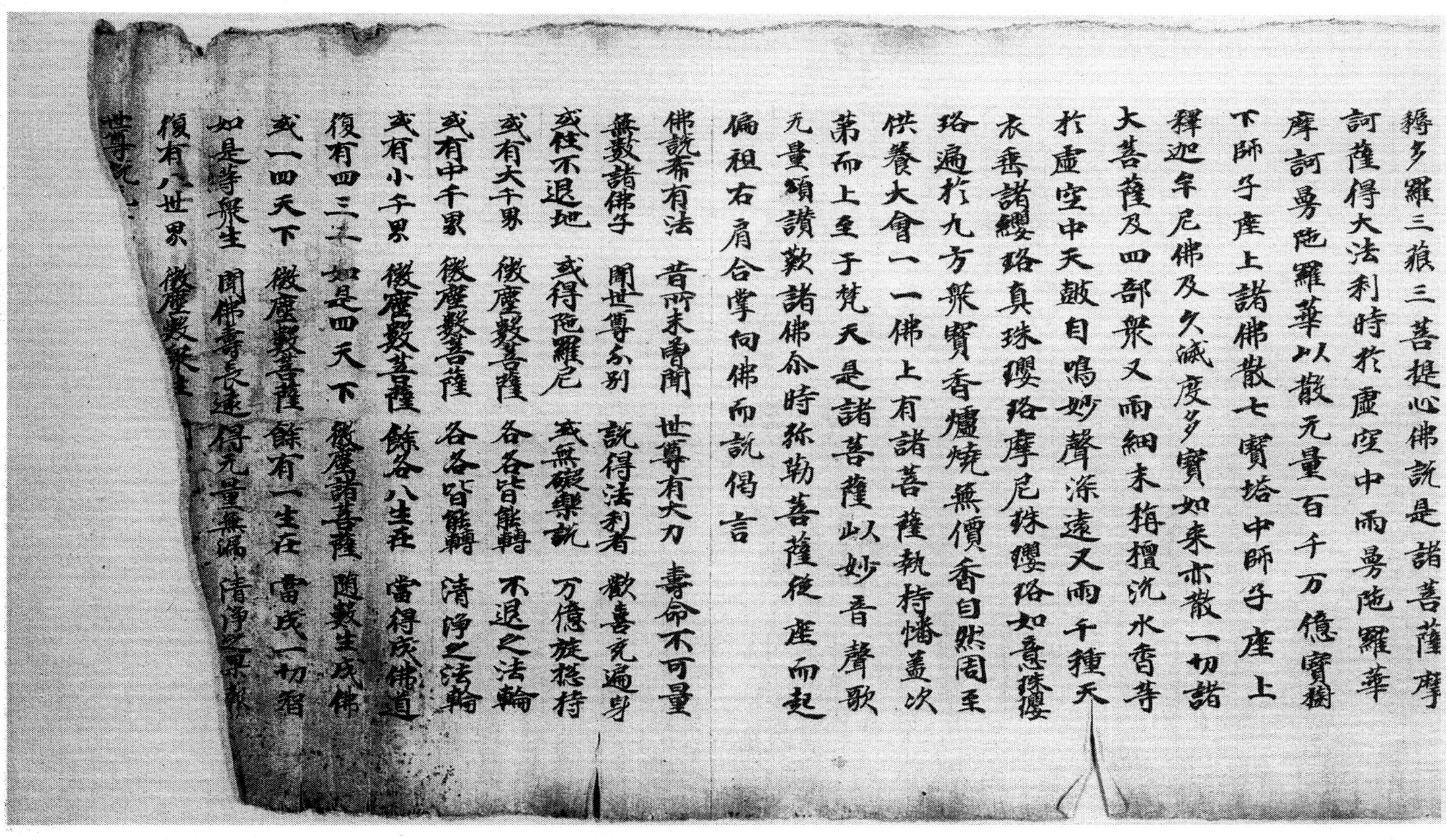
耨多羅三藐三菩提心佛說是諸菩薩摩
訶薩得大法利時於虚空中雨曼陁羅華
摩訶曼陁羅華以散无量百千万億寶樹
下師子座上諸佛散七寶塔中師子座上
釋迦牟尼佛及久滅度多寶如来亦散一切諸
大菩薩及四部衆又雨細末栴檀沉水香等
於虚空中天鼓自鳴妙聲深遠又雨千種天
衣垂諸瓔珞真珠瓔珞摩尼珠瓔珞如意珠瓔
珞遍於九方衆寶香爐燒無價香自然周至
供養大會一一佛上有諸菩薩執持幡蓋次
第而上至于梵天是諸菩薩以妙音聲歌
无量頌讚歎諸佛尒時弥勒菩薩從座而起
偏袒右肩合掌向佛而說偈言
佛說希有法　昔所未曾聞　世尊有大力　壽命不可量
無數諸佛子　聞世尊分別　說得法利者　歡喜充遍身
或住不退地　或得陁羅尼　或無礙樂說　万億旋揔持
或有大千界　微塵數菩薩　各各皆能轉　不退之法輪
或有中千界　微塵數菩薩　各各皆能轉　清淨之法輪
或有小千界　微塵數菩薩　餘各八生在　當得成佛道
復有四三二　如是四天下　微塵諸菩薩　隨數生成佛
或一四天下　微塵數菩薩　餘有一生在　當成一切智
如是等衆生　聞佛壽長遠　得无量無漏　清淨之果報
復有八世界　微塵數衆生
世尊說无

BD01942 號　妙法蓮華經卷五　（14–14）

BD01942 號背　雜寫　　（9–1）

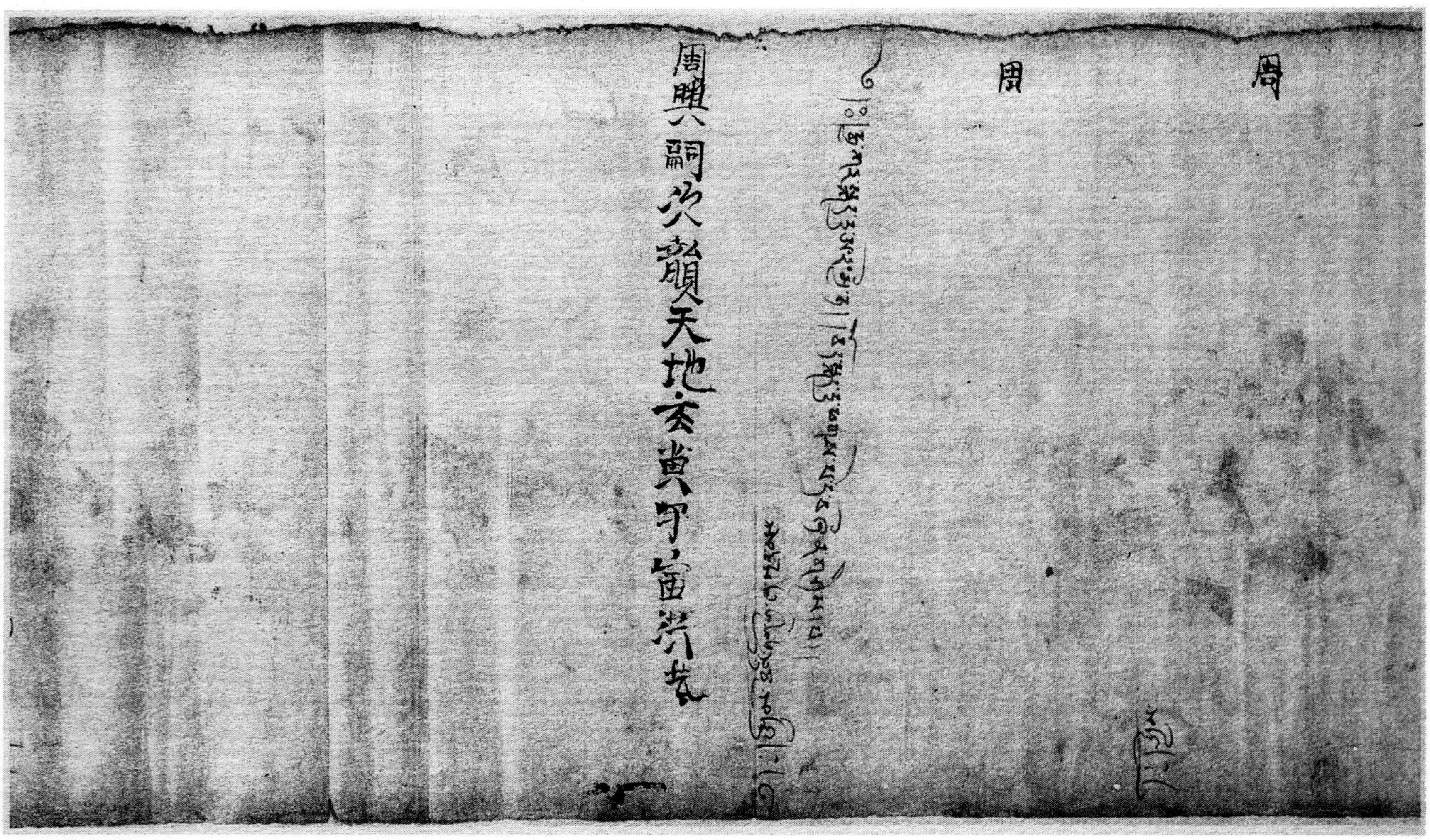

BD01942 號背　雜寫　　（9–2）

BD01942 號背　雜寫　（9–3）

BD01942 號背　雜寫　（9–4）

BD01942 號背　雜寫　　（9–5）

BD01942 號背　雜寫　　（9–6）

BD01942 號背　雜寫　　（9–7）

BD01942 號背　雜寫　　（9–8）

BD01942號背　雜寫　　（9–9）

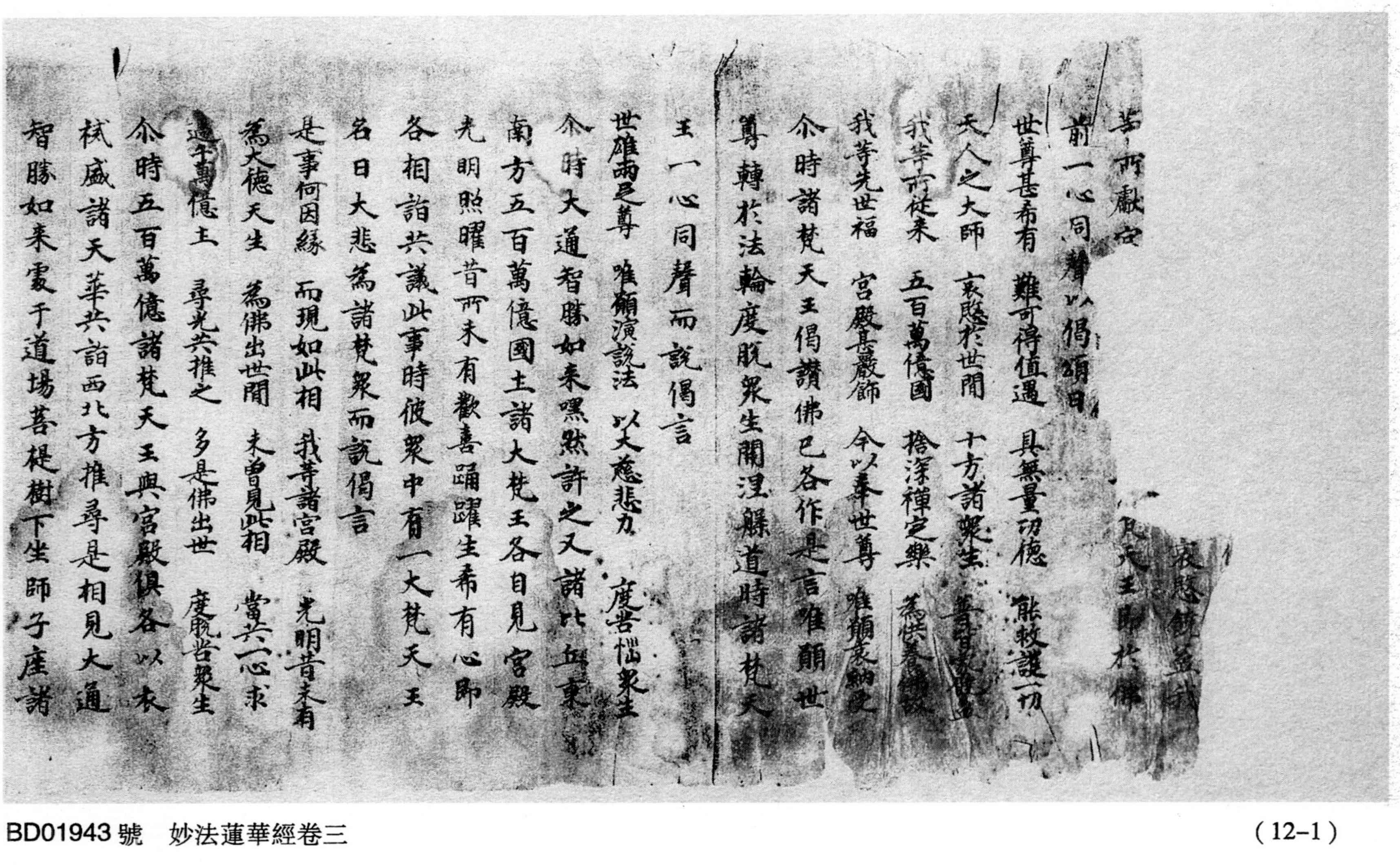
哀愍饒益我
等所獻宮……梵天王即於佛
前一心同聲以偈頌曰
世尊甚希有　難可得值遇　具無量功德　能救護一切
天人之大師　哀愍於世間　十方諸眾生　普皆蒙饒益
我等所從來　五百萬億國　捨深禪定樂　為供養佛故
我等先世福　宮殿甚嚴飾　今以奉世尊　唯願哀納受
尒時諸梵天王偈讚佛已各作是言唯願世
尊轉於法輪度脫眾生開涅槃道時諸梵天
王一心同聲而說偈言
世雄兩足尊　唯願演說法　以大慈悲力　度苦惱眾生
尒時大通智勝如來默然許之又諸比丘東
南方五百萬億國土諸大梵王各自見宮殿
光明照曜昔所未有歡喜踊躍生希有心即
各相詣共議此事時彼眾中有一大梵天王
名曰大悲為諸梵眾而說偈言
是事何因緣　而現如此相　我等諸宮殿　光明昔未有
為大德天生　為佛出世間　未曾見此相　當共一心求
過千萬億土　尋光共推之　多是佛出世　度脫苦眾生
尒時五百萬億諸梵天王與宮殿俱各以衣
裓盛諸天華共詣西北方推尋是相見大通
智勝如來處于道場菩提樹下坐師子座諸

BD01943號　妙法蓮華經卷三　　（12–1）

過千萬億土　尋光共推之　多是佛出世　度脫苦衆生
尒時五百萬億諸梵天王與宮殿俱各以衣
裓盛諸天華共詣西北方推尋是相見大通
智勝如来處于道場菩提樹下坐師子座諸
天龍王乹闥婆緊那羅摩睺羅伽人非人等
恭敬圍繞及見十六王子請佛轉法輪時諸
梵天王頭面礼佛繞百千帀即以天華而散
佛上所散之華如須弥山并以供養佛菩提
樹華供養已各以宮殿奉上彼佛而作是言
唯見哀愍饒益我等所獻宮殿願垂納受尒
時諸梵天王即於佛前一心同聲以偈頌曰
聖主天中王　迦陵頻伽聲　哀愍衆生者　我等今敬礼
世尊甚希有　久遠乃一現　一百八十劫　空過無有佛
三惡道充滿　諸天衆減少　今佛出於世　為衆生作眼
世間所歸趣　救護於一切　為衆生之父　哀愍饒益者
我等宿福慶　今得值世尊
尒時諸梵天王偈讚佛已各作是言唯願世
尊哀愍一切轉於法輪度脫衆生時諸梵天
王一心同聲而說偈言
大聖轉法輪　顯示諸法相　度苦惱衆生　令得大歡喜
衆生聞此法　得道若生天　諸惡道減少　忍善者增益
尒時大通智勝如来嘿然許之又諸比丘南
方五百萬億國土諸大梵王各自見宮殿光
明照曜昔所未有歡喜踊躍生希有心即各
相詣共議此事以何因緣我等宮殿有此光
曜而彼衆中有一大梵天王名曰妙法為諸

BD01943號　妙法蓮華經卷三　（12-2）

衆生聞此法　得道若生天　諸惡道減少　忍善者增益
尒時大通智勝如来嘿然許之又諸比丘南
方五百萬億國土諸大梵王各自見宮殿光
明照曜昔所未有歡喜踊躍生希有心即各
相詣共議此事以何因緣我等宮殿有此光
曜而彼衆中有一大梵天王名曰妙法為諸
梵衆而說偈言
我等諸宮殿　光明甚威曜　此非無因緣　是相宜求之
過於百千劫　未曾見是相　為大德天生　為佛出世間
尒時五百萬億諸梵天王與宮殿俱各以衣
裓盛諸天華共詣北方推尋是相見大通智
勝如来處于道場菩提樹下坐師子座諸天
龍王乹闥婆緊那羅摩睺羅伽人非人等恭
敬圍繞及見十六王子請佛轉法輪時諸梵
天王頭面礼佛繞百千帀即以天華而散佛
上所散之華如須弥山并以供養佛菩提樹
華供養已各以宮殿奉上彼佛而作是言唯
見哀愍饒益我等所獻宮殿願垂納受尒時
諸梵天王即於佛前一心同聲以偈頌曰
世尊甚難見　破諸煩惱者　過百三十劫　今乃得一見
諸飢渴衆生　以法雨充滿　昔所未曾覩　無量智慧者
如優曇鉢羅　今日乃值遇　我等諸宮殿　蒙光故嚴飾
世尊大慈愍　唯願垂納受
尒時諸梵天王偈讚佛已各作是言唯願世
尊轉於法輪令一切世間諸天魔梵沙門婆
羅門皆獲安隱而得度脫時諸梵天王一心

BD01943號　妙法蓮華經卷三　（12-3）

世尊大慈愍　唯願垂納受
尒時諸梵天王偈讚佛已各作是言唯願世
尊轉於法輪令一切世間諸天魔梵沙門婆
羅門皆獲安隱而得度脫時諸梵天王一心
同聲以偈頌曰
唯願天人尊　轉無上法輪　擊于大法鼓　而吹大法螺
普雨大法雨　度無量衆生　我等咸歸請　當演深遠音
尒時大通智勝如來嘿然許之西南方乃至
下方亦復如是尒時上方五百萬億國土諸
大梵王皆悉自覩所止宮殿光明威曜昔所
未有歡喜踊躍生希有心即各相詣共議此
事以何因緣我等宮殿有斯光明時彼衆中
有一大梵天王名曰尸棄為諸梵衆而說偈
言
今以何因緣　我等諸宮殿　威德光明曜　嚴飾未曾有
如是之妙相　昔所未聞見　為大德天生　為佛出世間
尒時五百萬億諸梵天王與宮殿俱各以衣
裓盛諸天華共詣下方推尋是相見大通智
勝如來處于道場菩提樹下坐師子座諸天
龍王乾闥婆緊那羅摩睺羅伽人非人等恭
敬圍繞及見十六王子請佛轉法輪時諸梵
天王頭面礼佛繞百千帀即以天華而散佛
上所散之華如須弥山并以供養佛菩提樹
華供養已各以宮殿奉上彼佛而作是言唯
見哀愍饒益我等所獻宮殿願垂納受時諸
梵天王即於佛前一心同聲以偈頌曰

BD01943號　妙法蓮華經卷三　（12–4）

華供養已各以宮殿奉上彼佛而作是言唯
見哀愍饒益我等所獻宮殿願垂納受時諸
梵天王即於佛前一心同聲以偈頌曰
善哉見諸佛　救世之聖尊　能於三界獄　勉出諸衆生
普智天人尊　哀愍群萌類　能開甘露門　廣度於一切
於昔無量劫　空過無有佛　世尊未出時　十方常暗瞑
三惡道增長　阿修羅亦盛　諸天衆轉減　死多墮惡道
不從佛聞法　常行不善事　色力及智慧　斯等皆減少
罪業因緣故　失樂及樂想　住於邪見法　不識善儀則
不蒙佛所化　常墮於惡道　佛為世間眼　久遠時乃出
哀愍諸衆生　故現於世間　超出成正覺　我等甚欣慶
及餘一切衆　喜歎未曾有　我等諸宮殿　蒙光故嚴飾
今以奉世尊　唯垂哀納受　願以此功德　普及於一切
我等與衆生　皆共成佛道
尒時五百萬億諸梵天王偈讚佛已各白佛
言唯願世尊轉於法輪多所安隱多所度脫
時諸梵天王而說偈言
世尊轉法輪　擊甘露法鼓　度苦惱衆生　開示涅槃道
唯願受我請　以大微妙音　哀愍而敷演　無量劫習法
尒時大通智勝如來受十方諸梵天王及十
六王子請即時三轉十二行法輪若沙門婆
羅門若天魔梵及餘世間所不能轉謂是苦
是苦集是苦滅是苦滅道及廣說十二因緣
法無明緣行行緣識識緣名色名色緣六入
六入緣觸觸緣受受緣愛愛緣取取緣有有

BD01943號　妙法蓮華經卷三　（12–5）

羅門若天魔梵及餘世間所不能轉謂是苦
是苦集是苦滅是苦滅道及廣說十二因緣
法無明緣行行緣識識緣名色名色緣六入
六入緣觸觸緣受受緣愛愛緣取取緣有有
緣生生緣老死憂悲苦惱無明滅則行滅行
滅則識滅識滅則名色滅名色滅則六入滅
六入滅則觸滅觸滅則受滅受滅則愛滅愛
滅則取滅取滅則有滅有滅則生滅生滅則
老死憂悲苦惱滅佛於天人大眾之中說是
法時六百萬億那由他人以不受一切法故
而於諸漏心得解脫皆得深妙禪定三明六
通具八解脫第二第三第四說法時千萬億
恒河沙那由他等眾生亦以不受一切法故
而於諸漏心得解脫從是已後諸聲聞眾無
量無邊不可稱數尒時十六王子皆以童子
出家而為沙弥諸根通利智慧明了已曾供
養百千萬億諸佛淨脩梵行求阿耨多羅三
藐三菩提俱白佛言世尊是諸無量千萬億
大德聲聞皆已成就世尊亦當為我等說阿
耨多羅三藐三菩提法我等聞已皆共脩學
世尊我等志願如来知見深心所念佛自證
知尒時轉輪聖王所將眾中八萬億人見十
六王子出家亦求出家王即聽許尒時彼佛
受沙弥請過二萬劫已乃於四眾之中說是
大乘經名妙法蓮華教菩薩法佛所護念說
是經已十六沙弥為阿耨多羅三藐三菩提

BD01943號　妙法蓮華經卷三　（12–6）

六王子出家亦求出家王即聽許尒時彼佛
受沙弥請過二萬劫已乃於四眾之中說是
大乘經名妙法蓮華教菩薩法佛所護念說
是經已十六沙弥為阿耨多羅三藐三菩提
故皆共受持諷誦通利說是經時十六菩薩
沙弥皆悉信受聲聞眾中亦有信解其餘眾
生千萬億種皆生疑惑佛說是經於八千劫
未曾休廢說此經已即入靜室住於禪定八
萬四千劫是時十六菩薩沙弥知佛入室寂
然禪定各昇法座亦於八萬四千劫為四部
眾廣說分別妙法華經一一皆度六百萬億
那由他恒河沙等眾生示教利喜令發阿耨
多羅三藐三菩提心大通智勝佛過八萬四
千劫已從三昧起往詣法座安詳而坐普告
大眾是十六菩薩沙弥甚為希有諸根通利
智慧明了已曾供養無量千萬億數諸佛於
諸佛所常脩梵行受持佛智開示眾生令入
其中汝等皆當數數親近而供養之所以者
何若聲聞辟支佛及諸菩薩能信是十六菩
薩所說經法受持不毀者是人皆當得阿耨
多羅三藐三菩提如来之慧佛告諸比丘是
十六菩薩常樂說是妙法蓮華經一一菩薩
所化六百萬億那由他恒河沙等眾生世世
所生與菩薩俱從其聞法悉皆信解以此因
緣得值四萬億諸佛世尊于今不盡諸比丘
我今語汝彼佛弟子十六沙弥今皆得阿耨

BD01943號　妙法蓮華經卷三　（12–7）

所生與菩薩俱從其聞法悉皆信解以此因
緣得值四萬億諸佛世尊于今不盡諸比丘
我今語汝彼佛弟子十六沙弥今皆得阿耨
多羅三藐三菩提於十方國土現在說法有
無量百千萬億菩薩聲聞以為眷屬其二沙
弥東方作佛一名阿閦在歡喜國二名須弥
頂東南方二佛一名師子音二名師子相南
方二佛一名虛空住二名常滅西南方二佛
一名帝相二名梵相西方二佛一名阿弥陀
二名度一切世間苦惱西北方二佛一名多
摩羅跋栴檀香神通二名須弥相北方二佛
一名雲自在二名雲自在王東北方佛名壞
一切世間怖畏第十六我釋迦牟尼佛於娑
婆國土成阿耨多羅三藐三菩提諸比丘我
等為沙弥時各各教化無量百千萬億恒河
沙等眾生從我聞法為阿耨多羅三藐三菩
提此諸眾生于今有住聲聞地者我常教化
阿耨多羅三藐三菩提是諸人等應以是法
漸入佛道所以者何如來智慧難信難解尒
時所化無量恒河沙等眾生者汝等諸比丘
及我滅度後未來世中聲聞弟子是也我滅
度後復有弟子不聞是經不知不覺菩薩所
行自於所得功德生滅度想當入涅槃我於
餘國作佛更有異名是人雖生滅度之想入
於涅槃而於彼土求佛智慧得聞是經唯以

BD01943號　妙法蓮華經卷三　(12-8)

餘國作佛更有異名是人雖生滅度之想入
於涅槃而於彼土求佛智慧得聞是經唯以
佛乘而得滅度更無餘乘除諸如來方便說
法諸比丘若如來自知涅槃時到眾又清淨
信解堅固了達空法深入禪定便集諸菩薩
及聲聞眾為說是經世間無有二乘而得滅
度唯一佛乘得滅度耳比丘當知如來方便
深入眾生之性知其志樂小法深著五欲為
是等故說於涅槃是人若聞則便信受譬如
五百由旬險難惡道曠絕無人怖畏之處若
有多眾欲過此道至珍寶處有一導師聰慧
明達善知險道通塞之相將導眾人欲過此
難所將人眾中路懈退白導師言我等疲極
而復怖畏不能復進前路猶遠今欲退還導
師多諸方便而作是念此等可愍云何捨大
珍寶而欲退還作是念已以方便力於險道
中過三百由旬化作一城告眾人言汝等勿
怖莫得退還今此大城可於中止隨意所作
若入是城快得安隱若能前至寶所亦可得
去是時疲極之眾心大歡喜歎未曾有我等
今者免斯惡道快得安隱於是眾人前入化
城生已度想生安隱想尒時導師知此人眾
既得止息無復疲倦即滅化城語眾人言汝
等去來寶處在近向者大城我所化作為止
息耳諸比丘如來亦復如是今為汝等作大
導師知諸生死煩惱惡道險難長遠應去應

BD01943號　妙法蓮華經卷三　(12-9)

導師知諸生死煩惱惡道險難長遠應去應
度若衆生但聞一佛乘者則不欲見佛不欲
親近便作是念佛道長遠久受勤苦乃可得
成佛知是心怯弱下劣以方便力而於中道
為止息故說二涅槃若衆生住於二地如來
尒時即便為說汝等所作未辦汝所住地近
於佛慧當觀察籌量所得涅槃非真實也但
是如來方便之力於一佛乘分別說三如彼
導師為止息故化作大城既知息已而告之
言寶處在近此城非實我化作耳尒時世尊
欲重宣此義而說偈言
大通智勝佛　十劫坐道場　佛法不現前　不得成佛道
諸天神龍王　阿脩羅衆等　常雨於天華　以供養彼佛
諸天擊天鼓　并作衆伎樂　香風吹萎華　更雨新好者
過十小劫已　乃得成佛道　諸天及世人　心皆懷踊躍
彼佛十六子　皆與其眷屬　千萬億圍繞　俱行至佛所
頭面礼佛足　而請轉法輪　聖師子法雨　充我及一切
世尊甚難值　久遠時一現　為覺悟群生　震動於一切
東方諸世界　五百萬億國　梵宮殿光曜　昔所未曾有
諸梵見此相　尋來至佛所　散華以供養　并奉上宮殿
請佛轉法輪　以偈而讚歎　佛知時未至　受請黙然坐
三方及四維　上下亦復尒　散華奉宮殿　請佛轉法輪
世尊甚難值　願以大慈悲　廣開甘露門　轉無上法輪
無量慧世尊　受彼衆人請　為宣種種法　四諦十二緣
無明至老死　皆從生緣有　如是衆過患　汝等應當知
宣暢是法時　六百萬億姟　得盡諸苦際　皆成阿羅漢

BD01943號　妙法蓮華經卷三　（12–10）

三方及四維　上下亦復尒　散華奉宮殿　請佛轉法輪
世尊甚難值　願以大慈悲　廣開甘露門　轉無上法輪
無量慧世尊　受彼衆人請　為宣種種法　四諦十二緣
無明至老死　皆從生緣有　如是衆過患　汝等應當知
宣暢是法時　六百萬億姟　得盡諸苦際　皆成阿羅漢
第二說法時　千萬恒沙衆　於諸法不受　亦得阿羅漢
從是後得道　其數無有量　萬億劫筭數　不能得其邊
時十六王子　出家作沙弥　皆共請彼佛　演說大乘法
我等及營從　皆當成佛道　願得如世尊　慧眼第一淨
佛知童子心　宿世之所行　以無量因緣　種種諸譬喻
說六波羅蜜　及諸神通事　分別真實法　菩薩所行道
說是法華經　如恒河沙偈　彼佛說經已　靜室入禪定
一心一處坐　八萬四千劫　是諸沙弥等　知佛禪未出
為無量億衆　說佛無上慧　各各坐法座　說是大乘經
於佛宴寂後　宣揚助法化　一一沙弥等　所度諸衆生
有六百萬億　恒河沙等衆　彼佛滅度後　是諸聞法者
在在諸佛土　常與師俱生　是十六沙弥　具足行佛道
今現在十方　各得成正覺　尒時聞法者　各在諸佛所
其有住聲聞　漸教以佛道　我在十六數　曾亦為汝說
是故以方便　引汝趣佛慧　以是本因緣　今說法華經
令汝入佛道　慎勿懷驚懼　譬如險惡道　迥絕多毒獸
又復無水草　人所怖畏處　無數千萬衆　欲過此險道
其路甚曠遠　經五百由旬　時有一導師　強識有智慧
明了心決定　在險濟衆難　衆人皆疲惓　而白導師言
我等今頓乏　於此欲退還　導師作是念　此輩甚可愍
如何欲退還　而失大珍寶　尋時思方便　當設神通力

BD01943號　妙法蓮華經卷三　（12–11）

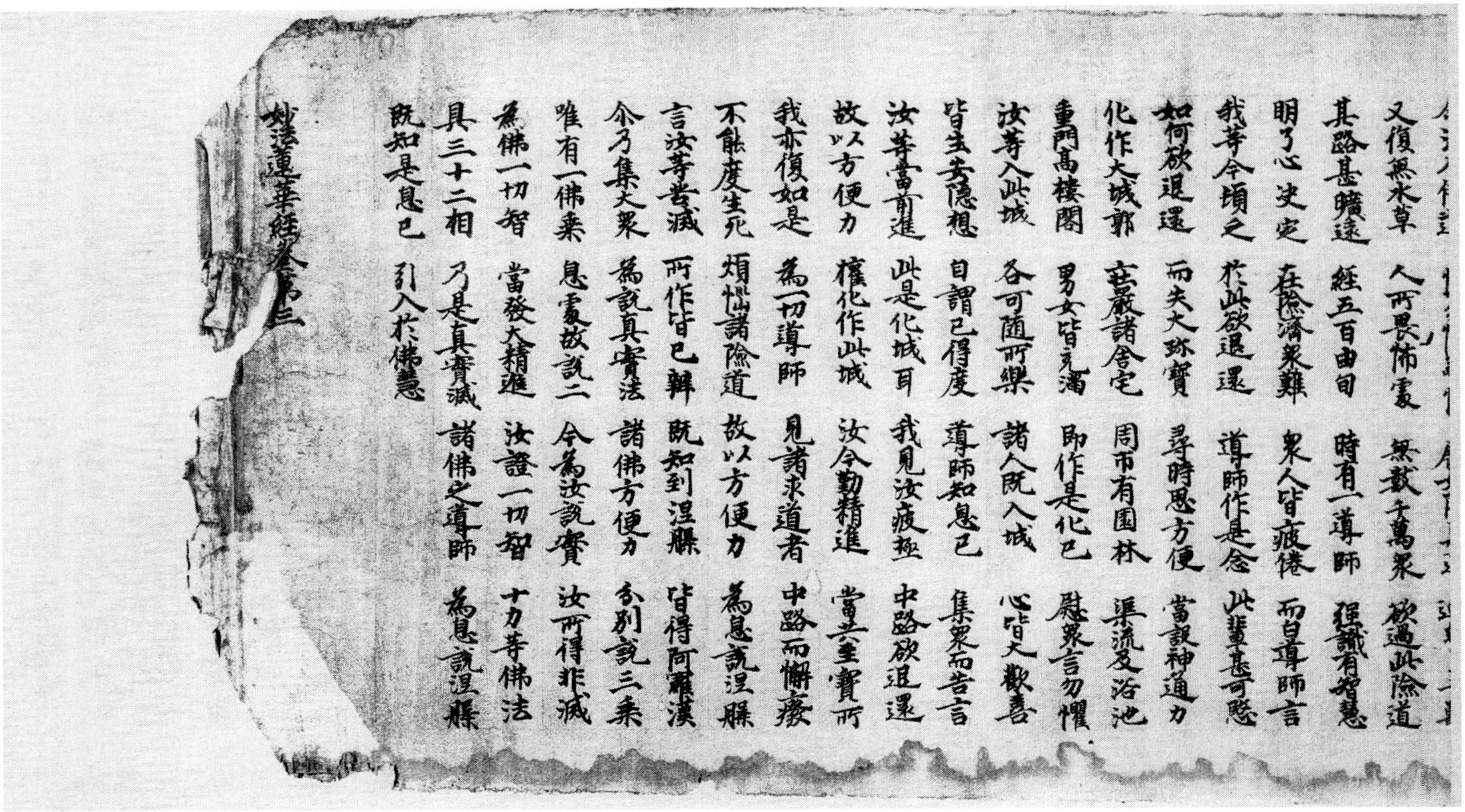

[illegible]
又復無水草　人所畏怖處　無數千萬衆　欲過此險道
其路甚曠遠　經五百由旬　時有一導師　强識有智慧
明了心決定　在險濟衆難　衆人皆疲倦　而白導師言
我等今頓乏　於此欲退還　導師作是念　此輩甚可愍
如何欲退還　而失大珍寶　尋時思方便　當設神通力
化作大城郭　莊嚴諸舍宅　周帀有園林　渠流及浴池
重門高樓閣　男女皆充滿　即作是化已　慰衆言勿懼
汝等入此城　各可隨所樂　諸人既入城　心皆大歡喜
皆生安隱想　自謂已得度　導師知息已　集衆而告言
汝等當前進　此是化城耳　我見汝疲極　中路欲退還
故以方便力　權化作此城　汝今勤精進　當共至寶所
我亦復如是　爲一切導師　見諸求道者　中路而懈廢
不能度生死　煩惱諸險道　故以方便力　爲息説涅槃
言汝等苦滅　所作皆已辦　既知到涅槃　皆得阿羅漢
尒乃集大衆　爲説真實法　諸佛方便力　分別説三乘
唯有一佛乘　息處故説二　今爲汝説實　汝所得非滅
爲佛一切智　當發大精進　汝證一切智　十力等佛法
具三十二相　乃是真實滅　諸佛之導師　爲息説涅槃
既知是息已　引入於佛慧
妙法蓮華經卷第三

BD01943 號　妙法蓮華經卷三　（12–12）

復九年歲次己巳十二月廿日杜通信今緣家
闕少年粮依張安六面上便麥粟兩
[illegible]至午秋填硕[illegible]麥[illegible]四升[illegible]秋

BD01943 號背　天復九年杜通信便麥粟歷（擬）　（1–1）

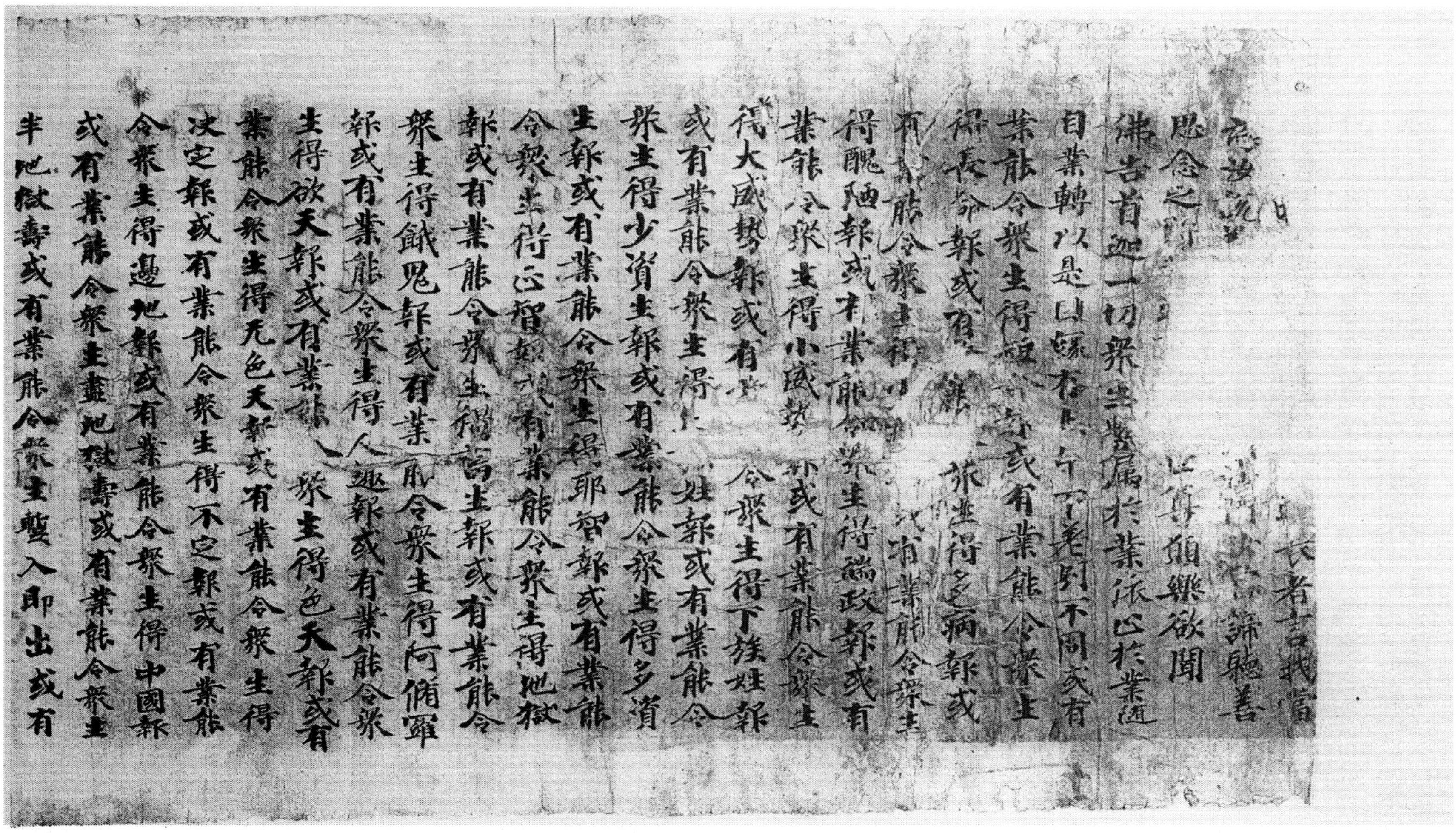

□長者言我當
爲汝說□□□諦聽諦聽善
思念之□□□□世尊願樂欲聞
佛告首迦一切衆生繫屬於業依止於業隨
自業轉以是因緣有上中下差別不同或有
業能令衆生得短命報或有業能令衆生
得長命報或有業能令衆生得多病報或
有業能令衆生得少病報或有業能令衆生
得醜陋報或有業能令衆生得端政報或有
業能令衆生得小威勢報或有業能令衆生
得大威勢報或有業能令衆生得下族姓報
或有業能令衆生得上族姓報或有業能令
衆生得少資生報或有業能令衆生得多資
生報或有業能令衆生得邪智報或有業能
令衆生得正智報或有業能令衆生得地獄
報或有業能令衆生得畜生報或有業能令
衆生得餓鬼報或有業能令衆生得阿脩羅
報或有業能令衆生得人趣報或有業能令衆
生得欲天報或有業能令衆生得色天報或有
業能令衆生得无色天報或有業能令衆生得
決定報或有業能令衆生得不定報或有業能
令衆生得邊地報或有業能令衆生得中國報
或有業能令衆生盡地獄壽或有業能令衆生
半地獄壽或有業能令衆生蹔入即出或有

BD01944號　佛爲首迦長者說業報差別經　（18–1）

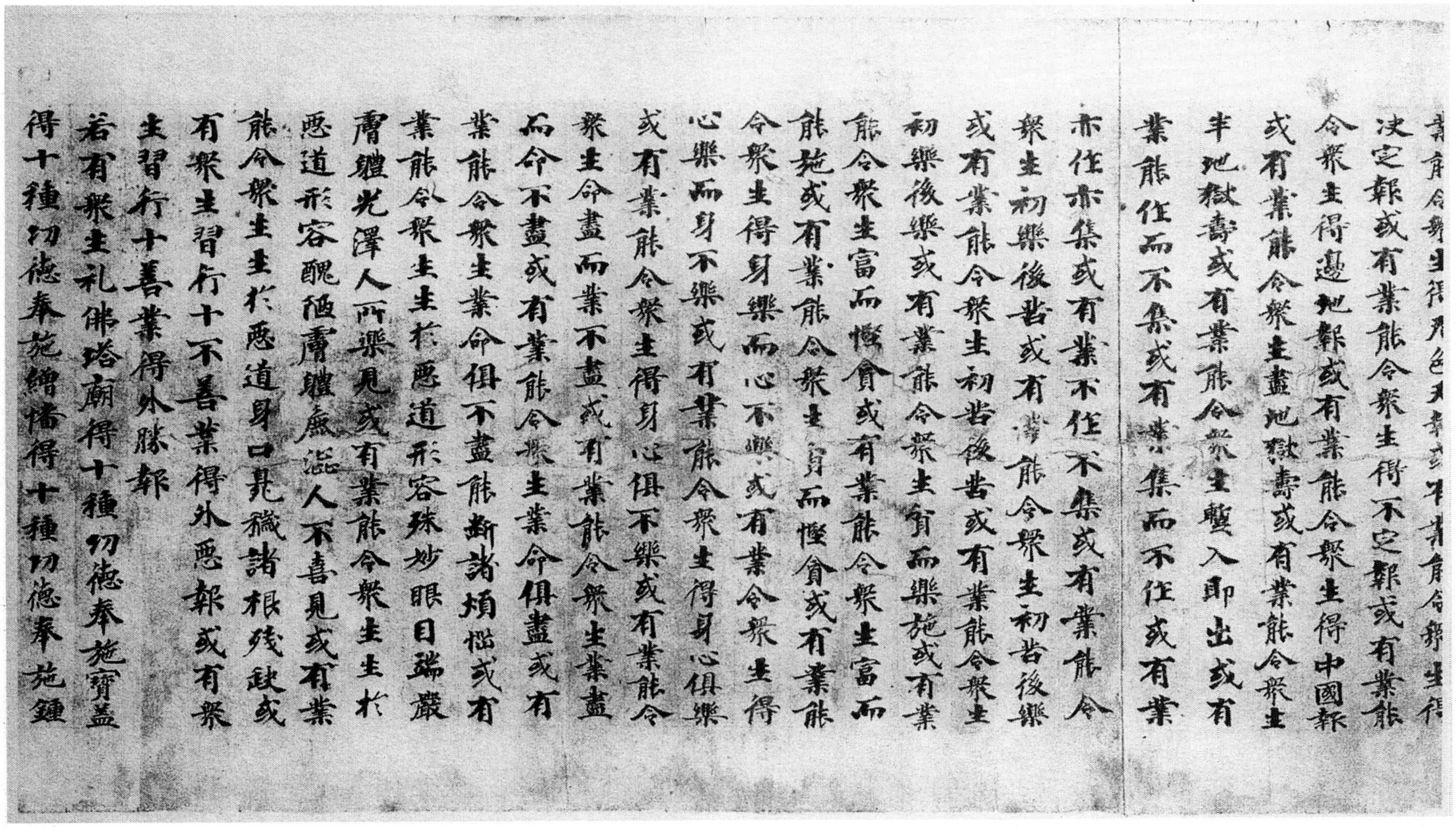

業能令衆生得无色天報或有業能令衆生得
決定報或有業能令衆生得不定報或有業能
令衆生得邊地報或有業能令衆生得中國報
或有業能令衆生盡地獄壽或有業能令衆生
半地獄壽或有業能令衆生蹔入即出或有
業能作而不集或有業集而不作或有業
亦作亦集或有業不作不集或有業能令
衆生初樂後苦或有業能令衆生初苦後樂
或有業能令衆生初苦後苦或有業能令衆生
初樂後樂或有業能令衆生貧而樂施或有業
能令衆生富而慳貪或有業能令衆生富而
能施或有業能令衆生貧而慳貪或有業能
令衆生得身樂而心不樂或有業令衆生得
心樂而身不樂或有業能令衆生得身心俱樂
或有業能令衆生得身心俱不樂或有業能令
衆生命盡而業不盡或有業能令衆生業盡
而命不盡或有業能令衆生業命俱盡或有
業能令衆生業命俱不盡能斷諸煩惱或有
業能令衆生生於惡道形容殊妙眼目端嚴
膚體光澤人所樂見或有業能令衆生生於
惡道形容醜陋膚體麁澁人不喜見或有業
能令衆生生於惡道身口臭穢諸根殘缺或
有衆生習行十不善業得外惡報或有衆
生習行十善業得外勝報
若有衆生礼佛塔廟得十種功德奉施寶蓋
得十種功德奉施繒幡得十種功德奉施鍾

BD01944號　佛爲首迦長者說業報差別經　（18–2）

生習行十善業得外勝報
若有衆生礼佛塔廟得十種功德奉施寶蓋
得十種功德奉施繒幡得十種功德奉施鍾
鈴得十種功德奉施衣服得十種功德奉施
器皿得十種功德奉施飲食得十種功德奉
施靴履得十種功德奉施香華得十種功德
奉施燈明得十種功德恭敬合掌得十種功
德是名略説諸業差別法門
佛告首迦有十種業能令衆生得短命報一
者自行煞生二者勸他令煞三者讃嘆煞法
四者見煞隨喜五者於怨憎所欲令喪滅六
者見怨滅已心生歡喜七者壞他胎藏八者
教人毀壞九者建立天寺屠煞衆生十者教
人戰鬪手相殘害以是十業得短命報
復有十業能令衆生得長命報一者自不煞
生二者勸他不煞三者讃嘆不煞四者見他不
煞心生歡喜五者見被煞者方便救免六者
見死怖者安慰其心七者見恐怖者施與无
畏八者見諸患苦起慈愍心九者見諸急難
起大悲心十者以諸飲食惠施衆生以是十
業得長命報
復有十業能令衆生得多病報一者好喜打
柏一切衆生二者勸他令打三者讃嘆打法
四者見打歡喜五者惱乱父母令心憂惱六
者惱乱賢聖七者見怨病苦心大歡喜八者

BD01944號　佛爲首迦長者說業報差別經　（18–3）

柏一切衆生二者勸他令打三者讃嘆打法
四者見打歡喜五者惱乱父母令心憂惱六
者惱乱賢聖七者見怨病苦心大歡喜八者
見怨病愈心生不樂九者於怨病所與非治
藥十者宿食不消而復更食以是十業得
多病報
復有十業能令衆生得少病報一者不喜
打柏一切衆生二者勸他不打三者讃不
打法四者見不打者心生歡喜五者供養父
母及諸病人六者見賢聖病贍視供養七者
見怨病愈心生歡喜八者見病苦者施與良藥
亦勸他施九者於病苦衆生起慈愍心十者
於諸飲食能自節量以是十業得少病報
復有十業能令衆生得醜陋報一者好懷忿
怒二者好懷憹恨三者誑惑於他四者惱乱
衆生五者於父母所无愛敬心六者於賢
聖所不生恭敬七者侵奪賢聖資生田業
八者於佛塔廟斷滅燈明九者見醜陋者毀
呰輕賤十者習諸惡行以是十業得醜陋
報
復有十業能令衆生得端政報一者不瞋二
者施衣三者愛敬父母四者尊重賢聖五
者塗餝佛塔六者掃灑堂宇七者掃灑僧地
八者掃灑佛塔九者見醜陋者不生輕賤起
恭敬心十者見端正者曉悟宿因以是十業
得端正報

BD01944號　佛爲首迦長者說業報差別經　（18–4）

者塗餝佛塔六者掃灑堂宇七者掃灑僧地
八者掃灑佛塔九者見醜陋者不生輕賤起
恭敬心十者見端正者曉悟宿因以是十業
得端正報
復有十業能令衆生得小威勢報一者於諸
衆生起嫉妬心二者見他得利心生懊熱三
者見他失利其心歡喜四者於他名譽起嫉
妬心五者見失名譽心大忻悅六者退菩提
心毀佛形像七者於已父母及賢聖所无心
奉侍八者勸人脩習小威德業九者鄣他行
大威德業十者見小威德者心生輕賤以是十
業得小威德報
復有十業能令衆生得大威勢報一者於諸
衆生心无嫉妬二者見他得利心生歡喜三者
見他失利起憐愍心四者於他名譽心生忻
悅五者見失名譽助懷憂惱六者發菩提
心造佛形像奉施寶蓋七者於已父母及
賢聖所恭敬奉迎八者勸人棄捨小威德業
九者勸人脩行大威德業十者見无威德不
生輕賤以是十業得大威德報
復有十業能令衆生得下族姓報一者不知
敬父二者不知敬母三者不知敬沙門四者
不知敬婆羅門五者於諸尊長而不敬
讓六者於諸師長不奉迎供養七者見諸
尊長不迎送請坐八者於父母所不尊敬

BD01944號　佛爲首迦長者說業報差別經　（18–5）

敬父二者不知敬母三者不知敬沙門四者
不知敬婆羅門五者於諸尊長而不敬
讓六者於諸師長不奉迎供養七者見諸
尊長不迎送請坐八者於父母所不尊敬
誨九者於賢聖所亦不受教十者輕賤下
族以是十業得下族姓報
復有十業能令衆生得上族姓報一者善知
敬父二者善知敬母三者善知敬沙門四者
善知敬婆羅門五者敬讓尊長六者奉迎師
長七者見諸尊長迎送請坐八者於父母所
敬受教誨九者於賢聖所尊敬受教十者
不輕下族以是十業得上族姓報
復有十業能令衆生得少資生報一者自行
偷盜二者勸他偷盜三者讚嘆偷盜四者見
盜歡喜五者於父母所減撒生業六者於賢
聖所侵奪資財七者見他得利心不歡喜八
者鄣他得利爲作留難九者見他行施无隨
喜心十者見世飢饉心不憐愍而生歡喜以
是十業得少資生報
復有十業能令衆生得多資生報一者自離
偷盜二者勸他不盜三者讚歎不盜四者見
他不盜心生歡喜五者於父母所供奉生業
六者於諸賢聖給施所須七者見他得利心
生歡喜八者見求利者方便佐助九者見樂
施者心生忻悅十者見世飢饉心生憐愍以是
十業得多資生報
復有十業能令衆生得邪智報一者不能諮

BD01944號　佛爲首迦長者說業報差別經　（18–6）

生歡喜八者見求利者方便佐助九者見樂
施者心生忻悅十者見世飢饉心生憐愍以是
十業得多資生報
復有十業能令衆生得邪智報一者不能諮
問智惠沙門婆羅門二者顯說惡法三者不
能受持脩習正法四者讚非定法以爲定法
五者恡法不說六者親近邪智七者遠離正
智八者讚嘆邪見九者棄捨正見十者見癡
惡人輕賤毀呰以是十業得邪智報
復有十業能令衆生得正智報一者善能諮
問智惠沙門婆羅門二者顯說善法三者聞
持正法四者見說定法嘆言善哉五者樂說
正法六者親近正智人七者攝護正法八者
勤脩多聞九者遠離邪見十者見癡惡人
不生輕賤以是十業得正智報
復有十業能令衆生得地獄報一者身行重
惡業二者口行重惡業三者意行重惡業四
者起於斷見五者起於常見六者起无因見
七者起无作見八者起於无見九者起於邊
見十者不知恩報以是十業得地獄報
復有十業能令衆生得畜生報一者身行中
惡業二者口行中惡業三者意行中惡業四
者從貪煩惱起諸惡業五者從瞋煩惱起諸
惡業六者從癡煩惱起諸惡業七者毀罵衆
生八者惱害衆生九者施不淨物十者行於邪
婬以是十業得畜生報

BD01944號　佛爲首迦長者說業報差別經　（18–7）

者從貪煩惱起諸惡業五者從瞋煩惱起諸
惡業六者從癡煩惱起諸惡業七者毀罵衆
生八者惱害衆生九者施不淨物十者行於邪
婬以是十業得畜生報
復有十業能令衆生得餓鬼報一者身行輕
惡業二者口行輕惡業三者意行輕惡業四
者起於多貪五者起於惡貪六者嫉妬七者
邪見八者愛著資生即便命終九者因飢而
亡十者枯渴而死以是十業得餓鬼報
復有十業能令衆生得阿脩羅報一者身行
微惡業二者口行微惡業三者意行微惡業
四者憍慢五者我慢六者增上慢七者大
慢八者邪慢九者慢慢十者迴諸善根向
脩羅趣以是十業得阿脩羅報
復有十業能令衆生得人趣報一者不煞二
者不盜三者不邪婬四者不妄語五者不
綺語六者不兩舌七者不惡口八者不貪九
者不瞋十者不邪見於十善業缺漏不全
以是十業得人趣報
復有十業能令衆生得欲天報所謂具足
脩行增上十善復有十業能令衆生得
色天報所謂脩行有漏十善與定相應復
有四業能令衆生得无色天報一者過一切
色相滅有對想等入於空處定二者過一
切空處定入識處定三者過一切識處定
入无所有處定四者過无所有處定入非

BD01944號　佛爲首迦長者說業報差別經　（18–8）

有四業能令衆生得无色天報一者過一切
色相滅有動想等入於空處定二者過一
切空處定入識處定三者過一切識處定
入无所有處定四者過无所有處定入非
想非非想定以是四業得无色天報
復有業能令衆生得決定報若人於佛法
僧及持戒人所以增上心施以此善業發願
迴向即得往生是名定報業復有業能令
衆生得不定報若業非增上心作更不脩
習又不發願迴向受生是名不定報業
復有業得邊地報若業於佛法僧淨持戒
人及大衆所增上心施以此善根願生邊地
以是願故即生邊地受淨不淨報復有業能
令衆生得中國報若作業時於佛法僧清
淨持戒梵行人邊及大衆所起於增上殷重
布施以是善根決定發願求生中國還得值
佛及聞正法受於上妙清淨果報
復有業能令衆生盡地獄壽若有衆生造
地獄業已无慙无愧而不猒離心无怖畏及
生歡喜又不識悔而復更造重重增惡業如
提婆達多等以是業故盡地獄壽復有業
能令衆生墮於地獄至半而夭不盡其壽若有
衆生造地獄業積集成已後生怖畏慚愧猒
離懺悔棄捨非增上心以是業故墮於地獄
後退悔故地獄半夭不盡其壽復有業能
令衆生墮於地獄暫入即出若有衆生造地

BD01944號　佛爲首迦長者說業報差別經　（18–9）

後退悔故地獄半夭不盡其壽復有業能
令衆生墮於地獄暫入即出若有衆生造地
獄業作已怖畏起增上信生慚愧心猒惡棄
捨殷重懺悔更不重造如阿闍世王煞父等罪
暫入地獄即得解脫於是世尊即說偈言
若人造重罪　作已深自責　懺悔更不造　能拔根本業
復有業作而不集若有衆生身口意等造諸
惡業造已怖畏慚愧遠離深自悔責更不
重造是名作而不集復有業集而不作若有
衆生自不作業以惡心故勸人行惡是名集而
不作復有業亦作亦集若有衆生造諸業已
心无改悔而復數造亦勸他人是名亦作亦集
復有業不作不集若有衆生自不造業亦
不教他无記業等是名不作不集
復有業初樂後苦若有衆生為人所勸喜
行布施施心不堅後還追悔以是因緣生在
人間先雖富樂後還貧苦是名先樂後苦
復有業初苦後樂若有衆生為人勸導僶
俛少施施已歡喜心无悋悔以是因緣生在
人間初時貧苦後還富樂是名初苦後樂
復有業初苦後苦若有衆生離善知識无
人勸導乃至不能少行惠施以是因緣生
在人間初時貧苦後還貧苦復有業初樂
後樂若有衆生[illegible]知識勸令行施便生歡
喜堅脩施業以是因緣生在人間初時富
樂後亦富樂

BD01944號　佛爲首迦長者說業報差別經　（18–10）

在人間初時貧苦後還貧苦復有業初樂
後樂若有衆生　知識勸令行施便生歡
喜堅脩施業以是因緣生在人間初時富
樂後亦富樂
復有業貧而樂施若有衆生先曾行施不
遇福田流轉生死於人道以不遇福田故
果報微劣隨得隨盡以習施故雖處貧窮
而能行施復有業富而慳貪若有衆生未
曾布施遇善知識暫行一施值良福田以
是田勝故資生具足先不習故雖富而慳
復有業富而能施若有衆生值善知識多
脩施業遇良福田以是因緣巨富饒財而
殘
行施復有業貧而慳貪若有衆生離善
知識無人勸導不能行施以是因緣生在
貧窮而復慳貪
復有業能令衆生得身樂而心不樂如有福
凡夫復有業能令衆生得心樂而身不樂
如無福羅漢復有業能令衆生得身心俱
樂如有福羅漢復有業能令衆生得身心
俱不樂如無福凡夫
復有業能令衆生命盡而業不盡若有衆
生從地獄死還生地獄畜生餓鬼乃至人天
阿脩羅等亦復如是是名命盡而業不盡
復有業能令衆生業盡而命不盡若有衆
生樂盡受苦苦盡受樂等是名業盡而命不
盡復有業能令衆生業命俱盡若有衆生

BD01944 號　佛爲首迦長者說業報差別經　　（18–11）

生從地獄死還生地獄畜生餓鬼乃至人天
阿脩羅等亦復如是是名命盡而業不盡
復有業能令衆生業盡而命不盡若有衆
生樂盡受苦苦盡受樂等是名業盡而命不
盡復有業能令衆生業命俱盡若有衆生
從地獄滅生於畜生及以餓鬼乃至人天阿
脩羅等是名業命俱盡復有業能令衆生
業命俱不盡若有衆生盡諸煩惱所謂須
陁洹斯陁含阿那含阿羅漢等是名業命
俱不盡
復有業能令衆生雖生惡道形容殊妙眼
目端嚴膚體光澤人所樂見若有衆生因
欲煩惱起破戒業以是因緣雖生惡道形容
殊妙眼目端嚴膚體光澤人所樂見復有
業能令衆生生於惡道形容醜陋膚體麁
澁人不喜見若有衆生從瞋煩惱起破戒
業以是因緣生於惡道形容醜陋膚體麁
澁人不喜見復有業能令衆生生於惡道
身口臭穢諸根殘缺若有衆生從癡煩惱
起破戒業以是因緣生於惡道身口臭穢諸
根殘缺
復有十業得外惡報若有衆生於十不善業
多脩習故感諸外物悉不具足一者以煞業
故令諸外報大地醎鹵藥草無力二者以盜
業故感外霜雹蝱黃蟲等令世飢饉三者耶
婬業故感惡風雨及諸塵埃四者妄語業故
感生外物皆悉臭穢五者兩舌業故感外大

BD01944 號　佛爲首迦長者說業報差別經　　（18–12）

故令諸外新大地醎鹵藥草无力二者以盜
業故感外霜雹螽黃蟲等令世飢饉三者耶
婬業故感惡風雨及諸塵埃四者妄語業故
感生外物皆悉臭穢五者兩舌業故感外大
地高下不平峻崖嶮谷株杌蒺棘六者惡口
業故感生外報凡石沙礫麤澁惡物不可觸
近七者綺語業故感生外報令草木稠林枝
條荊蘇八者以貪業故感生外報令諸苗稼
子實微細九者以瞋業故感生外報令諸樹
木菓實苦澁十者以耶見業故感生外報
苗稼不實收獲尠少以是十業得外惡報
須有十業得外勝報若有衆生脩十善業
興上相違當知即獲十外勝報
若有衆生礼佛塔廟得十種功德一者得妙
色好聲二者有所發言人皆信伏三者處
衆无畏四者天人愛護五者具足威勢六
者威勢衆生皆來親附七者常得親近諸
佛菩薩八者具大福報九者命終生天十者
速證涅槃是名礼佛塔廟得十種功德若
有衆生奉施寶蓋得十種功德一者處世
如蓋覆護衆生二者身心安隱離諸熱惱
三者一切敬重无敢輕慢四者有大威勢五
者常得親近諸佛菩薩大威德者以為眷
屬六者恒作轉輪聖王七者恒為上首修
習善業八者具大福報九者命終生天十
者速證涅槃是名奉施寶蓋得十種功德
若有衆生奉施繒幡得十種功德一者處

BD01944號　佛爲首迦長者說業報差別經　（18–13）

三者一切敬重无敢輕慢四者有大威勢五
者常得親近諸佛菩薩大威德者以為眷
屬六者恒作轉輪聖王七者恒為上首修
習善業八者具大福報九者命終生天十
者速證涅槃是名奉施寶蓋得十種功德
若有衆生奉施繒幡得十種功德一者處
世如幢國王大臣親友知識恭敬供養二
者豪富自在具大財寶三者善名流布遍
至諸方四者形貌端嚴壽命長遠五者常
於生處施行堅固六者有大名稱七者
有大威德八者生在上族九者身壞命終
生於天上十者速證涅槃是名奉施繒幡
得十種功德
若有衆生奉施鍾鈴得十種功德一者得
梵音聲二者有大名聞三者自識宿命四
者有所出言人皆敬受五者常有寶蓋以
自莊嚴六者有妙瓔珞以為服飾七者面
貌端嚴見者歡喜八者具大福報九者命
終生天十者速證涅槃是名奉施鍾鈴得
十種功德
若有衆生奉施衣服得十種功德一者面
目端嚴二者肌膚細滑三者塵垢不著四
者生便具足微妙衣服五者微妙卧具覆
蓋其身六者具慚愧服七者見者愛敬八
者具大財寶九者命終生天十者速證涅
槃是名奉施衣服得十種功德
若有衆生奉施器皿得十種功德一者處

BD01944號　佛爲首迦長者說業報差別經　（18–14）

者生俠具足微妙衣服五者微妙卧具覆
蓋其身六者具慚愧服七者見者愛敬八
者具大財寶九者命終生天十者速證涅
槃是名奉施衣服得十種功德
若有衆生奉施器皿得十種功德一者處
世如器二者得善法津澤三者離諸渴
愛四者若渴思水流泉湧出五者終不生
於餓鬼道中六者得天妙器七者遠離惡
友八者具大福德九者命終生天十者速
證涅槃是名奉施器皿得十種功德
若有衆生奉施飲食得十種功德一者得
命二者得色三者得力四者獲得安无㝵
辯五者得无所畏六者无諸懈怠為衆
敬仰七者衆人愛樂八者具大福德九者
命終生天十者速證涅槃是名奉施飲食
得十種功德
若有衆生奉施靴履得十種功德一者具
足妙乘二者足下安平三者足趺平滿四
者遠涉輕健五者身无疲極六者所行之
處不為荊棘瓦礫損壞具足七者得神通
力八者具諸給使九者命終生天十者速證
涅槃是名奉施靴履得十種功德
若有衆生奉施香華得十種功德一者處
世如華二者身无臭穢三者福香戒香遍
諸方所四者隨所生處鼻根不壞五者超
勝世間為物歸依六者身常香潔七者

BD01944 號　佛爲首迦長者說業報差別經 （18–15）

世如華二者身无臭穢三者福香戒香遍
諸方所四者隨所生處鼻根不壞五者超
勝世間為物歸依六者身常香潔七者
愛樂正法受持讀誦八者具大福德九者
命終生天十者速證涅槃是名奉施香華
得十種功德
若有衆生奉施燈明得十種功德一者照世
如燈二者隨所生處肉眼不壞三者得於
天眼四者於善惡法得善智惠五者除滅
大闇六者得智惠明七者流轉世間常不
在於黑闇之處八者具大福德九者命終
生天十者速證涅槃是名奉施燈明得十
種功德
若有衆生恭敬合掌得十種功德一者得
勝福報二者生於上族三者得勝妙色四者
得勝妙聲五者得勝妙蓋六者得勝妙辯
七者得勝妙信八者得勝妙戒九者得勝妙
多聞十者得勝妙智是名恭敬合掌得十
種功德
尒時世尊說此法已首迦長者於如來所得
淨信心尒時首迦頭面礼佛作如是言我今
請佛住舍婆提城到我父所忉提長者家願
令我父及一切衆生長夜安樂尒時世尊為
利益故嘿然受請尒時首迦聞佛所說心
大歡喜頂礼而退

BD01944 號　佛爲首迦長者說業報差別經 （18–16）

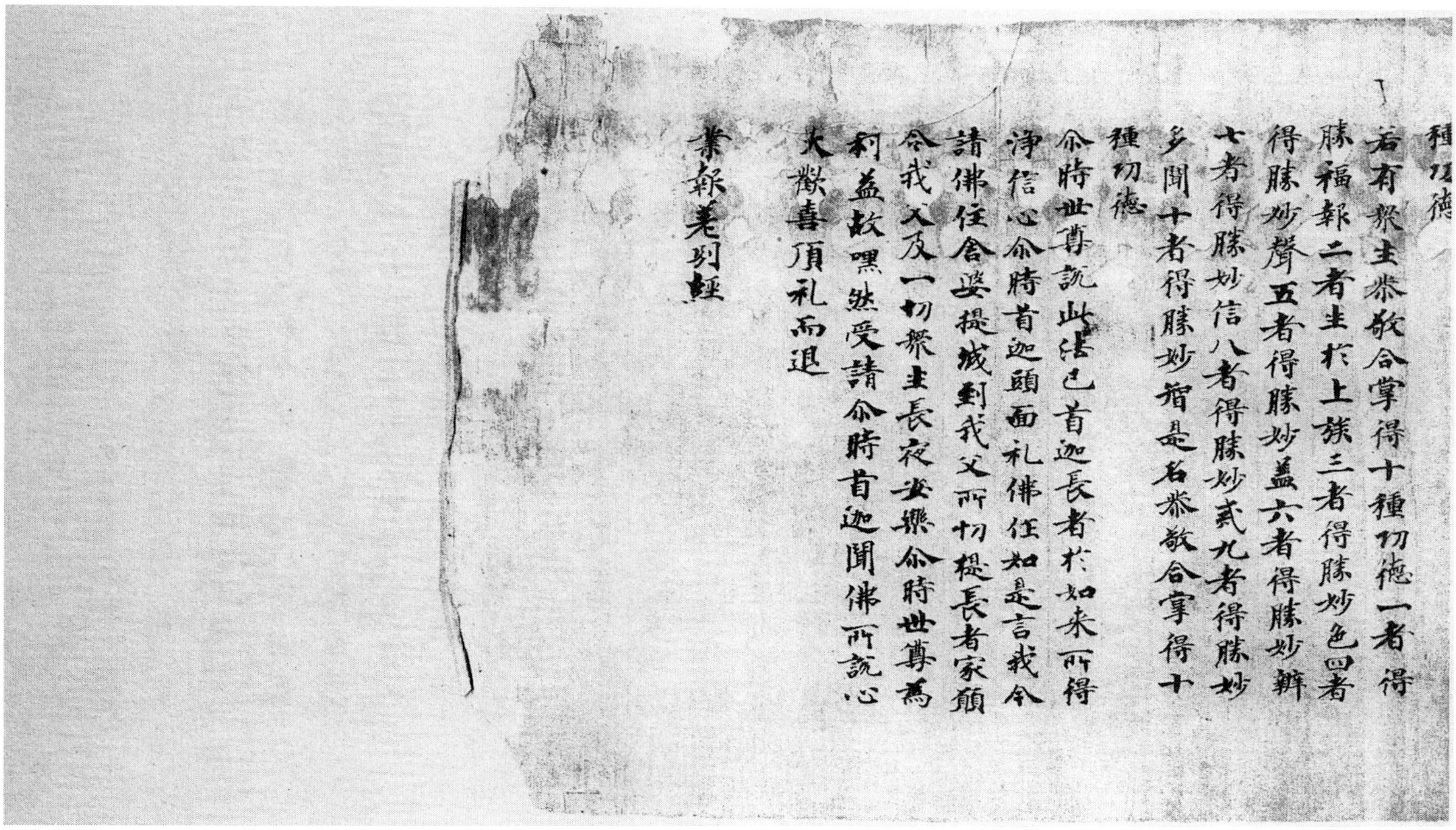

種功德
若有衆生恭敬合掌得十種功德一者得
勝福報二者生於上族三者得勝妙色四者
得勝妙聲五者得勝妙蓋六者得勝妙辯
七者得勝妙信八者得勝妙戒九者得勝妙
多聞十者得勝妙智是名恭敬合掌得十
種功德
尒時世尊說此法已首迦長者於如來所得
淨信心尒時首迦頭面礼佛作如是言我今
請佛往舍婆提城到我父所忉提長者家願
令我父及一切衆生長夜安樂尒時世尊爲
利益故黙然受請尒時首迦聞佛所說心
大歡喜頂礼而退
業報差別經

BD01944號　佛爲首迦長者說業報差別經　（18–17）

BD01944號背　雜劃　（18–18）

復次舍利子諸菩薩
多以无所得而為方便應圓滿四念住四正
斷四神足五根五力七等覺支八聖道支
是三十七菩提分法不可得故諸菩薩摩訶
薩安住般若波羅蜜多以无所得而為方便
應圓滿空解脫門无相解脫門无願解脫
門三解脫門不可得故諸菩薩摩訶薩安住般
若波羅蜜多以无所得而為方便應圓滿四
靜慮四无量四无色定靜慮无量及无色定
不可得故諸菩薩摩訶薩安住般若波羅蜜
多以无所得而為方便應圓滿八解脫八勝
處九次第定十遍處解脫勝處等至遍處不
可得故諸菩薩摩訶薩安住般若波羅蜜多
以无所得而為方便應圓滿九想謂膖脹想膿
爛想異赤想青瘀想噉想離散想骸骨
想焚燒想一切世間不可保想如是諸想不
可得故諸菩薩摩訶薩安住般若波羅蜜多
以无所得而為方便應圓滿十隨念謂佛隨
念法隨念僧隨念戒隨念捨隨念天隨念入
出息隨念厭隨念死隨念身隨念是諸隨念
不可得故諸菩薩摩訶薩安住般若波羅蜜
多以无所得而為方便應圓滿十想謂无常
想苦想无我想不淨想死想一切世間不可
樂想厭食想斷想離想滅想如是諸想不可

BD01945號　大般若波羅蜜多經卷三　（19–1）

不可得故諸菩薩摩訶薩安住般若波羅蜜
多以无所得而為方便應圓滿十想謂无常
想苦想无我想不淨想死想一切世間不可
樂想厭食想斷想離想滅想如是諸想不可
得故諸菩薩摩訶薩安住般若波羅蜜多以
无所得而為方便應圓滿十一智謂苦智集
智滅智道智盡智无生智法智類智世俗智
他心智如說智如是諸智不可得故諸菩薩
摩訶薩安住般若波羅蜜多以无所得而為
方便應圓滿有尋有伺三摩地无尋唯伺三
摩地无尋无伺三摩地是三等摩不可得故
諸菩薩摩訶薩安住般若波羅蜜多以无所
得而為方便應圓滿未知當知根已知根具
知根如是諸根不可得故諸菩薩摩訶薩安
住般若波羅蜜多以无所得而為方便應圓
滿不淨處觀遍滿處觀一切智智及奢摩他
毗鉢舍那如是五種不可得故諸菩薩摩訶
薩安住般若波羅蜜多以无所得而為方便
應圓滿四攝事四勝住三明五眼六神通六
波羅蜜多如是六種不可得故諸菩薩摩訶
薩安住般若波羅蜜多以无所得而為方便
應圓滿七聖財八大士覺九有情居智陁羅
尼門三摩地門如是五種不可得故諸菩薩
摩訶薩安住般若波羅蜜多以无所得而為
方便應圓滿十地十行十忍二十增上意樂
如是四種不可得故諸菩薩摩訶薩安住般

BD01945號　大般若波羅蜜多經卷三　（19–2）

摩訶薩安住般若波羅蜜多以无所得而為
方便應圓滿十地十行十忍二十增上意樂
如是四種不可得故諸菩薩摩訶薩安住般
若波羅蜜多以无所得而為方便應圓滿如
来十力四无所畏四无礙解十八佛不共法三
十二大士相八十隨好如是六種不可得故
諸菩薩摩訶薩安住般若波羅蜜多以无
所得而為方便應圓滿无忘失法恒住捨性
一切智道相智一切相智一切相微妙智如
是六法不可得故諸菩薩摩訶薩安住般若
波羅蜜多以无所得而為方便應圓滿大慈
大悲大喜大捨及餘无量无邊佛法如是諸
法不可得故
復次舍利子若菩薩摩訶薩欲疾證得一切
智智應學般若波羅蜜多若菩薩摩訶薩
疾圓滿一切智道相智一切相智應學般若
波羅蜜多若菩薩摩訶薩欲疾圓滿一切有
情心行相智一切相微妙智應學般若波羅
蜜多若菩薩摩訶薩欲拔一切煩惱習氣應
學般若波羅蜜多若菩薩摩訶薩欲入菩
薩正性離生應學般若波羅蜜多若菩薩摩
訶薩欲超聲聞及獨覺地應學般若波羅蜜
多若菩薩摩訶薩欲住菩薩不退轉地應學般
若波羅蜜多若菩薩摩訶薩欲得六種捷速
神通應學般若波羅蜜多若菩薩摩訶薩欲
知一切有情心行所趣差別應學般若波羅蜜

多若菩薩摩訶薩欲住菩薩不退轉地應學般
若波羅蜜多若菩薩摩訶薩欲得六種捷速
神通應學般若波羅蜜多若菩薩摩訶薩欲
知一切有情心行所趣差別應學般若波羅蜜
多若菩薩摩訶薩欲勝一切聲聞獨覺智
慧作用應學般若波羅蜜多若菩薩摩訶薩
欲得一切陁羅尼門三摩地門應學般若波
羅蜜多若菩薩摩訶薩欲以一念隨喜俱心
超過一切聲聞獨覺所有布施應學般若波
羅蜜多若菩薩摩訶薩欲以一念隨喜俱心
超過一切聲聞獨覺所有淨戒應學般若波
羅蜜多若菩薩摩訶薩欲以一念隨喜俱心
超過一切聲聞獨覺定慧解脫解脫智見應
學般若波羅蜜多若菩薩摩訶薩欲以一念
隨喜俱心超過一切聲聞獨覺靜慮解脫等
持等至及餘善法應學般若波羅蜜多若菩
薩摩訶薩欲以一念所脩善法超過一切異生
聲聞獨覺善法應學般若波羅蜜多若菩
薩摩訶薩欲行少分布施淨戒安忍精進靜
慮般若為諸有情方便善巧迴向无上正等
菩提便得无量无邊功德應學般若波羅
蜜多
復次舍利子若菩薩摩訶薩欲令所行布施
淨戒安忍精進靜慮般若波羅蜜多離諸障
礙速得圓滿應學般若波羅蜜多若菩薩
摩訶薩欲得世世常見諸佛恒聞正法得佛覺
悟恭佛憶念教誡教授應學般若波羅蜜多

復次舍利子若菩薩摩訶薩欲令所行布施
淨戒安忍精進靜慮般若波羅蜜多離諸障
礙速得圓滿應學般若波羅蜜多若菩薩
摩訶薩欲得世世常見諸佛恒聞正法得佛覺
悟蒙佛憶念教誡教授應學般若波羅蜜多
若菩薩摩訶薩欲得佛身具三十二大丈夫
相八十隨好圓滿莊嚴應學般若波羅蜜多
若菩薩摩訶薩欲得世世常憶宿住終不忘
失大菩提心遠離惡友親近善友恒修菩薩
摩訶薩行應學般若波羅蜜多若菩薩摩
訶薩欲得世世具大威德摧衆魔怨伏諸外道
應學般若波羅蜜多若菩薩摩訶薩欲得世
世遠離一切煩惱業障通達諸法心无罣礙應
學般若波羅蜜多若菩薩摩訶薩欲得世世
善心善願善行相續常无懈廢應學般若波
羅蜜多若菩薩摩訶薩欲生佛家入童真地
常不遠離諸佛菩薩應學般若波羅蜜多若
菩薩摩訶薩欲得世世具諸相好端嚴如佛
一切有情見者歡喜發起无上正等覺心速
能成辦諸佛功德應學般若波羅蜜多若菩
薩摩訶薩欲以種種勝善根力隨意能引上
妙供具供養恭敬尊重讚歎一切如來應正等
覺令諸善根速得圓滿應學般若波羅蜜
多菩薩摩訶薩欲滿一切有情所求飲食衣
服床榻臥具病緣醫藥種種花香燈明車
乘園林舍宅財穀珍奇寶飾伎樂及餘種
種上妙樂具應學般若波羅蜜多

BD01945 號　大般若波羅蜜多經卷三　（19–5）

多菩薩摩訶薩欲滿一切有情所求飲食衣
服床榻臥具病緣醫藥種種花香燈明車
乘園林舍宅財穀珍奇寶飾伎樂及餘種
種上妙樂具應學般若波羅蜜多
復次舍利子若菩薩摩訶薩欲善安立盡虛
空界法界世界一切有情皆令安住布施淨
戒安忍精進靜慮般若波羅蜜多應學般若
波羅蜜多若菩薩摩訶薩欲得發起一念善
心所獲功德乃至安坐妙菩提座證得无上
正等菩提亦不窮盡應學般若波羅蜜多
若菩薩摩訶薩欲得十方諸佛世界一切如來
應正等覺及諸菩薩摩訶薩衆共稱讚應
學般若波羅蜜多若菩薩摩訶薩欲一發心
即能遍至十方各如殑伽沙界供養諸佛利
樂有情應學般若波羅蜜多若有菩薩摩訶
薩欲一發聲即能遍滿十方各如殑伽沙界讚
歎諸佛教誨有情應學般若波羅蜜多若
菩薩摩訶薩欲一念頃安立十方殑伽沙等諸
佛世界一切有情皆令習學十善業道受三
歸依護持禁戒應學般若波羅蜜多若菩
薩摩訶薩欲一念頃安立十方殑伽沙等諸佛
世界一切有情皆令習學四靜慮四无量四无
色定獲五神通應學般若波羅蜜多若菩
薩摩訶薩欲一念頃安立十方殑伽沙等諸
佛世界一切有情令住大乘脩菩薩行不毀
餘乘應學般若波羅蜜多若菩薩摩訶薩欲
紹佛種令不斷絕護菩薩家令不退轉嚴淨

BD01945 號　大般若波羅蜜多經卷三　（19–6）

餘乘應學般若波羅蜜多若菩薩摩訶薩欲
紹佛種令不斷絶護菩薩家令不退轉嚴淨
佛土令速成辦應學般若波羅蜜多
復次舍利子若菩薩摩訶薩欲通達內空外
空內外空空空大空勝義空有為空无為空
畢竟空无際空散空无變異空本性空自相
空共相空一切法空不可得空无性空自性空
无性自性空應學般若波羅蜜多若菩薩摩
訶薩欲通達一切法真如法界法性不虛妄
性不變異性平等性離生性法定法住實際
虛空界不思議界應學般若波羅蜜多若
菩薩摩訶薩欲通達一切法盡所有性如所
有性應學般若波羅蜜多若菩薩摩訶薩
欲通達一切法因緣等无間緣所緣緣增上緣
性應學般若波羅蜜多若菩薩摩訶薩欲
通達一切法如幻如夢如響如像如光影如陽
焰如空花如尋香城如變化事唯心所現性相
俱空應學般若波羅蜜多若菩薩摩訶薩
欲知三千大千世界虛空大地諸山大海江
河池沼澗谷陂湖地水火風諸極微量應學
般若波羅蜜多若菩薩摩訶薩欲析一毛以
為百分取一分毛盡舉三千大千世界大海江
河池沼澗谷陂湖中水棄置他方无邊世界
而不惱觸水族生類應學般若波羅蜜多若
菩薩摩訶薩見有劫火遍燒三千大千世
界天地洞然欲以一氣吹令頓滅應學般若

BD01945 號　大般若波羅蜜多經卷三　(19–7)

而不惱觸水族生類應學般若波羅蜜多若
菩薩摩訶薩見有劫火遍燒三千大千世
界天地洞然欲以一氣吹令頓滅應學般若
波羅蜜多若菩薩摩訶薩見有三千大千世
界所依風輪飄擊上涌將吹三千大千世界
蘇迷盧山大蘓迷盧山輪圍山大輪圍山及
餘小山大地等物碎如糠糩欲以一指障彼風力
令息不起應學般若波羅蜜多若菩薩摩
訶薩欲於三千大千世界一結加坐充滿虛
空應學般若波羅蜜多若菩薩摩訶薩欲
以一毛羂取三千大千世界蘓迷盧山大蘓迷
盧山輪圍山大輪圍山及餘小山大地等物
擲過他方无量无數无邊世界而不惱觸諸
有情類應學般若波羅蜜多若菩薩摩訶
薩欲以一食一花一香一幢一蓋一旛一帳一
燈一衣一伎樂等供養恭敬尊重讚歎十
方各如殑伽沙界一切如來應正等覺及弟
子眾无不充足應學般若波羅蜜多若菩
薩摩訶薩欲等安立十方各如殑伽沙界諸有
情類令住戒蘊或住定蘊或住慧蘊或住解
脫蘊或住解脫智見蘊或住預流果或住一
來果或住不還果或住阿羅漢果或住獨覺
菩提乃至或令入无餘依般涅槃界應學般
若波羅蜜多
復次舍利子若菩薩摩訶薩脩行般若波羅
蜜多能如實知如是布施得大果報謂如實

BD01945 號　大般若波羅蜜多經卷三　(19–8)

菩提乃至或令入无餘依般涅槃界應學般
若波羅蜜多
復次舍利子若菩薩摩訶薩脩行般若波羅
蜜多能如實知如是布施得大果報謂如實
知如是布施得生刹帝利大族如是布施得
生婆羅門大族如是布施得生長者大族如
是布施得生居士大族如是布施得生四大
王衆天或生三十三天或生夜摩天或生覩史
多天或生樂變化天或生他化自在天因是
布施得初靜慮或第二靜慮或第三靜慮
或第四靜慮因是布施得空无邊處定或識
无邊處定或无所有處定或非想非非想處定
因是布施得三十七菩提分法因是布施得
三解脫門因是布施得八解脫或八勝處或
九次第定或十遍處因是布施得陁羅尼
門或三摩地門因是布施得入菩薩正性離
生因是布施得極喜地離垢地或發光地或
焰慧地或極難勝地或現前地或遠行地或
不動地或善慧地或法雲地因是布施得佛
五眼或六神通因是布施得佛十力或四无
所畏或四无礙解或十八佛不共法或大慈
大悲大喜大捨因是布施得三十二大丈夫
相或八十隨好因是布施得无忘失法或恒
住捨性因是布施得一切智或道相智或
一切相智因是布施得預流果或一来果或
不還果或阿羅漢果或獨覺菩提或得无上
正等菩提能如實知如是淨戒安忍精進靜

BD01945 號　大般若波羅蜜多經卷三　（19–9）

住捨性因是布施得一切智或道相智或
一切相智因是布施得預流果或一来果或
不還果或阿羅漢果或獨覺菩提或得无上
正等菩提能如實知如是淨戒安忍精進靜
慮般若得大果報亦復如是
復次舍利子若菩薩摩訶薩脩行般若波羅
蜜多能如實知如是布施方便善巧能滿布
施波羅蜜多如是布施方便善巧能滿淨戒
波羅蜜多如是布施方便善巧能滿安忍波
羅蜜多如是布施方便善巧能滿精進波羅
蜜多如是布施方便善巧能滿靜慮波羅蜜
多如是布施方便善巧能滿般若波羅蜜多
能如實知如是淨戒方便善巧能滿淨戒波
羅蜜多如是淨戒方便善巧能滿安忍波羅
蜜多如是淨戒方便善巧能滿精進波羅蜜
多如是淨戒方便善巧能滿靜慮波羅蜜多
如是淨戒方便善巧能滿般若波羅蜜多如
是淨戒方便善巧能滿布施波羅蜜多能如
實知如是安忍方便善巧能滿安忍波羅蜜
多如是安忍方便善巧能滿精進波羅蜜多
如是安忍方便善巧能滿靜慮波羅蜜多如
是安忍方便善巧能滿般若波羅蜜多如是
安忍方便善巧能滿布施波羅蜜多如是安
忍方便善巧能滿淨戒波羅蜜多能如實知
如是精進方便善巧能滿精進波羅蜜多如
是精進方便善巧能滿靜慮波羅蜜多如是
精進方便善巧能滿般若波羅蜜多如是精

BD01945 號　大般若波羅蜜多經卷三　（19–10）

忍方便善巧能滿淨戒波羅蜜多能如實知
如是精進方便善巧能滿精進波羅蜜多如
是精進方便善巧能滿靜慮波羅蜜多如是
精進方便善巧能滿般若波羅蜜多如是精
進方便善巧能滿布施波羅蜜多如是精
進方便善巧能滿淨戒波羅蜜多如是精進
方便善巧能滿安忍波羅蜜多能如實知如是
靜慮方便善巧能滿靜慮波羅蜜多如是靜
慮方便善巧能滿般若波羅蜜多如是靜慮
方便善巧能滿布施波羅蜜多如是靜慮方
便善巧能滿淨戒波羅蜜多如是靜慮方便
善巧能滿安忍波羅蜜多如是靜慮方便善
巧能滿精進波羅蜜多能如實知如是般若
方便善巧能滿般若波羅蜜多如是般若方便
善巧能滿布施波羅蜜多如是般若方便善
巧能滿淨戒波羅蜜多如是般若方便善巧
能滿安忍波羅蜜多如是般若方便善巧能
滿精進波羅蜜多如是般若方便善巧能滿
靜慮波羅蜜多
時舍利子白佛言世尊云何菩薩摩訶薩脩
行般若波羅蜜多能如實知如是布施淨戒
安忍精進靜慮般若由方便善巧故能滿布
施淨戒安忍精進靜慮般若波羅蜜多佛告
具壽舍利子言諸菩薩摩訶薩脩行般若波
羅蜜多能如實知若菩薩摩訶薩以无所得
而為方便脩行布施波羅蜜多了達一切施
者受者及所施物皆不可得如是布施方便

BD01945 號　大般若波羅蜜多經卷三　（19–11）

羅蜜多能如實知若菩薩摩訶薩以无所得
而為方便脩行布施波羅蜜多了達一切施
者受者及所施物皆不可得如是布施方便
善巧能滿布施淨戒安忍精進靜慮般若波
羅蜜多若菩薩摩訶薩以无所得而為方便
脩行淨戒波羅蜜多了達一切犯无犯相皆
不可得如是淨戒方便善巧能滿淨戒安忍精
進靜慮般若布施波羅蜜多若菩薩摩訶
薩以无所得而為方便脩行安忍波羅蜜多
了達一切動不動相皆不可得如是安忍方便
善巧能滿安忍精進靜慮般若布施淨戒
波羅蜜多若菩薩摩訶薩以无所得而為方
便脩行精進波羅蜜多了達一切身心勤怠
皆不可得如是精進方便善巧能滿精進靜
慮般若布施淨戒安忍波羅蜜多若菩薩摩
訶薩以无所得而為方便脩行靜慮波羅蜜
多了達一切有味无味皆不可得如是靜慮
方便善巧能滿靜慮般若布施淨戒安忍精
進波羅蜜多若菩薩摩訶薩以无所得而為
方便脩行般若波羅蜜多了達諸法若性若
相皆不可得如是般若方便善巧能滿般若
布施淨戒安忍精進靜慮波羅蜜多
復次舍利子若菩薩摩訶薩欲得過去未來
現在一切如來應正等覺所有功德應學般
若波羅蜜多若菩薩摩訶薩欲能遍到有
為无為諸法彼岸應學般若波羅蜜多若菩薩
摩訶薩欲窮過去未來現在諸法真如法界

BD01945 號　大般若波羅蜜多經卷三　（19–12）

現在一切如來應正等覺所有功德應學般
若波羅蜜多若菩薩摩訶薩欲能遍到有
為无為諸法彼岸應學般若波羅蜜多若菩薩
摩訶薩欲窮過去未來現在諸法真如法界
法性无生實際應學般若波羅蜜多若菩薩
摩訶薩欲與一切聲聞獨覺而為導首應
學般若波羅蜜多若菩薩摩訶薩欲與諸佛
為親侍者應學般若波羅蜜多若菩薩摩訶
薩欲與諸佛為內眷屬應學般若波羅蜜多若
菩薩摩訶薩欲得世世具大眷屬應學般若
波羅蜜多若菩薩摩訶薩欲與菩薩常為
眷屬應學般若波羅蜜多若菩薩摩訶薩
欲淨身器堪受世間供養恭敬應學般若波羅
蜜多若菩薩摩訶薩欲永摧伏諸慳貪心應學
般若波羅蜜多若菩薩摩訶薩欲永不起諸
犯戒心應學般若波羅蜜多若菩薩摩訶薩
欲永除去諸忿恚心應學般若波羅蜜多若
菩薩摩訶薩欲永棄捨諸懈怠心應學般若
波羅蜜多若菩薩摩訶薩欲永靜息諸散
亂心應學般若波羅蜜多若菩薩摩訶薩欲
永遠離諸惡慧心應學般若波羅蜜多若菩薩
摩訶薩欲普安立一切有情於施性福業事戒
性福業事脩性福業事供侍福業事有依福
業事應學般若波羅蜜多若菩薩摩訶薩
欲得五眼所謂肉眼天眼慧眼法眼佛眼應
學般若波羅蜜多
復次舍利子若欲菩薩摩訶薩欲以天眼普見

BD01945號　大般若波羅蜜多經卷三　（19–13）

性福業事脩性福業事供侍福業事有依福
業事應學般若波羅蜜多若菩薩摩訶薩
欲得五眼所謂肉眼天眼慧眼法眼佛眼應
學般若波羅蜜多
復次舍利子若欲菩薩摩訶薩欲以天眼普見
十方殑伽沙等諸佛世界一切如來應正等覺
應學般若波羅蜜多若菩薩摩訶薩欲以天
耳普聞十方殑伽沙等諸佛世界一切如來
應正等覺所說正法應學般若波羅蜜多
若菩薩摩訶薩欲如實知十方各如殑伽沙
界一切如來應正等覺心心所法應學般若波
羅蜜多若菩薩摩訶薩欲於十方殑伽沙等
諸佛世界一一佛所聽聞正法常无懈廢隨所
聞法乃至无上正等菩提終不忘失應學
般若波羅蜜多若菩薩摩訶薩欲見過去
未來現在十方世界種種佛土應學般若波
羅蜜多若菩薩摩訶薩欲於過去未來現在
十方諸佛所說一切契經應頌記別諷頌自說
因緣本事本生方廣希法譬喻論議諸聲
聞等若聞不聞皆能通達甚深義趣應學
般若波羅蜜多若菩薩摩訶薩欲於過去未
來現在十方諸佛所說法門自能受持讀誦通
利善解義趣為他廣說應學般若波羅蜜多
若菩薩摩訶薩欲於過去未來現在十方諸
佛所說法門自能如實如說脩行亦能方便
勸他如實如說脩行應學般若波羅蜜多若
菩薩摩訶薩欲於十方殑伽沙等幽冥世界

BD01945號　大般若波羅蜜多經卷三　（19–14）

佛所説法門自能如實如説脩行亦能方便
勸他如實如説脩行應學般若波羅蜜多若
菩薩摩訶薩欲於十方殑伽沙等幽冥世界
及於一一世界中間日月等光所不照處為作
光明應學般若波羅蜜多若菩薩摩訶薩
欲於十方殑伽沙等愚闇世界其中有情邪
見熾盛不信惡行不信妙行不信惡行妙行
異熟不信前世不信後世不信苦諦不信集
諦不信滅諦不信道識不信布施淨戒安忍
精進靜慮般若等行能獲世間出世間果不
聞佛名法名僧名方便開化令起正見聞三
寶名歡喜信受捨諸惡行脩諸妙行應學般
若波羅蜜多若菩薩摩訶薩欲令十方殑伽
沙等世界有情以己威力盲者能視聾者能
聽瘂者能言狂者得念乱者得定貧者得
富露者得衣飢者得食渴者得飲病者得除
愈醜者得端嚴形殘者得具足根缺者得圓
滿迷悶者得醒悟疲頓者得安泰應學般若
波羅蜜多若菩薩摩訶薩欲令十方殑伽沙等
世界有情以己威力慈心相向如父如母如兄如
弟如姊如妹如友如親不相違害展轉為
作利益安樂應學般若波羅蜜多若菩薩
摩訶薩欲令十方殑伽沙等世界有情以己
威力在惡趣者皆脱惡趣來生善趣在善趣
者常居善趣不墮惡趣應學般若波羅蜜多
若菩薩摩訶薩欲令十方殑伽沙等世界有
情以己威力習惡業者皆脩善業常无猒倦

BD01945號　大般若波羅蜜多經卷三　（19–15）

者常居善趣不墮惡趣應學般若波羅蜜多
若菩薩摩訶薩欲令十方殑伽沙等世界有
情以己威力習惡業者皆脩善業常无猒倦
應學般若波羅蜜多若菩薩摩訶薩欲令十
方殑伽沙等世界有情以己威力諸犯戒者
皆住戒蘊諸散亂者皆住定蘊諸愚癡者皆
住慧蘊未得解脱者住解脱蘊未得解脱
智見者皆住解脱智見蘊應學般若波羅蜜
多若菩薩摩訶薩欲令十方殑伽沙等世界
有情以己威力未見諦者令得見諦住預流
果或一來果或不還果或令證得阿羅漢果
或令證得獨覺菩提或令證得乃至无上正
等菩提應學般若波羅蜜多若菩薩摩訶
薩欲學諸佛殊勝威儀令諸有情觀之无猒
息一切惡生一切善應學般若波羅蜜多
復次舍利子若菩薩摩訶薩作是思惟我於
何時如象王視為衆説法容止爾然是菩薩
摩訶薩欲成斯事應學般若波羅蜜多若菩
薩摩訶薩作是思惟我於何時身語意業
皆悉清淨隨智慧行是菩薩摩訶薩欲成
斯事應學般若波羅蜜多若菩薩摩訶薩作
是思惟我於何時足不履地如四指量自在而行是
菩薩摩訶薩欲成斯事應學般若波羅蜜多
若菩薩摩訶薩作是思惟我於何時當得無
量百千俱胝那庾多四大王衆天三十三天夜
摩天覩史多天樂變化天他化自在天梵衆

BD01945號　大般若波羅蜜多經卷三　（19–16）

若菩薩摩訶薩作是思惟我於何時當得無
量百千俱胝那庾多四大王衆天三十三天夜
摩天覩史多天樂變化天他化自在天梵衆
天梵輔天梵會天大梵天光天少光天无量
光天極光淨天淨天少淨天无量淨天遍淨
天廣天少廣天无量廣天廣果天无繁天
无熱天善現天善見天色究竟天及諸龍
神供養恭敬尊重讚歎遵從圍繞詣菩提
樹是菩薩摩訶薩欲成斯事應學般若波羅
蜜多若菩薩摩訶薩作是思惟我於何時當
得无量百千俱胝那庾多四大王衆天乃至色究
竟天及諸龍神於菩提樹下以寶衣為座是
菩薩摩訶薩欲成斯事應學般若波羅蜜多
若菩薩摩訶薩作是思惟我於何時菩提樹
下結加趺坐以衆相所莊嚴手而撫大地令
彼地神并諸眷屬俱時踊現為作證明是
菩薩摩訶薩欲成斯事應學般若波羅蜜
多若菩薩摩訶薩作是思惟我於何時坐菩
提樹降伏衆魔證得无上正等菩提是菩薩
摩訶薩欲成斯事應學般若波羅蜜多若菩薩
摩訶薩作是思惟我於何時證得无上正等
覺已隨地方所行住坐卧悉為金剛是菩薩
摩訶薩欲成斯事應學般若波羅蜜多若菩
薩摩訶薩作是思惟我於何時當捨國位出
家之日即成无上正等菩提還於是日轉妙
法輪即令无量无數有情遠塵離垢生淨法
眼復令无量无數有情永盡諸漏心慧解脫

BD01945號　大般若波羅蜜多經卷三　（19-17）

薩摩訶薩作是思惟我於何時當捨國位出
家之日即成无上正等菩提還於是日轉妙
法輪即令无量无數有情遠塵離垢生淨法
眼復令无量无數有情永盡諸漏心慧解脫
亦令无量无數有情皆於无上正等菩提得
不退轉是菩薩摩訶薩欲成斯事應學般若
波羅蜜多若菩薩摩訶薩作是思惟我於何
時當得无上正等菩提无量无數聲聞菩薩
為弟子衆一說法時无量无數諸有情類不
起于座同時證得阿羅漢果无量无數諸有
情類不起于座同於无上正等菩提得不退
轉是菩薩摩訶薩欲成斯事應學般若波
羅蜜多若菩薩摩訶薩作是思惟我於何時
壽量无盡身有无量无邊光明相好莊嚴觀
者无猒行時雖有千葉蓮花自然涌現每承其
足而令地上現千輻輪舉步經行大地震動
然不擾惱地居有情欲迴顧時舉身皆轉足
之所履盡金剛際如車輪量地亦隨轉是菩
薩摩訶薩欲成斯事應學般若波羅蜜多若
菩薩摩訶薩作是思惟我於何時舉身支節
皆放无量无數光明遍照十方无邊世界隨
所照處為諸有情作大饒益是菩薩摩訶薩
欲成斯事應學般若波羅蜜多若菩薩摩訶
薩作是思惟我於何時當得无上正等菩提
我佛土中无有一切貪欲瞋恚愚癡等名亦
不聞有地獄傍生鬼界惡趣是菩薩摩訶薩
欲成斯事應學般若波羅蜜多若菩薩摩訶

BD01945號　大般若波羅蜜多經卷三　（19-18）

[illegible]
我佛土中無有一切貪欲瞋恚愚癡等名亦
不聞有地獄傍生鬼界惡趣是菩薩摩訶薩
欲成斯事應學般若波羅蜜多若菩薩摩訶
薩作是思惟我於何時當得無上正等菩提
我佛土中諸有情類成就妙慧如餘佛土無作
念言布施調伏安忍勇進寂靜諦觀離諸
放逸勤脩梵行於諸有情慈悲喜捨不相惱
觸豈不善哉是菩薩摩訶薩欲成斯事應學
般若波羅蜜多若菩薩摩訶薩作是思惟
我於何時當得無上正等菩提我佛土中諸
有情類成就種種殊勝功德餘佛土中諸佛菩
薩咸共稱讚是菩薩摩訶薩欲成斯事應
學般若波羅蜜多若菩薩摩訶薩作是思惟
我於何時當得無上正等菩提化事既周般涅
槃後正法無有滅盡之期常為有情作饒益
事是菩薩摩訶薩欲成斯事應學般若波羅
蜜多若菩薩摩訶薩作是思惟我於何時當
得無上正等菩提十方各如殑伽沙界諸有
情類聞我名者必得無上正等菩提是菩薩
摩訶薩欲成斯事應學般若波羅蜜多舍利
子諸菩薩摩訶薩欲得此等無量無數不可
思議希有功德應學般若波羅蜜多

大般若波羅蜜多經卷第三

BD01945 號　大般若波羅蜜多經卷三　　（19–19）

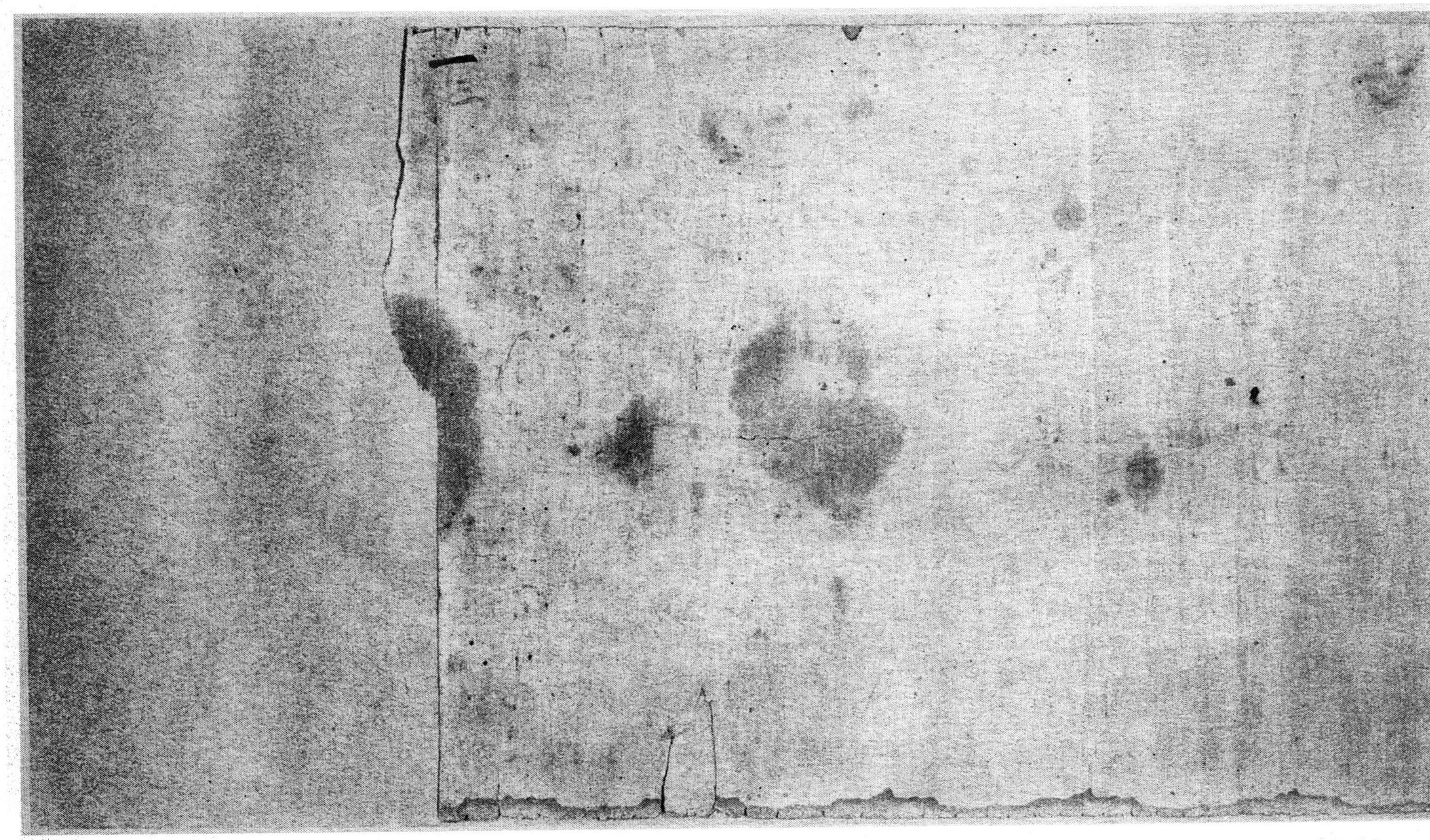

BD01945 號背　勘記　　（1–1）

槃善男子譬如農
有希望既收菓實衆望都
一切衆生亦復如是脩學餘經常
得聞是大般涅槃希望諸經所有滋味悉皆
永斷是大涅槃能令衆生度諸有流善男子
如諸跡中象跡為最此經如是於諸經三昧最
第為一善男子譬如耕田秋耕為勝此經如
是諸經中勝善男子如諸藥中醍醐第一善治
衆生熱惱亂心是大涅槃為最第一善男子
譬如甛蘇八味具足大般涅槃亦復如是八
味具足云何為八一者常二者恒三者安四
者清涼五者不老六者不死七者无垢八者
快樂是為八味具足八味是故名為大般涅
槃若諸菩薩摩訶薩等安住是中復能處處
亦現涅槃是故名為大般涅槃迦葉善男子
善女人若欲於此大般涅槃而涅槃者當
如是學如來常住法僧亦然迦葉菩薩復白
佛言甚奇世尊如來功德不可思議法僧亦
尒不可思議是大涅槃亦不可思議若有脩
學是經典者得正法門能為良醫若未學者

BD01946 號　大般涅槃經（北本　宋本）卷四　（21–1）

如是學如來常住法僧亦然迦葉菩薩復白
佛言甚奇世尊如來功德不可思議法僧亦
尒不可思議是大涅槃亦不可思議若有脩
學是經典者得正法門能為良醫若未學者
當知是人盲无慧眼无明所覆
大般涅槃經如來性品第四
佛復告迦葉善男子菩薩摩訶薩分別開示
大般涅槃有四種義何等為四一者自正二者
正他三者能隨問荅四者善解因緣義云何
自正若佛如來見諸因緣而有所說譬如比
丘見大火聚便作是言我寧抱是熾燃大聚
終不敢於如來所說十二部經及秘密藏謗
言云是波旬所說若言如來法僧无常如是
說者為自侵欺亦欺於人寧以利刀自斷其
舌終不說言如來法僧是无常也若聞他說
亦不信受於此說者應生憐愍如來法僧不
可思議應如是持自觀己身猶如火聚是名
自正云何正他佛說法時有一女人乳養嬰
兒來詣佛所稽首佛足有所顧念心自思惟
便坐一面尒時世尊知而故問汝以愛念多含
兒蘇不知籌量消與不消尒時女人即白佛
言甚奇世尊善能知我心中所念唯願如來
教我多少世尊我於今朝多與兒蘇恐不能
消將无夭壽唯願如來為我解說佛言汝兒
所食尋即消化增益壽命女人聞已心大踊

BD01946 號　大般涅槃經（北本　宋本）卷四　（21–2）

教我多少世尊我於今朝多與兒蘇恐不能
消将无夭壽唯願如来為我解說佛言汝兒
所食尋即消化增益壽命女人聞已心大踊
躍復作是言如来實說故我歡喜世尊如是
為欲調伏諸衆生故善能分別說消不消亦
說諸法无我无常若佛世尊先說常者受化
之徒當言此法与外道同即便捨去復告女
人若兒長大能自行来凡所食噉能消難消
本所与蘇則不供足我之所有聲聞弟子亦
復如是如汝嬰兒不能消是常住之法是故
我先說苦无常若我聲聞諸弟子等功德已
脩堪任脩集大乘經典我於是經為說六味
云何六味說苦酢味无常醎味无我苦味樂
如甜味我如辛味常如醎味彼世間中有三
種味所謂无常无我无樂煩惱為薪智慧
為火以是因緣成涅槃飯謂常樂我淨令
諸弟子悉皆甘嗜復告女人汝若有緣欲至
他處應驅惡子令出其舍悉以寶藏付示善
子女人白佛實如聖教珎寶之藏示善子不
示惡子我亦如是般涅槃時如来微密无
上法藏不與聲聞諸弟子等如汝寶藏不示
惡子要當付囑諸菩薩等如汝寶藏委付善
子何以故聲聞弟子生變異想謂佛如来真
實滅度然我真實不滅度也如汝遠行未還

上法藏不與聲聞諸弟子等如汝寶藏不示
惡子要當付囑諸菩薩等如汝寶藏委付善
子何以故聲聞弟子生變異想謂佛如来真
實滅度然我真實不滅度也如汝遠行未還
之頃汝之惡子便言汝死汝實不死諸菩薩
等說言如来常不變易如汝善子不言汝死
以是義故我以无上秘密之藏付諸菩薩善
男子若有衆生謂佛常住不變異者當知是
家則為有佛是名正他能隨問荅者若有人
来問佛世尊我當云何不捨錢財而得名為
大施檀越佛言若有沙門婆羅門等少欲知
足不受不畜不淨物者當施其人奴婢僕使
脩梵行者施與女人斷酒肉者施其酒肉不
過中食施過中食不著華香施以華香如
過施者施名流布遍至他方財寶之費不失
毫釐是則名為能隨問荅尒時迦葉菩薩白
佛言世尊食肉之人不應施肉何以故我見
不食肉者有大功德佛讚迦葉善哉善哉汝
今乃能善知我意護法菩薩應當如是善男
子從今日始不聽聲聞弟子食肉若受檀越信
施之時應觀是食如子肉相迦葉菩薩復白
佛言世尊云何如来不聽食肉善男子夫食
肉者斷大慈種迦葉又言如来何故先聽比
丘食三種淨肉迦葉是三種淨肉隨事漸制
迦葉菩薩復白佛言世尊何因緣故十種不

肉者斷大慈種迦葉又言如来何故先聽比
丘食三種淨肉迦葉是三種淨肉隨事漸制
迦葉菩薩復白佛言世尊何因緣故十種不
淨乃至九種清淨而復不聽佛告迦葉亦是
因事漸次而制當知即是現斷肉義迦葉菩
薩復白佛言云何如来稱讚魚肉為美食耶
善男子我亦不說魚肉之屬為美食也我說
甘蔗粳米石蜜一切穀麥及黑石蜜乳酪蘇
油以為美食雖說應畜種種衣服所應畜者
要是壞色何況貪著是魚肉味迦葉復言如
来若制不食肉者彼五種味乳酪酪漿生蘇
熟蘇胡麻油等及諸衣服憍奢耶衣珂貝皮
革金銀盂器如是等物亦不應受善男子不
應同彼尼乾所見如来所制一切禁戒各有
異意異意故聽食三種淨肉異相故斷十種
肉異相故一切悉斷及自死者迦葉我從今
日制諸弟子不得復食一切肉也迦葉其食
肉者若行若住若坐若卧一切眾生聞其肉
氣悉生怖畏譬如有人近師子已眾人見之
聞師子臭亦生恐怖善男子如人噉蒜臭穢
可惡餘人見之聞臭捨去設遠見者猶不欲
視況當近之諸食宍者亦復如是一切眾生
聞其肉氣悉皆恐怖生畏死想水陸空行有
命之類悉捨之走咸言此人是我等怨是故

BD01946號　大般涅槃經（北本　宋本）卷四

（21–5）

視況當近之諸食宍者亦復如是一切眾生
聞其肉氣悉皆恐怖生畏死想水陸空行有
命之類悉捨之走咸言此人是我等怨是故
菩薩不習食肉為度眾生示現食肉雖現食
之其實不食善男子是菩薩清淨之食猶
尚不食況當食肉善男子我涅槃後无量
百歲四道聖人悉復涅槃正法滅後於像法
中當有比丘似像持律少讀誦經貪嗜飲食
長養其身身所被服麁陋臭惡形容憔悴
无有威德放畜牛羊擔負薪草頭鬚髮抓
悉皆長利雖服袈裟猶如獵師細視徐行如
貓伺鼠常唱是言我得羅漢多諸病苦眠卧
糞穢外現賢善內懷貪嫉如受瘂法婆羅門
等實非沙門現沙門像邪見熾盛誹謗正法如
是等人破壞如来所制戒律正行威儀說解
脫果離清淨法及壞甚深秘密之教各自隨意
反說經律而作是言如来皆聽我等食肉自
出此論言是佛說互共諍訟各自稱是沙門釋
子善男子尒時復有諸沙門等貯聚生穀受
取魚肉手自作食執持油瓶寶蓋革屣親近
國王大臣長者占相星宿懃脩醫道畜養
奴婢金銀琉璃車渠馬瑙頗梨真珠珊瑚虎
魄璧玉珂貝種種菓蓏學諸伎藝畫師泥
作造書教學種殖根栽蠱道呪幻和合諸藥
作唱伎樂香華治身樗蒲圍碁學諸工巧若

BD01946號　大般涅槃經（北本　宋本）卷四

（21–6）

奴婢金銀琉璃車𤦲馬瑙頗梨真珠珊瑚虎
魄璧玉珂貝種種菓蓏學諸伎藝畫師泥
作造書教學種殖根栽蠱道呪幻和合諸藥
作唱伎樂香華治身樗蒲圍碁學諸工巧若
有比丘能離如是諸惡事者當說是人真我
弟子尒時迦葉復白佛言世尊諸比丘比丘
尼優婆塞優婆夷因他而活若乞食時得雜
肉食云何得食應清淨法佛言迦葉當以水
洗令與肉別然後乃食若其食器為肉所汙
但使无味聽用无罪若見食中多有肉者則
不應受一切現肉悉不應食食者得罪我今唱
是斷肉之制若廣說者則不可盡涅槃時到是
故略說是則名為能隨問答迦葉云何善解
因緣義也如有四部之衆來問我言世尊如
是之義如來初出何故不為波斯匿王說是法
門深妙之義或時說深或時說淺或名為犯
或名不犯云何名墮云何名律云何名波羅
提木叉義佛言波羅提木叉者名為知足成
就威儀无所受畜亦名淨命墮者名四惡趣
又復墮者墮於地獄乃至阿鼻論其遲速過
於暴雨聞者驚怖堅持禁戒不犯威儀脩集
知足不受一切不淨之物又復墮者長養地
獄畜生餓鬼以是諸儀故名為墮波羅提木
叉者離身口意不善耶業律者入戒威儀深
經善義遮受一切不淨之物及不淨因緣亦
遮四重十三僧殘二不定法卅捨墮九十一

BD01946號　大般涅槃經（北本　宋本）卷四　（21–7）

獄畜生餓鬼以是諸儀故名為墮波羅提木
叉者離身口意不善耶業律者入戒威儀深
經善義遮受一切不淨之物及不淨因緣亦
遮四重十三僧殘二不定法卅捨墮九十一
墮四悔過法衆多學法七滅諍等或有人盡
破一切戒云何一切謂四重法乃至七滅諍
法或有復人誹謗正法甚深經典及一闡提
具足成就盡一切相无有因緣如是等人自
言我是聰明利智輕重之罪悉皆覆藏覆藏
諸惡如龜藏六如是衆罪長夜不悔以不悔
故日夜增長是諸比丘所犯衆罪終不發露
是使不犯遂復滋漫是故如來知是事已
漸次而制不得一時尒時有善男子善女人
白佛言世尊如來久知如是之事何不先制
將无世尊欲令衆生入阿鼻獄譬如多人欲至
他方迷失正路隨逐耶道是諸人等不知迷
故皆謂是道復不見人可問是非衆生如是
迷於佛法不見正真如來應為先說正道勑
諸比丘此是犯戒此是持戒當如是制何以
故如來正覺是真實者知見正道唯有如來
天中之天能說十善增上功德及其義味是
故啓請應先制戒佛言善男子若言如來能
為衆生宣說十善增上功德是則如來視諸
衆生如羅睺羅云何難言將无世尊欲令衆
生入於地獄我見一人有墮阿鼻地獄因緣

BD01946號　大般涅槃經（北本　宋本）卷四　（21–8）

為衆生宣說十善增上功德是則如来視諸
衆生如羅睺羅云何難言將无世尊欲令衆
生入於地獄我見一人有墮阿鼻地獄因緣
尚為是人住世一劫若減一劫我於衆生有
大慈悲何緣當誑如子相者令入地獄善男
子如王國內有納衣者見衣有孔然後方補
来如亦尒見諸衆生有入阿鼻地獄因緣即
以戒善而為補之善男子譬如轉輪聖王先
為衆生說十善法其後漸漸有行惡者王即
隨事漸漸而斷斷諸惡已然後自行聖王之法
善男子我亦如是雖有所說不得先制要因
緣比丘漸行非法然後方乃隨事制之樂法
衆生隨教脩行如是等衆乃能得見如来法
身如轉輪王所有輪寶不可思議如来亦尒
不可思議法僧二寶亦不可思議能說法者
及聞法者皆不可思議是名善解因緣義也
菩薩如是分別開示四種相義是名大乘大
涅槃中因緣義也復次自正者所謂得是大
般涅槃正他者我為比丘說言如来常存不
變隨問荅者迦葉因汝所問故得廣為菩薩
摩訶薩比丘比丘尼優婆塞優婆夷說是甚
深微妙義理因緣義者聲聞緣覺不解如是
甚深之義不聞伊字三点而成解脫涅槃摩
訶般若成秘密藏我今於此闡揚分別為諸
聲聞開發慧眼假使有人作如是言如是四
事云何為一非虛妄耶即應反質是虛妄空

甚深之義不聞伊字三点而成解脫涅槃摩
訶般若成秘密藏我今於此闡揚分別為諸
聲聞開發慧眼假使有人作如是言如是四
事云何為一非虛妄耶即應反質是虛妄空
无有不動无㝵如是四事有何等異是豈
得名為虛妄乎不也世尊如是諸句即是一義
所謂空義自正正他能隨問荅解因緣義亦
復如是即大涅槃等无有異佛告迦葉若有
善男子善女人作如是言如来无常云何當
知是无常也如佛所言滅諸煩惱名為涅槃
猶如火滅悉无所有滅諸煩惱亦復如是故
名涅槃云何如来常住法不應易也如佛
言曰離有者乃名涅槃是涅槃中无有諸有
云何如来為常住法不變易也如衣壞盡不
名為物涅槃亦尒滅諸煩惱不名為物云何
如来為常住法不變易也如佛言曰離欲寂
滅名曰涅槃如人斬首則无有首離欲寂滅
亦復如是空无所有故名涅槃云何如来為
常住法不變易也如佛言曰
譬如熱鐵　推打星流　散已尋滅　莫知所在
得正解脫　亦復如是　已度婬欲　諸有淤泥
得无動處　不知所至
云何如来為常住法不變易也迦葉若有人
作如是難者名為耶難迦葉汝亦不應作是
憶想謂如来性是滅盡也迦葉滅煩惱者不
名為物何以故永畢竟故是故名常是句寂

云何如来為常住法不變易耶迦葉若有人
作如是難者名為耶難迦葉汝亦不應作是
憶想謂如来性是滅盡也迦葉滅煩惱者不
名為物何以故永畢竟故是故名常是句寂
静為无有上滅盡諸相无有遺餘是句鮮白
常住不退是故涅槃名曰常住如来亦尒常
住无變言星流者謂煩惱也散已尋滅莫知
所在者謂諸如来煩惱滅已不在五趣是故
如来是常住法无有變易復次迦葉諸佛所
師所謂法也是故如来恭敬供養以法常故
諸佛亦常迦葉菩薩復白佛言世尊若煩惱火
滅如来亦滅是則如来无常住處如彼迸鐵
赤色滅已莫知所至如来煩惱亦復如是滅
无所至又如彼鐵熱與赤色滅已无有如来亦
尒滅已无常滅煩惱火便入涅槃當知如来即
是无常善男子所言鐵者名諸凡夫凡夫之
人雖滅煩惱滅已復生故名无常如来不尒滅
已復生是故為常迦葉復言如鐵色滅已還
置火中赤色復生如来若尒應還生結若結
還生即是无常佛言迦葉汝今不應作如是
言如来无常何以故如来是常善男子如彼
燃木滅已有灰煩惱滅已便有涅槃壞衣斬
首破瓶等喻亦復如是如是等物各有名字
名曰壞衣斬首破瓶迦葉如鐵冷已可使還
熱如来不尒斷煩惱已畢竟清涼煩惱熾火
更不復生迦葉當知无量衆生猶如彼鐵我

名曰壞衣斬首破瓶迦葉如鐵冷已可使還
熱如来不尒斷煩惱已畢竟清涼煩惱熾火
更不復生迦葉當知无量衆生猶如彼鐵我
以无漏智慧熾火燒彼衆生諸煩惱結迦葉
復言善哉善哉我今諦知如来所說諸佛是
常佛言迦葉譬如聖王素在後宮或時遊觀
在於後園王雖不在諸婇女中亦不得言聖
王命終善男子如来亦尒雖不現於閻浮提
界入涅槃中不名无常如来出於无量煩惱
入於涅槃安樂之處遊諸覺華歡娛受樂迦
葉復言如佛言曰我已久度煩惱大海若佛
已度煩惱海者何緣復共耶輸陁羅生羅
睺羅以是因緣當知如来未度煩惱諸結大
海唯願如来說其因緣佛告迦葉汝不應言
如来久度煩惱大海何緣復共耶輸陁羅生
羅睺羅以是因緣當知如来未度煩惱諸結
大海善男子是大涅槃能建大義汝等今當
至心諦聽廣為人說莫生驚疑若有菩薩摩
訶薩住大涅槃須弥山王如是高廣悉能令
入亭歷子檜其中衆生衣須弥者亦不迫迮
无来往相如本不異唯應度者見是菩薩以
須弥山内亭歷檜復還安止本所住處善男
子復有菩薩摩訶薩住大涅槃能以三千大
千世界置亭歷檜其中衆生亦无迫迮及往
来想如本不異唯應度者見是菩薩以是三
千大千世界置亭歷檜復還安止本所住處

子復有菩薩摩訶薩住大涅槃能以三千大
千世界置亭歷檜其中衆生亦无迫迮及往
来想如本不異唯應度者見是菩薩以是三
千大千世界置亭歷檜復還安止本所住處
善男子復有菩薩摩訶薩住大涅槃能以三千
大千世界内一毛孔乃至本處亦復如是善
男子復有菩薩摩訶薩住大涅槃斷取十方
三千大千諸佛世界置於針鋒如貫棗葉擲
著他方異佛世界其中所有一切衆生不覺
往返為在何處唯應度者乃能見之乃至
本處亦復如是善男子復有菩薩摩訶薩住
大涅槃斷取十方三千大千諸佛世界置於
右掌如陶家輪擲置他方微塵世界无一衆
生有往来想唯應度者乃見之耳乃至本
處亦復如是善男子復有菩薩摩訶薩住大
涅槃斷取一切十方无量諸佛世界悉内己
身其中衆生悉无迫迮亦无往返及住處想唯
應度者乃能見之乃至本處亦復如是善男
子復有菩薩摩訶薩住大涅槃以十方世界
内一塵中其中衆生亦无迫迮往返之想唯
應度者乃能見之乃至本處亦復如是善男
子是菩薩摩訶薩住大涅槃則能示現種種
无量神通變化是故名曰大般涅槃是菩薩
摩訶薩所可示現如是无量神通變化一切

BD01946號　大般涅槃經（北本　宋本）卷四　（21-13）

子是菩薩摩訶薩住大涅槃則能示現種種
无量神通變化是故名曰大般涅槃是菩薩
摩訶薩所可示現如是无量神通變化一切
衆生无能測量汝今云何能知如来習近婬
欲生羅睺羅善男子我已久住大涅槃種種
示現神通變化於此三千大千世界百億日
月百億閻浮提種種示現如首楞嚴經中廣
說我於三千大千世界或閻浮提示現涅槃
亦不畢竟取於涅槃或閻浮提示入母胎令
其父母生我子想而我此身畢竟不從婬欲
和合而得生也我已久從无量劫来離於愛
欲我今此身即是法身隨順世間示現入胎
善男子此閻浮提林微尼園示現從母摩耶
而生生已即能東行七步唱如是言我於人
天阿脩羅中最尊最上父母人天見已驚喜
生希有心而諸人等謂是兒嬰而我此身无
量劫来久離是法如是身者即是法身非是
宍血筋脉骨髓之所成立隨順世間衆生法
故示為嬰兒南行七步示現欲為无量衆生
作上福田西行七步示現生盡永斷老死是
最後身北行七步示現已度諸有生死東行
七步示為衆生而作導首四維七步示現斷
滅種種煩惱四魔衆性成於如来應正遍知
上行七步示現不為不淨之物之所染汙猶

BD01946號　大般涅槃經（北本　宋本）卷四　（21-14）

冣後身北行七步示現已度諸有生死東行
七步示為衆生而作導首四維七步示現斷
滅種種煩惱四魔衆性成於如来應正遍知
上行七步示現不為不淨之物之所染汙猶
如虛空下行七步示現法雨滅地獄大火令彼
衆生受安隱樂毀禁戒者示作霜雹於閻浮
提生七日已又示剃髮諸人皆謂我是嬰兒
初始剃髮一切天人魔王波旬沙門婆羅門
无有能見我頂相者况有持刀臨之剃髮若
有持刀至我頂者无有是處我以久於无量
劫中剃除鬚髮為欲隨順世間法故示現剃
髮我既生已父母將我入天寺中以我示於
摩醯首羅摩醯首羅即見我時合掌恭敬
立在一面我已久於无量劫中捨離如是入
天寺法為欲隨順世間法故示現如是我於
閻浮示現穿耳一切衆生實无有能穿我
耳者隨順世間衆生法故示現如是復以諸寶
作師子璫用莊嚴耳然我已於无量劫中離
莊嚴具為欲隨順世間法故作是示現示入
學堂脩學書疏然我已於无量劫中具足成
就遍觀三界所有衆生无能堪任為我師者
為欲隨順世間法故示入學堂故名如来應
正遍知習學乘象騎馬捔力種種伎藝亦復
如是於閻提而復示現為王太子衆生皆見
我為太子於五欲中歡娛受樂然我已於无

為欲隨順世間法故示入學堂故名如来應
正遍知習學乘象騎馬捔力種種伎藝亦復
如是於閻提而復示現為王太子衆生皆見
我為太子於五欲中歡娛受樂然我已於无
量劫中捨離如是五欲之樂為欲隨順世間
法故示如是相相師占我若不出家當為轉
輪聖王王閻浮提一切衆生皆信是言然我
已於无量劫中捨轉輪位為輪法王於閻浮
提現離婇女五欲之樂見老病死及沙門已
出家脩道衆生皆謂悉達太子初始出家
然我已於无量劫中出家學道隨順世法故
示如是我於閻浮提示現出家受具足戒精
懃脩道得須陁洹果斯陁含果阿那含果阿
羅漢果衆人皆謂是阿羅漢果易得不難然
我已於无量劫中成阿羅漢果為欲度脫諸
衆生故坐於道場菩提樹下以草為坐摧伏
衆魔衆皆謂我始於道場菩提樹下降伏魔
官然我已於无量劫中久降伏已為欲降伏
剛強衆生故示是化我又示現大小便利出
息入息衆皆謂我有大小便利出息入息然我
是身所得果報悉无如是大小便利出息入
息等隨順世間故示如是我又示現受人信
施然我是身都无飢渴隨順世法故示如是
我又示同諸衆生故現有睡眠然我已於无
量劫中具足无上深妙智慧遠離三有進止
威儀頭痛腹痛背痛木鎗洗足洗手洗面

然我是身者无飢渴隨順世法故示如是
我又示同諸衆生故現有睡眠然我已於无
量劫中具足无上深妙智慧遠離三有進止
威儀頭痛腹痛背痛水鎗洗足洗手洗面
瀨口齒楊枝等衆皆謂我有如是事然我此
身都无此事我足清淨猶如蓮華口氣清潔
如優鉢羅香一切衆生謂我是人我實非人
我又示現受糞掃衣浣濯縫打然我久已不
須是衣衆人皆謂羅睺羅者是我之子輸頭
檀王是我之父摩耶夫人是我之母處在世
間受諸快樂離如是事出家學道衆人復
言是王太子瞿曇大姓遠離世樂求出世法
然我久離世間婬欲如是等事悉是示現一
切衆生咸謂是人然我實非善男子我雖在
此閻浮提中數數示現入於涅槃然我實不
畢竟涅槃而諸衆生皆謂如來真實滅盡而
如來性實不永滅是故當知是常住法不變
易法善男子大涅槃者即是諸佛如來法界
我又示現閻浮提中出於世間衆生皆謂我
始成佛然我已於无量劫中所作已辦隨順
世法故復示現於閻浮提初出成佛我又示
現於閻浮提不持禁戒犯四重罪衆人皆見
謂我實犯然我已於无量劫中堅持禁戒无
有缺漏我又示現於閻浮提為一闡提衆人
皆見是一闡提然我實非一闡提也一闡提

BD01946號　大般涅槃經（北本　宋本）卷四　　（21–17）

現於閻浮提不持禁戒犯四重罪衆人皆見
謂我實犯然我已於无量劫中堅持禁戒无
有缺漏我又示現於閻浮提為一闡提衆人
皆見是一闡提然我實非一闡提也一闡提
者云何能成阿耨多羅三藐三菩提我又示
現於閻浮提破和合僧衆生皆謂我是破僧
我觀人天无有能破和合僧者我又示現於
閻浮提護持正法衆人皆謂我是護法悉生
驚怪諸佛法尒不應驚怪我又示現於閻浮
提為魔波旬衆人皆謂我是波旬然我久於
无量劫中離於魔事清淨无染猶如蓮華我
又示現於閻浮提女身成佛衆人皆言甚奇
女人能成阿耨多羅三藐三菩提如來畢竟
不受女身為欲調伏无量衆生故現女像憐
愍一切諸衆生故而復示現種種色像我又
示現閻浮提中生於四趣然我久已斷諸趣
因以業因故墮於四趣為度衆生故生是中
我又示現閻浮提中作梵天王令事梵者安
住正法然我實非而諸衆生咸皆謂我為真
梵天示現天像遍諸天廟亦復如是我又示
現於閻浮提入婬女舍然我實无貪欲之想
清淨不汙猶如蓮華為諸貪欲嗜色衆生於
四衢道宣說妙法然我實无欲穢之心衆人
謂我守護女人我又示現於閻浮提入青衣
舍為教諸婢令住正法然我實无如是惡業

BD01946號　大般涅槃經（北本　宋本）卷四　　（21–18）

四儞道宣說妙法然我實无欲穢之心衆人
謂我守護女人我又示現於閻浮提入青衣
舍為教諸婬令住正法然我實无如是惡業
墮在青衣我又示現閻浮提中而作博士為
教童朦令住正法我又示現於閻浮提入諸
酒會博弈之處亦現種種勝負鬪諍為欲拔
濟彼諸衆生而我實无如是惡業而諸衆生
皆謂我作如是惡業我又示現久住塚間作
大鷲身度諸飛鳥而諸衆生皆謂我是真實
鷲身然我久已離於是業為欲度彼諸鷲鳥
故示如是耳我又示現閻浮提中作大長者
為欲安立无量衆生住於正法又復示作諸
王大臣王子輔相於是衆中各為第一為脩
正法故住王位我又示現閻浮提中疫病劫
起多有衆生為病所惱先施醫藥然後為說
微妙正法令其安住无上菩提衆人皆謂是
病劫起又復示現閻浮提中飢餓劫起隨其
所須供給飲食然後為說微妙正法令其安
住无上菩提又復示現閻浮提中刀兵劫起
即為說法令離怨害使得安住无上菩提又
復示現為計常者說无常想計樂想者為
說苦想計我想者說无我想計淨想者說不
淨想若有衆生貪著三界即為說法令離是
處度衆生故為說无上微妙法藥為斷一切煩
惱樹故種殖无上法藥之樹為欲拔濟諸外

處度衆生故為說无上微妙法藥為斷一切煩
惱樹故種殖无上法藥之樹為欲拔濟諸外
道故說於正法雖復示現為衆生師而心初
无衆生師想為欲拔濟諸下賤故現入其中
而為說法非是惡業受是身也如來正覺如
是安住於大涅槃是故名為常住无變如閻
浮提東弗于逮西瞿耶尼北欝單曰亦復如
是如四天下三千大千世界亦尒廿五有如
首楞嚴經中廣說以是故名大般涅槃若有
菩薩摩訶薩安住如是大般涅槃能示如是
神通變化而无所畏迦葉以是因緣故汝不
應言羅睺羅者是佛之子何以故我於往昔
无量劫中已離欲有是故如來名曰常住无
有變易迦葉復言如來云何名曰常住如佛
言曰如燈滅已无有方所如來亦尒既滅度
已亦无方所佛言迦葉善男子汝今不應作
如是言燈滅盡已无有方所如來亦尒既滅
度已无有方所善男子譬如男女燃燈之時
燈爐大小悉滿中油隨有油在其明猶存若
油盡已明亦俱盡其明滅者喻煩惱滅明雖
滅盡燈爐猶存如來亦尒煩惱雖滅法身常
存善男子於意云何明與燈爐為俱滅不迦
葉答言不也世尊雖不俱滅然是无常若以
法身喻燈爐者燈爐无常法身亦尒應是无

存善男子於意云何明與燈爐為俱滅不迦
葉答言不也世尊雖不俱滅然是无常若以
法身喻燈爐者燈爐无常法身亦尒應是无
常善男子汝今不應作如是難如世間言器
如來世尊无上法器而器无常非如來也一切法
中涅槃為常如來體之故名為常復次善男
子言燈滅者即是羅漢所證涅槃以滅貪愛
諸煩惱故喻之燈滅阿那含者名曰有貪以
有貪故不得說言同於燈滅是故我昔覆相
說言喻如燈滅非大涅槃同於燈滅阿那含
者非數數來又不還來廿五有更不受於臭
身虫身食身毒身是則名為阿那含也若
更受身名為那含不受身者名阿那含有
去來者名曰那含无去來者名阿那含

大般涅槃經卷第四

BD01946號　大般涅槃經（北本　宋本）卷四　（21–21）

師利若
安住四法一者安住
衆生演說是經文殊師利云何名
薩行處者菩薩摩訶薩住忍辱地柔和善
而不卒暴心亦不驚又復於法无所行而觀
諸法如實相亦不行不分別是名菩薩摩
薩行處云何名菩薩摩訶薩親近處菩薩
訶薩不親近國王王子大臣官長不親近諸
道梵志尼揵子等及造世俗文筆讚詠外書
及路伽耶陀逆路伽耶陀者亦不親近諸有
凶戲相扠相撲及那羅等種種變現之戲
又不親近旃陀羅及畜猪羊雞狗田獵魚捕
諸惡律儀如是人等或時來者則為說法无
所悕望又不親近求聲聞比丘比丘尼優婆
塞優婆夷亦不問訊若於房中若經行處若
在講堂中不共住止或時來者隨宜說法无
所悕求文殊師利又菩薩摩訶薩不應於女
人身取能生欲想相而為說法亦不樂見若
入他家不與小女處女寡女等共語亦復不近
五種不男之人以為親厚不獨入他家若有
因緣須獨入時但一心念佛若為女人說法

BD01947號　妙法蓮華經卷五　（29–1）

人身取能生欲想相而為說法亦不樂見若
入他家不與小女處女寡女等共語亦復不近
五種不男之人以為親厚不獨入他家若有
因緣須獨入時但一心念佛若為女人說法
不露齒咲不現胷臆乃至為法猶不親厚
況復餘事不樂畜年少弟子沙弥小兒亦不
樂與同師常好坐禪在於閑處脩攝其心文
殊師利是名初親近處復次菩薩摩訶薩觀
一切法空如實相不顛倒不動不退不轉如虛
空無所有性一切語言道斷不生不出不起
无名无相實无所有无量无邊无礙无障但
以因緣有從顛倒生故說常樂觀如是法
相是名菩薩摩訶薩第二親近處尒時世尊
欲重宣此義而說偈言
若有菩薩　於後惡世　无怖畏心　欲說是經
應入行處　及親近處　常離國王　及國王子
大臣官長　凶險戲者　及旃陀羅　外道梵志
亦不親近　增上慢人　貪著小乘　三藏學者
破戒比丘　名字羅漢　及比丘尼　好戲咲者
深著五欲　求現滅度　諸優婆夷　皆勿親近
若是人等　以好心來　到菩薩所　為聞佛道
菩薩則以　无所畏心　不懷悕望　而為說法
寡女處女　及諸不男　皆勿親近　以為親厚
亦莫親近　屠兒魁膾　畋獵魚捕　為利殺害
販肉自活　衒賣女色　如是之人　皆勿親近

BD01947號　妙法蓮華經卷五　（29–2）

寡女處女　及諸不男　皆勿親近　以為親厚
亦莫親近　屠兒魁膾　畋獵魚捕　為利殺害
販肉自活　衒賣女色　如是之人　皆勿親近
凶險相撲　種種嬉戲　諸婬女等　盡勿親近
莫獨屏處　為女說法　若說法時　无得戲咲
入里乞食　將一比丘　若无比丘　一心念佛
是則名為　行處近處　以此二處　能安樂說
又復不行　上中下法　有為无為　實不實法
亦不分別　是男是女　不得諸法　不知不見
是則名為　菩薩行處　一切諸法　空无所有
无有常住　亦无起滅　是名智者　所親近處
顛倒分別　諸法有无　是實非實　是生非生
在於閑處　脩攝其心　安住不動　如須弥山
觀一切法　皆无所有　猶如虛空　无有堅固
不生不出　不動不退　常住一相　是名近處
若有比丘　於我滅後　入是行處　及親近處
說斯經時　无有怯弱　菩薩有時　入於靜室
以正憶念　隨義觀法　從禪定起　為諸國王
王子臣民　婆羅門等　開化演暢　說斯經典
其心安隱　无有怯弱　文殊師利　是名菩薩
安住初法　能於後世　說法華經
又文殊師利如來滅後於末法中欲說是經
應住安樂行若口宣說若讀經時不樂說人
及經典過亦不輕慢諸餘法師不說他人好惡
長短於聲聞人亦不稱名說其過惡亦不稱

BD01947號　妙法蓮華經卷五　（29–3）

又文殊師利如來滅後於末法中欲說是經
應住安樂行若口宣說若讀經時不樂說人
及經典過亦不輕慢諸餘法師不說他人好惡
長短於聲聞人亦不稱名說其過惡亦不稱
名讚歎其美又亦不生怨嫌之心善脩如是安樂
心故諸有聽者不逆其意有所難問不以小
法荅但以大乘而為解說令得一切種智
尒時世尊欲重宣此義而說偈言
菩薩常樂 安隱說法 於清淨地 而施牀座
以油塗身 澡浴塵穢 著新淨衣 內外俱淨
安處法座 隨問為說 若有比丘 及比丘尼
諸優婆塞 及優婆夷 國王王子 群臣士民
以微妙義 和顏為說 若有難問 隨義而荅
因緣譬喻 敷演分別 以是方便 皆使發心
漸漸增益 入於佛道 除嬾惰意 及懈怠想
離諸憂惱 慈心說法 晝夜常說 无上道教
以諸因緣 無量譬喻 開示眾生 咸令歡喜
衣服臥具 飲食醫藥 而於其中 无所悕望
但一心念 說法因緣 願成佛道 令眾亦尒
是則大利 安樂供養 我滅度後 若有比丘
能演說斯 妙法華經 心无嫉恚 諸惱障礙
亦无憂愁 及罵詈者 又无怖畏 加刀杖等
亦无擯出 安住忍故 智者如是 善脩其心
能住安樂 如我上說 其人功德 千萬億劫
筭數譬喻 說不能盡
又文殊師利菩薩摩訶薩於後末世法欲滅

BD01947號　妙法蓮華經卷五　（29–4）

亦无擯出 安住忍故 智者如是 善脩其心
能住安樂 如我上說 其人功德 千萬億劫
筭數譬喻 說不能盡
又文殊師利菩薩摩訶薩於後末世法欲滅
時受持讀誦斯經典者无懷嫉妬諂誑之心
亦勿輕罵學佛道者求其長短若比丘比丘
尼優婆塞優婆夷求聲聞者求辟支佛者求
菩薩道者无得惱之令其疑悔語其人言汝
等去道甚遠終不能得一切種智所以者何汝
是放逸之人於道懈怠故又亦不應戲論諸
法有所諍競當於一切眾生起大悲想於
諸如來起慈父想於諸菩薩起大師想於十
方諸大菩薩常應深心恭敬礼拜於一切眾生
平等說法以順法故不多不少乃至深愛法
者亦不為多說文殊師利是菩薩摩訶薩
於後末世法欲滅時有成就是第三安樂行
者說是法時无能惱亂得好同學共讀誦是
經亦得大眾而來聽受聽已能持持已能誦
誦已能說說已能書若使人書供養經卷恭敬
尊重讚歎尒時世尊欲重宣此義而說偈言
若欲說是經 當捨嫉恚慢 諂誑邪偽心 常脩質直行
不輕蔑於人 亦不戲論法 不令他疑悔 云汝不得佛
是佛子說法 常柔和能忍 慈悲於一切 不生懈怠心
十方大菩薩 愍眾故行道 應生恭敬心 是則我大師
於諸佛世尊 生无上父想 破於憍慢心 說法无障礙

BD01947號　妙法蓮華經卷五　（29–5）

不輕蔑於人 亦不戲論法 不令他疑悔 云汝不得佛
是佛子說法 常柔和能忍 慈悲於一切 不生懈怠心
十方大菩薩 愍衆故行道 應生恭敬心 是則我大師
於諸佛世尊 生无上父想 破於憍慢心 說法无障礙
第三法如是 智者應守護 一心安樂行 无量衆所敬
又文殊師利菩薩摩訶薩於後末世法欲滅時
有持法華經者於在家出家人中生大慈心
於非菩薩人中生大悲心應作是念如是之
人則為大失如來方便隨宜說法不聞不知
不覺不問不信不解其人雖不問不信不解
是經我得阿耨多羅三藐三菩提時隨在何
地以神通力智慧力引之令得住是法中
文殊師利是菩薩摩訶薩於如來滅後有成
就此第四法者說是法時无有過失常為比
丘比丘尼優婆塞優婆夷國王王子大臣人
民婆羅門居士等供養恭敬尊重讚歎虚空
諸天為聽法故亦常隨侍若在聚落城邑空
閑林中有人來欲難問者諸天晝夜常為法
故而衛護之能令聽者皆得歡喜所以者何此
經是一切過去未來現在諸佛神力所護
故文殊師利是法華經於无量國中乃至名
字不可得聞何况得見受持讀誦文殊師利
譬如强力轉輪聖王欲以威勢降伏諸國而
諸小王不順其命時轉輪王起種種兵而往
討伐王見兵衆戰有功者即大歡喜隨功

BD01947號　妙法蓮華經卷五　（29–6）

字不可得聞何况得見受持讀誦文殊師利
譬如强力轉輪聖王欲以威勢降伏諸國而
諸小王不順其命時轉輪王起種種兵而往
討伐王見兵衆戰有功者即大歡喜隨功
賞賜或與田宅聚落城邑或與衣服嚴身之具
或與種種珍寶金銀琉璃車𤦲馬瑙珊瑚虎珀
象馬車乘奴婢人民唯髻中明珠不以與
之所以者何獨王頂上有此一珠若以與之王
諸眷屬必大驚怪文殊師利如來亦復如
是以禪定智慧力得法國土王於三界而諸
魔王不肯順伏如來賢聖諸將與之共戰其
有功者心亦歡喜於四衆中為說諸經令其
心悅賜以禪定解脫无漏根力諸法之財又
復賜與涅槃之城言得滅度引導其心令皆
歡喜而不為說是法華經文殊師利如轉輪
王見諸兵衆有大功者心甚歡喜以此難信
之珠久在髻中不妄與人而今與之如來亦
復如是於三界中為大法王以法教化一切
衆生見賢聖軍與五陰魔煩惱魔死魔共戰
有大功勳滅三毒出三界破魔網爾時如來
亦大歡喜此法華經能令衆生至一切智一
切世間多怨難信先所未說而今說之文殊
師利此法華經是諸如來第一之說於諸說
中最為甚深末後賜與如彼强力之王久護
明珠今乃與之文殊師利此法華經諸佛如
來祕密之藏於諸經中最在其上長夜守護

BD01947號　妙法蓮華經卷五　（29–7）

師利此法華經是諸如來第一之說於諸說
中㝡為甚深末後賜與如彼強力之王久護
明珠今乃與之文殊師利此法華經諸佛如
來秘密之藏於諸經中㝡在其上長夜守護
不妄宣說始於今日乃與汝等而敷演之尒時
世尊欲重宣此義而說偈言
常行忍辱　哀愍一切　乃能演說　佛所讚經
後末世時　持此經者　於家出家　及非菩薩
應生慈悲　斯等不聞　不信是經　則為大失
我得佛道　以諸方便　為說此法　令住其中
譬如強力　轉輪之王　兵戰有功　賞賜諸物
象馬車乘　嚴身之具　及諸田宅　聚落城邑
或與衣服　種種珍寶　奴婢財物　歡喜賜與
如有勇健　能為難事　王解髻中　明珠賜之
如來亦尒　為諸法王　忍辱大力　智慧寶藏
以大慈悲　如法化世　見一切人　受諸苦惱
欲求解脫　與諸魔戰　為是眾生　說種種法
以大方便　說此諸經　既知眾生　得其力已
末後乃為　說是法華　如王解髻　明珠與之
此經為尊　眾經中上　我常守護　不妄開示
今正是時　為汝等說　我滅度後　求佛道者
欲得安隱　演說斯經　應當親近　如是四法
讀是經者　常无憂惱　又无病痛　顏色鮮白
不生貧窮　卑賤醜陋　眾生樂見　如慕賢聖
天諸童子　以為給使　刀杖不加　毒不能害

BD01947 號　妙法蓮華經卷五　（29–8）

欲得安隱　演說斯經　應當親近　如是四法
讀是經者　常无憂惱　又无病痛　顏色鮮白
不生貧窮　卑賤醜陋　眾生樂見　如慕賢聖
天諸童子　以為給使　刀杖不加　毒不能害
若人惡罵　口則閉塞　遊行无畏　如師子王
智慧光明　如日之照　若於夢中　但見妙事
見諸如來　坐師子座　諸比丘眾　圍繞說法
又見龍神　阿脩羅等　數如恒沙　恭敬合掌
自見其身　而為說法　又見諸佛　身相金色
放无量光　照於一切　以梵音聲　演說諸法
佛為四眾　說无上法　見身處中　合掌讚佛
聞法歡喜　而為供養　得陀羅尼　證不退智
佛知其心　深入佛道　即為授記　成㝡正覺
汝善男子　當於來世　得无量智　佛之大道
國土嚴淨　廣大無比　亦有四眾　合掌聽法
又見自身　在山林中　脩習善法　證諸實相
深入禪定　見十方佛
諸佛身金色　百福相莊嚴　聞法為人說　常有是好夢
又夢作國王　捨宮殿眷屬　及上妙五欲　行詣於道場
在菩提樹下　而處師子座　求道過七日　得諸佛之智
成无上道已　起而轉法輪　為四眾說法　經千萬億劫
說无漏妙法　度无量眾生　後當入涅槃　如烟盡燈滅
若後惡世中　說是第一法　是人得大利　如上諸功德
妙法蓮華經從地踊出品第十五
尒時他方國土諸來菩薩摩訶薩過八恒河

BD01947 號　妙法蓮華經卷五　（29–9）

成无上道已　起而轉法輪　爲四衆說法　經千萬億劫
說无漏妙法　度无量衆生　後當入涅槃　如烟盡燈滅
若後惡世中　說是第一法　是人得大利　如上諸功德
妙法蓮華經從地踊出品第十五
尒時他方國土諸來菩薩摩訶薩過八恒河
沙數於大衆中起合掌作礼而白佛言世尊
若聽我等於佛滅後在此娑婆世界勤加精
進護持讀誦書寫供養是經典者當於此土
而廣說之尒時佛告諸菩薩摩訶薩衆止善
男子不須汝等護持此經所以者何我娑婆
世界自有六萬恒河沙等菩薩摩訶薩一一
菩薩各有六萬恒河沙眷屬是諸人等能於
我滅後護持讀誦廣說此經佛說是時娑
婆世界三千大千國土地皆震裂而於其中有无
量千萬億菩薩摩訶薩同時踊出是諸菩薩
身皆金色三十二相无量光明先盡在此娑
婆世界之下此界虛空中住是諸菩薩聞釋
迦牟尼佛所說音聲從下發來一一菩薩皆
是大衆唱導之首各將六萬恒河沙眷屬況
將五萬四萬三萬二萬一萬恒河沙等眷屬
者況復乃至一恒河沙半恒河沙四分之一乃
至千萬億那由他分之一況復千萬億那由
他眷屬況復億萬眷屬況復千萬百萬乃至
乃至一萬況復一千一百乃至一十況復將五
四三二一弟子者況復單己樂遠離行如是

BD01947號　妙法蓮華經卷五　（29–10）

他眷屬況復億萬眷屬況復千萬百萬乃至
乃至一萬況復一千一百乃至一十況復將五
四三二一弟子者況復單己樂遠離行如是
等比无量无邊筭數譬喻所不能知是諸
菩薩從地出已各詣虛空七寶妙塔多寶如
來釋迦牟尼佛所到已向二世尊頭面礼足
及至諸寶樹下師子座上佛所亦皆作礼右
繞三帀合掌恭敬以諸菩薩種種讚法而以
讚歎住在一面欣樂瞻仰於二世尊是諸菩
薩摩訶薩從初踊出以諸菩薩種種讚法而
讚於佛如是時間經五十小劫是時釋迦牟
尼佛嘿然而坐及諸四衆亦皆嘿然五十小劫
佛神力故令諸大衆謂如半日尒時四衆亦
以佛神力故見諸菩薩遍滿无量百千萬
億國土虛空是菩薩衆中有四導師一名上
行二名无邊行三名淨行四名安立行是四菩
薩於其衆中最爲上首唱導之師在大衆
前各共合掌觀釋迦牟尼佛而問訊言世尊
少病少惱安樂行不所應度者受教易不不
令世尊生疲勞耶尒時四大菩薩而說偈言
世尊安樂　少病少惱　教化衆生　得无疲惓
又諸衆生　受化易不　不令世尊　生疲勞耶
尒時世尊於菩薩大衆中而作是言如是如
是諸善男子如來安樂少病少惱諸衆生等
易可化度无有疲勞所以者何是諸衆生世

BD01947號　妙法蓮華經卷五　（29–11）

世尊安樂 少病少惱 教化衆生 得无疲惓
又諸衆生 受化易不 不令世尊 生疲勞耶
尒時世尊於菩薩大衆中而作是言 如是如
是諸善男子 如來安樂 少病少惱 諸衆生等
易可化度 无有疲勞 所以者何 是諸衆生 世
世已來常受我化 亦於過去諸佛供養尊重
種諸善根 此諸衆生 始見我身 聞我所說 即
皆信受 入如來慧 除先脩習學小乘者 如是
之人 我今亦令得聞是經 入於佛慧 尒時諸
大菩薩而說偈言
善哉善哉 大雄世尊 諸衆生等 易可化度
能問諸佛 甚深智慧 聞已信行 我等隨喜
於時世尊讚歎上首諸大菩薩 善哉善哉 善
男子 汝等能於如來發隨喜心 尒時弥勒菩
薩及八千恒河沙諸菩薩衆 皆作是念 我等
從昔已來 不見不聞如是大菩薩摩訶薩衆
從地踊出 住世尊前 合掌供養 問訊如來 時
弥勒菩薩摩訶薩 知八千恒河沙諸菩薩等
心之所念 并欲自決所疑 合掌向佛 以偈問曰
无量千萬億 大衆諸菩薩 昔所未曾見 願兩足尊說
是從何所來 以何因緣集 巨身大神通 智慧叵思議
其志念堅固 有大忍辱力 衆生所樂見 爲從何所來
一一諸菩薩 所將諸眷屬 其數无有量 如恒河沙等
或有大菩薩 將六萬恒沙 如是諸大衆 一心求佛道
是諸大師等 六萬恒河沙 俱來供養佛 及護持此經
將五萬恒沙 其數過於是 四萬及三萬 二萬至一萬

BD01947號　妙法蓮華經卷五　（29–12）

一一諸菩薩 所將諸眷屬 其數无有量 如恒河沙等
或有大菩薩 將六萬恒沙 如是諸大衆 一心求佛道
是諸大師等 六萬恒河沙 俱來供養佛 及護持此經
將五萬恒沙 其數過於是 四萬及三萬 二萬至一萬
一千一百等 乃至一恒沙 半及三四分 億萬分之一
千萬那由他 萬億諸弟子 乃至於半億 其數復過上
百萬至一萬 一千及一百 五十與一十 乃至三二一
單己无眷屬 樂於獨處者 俱來至佛所 其數轉過上
如是諸大衆 若人行籌數 過於恒沙劫 猶不能盡知
是諸大威德 精進菩薩衆 誰爲其說法 教化而成就
從誰初發心 稱揚何佛法 受持行誰經 脩習何佛道
如是諸菩薩 神通大智力 四方地震裂 皆從中踊出
世尊我昔來 未曾見是事 願說其所從 國土之名號
我常遊諸國 未曾見是衆 我於此衆中 乃不識一人
忽然從地出 願說其因緣 今此之大會 无量百千億
是諸菩薩等 皆欲知此事 是諸菩薩 本末之因緣
无量德世尊 唯願決衆疑
尒時釋迦牟尼佛分身諸佛 從无量千萬億
他方國土來者 在於八方諸寶樹下師子座
上結加趺坐 其佛侍者各各見是菩薩大衆
於三千大千世界四方從地踊出 住於虛空
各白其佛言 世尊 此諸无量无邊阿僧祇菩
薩大衆 從何所來 尒時諸佛各告侍者 諸善
男子 且待須臾 有菩薩摩訶薩 名弥勒 釋迦
牟尼佛之所授記 次後作佛 已問斯事 佛今
荅之 汝等自當因是得聞 尒時釋迦牟尼佛

BD01947號　妙法蓮華經卷五　（29–13）

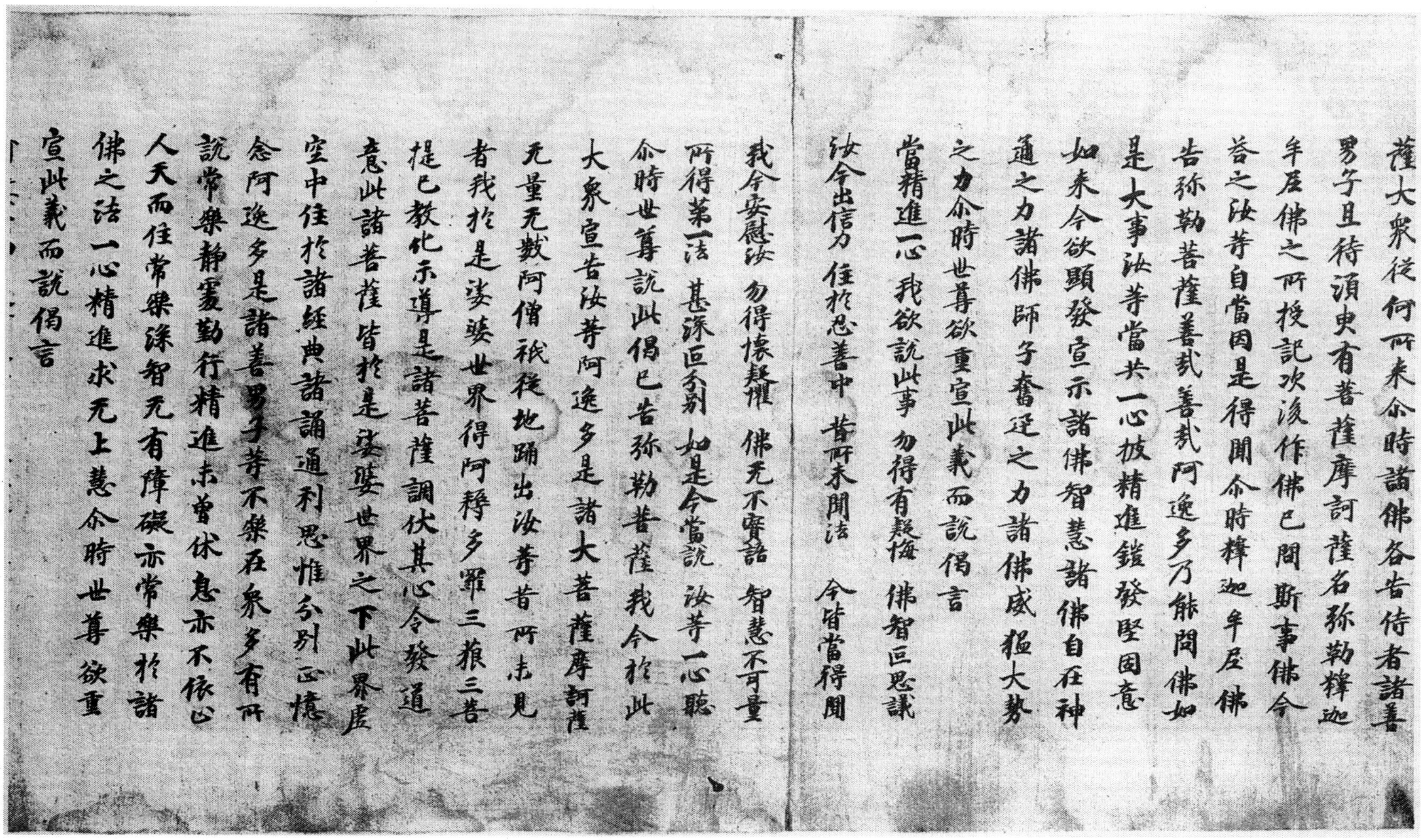

薩大衆從何所來尒時諸佛各告侍者諸善
男子且待須臾有菩薩摩訶薩名弥勒釋迦
牟尼佛之所授記次後作佛已問斯事佛今
荅之汝等自當因是得聞尒時釋迦牟尼佛
告弥勒菩薩善哉善哉阿逸多乃能問佛如
是大事汝等當共一心被精進鎧發堅固意
如來今欲顯發宣示諸佛智慧諸佛自在神
通之力諸佛師子奮迅之力諸佛威猛大勢
之力尒時世尊欲重宣此義而說偈言
當精進一心　我欲說此事　勿得有疑悔　佛智叵思議
汝今出信力　住於忍善中　昔所未聞法　今皆當得聞
我今安慰汝　勿得懷疑懼　佛无不實語　智慧不可量
所得第一法　甚深叵分別　如是今當說　汝等一心聽
尒時世尊說此偈已告弥勒菩薩我今於此
大衆宣告汝等阿逸多是諸大菩薩摩訶薩
无量无數阿僧祇從地踊出汝等昔所未見
者我於是娑婆世界得阿耨多羅三藐三菩
提已教化示導是諸菩薩調伏其心令發道
意此諸菩薩皆於是娑婆世界之下此界虛
空中住於諸經典讀誦通利思惟分別正憶
念阿逸多是諸善男子等不樂在衆多有所
說常樂靜處勤行精進未曾休息亦不依止
人天而住常樂深智无有障礙亦常樂於諸
佛之法一心精進求无上慧尒時世尊欲重
宣此義而說偈言

BD01947號　妙法蓮華經卷五　（29–14）

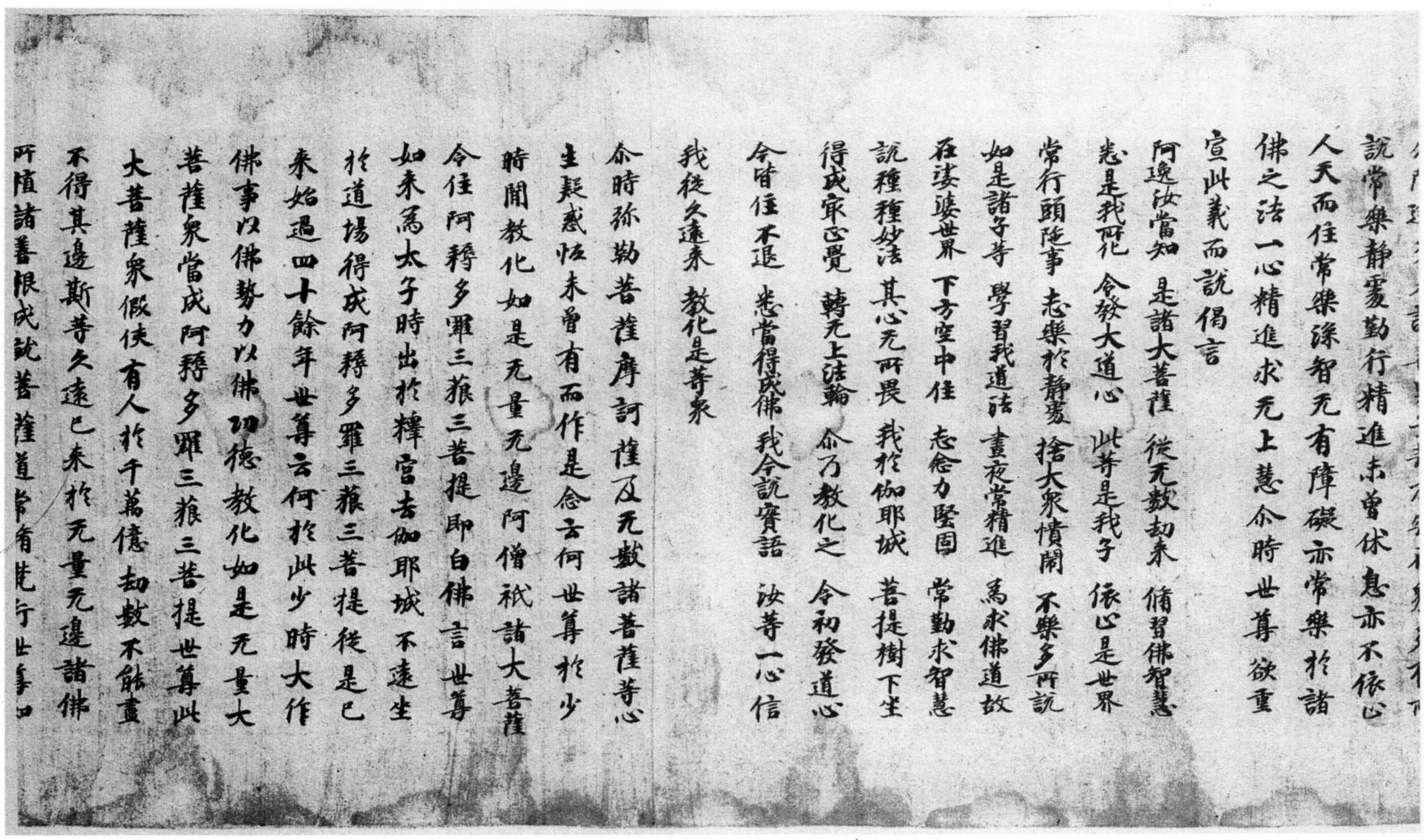

說常樂靜處勤行精進未曾休息亦不依止
人天而住常樂深智无有障礙亦常樂於諸
佛之法一心精進求无上慧尒時世尊欲重
宣此義而說偈言
阿逸汝當知　是諸大菩薩　從无數劫來　脩習佛智慧
悉是我所化　令發大道心　此等是我子　依止是世界
常行頭陁事　志樂於靜處　捨大衆憒閙　不樂多所說
如是諸子等　學習我道法　晝夜常精進　為求佛道故
在娑婆世界　下方空中住　志念力堅固　常懃求智慧
說種種妙法　其心无所畏　我於伽耶城　菩提樹下坐
得成最正覺　轉无上法輪　尒乃教化之　令初發道心
今皆住不退　悉當得成佛　我今說實語　汝等一心信
我從久遠來　教化是等衆
尒時弥勒菩薩摩訶薩及无數諸菩薩等心
生疑惑怪未曾有而作是念云何世尊於少
時間教化如是无量无邊阿僧祇諸大菩薩
令住阿耨多羅三藐三菩提即白佛言世尊
如來為太子時出於釋宮去伽耶城不遠坐
於道場得成阿耨多羅三藐三菩提從是已
來始過四十餘年世尊云何於此少時大作
佛事以佛勢力以佛功德教化如是无量大
菩薩衆當成阿耨多羅三藐三菩提世尊此
大菩薩衆假使有人於千萬億劫數不能盡
不得其邊斯等久遠已來於无量无邊諸佛
所殖諸善根成就菩薩道常脩梵行世尊如

BD01947號　妙法蓮華經卷五　（29–15）

菩薩令住阿耨多羅三藐三菩提世尊此
大菩薩衆假使有人於千萬億劫數不能盡
不得其邊斯等久遠已來於无量无邊諸佛
所植諸善根成就菩薩道常脩梵行世尊如
此之事世所難信譬如有人色美髮黑年二
十五指百歲人言是我子其百歲人亦指年
少言是我父生育我等是事難信佛亦如是
得道已來其實未久而此大衆諸菩薩等已
於无量千萬億劫為佛道故勤行精進善入
出住无量百千萬億三昧得大神通久脩梵
行善能次第習諸善法巧於問荅人中之寶
一切世間甚為希有今日世尊方云得佛道時
初令發心教化示導令向阿耨多羅三藐三
菩提世尊得佛未久乃能作此大功德事
我等雖復信佛隨宜所說佛所出言未曾虛
妄佛所知者皆悉通達然諸新發意菩薩於
佛滅後若聞是語或不信受而起破法罪業
因緣唯然世尊願為解說除我等疑及未來
世諸善男子聞此事已亦不生疑尒時彌勒
菩薩欲重宣此義而說偈言
佛昔從釋種　出家近伽耶　坐於菩提樹　尒來尚未久
此諸佛子等　其數不可量　久已行佛道　住神通智力
善學菩薩道　不染世間法　如蓮華在水　從地而踊出
皆起恭敬心　住於世尊前　是事難思議　云何而可信
佛得道甚近　所成就甚多　願為除衆疑　如實分別說

善學菩薩道　不染世間法　如蓮華在水　從地而踊出
皆起恭敬心　住於世尊前　是事難思議　云何而可信
佛得道甚近　所成就甚多　願為除衆疑　如實分別說
譬如少壯人　年始二十五　示人百歲子　髮白而面皺
是等我所生　子亦說是父　父少而子老　舉世所不信
世尊亦如是　得道來甚近　是諸菩薩等　志固无怯弱
從无量劫來　而行菩薩道　巧於難問荅　其心无所畏
忍辱心決定　端正有威德　十方佛所讚　善能分別說
不樂在人衆　常好在禪定　為求佛道故　於下空中住
我等從佛聞　於此事无疑　願佛為未來　演說令開解
若有於此經　生疑不信者　即當墮惡道　願今為解說
是无量菩薩　云何於少時　教化令發心　而住不退地
妙法蓮華經如來壽量品第十六
尒時佛告諸菩薩及一切大衆諸善男子汝
等當信解如來誠諦之語復告大衆汝等當
信解如來誠諦之語又復告諸大衆汝等當
信解如來誠諦之語是時菩薩大衆彌勒為
首合掌白佛言世尊唯願說之我等當信受
佛語如是三白已復言唯願說之我等當信
受佛語尒時世尊知諸菩薩三請不止而告
之言汝等諦聽如來秘密神通之力一切世
間天人及阿脩羅皆謂今釋迦牟尼佛出釋
氏宮去伽耶城不遠坐於道場得阿耨多羅
三藐三菩提然善男子我實成佛已來无量
无邊百千萬億那由他劫譬如五百千萬億

之言汝等諦聽如來秘密神通之力一切世
間天人及阿脩羅皆謂今釋迦牟尼佛出釋
氏宮去伽耶城不遠坐於道場得阿耨多羅
三藐三菩提然善男子我實成佛已來无量
无邊百千萬億那由他劫譬如五百千萬億
那由他阿僧祇三千大千世界假使有人末
為微塵過於東方五百千萬億那由他阿僧祇
國乃下一塵如是東行盡是微塵諸善男子
於意云何是諸世界可得思惟挍計知其數
不弥勒菩薩等俱白佛言世尊是諸世界无
量无邊非算數所知亦非心力所及一切聲
聞辟支佛以无漏智不能思惟知其限數我
等住阿惟越致地於是事中亦所不達世
尊如是諸世界无量无邊爾時佛告大菩薩
衆諸善男子今當分明宣語汝等是諸世界
若著微塵及不著者盡以為塵一塵一劫我成
佛已來復過於此百千萬億那由他阿僧祇劫
自從是來我常在此娑婆世界說法教化
亦於餘處百千萬億那由他阿僧祇國導
利衆生諸善男子於是中間我說然燈佛等
又復言其入於涅槃如是皆以方便分別諸善
男子若有衆生來至我所我以佛眼觀其信
等諸根利鈍隨所應度處處自說名字不
同年紀大小亦復現言當入涅槃又以種種
方便說微妙法能令衆生發歡喜心諸善男

BD01947號　妙法蓮華經卷五　（29–18）

男子若有衆生來至我所我以佛眼觀其信
等諸根利鈍隨所應度處處自說名字不
同年紀大小亦復現言當入涅槃又以種種
方便說微妙法能令衆生發歡喜心諸善男
子如來見諸衆生樂於小法德薄垢重者為
是人說我少出家得阿耨多羅三藐三菩提
然我實成佛已來久遠若斯但以方便教化
衆生令入佛道作如是說諸善男子如來所
演經典皆為度脫衆生或說己身或說他身
或示己身或示他身或示己事或示他事諸所
言說皆實不虛所以者何如來如實知見三
界之相无有生死若退若出亦无在世及滅
度者非實非虛非如非異不如三界見於三
界如斯之事如來明見无有錯謬以諸衆
生有種種性種種欲種種行種種憶想分別
故欲令生諸善根以若干因緣譬喻言辭種
種說法所作佛事未曾暫廢如是我成佛已
來甚大久遠壽命无量阿僧祇劫常住不滅
諸善男子我本行菩薩道所成壽命今猶未
盡復倍上數然今非實滅度而便唱言當取
滅度如來以是方便教化衆生所以者何若佛
久住於世薄德之人不種善根貧窮下賤貪
著五欲入於憶想妄見網中若見如來常在
不滅便起憍恣而懷猒怠不能生難遭之想
恭敬之心是故如來以方便說比丘當知諸佛

BD01947號　妙法蓮華經卷五　（29–19）

著五欲入於憶想妄見網中若見如來常在
不滅便起憍恣而懷厭怠不能生難遭之想
恭敬之心是故如來以方便說比丘當知諸佛
出世難可值遇所以者何諸薄德人過无量
百千萬億劫或有見佛或不見者以此事故
我作是言諸比丘如來難可得見斯衆生
等聞如是語必當生於難遭之想心懷戀
慕渴仰於佛便種善根是故如來雖不實
滅而言滅度又善男子諸佛如來法皆如是爲
度衆生皆實不虛譬如良醫智慧聰達明練
方藥善治衆病其人多諸子息若十二十乃
至百數以有事緣遠至餘國諸子於後飲他
毒藥藥發悶亂宛轉于地是時其父還來歸
家諸子飲毒或失本心或不失者遙見其父
皆大歡喜拜跪問訊善安隱歸我等愚癡
誤服毒藥願見救療更賜壽命父見子等苦
惱如是依諸經方求好藥草色香美味皆悉
具足擣篩和合與子令服而作是言此大良藥
色香美味皆悉具足汝等可服速除苦惱无復
衆患其諸子中不失心者見此良藥色香俱
好即便服之病盡除愈餘失心者見其父來
雖亦歡喜問訊求索治病然與其藥而不
肯服所以者何毒氣深入失本心故於此好
色香藥而謂不美父作是念此子可愍爲毒
所中心皆顛倒雖見我喜求索救療如是好

BD01947號　妙法蓮華經卷五　（29–20）

肯服所以者何毒氣深入失本心故於此好
色香藥而謂不美父作是念此子可愍爲毒
所中心皆顛倒雖見我喜求索救療如是好
藥而不肯服我今當設方便令服此藥即作
是言汝等當知我今衰老死時已至是好良
藥今留在此汝可取服勿憂不差作是教已
復至他國遣使還告汝父已死是時諸子聞
父背喪心大憂惱而作是念若父在者慈愍
我等能見救護今者捨我遠喪他國自惟孤
露无復恃怙常懷悲感心遂醒悟乃知此藥
色味香美即取服之毒病皆愈其父聞子悉
已得差尋便來歸咸使見之諸善男子於意
云何頗有人能說此良醫虛妄罪不不也世
尊佛言我亦如是成佛已來无量无邊百千
萬億那由他阿僧祇劫爲衆生故以方便力
言當滅度亦无有能如法說我虛妄過者尒
時世尊欲重宣此義而說偈言
自我得佛來　所經諸劫數　无量百千萬　億載阿僧祇
常說法教化　无數億衆生　令入於佛道　尒來无量劫
爲度衆生故　方便現涅槃　而實不滅度　常住此說法
我常住於此　以諸神通力　令顛倒衆生　雖近而不見
衆見我滅度　廣供養舍利　咸皆懷戀慕　而生渴仰心
衆生既信伏　質直意柔軟　一心欲見佛　不自惜身命
時我及衆僧　俱出靈鷲山　我時語衆生　常在此不滅
以方便力故　現有滅不滅　餘國有衆生　恭敬信樂者

BD01947號　妙法蓮華經卷五　（29–21）

衆見我滅度　廣供養舍利　咸皆懷戀慕　而生渴仰心
衆生既信伏　質直意柔軟　一心欲見佛　不自惜身命
時我及衆僧　俱出靈鷲山　我時語衆生　常在此不滅
以方便力故　現有滅不滅　餘國有衆生　恭敬信樂者
我復於彼中　為說无上法　汝等不聞此　但謂我滅度
我見諸衆生　没在於苦惱　故不為現身　令其生渴仰
因其心戀慕　乃出為說法　神通力如是　於阿僧祇劫
常在靈鷲山　及餘諸住處　衆生見劫盡　大火所燒時
我此土安隱　天人常充滿　園林諸堂閣　種種寶莊嚴
寶樹多華菓　衆生所遊樂　諸天擊天鼓　常作衆伎樂
雨曼陁羅華　散佛及大衆　我淨土不毁　而衆見燒盡
憂怖諸苦惱　如是悉充滿　是諸罪衆生　以惡業因緣
過阿僧祇劫　不聞三寶名　諸有脩功德　柔和質直者
則皆見我身　在此而說法　或時為此衆　說佛壽无量
久乃見佛者　為說佛難值　我智力如是　慧光照无量
壽命无數劫　久脩業所得　汝等有智者　勿於此生疑
當斷令永盡　佛語實不虛　如醫善方便　為治狂子故
實在而言死　无能說虛妄　我亦為世父　救諸苦患者
為凡夫顛倒　實在而言滅　以常見我故　而生憍恣心
放逸著五欲　墮於惡道中　我常知衆生　行道不行道
隨應所可度　為說種種法　每自作是意　以何令衆生
得入无上道　速成就佛身

妙法蓮華經分別功德品第十七

尒時大會聞佛說壽命劫數長遠如是无量
无邊阿僧祇衆生得大饒益於時世尊告彌
勒菩薩摩訶薩阿逸多我說是如來壽命長

BD01947 號　妙法蓮華經卷五　（29–22）

尒時大會聞佛說壽命劫數長遠如是无量
无邊阿僧祇衆生得大饒益於時世尊告彌
勒菩薩摩訶薩阿逸多我說是如來壽命長
遠時六百八十萬億那由他恒河沙衆生得无
生法忍復千倍菩薩摩訶薩得聞持陁羅
尼門復有一世界微塵數菩薩摩訶薩得
樂說无礙辯才復有一世界微塵數菩薩摩訶
薩得百千萬億无量旋陁羅尼復有三千大千
世界微塵數菩薩摩訶薩能轉不退法輪復
有二千中國土微塵數菩薩摩訶薩能轉清
淨法輪復有小千國土微塵數菩薩摩訶薩
八生當得阿耨多羅三藐三菩提復有四四
天下微塵數菩薩摩訶薩四生當得阿耨多
羅三藐三菩提復有三四天下微塵數菩薩
摩訶薩三生當得阿耨多羅三藐三菩提
復有二四天下微塵數菩薩摩訶薩二生當
得阿耨多羅三藐三菩提復有一四天下微
塵數菩薩摩訶薩一生當得阿耨多羅三藐
三菩提復有八世界微塵數衆生皆發阿耨
多羅三藐三菩提心佛說是諸菩薩摩訶薩
得大法利時於虛空中雨曼陁羅華摩訶曼
陁羅華以散无量百千萬億寶樹下師子座
上諸佛并散七寶塔中師子座上釋迦牟尼
佛及久滅度多寶如來亦散一切諸大菩薩
及四部衆又雨細末栴檀沉水香等於虛空
中天鼓自鳴妙聲深遠又雨千種天衣垂諸

BD01947 號　妙法蓮華經卷五　（29–23）

上諸佛并散七寶塔中師子座上釋迦牟尼
佛及久滅度多寶如來亦散一切諸大菩薩
及四部眾又雨細末栴檀沈水香等於虛空
中天鼓自鳴妙聲深遠又雨千種天衣垂諸
瓔珞真珠瓔珞摩尼珠瓔珞如意珠瓔珞遍
於九方眾寶香爐燒无價香自然周至供養
大會一一佛上有諸菩薩執持幡蓋次第而
上至于梵天是諸菩薩以妙音聲歌无量頌
讚歎諸佛爾時彌勒菩薩從座而起偏袒右
肩合掌向佛而說偈言
佛說希有法　昔所未曾聞　世尊有大力　壽命不可量
无數諸佛子　聞世尊分別　說得法利者　歡喜充遍身
或住不退地　或得陀羅尼　或无礙樂說　萬億旋總持
或有大千界　微塵數菩薩　各各皆能轉　不退之法輪
或有中千界　微塵數菩薩　各各皆能轉　清淨之法輪
復有小千界　微塵數菩薩　餘各八生在　當得成佛道
復有四三二　如是四天下　微塵諸菩薩　隨數生成佛
或一四天下　微塵數菩薩　餘有一生在　當成一切智
如是等眾生　聞佛壽長遠　得无量无漏　清淨之果報
復有八世界　微塵數眾生　聞佛說壽命　皆發无上心
世尊說无量　不可思議法　多有所饒益　如虛空无邊
雨天曼陀羅　摩訶曼陀羅　釋梵如恒沙　无數佛土來
雨栴檀沈水　繽紛而亂墜　如鳥飛空下　供散於諸佛
天鼓虛空中　自然出妙聲　天衣千萬種　旋轉而來下
眾寶妙香爐　燒无價之香　自然悉周遍　供養諸世尊
其大菩薩眾　執七寶幡蓋　高妙萬億種　次第至梵天

BD01947 號　妙法蓮華經卷五　（29–24）

天鼓虛空中　自然出妙聲　天衣千萬種　旋轉而來下
眾寶妙香爐　燒无價之香　自然悉周遍　供養諸世尊
其大菩薩眾　執七寶幡蓋　高妙萬億種　次第至梵天
一一諸佛前　寶幢懸勝幡　亦以千萬偈　歌詠諸如來
如是種種事　昔所未曾有　聞佛壽无量　一切皆歡喜
佛名聞十方　廣饒益眾生　一切具善根　以助无上心
爾時佛告彌勒菩薩摩訶薩阿逸多其有眾
生聞佛壽命長遠如是乃至能生一念信解所
得功德无有限量若有善男子善女人為
阿耨多羅三藐三菩提於八十萬億那由他
劫行五波羅蜜檀波羅蜜尸波羅蜜羼提
波羅蜜毗梨耶波羅蜜禪波羅蜜除般若波
羅蜜以是功德比前功德百分千分百千萬億
分不及其一乃至算數譬喻所不能知若善
男子有如是功德於阿耨多羅三藐三菩提
退者无有是處爾時世尊欲重宣此義而說
偈言
若人求佛慧　於八十萬億　那由他劫數　行五波羅蜜
於是諸劫中　布施供養佛　及緣覺弟子　并諸菩薩眾
珍異之飲食　上服與臥具　栴檀立精舍　以園林莊嚴
如是等布施　種種皆微妙　盡此諸劫數　以迴向佛道
若復持禁戒　清淨无缺漏　求於无上道　諸佛之所歎
若復行忍辱　住於調柔地　設眾惡來加　其心不傾動
諸有得法者　懷於增上慢　為此所輕惱　如是亦能忍
若復勤精進　志念常堅固　於无量億劫　一心不懈息
又於无數劫　住於空閑處　若坐若經行　除睡常攝心

BD01947 號　妙法蓮華經卷五　（29–25）

若復行忍辱　住於調柔地　設衆惡來加　其心不傾動
諸有得法者　懷於增上慢　為此所輕惱　如是亦能忍
若復懃精進　志念常堅固　於无量億劫　一心不懈息
又於无數劫　住於空閑處　若坐若經行　除睡常攝心
以是因緣故　能生諸禪定　八十億萬劫　安住心不亂
持此一心福　願求无上道　我得一切智　盡諸禪定際
是人於百千　萬億劫數中　行此諸功德　如上之所說
有善男女等　聞我說壽命　乃至一念信　其福過於彼
若人悉无有　一切諸疑悔　深心須臾信　其福為如此
其有諸菩薩　无量劫行道　聞我說壽命　是則能信受
如是諸人等　頂受此經典　願我於未來　長壽度衆生
如今日世尊　諸釋中之王　道場師子吼　說法无所畏
我等未來世　一切所尊敬　坐於道場時　說壽亦如是
若有深心者　清淨而質直　多聞能總持　隨義解佛語
如是諸人等　於此无有疑
又阿逸多若有聞佛壽命長遠解其言趣是
人所得功德无有限量能起如來无上之慧
何況廣聞是經若教人聞若自持若教人持
若自書若教人書若以華香瓔珞幢幡繒蓋
香油蘇燈供養經卷是人功德无量无邊能
生一切種智阿逸多若善男子善女人聞我說
壽命長遠深心信解則為見佛常在耆闍
崛山共大菩薩諸聲聞衆圍繞說法又見此
娑婆世界其地琉璃坦然平正閻浮檀金以
界八道寶樹行列諸臺樓觀皆悉寶成其菩

BD01947 號　妙法蓮華經卷五　（29–26）

壽命長遠深心信解則為見佛常在耆闍
崛山共大菩薩諸聲聞衆圍繞說法又見此
娑婆世界其地琉璃坦然平正閻浮檀金以
界八道寶樹行列諸臺樓觀皆悉寶成其菩
薩衆咸處其中若有能如是觀者當知是
為深信解相又復如來滅後若聞是經而不
毀呰起隨喜心當知已為深信解相何況讀誦
受持之者斯人則為頂戴如來阿逸多是善
男子善女人不須為我復起塔寺及作僧坊
以四事供養衆僧所以者何是善男子善女
人受持讀誦是經典者為已起塔造立僧坊
供養衆僧則為以佛舍利起七寶塔高廣
漸小至于梵天懸諸幡蓋及衆寶鈴華香瓔珞
末香塗香燒香衆鼓伎樂簫笛箜篌種種
儛戲以妙音聲歌唄讚頌則為於无量千萬
億劫作是供養已阿逸多若我滅後聞是經
典有能受持若自書若教人書則為起立僧坊
以赤栴檀作諸殿堂三十有二高八多羅樹
高廣嚴好百千比丘於其中止園林浴池經
行禪窟衣服飲食床褥湯藥一切樂具充滿
其中如是僧坊堂閣若干百千萬億其數无
量以此現前供養於我及比丘僧是故我
說如來滅後若有受持讀誦為他人說若自書
若教人書供養經卷不須復起塔寺及造僧
坊供養衆僧況復有人能持是經兼行布施

BD01947 號　妙法蓮華經卷五　（29–27）

量以此現前供養於我及比丘僧是故我
說如來滅後若有受持讀誦爲他人說若自書
若教人書供養經卷不須復起塔寺及造僧
坊供養衆僧況復有人能持是經兼行布施
持戒忍辱精進一心智慧其德最勝无量无
邊譬如虛空東西南北四維上下无量无邊
是人功德亦復如是无量无邊疾至一切種
智若人讀誦受持是經爲他人說若自書若
教人書復能起塔及造僧坊供養讚歎聲
聞衆僧亦以百千萬億讚歎之法讚歎菩薩
功德又爲他人種種因緣隨義解說此法華經
復能清淨持戒與柔和者而共同止忍辱无
瞋志念堅固常貴坐禪得諸深定精進勇
猛攝諸善法利根智慧善答問難阿逸多
若我滅後諸善男子善女人受持讀誦是經
典者復有如是諸善功德當知是人已趣道場
近阿耨多羅三藐三菩提坐道樹下阿逸多是
善男子若坐若立若行處此中便應起塔一
切天人皆應供養如佛之塔尒時世尊欲重
宣此義而說偈言
若我滅度後　能奉持此經　斯人福无量　如上之所說
是則爲具足　一切諸供養　以舍利起塔　七寶而莊嚴
表剎甚高廣　漸小至梵天　寶鈴千萬億　風動出妙音
又於无量劫　而供養此塔　華香諸瓔珞　天衣衆伎樂
然香油蘇燈　周帀常照明　惡世法末時　能持是經者
則爲已如上　具足諸供養　若能持此經　則如佛現在

BD01947號　妙法蓮華經卷五　(29–28)

又於无量劫　而供養此塔　華香諸瓔珞　天衣衆伎樂
然香油蘇燈　周帀常照明　惡世法末時　能持是經者
則爲已如上　具足諸供養　若能持此經　則如佛現在
以牛頭栴檀　起僧坊供養　堂有三十二　高八多羅樹
上饌妙衣服　牀臥皆具足　百千衆住處　園林諸流池
經行及禪窟　種種皆嚴好　若有信解心　受持讀誦書
若復教人書　及供養經卷　散華香末香　以須曼瞻蔔
阿提目多伽　薰油常然之　如是供養者　得无量功德
如虛空无邊　其福亦如是　況復持此經　兼布施持戒
忍辱樂禪定　不瞋不惡口　恭敬於塔廟　謙下諸比丘
遠離自高心　常思惟智慧　有問難不瞋　隨順爲解說
若能行是行　功德不可量　若見此法師　成就如是德
應以天華散　天衣覆其身　頭面接足礼　生心如佛想
又應作是念　不久詣道樹　得无漏无爲　廣利諸人天
其所住止處　經行若坐臥　乃至說一偈　是中應起塔
莊嚴令妙好　種種以供養　佛子住此地　則是佛受用
常在於其中　經行及坐臥

妙法蓮華經卷第五

BD01947號　妙法蓮華經卷五　(29–29)

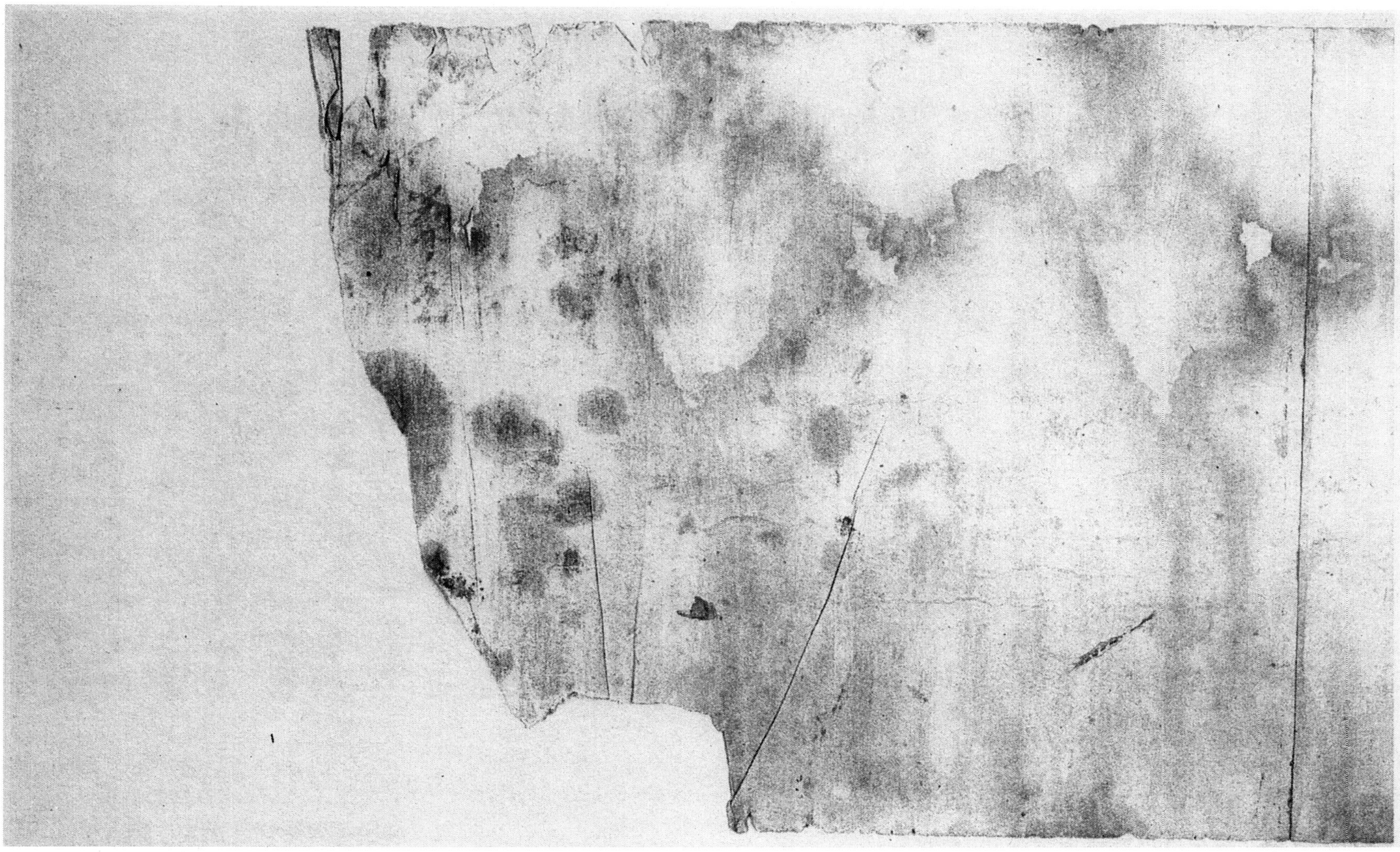

BD01947 號背　勘記　　　　（1–1）

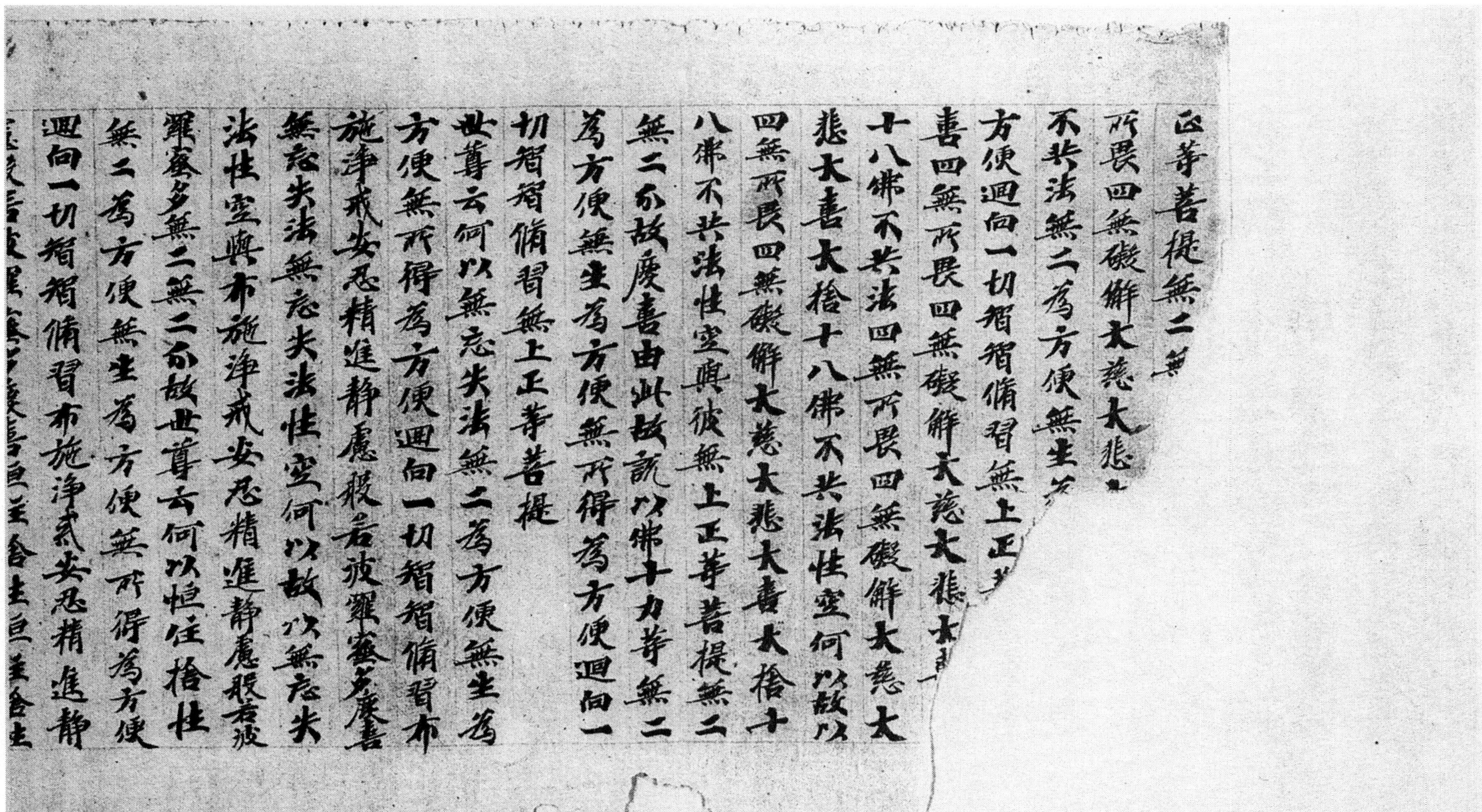
正等菩提無二無
所畏四無礙解大慈大悲大
不共法無二為方便無生為
方便迴向一切智智脩習無上正等
喜四無所畏四無礙解大慈大悲大
十八佛不共法四無所畏四無礙解大慈大
悲大喜大捨十八佛不共法性空何以故以
四無所畏四無礙解大慈大悲大喜大捨十
八佛不共法性空與彼無上正等菩提無二
無二分故慶喜由此故說以佛十力等無二
為方便無生為方便無所得為方便迴向一
切智智脩習無上正等菩提
世尊云何以無忘失法無二為方便無生為
方便無所得為方便迴向一切智智脩習布
施淨戒安忍精進靜慮般若波羅蜜多慶喜
無忘失法無忘失法性空何以故以無忘失
法性空與布施淨戒安忍精進靜慮般若波
羅蜜多無二無二分故世尊云何以恒住捨性
無二為方便無生為方便無所得為方便
迴向一切智智脩習布施淨戒安忍精進靜

BD01948 號　大般若波羅蜜多經卷一二三　　　　（21–1）

無二為方便無生為方便無所得為方便
迴向一切智智脩習布施淨戒安忍精進靜
慮般若波羅蜜多慶喜恒住捨性恒住捨性
性空何以故以恒住捨性性空與布施淨戒
安忍精進靜慮般若波羅蜜多無二無二分
故慶喜由此故說以無忘失法等無二為方
便無生為方便無所得為方便迴向一切智
智脩習布施淨戒安忍精進靜慮般若波
羅蜜多世尊云何以無忘失法無二為方便無
生為方便無所得為方便迴向一切智智安
住內空外空內外空空空大空勝義空有為
空無為空畢竟空無際空散空無變異空本
性空自相空共相空一切法空不可得空無
性空自性空無性自性空慶喜無忘失法無
忘失法性空何以故以無忘失法性空與彼
內空乃至無性自性空無二無二分故世尊
云何以恒住捨性無二為方便無生為方便
無所得為方便迴向一切智智安住內空外
空內外空空空大空勝義空有為空無為空
畢竟空無際空散空無變異空本性空自相
空共相空一切法空不可得空無性空自性
空無性自性空慶喜恒住捨性恒住捨性性
空何以故以恒住捨性性空與彼內空乃至
無性自性空無二無二分故慶喜由此故說

BD01948號　大般若波羅蜜多經卷一二三　（21–2）

空無性自性空慶喜恒住捨性恒住捨性性
空何以故以恒住捨性性空與彼內空乃至
無性自性空無二無二分故慶喜由此故說
以無忘失法等無二為方便無生為方便無
所得為方便迴向一切智智安住內空乃至
無性自性空世尊云何以無忘失法無二為
方便無生為方便無所得為方便迴向一切
智智安住真如法界法性不虛妄性不變異
性平等性離生性法定法住實際虛空界不
思議界慶喜無忘失法無忘失法性空何以
故以無忘失法性空與彼真如乃至不思議
界無二無二分故世尊云何以恒住捨性無
二為方便無生為方便無所得為方便迴向
一切智智安住真如法界法性不虛妄性不
變異性平等性離生性法定法住實際虛空
界不思議界慶喜恒住捨性恒住捨性性空
何以故以恒住捨性性空與彼真如乃至不
思議界無二無二分故慶喜由此故說以無
忘失法等無二為方便無生為方便無所得
為方便迴向一切智智安住真如乃至不思
議界世尊云何以無忘失法無二為方便無
生為方便無所得為方便迴向一切智智安
住苦集滅道聖諦慶喜無忘失法無忘失法
性空何以故以無忘失法性空與彼苦集滅

BD01948號　大般若波羅蜜多經卷一二三　（21–3）

識界世尊云何以無忘失法無二為方便無
生為方便無所得為方便迴向一切智智安
住苦集滅道聖諦慶喜無忘失法無忘失法
性空何以故以無忘失法性空與彼苦集滅
道聖諦無二無二分故世尊云何以恒住捨
性無二為方便無生為方便無所得為方便
迴向一切智智安住苦集滅道聖諦慶喜恒
住捨性恒住捨性性空何以故以恒住捨性
性空與彼苦集滅道聖諦無二無二分故慶
喜由此故說以無忘失法等無二為方便無
生為方便無所得為方便迴向一切智智安
住苦集滅道聖諦世尊云何以無忘失法無
二為方便無生為方便無所得為方便迴向
一切智智修習四靜慮四無量四無色定慶
喜無忘失法無忘失法性空何以故以無忘
失法性空與四靜慮四無量四無色定無二
無二分故世尊云何以恒住捨性無二為方
便無生為方便無所得為方便迴向一切智
智修習四靜慮四無量四無色定慶喜恒住
捨性恒住捨性性空何以故以恒住捨性性
空與四靜慮四無量四無色定無二無二分
故慶喜由此故說以無忘失法等無二為方
便無生為方便無所得為方便迴向一切智
智修習四靜慮四無量四無色定世尊云何
以無忘失法無二為方便無生為方便無所

BD01948號　大般若波羅蜜多經卷一二三　（21–4）

便無生為方便無所得為方便迴向一切智
智修習四靜慮四無量四無色定世尊云何
以無忘失法無二為方便無生為方便無所
得為方便迴向一切智智修習八解脫八勝
處九次第定十遍處慶喜無忘失法無忘失
法性空何以故以無忘失法性空與八解脫
八勝處九次第定十遍處無二無二分故世
尊云何以恒住捨性無二為方便無生為方
便無所得為方便迴向一切智智修習八解
脫八勝處九次第定十遍處慶喜恒住捨性
恒住捨性性空何以故以恒住捨性性空與
八解脫八勝處九次第定十遍處無二無二
分故慶喜由此故說以無忘失法等無二為
方便無生為方便無所得為方便迴向一切
智智修習八解脫八勝處九次第定十遍處
世尊云何以無忘失法無二為方便無生為
方便無所得為方便迴向一切智智修習四
念住四正斷四神足五根五力七等覺支八
聖道支慶喜無忘失法無忘失法性空何以
故以無忘失法性空與四念住四正斷四神
足五根五力七等覺支八聖道支無二無二
分故世尊云何以恒住捨性無二為方便無
生為方便無所得為方便迴向一切智智修
習四念住四正斷四神足五根五力七等覺

BD01948號　大般若波羅蜜多經卷一二三　（21–5）

足五根五力七等覺支八聖道支
分故世尊云何以恒住捨性無二為方便無
生為方便無所得為方便迴向一切智智脩
習四念住四正斷四神足五根五力七等覺
支八聖道支慶喜恒住捨性恒住捨性性空
何以故以恒住捨性性空與四念住四正斷
四神足五根五力七等覺支八聖道支無二
無二分故慶喜由此故說以無忘失法等無
二為方便無生為方便無所得為方便迴向
一切智智脩習四念住四正斷四神足五根
五力七等覺支八聖道支世尊云何以無忘
失法無二為方便無生為方便無所得為方
便迴向一切智智脩習空解脫門無相解脫
門無願解脫門慶喜無忘失法無忘失法性
空何以故以無忘失法性空與空解脫門無
相解脫門無願解脫門無二無二分故世尊
云何以恒住捨性無二為方便無生為方便
無所得為方便迴向一切智智脩習空解脫
門無相解脫門無願解脫門慶喜恒住捨性
恒住捨性性空何以故以恒住捨性性空與
空解脫門無相解脫門無願解脫門無二
無二分故慶喜由此故說以無忘失法等無二
為方便無生為方便無所得為方便迴向一
切智智脩習空解脫門無相解脫門無願解
脫門世尊云何以無忘失法無二為方便無

BD01948號　大般若波羅蜜多經卷一二三　（21–6）

無二分故慶喜由此故說以無忘失法等無二
為方便無生為方便無所得為方便迴向一
切智智脩習空解脫門無相解脫門無願解
脫門世尊云何以無忘失法無二為方便無
生為方便無所得為方便迴向一切智智脩
習五眼六神通慶喜無忘失法無忘失法性
空何以故以無忘失法性空與五眼六神通
無二無二分故世尊云何以恒住捨性無二為
方便無生為方便無所得為方便迴向一
切智智脩習五眼六神通慶喜恒住捨性恒
住捨性性空何以故以恒住捨性性空與五
眼六神通無二無二分故慶喜由此故說以
無忘失法等無二為方便無生為方便無所
得為方便迴向一切智智脩習五眼六神通
世尊云何以無忘失法無二為方便無生為
方便無所得為方便迴向一切智智脩習佛
十力四無所畏四無礙解大慈大悲大喜大
捨十八佛不共法慶喜無忘失法無忘失法
性空何以故以無忘失法性空與佛十力四
無所畏四無礙解大慈大悲大喜大捨十八
佛不共法無二無二分故世尊云何以恒住
捨性無二為方便無生為方便無所得為方
便迴向一切智智脩習佛十力四無所畏四無
礙解大慈大悲大喜大捨十八佛不共法
慶喜恒住捨性恒住捨性性空何以故以恒

BD01948號　大般若波羅蜜多經卷一二三　（21–7）

捨性無二為方便無所得為方
便迴向一切智智脩習佛十力四無所畏四無
礙解大慈大悲大喜大捨十八佛不共法
慶喜恒住捨性恒住捨性性空何以故以恒
住捨性性空與佛十力四無所畏四無礙解
大慈大悲大喜大捨十八佛不共法無二無
二分故慶喜由此故說以無忘失法等無二
為方便無生為方便無所得為方便迴向一
切智智脩習佛十力四無所畏四無礙解大
慈大悲大喜大捨十八佛不共法世尊云何
以無忘失法無二為方便無生為方便無所
得為方便迴向一切智智脩習無忘失法恒
住捨性慶喜無忘失法無忘失法性空何以
故以無忘失法性空與無忘失法恒住捨性
無二無二分故世尊云何以恒住捨性無二
為方便無生為方便無所得為方便迴向一
切智智脩習無忘失法恒住捨性慶喜恒住
捨性恒住捨性性空何以故以恒住捨性性
空與無忘失法恒住捨性無二無二分故慶
喜由此故說以無忘失法等無二為方便無
生為方便無所得為方便迴向一切智智脩
習無忘失法恒住捨性世尊云何以無忘失
法無二為方便無生為方便無所得為方便
迴向一切智智脩習一切智道相智一切相
智慶喜無忘失法無忘失法性空何以故以

BD01948 號　大般若波羅蜜多經卷一二三　（21–8）

習無忘失法恒住捨性世尊云何以無忘失
法無二為方便無生為方便無所得為方便
迴向一切智智脩習一切智道相智一切相
智慶喜無忘失法無忘失法性空何以故以
無忘失法性空與一切智道相智一切相智
無二無二分故世尊云何以恒住捨性無二
為方便無生為方便無所得為方便迴向
一切智智脩習一切智道相智一切相智慶喜
恒住捨性恒住捨性性空何以故以恒住捨
性性空與一切智道相智一切相智無二無
二分故慶喜由此故說以無忘失法等無二
為方便無生為方便無所得為方便迴向一
切智智脩習一切智道相智一切相智世尊
云何以無忘失法無二為方便無生為方便
無所得為方便迴向一切智智脩習一切陁
羅尼門一切三摩地門慶喜無忘失法無忘
失法性空何以故以無忘失法性空與一切
陁羅尼門一切三摩地門無二無二分故世
尊云何以恒住捨性無二為方便無生為方
便無所得為方便迴向一切智智脩習一切
陁羅尼門一切三摩地門慶喜恒住捨性恒
住捨性性空何以故以恒住捨性性空與一
切陁羅尼門一切三摩地門無二無二分故
慶喜由此故說以無忘失法等無二為方便
無生為方便無所得為方便迴向一切智智

BD01948 號　大般若波羅蜜多經卷一二三　（21–9）

便無所得為方便迴向一切智智修習一切
陀羅尼門一切三摩地門慶喜恒住捨性恒
住捨性性空何以故以恒住捨性性空與一
切陀羅尼門一切三摩地門無二無二分故
慶喜由此故說以無忘失法等無二為方便
無生為方便無所得為方便迴向一切智智
修習一切陀羅尼門一切三摩地門世尊云
何以無忘失法無二為方便無生為方便無
所得為方便迴向一切智智修習菩薩摩訶
薩行慶喜無忘失法無忘失法性空何以故
以無忘失法性空與彼菩薩摩訶薩行無
二無二分故世尊云何以恒住捨性無二為方
便無生為方便無所得為方便迴向一切智
智修習菩薩摩訶薩行慶喜恒住捨性恒住
捨性性空何以故以恒住捨性性空與彼菩
薩摩訶薩行無二無二分故慶喜由此故說
以無忘失法等無二為方便無生為方便無
所得為方便迴向一切智智修習菩薩摩訶
薩行世尊云何以無忘失法無二為方便無
生為方便無所得為方便迴向一切智智修
習無上正等菩提慶喜無忘失法無忘失法
性空何以故以無忘失法性空與彼無上正
等菩提無二無二分故世尊云何以恒住捨
性無二為方便無生為方便無所得為方便
迴向一切智智修習無上正等菩提慶喜恒

BD01948號　大般若波羅蜜多經卷一二三　　（21–10）

等菩提無二無二分故世尊云何以恒住捨
性無二為方便無生為方便無所得為方便
迴向一切智智修習無上正等菩提慶喜恒
住捨性恒住捨性性空何以故以恒住捨性
性空與彼無上正等菩提無二無二分故慶
喜由此故說以無忘失法等無二為方便無
生為方便無所得為方便迴向一切智智修
習無上正等菩提
世尊云何以一切智無二為方便無生為方
便無所得為方便迴向一切智智修習布施
淨戒安忍精進靜慮般若波羅蜜多慶喜
一切智一切智性空何以故以一切智性空與
布施淨戒安忍精進靜慮般若波羅蜜多
無二無二分故世尊云何以道相智一切相智
無二為方便無生為方便無所得為方便迴
向一切智智修習布施淨戒安忍精進靜慮
般若波羅蜜多慶喜道相智一切相智道相
智一切相智性空何以故以道相智一切相
智性空與布施淨戒安忍精進靜慮般若波
羅蜜多無二無二分故慶喜由此故說以一
切智等無二為方便無生為方便無所得為
方便迴向一切智智修習布施淨戒安忍精
進靜慮般若波羅蜜多世尊云何以一切智
無二為方便無生為方便無所得為方便迴
向一切智智安住內空外空內外空空空大

BD01948號　大般若波羅蜜多經卷一二三　　（21–11）

方便迴向一切智智修習布施淨戒安忍精
進靜慮般若波羅蜜多世尊云何以一切智
無二為方便無生為方便無所得為方便迴
向一切智智安住內空外空內外空空空大
空勝義空有為空無為空畢竟空無際空散
空無變異空本性空自相空共相空一切法
空不可得空無性空自性空無性自性空慶
喜一切智一切智性空何以故以一切智性
空與彼內空乃至無性自性空無二無二分
故世尊云何以道相智一切相智無二為方
便無生為方便無所得為方便迴向一切智
智安住內空外空內外空空空大空勝義空
有為空無為空畢竟空無際空散空無變異
空本性空自相空共相空一切法空不可得
空無性空自性空無性自性空慶喜道相
智一切相智道相智一切相智性空何以故以道
相智一切相智性空與彼內空乃至無性
自性空無二無二分故慶喜由此故說以一
切智等無二為方便無生為方便無所得為
方便迴向一切智智安住內空乃至無性自
性空世尊云何以一切智無二為方便無生
為方便無所得為方便迴向一切智智安住真
如法界法性不虛妄性不變異性平等
性離生性法定法住實際虛空界不思議界
慶喜一切智一切智性空何以故以一切智性

BD01948號　大般若波羅蜜多經卷一二三　（21–12）

為方便無所得為方便迴向一切智智安住真
如法界法性不虛妄性不變異性平等
性離生性法定法住實際虛空界不思議界
慶喜一切智一切智性空何以故以一切智性
空與彼真如乃至不思議界無二無二分故
世尊云何以道相智一切相智無二為方便
無生為方便無所得為方便迴向一切智智
安住真如法界法性不虛妄性不變異性平
等性離生性法定法住實際虛空界不思議
界慶喜道相智一切相智道相智一切相智
性空何以故以道相智一切相智性空與彼真
如乃至不思議界無二無二分故慶喜由此
故說以一切智等無二為方便無生為方
便無所得為方便迴向一切智智安住真如
乃至不思議界世尊云何以一切智無二為
方便無生為方便無所得為方便迴向一切
智智安住苦集滅道聖諦慶喜一切智一切
智性空何以故以一切智性空與彼苦集滅
道聖諦無二無二分故世尊云何以道相智
一切相智無二為方便無生為方便無所得
為方便迴向一切智智安住苦集滅道聖諦
慶喜道相智一切相智道相智一切相智性
空何以故以道相智一切相智性空與彼苦
集滅道聖諦無二無二分故慶喜由此故說
以一切智等無二為方便無生為方便無所

BD01948號　大般若波羅蜜多經卷一二三　（21–13）

為方便迴向一切智智安住苦集滅道聖諦
慶喜道相智一切相智道相智一切相智性
空何以故以道相智一切相智性空與彼苦
集滅道聖諦無二無二分故慶喜由此故說
以一切智等無二為方便無生為方便無所
得為方便迴向一切智智安住苦集滅道聖
諦世尊云何以一切智無二為方便無生為
方便無所得為方便迴向一切智智脩習四
静慮四無量四無色定慶喜一切智一切智
性空何以故以一切智性空與四静慮四無
量四無色定無二無二分故世尊云何以道
相智一切相智無二為方便無生為方便無
所得為方便迴向一切智智脩習四静慮四
無量四無色定慶喜道相智一切相智道相
智一切相智性空何以故以道相智一切相
智性空與四静慮四無量四無色定無二無
二分故慶喜由此故說以一切智等無二為
方便無生為方便無所得為方便迴向一切
智智脩習四静慮四無量四無色定世尊云
何以一切智無二為方便無生為方便無所
得為方便迴向一切智智脩習八解脫八勝
處九次第定十遍處慶喜一切智一切智性
空何以故以一切智性空與八解脫八勝處
九次第定十遍處無二無二分故世尊云何
以道相智一切相智無二為方便無生為方

BD01948號　大般若波羅蜜多經卷一二三　（21–14）

空何以故以一切智性空與八解脫八勝處
九次第定十遍處無二無二分故世尊云何
以道相智一切相智無二為方便無生為方
便無所得為方便迴向一切智智脩習八解
脫八勝處九次第定十遍處慶喜道相智
一切相智道相智一切相智性空何以故以道
相智一切相智性空與八解脫八勝處九次
第定十遍處無二無二分故慶喜由此故說
以一切智等無二為方便無生為方便無所
得為方便迴向一切智智脩習八解脫八勝
處九次第定十遍處世尊云何以一切智無
二為方便無生為方便無所得為方便迴向
一切智智脩習四念住四正斷四神足五根
五力七等覺支八聖道支慶喜一切智一切
智性空何以故以一切智性空與四念住四正
斷四神足五根五力七等覺支八聖道支
無二無二分故世尊云何以道相智一切相
智無二為方便無生為方便無所得為方便迴
向一切智智脩習四念住四正斷四神足
五根五力七等覺支八聖道支慶喜道相智
一切相智道相智一切相智性空何以故以
道相智一切相智性空與四念住四正斷四
神足五根五力七等覺支八聖道支無二無
二分故慶喜由此故說以一切智等無二為

BD01948號　大般若波羅蜜多經卷一二三　（21–15）

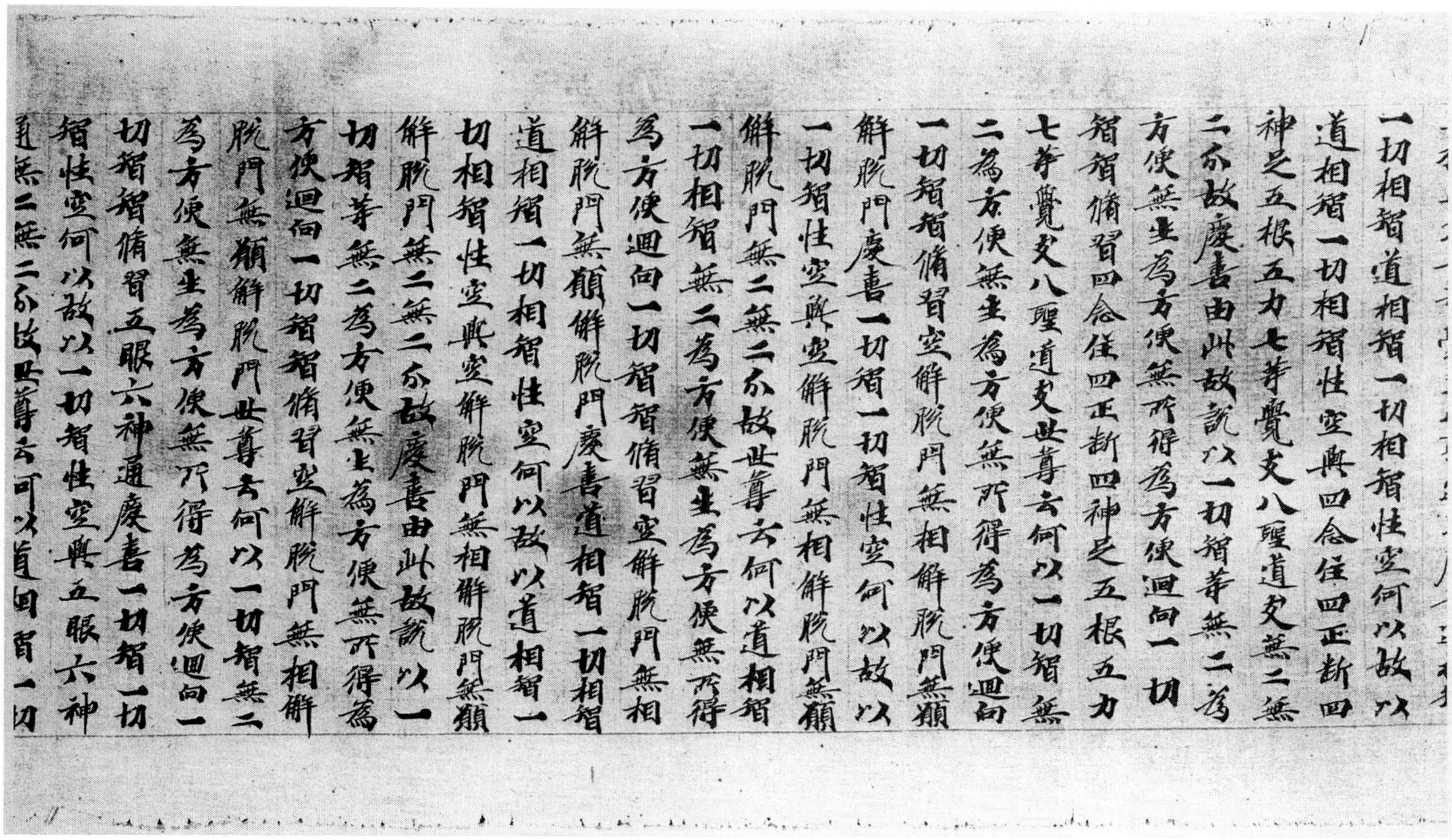
一切相智道相智一切相智性空何以故以
道相智一切相智性空與四念住四正斷四
神足五根五力七等覺支八聖道支無二無
二分故慶喜由此故說以一切智等無二為
方便無生為方便無所得為方便迴向一切
智智脩習四念住四正斷四神足五根五力
七等覺支八聖道支世尊云何以一切智無
二為方便無生為方便無所得為方便迴向
一切智智脩習空解脫門無相解脫門無願
解脫門慶喜一切智一切智性空何以故以
一切智性空與空解脫門無相解脫門無願
解脫門無二無二分故世尊云何以道相智
一切相智無二為方便無生為方便無所得
為方便迴向一切智智脩習空解脫門無相
解脫門無願解脫門慶喜道相智一切相智
道相智一切相智性空何以故以道相智一
切相智性空與空解脫門無相解脫門無願
解脫門無二無二分故慶喜由此故說以一
切智等無二為方便無生為方便無所得為
方便迴向一切智智脩習空解脫門無相解
脫門無願解脫門世尊云何以一切智無二
為方便無生為方便無所得為方便迴向一
切智智脩習五眼六神通慶喜一切智一切
智性空何以故以一切智性空與五眼六神
通無二無二分故世尊云何以道相智一切

BD01948號　大般若波羅蜜多經卷一二三　（21–16）

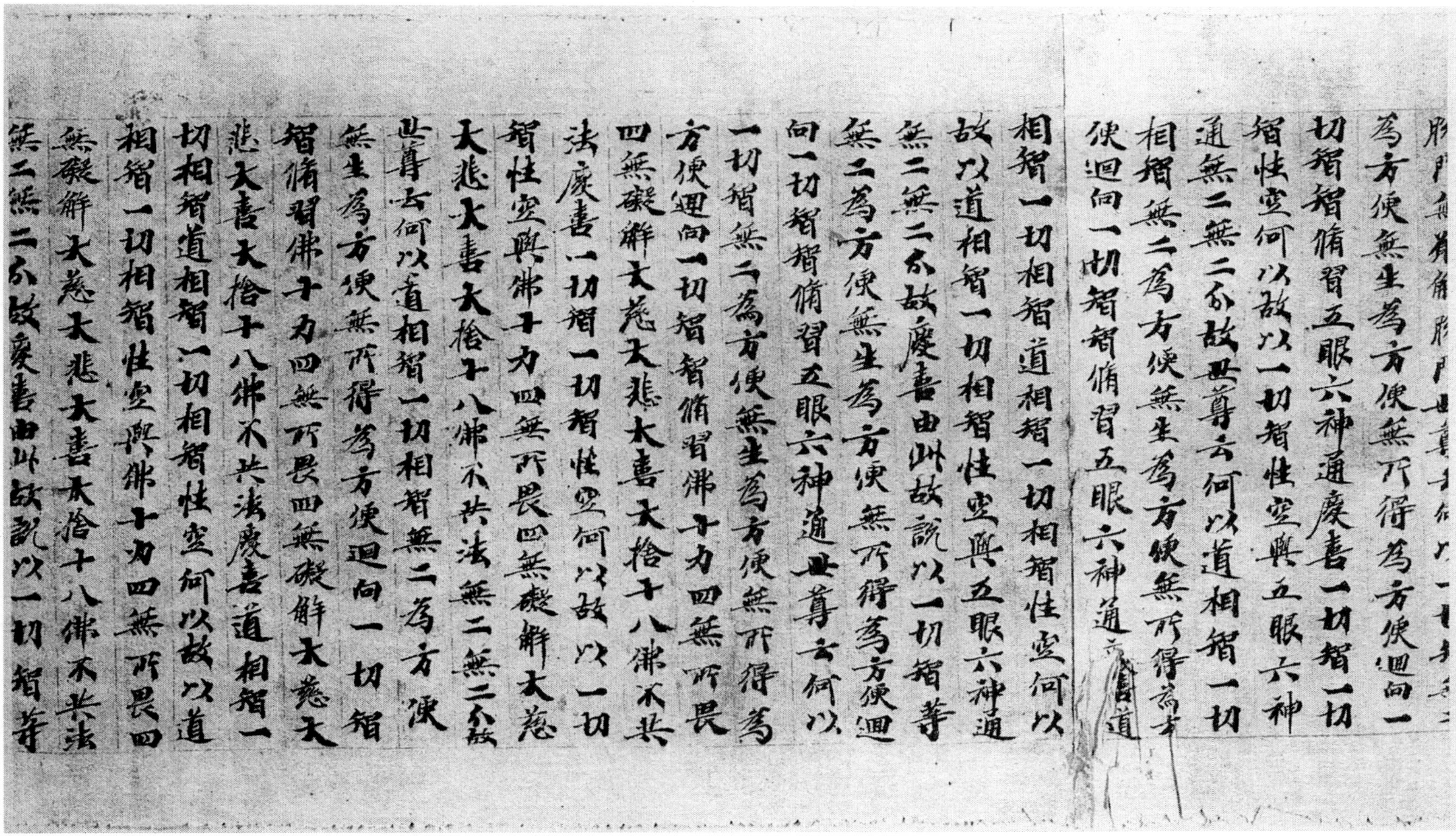
為方便無生為方便無所得為方便迴向一
切智智脩習五眼六神通慶喜一切智一切
智性空何以故以一切智性空與五眼六神
通無二無二分故世尊云何以道相智一切
相智無二為方便無生為方便無所得為方
便迴向一切智智脩習五眼六神通慶喜道
相智一切相智道相智一切相智性空何以
故以道相智一切相智性空與五眼六神通
無二無二分故慶喜由此故說以一切智等
無二為方便無生為方便無所得為方便迴
向一切智智脩習五眼六神通世尊云何以
一切智無二為方便無生為方便無所得為
方便迴向一切智智脩習佛十力四無所畏
四無礙解大慈大悲大喜大捨十八佛不共
法慶喜一切智一切智性空何以故以一切
智性空與佛十力四無所畏四無礙解大慈
大悲大喜大捨十八佛不共法無二無二分故
世尊云何以道相智一切相智無二為方便
無生為方便無所得為方便迴向一切智
智脩習佛十力四無所畏四無礙解大慈大
悲大喜大捨十八佛不共法慶喜道相智一
切相智道相智一切相智性空何以故以道
相智一切相智性空與佛十力四無所畏四
無礙解大慈大悲大喜大捨十八佛不共法
無二無二分故慶喜由此故說以一切智等

BD01948號　大般若波羅蜜多經卷一二三　（21–17）

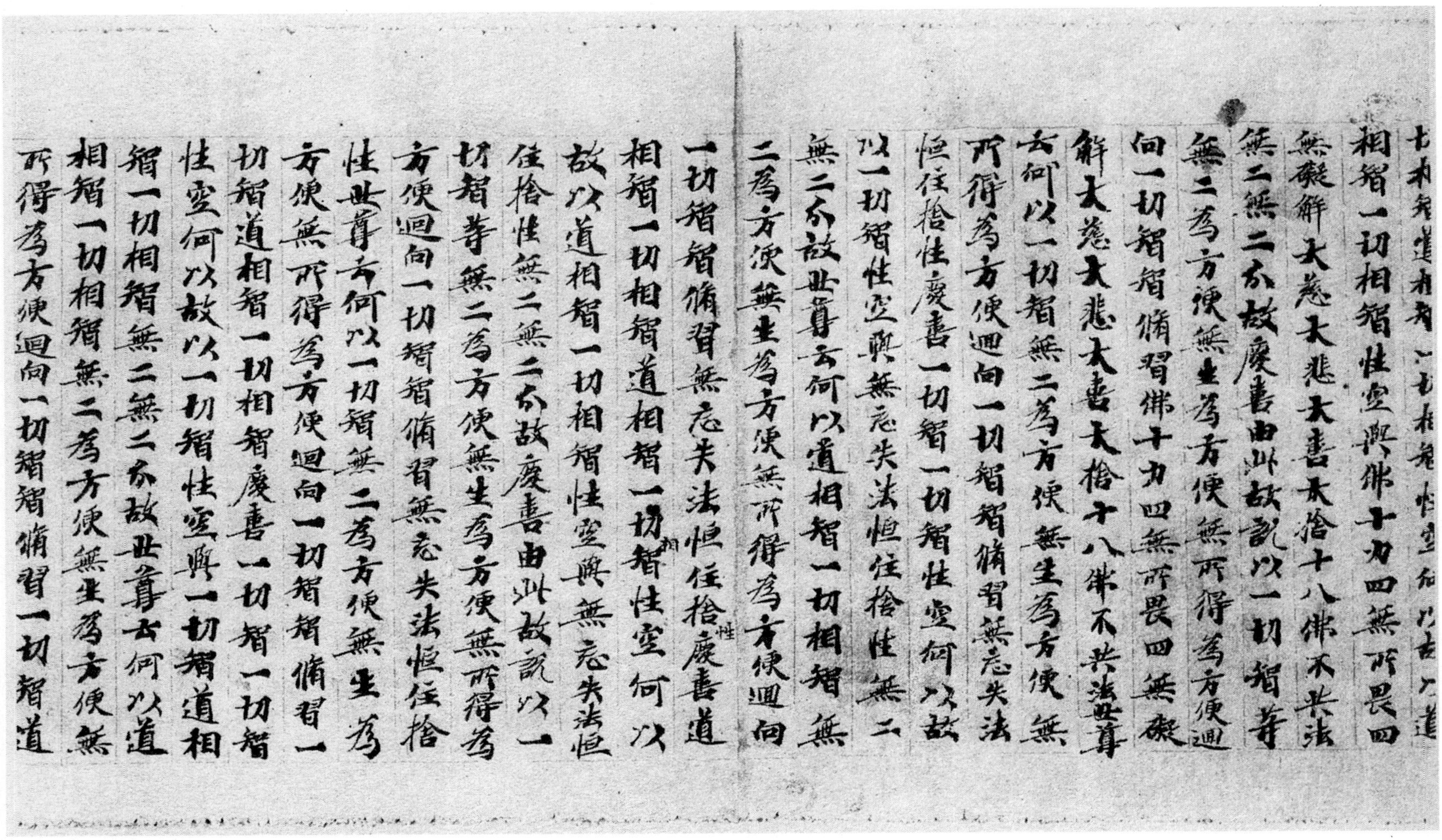
相智一切相智性空與佛十力四無所畏四
無礙解大慈大悲大喜大捨十八佛不共法
無二無二分故廢善由此故說以一切智等
無二爲方便無生爲方便無所得爲方便迴
向一切智智脩習佛十力四無所畏四無礙
解大慈大悲大喜大捨十八佛不共法世尊
云何以一切智無二爲方便無生爲方便無
所得爲方便迴向一切智智脩習無忘失法
恒住捨性廢善一切智一切智性空何以故
以一切智性空與無忘失法恒住捨性無二
無二分故世尊云何以道相智一切相智無
二爲方便無生爲方便無所得爲方便迴向
一切智智脩習無忘失法恒住捨性廢善道
相智一切相智道相智一切智性空何以
故以道相智一切相智性空與無忘失法恒
住捨性無二無二分故廢善由此故說以一
切智等無二爲方便無生爲方便無所得爲
方便迴向一切智智脩習無忘失法恒住捨
性世尊云何以一切智無二爲方便無生爲
方便無所得爲方便迴向一切智智脩習一
切智道相智一切相智廢善一切智一切智
性空何以故以一切智性空與一切智道相
智一切相智無二無二分故世尊云何以道
相智一切相智無二爲方便無生爲方便無
所得爲方便迴向一切智智脩習一切智道

BD01948號　大般若波羅蜜多經卷一二三　（21–18）

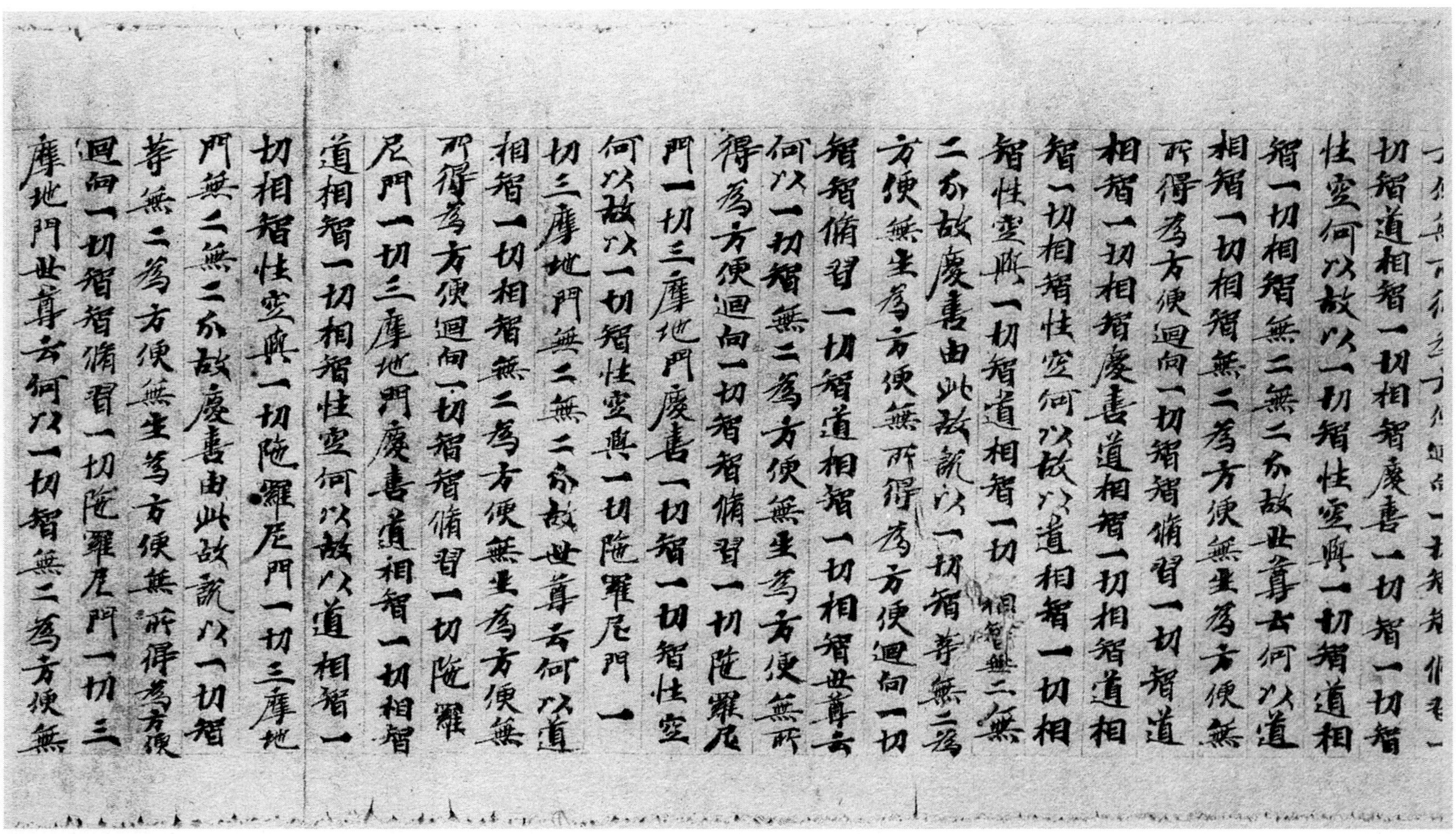
切智道相智一切相智廢善一切智一切智
性空何以故以一切智性空與一切智道相
智一切相智無二無二分故世尊云何以道
相智一切相智無二爲方便無生爲方便無
所得爲方便迴向一切智智脩習一切智道
相智一切相智廢善道相智一切相智道相
智一切相智性空何以故以道相智一切相
智性空與一切智道相智一切相智無二無
二分故廢善由此故說以一切智等無二爲
方便無生爲方便無所得爲方便迴向一切
智智脩習一切智道相智一切相智世尊云
何以一切智無二爲方便無生爲方便無所
得爲方便迴向一切智智脩習一切陀羅尼
門一切三摩地門廢善一切智一切智性空
何以故以一切智性空與一切陀羅尼門一
切三摩地門無二無二分故世尊云何以道
相智一切相智無二爲方便無生爲方便無
所得爲方便迴向一切智智脩習一切陀羅
尼門一切三摩地門廢善道相智一切相智
道相智一切相智性空何以故以道相智一
切相智性空與一切陀羅尼門一切三摩地
門無二無二分故廢善由此故說以一切智
等無二爲方便無生爲方便無所得爲方便
迴向一切智智脩習一切陀羅尼門一切三
摩地門世尊云何以一切智無二爲方便無

BD01948號　大般若波羅蜜多經卷一二三　（21–19）

門無二無二分故慶喜由此故說以一切智
等無二為方便無生為方便無所得為方便
迴向一切智智脩習一切陁羅尼門一切三
摩地門世尊云何以一切智無二為方便無
生為方便無所得為方便迴向一切智智脩
習菩薩摩訶薩行慶喜一切智一切智性空
何以故以一切智性空與彼菩薩摩訶薩行
無二無二分故世尊云何以道相智一切相
智無二為方便無生為方便無所得為方便
迴向一切智智脩習菩薩摩訶薩行慶喜道
相智一切相智道相智一切相智性空何以
故以道相智一切相智性空與彼菩薩摩訶
薩行無二無二分故慶喜由此故說以一切
智等無二為方便無生為方便無所得為方
便迴向一切智智脩習菩薩摩訶薩行世尊
云何以一切智無二為方便無生為方便無
所得為方便迴向一切智智脩習無上正等
菩提慶喜一切智一切智性空何以故以一
切智性空與彼無上正等菩提無二無二分
故世尊云何以道相智一切相智無二為方
便無生為方便無所得為方便迴向一切智
智脩習無上正等菩提慶喜道相智一切相
智道相智一切相智性空何以故以道相智
一切相智性空與彼無上正等菩提無二無
二分故慶喜由此故說以一切智等無二為

BD01948號　大般若波羅蜜多經卷一二三　（21–20）

智等無二為方便無生為方便無所得為方
便迴向一切智智脩習菩薩摩訶薩行世尊
云何以一切智無二為方便無生為方便無
所得為方便迴向一切智智脩習無上正等
菩提慶喜一切智一切智性空何以故以一
切智性空與彼無上正等菩提無二無二分
故世尊云何以道相智一切相智無二為方
便無生為方便無所得為方便迴向一切智
智脩習無上正等菩提慶喜道相智一切相
智道相智一切相智性空何以故以道相智
一切相智性空與彼無上正等菩提無二無
二分故慶喜由此故說以一切智等無二為
方便無生為方便無所得為方便迴向一切
智智脩習無上正等菩提

大般若波羅蜜多經卷第百廿三

BD01948號　大般若波羅蜜多經卷一二三　（21–21）

無漏難思議　令衆至道場　我
世尊知我心　拔邪說涅槃　我
尒時心自謂　得至於滅度
若得作佛時　具三十二相
是時乃可謂　永盡滅無餘
佛於大衆中　說我當作佛
初聞佛所說　心中大驚疑　將
佛以種種緣　譬喻巧言說　其
佛說過去世　無量滅度佛
現在未來佛　其數無有量　亦
如今者世尊　從生及出家
世尊說實道　波旬無此事
我墮疑網故　謂是魔所為
演暢清淨法　我心大歡喜　疑悔
我定當作佛　為天人所敬　轉無上法輪　教化諸菩
尒時佛告舍利弗吾今於天人沙門婆羅門
等大衆中說我昔曾於二萬億佛所為無上
道故常教化汝汝亦長夜隨我受學我以方
便引導汝故生我法中舍利弗我昔教汝志
願佛道汝今悉忘而便自謂已得滅度我今
還欲令汝憶念本願所行道故為諸聲聞說
是大乘經名妙法蓮華教菩薩法佛所護念

BD01949號　妙法蓮華經卷二　（27-1）

道故常教化汝汝亦長夜隨我受學我以方
便引導汝故生我法中舍利弗我昔教汝志
願佛道汝今悉忘而便自謂已得滅度我今
還欲令汝憶念本願所行道故為諸聲聞說
是大乘經名妙法蓮華教菩薩法佛所護念
舍利弗汝於未來世過無量無邊不可思議
劫供養若干千萬億佛奉持正法具足菩薩
所行之道當得作佛號曰華光如來應供正
遍知明行足善逝世間解無上士調御丈夫
天人師佛世尊國名離垢其土平正清淨嚴
飾安隱豐樂天人熾盛琉璃為地有八交道
黃金為繩以界其側其傍各有七寶行樹常
有華菓華光如來亦以三乘教化衆生
舍利弗彼佛出時雖非惡世以本願故說三
乘法其劫名大寶莊嚴何故名曰大寶莊嚴
其國中以菩薩為大寶故彼諸菩薩無量
無邊不可思議筭數譬喻所不能及非佛智力
無能知者若欲行時寶華承足此諸菩薩非
初發意皆久殖德本於無量百千萬億佛所
淨脩梵行恒為諸佛之所稱歎常脩佛慧具
大神通善知一切諸法之門質直無偽志念
堅固如是菩薩充滿其國舍利弗華光佛壽
十二小劫除為王子未作佛時其國人民壽
八小劫華光如來過十二小劫授堅滿菩薩
阿耨多羅三藐三菩提記告諸比丘是堅滿
菩薩次當作佛號曰華足安行多陀阿伽度
阿羅訶三藐三佛陀其佛國土亦復如是舍

BD01949號　妙法蓮華經卷二　（27-2）

[illegible]
十二小劫除為王子未作佛時其國人民壽
八小劫華光如来過十二小劫授堅滿菩薩
阿耨多羅三藐三菩提記告諸比丘是堅滿
菩薩次當作佛号曰華足安行多陀阿伽度
阿羅訶三藐三佛陀其佛國土亦復如是舍
利弗是華光佛滅度之後正法住世三十二
小劫像法住世亦三十二小劫尒時世尊欲重
宣此義而說偈言
舍利弗来世　成佛普智尊　号名曰華光　當度無量衆
供養無數佛　具足菩薩行　十力等功德　證於無上道
過無量劫已　劫名大寶嚴　世界名離垢　清淨無瑕穢
以瑠璃為地　金繩界其道　七寶雜色樹　常有華菓實
彼國諸菩薩　志念常堅固　神通波羅蜜　皆已悉具足
於無數佛所　善學菩薩道　如是等大士　華光佛所化
佛為王子時　棄國捨世榮　於最末後身　出家成佛道
華光佛住世　壽十二小劫　其國人民衆　壽命八小劫
佛滅度之後　正法住於世　三十二小劫　廣度諸衆生
正法滅盡已　像法三十二　舍利廣流布　天人普供養
華光佛所為　其事皆如是　其兩足聖尊　最勝無倫匹
彼即是汝身　宜應自欣慶
尒時四部衆比丘比丘尼優婆塞優婆夷天
龍夜叉乹闥婆阿脩羅迦樓羅緊那羅摩睺
羅伽等大衆見舍利弗於佛前受阿耨多羅
三藐三菩提記心大歡喜踊躍無量各各脫
身所著上衣以供養佛釋提桓因梵天王等
與無數天子亦以天妙衣天曼陀羅華摩訶

BD01949號　妙法蓮華經卷二　（27–3）

[illegible]
羅伽等大衆見舍利弗於佛前受阿耨多羅
三藐三菩提記心大歡喜踊躍無量各各脫
身所著上衣以供養佛釋提桓因梵天王等
與無數天子亦以天妙衣天曼陀羅華摩訶
曼陀羅華等供養於佛所散天衣住虛空中
而自迴轉諸天伎樂百千萬種於虛空中一
時俱作雨衆天華而作是言佛昔於波羅奈
初轉法輪今乃復轉無上最大法輪尒時諸
天子欲重宣此義而說偈言
昔於波羅奈　轉四諦法輪　分別說諸法　五衆之生滅
今復轉最妙　無上大法輪　是法甚深奧　少有能信者
我等從昔来　數聞世尊說　未曾聞如是　深妙之上法
世尊說是法　我等皆隨喜　大智舍利弗　今得受尊記
我等亦如是　必當得作佛　於一切世間　最尊無有上
佛道叵思議　方便隨宜說　我所有福業　今世若過世
及見佛功德　盡迴向佛道
尒時舍利弗白佛言世尊我今無復疑悔親
於佛前得受阿耨多羅三藐三菩提記是諸
千二百心自在者昔住學地佛常教化言我
法能離生老病死究竟涅槃是學无學人亦
各自以離我見及有無見等謂得涅槃而今
於世尊前聞所未聞皆墮疑惑善哉世尊願
為四衆說其因緣令離疑悔尒時佛告舍利
弗我先不言諸佛世尊以種種因緣譬喻言
詞方便說法皆為阿耨多羅三藐三菩提耶
是諸所說皆為化菩薩故然舍利弗今當復

BD01949號　妙法蓮華經卷二　（27–4）

為四衆說其因緣令離疑悔尒時佛告舍利
弗我先不言諸佛世尊以種種因緣譬喻言
詞方便說法皆為阿耨多羅三藐三菩提耶
是諸所說皆為化菩薩故然舍利弗今當復
以譬喻更明此義諸有智者以譬喻得解舍
利弗若國邑聚落有大長者其年衰邁財
富無量多有田宅及諸童僕其家廣大唯有一
門多諸人衆一百二百乃至五百人止住其中
堂閣朽故牆壁頹落柱根腐敗梁棟傾危
周帀俱時欻然火起焚燒舍宅長者諸子若
十二十或至三十在此宅中長者見是大火
從四面起即大驚怖而作是念我雖能於此
所燒之門安隱得出而諸子等於火宅內樂
著嬉戲不覺不知不驚不怖火來逼身苦痛
切己心不猒患無求出意舍利弗是長者作
是思惟我身手有力當以衣裓若以几案從
舍出之復更思惟是舍唯有一門而復陿小
諸子幼稚未有所識戀著戲處或當墮落為
火所燒我當為說怖畏之事此舍已燒宜時
疾出無令為火之所燒害作是念已如所思
惟具告諸子汝等速出父雖憐愍善言誘喻
而諸子等樂著嬉戲不肯信受不驚不畏了
無出心亦復不知何者是火何者為舍云何
為失但東西走戲視父而已尒時長者即作
是念此舍已為大火所燒我及諸子若不時
出必為所焚我今當設方便令諸子等得免

BD01949 號　妙法蓮華經卷二　（27–5）

為失但東西走戲視父而已尒時長者即作
是念此舍已為大火所燒我及諸子若不時
出必為所焚我今當設方便令諸子等得免
斯害父知諸子先心各有所好種種珍玩奇
異之物情必樂著而告之言汝等所可玩好
希有難得汝若不取後必憂悔如此種種羊
車鹿車牛車今在門外可以遊戲汝等於此
火宅宜速出來隨汝所欲皆當與汝尒時諸
子聞父所說珍玩之物適其願故心各勇銳
互相推排競共馳走爭出火宅是時長者見
諸子等安隱得出皆於四衢道中露地而坐
無復障礙其心泰然歡喜踊躍時諸子等
白父言父先所許玩好之具羊車鹿車牛車
願時賜與舍利弗尒時長者各賜諸子等一
大車其車高廣衆寶莊校周帀欄楯四面
懸鈴又於其上張設幰蓋亦以珍奇雜寶而嚴
飾之寶繩交絡垂諸華纓重敷綩綖安置丹
枕駕以白牛膚色充潔形體姝好有大筋力
行步平正其疾如風又多僕從而侍衛之所
以者何是大長者財富無量種種諸藏悉皆
充溢而作是念我財物無極不應以下劣小
車與諸子等今此幼童皆是吾子愛無偏黨
我有如是七寶大車其數無量應當等心各
各與之不宜差別所以者何以我此物周給
一國猶尚不匱何況諸子是時諸子各乘大
車得未曾有非本所望舍利弗於汝意云

BD01949 號　妙法蓮華經卷二　（27–6）

各與之不宜差別所以者何以我此物周給
一國猶尚不匱何況諸子是時諸子各乘大
車得未曾有非本所望舍利弗於汝意云
何是長者等與諸子珍寶大車寧有虛妄不
舍利弗言不也世尊是長者但令諸子得免
火難全其軀命非為虛妄何以故若全身命
便為已得玩好之具況復方便於彼火宅而
拔濟之世尊若是長者乃至不與最小一車猶
不虛妄何以故是長者先作是意我以方便
令子得出以是因緣無虛妄也何況長者自
知財富無量欲饒益諸子等與大車佛告舍
利弗善哉善哉如汝所言舍利弗如來亦復
如是則為一切世間之父於諸怖畏衰惱憂
患無明闇蔽永盡無餘而悉成就無量知見
力無所畏有大神力及智慧力具足方便智
慧波羅蜜大慈大悲常無懈倦恒求善事
利益一切而生三界朽故火宅為度眾生生老
病死憂悲苦惱愚癡闇蔽三毒之火教化令
得阿耨多羅三藐三菩提見諸眾生為生老
病死憂悲苦惱之所燒煮亦以五欲財利故
受種種苦又以貪著追求故現受眾苦後受
地獄畜生餓鬼之苦若生天上及在人間貧
窮困苦愛別離苦怨憎會苦如是等種種諸
苦眾生沒在其中歡喜遊戲不覺不知不
驚不怖亦不生厭不求解脫於此三界火宅
東西馳走雖遭大苦不以為患舍利弗佛見

BD01949號　妙法蓮華經卷二　　(27–7)

窮困苦愛別離苦怨憎會苦如是等種種諸
苦眾生沒在其中歡喜遊戲不覺不知不
驚不怖亦不生厭不求解脫於此三界火宅
東西馳走雖遭大苦不以為患舍利弗佛見
此已便作是念我為眾生之父應拔其苦難
與無量無邊佛智慧樂令其遊戲舍利弗如
來復作是念若我但以神力及智慧力捨於
方便為諸眾生讚如來知見力無所畏者眾
生不能以此得度所以者何是諸眾生未免
生老病死憂悲苦惱而為三界火宅所燒何
由能解佛之智慧舍利弗如彼長者雖復身
手有力而不用之但以慇懃方便勉濟諸子
火宅之難然後各與珍寶大車如來亦復如
是雖有力無所畏而不用之但以智慧方
便於三界火宅拔濟眾生為說三乘聲聞辟
支佛佛乘而作是言汝等莫得樂住三界火
宅勿貪麁弊色聲香味觸也若貪著生愛
則為所燒汝速出三界當得三乘聲聞辟支佛
佛乘我今為汝保任此事終不虛也汝等但
當勤修精進如來以是方便誘進眾生復作
是言汝等當知此三乘法皆是聖所稱歎自
在無繫無所依求乘是三乘以無漏根力覺
道禪定解脫三昧等而自娛樂便得無量安
隱快樂舍利弗若有眾生內有智性從佛世
尊聞法信受慇懃精進欲速出三界自求涅
槃是名聲聞乘如彼諸子為求羊車出於火
宅若有眾生從佛世尊聞法信受慇懃精進

BD01949號　妙法蓮華經卷二　　(27–8)

尊聞法信受慇懃精進欲速出三界自求涅
槃是名聲聞乘如彼諸子為求羊車出於火
宅若有眾生從佛世尊聞法信受慇懃精進
求自然慧樂獨善寂深知諸法因緣是名辟
支佛乘如彼諸子為求鹿車出於火宅若有
眾生從佛世尊聞法信受勤修精進求一切
智佛智自然智無師智如來知見力無所畏
愍念安樂無量眾生利益天人度脫一切是
名大乘菩薩求此乘故名為摩訶薩如彼諸
子為求牛車出於火宅舍利弗如彼長者見
諸子等安隱得出火宅到無畏處自惟財富
無量等以大車而賜諸子如來亦復如是為一
切眾生之父若見無量億千眾生以佛教門
出三界苦怖畏險道得涅槃樂如來尒時便
作是念我有無量無邊智慧力無畏等諸佛
法藏是諸眾生皆是我子等與大乘不令有
人獨得滅度皆以如來滅度而滅度之是諸
眾生脫三界者悉與諸佛禪定解脫等娛樂
之具皆是一相一種聖所稱歎能生淨妙第
一之樂舍利弗如彼長者初以三車誘引諸
子然後但與大車寶物莊嚴安隱第一然後
長者無虛妄之咎如來亦復如是無有虛妄
初說三乘引導眾生然後但以大乘而度脫
之何以故如來有無量智慧力無所畏諸法
之藏能與一切眾生大乘之法但不盡能受
舍利弗以是因緣當知諸佛方便力故於一

BD01949號　妙法蓮華經卷二　（27–9）

之藏能與一切眾生大乘之法但不盡能受
舍利弗以是因緣當知諸佛方便力故於一
佛乘分別說三佛欲重宣此義而說偈言
譬如長者　有一大宅　其宅久故　而復頓弊
堂舍高危　柱根摧朽　梁棟傾斜　基陛頹毀
牆壁圮坼　泥塗褫落　覆苫亂墜　椽梠差脫
周障屈曲　雜穢充遍　有五百人　止住其中
鵄梟鵰鷲　烏鵲鳩鴿　蚖虵蝮蠍　蜈蚣蚰蜒
守宮百足　狖貍鼷鼠　諸惡蟲輩　交橫馳走
屎尿臭處　不淨流溢　蜣蜋諸蟲　而集其上
狐狼野干　咀嚼踐蹋　嚌齧死尸　骨肉狼藉
由是群狗　競來搏撮　飢羸慞惶　處處求食
闘諍摣掣　啀喍嘷吠　其舍恐怖　變狀如是
處處皆有　魑魅魍魎　夜叉惡鬼　食噉人肉
毒虫之屬　諸惡禽獸　孚乳產生　各自藏護
夜叉競來　爭取食之　食之既飽　惡心轉熾
闘諍之聲　甚可怖畏　鳩槃荼鬼　蹲踞土埵
或時離地　一尺二尺　往返遊行　縱逸嬉戲
捉狗兩足　撲令失聲　以腳加頸　怖狗自樂
復有諸鬼　其身長大　裸形黑瘦　常住其中
發大惡聲　叫呼求食　復有諸鬼　其咽如針
復有諸鬼　首如牛頭　或食人肉　或復噉狗
頭髮蓬亂　殘害凶險　飢渴所逼　叫喚馳走
夜叉餓鬼　諸惡鳥獸　飢急四向　窺看窗牖
如是諸難　恐畏無量　是朽故宅　屬于一人
其人近出　未久之間　於後宅舍　忽然火起

BD01949號　妙法蓮華經卷二　（27–10）

頭[illegible]
夜叉餓鬼 諸惡鳥獸 飢急四向 窺看窓牖
如是諸難 恐畏無量 是朽故宅 屬于一人
其人近出 未久之間 於後宅舍 忽然火起
四面一時 其焰俱熾 棟梁椽柱 爆聲震裂
摧折墮落 牆壁崩倒 諸鬼神等 揚聲大叫
鵰鷲諸鳥 鳩槃荼等 周章惶怖 不能自出
惡獸毒虫 藏竄孔穴 毗舍闍鬼 亦住其中
薄福德故 為火所逼 共相殘害 飲血噉肉
野干之屬 並已前死 諸大惡獸 競來食噉
臭烟熢㶿 四面充塞 蜈蚣蚰蜒 毒虵之類
為火所燒 爭走出穴 鳩槃荼鬼 隨取而食
又諸餓鬼 頭上火然 飢渴熱惱 周章悶走
其宅如是 甚可怖畏 毒害火災 眾難非一
是時宅主 在門外立 聞有人言 汝諸子等
先因遊戲 來入此宅 稚小無知 歡娛樂著
長者聞已 驚入火宅 方宜救濟 令無燒害
告喻諸子 說眾患難 惡鬼毒虫 災火蔓莚
眾苦次第 相續不絕 毒虵蚖蝮 及諸夜叉
鳩槃荼鬼 野干狐狗 鵰鷲鵄梟 百足之屬
飢渴惱急 甚可怖畏 此苦難處 況復大火
諸子無知 雖聞父誨 猶故樂著 嬉戲不已
是時長者 而作是念 諸子如此 益我愁惱
今此舍宅 無一可樂 而諸子等 耽湎嬉戲
不受我教 將為火害 即便思惟 設諸方便
告諸子等 我有種種 珍玩之具 妙寶好車
羊車鹿車 大牛之車 今在門外 汝等出來

BD01949 號　妙法蓮華經卷二　（27–11）

是時長者 而作是念 諸子如此 益我愁惱
今此舍宅 無一可樂 而諸子等 耽湎嬉戲
不受我教 將為火害 即便思惟 設諸方便
告諸子等 我有種種 珍玩之具 妙寶好車
羊車鹿車 大牛之車 今在門外 汝等出來
吾為汝等 造作此車 隨意所樂 可以遊戲
諸子聞說 如此諸車 即時奔競 馳走而出
到於空地 離諸苦難 長者見子 得出火宅
住於四衢 坐師子座 而自慶言 我今快樂
此諸子等 生育甚難 愚小無知 而入險宅
多諸毒虫 魑魅可畏 大火猛焰 四面俱起
而此諸子 貪樂嬉戲 我以救之 令得脫難
是故諸人 我今快樂
尒時諸子 知父安坐 皆詣父所 而白父言
願賜我等 三種寶車 如前所許 諸子出來
當以三車 隨汝所欲 今正是時 惟垂給與
長者大富 庫藏眾多 金銀瑠璃 車𤦲馬瑙
以眾寶物 造諸大車 莊校嚴飾 周帀欄楯
四面懸鈴 金繩交絡 真珠羅網 張施其上
金華諸瓔 處處垂下 眾綵雜飾 周帀圍繞
柔耎繒纊 以為茵蓐 上妙細㲲 價直千億
鮮白淨潔 以覆其上 有大白牛 肥壯多力
形體姝好 以駕寶車 多諸儐從 而侍衛之
以是妙車 等賜諸子 諸子是時 歡喜踊躍
乘是寶車 遊於四方 嬉戲快樂 自在無礙
告舍利弗 我亦如是 眾聖中尊 世間之父
一切眾生 皆是吾子 深著世樂 無有慧心

BD01949 號　妙法蓮華經卷二　（27–12）

形體姝好　以駕寶車　多諸儐從　而侍衛之
以是妙車　等賜諸子　諸子是時　歡喜踊躍
乘是寶車　遊於四方　嬉戲快樂　自在無礙
告舍利弗　我亦如是　衆聖中尊　世間之父
一切衆生　皆是吾子　深著世樂　無有慧心
三界無安　猶如火宅　衆苦充滿　甚可怖畏
常有生老　病死憂患　如是等火　熾然不息
如來已離　三界火宅　寂然閑居　安處林野
今此三界　皆是我有　其中衆生　悉是吾子
而今此處　多諸患難　唯我一人　能為救護
雖復教詔　而不信受　於諸欲染　貪著深故
以是方便　為說三乘　令諸衆生　知三界苦
開示演說　出世間道　是諸子等　若心決定
具是三明　及六神通　有得緣覺　不退菩薩
汝舍利弗　我為衆生　以此譬喻　說一佛乘
汝等若能　信受是語　一切皆當　得成佛道
是乘微妙　清淨第一　於諸世間　為無有上
佛所悅可　一切衆生　所應稱讚　供養礼拜
無量億千　諸力解脫　禪定智慧　及佛餘法
得如是乘　令諸子等　日夜劫數　常得遊戲
與諸菩薩　及聲聞衆　乘此寶乘　直至道場
以是因緣　十方諦求　更無餘乘　除佛方便
告舍利弗　汝諸人等　皆是吾子　我則是父
汝等累劫　衆苦所燒　我皆濟拔　令出三界
我雖先說　汝等滅度　但盡生死　而實不滅
今所應作　唯佛智慧

BD01949號　妙法蓮華經卷二　（27–13）

告舍利弗　汝諸人等　皆是吾子　我則是父
汝等累劫　衆苦所燒　我皆濟拔　令出三界
我雖先說　汝等滅度　但盡生死　而實不滅
今所應作　唯佛智慧
若有菩薩　於是衆中　能一心聽　諸佛實法
諸佛世尊　雖以方便　所化衆生　皆是菩薩
若人小智　深著愛欲　為此等故　說於苦諦
衆生心喜　得未曾有　佛說苦諦　真實無異
若有衆生　不知苦本　深著苦因　不能暫捨
為是等故　方便說道　諸苦所因　貪欲為本
若滅貪欲　無所依止　滅盡諸苦　名第三諦
為滅諦故　修行於道　離諸苦縛　名得解脫
是人於何　而得解脫　但離虛妄　名為解脫
其實未得　一切解脫　佛說是人　未實滅度
斯人未得　無上道故　我意不欲　令至滅度
我為法王　於法自在　安隱衆生　故現於世
汝舍利弗　我此法印　為欲利益　世間故說
在所遊方　勿妄宣傳
若有聞者　隨喜頂受　當知是人　阿鞞跋致
若有信受　此經法者　是人已曾　見過去佛
恭敬供養　亦聞是法
若人有能　信汝所說　則為見我　亦見於汝
及比丘僧　并諸菩薩
斯法華經　為深智說　淺識聞之　迷惑不解
一切聲聞　及辟支佛　於此經中　力所不及
汝舍利弗　尚於此經　以信得入　況餘聲聞

BD01949號　妙法蓮華經卷二　（27–14）

斯法華經 為深智說 淺識聞之 迷惑不解
一切聲聞 及辟支佛 於此經中 力所不及
汝舍利弗 尚於此經 以信得入 況餘聲聞
其餘聲聞 信佛語故 隨順此經 非己智分
又舍利弗 憍慢懈怠 計我見者 莫說此經
凡夫淺識 深著五欲 聞不能解 亦勿為說
若人不信 毀謗此經 則斷一切 世間佛種
或復顰蹙 而懷疑惑 汝當聽說 此人罪報
若佛在世 若滅度後 其有誹謗 如斯經典
見有讀誦 書持經者 輕賤憎嫉 而懷結恨
此人罪報 汝今復聽
其人命終 入阿鼻獄 具足一劫 劫盡更生
如是展轉 至無數劫 從地獄出 當墮畜生
若狗野干 其形頊瘦 黧黮疥癩 人所觸嬈
又復為人 之所惡賤 常困飢渴 骨肉枯竭
生受楚毒 死被瓦石 斷佛種故 受斯罪報
若作駱駝 或生驢中 身常負重 加諸杖捶
但念水草 餘無所知 謗斯經故 獲罪如是
有作野干 來入聚落 身體疥癩 又無一目
為諸童子 之所打擲 受諸苦痛 或時致死
於此死已 更受蟒身 其形長大 五百由旬
聾騃無足 蜿轉腹行 為諸小虫 之所唼食
晝夜受苦 無有休息 謗斯經故 獲罪如是
若得為人 諸根闇鈍 矬陋攣躄 盲聾背傴
有所言說 人不信受 口氣常臭 鬼魅所著
貧窮下賤 為人所使 多病消瘦 無所依怙

BD01949號　妙法蓮華經卷二　（27–15）

聾騃無足 蜿轉腹行 為諸小虫 之所唼食
晝夜受苦 無有休息 謗斯經故 獲罪如是
若得為人 諸根闇鈍 矬陋攣躄 盲聾背傴
有所言說 人不信受 口氣常臭 鬼魅所著
貧窮下賤 為人所使 多病消瘦 無所依怙
雖親附人 人不在意 若有所得 尋復忘失
若修醫道 順方治病 更增他疾 或復致死
若自有病 無人救療 設服良藥 而復增劇
若他反逆 抄劫竊盜 如是等罪 橫罹其殃
如斯罪人 永不見佛 衆聖之王 說法教化
如斯罪人 常生難處 狂聾心亂 永不聞法
於無數劫 如恒河沙 生輒聾瘂 諸根不具
常處地獄 如遊園觀 在餘惡道 如己舍宅
駝驢猪狗 是其行處 謗斯經故 獲罪如是
若得為人 聾盲瘖瘂 貧窮諸衰 以自莊嚴
水腫乾消 疥癩癰疽 如是等病 以為衣服
身常臭處 垢穢不淨
深著我見 增益瞋恚 婬欲熾盛 不擇禽獸
謗斯經故 獲罪如是
告舍利弗 謗斯經者 若說其罪 窮劫不盡
以是因緣 我故語汝 無智人中 莫說此經
若有利根 智慧明了 多聞強識 求佛道者
如是之人 乃可為說
若人曾見 億百千佛 殖諸善本 深心堅固
如是之人 乃可為說
若人精進 常脩慈心 不惜身命 乃可為說
若人恭敬 無有異心 離諸凡愚 獨處山澤

BD01949號　妙法蓮華經卷二　（27–16）

若人曾見 億百千佛 殖諸善本 深心堅固
如是之人 乃可為說
若人精進 常脩慈心 不惜身命 乃可為說
若人恭敬 無有異心 離諸凡愚 獨處山澤
如是之人 乃可為說
又舍利弗 若見有人 捨惡知識 親近善友
如是之人 乃可為說
若見佛子 持戒清潔 如淨明珠 求大乘經
如是之人 乃可為說
若人無瞋 質直柔軟 常愍一切 恭敬諸佛
如是之人 乃可為說
復有佛子 於大眾中 以清淨心 種種因緣
譬喻言詞 說法無礙 如是之人 乃可為說
若有比丘 為一切智 四方求法 合掌頂受
但樂受持 大乘經典 乃至不受 餘經一偈
如是之人 乃可為說
如人至心 求佛舍利 如是求經 得已頂受
其人不復 志求餘經 亦未曾念 外道典籍
如是之人 乃可為說
告舍利弗 我說是相 求佛道者 窮劫不盡
如是等人 則能信解 汝當為說 妙法華經
妙法蓮華經信解品第四
尒時慧命須菩提 摩訶迦旃延 摩訶迦葉摩
訶目揵連 從佛所聞未曾有法 世尊授舍利
弗阿耨多羅三藐三菩提記 發希有心 歡喜
踊躍 即從座起 整衣服 偏袒右肩 右膝著地
一心合掌 曲躬恭敬 瞻仰尊顏 而白佛言 我

BD01949號　妙法蓮華經卷二　（27–17）

訶目揵連 從佛所聞未曾有法 世尊授舍利
弗阿耨多羅三藐三菩提記 發希有心 歡喜
踊躍 即從座起 整衣服 偏袒右肩 右膝著地
一心合掌 曲躬恭敬 瞻仰尊顏 而白佛言 我
等居僧之首 年並朽邁 自謂已得涅槃 無所
堪任 不復進求阿耨多羅三藐三菩提 世尊
往昔說法既久 我時在座 身體疲懈 但念空
無相無作 於菩薩法 遊戲神通 淨佛國土 成
就眾生 心不喜樂 所以者何 世尊令我等出
於三界 得涅槃證 又今我等 年已朽邁 於佛
教化菩薩阿耨多羅三藐三菩提 不生一念
好樂之心 我等今於佛前 聞授聲聞阿耨多
羅三藐三菩提記 心甚歡喜 得未曾有 不謂
於今忽然得聞希有之法 深自慶幸 獲大善
利 無量珍寶 不求自得 世尊 我等今者樂
說譬喻 以明斯義 譬若有人 年既幼稚 捨父逃
逝 久住他國 或十 二十 至五十歲 年既長大
加復窮困 馳騁四方 以求衣食 漸漸遊行 遇
向本國 其父先來 求子不得 中止一城 其家
大富 財寶無量 金銀琉璃 珊瑚虎珀 頗梨珠
等 其諸倉庫 悉皆盈溢 多有僮僕 臣佐吏
民 象馬車乘 牛羊無數 出入息利 乃遍他國 商
估賈客 亦甚眾多 時貧窮子 遊諸聚落 經歷
國邑 遂到其父所止之城 父每念子 與子離
別五十餘年 而未曾向人說如此事 但自思
惟 心懷悔恨 自念老朽 多有財物 金銀珍寶
倉庫盈溢 無有子息 一旦終沒 財物散失 無

BD01949號　妙法蓮華經卷二　（27–18）

國邑遂到其父所止之城父每念子與子離
別五十餘年而未曾向人說如此事但自思
惟心懷悔恨自念老朽多有財物金銀珍寶
倉庫盈溢無有子息一旦終沒財物散失無
所委付是以慇勤每憶其子復作是念我若
得子委付財物坦然快樂無復憂慮世尊爾
時窮子傭賃展轉遇到父舍住立門側遙見
其父踞師子床寶几承足諸婆羅門剎利居
士皆恭敬圍遶以真珠瓔珞價直千萬莊嚴
其身吏民僮僕手執白拂侍立左右覆以寶
帳垂諸華幡香水灑地散眾名華羅列寶
物出內取與有如是等種種嚴飾威德特尊窮
子見父有大力勢即懷恐怖悔來至此竊作
是念此或是王或是王等非我傭力得物之
處不如往至貧里肆力有地衣食易得若
久住此或見逼迫強使我作作是念已疾走而
去時富長者於師子座見子便識心大歡喜
即作是念我財物庫藏今有所付我常思念
此子無由見之而忽自來甚適我願我雖年
朽猶故貪惜即遣傍人急追將還爾時使者
疾走往捉窮子驚愕稱怨大喚我不相犯何
為見捉使者執之愈急強牽將還于時窮子
自念無罪而被囚執此必定死轉更惶怖悶
絕躄地父遙見之而語使言不須此人勿強
將來以冷水灑面令得醒悟莫復與語所以
者何父知其子志意下劣自知豪貴為子所

BD01949號　妙法蓮華經卷二　（27–19）

自念無罪而被囚執此必定死轉更惶怖悶
絕躄地父遙見之而語使言不須此人勿強
將來以冷水灑面令得醒悟莫復與語所以
者何父知其子志意下劣自知豪貴為子所
難審知是子而以方便不語他人云是我子
使者語之我今放汝隨意所趣窮子歡喜得
未曾有從地而起往至貧里以求衣食爾時
長者將欲誘引其子而設方便密遣二人形
色憔悴無威德者汝可詣彼徐語窮子此有
作處倍與汝直窮子若許將來使作若言欲
何所作便可語之雇汝除糞我等二人亦共汝
作時二使人即求窮子既已得之具陳上事
爾時窮子先取其價尋與除糞其父見子
愍而怪之又以他日於窗牖中遙見子身羸
瘦憔悴糞土塵坌污穢不淨即脫瓔珞細軟
上服嚴飾之具更著麤弊垢膩之衣塵土坌
身右手執持除糞之器狀有所畏語諸作人
汝等勤作勿得懈息以方便故得近其子後
復告言咄男子汝常此作勿復餘去當加汝
價諸有所須瓫器米麵鹽醋之屬莫自疑難
亦有老弊使人須者相給好自安意我如汝
父勿復憂慮所以者何我年老大而汝少壯
汝常作時無有欺怠瞋恨怨言都不見汝
有此諸惡如餘作人自今以後如所生子即時
長者更與作字名之為兒爾時窮子雖欣此
遇猶故自謂客作賤人由是之故於二十年

BD01949號　妙法蓮華經卷二　（27–20）

有此諸惡如餘作人自今以後如所生子即時
長者更與作字名之為兒尒時窮子雖欣此
遇猶故自謂客作賤人由是之故於二十年
中常令除糞過是已後心相體信入出無難
然其所止猶在本處世尊尒時長者有疾
自知將死不久語窮子言我今多有金銀珎
寶倉庫盈溢其中多少所應取與汝悉知之
我心如是當體此意所以者何今我與汝便為
不異宜加用心無令漏失尒時窮子即受教
勑領知衆物金銀珎寶及諸庫藏而無悕取
一飡之意然其所止故在本處下劣之心亦
未能捨復經少時父知子意漸已通泰成就
大志自鄙先心臨欲終時而命其子并會親
族國王大臣剎利居士皆悉已集即自宣言
諸君當知此是我子我之所生於其城中捨
吾逃走伶俜辛苦五十餘年其本字某我名
某甲昔在本城懷憂推覓忽於此間遇會
得之此實我子我實其父今吾所有一切財物
皆是子有先所出內是子所知世尊是時窮
子聞父此言即大歡喜得未曾有而作是念
我本無心有所希求今此寶藏自然而至世
尊大富長者則是如來我等皆似佛子如來
常說我等為子世尊我等以三苦故於生死
中受諸熱惱迷惑無知樂著小法今日世尊
令我等思惟蠲除諸法戲論之糞我等於中
勤加精進得至涅槃一日之價既得此已心大

常說我等為子世尊我等以三苦故於生死
中受諸熱惱迷惑無知樂著小法今日世尊
令我等思惟蠲除諸法戲論之糞我等於中
勤加精進得至涅槃一日之價既得此已心大
歡喜自以為足而便自謂於佛法中勤精進
故所得弘多然世尊先知我等心著弊欲樂
於小法便見縱捨不為分別汝等當有如
來知見寶藏之分世尊以方便力說如來智
慧我等從佛得涅槃一日之價以為大得於
此大乘無有志求我等又因如來智慧為諸
菩薩開示演說而自於此無有志願所以者
何佛知我等心樂小法以方便力隨我等說
而我等不知真是佛子今我等方知世尊於
佛智慧無所悋惜所以者何我等昔來真是
佛子而但樂小法若我等有樂大之心佛則
為我說大乘法於此經中唯說一乘而昔於
菩薩前毀呰聲聞樂小法者然佛實以大乘
教化是故我等說本無心有所希求今法王
大寶自然而至如佛子所應得者皆已得之
尒時摩訶迦葉欲重宣此義而說偈言
我等今日　聞佛音教　歡喜踊躍　得未曾有
佛說聲聞　當得作佛　無上寶聚　不求自得
譬如童子　幼稚無識　捨父逃逝　遠到他土
周流諸國　五十餘年　其父憂念　四方推求
求之既疲　頓止一城　造立舍宅　五欲自娛
其家巨富　多諸金銀　車𤦲馬瑙　真珠瑠璃

[illegible]

譬如童子　幼稚無識　捨父逃逝　遠到他土
周流諸國　五十餘年　其父憂念　四方推求
求之既疲　頓止一城　造立舍宅　五欲自娛
其家巨富　多諸金銀　車𤦲馬瑙　真珠瑠璃
象馬牛羊　輦轝車乘　田業僮僕　人民衆多
出入息利　乃遍他國　商估賈人　無處不有
千萬億衆　圍繞恭敬　常為王者　之所愛念
群臣豪族　皆共宗重　以諸緣故　往來者衆
豪富如是　有大力勢　而年朽邁　益憂念子
夙夜惟念　死時將至　癡子捨我　五十餘年
庫藏諸物　當如之何
尒時窮子　求索衣食　從邑至邑　從國至國
或有所得　或無所得　飢餓羸瘦　體生瘡癬
漸次經歷　到父住城　傭賃展轉　遂至父舍
尒時長者　於其門內　施大寶帳　處師子座
眷屬圍繞　諸人侍衛
或有計筭　金銀寶物　出內財產　注記券疏
窮子見父　豪貴尊嚴　謂是國王　若是王等
驚怖自恠　何故至此
覆自念言　我若久住　或見逼迫　強駈使作
思惟是已　馳走而去　借問貧里　欲往傭作
長者是時　在師子座　遙見其子　默而識之
即勅使者　追捉將來　窮子驚喚　迷悶躃地
是人執我　必當見殺　何用衣食　使我至此
長者知子　愚癡狹劣　不信我言　不信是父
即以方便　更遣餘人　眇目矬陋　無威德者

BD01949號　妙法蓮華經卷二　（27–23）

即勅使者　追捉將來　窮子驚喚　迷悶躃地
是人執我　必當見殺　何用衣食　使我至此
長者知子　愚癡狹劣　不信我言　不信是父
即以方便　更遣餘人　眇目矬陋　無威德者
汝可語之　云當相雇　除諸糞穢　倍與汝價
窮子聞之　歡喜隨來　為除糞穢　淨諸房舍
長者於牖　常見其子　念子愚劣　樂為鄙事
於是長者　著弊垢衣　執除糞器　往到子所
方便附近　語令勤作
既益汝價　并塗足油　飲食充足　薦席厚暖
如是苦言　汝當勤作　又以軟語　若如我子
長者有智　漸令入出　經二十年　執作家事
示其金銀　真珠頗梨　諸物出入　皆使令知
猶處門外　止宿草菴　自念貧事　我無此物
父知子心　漸已廣大　欲與財物　即聚親族
國王大臣　剎利居士　於此大衆　說是我子
捨我他行　經五十歲　自見子來　已二十年
昔於某城　而失是子　周行求索　遂來至此
凡我所有　舍宅人民　悉以付之　恣其所用
子念昔貧　志意下劣　今於父所　大獲珍寶
并及舍宅　一切財物　甚大歡喜　得未曾有
佛亦如是　知我樂小　未曾說言　汝等作佛
而說我等　得諸無漏　成就小乘　聲聞弟子
佛勅我等　說最上道　修習此者　當得成佛
我承佛教　為大菩薩　以諸因緣　種種譬喻
若干言詞　說無上道

BD01949號　妙法蓮華經卷二　（27–24）

而說我等　得諸無漏　成就小乘　聲聞弟子
佛勑我等　說最上道　修習此者　當得成佛
我承佛教　為大菩薩　以諸因緣　種種譬喻
若干言詞　說無上道
諸佛子等　從我聞法　日夜思惟　精勤修習
是時諸佛　即授其記　汝於來世　當得作佛
一切諸佛　祕藏之法　但為菩薩　演其實事
而不為我　說斯真要
如彼窮子　得近其父　雖知諸物　心不希取
我等雖說　佛法寶藏　自無志願　亦復如是
我等内滅　自謂為足　唯了此事　更無餘事
我等若聞　淨佛國土　教化衆生　都無欣樂
所以者何　一切諸法　皆悉空寂　無生無滅
無大無小　無漏無為　如是思惟　不生喜樂
我等長夜　於佛智慧　無貪無著　無復志願
而自於法　謂是究竟
我等長夜　修習空法　得脫三界　苦惱之患
住最後身　有餘涅槃　佛所教化　得道不虛
則為已得　報佛之恩　我等雖為　諸佛子等
說菩薩法　以求佛道　而於是法　永無願樂
導師見捨　觀我心故　初不勸進　說有實利
如富長者　知子志劣　以方便力　柔伏其心
然後乃付　一切財寶　佛亦如是　現希有事
知樂小者　以方便力　調伏其心　乃教大智
我等今日　得未曾有　非先所望　而今自得
如彼窮子　得無量寶
世尊我今　得道得果　於無漏法　得清淨眼

BD01949 號　妙法蓮華經卷二　（27–25）

然後乃付　一切財寶　佛亦如是　現希有事
知樂小者　以方便力　調伏其心　乃教大智
我等今日　得未曾有　非先所望　而今自得
如彼窮子　得無量寶
世尊我今　得道得果　於無漏法　得清淨眼
我等長夜　持佛淨戒　始於今日　得其果報
法王法中　久修梵行　今得無漏　無上大果
我等今者　真是聲聞　以佛道聲　令一切聞
我等今者　真阿羅漢　於諸世間　天人魔梵
普於其中　應受供養
世尊大恩　以希有事　憐愍教化　利益我等
無量億劫　誰能報者
手足供給　頭頂禮敬　一切供養　皆不能報
若以頂戴　兩肩荷負　於恒沙劫　盡心恭敬
又以美膳　無量寶衣　及諸臥具　種種湯藥
牛頭栴檀　及諸珍寶　以起塔廟　寶衣布地
如斯等事　以用供養　於恒沙劫　亦不能報
諸佛希有　無量無邊　不可思議　大神通力
無漏無為　諸法之王　能為下劣　忍于斯事
取相凡夫　隨宜為說　諸佛於法　得最自在
知諸衆生　種種欲樂　及其志力　隨所堪任
以無量喻　而為說法
隨諸衆生　宿世善根　又知成熟　未成熟者
種種籌量　分別知已　於一乘道　隨宜說三

妙法蓮華經卷第二

BD01949 號　妙法蓮華經卷二　（27–26）

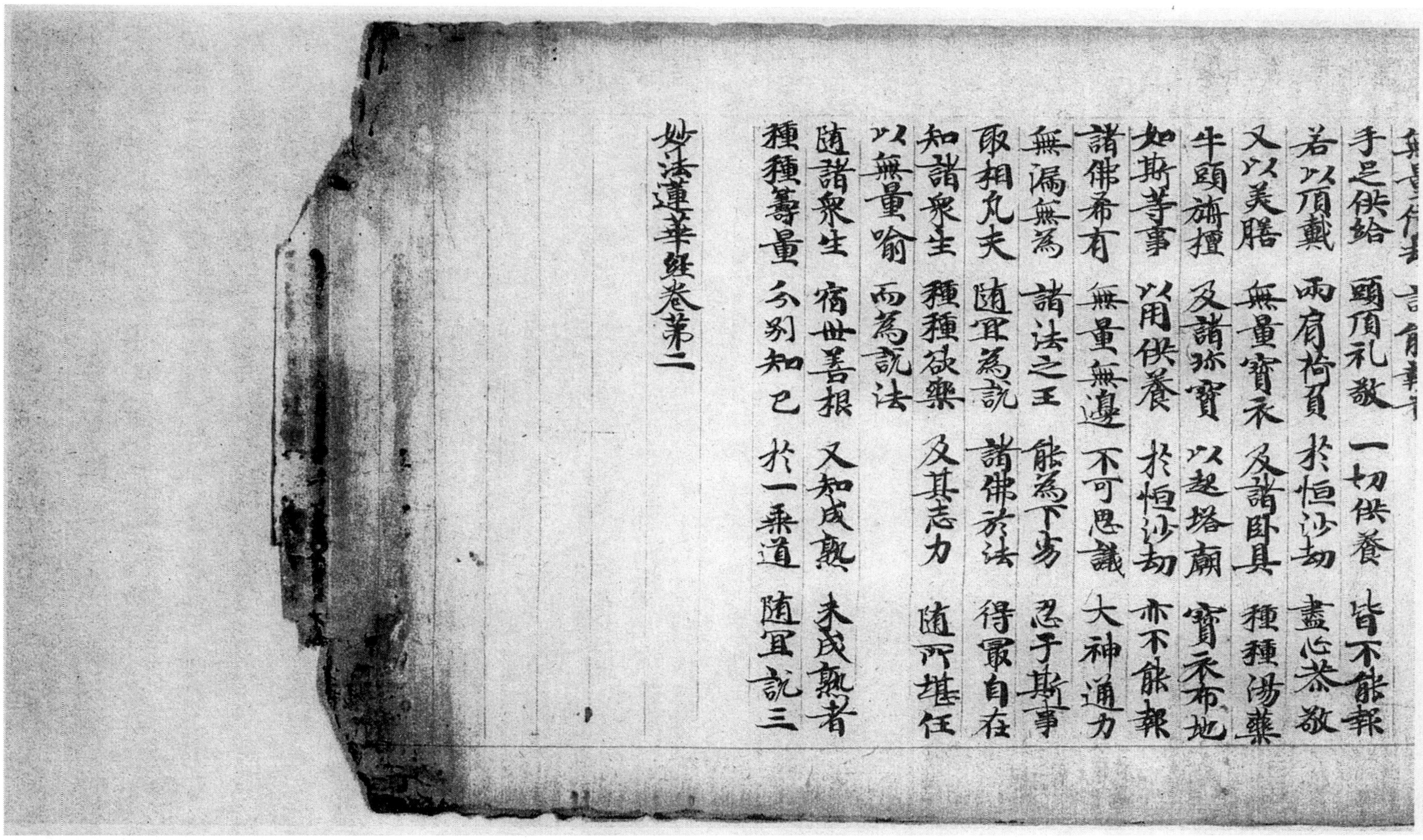

手足供給 頭頂礼敬 一切供養 皆不能報
若以頂戴 兩肩荷負 於恒沙劫 盡心恭敬
又以美膳 無量寶衣 及諸卧具 種種湯藥
牛頭栴檀 及諸珎寶 以起塔廟 寶衣布地
如斯等事 以用供養 於恒沙劫 亦不能報
諸佛希有 無量無邊 不可思議 大神通力
無漏無為 諸法之王 能為下劣 忍于斯事
取相凡夫 隨宜為說 諸佛於法 得最自在
知諸衆生 種種欲樂 及其志力 隨所堪任
以無量喻 而為說法
隨諸衆生 宿世善根 又知成熟 未成熟者
種種籌量 分別知已 於一乘道 隨宜說三

妙法蓮華經卷第二

BD01949 號　妙法蓮華經卷二　(27–27)

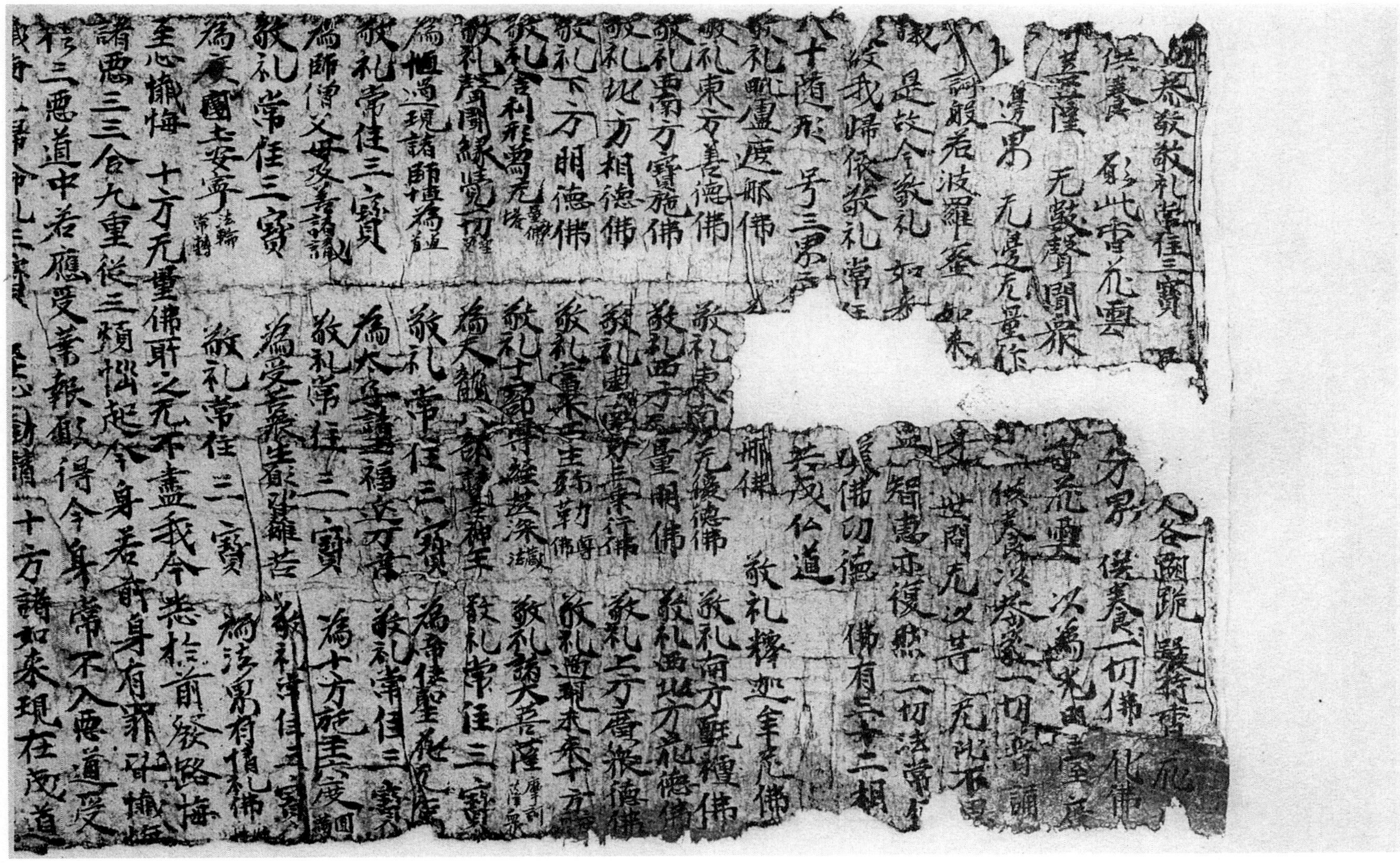

BD01950 號　七階佛名經　(4–1)

敬礼常住三寶　為受苦衆生發菩薩　敬礼常住三寶
為國王安寧法輪常轉　敬礼常住三寶　為法界有情礼佛
至心懺悔　十方无量佛所之无不盡我今悉於前發露懺悔
諸惡三三合九重從三煩惱起今身若前身有罪皆懺悔
於三惡道中若應受業報願得今身償不入惡道受
懺悔已歸命礼三寶　至心勸請　十方諸如來現在成道
者我請轉法輪安樂諸衆生十方一切佛若欲舍壽時
命我今頭面礼勸請礼久住勸請已歸命礼三寶
至心隨喜　所有布施福持戒修禪惠從身口意生去來
今所有習學三乘人具足二乘者无量人天福衆等皆隨
喜隨喜已歸命礼三寶　至心迴向　我所作福業一切
皆和合為度群生故迴向佛道罪應如是懺勸請隨喜
福迴向於菩提迴向已歸命礼三寶　至心發願　願諸衆
生等悉發菩提心諦心常思念十方一切佛復願諸衆生
永破諸煩惱了了見佛性猶如妙得等發願已歸命礼三寶以
說偈　白衆等聽說寅朝清淨偈欲求寂滅樂當學
沙門法衣食支身命精麁隨衆等諸衆等今日寅朝清淨
淨偈上中下生各記六念
第一念佛佛是衆生无上醫父　第二念法法是衆生无上普良
第三念僧僧是衆生良友福田　第四念戒戒根清淨
第五念施施心不絕　第六念天天是衆生常樂利
南无東方須彌燈光明如來十方佛等一切諸佛
南无毗婆尸如來過去七佛等一切諸佛
南无普光如來五十三佛等一切諸佛
南无東方善德如來十方无量佛等一切諸佛
南无拘那提如來賢劫千佛等一切諸佛
南无釋迦牟尼如來三十五佛等一切諸佛

BD01950號　七階佛名經　（4–2）

南无普光如來五十三佛等一切諸佛
南无東方善德如來十方无量佛等一切諸佛
南无拘那提如來賢劫千佛等一切諸佛
南无釋迦牟尼如來三十五佛等一切諸佛
南无東方阿閦如來一万五千佛等一切諸佛
南无寶集如來二十五佛等一切諸佛
南无法光明清淨開敷蓮花佛　南无虛空功德清淨
微塵等目端政功德相光明花波頭摩瑠璃光寶體香
最上香供養訖種種莊嚴頂髻无量无邊日月光明
願力莊嚴變化衆生法界出生无障导王如來　南无善
相日月光明華寶蓮花堅如金剛身毗盧遮那无障导
眼圓滿十方放光照一切佛剎相王如來　普為上界天
光龍神八部帝主人王師僧父母十方施主及以遍法界衆
生心願斷除之障歸命懺悔　至心懺悔　一切業障海皆
從忘相生若欲懺悔者端坐觀實相衆罪而霜露慧
日能消除是故應至心勤懺六根罪懺悔已歸命礼三寶
衆罪皆懺悔諸福隨喜請佛及功德願成无上智去來
現在佛於諸衆生最勝无量功德歸依合掌礼
至心發願　願我等生生值諸佛世世恒聞解脫音弘
誓平等度衆生畢竟速成无上道發願已歸命礼三
寶　一切普誦　處世界如虛空如蓮花不著水心清
淨超於彼稽首礼无上尊　說偈發願　願以此功德
普及於一切我等與衆生皆共成佛道　一切恭敬
自歸依佛　當願衆生　躰解大道　發无上意
自歸依法　當願衆生　深入經藏　智惠如海
自歸依僧　當願衆生　統理大衆　一切无导
願諸衆生　諸惡莫作　諸善奉行　自淨其意

BD01950號　七階佛名經　（4–3）

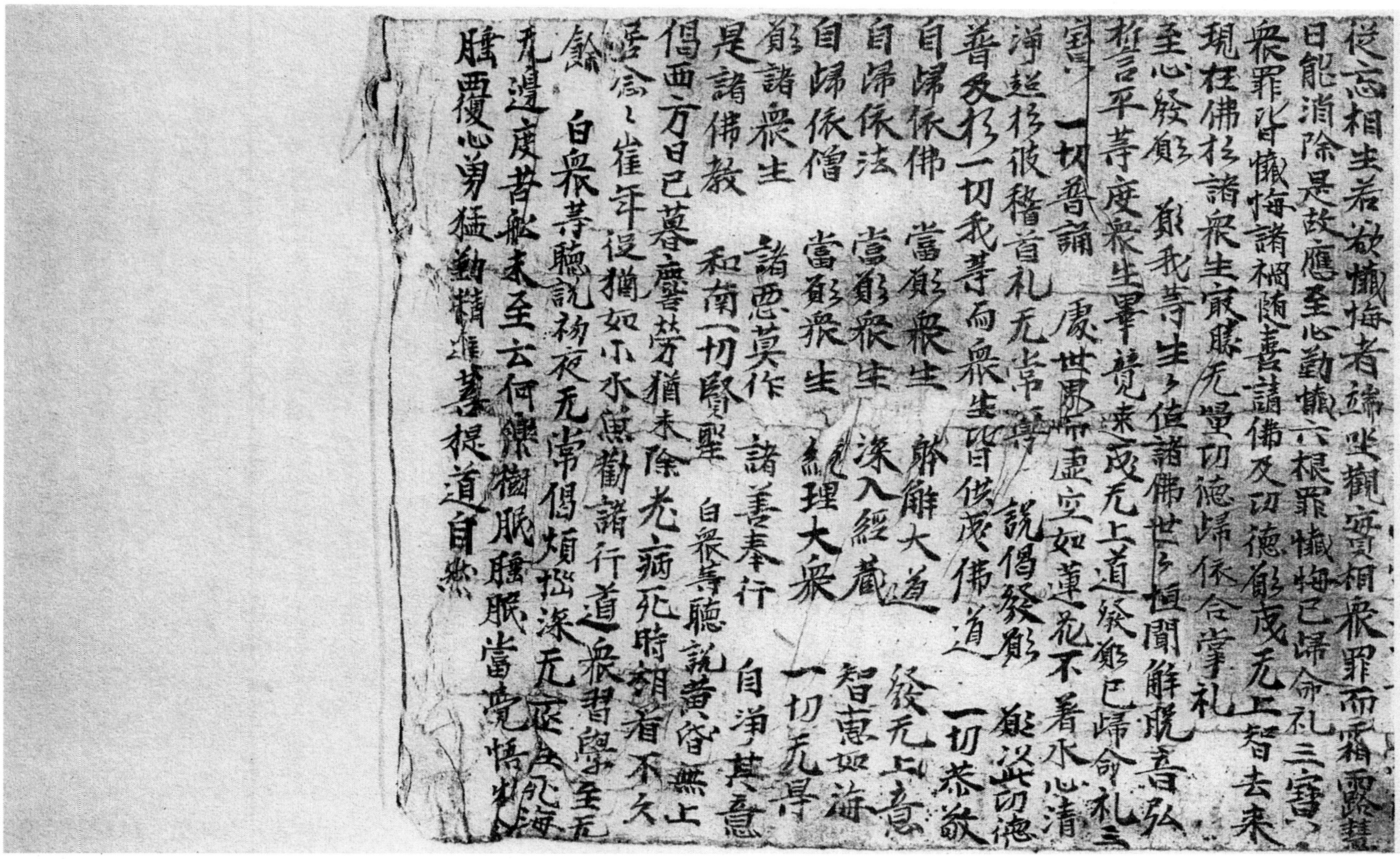

從忘相生若欲懺悔者端坐觀實相衆罪如霜露慧
日能消除是故應至心勤懺六根罪懺悔已歸命禮三寶
衆罪皆懺悔諸福随喜請佛及功德願成无上智去来
現在佛於諸衆生最勝无量功德歸依合掌禮
至心發願 願我等生々值諸佛世々恒聞解脱音弘
誓平等度衆生畢竟成无上道發願已歸命禮三
寶 一切普誦 處世界如虚空如蓮花不著水心清
淨超於彼稽首禮无上尊 說偈發願 願從此功德
普及於一切我等与衆生皆共成佛道 一切恭敬
自歸依佛 當願衆生 躰解大道 發无上意
自歸依法 當願衆生 深入經藏 智慧如海
自歸依僧 當願衆生 統理大衆 一切无㝵
願諸衆生 諸悪莫作 諸善奉行 自淨其意
是諸佛教 和南一切賢聖 白衆等聽說黄昏無上
偈 西方日已暮 麞麞勞猶未除 老病死時相看不久
居 念々催年促 猶如小水魚 勸諸行道衆 習學至无
餘 白衆等聽說初夜无常偈 煩惱深无底 生死海
无邊 度苦船未至 云何樂睡眠 睡眠當覺悟[illegible]
膣西覆心勇猛勤精進菩提道自然

BD01950 號　七階佛名經　（4–4）

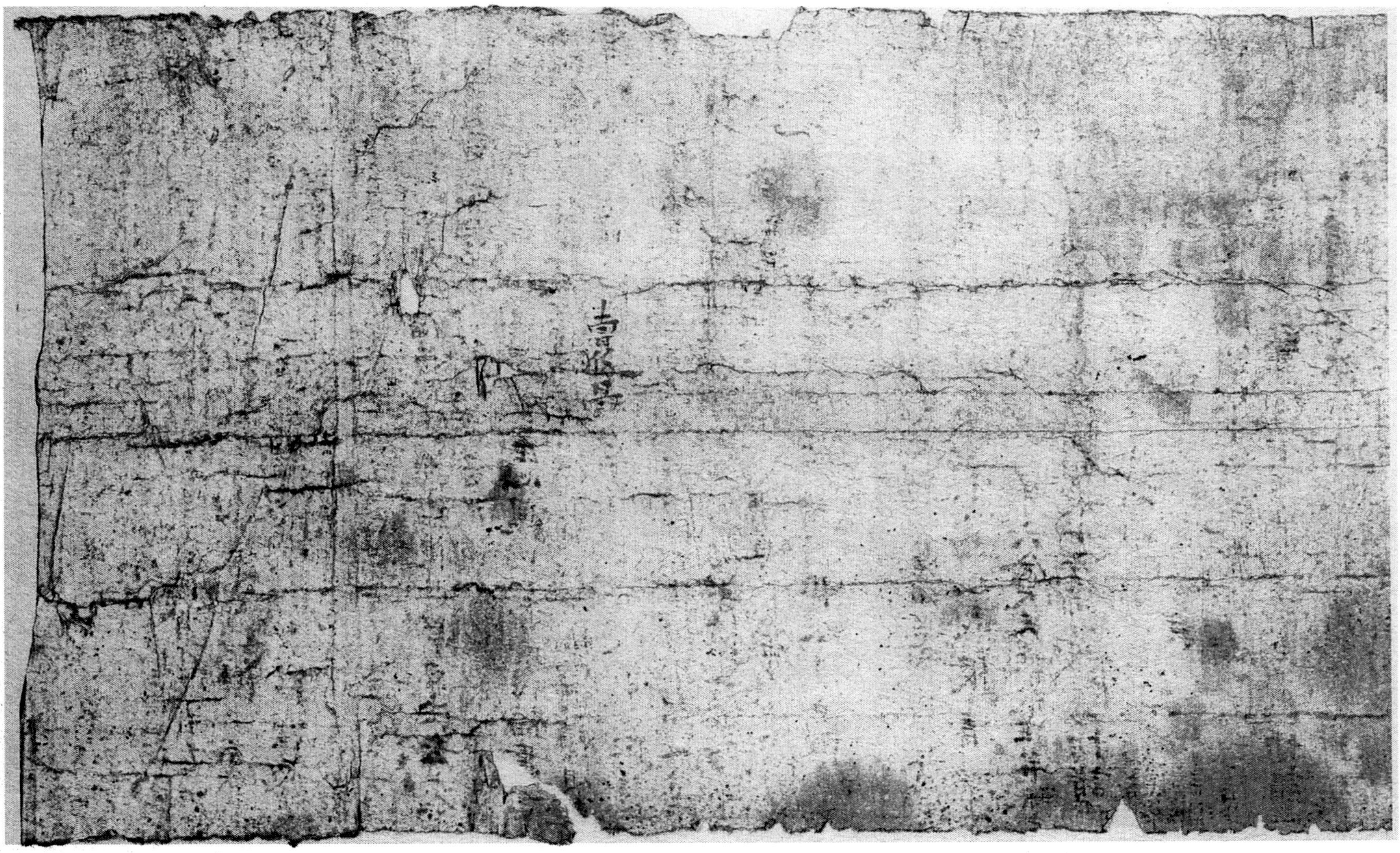

BD01950 號背　雜寫　（1–1）

犯戒是應作是不應作是鄣㝵是不鄣㝵是
得罪是離罪是淨是垢是有漏是无漏是邪
道是正道是有爲是无爲是世間是涅槃以
難化之人心如猨猴故以若干種法制御其心
乃可調伏譬如象馬惟悷不調加諸楚毒乃
至徹骨然後調伏如是剛强難化衆生故以
以一切苦切之言乃可入律彼諸菩薩聞說
是已皆曰未曾有也如世尊釋迦牟尼佛隐
其无量自在之力乃以貧所樂法度脫衆生
斯諸菩薩亦能勞謙以无量大悲生是佛土
維摩詰言此土菩薩於諸衆生大悲堅固誠
如所言然其一世饒益衆生多於彼國百千
劫行所以者何此娑婆世界有十事善法諸
餘淨土之所无有何等爲十以布施攝貧窮
以淨戒攝毀禁以忍辱攝瞋恚以精進攝懈
怠以禪定攝乱意以智慧攝愚癡說除難
法度八難者以大乘法度樂小乘者以諸善根
濟无德者常以四攝成就衆生是爲十彼菩
薩曰菩薩成就幾法於此世界行无瘡疣生

BD01951號　維摩詰所說經卷下　(11–1)

怠以禪定攝乱意以智慧攝愚癡說除難
法度八難者以大乘法度樂小乘者以諸善根
濟无德者常以四攝成就衆生是爲十彼菩
薩曰菩薩成就幾法於此世界行无瘡疣生
于淨土維摩詰言菩薩成就八法於此世界行
无瘡疣生于淨土何等爲八饒益衆生而不
望報代一切衆生受諸苦惱所作功德盡
以施之等心衆生謙下无㝵於諸菩薩視之
如佛所未聞經聞之不疑不與聲聞而相違背
不嫉彼供不高己利而於其中調伏其心常
省己過不訟彼短恒以一心求諸功德是爲
八維摩詰文殊師利於大衆中說是法時
百千天人皆發阿耨多羅三藐三菩提心十千
菩薩得无生法忍

菩薩行品第十一

是時佛說法於菴羅樹園其地忽然廣博
嚴事一切衆會皆作金色阿難白佛言世尊以
何因緣有此瑞應是處忽然廣博嚴事一切
衆會皆作金色佛告阿難是維摩詰文殊師
利與諸大衆恭敬圍繞發意欲來故先爲此
瑞應於是維摩詰語文殊師利可共見佛與
諸菩薩礼事供養文殊師利言善哉行矣今
正是時維摩詰即以神力持諸大衆并師
子座置於右掌往詣佛所到已著地稽首佛
足右遶七匝一心合掌在一面立其諸菩薩
即皆避坐稽首佛足亦繞七匝於一面立諸大

BD01951號　維摩詰所說經卷下　(11–2)

是時維摩詰即以神力持諸大眾并師
子座置於右掌往詣佛所到已着地稽首佛
足右遶七迊一心合掌在一面立其諸菩薩
即皆避坐稽首佛足亦繞七迊於一面立諸大
弟子釋梵四天王等亦皆避坐稽首佛足在
一面立於是世尊如法慰問諸菩薩已各令
復坐即皆受教眾坐已定佛語舍利弗汝見
菩薩大士自在神力之所為乎唯然已見於汝
意云何世尊我覩其為不可思議非意所
圖非度所測爾時阿難白佛言世尊今所聞香
自昔未有是為何香佛告阿難是彼菩薩
毛孔之香於是舍利弗語阿難言我等毛孔亦
出是香阿難言此所從來曰是長者維摩詰
從眾香國取佛餘飯於舍食者一切毛孔皆
香若此阿難問維摩詰是香氣住當久如維
摩詰言至此飯消曰此飯久如當消曰此飯
勢力至于七日然後乃消又阿難若聲聞人
未入正位食此飯者得入正位然後乃消已
入正位食此飯者得心解脫然後乃消若未
發大乘意食此飯者至發意乃消已發意食
此飯者得无生忍然後乃消已得无生忍食
此飯者至一生補處然後乃消譬如有藥名
曰上味其有服者身諸毒滅然後乃消此飯
如是滅除一切諸煩惱毒然後乃消阿難白
佛言未曾有也世尊如此香飯能作佛事佛
言如是如是阿難或有佛土以佛光明而作佛
事有以諸菩薩而作佛事有以佛所化人而

BD01951號　維摩詰所說經卷下　（11-3）

曰上味其有服者身諸毒滅然後乃消此飯
如是滅除一切諸煩惱毒然後乃消阿難白
佛言未曾有也世尊如此香飯能作佛事佛
言如是如是阿難或有佛土以佛光明而作佛
事有以諸菩薩而作佛事有以佛所化人而
作佛事有以菩提樹而作佛事有以佛衣
服臥具而作佛事有以飯食而作佛事有以
園林臺觀而作佛事有以三十二相八十隨
形好而作佛事有以佛身而作佛事有以虛
空而作佛事眾生應以此緣得入律行有以
夢幻影響鏡中像水中月熱時焰如是等喻
而作佛事有以音聲語言文字而作佛事或
有清淨佛土寂寞无言无說无示无識无作
无為而作佛事如是阿難諸佛威儀進止諸
所施為无非佛事阿難有此四魔八万四千
諸煩惱門而諸眾生為之疲勞諸佛即以此
法而作佛事是名入一切諸佛法門菩薩入
此門者若見一切淨好佛土不以為喜不貪
不高若見一切不淨佛土不以為憂不礙不
沒但於諸佛生清淨心歡喜恭敬未曾有也
諸佛如來功德平等為教化眾生故而現佛
土不同阿難汝見諸佛國土地有若干而虛
空无若干也如是見諸佛色身有若干耳其
无㝵慧无若干也阿難諸佛色身威德相種
姓戒定智慧解脫解脫知見力无所畏不共之
法大慈大悲威儀所行及其壽命說法教化
成就眾生淨佛國土具諸佛法悉皆同等是

BD01951號　維摩詰所說經卷下　（11-4）

无量慧无若干也阿難諸佛色身威德相種
姓戒定智慧解脫解脫知見力无所畏不共之
法大慈大悲威儀所行及其壽命說法教化
成就衆生淨佛國土具諸佛法悉皆同等是
故名爲三藐三佛陁名爲多陁阿伽度名爲佛
陁阿難若我廣說此三句義汝以劫壽不能
盡受正使三千大千世界滿中衆生皆如
阿難多聞第一得念總持此諸人等以劫之
壽亦不能受如是阿難諸佛阿耨多羅三藐
三菩提无有限量智慧辯才不可思議阿難
白佛言我從今已往不敢自謂以爲多聞佛告
阿難勿起退意所以者何我說汝於聲聞中
爲最多聞非謂菩薩且止阿難其有智者不
應限度諸菩薩也一切海淵尚可測量菩薩
禪定智慧揔持辯才一切功德不可量也阿
難汝等捨置菩薩所行是維摩詰一時所現
神通之力一切聲聞辟支佛於百千劫盡力
變化所不能作
尒時衆香世界菩薩來者合掌白佛言世尊
我等初見此土生下劣想今自悔責捨離是
心所以者何諸佛方便不可思議爲度衆生
故隨其所應現佛國異唯然世尊願賜少法
還於本土當念如來佛告諸菩薩有盡无盡
解脫法門汝等當學何謂爲盡謂有爲法
何謂无盡謂无爲法如菩薩者不盡有爲不
住无爲何謂不盡有爲謂不離大慈不捨大

BD01951號　維摩詰所說經卷下　（11–5）

解脫法門汝等當學何謂爲盡謂有爲法
何謂无盡謂无爲法如菩薩者不盡有爲不
住无爲何謂不盡有爲謂不離大慈不捨大
悲深發一切智心而不忽忘教化衆生終不
猒惓於四攝法常念順行護持正法不惜軀
命種諸善根无有疲猒志常安住方便迴向
求法不懈說法无悋勤供諸佛故入生死而
无所畏於諸榮辱心无憂喜不輕未學敬學
如佛墮煩惱者令發正念於遠離樂不以爲
貴不著已樂慶於彼樂在諸禪定如地獄想
於生死中如園觀想見來求者爲善師想捨
諸所有具一切智想見毀戒人起救護想諸
波羅蜜爲父母想道品之法爲眷屬想發行
善根无有齊限以諸國嚴飾之事成已佛土
行不限施具足相好除一切惡淨身口意故
生死无數劫意而有勇聞佛无量德志而不
惓以智慧劒破煩惱賊出陰界入荷負衆生
永使解脫以大精進摧伏魔軍常求无念實
相智慧行少欲知足而不捨世法不壞威儀而
能隨俗起神通慧引道衆生得念揔持所聞
不忘善別諸根斷衆生疑以樂說辯演法无
礙淨十善道受天人福脩四无量開梵天道
勸請說法隨喜讚善得佛音聲身口意善
得佛威儀深脩善法所行轉勝以大乘教成
菩薩僧心无放逸不失衆善行如此法是名菩
薩不盡有爲何謂菩薩不住无爲謂脩學空

BD01951號　維摩詰所說經卷下　（11–6）

淨十善道受天人福脩四无量開梵天道
勸諸說法隨喜讚善得佛音聲身口意善
得佛威儀深脩善法所行轉勝以大乘教成
菩薩僧心无放逸不失衆善行如此法是名菩
薩不盡有爲何謂菩薩不住无爲謂脩學空
不以空爲證脩學无相无作不以无相无作爲
證脩學无起不以无起爲證觀於无常而不
猒善本觀世間苦而不惡生死觀於无我
而誨人不惓觀於寂滅而不永寂滅觀於遠
離而身心脩善觀无所歸而歸趣善法觀於
无生而以生法荷負一切觀於无漏而不斷
諸漏觀无所行而以行法教化衆生觀於空
无而不捨大悲觀正法位而不隨小乘觀諸法
虛妄无牢无人无主无相本願未滿而不虛
福德禪定智慧脩如此法是名菩薩不住
无爲又具福德故不住无爲具智慧故不盡
有爲大慈悲故不住无爲滿本願故不盡
有爲集法藥故不住无爲隨授藥故不盡有爲
知衆生病故不住无爲滅衆生病故不盡有
爲諸正士菩薩已脩此法不盡有爲不住无
爲是名盡无盡解脫法門汝等當學尒時彼
諸菩薩聞說是法皆大歡喜以衆妙華若干
種色若干種香散遍三千大千世界供養於
佛及此經法并諸菩薩已稽首佛足歎未
曾有言釋迦牟尼佛乃能於此善行方便言
已忽然不現還到彼國
見阿閦佛品第十二

佛及此經法并諸菩薩已稽首佛足歎未
曾有言釋迦牟尼佛乃能於此善行方便言
已忽然不現還到彼國
見阿閦佛品第十二
尒時世尊問維摩詰汝欲見如來爲以何等
觀如來乎維摩詰言如自觀身實相觀佛亦
然我觀如來前際不來後際不去今則不住
不觀色不觀色如不觀色性不觀受想行識
不觀識如不觀識性非四大起同於虛空六
入无積眼耳鼻舌身心已過不在三界三垢
已離順三脫門三明與无明等不一相不異
相不自相不他相非无相非取相不此岸不彼
岸不中流而化衆生觀於寂滅亦不永滅
不此不彼不以此不以彼不可以智智不可以識
識无晦无明无名无相无彊无弱非淨非
穢不在方不離方非有爲非无爲无示无
說不施不慳不戒不犯不忍不恚不進不怠
不定亂不智不愚不誠不欺不來不去不出
不入一切言語道斷非福田非不福田非應供
養非不應供養非取非捨非有相非无相
同真際等法性不可稱不可量過諸稱量
非大非小非見非聞非覺非知離衆結縛等
諸智同衆生於諸法无分別一切无失无濁
无惱无作无起无生无滅无畏无憂无喜
无猒无著无已有无當有无今有不可以一切
言說分別顯示世尊如來身爲若此作如是觀

无惱无作无起无生无滅无畏无憂无喜
无厭无著无已有无當有无今有不可以一切
言說分別顯示世尊如來身為若此作如是觀
以斯觀者名為正觀若他觀者名為邪觀 尒
時舍利弗問維摩詰汝於何沒而來生此維
摩詰言汝所得法有沒生乎舍利弗言无沒
生也若諸法无沒生相云何問言汝於何沒
而來生此於意云何譬如幻師幻作男女
寧沒生邪舍利弗言无沒生也汝豈不聞佛
說諸法如幻相乎答曰如是若一切法如幻
相者云何問言汝於何沒而來生此舍利弗
沒者為虛誑法壞敗之相生者為虛誑法相
續之相菩薩雖沒不盡善本雖生不長諸惡
是時佛告舍利弗有國名妙喜佛号无動是
維摩詰於彼國沒而來生此舍利弗言未曾
有也世尊是人乃能捨清淨土而來樂此多
怒害處維摩詰語舍利弗於意云何日光出
時與冥合乎答曰不也日光出時則无衆冥
維摩詰言夫日何故行閻浮提答曰欲以明
照為之除冥維摩詰言菩薩如是雖生不淨
佛土為化衆生不與愚闇而共合也但滅衆生
煩惱闇耳
是時大衆渴仰欲見妙喜世界无動如來及其
菩薩聲聞之衆佛知一切衆會所念告維摩
詰言善男子為此衆會現妙喜國无動如來
及諸菩薩聲聞之衆衆皆欲見於是維摩詰

BD01951號　維摩詰所說經卷下　（11–9）

是時大衆渴仰欲見妙喜世界无動如來及其
菩薩聲聞之衆佛知一切衆會所念告維摩
詰言善男子為此衆會現妙喜國无動如來
及諸菩薩聲聞之衆衆皆欲見於是維摩詰
心念吾當不起于坐接妙喜國鐵圍山川溪
谷江河大海泉源須彌諸山及日月星宿天
龍鬼神梵天等宮并諸菩薩聲聞之衆城邑
聚落男女大小乃至无動如來及菩提樹諸
妙蓮華能於十方作佛事者三道寶階從閻
浮提至忉利天以此寶階諸天來下悉為禮
敬无動如來聽受經法閻浮提人亦登其階
上昇忉利見彼諸天妙喜世界成就如是无量
功德上至阿迦膩吒天下至水際以右手斷
取如陶家輪入此世界猶持華鬘示一切衆
作是念已入於三昧現神通力以其右手斷
取妙喜世界置於此土彼得神通菩薩及聲
聞衆并餘天人俱發聲言唯然世尊誰取
我去願見救護无動佛言非我所為是維摩
詰神力所作其餘未得神通者不覺不知
已之所往妙喜世界雖入此土而不增減於是
世界亦不迫隘如本无異
尒時釋迦牟尼佛告諸大衆汝等且觀妙喜
世界无動如來其國嚴飾菩薩行淨弟子清白
皆曰唯然已見佛言若菩薩欲得如是清淨
佛土當學无動如來所行之道現此妙喜國
時娑婆世界十四那由他人發阿耨多羅三藐

BD01951號　維摩詰所說經卷下　（11–10）

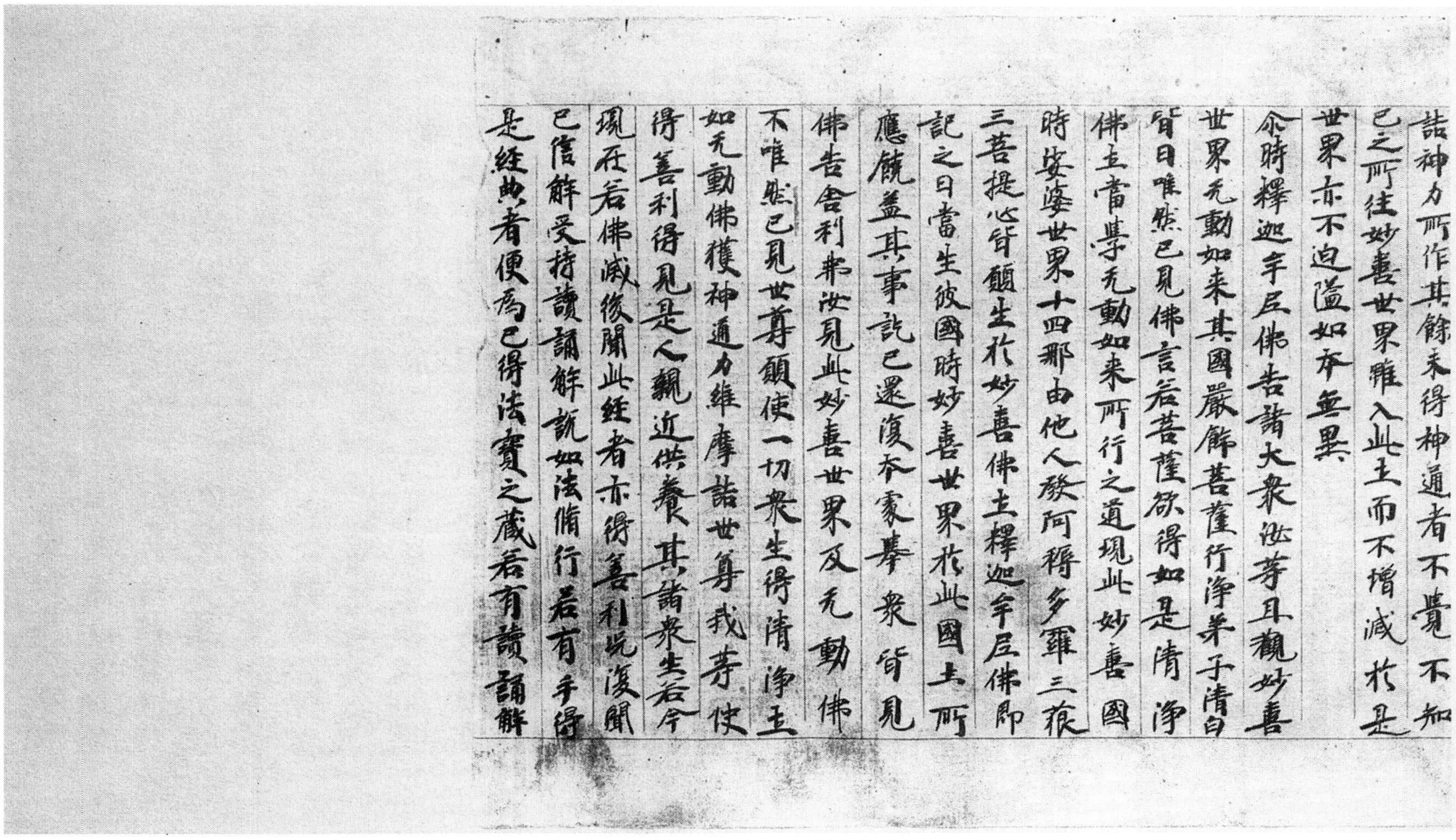

詰神力所作其餘未得神通者不覺不知
已之所往妙喜世界雖入此土而不增減於是
世界亦不迫隘如本無異
尒時釋迦牟尼佛告諸大衆汝等且觀妙喜
世界无動如来其國嚴飾菩薩行淨弟子清白
皆曰唯然已見佛言若菩薩欲得如是清淨
佛土當學无動如来所行之道現此妙喜國
時娑婆世界十四那由他人發阿耨多羅三藐
三菩提心皆願生於妙喜佛土釋迦牟尼佛即
記之曰當生彼國時妙喜世界於此國土所
應饒益其事訖已還復本處舉衆皆見
佛告舍利弗汝見此妙喜世界及无動佛
不唯然已見世尊願使一切衆生得清淨土
如无動佛獲神通力維摩詰世尊我等快
得善利得見是人親近供養其諸衆生若今
現在若佛滅後聞此經者亦得善利况復聞
已信解受持讀誦解說如法脩行若有手得
是經典者便為已得法寶之藏若有讀誦解

BD01951 號　維摩詰所說經卷下　（11–11）

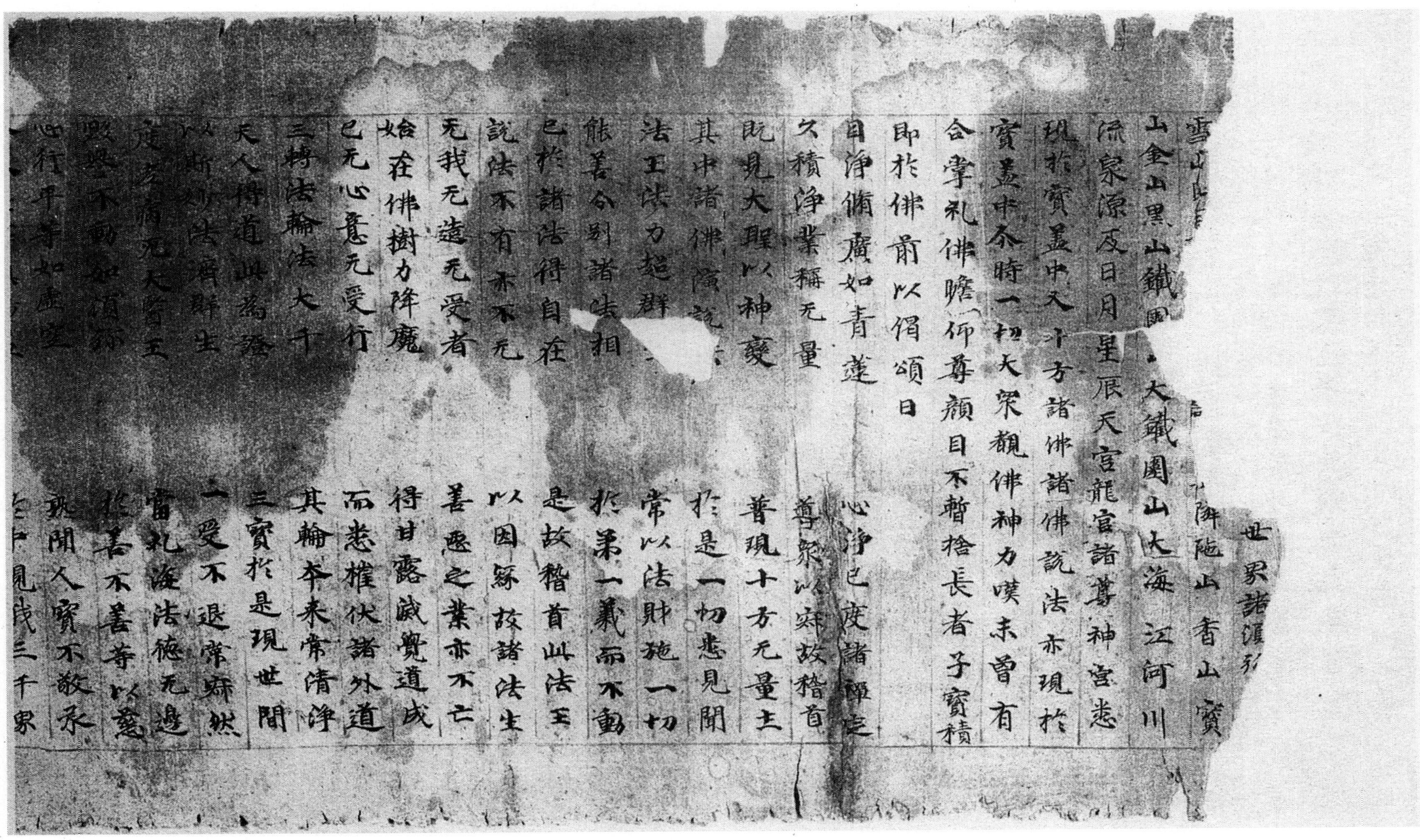

[illegible]世界諸須彌
雪山[illegible]陁山香山寶
山金山黑山鐵圍[illegible]大鐵圍山大海江河川
流泉源及日月星辰天宮龍宮諸尊神宮悉
現於寶蓋中又十方諸佛諸佛說法亦現於
寶蓋中尒時一切大衆覩佛神力嘆未曾有
合掌礼佛瞻仰尊顏目不暫捨長者子寶積
即於佛前以偈頌曰
目淨脩廣如青蓮　心淨已度諸禪定
久積淨業稱无量　導衆以寂故稽首
既見大聖以神變　普現十方无量土
其中諸佛演說法　於是一切悉見聞
法王法力超群生　常以法財施一切
能善分別諸法相　於第一義而不動
已於諸法得自在　是故稽首此法王
說法不有亦不无　以因緣故諸法生
无我无造无受者　善惡之業亦不亡
始在佛樹力降魔　得甘露滅覺道成
已无心意无受行　而悉摧伏諸外道
三轉法輪於大千　其輪本來常清淨
天人得道此為證　三寶於是現世間
以斯妙法濟群生　一受不退常寂然
度老病死大醫王　當礼法海德无邊
毀譽不動如須彌　於善不善等以慈
心行平等如虛空　孰聞人寶不敬承
[illegible]　[illegible]中見我三千界

BD01952 號　維摩詰所說經卷上　（24–1）

天人得道此為證　三寶於是現世間
以斯妙法濟群生　一受不退常寂然
度老病死大醫王　當礼法海德无邊
毀譽不動如須彌　於善不善等以慈
心行平等如虛空　孰聞人寶不敬承
今奉世尊此妙蓋　於中現我三千界
諸天龍神所居宮　乹闥婆等及夜叉
悉見世間諸所有　十力哀現是化變
衆覩希有皆歎佛　今我稽首三界尊
大聖法王衆所歸　淨心觀佛靡不欣
各見世尊在其前　斯則神力不共法
佛以一音演說法　衆生隨類各得解
皆謂世尊同其語　斯則神力不共法
佛以一音演說法　衆生各各隨所解
普得受行獲其利　斯則神力不共法
佛以一音演說法　或有恐畏或歡喜
或生猒離或斷疑　斯則神力不共法
稽首十力大精進　稽首已得无所畏
稽首住於不共法　稽首一切大導師
稽首能斷衆結縛　稽首已到於彼岸
稽首能度諸世間　稽首永離生死道
悉知衆生來去相　善於諸法得自在
不著世間如蓮華　常善入於空寂行
達諸法相无罣礙　稽首如空无所依
尒時長者子寶積說此偈已白佛言世尊是
五百長者子皆已發阿耨多羅三藐三菩提心
願聞得佛國土清淨唯願世尊說諸菩薩淨

BD01952號　維摩詰所說經卷上　（24–2）

達諸法相无罣礙
尒時長者子寶積說此偈已白佛言世尊是
五百長者子皆已發阿耨多羅三藐三菩提心
願聞得佛國土清淨唯願世尊說諸菩薩淨
土之行佛言善哉寶積乃能為諸菩薩問
於如來淨土之行諦聽諦聽善思念之當為
汝說於是寶積及五百長者子受教而聽佛
言寶積衆生之類是菩薩佛土所以者何菩
薩隨所化衆生而取佛土隨所調伏衆生而
取佛土隨諸衆生應以何國入佛智慧而取
佛土隨諸衆生應以何國起菩薩根而取佛
土所以者何菩薩取於淨國皆為饒益諸衆
生故譬如有人欲於空地造立宮室隨意无
礙若於虛空終不能成菩薩如是為成就衆
生故願取佛國願取佛國者非於空也
寶積當知直心是菩薩淨土菩薩成佛時不
諂衆生來生其國深心是菩薩淨土菩薩成
佛時具足功德衆生來生其國大乘心是菩
薩淨土菩薩成佛時大乘衆生來生其國布
施是菩薩淨土菩薩成佛時一切能捨衆生
來生其國持戒是菩薩淨土菩薩成佛時行
十善道滿願衆生來生其國忍辱是菩薩淨
土菩薩成佛時卅二相莊嚴衆生來生其國
精進是菩薩淨土菩薩成佛時懃脩一切功
德衆生來生其國禪定是菩薩淨土菩薩成
佛時攝心不亂衆生來生其國智慧是菩薩
淨土菩薩成佛時正定衆生來生其國四无量

BD01952號　維摩詰所說經卷上　（24–3）

精進是菩薩淨土菩薩成佛時懃脩一切功
德衆生來生其國禪定是菩薩淨土菩薩成
佛時攝心不亂衆生來生其國智慧是菩薩
淨土菩薩成佛時正定衆生來生其國四无量
心是菩薩淨土菩薩成佛時成就慈悲喜
捨衆生來生其國四攝法是菩薩淨土菩薩
成佛時解脫所攝衆生來生其國方便是菩薩
淨土菩薩成佛時於一切法方便无礙衆
生來生其國卅七道品是菩薩淨土菩薩成
佛時念處正勤神足根力覺道衆生來生其
國迴向心是菩薩淨土菩薩成佛時得一切
具足功德國土說除八難是菩薩淨土菩薩
成佛時國土无有三惡八難自守戒行不譏
彼闕是菩薩淨土菩薩成佛時國土无有犯
禁之名十善是菩薩淨土菩薩成佛時命不
中夭大富梵行所言誠諦常以濡語眷屬不
離善和諍訟言必饒益不嫉不恚正見衆生
來生其國如是寶積菩薩隨其直心則能發
行隨其發行則得深心隨其深心則意調伏
隨意調伏則如說行隨如說行則能迴向隨
其迴向則有方便隨其方便則成就衆生隨
成就衆生則佛土淨隨佛土淨則說法淨隨
說法淨則智慧淨隨智慧淨則其心淨隨其
心淨則一切功德淨是故寶積若菩薩欲得
淨土當淨其心隨其心淨則佛土淨
尒時舍利弗承佛威神作是念若菩薩心
則佛土淨者我世尊本為菩薩時意豈不淨

心淨則一切功德淨是故寶積若菩薩欲得
淨土當淨其心隨其心淨則佛土淨
尒時舍利弗承佛威神作是念若菩薩心
則佛土淨者我世尊本為菩薩時意豈不淨
而是佛土不淨若此佛知其念即告之言於
意云何日月豈不淨耶而盲者不見對曰不
也世尊是盲者過非日月咎舍利弗衆生罪
故不見如來佛國嚴淨非如來咎舍利弗我
此土淨而汝不見尒時螺髻梵王語舍利弗
勿作是意謂此佛土以為不淨所以者何我
是釋迦牟尼佛土清淨譬如自在天宮舍利
弗言我見此土丘陵坑坎荊棘沙礫土石諸
山穢惡充滿螺髻梵言仁者心有高下不依
佛慧故見此土為不淨耳舍利弗菩薩於一
切衆生悉皆平等深心清淨依佛智慧則能見
此佛土清淨於是佛以足指案地則時三
千大千世界若干百千珍寶嚴飾譬如寶莊
嚴佛无量功德寶莊嚴土一切大衆歎未曾
有而皆自見坐寶蓮華佛告舍利弗汝且觀
是佛土嚴淨舍利弗言唯然世尊本所不見
本所不聞今佛國土嚴淨悉現佛語舍利弗
我佛國土常淨若此為欲度斯下劣人故
示是衆惡不淨土耳譬如諸天共寶器食隨其
福德飯色有異如是舍利弗若人心淨便見
此土功德莊嚴當佛現此國土嚴淨之時寶
積所將五百長者子皆得无生法忍八万四千
人發阿耨多羅三藐三菩提心佛攝神足於是
世界還復如故

亦是衆惡不淨土耳譬如諸天共寶器食隨其
福德飯色有異如是舍利弗若人心淨便見
此土功德莊嚴當佛現此國土嚴淨之時寶
積所將五百長者子皆得无生法忍八万四千
人發阿耨多羅三藐三菩提心佛攝神足於是
世界還復如故求聲聞乘三万二千天及
人知有為法皆悉无常遠塵離垢得法眼
淨八千比丘不受諸法漏盡意解

方便品第二

尒時毗耶離大城中有長者名維摩詰已曾
供養无量諸佛深殖善本得无生忍辯才无
礙遊戲神通逮諸揔持獲无所畏降魔勞怨
入深法門善於智度通達方便大願成就明
了衆生心之所趣又能分別諸根利鈍久於
佛道心已純淑決定大乘諸有所作能善思
量住佛威儀心大如海諸佛咨嗟弟子釋梵
世主所敬欲度人故以善方便居毗耶離資財
无量攝諸貧民奉戒清淨攝諸毀禁以忍
調行攝諸恚怒以大精進攝諸懈怠一心禪
寂攝諸亂意以決定慧攝諸无智雖為白衣
奉持沙門清淨律行雖處居家不著三界亦
有妻子常脩梵行現有眷屬常樂遠離雖服
寶飾而以相好嚴身雖復飲食而以禪悅為
味若至博弈戲處輒以度人受諸異道不毀
正信雖明世典常樂佛法一切見敬為供養
中最執持正法攝諸長幼一切治生諧偶雖
獲俗利不以喜悅遊諸四衢饒益衆生入治
正法救護一切入講論處導以大乘入諸學
堂誘開童矇入諸婬舍示欲之過入諸酒肆

BD01952號　維摩詰所說經卷上　（24–6）

中最執持正法攝諸長幼一切治生諧偶雖
獲俗利不以喜悅遊諸四衢饒益衆生入治
正法救護一切入講論處導以大乘入諸學
堂誘開童矇入諸婬舍示欲之過入諸酒肆
能立其志若在長者長者中尊為說勝法若
在居士居士中尊斷其貪著若在剎利剎利
中尊教以忍辱若在婆羅門婆羅門中尊除
其我慢若在大臣大臣中尊教以正法若在
王子王子中尊示以忠孝若在內官內官中
尊化正宮女若在庶民庶民中尊令興福力
若在梵天梵天中尊誨以勝慧若在帝釋帝
釋中尊示現无常若在護世護世中尊護諸
衆生長者維摩詰以如是等无量方便饒益衆
生其以方便現身有疾以其疾故國王大
臣長者居士婆羅門等及諸王子并餘官屬
无數千人皆往問疾其往者維摩詰因以身
疾廣為說法諸仁者是身无常无強无力无
堅速朽之法不可信也為苦為惱衆病所集
諸仁者如此身明智者所不怙是身如聚沫
不可撮摩是身如泡不得久立是身如炎從
渴愛生是身如芭蕉中无有堅是身如幻從
顛倒起是身如夢為虛妄見是身如影從業
緣現是身如響屬諸因緣是身如浮雲須臾變
滅是身如電念念不住是身无主為如地
是身无我為如火是身无壽為如風是身无
人為如水是身不實四大為家是身為空離
我我所是身无知如草木瓦礫是身无作風
力所轉是身不淨穢惡充滿是身為虛偽雖
假以澡浴衣食必歸磨滅是身為災百一病

BD01952號　維摩詰所說經卷上　（24–7）

是身无我為如火是身无壽為如風是身无
人為如水是身不實四大為家是身為空離
我我所是身无知如草木瓦礫是身无作風
力所轉是身不淨穢惡充滿是身為虛偽雖
假以澡浴衣食必歸磨滅是身為灾百一病
惱是身如丘井為老所逼是身无定為要當
死是身如毒蛇如怨賊如空聚陰界諸入所
共合成諸仁者此可患猒當樂佛身所以者
何佛身者即法身也從无量功德智慧生從
戒定慧解脫解脫知見生從慈悲喜捨生從
布施持戒忍辱柔和勤行精進禪定解脫三
昧多聞智慧諸波羅蜜生從方便生從六通
生從三明生從卅七道品生從止觀生從十
力四无所畏十八不共法生從斷一切不善
法集一切善法生從真實生從不放逸生
從如是无量清淨法生如來身諸仁者欲得
佛身斷一切衆生病者當發阿耨多羅三藐
三菩提心如是長者維摩詰為諸問病者如
應說法令无所千人皆發阿耨多羅三藐
三菩提心

弟子品第二

尒時長者維摩詰自念寢疾于牀世尊大慈
寧不垂愍佛知其意即告舍利弗汝行詣
維摩詰問疾舍利弗白佛言世尊我不堪任詣
彼問疾所以者何憶念我昔曾於林中宴坐
樹下時維摩詰來謂我言唯舍利弗不必是
坐為宴坐也夫宴坐者不於三界現身意是
為宴坐不起滅定而現諸威儀是為宴坐不

BD01952號　維摩詰所說經卷上　（24–8）

彼問疾所以者何憶念我昔曾於林中宴坐
樹下時維摩詰來謂我言唯舍利弗不必是
坐為宴坐也夫宴坐者不於三界現身意是
為宴坐不起滅定而現諸威儀是為宴坐不
捨道法而現凡夫事是為宴坐心不住內亦
不在外是為宴坐於諸見不動而脩行卅七
品是為宴坐不斷煩惱而入涅槃是為宴坐
若能如是坐者佛即可時我世尊聞是語
嘿而止不能加報故我不任詣彼問疾
佛告大目揵連汝行詣維摩詰問疾目連白
佛言世尊我不堪任詣彼問疾所以者何
憶念我昔入毗耶離大城於里巷中為諸居士
說法時維摩詰來謂我言唯大目連為白衣
居士說法不當如仁者所說夫說法者當如
法說法无衆生離衆生垢故法无有我離我
垢故法无壽命離生死故法无有人前後際
斷故法常寂然滅諸相故法離於相无所緣
故法无名字言語斷故法无有說離覺觀故
法无形相如虛空故法无戲論畢竟空故法
无我所離我所故法无分別離諸識故法无
有比无相待故法不屬因不在緣故法同法
性入諸法故法隨於如无所隨故法住實際
諸邊不動故法无動搖不依六塵故法无去
來常不住故法順空隨无相應无作法離好
醜法无增損法无生滅法无所歸法過眼耳
鼻舌身心法无高下法常住不動法離一切觀
行唯大目連法相如是豈可說乎夫說法者
无說无示其聽法者无聞无得譬如幻士

BD01952號　維摩詰所說經卷上　（24–9）

醜法无增損法无生滅法无所歸法過眼耳
鼻舌身心法无高下法常住不動法離一切觀
行唯大目連法相如是豈可說乎夫說法者
无說无示其聽法者无聞无得譬如幻士
為幻人說法當建是意而為說法當了眾
生根有利鈍善於知見无所罣礙以大悲心讚
于大乘念報佛恩不斷三寶然後說法維摩
詰說是法時八百居士發阿耨多羅三藐三
菩提心我无此辯是故不任詣彼問疾
佛告大迦葉汝行詣維摩詰問疾迦葉白佛
言世尊我不堪任詣彼問疾所以者何憶念
我昔於貧里而行乞時維摩詰來謂我言唯
大迦葉有慈悲心而不能普捨豪富從貧乞
迦葉住平等法應次行乞食為不食故應行乞
食為壞和合相故應取揣食為不受故應受
彼食以空聚想入於聚落所見色與盲等所
聞聲與響等所嗅香與風等所食味不分別
受諸觸如智證知諸法如幻相无自性无他
性本自不然今則无滅迦葉若能不捨八耶
入八解脫以耶相入正法以一食施一切供
養諸佛及眾賢聖然後可食如是食者非
有煩惱非離煩惱非入定意非起定意非住世
間非住涅槃其有施者无大福无小福不為
益不為損是為正入佛道不依聲聞迦葉若
如是食為不空食人之施也時我世尊聞說
是語得未曾有即於一切菩薩深起敬心復
作是念斯有家名辯才智慧乃能是如其誰

BD01952號　維摩詰所說經卷上　（24–10）

間非住涅槃其有施者无大福无小福不為
益不為損是為正入佛道不依聲聞迦葉若
如是食為不空食人之施也時我世尊聞說
是語得未曾有即於一切菩薩深起敬心復
作是念斯有家名辯才智慧乃能是如其誰
不發阿耨多羅三藐三菩提心我從是來不復
勸人以聲聞辟支佛行是故不任詣彼問疾
佛告須菩提汝行詣維摩詰問疾須菩提白
佛言世尊我不堪任詣彼問疾所以者何憶
念我昔入其舍從乞食時維摩詰取我鉢盛
滿飯謂我言唯須菩提若能於食等者諸法
亦等諸法等者於食亦等如是行乞乃可取
食若須菩提不斷婬怒癡亦不與俱不壞於
身而隨一相不滅癡愛起於明脫以五逆相
而得解脫亦不解不縛不見四諦非不見諦非
得果非凡夫非離凡夫法非聖人非不聖
人雖成就一切法而離諸法相乃可取食若
須菩提不見佛不聞法彼外道六師富蘭那
迦葉末伽梨拘賒梨子刪闍夜毗羅胝子阿
耆多翅舍欽婆羅迦羅鳩馱迦旃延尼揵陀
若提子等是汝之師因其出家彼師所墮汝
亦隨墮乃可取食若須菩提入諸邪見不到
彼岸住於八難不得无難同於煩惱離清淨
汝法得无諍三昧一切眾生亦得是定其施汝
者不名福田供養汝者墮三惡道為與眾
魔共一手作諸勞侶汝與眾魔及諸塵勞等
无有異於一切眾生而有怨心謗諸佛毀於法

BD01952號　維摩詰所說經卷上　（24–11）

者不名福田供養汝者墮三惡道為與衆
魔共一手作諸勞侶汝與衆魔及諸塵勞等
无有異於一切衆生而有怨心謗諸佛毀於法
不入衆數終不得滅度汝若如是乃可取食
時我世尊聞此語茫然不識是何言不知以何
荅便置鉢欲出其舍維摩詰言唯須菩提
取鉢勿懼於意云何如來所作化人若以是
事詰寧有懼不我言不也維摩詰言一切諸
法如幻化相汝今不應有所懼也所以者何一
切言說不離是相至於智者不著文字故
无所懼何以故文字性離无有文字是則解
脫解脫相者則諸法也維摩詰說是法時二
百天子得法眼淨故我不任詣彼問疾
佛告富樓那彌多羅尼子汝行詣維摩詰問
疾富樓那白佛言世尊我不堪任詣彼問疾
所以者何憶念我昔於大林中在一樹下為
諸新學比丘說法時維摩詰來謂我言唯
富樓那先當入定觀此人心然後說法无以穢
食置於寶器當知是比丘心之所念无以琉
璃同彼水精汝不能知衆生根源无得發起
以小乘法彼自无瘡勿傷之也欲行大道莫
示小徑无以大海內於牛跡无以日光等彼
螢火富樓那此比丘久發大乘心中忘此意
如何以小乘法而教導之我觀小乘智慧微
淺猶如盲人不能分別一切衆生根之利鈍
時維摩詰即入三昧令此比丘自識宿命曾
於五百佛所殖衆德本迴向阿耨多羅三藐三
菩提即時豁然還得本心於是諸比丘

淺猶如盲人不能分別一切衆生根之利鈍
時維摩詰即入三昧令此比丘自識宿命曾
於五百佛所殖衆德本迴向阿耨多羅三藐三
菩提即時豁然還得本心於是諸比丘稽首
礼維摩詰足時維摩詰因為說法於阿耨
多羅三藐三菩提不復退轉我念聲聞不
觀人根不應說法是故不任詣彼問疾
佛告摩訶迦旃延汝行詣維摩詰問疾迦
旃延白佛言世尊我不堪任詣彼問疾所以者
何憶念昔者佛為諸比丘略說法要我即於
後敷演其義謂无常義苦義空義无我義寂滅
義時維摩詰來謂我言唯迦旃延无以生
滅心行說實相法迦旃延諸法畢竟不生不
滅是无常義五受陰洞達空无所起是苦義
諸法究竟无所有是空義於我无我而不二
是无我義法本不然今則无滅是寂滅義說
是法時彼諸比丘心得解脫故我不任詣彼問
疾
佛告阿那律汝行詣維摩詰問疾阿那律白
佛言世尊我不堪任詣彼問疾所以者何憶
念我昔於一處經行時有梵王名曰嚴淨與
万梵俱放淨光明來詣我所稽首作礼問我
言幾何阿那律天眼所見我即荅言仁者吾
見此釋迦牟尼佛土三千大千世界如觀掌
中菴摩勒菓時維摩詰來謂我言唯阿那律
天眼為作相耶无作相耶假使作相則與外
道五通等若无作相即是无為不應有見世

言幾何阿那律天眼所見我即荅言仁者吾
見此釋迦牟尼佛土三千大千世界如觀掌
中菴摩勒菓時維摩詰來謂我言唯阿那律
天眼為作相耶无作耶假使作相則與外
道五通等若无作相即是无為不應有見世
尊我時嘿然彼諸梵問其言得未曾有即為
作礼而問曰世孰有真天眼者維摩詰言有
佛世尊得真天眼常在三昧悉見諸佛國不
以二相於是嚴淨梵王及其眷屬五百梵天
皆發阿耨多羅三藐三菩提心礼維摩詰足已
忽然不現故我不任詣彼問疾
佛告優波離汝行詣維摩詰問疾優波離白
佛言世尊我不堪任詣彼問疾所以者何憶
念昔者有二比丘犯律行以為耻不敢問佛來
問我言唯優波離我等犯律誠以為耻不敢
問佛願解疑悔得免斯咎我即為其如法
解說時維摩詰來謂我言唯優波離无重
增此二比丘罪當直除滅勿擾其心所以者何
彼罪性不在內不在外不在中間如佛所說
心垢故衆生垢心淨故衆生淨心亦不在內
不在外不在中間如其心然罪垢亦然諸法
亦然不出於如如優波離以心相得解脫時寧
有垢不我言不也維摩詰言一切衆生心相
无垢亦復如是唯優波離妄想是垢无妄
想是淨顛倒是垢无顛倒是淨取我是垢不
取我是淨優波離一切法生滅不住如幻如
電諸法不相待乃至一念不住諸法皆妄見
如夢如炎如水中月如鏡中像以妄想生其

BD01952 號　維摩詰所說經卷上　（24–14）

想是淨顛倒是垢无顛倒是淨取我是垢不
取我是淨優波離一切法生滅不住如幻如
電諸法不相待乃至一念不住諸法皆妄見
如夢如炎如水中月如鏡中像以妄想生其
知此者是名奉律其知此者是名善解於是
二比丘言上智哉是優波離所不及持律之
上而不能說我荅言自捨如來未有聲聞及
菩薩能制其樂說之辯其智慧明達為若此
也時二比丘疑悔即除發阿耨多羅三藐三菩
提心作是願言令一切衆生皆得是辯故我
不任詣彼問疾
佛告羅睺羅汝行詣維摩詰問疾羅睺羅白
佛言世尊我不堪任詣彼問疾所以者何憶
念昔時毗耶離諸長者子來詣我所稽首作
礼問我言唯羅睺羅汝佛之子捨轉輪王位
出家為道其出家者有何等利我即如法為
說出家功德之利時維摩詰來謂我言唯羅
睺羅不應說出家功德之利所以者何无利
无功德是為出家有為法者可說有利有功
德夫出家者為无為法无為法中无利无功
德羅睺羅夫出家者无彼无此亦无中間離
六十二見處於涅槃智者所受聖所行處降
伏衆魔度五道淨五眼得五力立五根不惱
於彼離衆雜惡摧諸外道超越假名出於淤
泥无繫著无我所无所受无擾亂內懷喜護彼
意隨禪定離衆過若能如是是真出家於
是維摩詰語諸長者子汝等於正法中宜共出
家所以者何佛世難值諸長者子言居士我

BD01952 號　維摩詰所說經卷上　（24–15）

无繫着无作我所无所受无擾亂内懷喜護彼
意随禪定離衆過若能如是是真出家於
是維摩詰語諸長者子汝等於正法中宜共出
家所以者何佛世難値諸長者子言居士我
聞佛言父母不聽不得出家維摩詰言然汝
等便發阿耨多羅三藐三菩提心是即出家是
即具足尒時卅二長者子皆發阿耨多羅三
藐三菩提心故我不任詣彼問疾
佛告阿難汝行詣維摩詰問疾阿難白佛言
世尊我不堪任詣彼問疾所以者憶念昔時
世尊身小有疾當用牛乳我即持鉢詣大
婆羅門家門下立時維摩詰来謂我言唯阿
難何為晨朝持鉢住此我言居士世尊身小
有疾當用牛乳故来至此維摩詰言止止阿
難莫作是語如来身者金剛之體諸漏已斷
衆善普會當有何疾當有何惱嘿往阿難勿
謗如来莫使異人聞此麁言无令大威德諸
天及他方浄土諸来菩薩得聞斯語阿難轉
輪聖王以少福故尚得无病豈況如来无量
福會普勝者哉行矣阿難勿使我等受斯恥
也外道梵志若聞此語當作是念何名為師
自疾不能救而能救諸疾人可密速去勿使
人聞當知阿難諸如来身即是法身非思欲
身佛為世尊過於三界佛身无漏諸漏已盡
佛身无為不隨諸數如此之身當有何疾時
我世尊實懐慚愧得无近佛而謬聽耶即聞
空中聲曰阿難如居士言但為佛出五濁悪
世現行斯法度脱衆生行矣阿難取乳勿慚

BD01952號　維摩詰所説經卷上　（24–16）

佛身无為不隨諸數如此之身當有何疾時
我世尊實懐慚愧得无近佛而謬聽耶即聞
空中聲曰阿難如居士言但為佛出五濁悪
世現行斯法度脱衆生行矣阿難取乳勿慚
世尊維摩詰智慧辯才為若此也是故不任
詣彼問疾如是五百大弟子各各向佛説
其本緣稱述維摩詰所言皆曰不任詣彼問疾
維摩詰所説經菩薩品第四
於是佛告弥勒菩薩汝行詣維摩詰問疾弥
勒白佛言世尊我不堪任詣彼問疾所以者
何憶念我昔為兜率天王及其眷屬説不退
轉地之行時維摩詰来謂我言弥勒世尊授
仁者記一生當得阿耨多羅三藐三菩提為用
何生得受記乎過去耶未来耶現在耶若
過去生過去生已滅若未来生未来生未至
若現在生現在生无住如佛所説比丘汝今
即時亦生亦老亦滅若以无生得受記者无
生即是正位於正位中亦无受記亦无得阿耨
多羅三藐三菩提云何弥勒受一生記乎為
從如生得受記耶為從如滅得受記耶若
以如生得受記者如无有生若以如滅得受
記者如无有滅一切衆生皆如也一切法亦
如也衆聖賢亦如也至於弥勒亦如也若弥
勒得受記者一切衆生亦應受記所以者何
夫如者不二不異若弥勒得耨多羅三藐
三菩提者一切衆生皆亦應得所以者何一
切衆生即菩提相若弥勒滅度者一切衆生
亦當滅度所以者何諸佛知一切衆生畢竟

BD01952號　維摩詰所説經卷上　（24–17）

大如者不二不異若弥勒得阿耨多羅三藐
三菩提者一切衆生皆亦應得所以者何一
切衆生即菩提相若弥勒滅度者一切衆生
亦當滅度所以者何諸佛知一切衆生畢竟
寂滅即涅槃相不復更滅是故弥勒无以此
法誘諸天子實无發阿耨多羅三菩提心
者亦无退者弥勒當令此諸天子捨於
分別菩提之見所以者何菩提者不可以身得
不可以心得寂滅是菩提滅諸相故不觀是
菩提離諸緣故不行是菩提无憶念故斷是
菩提捨諸見故離是菩提離諸妄想故鄣是
菩提鄣諸願故不入是菩提无貪著故順是
菩提順於如故住是菩提住法性故至是菩
提至實際故不二是菩提離意法故等是
菩提等虛空故无為是菩提无生住滅故知是
菩提了衆心行故不會是菩提諸入不會
故不合是菩提離煩惱習故无處是菩提无
形色故假名是菩提名字空故如化是菩提
无取捨故无亂是菩提常自靜故善寂是菩
提性清淨故无取是菩提離攀緣故无異是
菩提諸法等故无比是菩提无取可喻故微
妙是菩提諸法難知故世尊維摩詰說是
法時二百天子得无生法忍故我不任詣彼問
疾
佛告光嚴童子汝行詣維摩詰問疾光嚴白
佛言世尊我不堪任詣彼問疾所以者何憶
念我昔出毗耶離大城時維摩詰方入城我
即為作礼而問言居士從何所來答我言吾

BD01952號　維摩詰所說經卷上　（24–18）

佛告光嚴童子汝行詣維摩詰問疾光嚴白
佛言世尊我不堪任詣彼問疾所以者何憶
念我昔出毗耶離大城時維摩詰方入城我
即為作礼而問言居士從何所來答我言吾
從道場來我問道場者何所是答曰直心是
道場无虛假故發行是道場能辦事故深
心是道場增益功德故菩提心是道場无虛
錯謬故布施是道場不望報故持戒是道場得
願具故忍辱是道場於諸衆生心无㝵故精進
是道場不懈退故禪定是道場心調柔故智
慧是道場現見諸法故慈是道場等衆生故
悲是道場忍疲苦故喜是道場悅樂法故捨
是道場憎愛斷故神通是道場成就六通故
解脫是道場能背捨故方便是道場教化衆
生故四攝是道場攝衆生故多聞是道場如
聞行故伏心是道場正觀諸法故卅七品是
道場捨有為法故諦是道場不誑世間故緣
起是道場无明乃至老死皆无盡故諸煩惱
是道場知如實故衆生是道場知无我故一
切法是道場知諸法空故降魔是道場不傾
動故三界是道場无所趣故師子吼是道場
无所畏故力无畏不共法是道場无諸過故
三明是道場无餘㝵故一念知一切法是道場
成就一切智故如是善男子菩薩若應諸
波羅蜜教化衆生諸有所作舉足下足當知
皆從道場來住於佛法矣說是法是五百天
人皆發阿耨多羅三藐三菩提心故我不任詣
彼問疾

BD01952號　維摩詰所說經卷上　（24–19）

皆從道場來住於佛法矣說是法是五百天
人皆發阿耨多羅三藐三菩提心故我不任詣
彼問疾
佛告持世菩薩汝行詣維摩詰問疾持世白佛
言世尊我不堪任詣彼問疾所以者何憶念
我昔住於靜室時魔波旬從万二千天女状
如帝釋鼓樂絃歌來詣我所與其眷屬稽
首我足合掌恭敬於一面立我意謂是帝釋
而語之言善來憍尸迦雖福應有不當自恣
當觀五欲无常以求善本於身命財而脩
堅法即語我言正士受是万二千天女可備掃
灑我言憍尸迦无以此非法之物要我沙門
釋子此非我宜所言未訖時維摩詰來謂
我言非帝釋也是魔來嬈固汝耳即語魔言
是諸女等可以與我如我應受魔即驚懼念
維摩詰將无惱我欲隱形去而不能隱盡其
神力亦不得去即聞空中聲曰波旬以女與
之乃可得去魔以畏故俛仰而與尒時維摩
詰語諸女言魔以女等與我今汝皆當發阿
耨多羅三藐三菩提心即隨所應而為說法
令發道意復言汝等已發道意有法樂可
以自娛不應復樂五欲樂也天女即問何謂法
樂答言樂常信佛樂欲聽法樂供養衆樂離
五欲樂觀五陰如怨賊樂觀四大如毒虵樂
觀内入如空聚樂隨護道意樂饒益衆生樂
敬養師樂廣行施樂堅持戒樂忍辱柔和
樂勤集善根樂禪定不亂樂離垢明慧樂廣
菩提心樂降伏衆魔樂斷諸煩惱樂淨佛國土

敬養師樂廣行施樂堅持戒樂忍辱柔和
樂勤集善根樂禪定不亂樂離垢明慧樂廣
菩提心樂降伏衆魔樂斷諸煩惱樂淨佛國土
樂成就相好故脩諸功德樂莊嚴道場樂聞
深法不畏樂三脫門不樂非時樂近同學樂
於非同學中心无恚礙樂將護惡知識樂近
善知識樂心喜清淨樂脩无量道品之法是
為菩薩法樂於是波旬告諸女言我欲與汝
俱還天宫諸女言以我等與此居士有法樂
我等甚樂不復樂五欲樂也魔言居士可捨
此女一切所有施於彼者是為菩薩維摩詰
言我已捨矣汝便將去令一切衆生得法願
具足於是諸女問維摩詰我等云何止於魔
宫維摩詰言諸姊有法門名无盡燈汝等當
學无盡燈者譬如一燈然百千燈冥者皆明
明終不盡如是諸姊夫一菩薩開道百千衆
生令發阿耨多羅三藐三菩提心於其道意
亦不滅盡隨所說法而自增益一切善法是
名无盡燈也汝等雖住魔宫以是无盡燈令
无數天子天女發阿耨多羅三藐三菩提心者
為報佛恩亦大饒益一切衆生尒時天女頭面
礼維摩詰足隨魔還宫忽然不現世尊
維摩詰有如是自在神力智慧辯才故我不
任詣彼問疾
佛告長子善德汝行詣維摩詰問疾善德白
佛言世尊我不堪任詣彼問疾所以者何
憶念我昔自於父舍設大施會供養一切沙

任諸彼問疾
佛告長子善德汝行詣維摩詰問疾善德白
佛言世尊我不堪任詣彼問疾所以者何
憶念我昔自於父舍設大施會供養一切沙
門婆羅門及諸外道貧窮下賤孤獨乞人期
滿七日時維摩詰來入會中謂我言長者子
夫大施會不當如汝所設當為法施之會何
用是財施會為我言居士何謂法施之會法
會施者无前无後一時供養一切衆生是名
法施之會曰何謂也謂以菩提起於慈心以救
衆生起大悲心以持正法起於喜心以攝智
慧行於捨心以攝慳貪起檀波羅蜜以化
犯戒起尸波羅蜜以无我法起羼提波羅蜜
以離身心相起毗梨耶波羅蜜以菩提相起禪
波羅蜜以一切智起般若波羅蜜教化衆
生而起於空不捨有為法而起无相示現受
生而起无作護持正法起方便力以度衆生
起四攝法以敬事一切起除慢法於身命財
起三堅法於六念中起思念法於六和敬起
質直心正行善法起於淨命心淨歡喜起近
賢聖不憎惡人起調伏心以出家法起於深
心以如說行起於多聞以无諍法起空閑處
趣向佛慧起於宴坐解衆生縛起脩行地以
具相好及淨佛土起福德業知衆生心念如
應說法起於智業知一切法不取不捨入一
相門起於慧業一切煩惱一切鄣礙一切不
善法起一切善業以得一切智慧一切善
法起於一切助佛道法如是善男子是為法

BD01952 號　維摩詰所說經卷上　（24–22）

應說法起於智業知一切法不取不捨入一
相門起於慧業一切煩惱一切鄣礙一切不
善法起一切善業以得一切智慧一切善
法起於一切助佛道法如是善男子是為法
施之會若菩薩住是法施會者為大施主亦
為一切世間福田世尊維摩詰說是法時婆
羅門衆中二百人皆發阿耨多羅三藐三菩提
心我時心得清淨嘆未曾有稽首礼維摩
詰足即解瓔珞價直百千以上之不肯取我
言居士願必納受隨意所與維摩詰乃受瓔
珞分作二分持一分施此會中一最下乞人
持一分奉彼難勝如來一切衆會皆見光
明國土難勝如來又見珠瓔在彼佛上變成
四柱寶臺四面嚴飾不相鄣蔽時維摩詰
現神變已作是言若施主等心施一最下乞
人猶如如來福田之相无所分別等于大悲不
求果報是則名曰具足法施城中一最下乞
人見是神力聞其所說皆發阿耨多羅三藐
三菩提心故我不任詣彼問疾如是諸菩薩
各各向佛說其本緣稱述維摩詰所說皆
日不任詣彼問疾

維摩詰經卷上

比丘尼蓮華心為滌患得瘥發願寫

BD01952 號　維摩詰所說經卷上　（24–23）

人猶如如來福田之相无所分別等于大悲不
求果報是則名曰具足法施城中一最下乞
人見是神力聞其所說皆發阿耨多羅三藐
三菩提心故我不任詣彼問疾如是諸菩薩
各各向佛說其本緣稱述維摩詰所說皆
曰不任詣彼問疾

維摩詰經卷上

比丘尼蓮華心為染患得痊發願寫

BD01952 號　維摩詰所說經卷上　（24–24）

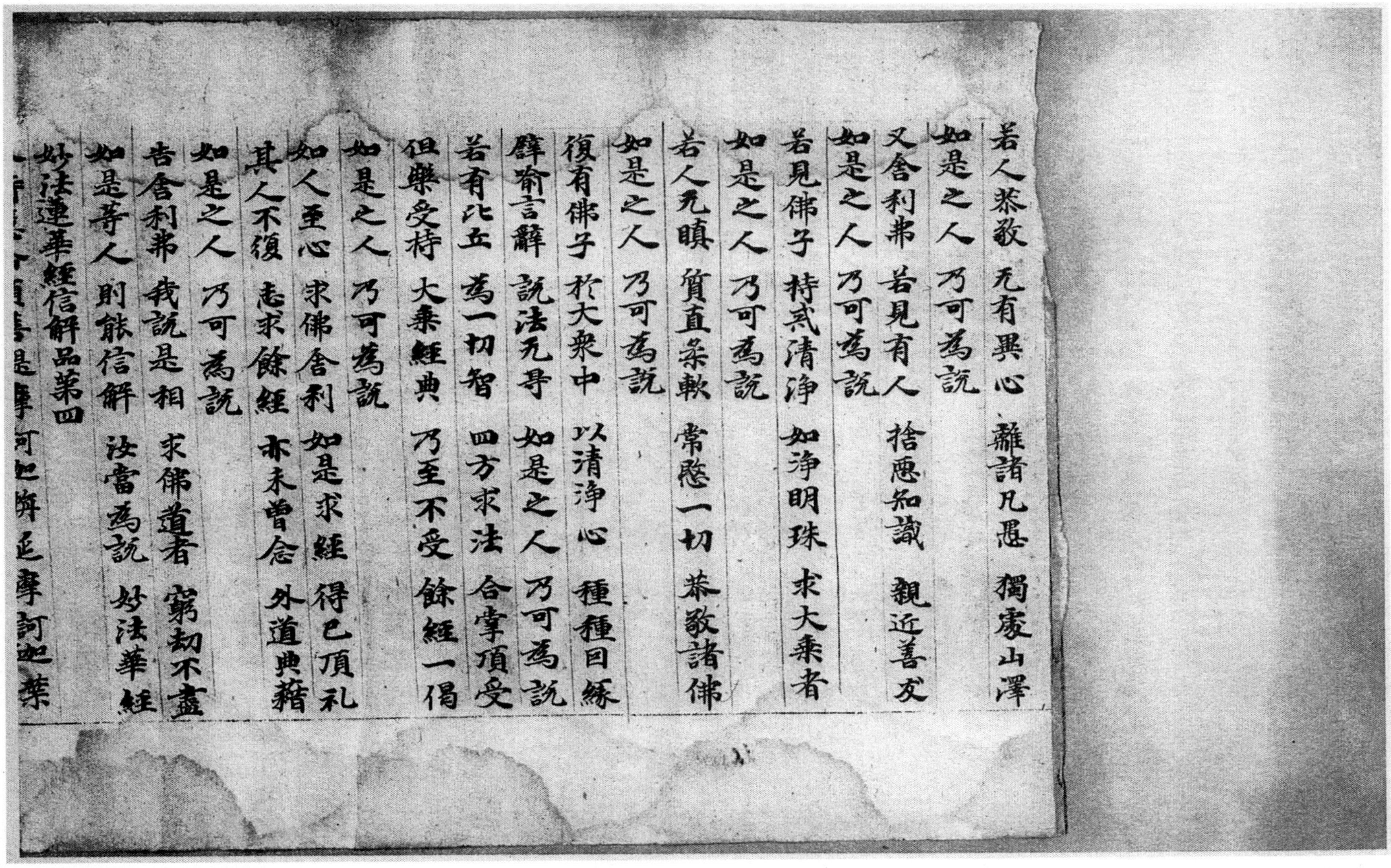

若人恭敬　无有異心　離諸凡愚　獨處山澤
如是之人　乃可為說
又舍利弗　若見有人　捨惡知識　親近善友
如是之人　乃可為說
若見佛子　持戒清淨　如淨明珠　求大乘者
如是之人　乃可為說
若人无瞋　質直柔軟　常愍一切　恭敬諸佛
如是之人　乃可為說
復有佛子　於大眾中　以清淨心　種種因緣
譬喻言辭　說法无㝵　如是之人　乃可為說
若有比丘　為一切智　四方求法　合掌頂受
但樂受持　大乘經典　乃至不受　餘經一偈
如是之人　乃可為說
如人至心　求佛舍利　如是求經　得已頂礼
其人不復　志求餘經　亦未曾念　外道典籍
如是之人　乃可為說
告舍利弗　我說是相　求佛道者　窮劫不盡
如是等人　則能信解　汝當為說　妙法華經

妙法蓮華經信解品第四

……菩提摩訶迦旃延摩訶迦葉

BD01953 號　妙法蓮華經卷二　（12–1）

如是之人 乃可為說
告舍利弗 我說是相 求佛道者 窮劫不盡
如是等人 則能信解 汝當為說 妙法華經
妙法蓮華經信解品第四
尒時慧命須菩提摩訶迦旃延摩訶迦葉
摩訶目揵連從佛所聞未曾有法世尊授舍利
弗阿耨多羅三藐三菩提記發希有心歡喜
踊躍即從坐起整衣服偏袒右肩右膝著地
一心合掌曲躬恭敬瞻仰尊顏而白佛言我
等居僧之首年並朽邁自謂已得涅槃无所
堪任不復進求阿耨多羅三藐三菩提世尊
往昔說法既久我時在坐身體疲懈但念空
无相无作於菩薩法遊戲神通淨佛國土成
就眾生心不喜樂所以者何世尊令我等出
於三界得涅槃證又今我等年已朽邁於佛
教化菩薩阿耨多羅三藐三菩提不生一念
好樂之心我等今於佛前聞授聲聞阿耨多
羅三藐三菩提記心甚歡喜得未曾有不謂
於今忽然得聞希有之法深自慶幸獲大善
利无量珍寶不求自得世尊我等今者樂說
譬喻以明斯義譬若有人年既幼稚捨父逃
逝久住他國或十廿至五十歲年既長大加
復窮困馳騁四方以求衣食漸漸遊行遇向
本國其父先來求子不得中止一城其家大
富財寶无量金銀琉璃珊瑚虎珀頗梨珠等
其諸倉庫悉皆盈溢多有僮僕臣佐吏民象

BD01953號　妙法蓮華經卷二　（12–2）

復窮困馳騁四方以求衣食漸漸遊行遇向
本國其父先來求子不得中止一城其家大
富財寶无量金銀琉璃珊瑚虎珀頗梨珠等
其諸倉庫悉皆盈溢多有僮僕臣佐吏民象
馬車乘牛羊无數出入息利乃遍他國商估
賈客亦甚眾多時貧窮子遊諸聚落經歷
國邑遂到其父所止之城父每念子與子離別
五十餘年而未曾向人說如此事但自思惟
心懷悔恨自念老朽多有財物金銀珍寶倉
庫盈溢无有子息一旦終沒財物散失无所
委付是以慇懃每憶其子復作是念我若得
子委付財物坦然快樂无復憂慮世尊尒時
窮子傭賃展轉遇到父舍住立門側遙見
其父踞師子牀寶机承足諸婆羅門剎利居
士皆恭敬圍遶以真珠瓔珞價直千万莊嚴
其身吏民僮僕手執白拂侍立左右覆以寶帳
垂諸華幡香水灑地散眾名華羅列寶物出
內取與有如是等種種嚴飾威德特尊窮子
見父有大力勢即懷恐怖悔來至此竊作是
念此或是王或是王等非我傭力得物之處
不如往至貧里肆力有地衣食易得若久住
此或見逼迫強使我作作是念已疾走而去
時富長者於師子坐見子便識心大歡喜即
作是念我財物庫藏今有所付我常思念此
子无由見之而忽自來甚適我願我雖年朽
[illegible]

BD01953號　妙法蓮華經卷二　（12–3）

此或見逼迫強使我作作是念已疾走而去
時富長者於師子坐見子便識心大歡喜即
作是念我財物庫藏今有所付我常思念此
子无由見之而忽自來甚適我願我雖年朽
猶故貪惜即遣傍人急追將還尒時使者疾
走往捉窮子驚怖稱怨大喚我不相犯何曰
見捉使者執之愈急強牽將還于時窮子自
念无罪而被囚執此必定死轉更惶怖悶絕躄
地父遙見之而語使言不須此人勿強將來
以冷水灑面令得醒悟莫復與語所以者何
父知其子志意下劣自知豪貴為子所難審
知是子而以方便不語他人云是我子使者語
之我今放汝隨意所趣窮子歡喜得未曾
有從地而起往至貧里以求衣食尒時長者
將欲誘引其子而設方便密遣二人形色
憔悴无威德者汝可詣彼徐語窮子此有作
處倍與汝直窮子若許將來使作若言欲何
所作便可語之雇汝除糞我等二人亦共汝作
時二使人即求窮子既已得之具陳上事尒
時窮子先取其價尋與除糞其父見子愍
而怪之又以他日於窗牖中遙見子身羸瘦
憔悴糞土塵坌汙穢不淨即脫瓔珞細軟上
服嚴飾之具更著麁弊垢膩之衣塵土坌身
右手執持除糞之器狀有所畏語諸作人汝
等勤作勿得懈息以方便故得近其子後復
告言咄男子汝常此作勿復餘去當加汝價

BD01953號　妙法蓮華經卷二　（12–4）

右手執持除糞之器狀有所畏語諸作人汝
等勤作勿得懈息以方便故得近其子後復
告言咄男子汝常此作勿復餘去當加汝價
諸有所須瓫器米麵鹽酢之屬莫自疑難亦
有老弊使人須者相給好自安意我如汝父
勿復憂慮所以者何我年老大而汝少壯汝
常作時无有欺怠瞋恨怨言都不見汝有此
諸惡如餘作人自今已後如所生子即時長
者更與作字名之為兒尒時窮子雖欣此遇
猶故自謂客作賤人由是之故於廿年中常
令除糞過是已後心相體信入出无難然其
所止猶在本處世尊尒時長者有疾自知將
死不久語窮子言我今多有金銀珍寶倉
庫盈溢其中多少所應取與汝悉知之我心如
是當體此意所以者何今我與汝便為不異
宜加用心无令漏失尒時窮子即受教勅領
知眾物金銀珍寶及諸庫藏而无悕取一飡
之意然其所止故在本處下劣之心亦未能
捨復經少時父知子意漸已通泰成就大志
自鄙先心臨欲終時而命其子并會親族國
王大臣剎利居士皆悉已集即自宣言諸君
當知此是吾子我之所生於某城中捨吾逃
走跉跰辛苦五十餘年其本字某我名某甲
昔在本城懷憂推覓忽於是間遇會得之
此實我子我實其父今吾所有一切財物皆是

BD01953號　妙法蓮華經卷二　（12–5）

當知此是吾子我之所生於其城中捨吾逃
走跉跰辛苦五十餘年其本字某我名某甲
昔在本城懷憂推覓忽於是間遇會得之
此實我子我實其父今吾所有一切財物皆是
子有先所出内是子所知世尊是時窮子聞
父此言即大歡喜得未曾有而作是念我本
无心有所希求今此寶藏自然而至世尊大
富長者則是如来我等皆似佛子如来常說
我等為子世尊我等以三苦故於生死中受
諸熱惱迷惑无知樂著小法今日世尊令我
等思惟蠲除諸法戲論之糞我等於中懃加
精進得至涅槃一日之價既得此已心大歡
喜自以為足便自謂於佛法中懃精進故所
得弘多然世尊先知我等心著弊欲樂於小
法便見縱捨不為分別汝等當有如来知見
寶藏之分世尊以方便力說如来智慧我等
從佛得涅槃一日之價以為大得於此大乘
无有志求我等又因如来智慧為諸菩薩開
示演說而自於此无有志願所以者何佛知
我等心樂小法以方便力隨我等說而我等
不知真是佛子今我等方知世尊於佛智慧
无所悋惜所以者何我等昔来真是佛子而
但樂小法若我等有樂大之心佛則為我說
大乘法此經中唯說一乘而昔於菩薩前毀
呰聲聞樂小法者然佛實以大乘教化是故
我等說本无心有所希求今法王大寶自然

但樂小法若我等有樂大之心佛則為我說
大乘法此經中唯說一乘而昔於菩薩前毀
呰聲聞樂小法者然佛實以大乘教化是故
我等說本无心有所希求今法王大寶自然
而至如佛子所應得者皆已得之尒時摩訶
迦葉欲重宣此事而說偈言
我等今日　聞佛音教　歡喜踊躍　得未曾有
佛說聲聞　當得作佛　无上寶聚　不求自得
譬如童子　幼稚无識　捨父逃逝　遠到他土
周流諸國　五十餘年　其父憂念　四方推求
求之既疲　頓之一城　造立舍宅　五欲自娛
其家巨富　多諸金銀　車璖馬瑙　真珠流離
象馬牛羊　輦轝車乘　田業僮僕　人民衆多
出入息利　乃遍他國　商估賈人　无處不有
千万億衆　圍遶恭敬　常為王者　之所愛念
群臣豪族　皆共宗重　以諸緣故　往来者衆
豪富如是　有大力勢　而年朽邁　益憂念子
夙夜惟念　死時將至　癡子捨我　五十餘年
庫藏諸物　當如之何
尒時窮子　求索衣食　從邑至邑　從國至國
或有所得　或无所得　飢餓羸瘦　體生瘡鮮
漸次逕歷　到父住城　傭賃展轉　遂至父舍
尒時長者　於其門内　施大寶帳　處師子座
眷屬圍遶　諸人侍衛
或有計筭　金銀寶物　出内財產　注記券疏
窮子見父　豪貴尊嚴　謂是國王　若是王等

眷屬圍遶　諸人侍衛
或有計筭　金銀寶物　出內財產　注記券疏
窮子見父　豪貴尊嚴　謂是國王　若是王等
驚怖自恠　何故至此　覆自念言　我若久住
或見逼迫　強驅使作　思惟是已　馳走而去
借問貧里　欲往傭作
長者是時　在師子座　遙見其子　嘿然識之
即勑使者　追捉將還　窮子驚喚　迷悶躄地
是人執我　必當見煞　何用衣食　使我至此
長者知子　愚癡狹劣　不信我言　不信是父
即以方便　更遣餘人　眇目痤陋　无威德者
汝可語之　云當相雇　除諸糞穢　倍與汝價
窮子聞之　歡喜隨來　為除糞穢　淨諸房舍
長者於牖　常見其子　念子愚劣　樂為鄙事
於是長者　著弊垢衣　執除糞器　往到子所
方便附近　語令懃作　既益汝價　并塗足油
飲食充足　薦席厚煖　如是苦言　汝當懃作
又以軟語　若如我子
長者有智　漸令入出　經二十年　執作家事
示其金銀　真珠頗梨　諸物出入　皆使令知
猶處門外　止宿草庵　自念貧事　我无此物
父知子心　漸以曠大
欲與財物　即聚親族　國王大臣　剎利居士
於此大衆　說是我子　捨我他行　經五十歲
自見子來　已二十年　昔於某城　而失是子
周行求索　遂來至此　凡我所有　舍宅人民

BD01953號　妙法蓮華經卷二　（12–8）

父知子心　漸以曠大
欲與財物　即聚親族　國王大臣　剎利居士
於此大衆　說是我子　捨我他行　經五十歲
自見子來　已二十年　昔於某城　而失是子
周行求索　遂來至此　凡我所有　舍宅人民
悉以付之　恣其所用
子念昔貧　志意下劣　今於父所　大獲珎寶
并及舍宅　一切財物　甚大歡喜　得未曾有
佛亦如是　知我樂小　未曾說言　汝等作佛
而說我等　得諸无漏　成就小乘　聲聞弟子
佛勑我等　說最上道　脩習此者　當得成佛
我承佛教　為大菩薩　以諸因緣　種種譬喻
若干言辭　說无上道
諸佛子等　從我聞法　日夜思惟　精懃脩習
是時諸佛　即授其記　汝於來世　當得作佛
一切諸佛　秘藏之法　但為菩薩　演其實事
而不為我　說斯真要
如彼窮子　得近其子　雖知諸物　心不希取
我等雖說　佛法寶藏　自无志願　亦復如是
我等內滅　自謂為足　唯了此事　更无餘事
我等若聞　淨佛國土　教化衆生　都无欣樂
所以者何　一切諸法　皆悉空寂　无生无滅
无大无小　无漏无為　如是思惟　不生喜樂
我等長夜　於佛智慧　无貪无著　无復志願
而自於法　謂是究竟
我等長夜　脩習空法　得脫三界　苦惱之患

BD01953號　妙法蓮華經卷二　（12–9）

无大无小 无漏无為 如是思惟 不生喜樂
我等長夜 於佛智慧 无貪无著 无復志願
而自於法 謂是究竟
我等長夜 脩習空法 得脫三界 苦惱之患
住最後身 有餘涅槃 佛所教化 得道不虛
則為已得 報佛之恩
我等雖為 諸佛子等 說菩薩法 以求佛道
而於是法 永无願樂
導師見捨 觀我心故 初不勸進 說有實利
如冨長者 知子志劣 以方便力 柔伏其心
然後乃付 一切財寶 佛亦如是 現希有事
知樂小者 以方便力 調伏其心 乃教大智
我等今日 得未曾有 非先所望 而今自得
如彼窮子 得无量寶
世尊我今 得道得果 於无漏法 得清淨眼
我等長夜 持佛淨戒 始於今日 得其果報
法王法中 久脩梵行 今得无漏 无上大果
我等今者 真是聲聞 以佛道聲 令一切聞
我等今者 真阿羅漢 於諸世間 天人魔梵
普於其中 應受供養
世尊大恩 以希有事 憐愍教化 利益我等
无量億劫 誰能報者
手足供給 頭頂礼敬 一切供養 皆不能報
若以頂戴 兩肩荷負 於恒沙劫 盡心恭敬
又以美饍 无量寶衣 及諸卧具 種種湯藥
牛頭栴檀 及諸珎寶 以起塔廟 寶衣布地

BD01953號　妙法蓮華經卷二　（12–10）

手足供給 頭頂礼敬 一切供養 皆不能報
若以頂戴 兩肩荷負 於恒沙劫 盡心恭敬
又以美饍 无量寶衣 及諸卧具 種種湯藥
牛頭栴檀 及諸珎寶 以起塔廟 寶衣布地
如斯等事 以用供養 於恒沙劫 亦不能報
諸佛希有 无量无邊 不可思議 大神通力
无漏无為 諸法之王 能為下劣 忍于斯事
取相凡夫 隨宜為說 諸佛於法 得最自在
知諸衆生 種種欲樂 及其志力 隨所堪任
以无量喻
隨諸衆生 宿世善根 又知成熟 未成熟者
種種籌量 分別知已 於一乘道 隨宜說三

妙法蓮華經卷第二

BD01953號　妙法蓮華經卷二　（12–11）

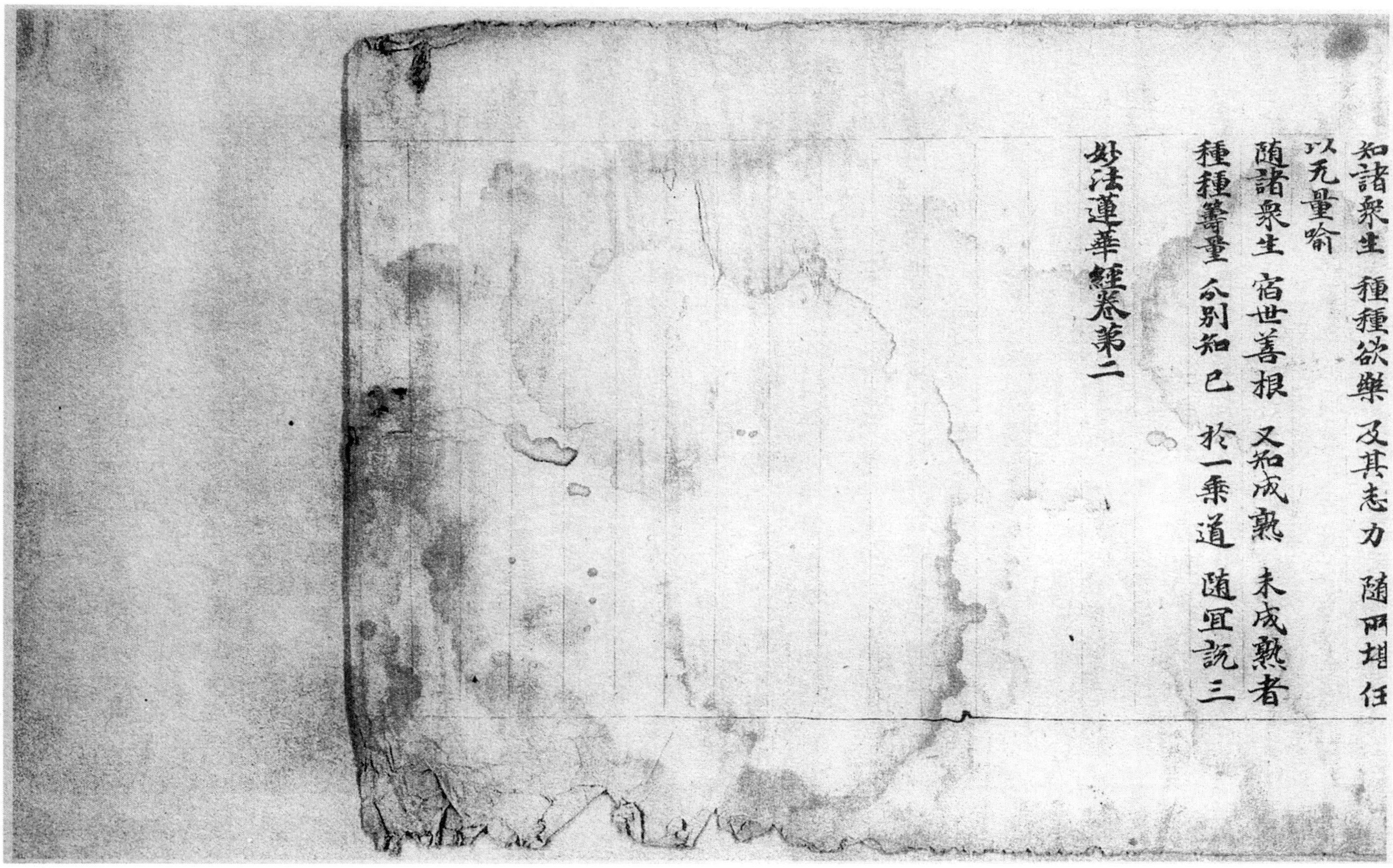
知諸衆生 種種欲樂 及其志力 隨所堪任
以无量喻
隨諸衆生 宿世善根 又知成熟 未成熟者
種種籌量 分別知已 於一乘道 隨宜說三
妙法蓮華經卷第二

BD01953 號　妙法蓮華經卷二　（12–12）

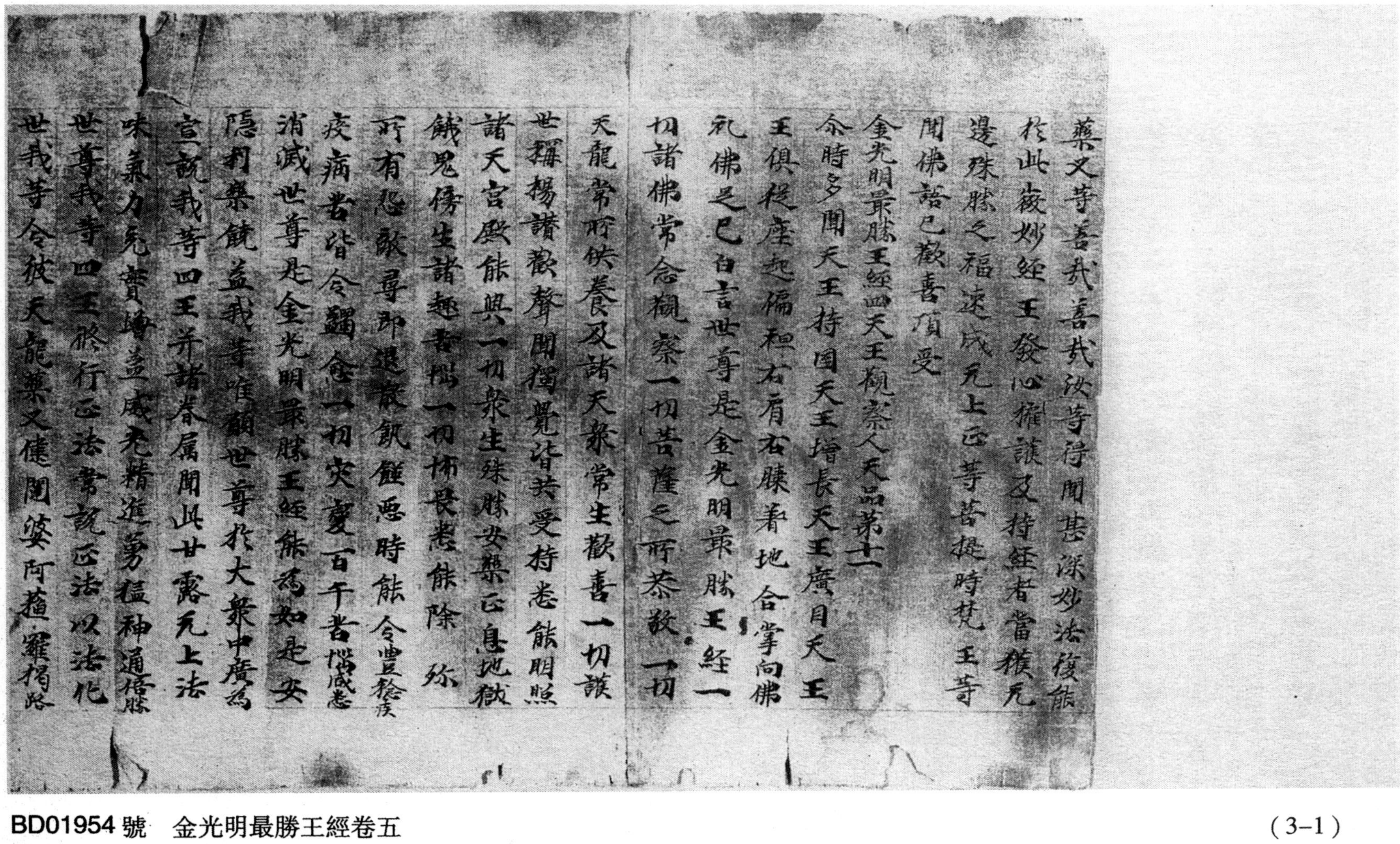
藥叉等善哉善哉汝等得聞甚深妙法復能
於此微妙經王發心擁護及持經者當獲无
邊殊勝之福速成无上正等菩提時梵王等
聞佛語已歡喜頂受
金光明最勝王經四天王觀察人天品第十一
尒時多聞天王持国天王增長天王廣目天王
王俱從座起偏袒右肩右膝着地合掌向佛
礼佛足已白言世尊是金光明最勝王經一
切諸佛常念觀察一切菩薩之所恭敬一切
天龍常所供養及諸天衆常生歡喜一切護
世稱揚讚歎聲聞獨覺皆共受持悉能明照
諸天宮殿能與一切衆生殊勝安樂止息地獄
餓鬼傍生諸趣苦惱一切怖畏悉能除殄
所有怨敵尋即退散飢饉惡時能令豊稔疾
疫病者皆令蠲愈一切災變百千苦惱咸悉
消滅世尊是金光明最勝王經能爲如是安
隱利樂饒益我等唯願世尊於大衆中廣爲
宣說我等四王并諸眷屬聞此甘露无上法
味氣力充實增益威光精進勇猛神通倍勝
世尊我等四王修行正法常說正法以法化
世我等令彼天龍藥叉健闥婆阿蘇羅揭路

BD01954 號　金光明最勝王經卷五　（3–1）

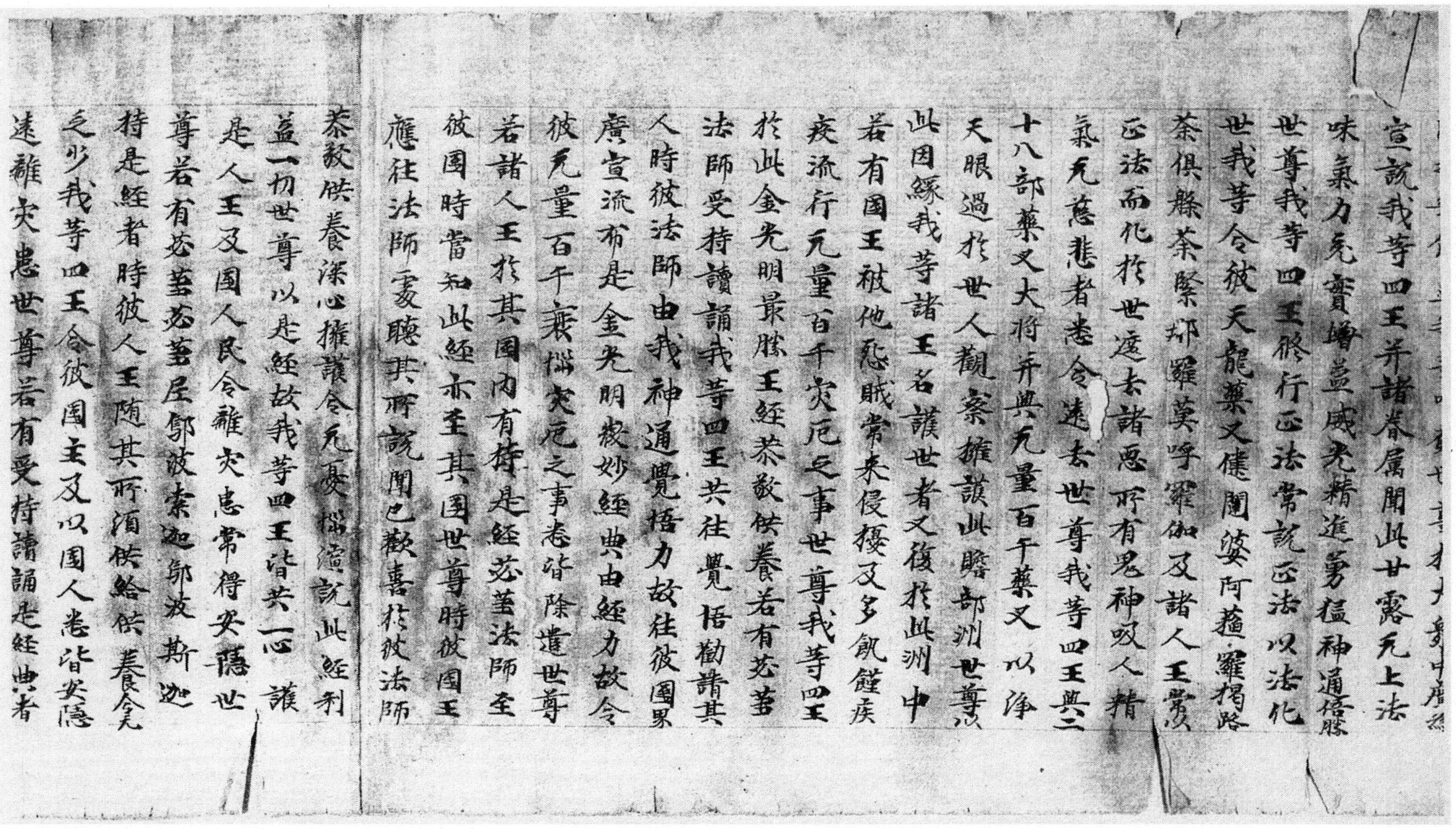
宣說我等四王并諸眷屬聞此甘露无上法
味氣力充實增益威光精進勇猛神通倍勝
世尊我等四王修行正法常說正法以法化
世我等令彼天龍藥叉健闥婆阿蘇羅揭路
荼俱槃荼緊那羅莫呼羅伽及諸人王常以
正法而化於世遮去諸惡所有鬼神吸人精
氣无慈悲者悉令遠去世尊我等四王與二
十八部藥叉大將并與无量百千藥叉以淨
天眼過於世人觀察擁護此贍部洲世尊以
此因緣我等諸王名護世者又復於此洲中
若有國王被他怨賊常來侵擾及多飢饉疾
疫流行无量百千災厄之事世尊我等四王
於此金光明最勝王經恭敬供養若有苾芻
法師受持讀誦我等四王共往覺悟勸請其
人時彼法師由我神通覺悟力故往彼國界
廣宣流布是金光明微妙經典由經力故令
彼无量百千衰惱災厄之事悉皆除遣世尊
若諸人王於其國內有持是經苾芻法師至
彼國時當知此經亦至其國世尊時彼國王
應往法師處聽其所說聞已歡喜於彼法師
恭敬供養深心擁護令无憂惱演說此經利
益一切世尊以是經故我等四王皆共一心護
是人王及國人民令離災患常得安隱世
尊若有苾芻苾芻尼鄔波索迦鄔波斯迦
持是經者時彼人王隨其所須供給供養令无
乏少我等四王令彼國主及以國人悉皆安隱
遠離災患世尊若有受持讀誦是經典者

BD01954號　金光明最勝王經卷五　（3–2）

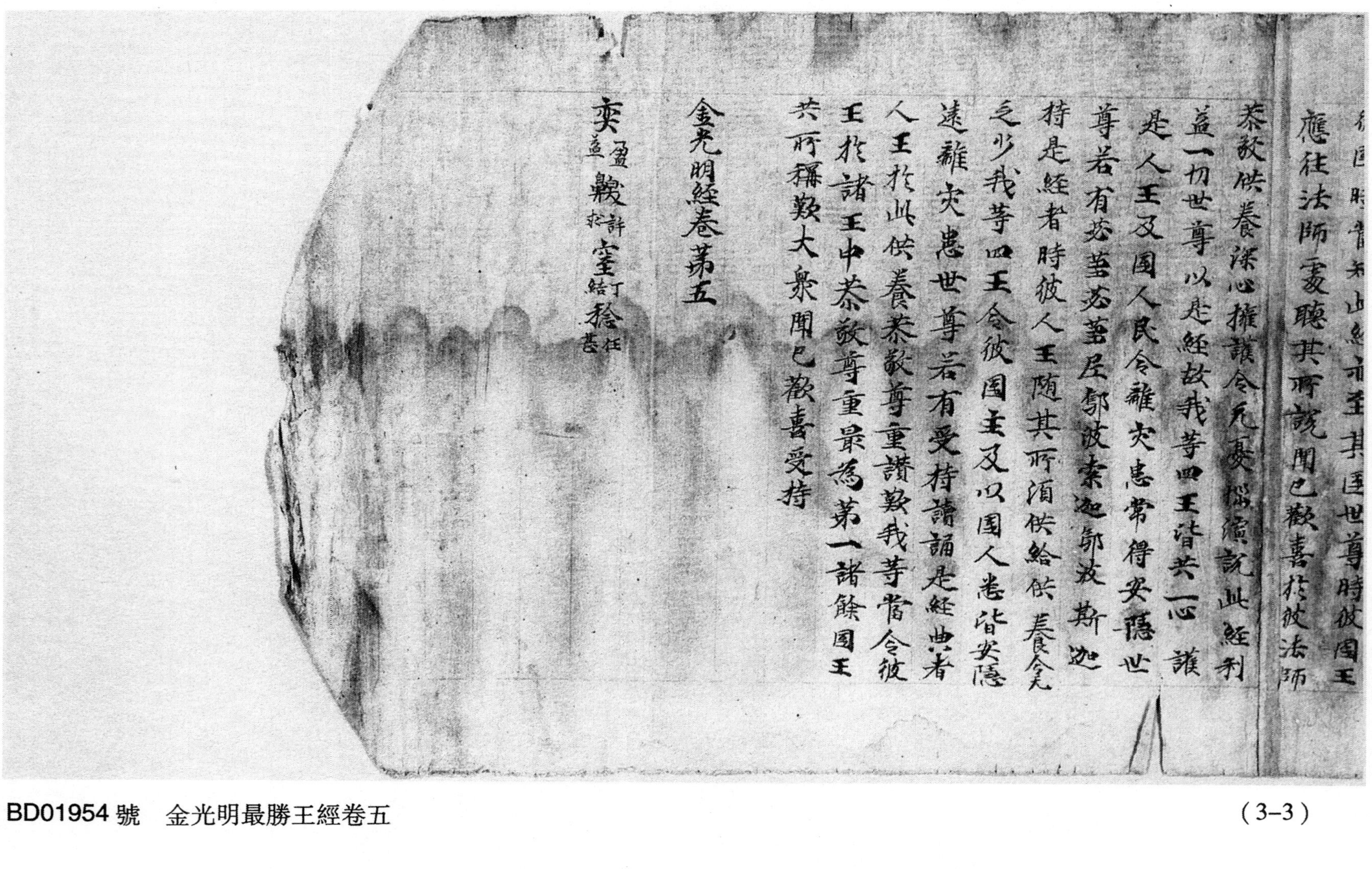
彼國時當知此經亦至其國世尊時彼國王
應往法師處聽其所說聞已歡喜於彼法師
恭敬供養深心擁護令无憂惱演說此經利
益一切世尊以是經故我等四王皆共一心護
是人王及國人民令離災患常得安隱世
尊若有苾芻苾芻尼鄔波索迦鄔波斯迦
持是經者時彼人王隨其所須供給供養令无
乏少我等四王令彼國主及以國人悉皆安隱
遠離災患世尊若有受持讀誦是經典者
人王於此供養恭敬尊重讚歎我等當令彼
王於諸王中恭敬尊重最為第一諸餘國王
共所稱歎大衆聞已歡喜受持
金光明經卷第五
爽盈益　皺於許　窒丁結　稔任甚

BD01954號　金光明最勝王經卷五　（3–3）

者所知身心是佛法器若醉迷不醒不了自
心是佛法根本流浪諸趣墮於惡道永沉苦
海不聞佛名字无导菩薩復白佛言世尊
之在世生死為重生不擇日時至即生死不
擇日時至即死何因殯葬即問良辰吉日然
始殯葬殯葬之後還有妨害貧窮者多滅門
者不少唯願世尊為諸邪見无知衆生說其
因緣令得正道除其顛倒
佛言善哉善哉善男子汝實甚能問於衆生
生死之事殯葬之法汝等諦聽當為汝說智
慧之理大道之法夫天地廣太清日月廣長
明時年善善美實无有異善男子人王菩
薩甚大慈悲慜念衆生皆如赤子下為人
主作人父母順於俗民教於俗法遣作曆日
頒下天下令知時節為有平滿成收開除之
字執危破煞之文愚人依字信用无不免
於凶禍又使邪師厭鎮說是道非湿邪神拜
餓鬼却招殃自受苦如斯人輩返天時逆地
理背日月之光明常投闇室違正道之廣路
恒尋邪徑顛倒之甚也
復次善男子生時讀此經三遍兒則易生大
吉利聪明利智福德具足而无中夭死時讀
經三遍一无妨害得福无量善男子日日好
日月月好月年年好年實无間隔但辦即須

BD01955號　天地八陽神咒經　（6–1）

理背日月之光明常投闇室違正道之廣路
恒尋邪徑顛倒之甚也
復次善男子生時讀此經三遍兒則易生大
吉利聪明利智福德具足而无中夭死時讀
經三遍一无妨害得福无量善男子日日好
日月月好月年年好年實无間隔但辦即須
殯葬殯葬之日讀此經七遍甚大吉利獲
福无量門榮人貴延年益壽命終之日並得成
聖善男子殯葬之地不問東西南北安隱之
處人之愛樂鬼神愛樂即讀此經三遍便以
脩營安置墓田永无灾鄣家冨人興甚大吉
利尒時世尊欲重宣此義而說偈言
營生善善日　休殯好好時　生死讀誦經　甚得大利益
月月善明月　年年大好年　讀經即殯葬　榮華万代昌
尒時衆中七万七千人聞佛所說心開意解捨
邪歸正得佛法分永斷疑惑皆得阿耨多羅
三藐三菩提
无导菩薩復白佛言世尊一切凡夫皆以婚
媾為親先問相宜後取吉日然始成親已後
冨貴偕老者少貧寒生離死別者多一種信
邪如何而有差別唯願世尊為決衆疑
佛言善男子汝等諦聽當為汝說天陰地陽
月陰日陽水陰火陽男陰女陽天地氣合一
切草木生焉日月交運四時八節明焉水火
相承一切万物熟焉男女允諧子孫興焉皆
是天之常道自然之理世諦之法善男子愚
人无智信其邪師卜問望吉而不脩善造種
種惡業命終之後復得人身者如指甲上土

BD01955號　天地八陽神咒經　（6–2）

切草木生爲日月文運四時八節明爲水火
相承一切万物熟爲男女允諧子孫興爲皆
是天之常道自然之理世諦之法善男子愚
人无智信其邪師卜問望吉而不脩善造種
種惡業命終之後復得人身者如指甲上土
墮於地獄作餓鬼畜生者如大地土善男子
復德人身正信脩善者如指甲上土信邪造
惡業者如大地土善男子若結婚親莫問水
大相剋胎胞相壓唯看祿命書即知福德多
少以爲眷屬呼迎之日讀此經三遍即以成礼
此乃善善相因明明相屬門高人貴子孫興
盛聰明利智多才多藝孝敬相承甚大吉利
而无中夭福德具足皆成佛道
時有八菩薩承佛威神得大惣持常處人間
和光同塵破邪立正度四生處八解其名曰
跋陁和菩薩漏盡和　羅隣那竭菩薩漏盡和
憍目兜菩薩漏盡和　須彌深菩薩漏盡和
那羅達菩薩漏盡和　因坻達菩薩漏盡和
和輪調菩薩漏盡和　无緣觀菩薩漏盡和
是八菩薩俱白佛言世尊我等於諸佛所受
得陁羅尼神呪而今說之擁護受持讀誦八
陽經者永无恐怖使一切不善之物不得侵
損讀經法師即於佛前而說呪曰
阿佉尼　尼佉尼　阿比羅　曼隸　娑多隸
世尊若有不善者欲來惱法師聞我說此呪
頭破作七分如阿梨樹枝
是時无邊身菩薩白佛言世尊云何名爲八

BD01955號　天地八陽神咒經　（6–3）

阿佉尼　尼佉尼　阿比羅　曼隸　娑多隸
世尊若有不善者欲來惱法師聞我說此呪
頭破作七分如阿梨樹枝
是時无邊身菩薩白佛言世尊云何名爲八
陽經唯願世尊爲諸聽衆解說其義令得醒
悟速達心本入佛知見永斷疑悔
佛言善哉善哉善男子汝等諦聽吾今爲汝
解說八陽之經八者分別也陽者明解也明
解大乘无爲之理了能分別識因緣空實无
所得又云八識爲經陽明爲緯經緯相投以
成經教故名八陽經八識者眼是色識耳是
聲識鼻是香識舌是味識身是觸識意是分
別識含藏識阿賴耶識是名八識明了分別
八識相源空无所有即知兩眼光明天光明天
中即現日月光明世尊兩耳聲聞天中即現
无量聲如來兩鼻佛香天佛香天中即現
香積如來口舌是法味天法味天中即現法
喜如來身是盧舍那天盧舍那天中即現成
就盧舍那盧舍那鏡像盧舍那光明佛意是
无分別天无分別天中即現不動如來大
光明佛心是法界天法界天中即現空王如
來含藏識天演出阿那含經大涅槃經阿
賴耶識天演出大智度論經瑜伽論經善
男子佛即是法法即是佛合爲一相即現
大通智勝如來
佛說此經時一切大地六種震動光照天地无
有邊際浩浩蕩蕩而无所名一切幽冥皆悉
明朗一切地獄並皆消滅一切罪人俱得

BD01955號　天地八陽神咒經　（6–4）

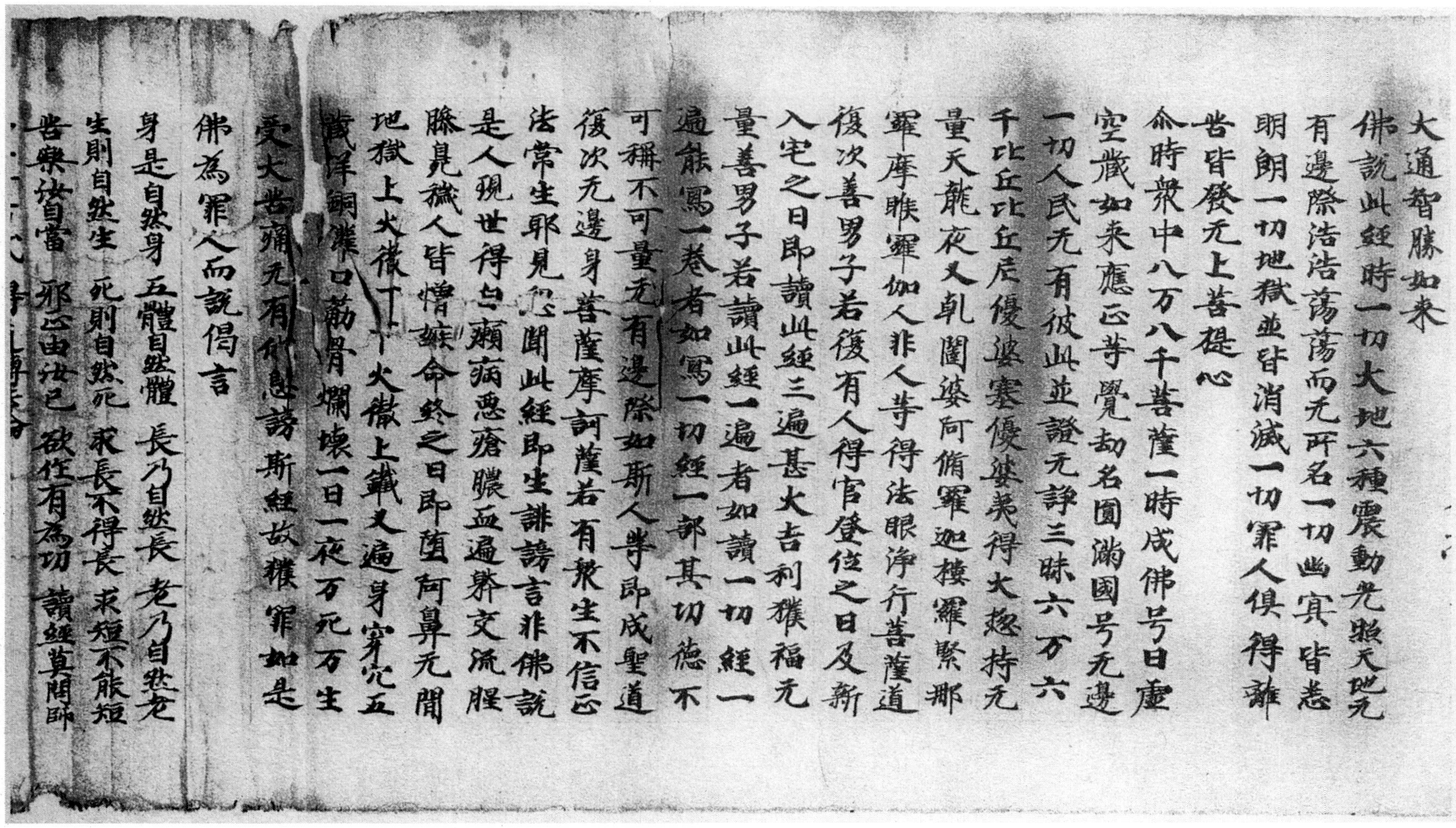

大通智勝如來
佛說此經時一切大地六種震動光照天地无
有邊際浩浩蕩蕩而无所名一切幽冥皆悉
明朗一切地獄並皆消滅一切罪人俱得離
苦皆發无上菩提心
尒時衆中八万八千菩薩一時成佛号曰虛
空藏如來應正等覺劫名圓滿國号无邊
一切人民无有彼此並證无諍三昧六万六
千比丘比丘尼優婆塞優婆夷得大惣持无
量天龍夜叉乾闥婆阿脩羅迦樓羅緊那
羅摩睺羅伽人非人等得法眼淨行菩薩道
復次善男子若復有人得官登位之日及新
入宅之日即讀此經三遍甚大吉利獲福无
量善男子若讀此經一遍者如讀一切經一
遍能寫一卷者如寫一切經一部其功德不
可稱不可量无有邊際如斯人等即成聖道
復次无邊身菩薩摩訶薩若有衆生不信正
法常生邪見忽聞此經即生誹謗言非佛說
是人現世得白癩病惡瘡膿血遍身交流腥
臊臭穢人皆憎嫉命終之日即墮阿鼻无間
地獄上火徹下下火徹上鐵叉遍身穿穴五
藏洋銅灌口筋骨爛壞一日一夜万死万生
受大苦痛无有休息謗斯經故獲罪如是
佛為罪人而說偈言
身是自然身　五體自然體　長乃自然長　老乃自然老
生則自然生　死則自然死　求長不得長　求短不能短
苦樂汝自當　邪正由汝已　欲作有爲功　讀經莫問師

BD01955號　天地八陽神咒經　（6–5）

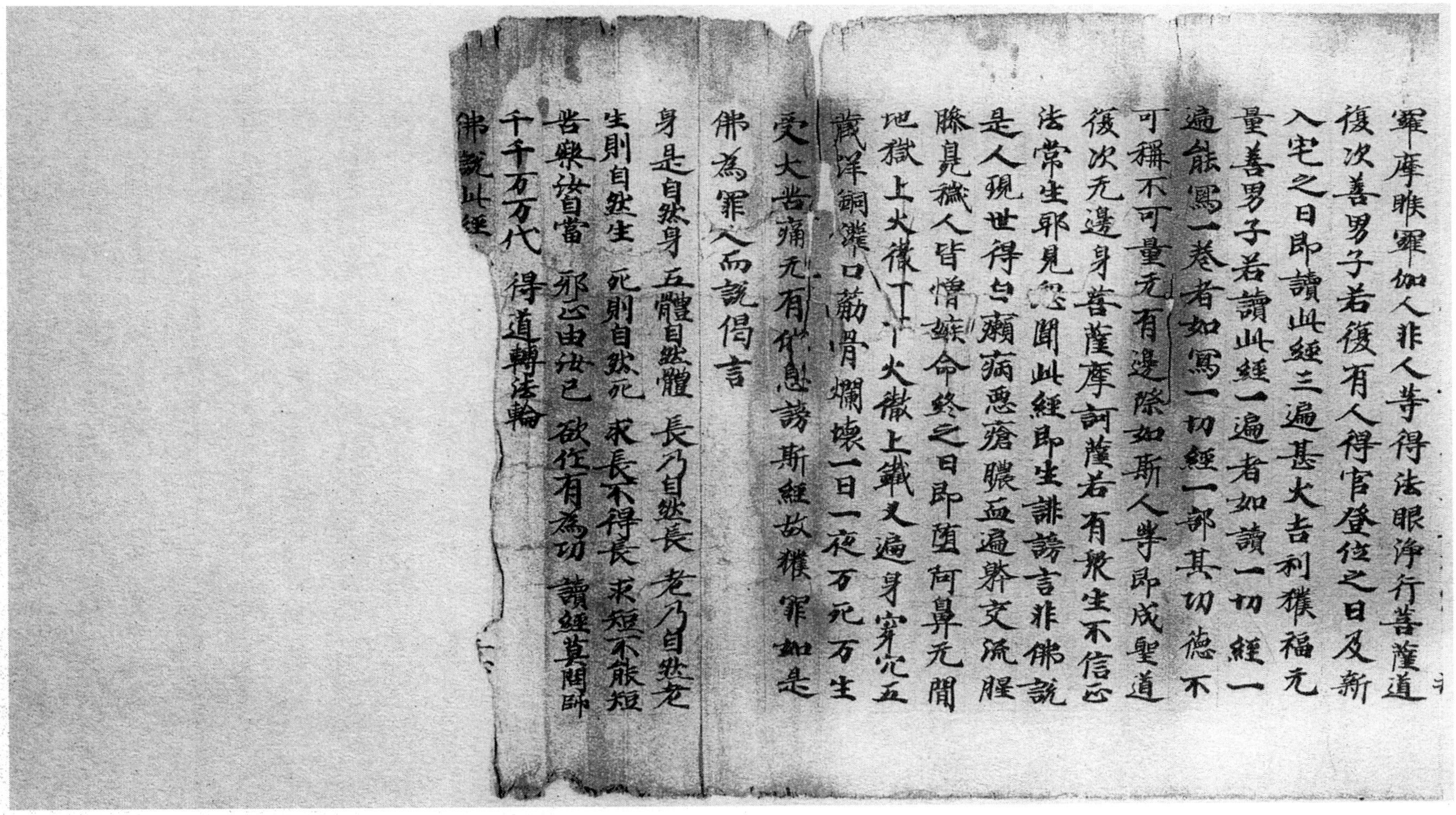

羅摩睺羅伽人非人等得法眼淨行菩薩道
復次善男子若復有人得官登位之日及新
入宅之日即讀此經三遍甚大吉利獲福无
量善男子若讀此經一遍者如讀一切經一
遍能寫一卷者如寫一切經一部其功德不
可稱不可量无有邊際如斯人等即成聖道
復次无邊身菩薩摩訶薩若有衆生不信正
法常生邪見忽聞此經即生誹謗言非佛說
是人現世得白癩病惡瘡膿血遍身交流腥
臊臭穢人皆憎嫉命終之日即墮阿鼻无間
地獄上火徹下下火徹上鐵叉遍身穿穴五
藏洋銅灌口筋骨爛壞一日一夜万死万生
受大苦痛无有休息謗斯經故獲罪如是
佛為罪人而說偈言
身是自然身　五體自然體　長乃自然長　老乃自然老
生則自然生　死則自然死　求長不得長　求短不能短
苦樂汝自當　邪正由汝已　欲作有爲功　讀經莫問師
千千万万代　得道轉法輪
佛說此經

BD01955號　天地八陽神咒經　（6–6）

尒時佛告舍利子言
……羅蜜多常求不怠
……求自然而得……
……子復白佛言是諸……
……相應經典一切時
……蜜多相應經典……
告舍利子言若諸菩薩常於般
多相應經典勇猛信求不顧身命
得諸餘經典無有是處何以故舍利
子是諸菩薩爲趣無上正等菩提示現勸導
讚勸慶喜諸有類令於般若波羅蜜多相
應經典及餘經典受持讀誦亦自於中精勤
脩學由斯福力隨所生處法尒常遇甚深般
若波羅蜜多相應經典及餘六種波羅蜜多
相應經典恒不捨離
第五分魔事品第十一
尒時具壽善現便白佛言世尊所說住菩薩
乘善男子等脩善法時有諸魔事云何名爲
菩薩魔事佛告善現若諸菩薩欲說法要辯
久乃生菩薩當知是爲魔事或說法要辯乃
卒生菩薩當知是爲魔事或說法要辯過量
生菩薩當知是爲魔事或所欲說未盡便止
菩薩當知是爲魔事或說法要言詞亂雜菩

BD01956 號　大般若波羅蜜多經卷五六〇　（16–1）

菩薩魔事佛告善現若諸菩薩欲說法要辯
久乃生菩薩當知是爲魔事或說法要辯乃
卒生菩薩當知是爲魔事或說法要辯過量
生菩薩當知是爲魔事或所欲說未盡便止
菩薩當知是爲魔事或說法要言詞亂雜菩
薩當知是爲魔事或說法要言詞間斷菩薩
當知是爲魔事或說法時諸横事起令所欲
說不遂大心菩薩當知是爲魔事復次善現
若諸菩薩於深般若波羅蜜多相應經典書
寫等時或頻申欠呿或更相嗤笑或互相輕
凌或身心躁擾或失念散乱或文句顛倒或
迷惑義理或不得滋味心生猒捨或横事卒
起或互相乖諍由斯等事所作不成菩薩當
知是爲魔事復次善現若諸菩薩聞說般若
波羅蜜多相應經時或作是念我於此中不
得受記何用聽爲或作是念此中不說我等
名字何用聽爲或作是念此中不說我等生
處城邑聚落何用聽爲由此等緣心不清淨
即從座起猒捨而去無顧戀心菩薩當知是
爲魔事善現當知若諸菩薩聞說般若波羅
蜜多相應經時心不清淨猒捨去者隨彼所
起不清淨心猒捨此經舉步多少便減尒所
劫數功德獲尒所劫障菩提罪受彼罪已更
尒所時發勤精進脩菩薩行方可復本是故
名爲菩薩魔事復次善現若諸菩薩棄捨能
引一切智智甚深般若波羅蜜多相應經典
學不能引一切智智隨順二乘諸餘經典棄

BD01956 號　大般若波羅蜜多經卷五六〇　（16–2）

何時發勤精進修菩薩行方可得本是故
名為菩薩魔事復次善現若諸菩薩等捨能
引一切智智甚深般若波羅蜜多相應經典等
學不能引一切智智隨順二乘諸餘經典等
捨根本而攀枝葉菩薩當知是為魔事何以
故甚深般若波羅蜜多相應經典能生菩薩
世出世間殊勝功德由斯能引一切智智若
學般若波羅蜜多相應經典即學菩薩世出
世間殊勝功德速能引發一切智智善現當
知如癡餓狗等捨主食反從僕使而求覓之
如是當來有諸菩薩等深般若波羅蜜多求
學二乘相應經典是愚癡類等本求末終不
能得一切智智復次善現譬如有人欲觀香
象身量大小形類勝劣得而不觀反尋其跡
當知彼類甚為愚癡如是當來有諸菩薩等
深般若波羅蜜多求學二乘相應經典是愚
癡類等大尋末終不能得一切智智復次善
現譬如有人為珎寶故求趣大海既至海岸
不入大海反觀牛跡作是念言大海中水其量
深廣寧及此耶此中亦應有諸珎寶當知
彼類甚為愚癡如是當來有諸菩薩等深般
若波羅蜜多求學二乘相應經典是愚癡類
等本求末終不能得一切智智復次善現如
有工匠或彼弟子欲造大殿如天帝釋殊勝
殿量見彼殿已而反規摸日月宮殿當知彼
類甚為愚癡如是當來有諸菩薩等深般若
波羅蜜多求學二乘相應經典是愚癡類等

BD01956號　大般若波羅蜜多經卷五六〇　（16–3）

有工匠或彼弟子欲造大殿如天帝釋殊勝
殿量見彼殿已而反規摸日月宮殿當知彼
類甚為愚癡如是當來有諸菩薩等深般若
波羅蜜多求學二乘相應經典是愚癡類等
大求小終不能得一切智智復次善現如有
欲見轉輪聖王見已不識捨至餘處見小國
王觀其形相作如是念轉輪聖王形相威德
豈勝於此當知彼類甚為愚癡如是當來有
諸菩薩等深般若波羅蜜多求學二乘相應
經典是愚癡類等勝求劣終不能得一切智
智復次善現如有飢人得百味美食等而求
噉六十日穀飯當知彼類甚為愚癡如是當
來有諸菩薩等深般若波羅蜜多求學二乘
相應經典是愚癡類等勝求劣終不能得一
切智智復次善現如有貧人得無價寶等而
翻取迦遮末尼當知彼類甚為愚癡如是當
來有諸菩薩等深般若波羅蜜多求學二乘
相應經典是愚癡類捨勝取劣終不能得一
切智智復次善現有諸菩薩若正書寫受持
讀誦思惟修習甚深般若波羅蜜多相應經
時眾辯卒起樂說種種差別法門令書寫等
不得究竟菩薩當知是為魔事尒時善現復
白佛言甚深般若波羅蜜多可書寫不世尊
告曰不也善現若菩薩乘善男子等書寫般
若波羅蜜多相應經時作如是念我以文字
書寫般若波羅蜜多如是文字即是般若波
羅蜜多或依文字執有般若波羅蜜多菩薩

BD01956號　大般若波羅蜜多經卷五六〇　（16–4）

白佛言甚深般若波羅蜜多可書寫不也世尊
告曰不也善現若菩薩乘善男子等書寫般
若波羅蜜多相應經時作如是念我以文字
書寫般若波羅蜜多如是文字即是般若波
羅蜜多或依文字執有般若波羅蜜多菩薩
當知是為魔事尒時應誡彼菩薩言汝今不
應執有文字能書般若波羅蜜多若作是執
是為魔事若捨此執便捨魔事復次善現若
諸菩薩書寫受持讀誦修習思惟演說甚深
般若波羅蜜多相應經時或念國土城邑王
都方處師友或念父母妻子眷屬伴侶王惡
或念盜賊諸惡禽獸惡人惡鬼或念眾集伎
樂遊戲報恩報怨或念飲食衣服臥具及餘
資財或念製造文頌書論或念時節寒熱豐儉
或念象馬水火等事或念諸餘所作事業
菩薩當知皆是魔事復次善現若諸菩薩書
寫受持讀誦修習思惟演說甚深般若波羅
蜜多相應經時得大名利恭敬供養彼由此
緣廢所作業菩薩當知是為魔事復次善現
若諸菩薩書寫受持讀誦修習思惟演說甚
深般若波羅蜜多相應經時惡魔方便執持
種種世俗書論或復二乘相應經典擬與菩
薩作如是言如是書典義味深奧應勤修學
捨所習經若此菩薩方便善巧不應受著彼
不能引一切智智若此菩薩受著惡魔所擬
書典捨所習經菩薩當知是為魔事復
次善現能聽法者樂聞般若波羅蜜多能

BD01956號　大般若波羅蜜多經卷五六〇　（16–5）

[捨所習經若此菩薩方便善巧不應受著彼]
不能引一切智智若此菩薩受著惡魔所擬
書典捨所習經菩薩當知是為魔事復
次善現能聽法者樂聞般若波羅蜜多能
說法者著樂懈怠不欲為說或上相違兩不
和合不獲說受菩薩當知是為魔事復次善
現能聽法者具念惠力樂聞般若波羅蜜多
能說法者欲往他方不獲為說或上相違兩
不和合不獲說受菩薩當知是為魔事復次
善現能說法者愛重名利能聽法者不欲惠
施或上相違兩不和合不獲說受菩薩當知
是為魔事復次善現能聽法者有信樂心欲
聞般若波羅蜜多能說法者習誦不利不能
為說或能說者習誦通利樂為他說能聽法
者疑不通利不欲聽受兩不和合不獲說聽
菩薩當知是為魔事復次善現能說法者樂
為他說甚深般若波羅蜜多能聽法者不欲
聽受或上相違兩不和合不獲說聽菩薩當
知是為魔事復次善現能聽法者樂聞般若
波羅蜜多能說法者身重疲極睡眠所覆不
能為說或上相違兩不和合不獲說聽菩薩
當知是為魔事復次善現若諸菩薩書寫受
持讀誦修習思惟演說甚深般若波羅蜜多
相應經時或有人來說三惡趣種種苦事勸
捨菩提或有人來說人天趣種種樂事皆是
無常苦空非我勸入圓寂彼由此言書寫等
事不得究竟心懷愁惱菩薩當知是為魔事

BD01956號　大般若波羅蜜多經卷五六〇　（16–6）

持讀誦修習說甚深般若波羅蜜多
相應經時或有人來說三惡趣種種苦事勸
捨菩提或有人來說人天趣種種樂事皆是
無常苦空非我勸入圓寂彼由此言書寫等
事不得究竟心懷愁惱菩薩當知是為魔事
復次善現能說法者好領徒衆樂營他事不
憂自業能聽法者一身無累專脩己事不憂
他業或上相違而不和合不獲說聽菩薩當
知是為魔事復次善現能說法者樂處喧雜
能聽法者不樂喧雜或上相違而不和合不
獲說聽菩薩當知是為魔事復次善現能說
法者欲往他方危身命處能聽法者恐失身
命不欲共往或上相違而不和合不獲說聽
菩薩當知是為魔事復次善現能說法者欲
往他方多賊疾疫飢渴國土能聽法者慮彼
艱辛不肯共往或上相違而不和合不獲說
聽菩薩當知是為魔事復次善現能說法者
欲往他方所經道路曠野險阻多諸賊難及
旃荼羅惡獸獵師毒虵等怖能聽法者欲隨
其去能說法者方便試言汝今何故無事隨
我欲往如是諸險難處宜善審思勿後憂悔
能聽法者聞已念言師應不欲令我隨往設
固隨往何必聞法由此因緣不隨其去而不
和合不獲說聽菩薩當知是為魔事復次善
現能說法者多有施主數相追隨聽法者來
請說般若波羅蜜多或請書寫受持讀誦如
說脩行彼多緣礙無暇教授能聽法者起嫌

BD01956號　大般若波羅蜜多經卷五六〇　（16–7）

能聽法者聞已念言師應不欲令我隨往設
固隨往何必聞法由此因緣不隨其去而不
和合不獲說聽菩薩當知是為魔事復次善
現能說法者多有施主數相追隨聽法者來
請說般若波羅蜜多或請書寫受持讀誦如
說脩行彼多緣礙無暇教授能聽法者起嫌
恨心後雖教授而不聽受而不和合不獲教
授聽受書持讀誦脩習甚深般若波羅蜜多
菩薩當知是為魔事復次善現有諸惡魔作
種種形至菩薩所方便破壞令於般若波羅
蜜多相應經典不得書寫受持讀誦脩習思
惟為他演說是故善現住菩薩乘善男子等
於深般若波羅蜜多書寫等時所有障礙菩
薩當知皆是魔事具壽善現便白佛言何緣
惡魔作諸形像至菩薩所方便破壞令於般
若波羅蜜多相應經典不得書寫乃至演說
佛告善現甚深般若波羅蜜多能生如來一
切智智如來所有一切智智能生佛教佛教
能生有情妙惠有情妙惠能證無邊諸煩惱
斷煩惱斷者一切惡魔不得其便彼諸惡魔
不得便故多生憂苦如箭入心勿我由斯甚
深般若波羅蜜多境界空缺是故惡魔作諸
形像至菩薩所方便破壞令於般若波羅蜜
多相應經典不得書寫乃至演說具壽善現
復白佛言云何惡魔作諸形像至菩薩所方
便破壞佛告善現有諸惡魔作種種形至菩
薩所方便破壞令其厭歇甚深般若波羅蜜

BD01956號　大般若波羅蜜多經卷五六〇　（16–8）

多相應經典不得書寫乃至演說具壽善現
復白佛言云何惡魔作諸形像至菩薩所方
便破壞佛告善現有諸惡作種種形至菩
薩所方便破壞令其厭背甚深般若波羅蜜
多謂作是言汝所習誦無相經典非真般若
波羅蜜多我所習誦有相經典是真般若波
羅蜜多作是語時有諸菩薩未得受記便於般
若波羅蜜多甚深經典心生疑惑由疑惑故
便於般若波羅蜜多而生毀厭由毀厭故遂
不書寫乃至演說菩薩當知是為魔事復次
善現有諸惡魔作種種形至菩薩所謂菩薩
曰諸菩薩眾行深般若波羅蜜多唯證實際
得聲聞果或能證得獨覺菩提決定不能證
得佛果何緣於此虛設劬勞菩薩當知是為魔事

第五分真如品第十二

復次善現甚深般若波羅蜜多書寫等時多
諸魔事為作留難菩薩應覺覺已精勤正念正
知方便遠離尒時善現便白佛言如是世尊
如是善逝甚深般若波羅蜜多書寫等時多
諸留難譬如無價大寶神珠難得具能多諸
惡賊如是般若波羅蜜多理趣甚深具勝功德
諸菩薩眾書寫等時多有惡魔為作留難雖
有樂欲而不能成所以者何有愚癡者為魔
所魅新學大乘善男子等於深般若波羅蜜
多書寫等時為作留難佛告善現如是如是
有愚癡者福慧薄劣於廣大法心不信樂新
學大乘善男子等於深般若波羅蜜多書寫等

BD01956號　大般若波羅蜜多經卷五六〇　（16–9）

有樂欲而不能成所以者何有愚癡者為魔
所魅新學大乘善男子等於深般若波羅蜜
多書寫等時為作留難佛告善現如是如是
有愚癡者福慧薄劣於廣大法心不信樂新
學大乘善男子等於深般若波羅蜜多書寫等
時為作留難於當來世有愚癡者福惠薄劣
自於般若波羅蜜多不能信樂見他於彼書
寫等時承魔威力為作障礙當知彼類獲罪
無邊多劫輪迴受諸劇苦復次善現若諸菩
薩於深般若波羅蜜多書寫等時無魔事者
當知皆是佛威神力所以者何惡魔眷屬雖
勤方便欲障般若波羅蜜多而諸如來應正
等覺亦勤方便護念攝受令書寫等無諸留
難復次善現譬如女人多有諸子或五或十
乃至百千其母得病諸子各別勤求醫藥咸
作是念云何令我母病除愈命無障難身名
不滅久住安樂苦受不生諸妙樂具咸歸我
母所以者何生育我等示世間事甚大難事
作是念已競設方便求安隱事覆護母身勿
為蚊虻蛇蠍風雨人非人等非愛所觸勤加
脩飾令離眾病六根清淨無諸憂苦復以種
種上妙樂具供養恭敬而作是言我母慈悲
生育我等誨示一切世間事業我等豈得不
報母恩如是如來應正等覺常以種種善巧
方便護念般若波羅蜜多若有受持讀誦脩
習思惟演說或書寫者如來亦以種種方便
勤加護念令無損惱十方現在餘世界中一

BD01956號　大般若波羅蜜多經卷五六〇　（16–10）

報母恩如是如來應正等覺常以種種善巧
方便護念般若波羅蜜多若有受持讀誦脩
習思惟演說或書寫者如來亦以種種方便
勤加護念令無損惱十方現在餘世界中一
切如來應正等覺哀愍利樂諸有情者亦以
種種善巧方便護念般若波羅蜜多令諸惡
魔不能毀滅久住利樂一切世間所以者何
甚深般若波羅蜜多能生如來應正等覺能
正顯了一切智智能示世間諸法實相一切
智智亦從彼生善現當知三世諸佛皆依如
是甚深般若波羅蜜多精勤脩學證得無上
正等菩提是故般若波羅蜜多能生如來應
正等覺能正顯示一切智智能示世間諸法
實相尒時善現便白佛言云何般若波羅蜜
多能示世間諸法實相佛說何法名為世間
佛告善現佛說五蘊名為世間甚深般若波
羅蜜多能示世間色等五蘊無變壞相故說
般若波羅蜜多能亦世間諸法實相所以者
何色等五蘊無自性故說名為空無相無願
即真法界非空等法可有變壞故說般若波
羅蜜多能示世間諸法實相復次善現一切
如來應正等覺皆依般若波羅蜜多普能證
知無量無數無邊有情類心行種種差別
故說般若波羅蜜多能示世間諸法實相復
次善現一切如來應正等覺皆依般若波羅
蜜多如實證知無量無數無邊有情所有散心
由法性故無散心性所有略心盡故離故無略

BD01956號　大般若波羅蜜多經卷五六〇　（16–11）

故說般若波羅蜜多能示世間諸法實相復
次善現一切如來應正等覺皆依般若波羅
蜜多如實證知無量無數無邊有情所有散心
由法性故無散心性所有略心盡故離故無略
心性諸有貪心由如實性非有貪心諸有瞋
心由如實性非有瞋心諸有癡心由如實性非
有癡心諸離貪心離中非有諸離瞋心離中
非有諸離癡心離心非有所有廣心無增無
減亦非遠離已遠離故無廣心性所有大心
無來無去亦無所住無大心性諸無量心無
生無滅無住無異無所依心如太虛空非無
量心諸無見心無相可得故離種種境故非無
見心不可見心非三眼境故無心性故非不
可見心由此等義故說般若波羅蜜多能示
世間諸法實相復次善現一切如來應正等
覺皆依般若波羅蜜多如實證知無量無數
無邊有情若出若沒謂如實知彼有情類心心
所法若出若沒皆依色受想行識生謂諸有
情心心所法或有依色受想行識執如來死
後或有或非有或亦有亦非有或非有非非
有此是諦實餘皆愚妄或有依色受想行識
執我及世間或常或無常或亦常亦無常或
非常非無常此是諦實餘皆愚妄或有依色
受想行識執我及世間或有邊或無邊或亦
有邊亦無邊或非有邊非無邊此是諦實餘
皆愚妄或有依色受想行識執命者即身或
復異身此是諦實餘皆愚妄如是善現一切

BD01956號　大般若波羅蜜多經卷五六〇　（16–12）

非常非無常此是諦實餘皆愚妄或有依色
受想行識執我及世間或有邊或無邊或亦
有邊亦無邊或非有邊非無邊此是諦實餘
皆愚妄或有依色受想行識執命者即身或
復異身此是諦實餘皆愚妄如是善現一切
如來應正等覺皆依般若波羅蜜多如實證
知無量無數無邊有情若出若沒復次善現
一切如來應正等覺皆依般若波羅蜜多如
實證知無量無數無邊有情若出若沒謂如
實知諸所有色受想行識皆如真如無二無
別善現當知如來真如即五蘊真如五蘊真
如即世間真如世間真如即一切法真如一
切法真如即預流果真如預流果真如即一
來果真如一來果真如即不還果真如不還
果真如即阿羅漢果真如阿羅漢果真如即
獨覺菩提真如獨覺菩提真如即一切菩薩
摩訶薩行真如一切菩薩摩訶薩行真如即
諸佛無上正等菩提真如諸佛無上正等菩
提真如即一切如來應正等覺真如一切如
來應正等覺真如即一切有情真如善現當
知如是真如皆不相離非一非異無盡無二
亦無二分不可分別善現當知一切如來應
正等覺皆依般若波羅蜜多證一切法真如
究竟方得無上正等菩提由斯故說甚深般
若波羅蜜多能生如來應正等覺是如來母
能示如來應正等覺世間實相善現當知一
切如來應正等覺皆依般若波羅蜜多能如

BD01956 號　大般若波羅蜜多經卷五六〇　　（16–13）

究竟方得無上正等菩提由斯故說甚深般
若波羅蜜多能生如來應正等覺是如來母
能示如來應正等覺世間實相善現當知一
切如來應正等覺皆依般若波羅蜜多能如
實覺諸法真如不虛妄性不變異性由如實覺
真如相故說名如來應正等覺具壽善現便
白佛言甚深般若波羅蜜多所證真如不虛
妄性不變異性極為甚深難見難覺一切如
來應正等覺皆用如是諸法真如不虛妄性
不變異性宣說開示分別顯了一切菩薩摩
訶薩行諸佛無上正等菩提如是真如不虛
妄性不變異性誰能信解唯有不退轉菩薩
摩訶薩及諸願滿大阿羅漢并具正見善男
子等聞佛說此甚深真如不虛妄性不變異
性能生信解如來為彼依自所證真如之相
顯示分別佛告善現如是如是所以者何真
如無盡是故甚深唯有如來現等正覺無盡
真如甚深之相為諸菩薩摩訶薩衆宣說開
示令生信解善現當知色無盡故真如無盡
色甚深故真如甚深色與真如無差別故受
想行識無盡故真如無盡受想行識甚深故
真如甚深受想行識與真如無差別故善現
當知眼處無盡故真如無盡眼處甚深故真
如甚深眼處與真如無差別故耳鼻舌身意
處無盡故真如無盡耳鼻舌身意處甚深故
真如甚深耳鼻舌身意處與真如無差別故
善現當知色處無盡故真如無盡色處甚深

BD01956 號　大般若波羅蜜多經卷五六〇　　（16–14）

如甚深眼處與真如無差別故耳鼻舌身意
處無盡故真如無盡耳鼻舌身意處甚深故
真如甚深耳鼻舌身意處與真如無差別故
善現當知色處無盡故真如無盡色處甚深
故真如甚深色處與真如無差別故聲香味
觸法處無盡故真如無盡聲香味觸法處甚
深故真如甚深聲香味觸法處與真如無差
別故善現當知眼界無盡故真如無盡眼界
甚深故真如甚深眼界與真如無差別故耳
鼻舌身意界無盡故真如無盡耳鼻舌身意
界甚深故真如甚深耳鼻舌身意界與真如
無差別故善現當知色界無盡故真如無盡
色界甚深故真如甚深色界與真如無差別
故聲香味觸法界無盡故真如無盡聲香味
觸法界甚深故真如甚深聲香味觸法界與
真如無差別故善現當知眼識界無盡故真
如無盡眼識界甚深故真如甚深眼識界與
真如無差別故耳鼻舌身意識界無盡故真
如無盡耳鼻舌身意識界甚深故真如甚深
耳鼻舌身意識界與真如無差別故善現當
知一切法無盡故真如無盡一切法甚深故
真如甚深一切法與真如無差別故是故真
如極難信解

大般若波羅蜜多經卷第五百六十

BD01956號　大般若波羅蜜多經卷五六〇　（16–15）

真如無差別故善現當知眼識界無盡故真
如無盡眼識界甚深故真如甚深眼識界與
真如無差別故耳鼻舌身意識界無盡故真
如無盡耳鼻舌身意識界甚深故真如甚深
耳鼻舌身意識界與真如無差別故善現當
知一切法無盡故真如無盡一切法甚深故
真如甚深一切法與真如無差別故是故真
如極難信解

大般若波羅蜜多經卷第五百六十

BD01956號　大般若波羅蜜多經卷五六〇　（16–16）

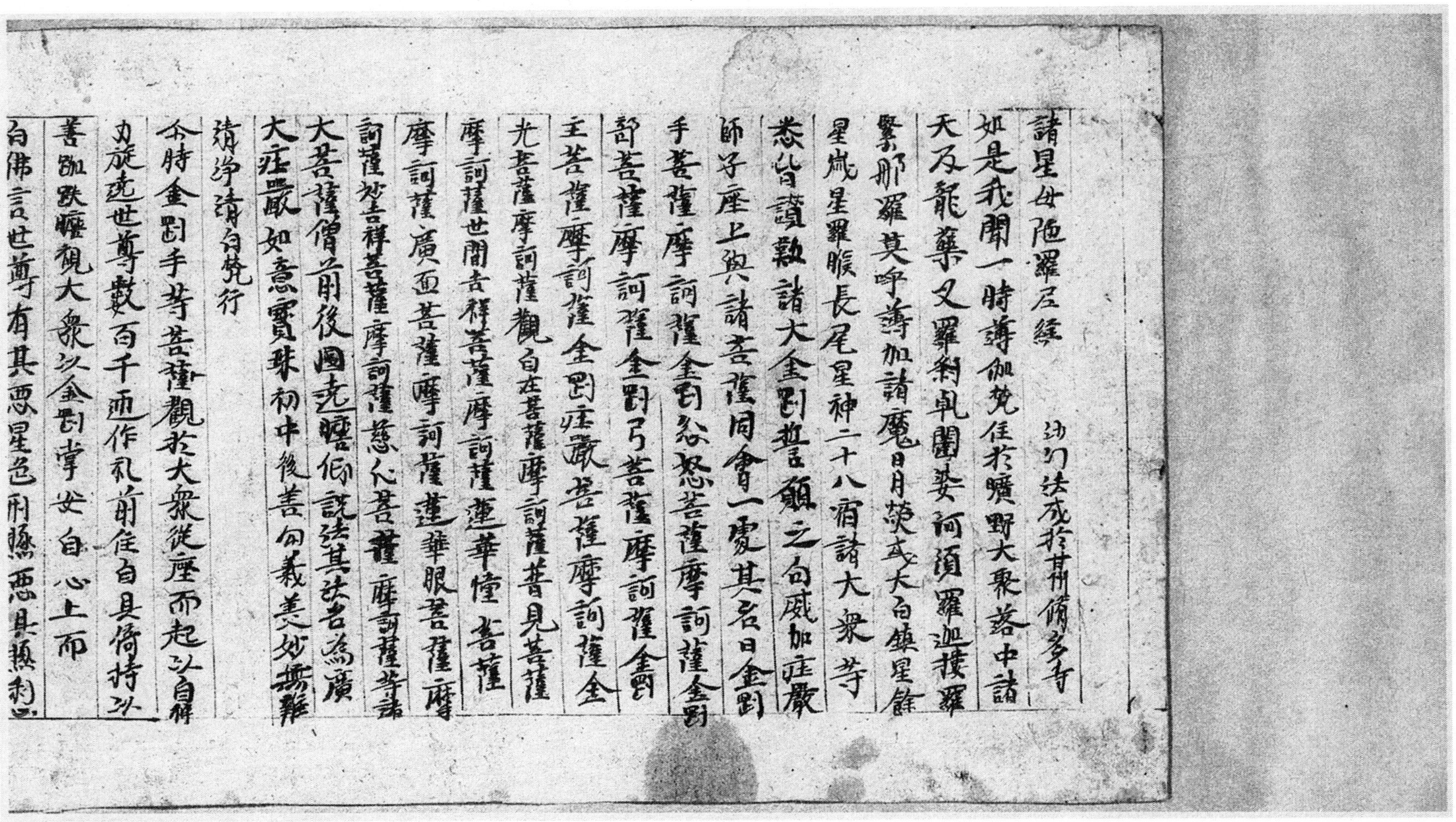

諸星母陀羅尼經　　沙門法成於甘州脩多寺譯
如是我聞一時薄伽梵住於曠野大聚落中諸
天及龍藥叉羅刹乾闥婆阿須羅迦樓羅
緊那羅莫呼落伽諸魔日月熒惑天白鎮星餘
星彗星羅睺長尾星神二十八宿諸大衆等
恭敬讚歎諸大金剛菩薩之句威加莊嚴
師子座上與諸菩薩同會一處其名曰金剛
手菩薩摩訶薩金剛忿怒菩薩摩訶薩金剛
部菩薩摩訶薩金剛弓菩薩摩訶薩金剛
王菩薩摩訶薩金剛莊嚴菩薩摩訶薩金
光菩薩摩訶薩觀自在菩薩摩訶薩普見菩薩
摩訶薩世間吉祥菩薩摩訶薩蓮華幢菩薩
摩訶薩廣面菩薩摩訶薩蓮華眼菩薩摩
訶薩妙吉祥菩薩摩訶薩慈氏菩薩摩訶薩等諸
大菩薩前後圍遶瞻仰說法其法者為廣
大莊嚴如意寶珠初中後善句義美妙無雜
清淨清白梵行
尒時金剛手等菩薩觀於大衆從座而起以自稱
力旋遶世尊數百千匝作礼前住自具倚持以
善跏趺瞻視大衆以金剛掌安自心上而
白佛言世尊有其惡星色形懸惡具熱剎心

BD01957 號　諸星母陀羅尼經　　　　（5–1）

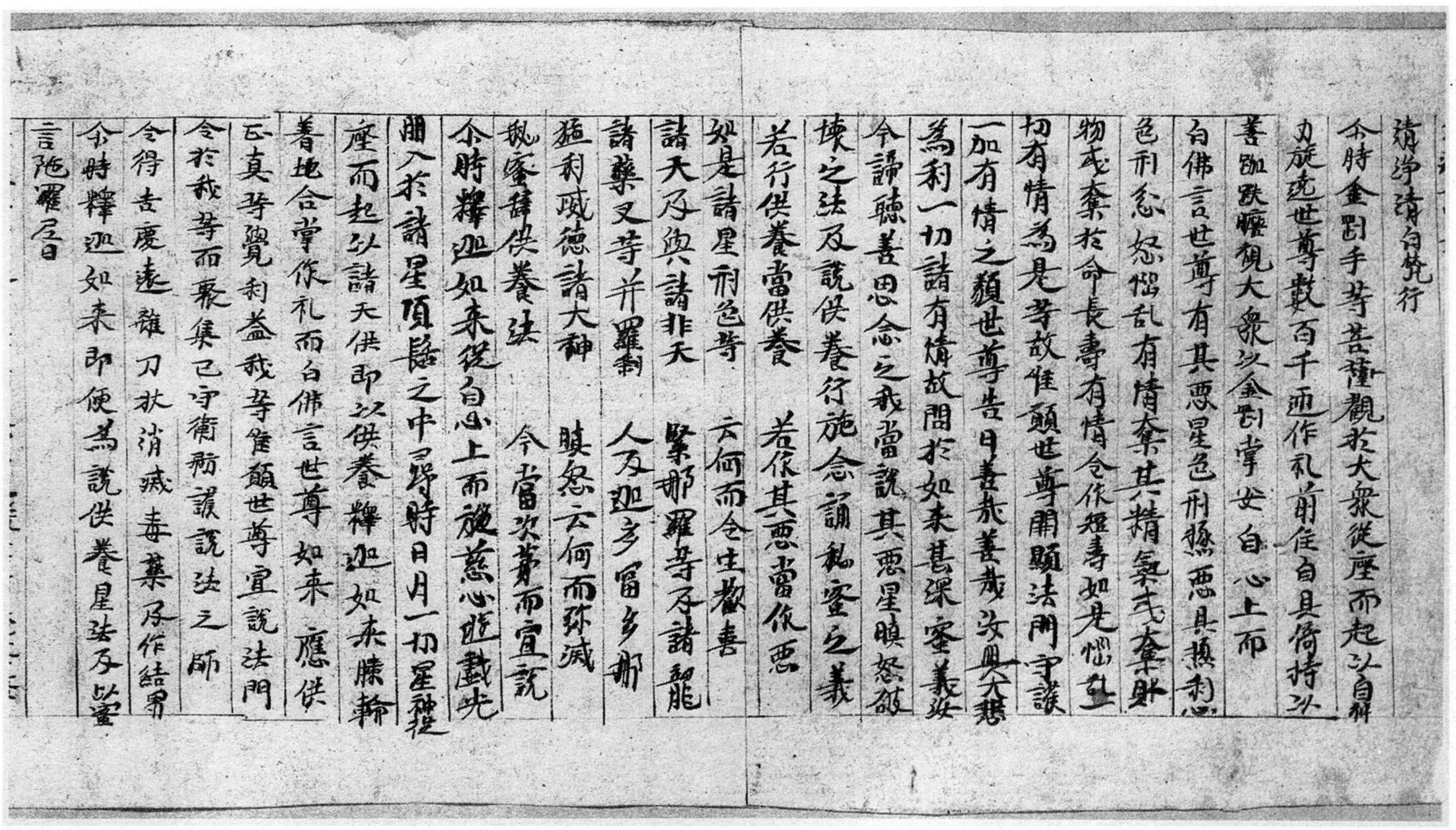

清淨清白梵行
尒時金剛手等菩薩觀於大衆從座而起以自稱
力旋遶世尊數百千匝作礼前住自具倚持以
善跏趺瞻視大衆以金剛掌安自心上而
白佛言世尊有其惡星色形懸惡具熱剎心
色形忿怒惱亂有情奪其精氣或奪財
物或奪於命長壽有情令作短壽如是惱亂
一切有情為是等故唯願世尊開顯法門守護
一切有情之類世尊告曰善哉善哉汝具大悲
為利一切諸有情故問於如來甚深密義汝
今諦聽善思念之我當說其惡星瞋怒敗
壞之法及說供養行施念誦秘密之義
若行供養當供養　若依其惡當依惡
如是諸星形色等　云何而令生歡喜
諸天及與諸非天　緊那羅等及諸龍
諸藥叉等并羅刹　人及迦多富多那
猛利威德諸大神　瞋怒云何而殄滅
執密主供養法　今當次第而宣說
尒時釋迦如來從自心上而放慈心遊戲光
明入於諸星頂髻之中尋時日月一切星神
座而起以諸天供即以供養釋迦如來膝輪
著地合掌作礼而白佛言世尊如來應供
正真等覺利益我等唯願世尊宣說法門
令於我等而聚集已守衛擁護說法之師
令得吉慶遠離刀杖消滅毒藥及作結界
尒時釋迦如來即便為說供養星法及當
言陀羅尼曰

BD01957 號　諸星母陀羅尼經　　　　（5–2）

令於我等而衆集已守衛擁護說法之師
令得吉慶遠離刀杖消滅毒藥及作結界
尒時釋迦如來即便為說供養星法及蜜
言陁羅尼曰
唵謨呼羅迦耶莎訶 唵盧奄擻莎訶 唵薩薩
當伽俱麼囉也莎訶 唵報須也報須也莎訶 唵報
伽阿悉婆須也莎訶 唵阿須羅瑾多麼也莎訶
唵吒哩悉棗擻囉那也莎訶 唵阿蜜多畢哩耶
莎訶 唵攞座羯多藏莎訶
金剛手此則是彼九星秘密心呪讀便成辦
當作十二指一色香壇中安供養或凡或銅
金銀等器奉獻供養一一供養當誦一百八遍
金剛手然後誦此諸星母陁羅尼秘密言
辞蒲足七遍一切諸星而作守護所有貧窮
者得解脫命將欲盡而長壽金剛手若
苾芻苾尼烏波索迦烏波斯迦及餘有情之
類若愿耳根而不中夭金剛手諸星壇中設
供養已每日而讀誦者欲說法師一切諸星
如彼所願悉令滿足與彼同類負遣諸事
皆得消滅
尒時釋迦如來即便為說諸星母陁羅尼
即說呪曰
南謨佛陁耶 南謨婆揭羅駄囉耶 南麼鉢麼
達羅耶 南麼瑾婆迦羅訶 南麼瑾婆阿奢
皷羅甫迦喃 南謨諸奢多羅喃 南謨塢多奢
囉屌喃 怛也他座 擻室囉擻室囉 鉢
明鉢明 婆羅婆羅 鉢婆羅鉢婆囉 三婆羅
三婆羅 基多耶基多耶 麼囉麼囉 麼訖

BD01957號 諸星母陀羅尼經 (5–3)

皷羅甫迦喃 南謨諸奢多羅喃 南謨塢多奢
囉屌喃 怛也他座 擻室囉擻室囉 鉢
明鉢明 婆羅婆羅 鉢婆羅鉢婆囉 三婆羅
三婆羅 基多耶基多耶 麼囉麼囉 麼訖
陁麼訖陁 伽須耶 瑾婆璞遠 俱嚕俱嚕
晋那晋那 乇舍彼耶乇舍彼耶 扇股旦伱
須麼耶須麼曳咄嚕多伱 達奢耶羯麼喃
薄伽薄帝蕗叉耶蕗叉耶 麼那 婆
波哩波藍婆囉狱瑾都王悉荼 瑾 婆
吒訶那乇奢多羅散多麼擻伱 擻 囉
伱擻羅薄伽薄座 麼訶摩曳 瑾馱
耶咄悉荼麼奢耶波彼伱 麼贊座贊座
都嚕都嚕贊座 諜揄諜揄 資諜資
諜訶婆訶蔽 屋吒哩屋吒訶 参迷
甫囉耶悉 末努多藍 瑾婆怛他迦多
阿係悉 娑麼耶莎訶 唵莎訶 吽莎訶
紇哩莎訶 吽莎訶 怛航莎訶 鉢麼須羅
莎訶 阿室哆耶莎訶 蘓麼耶莎訶 須羅
伱須多耶莎訶 没他耶莎訶 勃多悉彼住
曳莎訶 餓伽囉耶莎訶 吒奄那跛那耶蕗
訶 羅訶蔽莎訶 雞多蔽訶 没他耶莎訶
擻揭囉達羅耶莎訶 鉢麼須羅莎訶 枸麼
囉耶莎訶 諸乇紗多羅難莎訶 瑾婆烏鉢
多羅擻難莎訶 唵瑾婆擻比座叭叭莎訶
金剛手此是諸星母陁羅尼秘密呪句或乇
辦一切諸事根本金剛手此陁羅尼秘蜜呪
句從於九月白月七日而起於首具足長淨
至十四日供養諸星而受持之月十五日皆誦

BD01957號 諸星母陀羅尼經 (5–4)

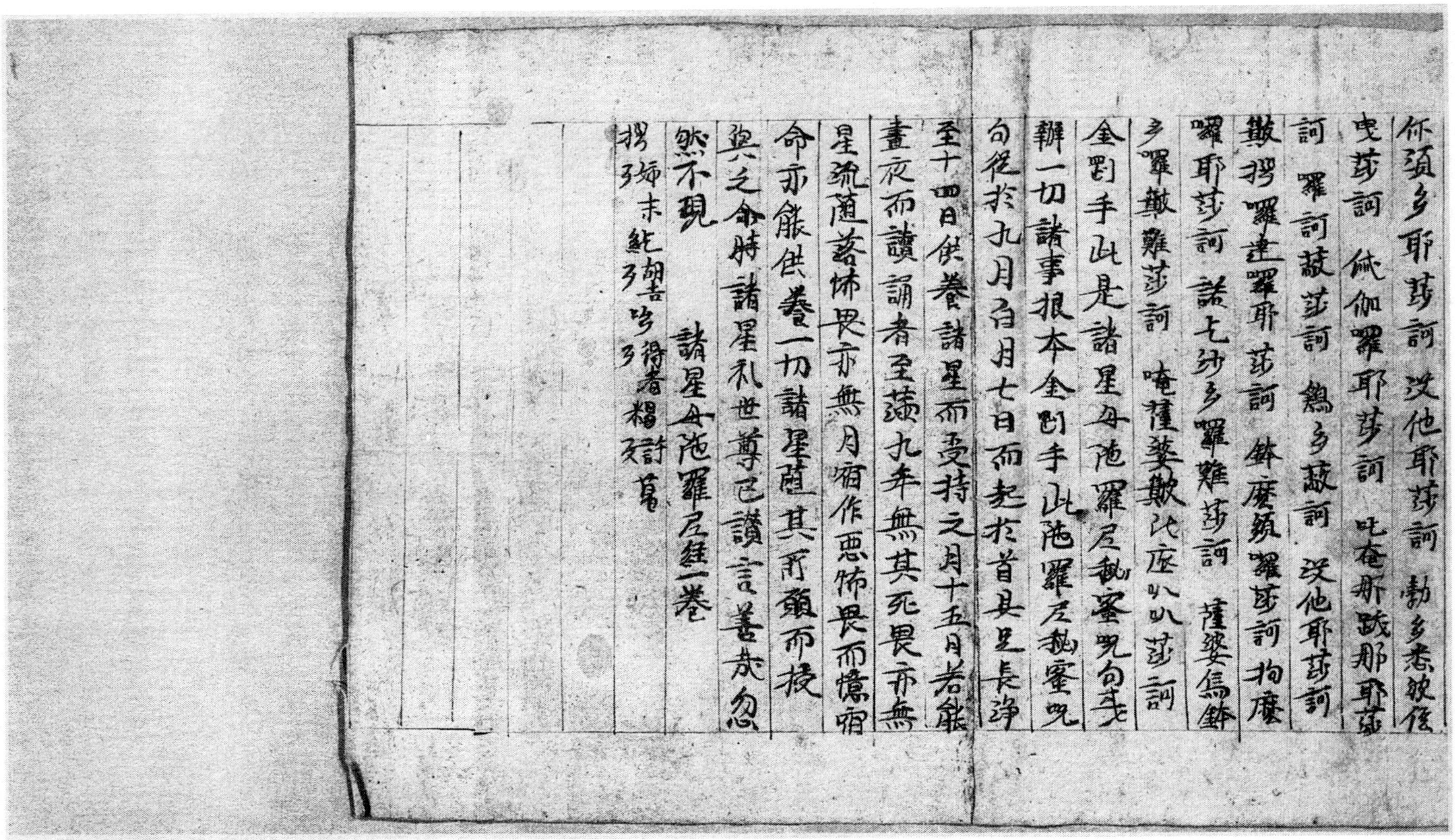

你須多耶莎訶 汲他耶莎訶 勃多悉彼侄
曳莎訶 缽伽羅耶莎訶 叱奄㖿跋那耶莎
訶 羅訶兹莎訶 鷄多兹訶 汲他耶莎訶
散拶囉達囉耶莎訶 缽麼頞囉莎訶 拘麼
囉耶莎訶 諸七紗多囉難莎訶 薩婆烏缽
多囉散難莎訶 唵薩婆散叱座叭叭莎訶
金剛手此是諸星母陁羅尼秘密呪句我
辯一切諸事根本金剛手此陁羅尼秘密呪
句從於九月白月七日而起於首具足長淨
至十四日供養諸星而受持之月十五月若能
晝夜而讀誦者至滿九年無其死畏亦無
星流落怖畏亦無月宿作惡怖畏而憶宿
命亦能供養一切諸星隨其所願而授
與之爾時諸星礼世尊已讚言善哉忽
然不現
諸星母陁羅尼經一卷
拶弖婦末紇弖胡書多弖得者楊叉討葛

BD01957 號　諸星母陀羅尼經　（5–5）

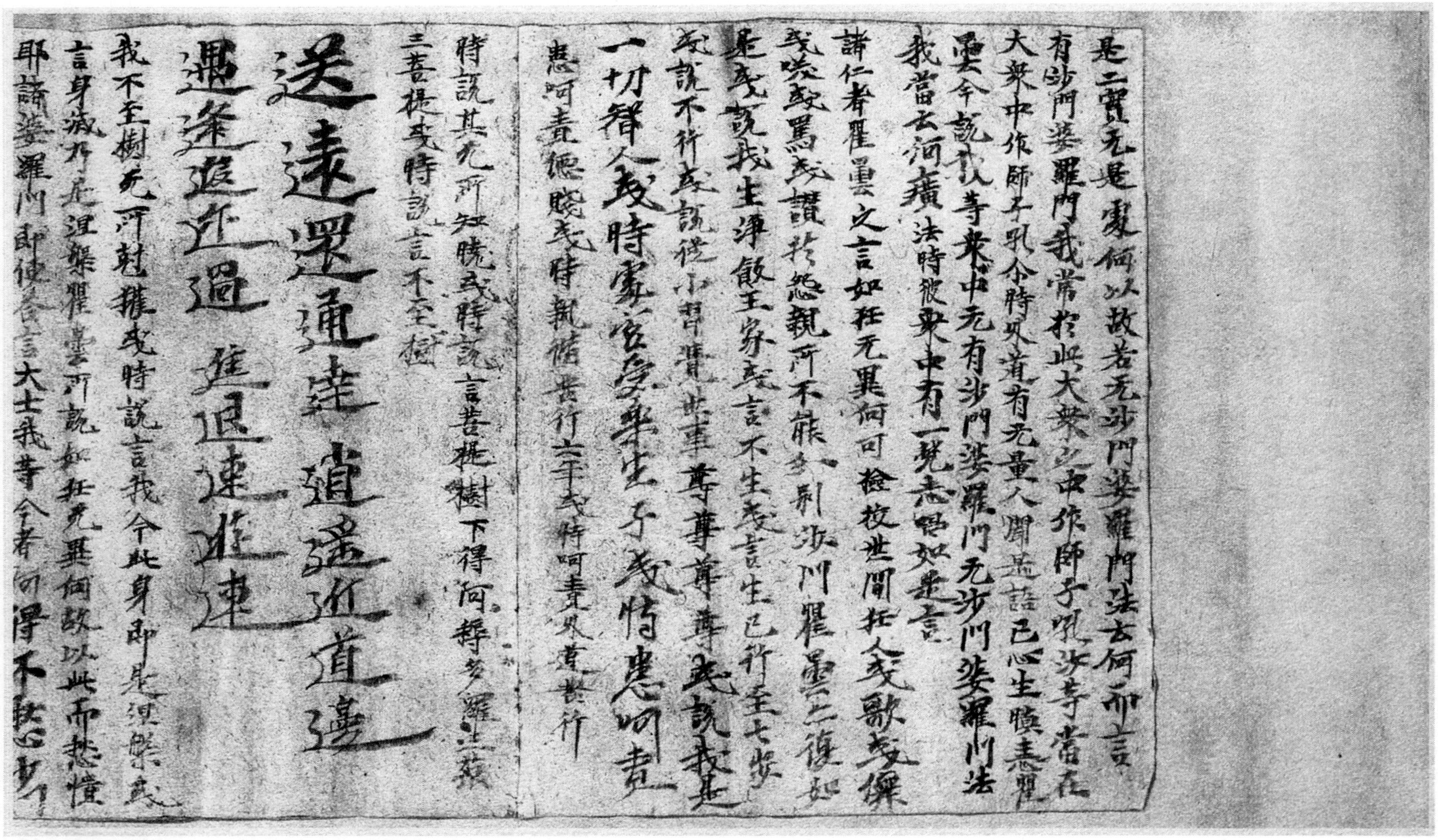

是二寶无是處何以故若无沙門婆羅門法云何而言
有沙門婆羅門我常於此大衆之中作師子吼汝等當在
大衆中作師子吼介時外道有无量人聞是語已心生瞋恚嬰
曇今說我等衆中无有沙門婆羅門无沙門婆羅門法
我當云何積法時彼衆中有一梵志唱如是言
諸仁者瞿曇之言如狂无異何可撿校世間狂人或歌或儛
或哭或罵或讚於怨親所不能分別沙門瞿曇亦復如
是或說我生淨飯王家或言不生或言生已行至七步
或說不行或說從小習學世事或說尊尊或說我是
一切智人或時哀受樂生子或時患呵責
患呵責德賤或時讚嘆苦行六年或時呵責外道苦行
時說其无所知曉或時說言菩提樹下得阿耨多羅三藐
三菩提或時說言不至樹
送遠還通達　逍遙近道邊
遐逢遮近過　進退速進連
我不至樹无所能辨或時說言我今此身即是涅槃或
言身滅乃是涅槃瞿曇所說如狂无異何故以此而愁憤
耶諸婆羅門即復答言大士我等今者何得不愁心若

BD01957 號背 1　大般涅槃經（北本雜寫）卷三九　（5–1）
BD01957 號背 2　走字旁遊戲詩（擬）

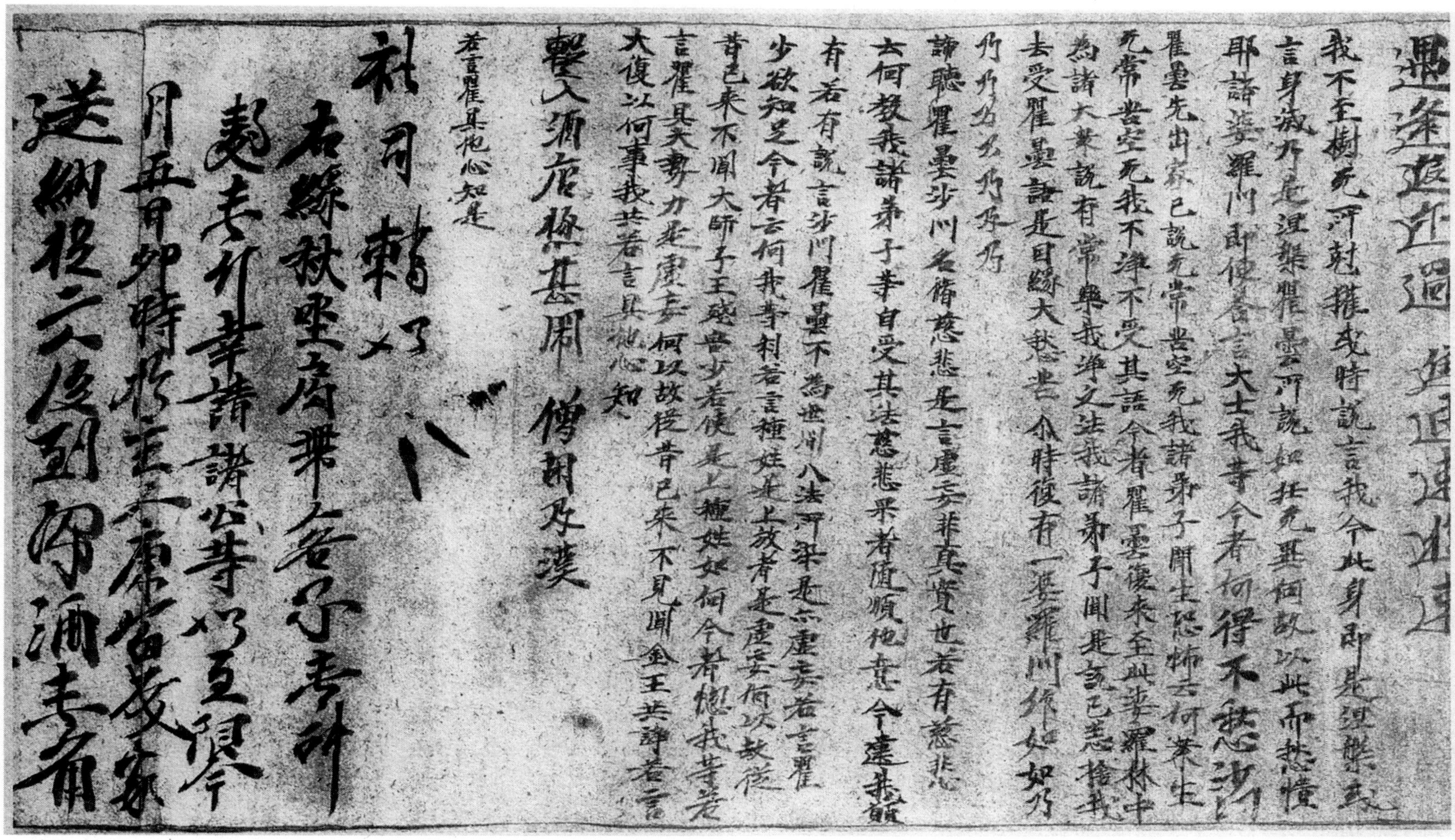

BD01957 號背 1　大般涅槃經（北本雜寫）卷三九　（5–2）
BD01957 號背 3　社司轉帖

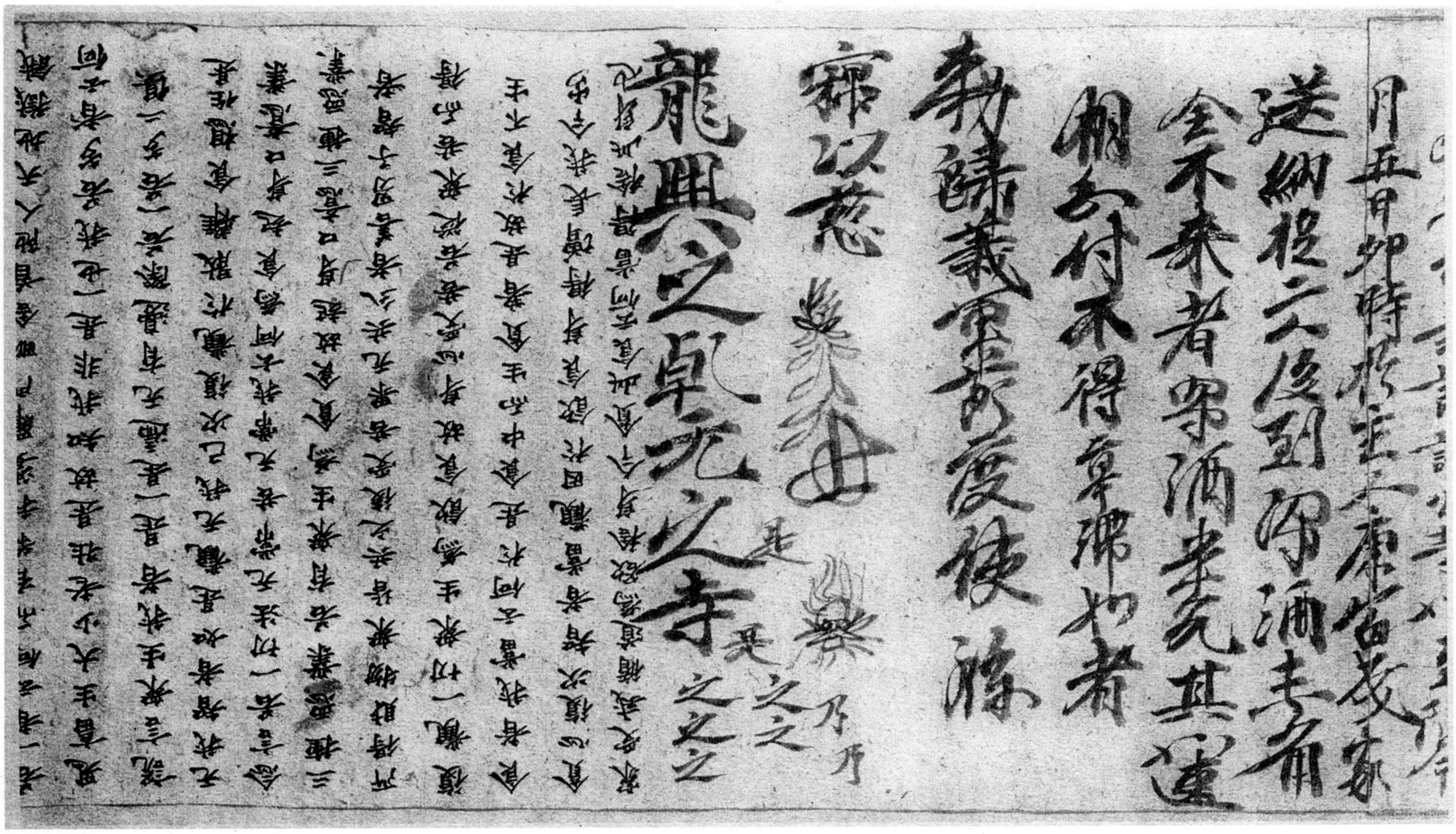

BD01957 號背 3　社司轉帖　（5–3）
BD01957 號背 4　大般涅槃經（北本）卷三八

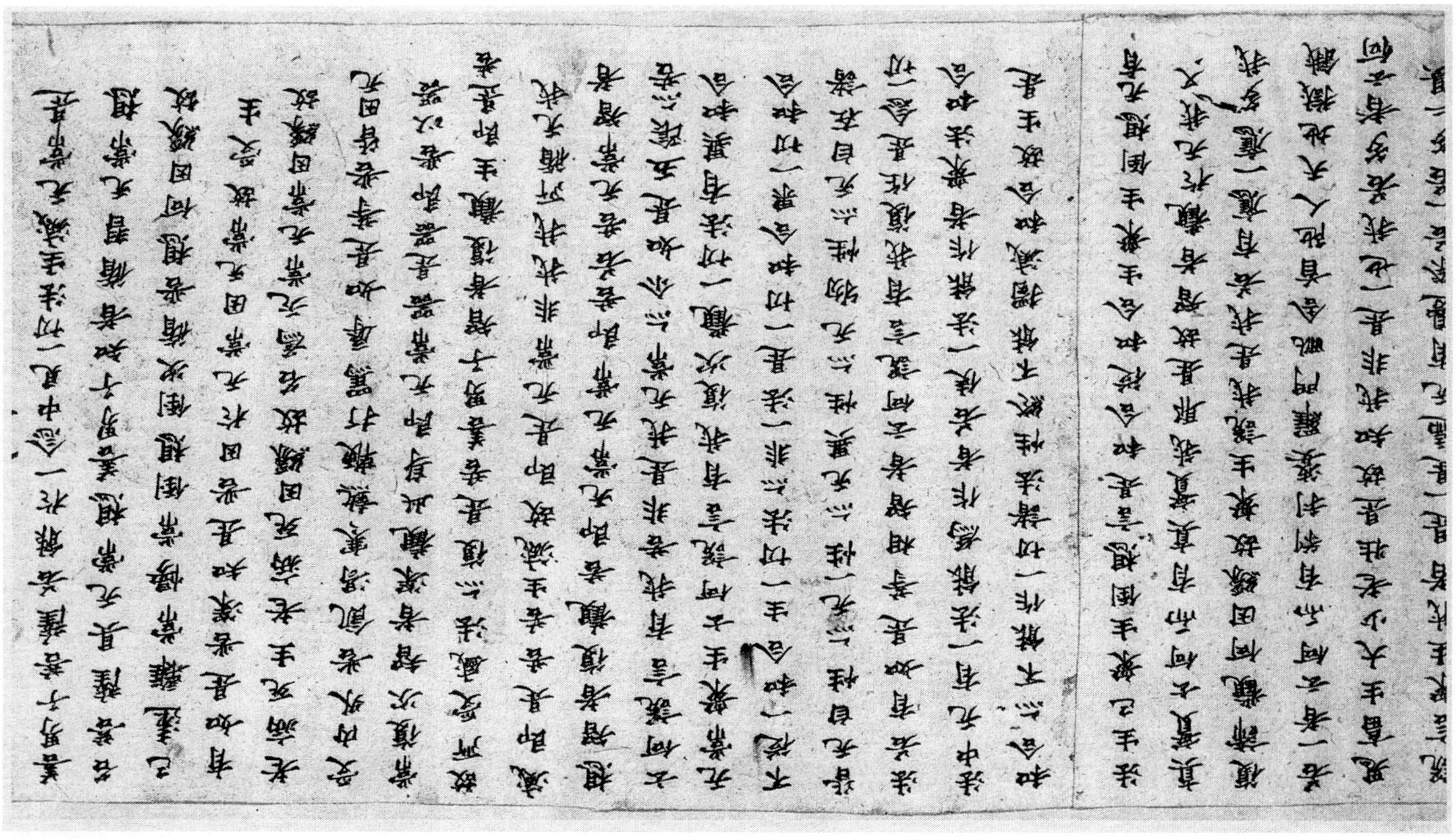

BD01957 號背 4　大般涅槃經（北本）卷三八　　（5–4）

BD01957 號背 4　大般涅槃經（北本）卷三八　　（5–5）

提於意云何如来有所說法不
言世尊如来无所說須菩提於意云何三
大千世界所有微塵是為多不須菩提言甚
多世尊須菩提諸微塵如来說非微塵是名
微塵如来說世界非世界是名世界須菩提
於意云何可以三十二相見如来不不也世
尊不可以三十二相得見如来何以故如来說三十
二相即是非相是名三十二相須菩提若有善男
子善女人以恒河沙等身命布施若復有人於此
經中乃至受持四句偈等為他人說其福甚多
尒時須菩提聞說是經深解義趣涕淚悲泣
而白佛言希有世尊佛說如是甚深經典我
從昔来所得慧眼未曾得聞如是之經世尊
若復有人得聞是經信心清淨則生實相當
知是人成就第一希有功徳世尊是實相者
則是非相是故如来說名實相世尊我今得
聞如是經典信解受持不足為難若當来世
後五百歲其有眾生得聞是經信解受持是
人則為第一希有何以故此人无我相人相
眾生相壽者相所以者何我相即是非相人
相眾生相壽者相即是非相何以故離一切

BD01958號　金剛般若波羅蜜經　（10–1）

知是人成就第一希有功徳世尊是實相者
則是非相是故如来說名實相世尊我今得
聞如是經典信解受持不足為難若當来世
後五百歲其有眾生得聞是經信解受持是
人則為第一希有何以故此人无我相人相
眾生相壽者相所以者何我相即是非相人
相眾生相壽者相即是非相何以故離一切
諸相則名諸佛佛告須菩提如是如是若復
有人得聞此經不驚不怖不畏當知是人甚
為希有何以故須菩提如来說第一波羅蜜
非第一波羅蜜是名第一波羅蜜
須菩提忍辱波羅蜜如来說非忍辱波羅蜜
何以故須菩提如我昔為歌利王割截身體
我於尒時无我相无人相无眾生相无壽者
相何以故我於往昔節節支解時若有我相
人相眾生相壽者相應生瞋恨須菩提又念
過去於五百世作忍辱仙人於尒所世无我
相无人相无眾生相无壽者相是故須菩提
菩薩應離一切相發阿耨多羅三藐三菩提
心不應住色生心不應住聲香味觸法生心
應生无所住心若心有住則為非住是故佛
說菩薩心不應住色布施須菩提菩薩為利
益一切眾生應如是布施如来說一切諸相
即是非相又說一切眾生則非眾生須菩提
如来是真語者實語者如語者不誑語者不
異語者須菩提如来所得法此法无實无虛
須菩提若菩薩心住於法而行布施如人入

BD01958號　金剛般若波羅蜜經　（10–2）

益一切衆生故應如是布施如来說一切諸相
即是非相又說一切衆生則非衆生須菩提
如来是真語者實語者如語者不誑語者不
異語者須菩提如来所得法此法无實无虛
須菩提若菩薩心住於法而行布施如人入
闇則无所見若菩薩心不住法而行布施如
人有目日光明照見種種色須菩提當来之
世若有善男子善女人能於此經受持讀誦
則為如来以佛智慧悉知是人悉見是人皆
得成就无量无邊功德
須菩提若有善男子善女人初日分以恒河
沙等身布施中日分復以恒河沙等身布施
後日分亦以恒河沙等身布施如是无量百
千万億劫以身布施若復有人聞此經典信
心不逆其福勝彼何況書寫受持讀誦為人
解說須菩提以要言之是經有不可思議不
可稱量无邊功德如来為發大乘者說為發
最上乘者說若有人能受持讀誦廣為人說
如来悉知是人悉見是人皆得成就不可量
不可稱无有邊不可思議功德如是人等則
為荷擔如来阿耨多羅三藐三菩提何以故
須菩提若樂小法者著我見人見衆生見壽
者見則於此經不能聽受讀誦為人解說須
菩提在在處處若有此經一切世間天人阿
脩羅所應供養當知此處則為是塔皆應恭
敬作礼圍繞以諸華香而散其處
復次須菩提若善男子善女人受持讀誦此
經若為人輕賤是人先世罪業應墮惡道以

BD01958 號　金剛般若波羅蜜經　（10–3）

菩提在在處處若有此經一切世間天人阿
脩羅所應供養當知此處則為是塔皆應恭
敬作礼圍繞以諸華香而散其處
復次須菩提若善男子善女人受持讀誦此
經若為人輕賤是人先世罪業應墮惡道以
今世人輕賤故先世罪業則為消滅當得阿
耨多羅三藐三菩提須菩提我念過去无量
阿僧祇劫於然燈佛前得值八百四千万億
那由他諸佛悉皆供養承事无空過者若復
有人於後末世能受持讀誦此經所得功德
於我所供養諸佛功德百分不及一千万億
分乃至筭數譬喻所不能及須菩提若善男
子善女人於後末世有受持讀誦此經所得
功德我若具說者或有人聞心則狂亂狐疑
不信須菩提當知是經義不可思議果報亦
不可思議
尒時須菩提白佛言世尊善男子善女人發
阿耨多羅三藐三菩提心云何應住云何降
伏其心佛告須菩提善男子善女人發阿耨
多羅三藐三菩提者當生如是心我應滅度
一切衆生滅度一切衆生已而无有一衆生
實滅度者何以故若菩薩有我相人相衆生
相壽者相則非菩薩所以者何須菩提實无
有法發阿耨多羅三藐三菩提者須菩提於
意云何如来於然燈佛所有法得阿耨多羅
三藐三菩提不不也世尊如我解佛所說義
佛於然燈佛所无有法得阿耨多羅三藐三
菩提佛言如是如是須菩提實无有法如来得

BD01958 號　金剛般若波羅蜜經　（10–4）

相壽者相則非菩薩所以者何須菩提實无
有法發阿耨多羅三藐三菩提者須菩提於
意云何如來於然燈佛所有法得阿耨多羅
三藐三菩提不不也世尊如我解佛所說義
佛於然燈佛所无有法得阿耨多羅三藐三
菩提佛言如是如是須菩提實无有法如來
得阿耨多羅三藐三菩提
須菩提若有法如來得阿耨多羅三藐三菩
提者然燈佛則不與我受記汝於來世當
得作佛号釋迦牟尼以實无有法得阿耨多
羅三藐三菩提是故然燈佛與我受記作是
言汝於來世當得作佛号釋迦牟尼何以故
如來者即諸法如義若有人言如來得阿耨
多羅三藐三菩提須菩提實无有法佛得阿
耨多羅三藐三菩提須菩提如來所得阿耨
多羅三藐三菩提於是中无實无虛是故如
來說一切法皆是佛法須菩提所言一切法
者即非一切法是故名一切法須菩提譬如
人身長大須菩提言世尊如來說人身長大
則為非大身是名大身須菩提菩薩亦如是
若作是言我當滅度无量衆生則不名菩薩
何以故須菩提實无有法名為菩薩是故佛
說一切法无我无人无衆生无壽者須菩提
若菩薩作是言我當莊嚴佛土是不名菩薩
何以故如來說莊嚴佛土者即非莊嚴是名
莊嚴須菩提若菩薩通達无我法者如來說
名真是菩薩

BD01958號 金剛般若波羅蜜經 （10–5）

若菩薩作是言我當莊嚴佛土是不名菩薩
何以故如來說莊嚴佛土者即非莊嚴是名
莊嚴須菩提若菩薩通達无我法者如來說
名真是菩薩
須菩提於意云何如來有肉眼不如是世尊
如來有肉眼須菩提於意云何如來有天眼
不如是世尊如來有天眼須菩提於意云何
如來有慧眼不如是世尊如來有慧眼須菩
提於意云何如來有法眼不如是世尊如來
有法眼須菩提於意云何如來有佛眼不如
是世尊如來有佛眼須菩提於意云何恒河
中所有沙佛說是沙不如是世尊如來說是
沙須菩提於意云何如一恒河中所有沙有
如是等恒河是諸恒河所有沙數佛世界如
是寧為多不甚多世尊佛告須菩提尒所國
土中所有衆生若干種心如來悉知何以故
如來說諸心皆為非心是名為心所以者何
須菩提過去心不可得現在心不可得未來
心不可得須菩提於意云何若有人滿三千
大千世界七寶以用布施是人以是因緣得
福多不如是世尊此人以是因緣得福甚多
須菩提若福德有實如來不說得福德多以
福德无故如來說得福德多
須菩提於意云何佛可以具足色身見不不
也世尊如來不應以色身見何以故如來說
具足色身即非具足色身是名具足色身須
菩提於意云何如來可以具足諸相見不不

BD01958號 金剛般若波羅蜜經 （10–6）

須菩提於意云何佛可以具足色身見不不
也世尊如来不應以色身見何以故如来說
具足色身即非具足色身是名具足色身須
菩提於意云何如来可以具足諸相見不不
也世尊如来不應以具足諸相見何以故如
来說諸相具足即非具足是名諸相具足須
菩提汝等勿謂如来作是念我當有所說法
莫作是念何以故若人言如来有所說法即
為謗佛不能解我所說故須菩提說法者无
法可說是名說法須菩提白佛言世尊佛得
阿耨多羅三藐三菩提為无所得耶如是如
是須菩提我於阿耨多羅三藐三菩提乃至
无有少法可得是名阿耨多羅三藐三菩提
復次須菩提是法平等无有高下是名阿耨
多羅三藐三菩提以无我无人无衆生无壽
者脩一切善法則得阿耨多羅三藐三菩提
須菩提所言善法者如来說非善法是名善
法須菩提若三千大千世界中所有諸須弥
山王如是等七寶聚有人持用布施若人以
此般若波羅蜜經乃至四句偈等受持讀誦
為他人說於前福德百分不及一百千万億
分乃至筭數譬喻所不能及
須菩提於意云何汝等勿謂如来作是念我
當度衆生須菩提莫作是念何以故實无有
衆生如来度者若有衆生如来度者如来則
有我人衆生壽者須菩提如来說有我者則
非有我而凡夫之人以為有我須菩提凡夫

BD01958號　金剛般若波羅蜜經　（10-7）

須菩提於意云何汝等勿謂如来作是念我
當度衆生須菩提莫作是念何以故實无有
衆生如来度者若有衆生如来度者如来則
有我人衆生壽者須菩提如来說有我者則
非有我而凡夫之人以為有我須菩提凡夫
者如来說則非凡夫須菩提於意云何可以
三十二相觀如来不須菩提言如是如是以
三十二相觀如来佛告須菩提若以三十二
相觀如来者轉輪聖王則是如来須菩提白
佛言世尊如我解佛所說義不應以三十二
相觀如来尒時世尊而說偈言
若以色見我　以音聲求我　是人行邪道　不能見如来
須菩提汝若作是念如来不以具足相故得
阿耨多羅三藐三菩提須菩提莫作是念如
来不以具足相故得阿耨多羅三藐三菩提
須菩提汝若作是念發阿耨多羅三藐三菩
提者說諸法斷滅相莫作是念何以故發阿
耨多羅三藐三菩提者於法不說斷滅相
須菩提若菩薩以滿恒河沙等世界七寶布
施若復有人知一切法无我得成於忍此
菩薩勝前菩薩所得功德須菩提以諸菩薩
不受福德故須菩提白佛言世尊云何菩薩
不受福德須菩提菩薩所作福德不應貪著
是故說不受福德須菩提若有人言如来若
来若去若坐若卧是人不解我所說義何以
故如来者无所從来亦无所去故名如来
須菩提若善男子善女人以三千大千世界
碎為微塵於意云何是微塵衆寧為多不

BD01958號　金剛般若波羅蜜經　（10-8）

施若復有人知一切法无我得成於忍此
菩薩勝前菩薩所得功德須菩提以諸菩薩
不受福德故須菩提白佛言世尊云何菩薩
不受福德須菩提菩薩所作福德不應貪著
是故說不受福德須菩提若有人言如來若
來若去若坐若卧是人不解我所說義何以
故如來者无所從來亦无所去故名如來
須菩提若善男子善女人以三千大千世界
碎為微塵於意云何是微塵衆寧為多不甚
多世尊何以故若是微塵衆實有者佛則不
說是微塵衆所以者何佛說微塵衆則非微
塵衆是名微塵衆世尊如來所說三千大千
世界則非世界是名世界何以故若世界實
有者則是一合相如來說一合相則非一合
相是名一合相須菩提一合相者則是不可
說但凡夫之人貪著其事
須菩提若人言佛說我見人見衆生見壽者
見須菩提於意云何是人解我所說義不
世尊是人不解如來所說義何以故世尊
說我見人見衆生見壽者見即非我見人見
衆生見壽者見是名我見人見衆生見壽者
見須菩提發阿耨多羅三藐三菩提心者於
一切法應如是知如是見如是信解不生法
相須菩提所言法相者如來說即非法相是
名法相須菩提若有人以滿无量阿僧祇世
界七寶持用布施若有善男子善女人發菩
薩心者持於此經乃至四句偈等受持讀誦
為人演說其福勝彼云何為人演說不取於

BD01958 號　金剛般若波羅蜜經　（10–9）

有者則是一合相如來說一合相則非一合
相是名一合相須菩提一合相者則是不可
說但凡夫之人貪著其事
須菩提若人言佛說我見人見衆生見壽者
見須菩提於意云何是人解我所說義不
世尊是人不解如來所說義何以故世尊
說我見人見衆生見壽者見即非我見人見
衆生見壽者見是名我見人見衆生見壽者
見須菩提發阿耨多羅三藐三菩提心者於
一切法應如是知如是見如是信解不生法
相須菩提所言法相者如來說即非法相是
名法相須菩提若有人以滿无量阿僧祇世
界七寶持用布施若有善男子善女人發菩
薩心者持於此經乃至四句偈等受持讀誦
為人演說其福勝彼云何為人演說不取於
相如如不動何以故
一切有為法　如夢幻泡影　如露亦如電　應作如是觀
佛說是經已長老須菩提及諸比丘比丘尼
優婆塞優婆夷一切世間天人阿脩羅聞佛
所說皆大歡喜信受奉行

BD01958 號　金剛般若波羅蜜經　（10–10）

法性不
等性離生性法定法住實際虛空界不
界以四無所畏四無礙解大慈大悲大喜
大捨十八佛不共法無二為方便無生為方
便無所得為方便迴向一切智智安住真如乃
至不思議界慶喜當知以佛十力無二為方
便無生為方便無所得為方便迴向一切智
智安住苦集滅道聖諦以四無所畏四無礙
解大慈大悲大喜大捨十八佛不共法無二
為方便無生為方便無所得為方便迴向一
切智智安住苦集滅道聖諦慶喜當知以佛
十力無二為方便無生為方便無所得為方
便迴向一切智智修習四靜慮四無量四無
色定以四無所畏四無礙解大慈大悲大喜
大捨十八佛不共法無二為方便無生為方
便無所得為方便迴向一切智智修習四靜
慮四無量四無色定慶喜當知以佛十力無
二為方便無生為方便無所得為方便迴向
一切智智修習八解脫八勝處九次第定十
遍處以四無所畏四無礙解大慈大悲大喜
大捨十八佛不共法無二為方便無生為方
便無所得為方便迴向一切智智修習八解
脫八勝處九次第定十遍處慶喜當知以佛

BD01959號　大般若波羅蜜多經卷一一一　（20–1）

二為方便無生為方便無所得為方便迴向
一切智智修習八解脫八勝處九次第定十
遍處以四無所畏四無礙解大慈大悲大喜
大捨十八佛不共法無二為方便無生為方
便無所得為方便迴向一切智智修習八解
脫八勝處九次第定十遍處慶喜當知以佛
十力無二為方便無生為方便無所得為方
便迴向一切智智修習四念住四正斷四神
足五根五力七等覺支八聖道支以四無所
畏四無礙解大慈大悲大喜大捨十八佛不
共法無二為方便無生為方便無所得為方
便迴向一切智智修習四念住四正斷四神
足五根五力七等覺支八聖道支慶喜當知
以佛十力無二為方便無生為方便無所得
為方便迴向一切智智修習空解脫門無相
解脫門無願解脫門以四無所畏四無礙解
大慈大悲大喜大捨十八佛不共法無二為
方便無生為方便無所得為方便迴向一切
智智修習空解脫門無相解脫門無願解脫
門慶喜當知以佛十力無二為方便無生為
方便無所得為方便迴向一切智智修習五
眼六神通以四無所畏四無礙解大慈大悲
大喜大捨十八佛不共法無二為方便無生
為方便無所得為方便迴向一切智智修習
五眼六神通慶喜當知以佛十力無二為方
便無生為方便無所得為方便迴向一切智

BD01959號　大般若波羅蜜多經卷一一一　（20–2）

為方便無所得為方便迴向一切智智脩習
五眼六神通慶喜當知以佛十力無二為方
便無生為方便無所得為方便迴向一切智
智脩習佛十力四無所畏四無礙解大慈大悲
大喜大捨十八佛不共法以四無所畏四無
礙解大慈大悲大喜大捨十八佛不共法無
二為方便無生為方便無所得為方便迴
向一切智智脩習佛十力四無所畏四無礙
解大慈大悲大喜大捨十八佛不共法慶喜
當知以佛十力無二為方便無生為方便無
所得為方便迴向一切智智脩習無忘失法
恒住捨性以四無所畏四無礙解大慈大悲
大喜大捨十八佛不共法無二為方便無生
為方便無所得為方便迴向一切智智脩習
無忘失法恒住捨性慶喜當知以佛十力無
二為方便無生為方便無所得為方便迴向
一切智智脩習一切智道相智一切相智以
四無所畏四無礙解大慈大悲大喜大捨十
八佛不共法無二為方便無生為方便無所
得為方便迴向一切智智脩習一切智道相
智一切相智慶喜當知以佛十力無二為方
便無生為方便無所得為方便迴向一切智
智脩習一切陁羅尼門一切三摩地門以四無
所畏四無礙解大慈大悲大喜大捨十八佛
不共法無二為方便無生為方便無所得
為方便迴向一切智智脩習一切陁羅尼門

BD01959 號　大般若波羅蜜多經卷一一一　（20–3）

智一切相智慶喜當知以佛十力無二為方
便無生為方便無所得為方便迴向一切智
智脩習一切陁羅尼門一切三摩地門以四無
所畏四無礙解大慈大悲大喜大捨十八佛
不共法無二為方便無生為方便無所得
為方便迴向一切智智脩習一切陁羅尼門
一切三摩地門慶喜當知以佛十力無二為
方便無生為方便無所得為方便迴向一切
智智脩習菩薩摩訶薩行以四無所畏四無
礙解大慈大悲大喜大捨十八佛不共法無
二為方便無生為方便無所得為方便迴向
一切智智脩習菩薩摩訶薩行慶喜當知以
佛十力無二為方便無生為方便無所得為
方便迴向一切智智脩習無上正等菩提以
四無所畏四無礙解大慈大悲大喜大捨十
八佛不共法無二為方便無生為方便無所
得為方便迴向一切智智脩習無上正等菩
提慶喜當知以無忘失法無二為方便無生
為方便無所得為方便迴向一切智智脩習
布施淨戒安忍精進靜慮般若波羅蜜多以
恒住捨性無二為方便無生為方便無所得為
方便迴向一切智智脩習布施淨戒安忍精
進靜慮般若波羅蜜多慶喜當知以無忘失
法無二為方便無生為方便無所得為方便
迴向一切智智安住內空外空內外空空空
大空勝義空有為空無為空畢竟空無際空

BD01959 號　大般若波羅蜜多經卷一一一　（20–4）

進靜慮般若波羅蜜多慶喜當知以無忘失
法無二為方便無生為方便無所得為方便
迴向一切智智安住內空外空內外空空空
大空勝義空有為空無為空畢竟空無際空
散空無變異空本性空自相空共相空一切
法空不可得空無性空自性空無性自性空
以恒住捨性無二為方便無生為方便無所
得為方便迴向一切智智安住內空乃至無
性自性空慶喜當知以無忘失法無二為方
便無生為方便無所得為方便迴向一切智
智安住真如法界法性不虛妄性不變異性
平等性離生性法定法住實際虛空界不思
議界以恒住捨性無二為方便無生為方便
無所得為方便迴向一切智智安住真如乃
至不思議界慶喜當知以無忘失法無二為
方便無生為方便無所得為方便迴向一切智
智安住苦集滅道聖諦以恒住捨性無二為
方便無生為方便無所得為方便迴向一
切智智安住苦集滅道聖諦慶喜當知以無
忘失法無二為方便無生為方便無所得為
方便迴向一切智智脩習四靜慮四無量四
無色定以恒住捨性無二為方便無生為方
便無所得為方便迴向一切智智脩習四靜
慮四無量四無色定慶喜當智以無忘失法
無二為方便無生為方便無所得為方便迴
向一切智智脩習八解脫八勝處九次第定

BD01959 號　大般若波羅蜜多經卷一一一　（20–5）

便無所得為方便迴向一切智
慮四無量四無色定慶喜當智以無忘失法
無二為方便無生為方便無所得為方便迴
向一切智智脩習八解脫八勝處九次第定
十遍處以恒住捨性無二為方便無生為方
便無所得為方便迴向一切智智脩習八解
脫八勝處九次第定十遍處慶喜當知以無
忘失法無二為方便無生為方便無所得為
方便迴向一切智智脩習四念住四正斷四神
足五根五力七等覺支八聖道支以恒住捨
性無二為方便無生為方便無所得為方
便迴向一切智智脩習四念住四正斷四神
足五根五力七等覺支八聖道支慶喜當知
以無忘失法無二為方便無生為方便無所
得為方便迴向一切智智脩習空解脫門無
相解脫門無願解脫門以恒住捨性無二為
方便無生為方便無所得為方便迴向一切
智智脩習空解脫門無相解脫門無願解脫
門慶喜當知以無忘失法無二為方便無生
為方便無所得為方便迴向一切智智脩習
五眼六神通以恒住捨性無二為方便無生
為方便無所得為方便迴向一切智智脩習
五眼六神通慶喜當知以無忘失法無二為
方便無生為方便無所得為方便迴向一切
智智脩習佛十力四無所畏四無礙解大慈
大悲大喜大捨十八佛不共法以恒住捨性

BD01959 號　大般若波羅蜜多經卷一一一　（20–6）

五眼六神通慶喜當知以無忘失法無二爲
方便無生爲方便無所得爲方便迴向一切
智智脩習佛十力四無所畏四無礙解大慈
大悲大喜大捨十八佛不共法以恒住捨性
無二爲方便無生爲方便無所得爲方便迴
向一切智智脩習佛十力四無所畏四無礙解
大慈大悲大喜大捨十八佛不共法慶喜當
知以無忘失法無二爲方便無生爲方便
無所得爲方便迴向一切智智脩習無忘失
法恒住捨性以恒住捨性無二爲方便無生
爲方便無所得爲方便迴向一切智智脩習
無忘失法恒住捨性慶喜當知以無忘失法
無二爲方便無生爲方便無所得爲方便迴
向一切智智脩習一切智道相智一切相智
以恒住捨性無二爲方便無生爲方便無所
得爲方便迴向一切智智脩習一切智道相
智一切相智慶喜當知以無忘失法無二爲
方便無生爲方便無所得爲方便迴向一切
智智脩習一切陁羅尼門一切三摩地門以
恒住捨性無二爲方便無生爲方便無所得
爲方便迴向一切智智脩習一切陁羅尼門一
切三摩地門慶喜當知以無忘失法無二爲
方便無生爲方便無所得爲方便迴向一切
智智脩習菩薩摩訶薩行以恒住捨性無二
爲方便無生爲方便無所得爲方便迴向一
切智智脩習菩薩摩訶薩行慶喜當知以無
忘失法無二爲方便無生爲方便無所得爲

BD01959號　大般若波羅蜜多經卷一一一　（20–7）

智智脩習菩薩摩訶薩行以恒住捨性無二
爲方便無生爲方便無所得爲方便迴向一
切智智脩習菩薩摩訶薩行慶喜當知以無
忘失法無二爲方便無生爲方便無所得爲
方便迴向一切智智脩習無上正等菩提以
恒住捨性無二爲方便無生爲方便無所得
爲方便迴向一切智智脩習無上正等菩
提
慶喜當知以一切智無二爲方便無生爲方
便無所得爲方便迴向一切智智脩習布施
淨戒安忍精進靜慮般若波羅蜜多以道相
智一切相智無二爲方便無生爲方便無所
得爲方便迴向一切智智脩習布施淨戒安
忍精進靜慮般若波羅蜜多慶喜當知以一
切智無二爲方便無生爲方便無所得爲方
便迴向一切智智安住內空外空內外空空
空大空勝義空有爲空無爲空畢竟空無
際空散空無變異空本性空自相空共相空一
切法空不可得空無性空自性空無性自性
空以道相智一切相智無二爲方便無生爲
方便無所得爲方便迴向一切智智安住內
空乃至無性自性空慶喜當知以一切智無
二爲方便無生爲方便無所得爲方便迴向
一切智智安住真如法界法性不虛妄性不
變異性平等性離生性法定法住實際虛空
界不思議界以道相智一切相智無二爲方

BD01959號　大般若波羅蜜多經卷一一一　（20–8）

二爲方便無生爲方便無所得爲方便迴向
一切智智安住真如法界法性不虛妄性不
變異性平等性離生性法定法住實際虛空
界不思議界以道相智一切相智無二爲方
便無生爲方便無所得爲方便迴向一切智
智安住真如乃至不思議界慶喜當知以一
切智無二爲方便無生爲方便無所得爲方
便迴向一切智智安住苦集滅道聖諦以道
相智一切相智無二爲方便無生爲方便無
所得爲方便迴向一切智智安住苦集滅道
聖諦慶喜當知以一切智無二爲方便無生
爲方便無所得爲方便迴向一切智智脩習
四靜慮四無量四無色定以道相智一切相
智無二爲方便無生爲方便無所得爲方便
迴向一切智智脩習四靜慮四無量四無色
定慶喜當知以一切智無二爲方便無生爲
方便無所得爲方便迴向一切智智脩習八
解脫八勝處九次第定十遍處以道相智一
切相智無二爲方便無生爲方便無所得爲
方便迴向一切智智脩習八解脫八勝處九
次第定十遍處慶喜當知以一切智無二爲
方便無生爲方便無所得爲方便迴向一切智
智脩習四念住四正斷四神足五根五力七
等覺支八聖道支以道相智一切相智無
二爲方便無生爲方便無所得爲方便迴向
一切智智脩習四念住四正斷四神足五根五

BD01959號　大般若波羅蜜多經卷一一一　（20–9）

等覺支八聖道支以道相智一切相智無
二爲方便無生爲方便無所得爲方便迴向
一切智智脩習四念住四正斷四神足五根五
力七等覺支八聖道支慶喜當知以一切智
無二爲方便無生爲方便無所得爲方便
迴向一切智智脩習空解脫門無相解脫門
無願解脫門以道相智一切相智無二爲方便
無生爲方便無所得爲方便迴向一切智
智脩習空解脫門無相解脫門無願解脫門
慶喜當知以一切智無二爲方便無生爲方
便無所得爲方便迴向一切智智脩習五眼
六神通以道相智一切相智無二爲方便無生
爲方便無所得爲方便迴向一切智智脩
習五眼六神通慶喜當知以一切智無二爲
方便無生爲方便無所得爲方便迴向一切
智智脩習佛十力四無所畏四無礙解大慈
大悲大喜大捨十八佛不共法以道相智一
切相智無二爲方便無生爲方便無所得爲
方便迴向一切智智脩習佛十力四無所畏四
無礙解大慈大悲大喜大捨十八佛不共
法慶喜當知以一切智無二爲方便無生
爲方便無所得爲方便迴向一切智智脩習無
忘失法恒住捨性以道相智一切相智無二
爲方便無生爲方便無所得爲方便迴向一
切智智脩習無忘失法恒住捨性慶喜當知
以一切智無二爲方便無生爲方便無所得

BD01959號　大般若波羅蜜多經卷一一一　（20–10）

為方便無生為方便無所得為方便迴向一
切智智脩習無忘失法恒住捨性慶喜當知
以一切智無二為方便無生為方便無所得
為方便迴向一切智智脩習一切智道相智
一切相智以道相智一切相智無二為方便
無生為方便無所得為方便迴向一切智智
脩習一切智道相智一切相智慶喜當知以
一切智無二為方便無生為方便無所得為
方便迴向一切智智脩習一切陀羅尼門一切
三摩地門以道相智一切相智無二為方
便無生為方便無所得為方便迴向一切智
智脩習一切陀羅尼門一切三摩地門慶喜
當知以一切智無二為方便無生為方便無
所得為方便迴向一切智智脩習菩薩摩訶
薩行以道相智一切相智無二為方便无生
為方便無所得為方便迴向一切智智脩習
菩薩摩訶薩行慶喜當知以一切智無二為
方便无生為方便无所得為方便迴向一切
智智脩習無上正等菩提以道相智一切相
智無二為方便無生為方便無所得為方便
迴向一切智智脩習无上正等菩提
慶喜當知以一切陀羅尼門無二為方便无
生為方便無所得為方便迴向一切智智脩
習布施淨戒安忍精進靜慮般若波羅蜜
多以一切三摩地門無二為方便無生為方便
無所得為方便迴向一切智智脩習布施淨

BD01959號　大般若波羅蜜多經卷-　（20–11）

生為方便無所得為方便迴向一切智智脩
習布施淨戒安忍精進靜慮般若波羅蜜
多以一切三摩地門無二為方便無生為方便
無所得為方便迴向一切智智脩習布施淨
戒安忍精進靜慮般若波羅蜜多慶喜當
知以一切陀羅尼門無二為方便無生為方便
無所得為方便迴向一切智智安住內空外
空內外空空空大空勝義空有為空无為空
畢竟空無際空散空無變異空本性空自相
空共相空一切法空不可得空無性空自性空
無性自性空以一切三摩地門無二為方
便無生為方便無所得為方便迴向一切智
智安住內空乃至無性自性空慶喜當知以
一切陀羅尼門無二為方便無生為方便無
所得為方便迴向一切智智安住真如法界
法性不虛妄性不變異性平等性離生性法
定法住實際虛空界不思議界以一切三摩
地門無二為方便無生為方便無所得為方
便迴向一切智智安住真如乃至不思議界慶
喜當知以一切陀羅尼門無二為方便無生
為方便無所得為方便迴向一切智智安
住苦集滅道聖諦以一切三摩地門無二為
方便無生為方便無所得為方便迴向一切智
智安住苦集滅道聖諦慶喜當知以一切陀
羅尼門無二為方便無生為方便無所得
為方便迴向一切智智脩習四靜慮四無量

BD01959號　大般若波羅蜜多經卷一一一　（20–12）

為方便無所得為方便迴向一切智智安
住苦集滅道聖諦以一切三摩地門無二為
方便無生為方便無所得為方便迴向一切智
智安住苦集滅道聖諦慶喜當知以一切陁
羅尼門無二為方便無生為方便無所得
為方便迴向一切智智脩習四靜慮四無量
四無色定以一切三摩地門無二為方便無
生為方便無所得為方便迴向一切智智脩
習四靜慮四無量四無色定慶喜當知以一
切陁羅尼門無二為方便無生為方便無所
得為方便迴向一切智智脩習八解脫八勝
處九次第定十遍處以一切三摩地門無二
為方便無生為方便無所得為方便迴向一
切智智脩習八解脫八勝處九次第定十遍
處慶喜當知以一切陁羅尼門無二為方便
無生為方便無所得為方便迴向一切智智
脩習四念住四正斷四神足五根五力七等
覺支八聖道支以一切三摩地門無二為方
便無生為方便無所得為方便迴向一切智智
脩習四念住四正斷四神足五根五力七等覺
支八聖道支慶喜當知以一切陁羅尼門
無二為方便無生為方便無所得為方便迴
向一切智智脩習空解脫門無相解脫門無
願解脫門以一切三摩地門無二為方便無
生為方便無所得為方便迴向一切智智脩
習空解脫門無相解脫門無願解脫門慶喜
當知以一切陁羅尼門無二為方便無生為

BD01959號　大般若波羅蜜多經卷一一一　　（20–13）

無二為方便無生為方便無所得為方便迴
向一切智智脩習空解脫門無相解脫門無
願解脫門以一切三摩地門無二為方便無
生為方便無所得為方便迴向一切智智脩
習空解脫門無相解脫門無願解脫門慶喜
當知以一切陁羅尼門無二為方便無生為
方便無所得為方便迴向一切智智脩習五
眼六神通以一切三摩地門無二為方便
無生為方便無所得為方便迴向一切智智
脩習五眼六神通慶喜當知以一切陁羅尼
門無二為方便無生為方便無所得為方便
迴向一切智智脩習佛十力四無所畏四無
礙解大慈大悲大喜大捨十八佛不共法以
一切三摩地門無二為方便無生為方便無
所得為方便迴向一切智智脩習佛十力四
無所畏四無礙解大慈大悲大喜大捨十八
佛不共法慶喜當知以一切陁羅尼門無二
為方便無生為方便無所得為方便迴向一
切智智脩習無忘失法恒住捨性以一切三
摩地門無二為方便無生為方便無所得為
方便迴向一切智智脩習無忘失法恒住捨
性慶喜當知以一切陁羅尼門無二為方
便無生為方便無所得為方便迴向一切智
智脩習一切智道相智一切相智以一切三摩
地門無二為方便無生為方便無所得為
方便迴向一切智智脩習一切智道相智一

BD01959號　大般若波羅蜜多經卷一一一　　（20–14）

性慶喜當知以一切陁羅尼門無二為方
便無生為方便無所得為方便迴向一切智
智脩習一切智道相智一切相智以一切三摩
地門無二為方便無生為方便無所得為
方便迴向一切智智脩習一切智道相智一
切相智慶喜當知以一切陁羅尼門無二為
方便無生為方便無所得為方便迴向一切
智智脩習一切陁羅尼門一切三摩地門以
一切三摩地門無二為方便無生為方便無
所得為方便迴向一切智智脩習一切陁羅
尼門一切三摩地門慶喜當知以一切陁羅
尼門無二為方便無生為方無所得為方
便迴向一切智智脩習菩薩摩訶薩行以一
切三摩地門無二為方便無生為方便無所
得為方便迴向一切智智脩習菩薩摩訶
薩行慶喜當知以一切陁羅尼門無二為方便
無生為方便無所得為方便迴向一切智智
脩習無上正等菩提以一切三摩地門無二
為方便無生為方便無所得為方便迴向一
切智智脩習無上正等菩提
慶喜當知以預流向預流果無二為方便無
生為方便無所得為方便迴向一切智智脩
習布施淨戒安忍精進靜慮般若波羅蜜多
以一來向一來果不還向不還果阿羅漢向
阿羅漢果無二為方便無生為方便無所得

BD01959號　大般若波羅蜜多經卷一一一　（20–15）

切智智脩習無上正等菩提
慶喜當知以預流向預流果無二為方便無
生為方便無所得為方便迴向一切智智脩
習布施淨戒安忍精進靜慮般若波羅蜜多
以一來向一來果不還向不還果阿羅漢向
阿羅漢果無二為方便無生為方便無所得
為方便迴向一切智智脩習布施淨戒安忍
精進靜慮般若波羅蜜多慶喜當知以預流
向預流果無二為方便無生為方便無所得
為方便迴向一切智智安住內空外空內外
空空空大空勝義空有為空無為空畢竟
空無際空散空無變異空本性空自相空共
相空一切法空不可得空無性空自性空無性
自性空以一來向一來果不還向不還果阿
羅漢向阿羅漢果無二為方便無生為方便
無所得為方便迴向一切智智安住內空乃
至無性自性空慶喜當知以預流向預流果
無二為方便無生為方便無所得為方便迴
向一切智智安住真如法界法性不虛妄性
不變異性平等性離生性法定法住實際虛
空界不思議界以一來向一來果不還向不還
果阿羅漢向阿羅漢果無二為方便無生為
方便無所得為方便迴向一切智智安住真
如乃至不思議界慶喜當知以預流向預流
果無二為方便無生為方便無所得為方便
迴向一切智智安住苦集滅道聖諦以一來

BD01959號　大般若波羅蜜多經卷一一一　（20–16）

方便無所得為方便迴向一切智智安住真
如乃至不思議界慶喜當知以預流向預流
果無二為方便無生為方便無所得為方便
迴向一切智智安住苦集滅道聖諦以一來
向一來果不還向不還果阿羅漢向阿羅漢
果無二為方便無生為方便無所得為方便
迴向一切智智安住苦集滅道聖諦慶喜當
知以預流向預流果無二為方便無生為方
便無所得為方便迴向一切智智修習四靜
慮四無量四無色定以一來向一來果不還
向不還果阿羅漢向阿羅漢果無二為方便
無生為方便無所得為方便迴向一切智智
修習四靜慮四無量四無色定慶喜當知以
預流向預流果無二為方便無生為方便無
所得為方便迴向一切智智修習八解脫八勝
處九次第定十遍處以一來向一來果不
還向不還果阿羅漢向阿羅漢果無二為方
便無生為方便無所得為方便迴向一切智
智修習八解脫八勝處九次第定十遍處慶
喜當知以預流向預流果無二為方便無生
為方便無所得為方便迴向一切智智修習
四念住四正斷四神足五根五力七等覺支
八聖道支以一來向一來果不還向不還果
阿羅漢向阿羅漢果無二為方便無生為方
便無所得為方便迴向一切智智修習四念
住四正斷四神足五根五力七等覺支八聖

BD01959 號　大般若波羅蜜多經卷一一一　（20–17）

阿羅漢向阿羅漢果無二為方便無生為方
便無所得為方便迴向一切智智修習四念
住四正斷四神足五根五力七等覺支八聖
道支慶喜當知以預流向預流果無二為方
便無生為方便無所得為方便迴向一切智
智修習空解脫門無相解脫門無願解脫門
以一來向一來果不還向不還果阿羅漢向
阿羅漢果無二為方便無生為方便無所得
為方便迴向一切智智修習空解脫門無相
解脫門無願解脫門慶喜當知以預流向預
流果無二為方便無生為方便無所得為方
便迴向一切智智修習五眼六神通以一來
向一來果不還向不還果阿羅漢向阿羅漢
果無二為方便無生為方便無所得為方便
迴向一切智智修習五眼六神通慶喜當知
以預流向預流果無二為方便無生為方便
無所得為方便迴向一切智智修習佛十力
四無所畏四無礙解大慈大悲大喜大捨十
八佛不共法以一來向一來果不還向不還
果阿羅漢向阿羅漢果無二為方便無生為
方便無所得為方便迴向一切智智修習佛
十力四無所畏四無礙解大慈大悲大喜大
捨十八佛不共法慶喜當知以預流向預流
果無二為方便無生為方便無所得為方便
迴向一切智智修習無忘失法恒住捨性以
一來向一來果不還向不還果阿羅漢向阿

BD01959 號　大般若波羅蜜多經卷一一一　（20–18）

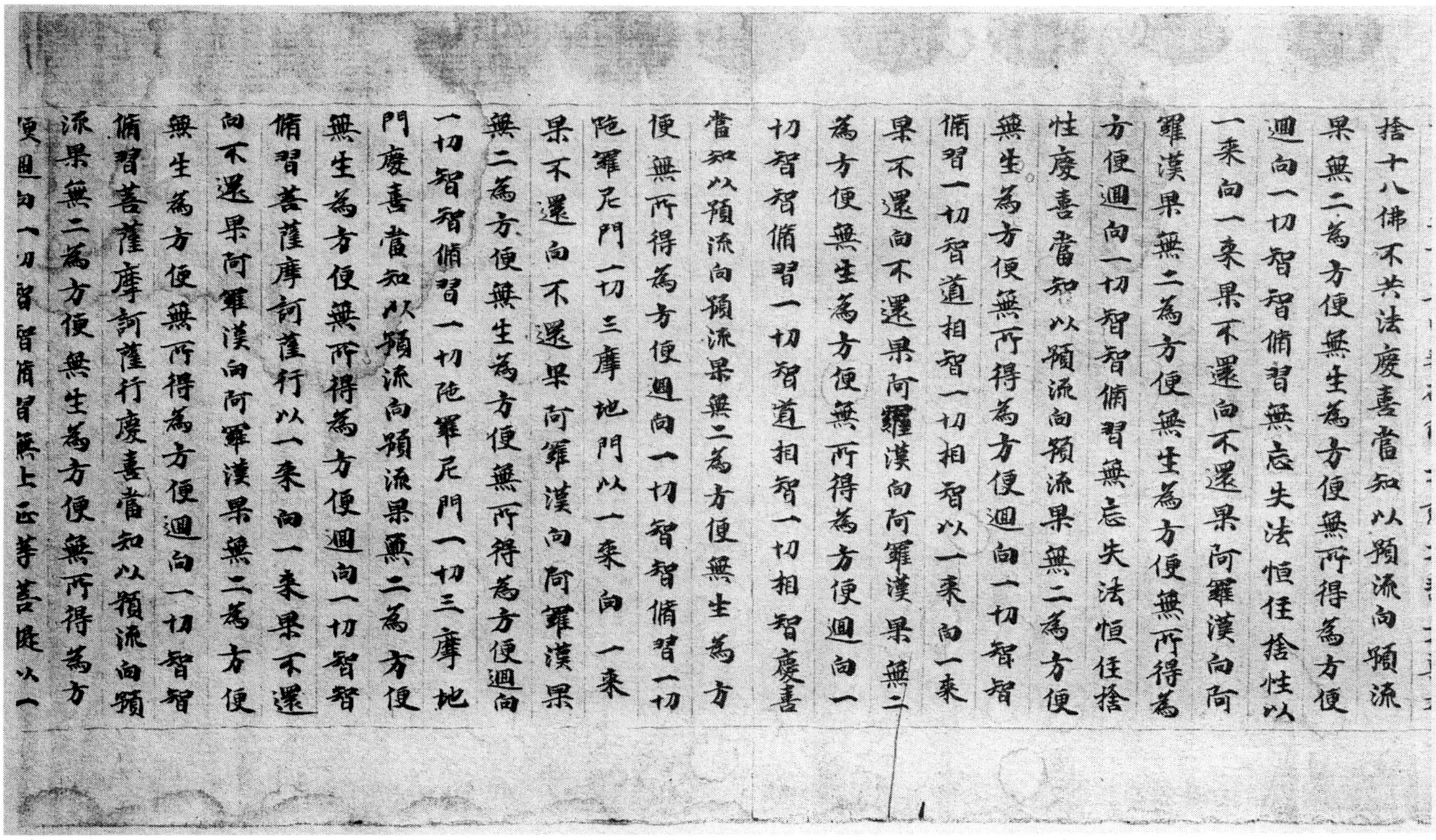
捨十八佛不共法慶喜當知以預流向預流
果無二為方便無生為方便無所得為方便
迴向一切智智脩習無忘失法恒住捨性以
一來向一來果不還向不還果阿羅漢向阿
羅漢果無二為方便無生為方便無所得為
方便迴向一切智智脩習無忘失法恒住捨
性慶喜當知以預流向預流果無二為方便
無生為方便無所得為方便迴向一切智智
脩習一切智道相智一切相智以一來向一來
果不還向不還果阿羅漢向阿羅漢果無二
為方便無生為方便無所得為方便迴向一
切智智脩習一切智道相智一切相智慶喜
當知以預流向預流果無二為方便無生為方
便無所得為方便迴向一切智智脩習一切
陁羅尼門一切三摩地門以一來向一來
果不還向不還果阿羅漢向阿羅漢果
無二為方便無生為方便無所得為方便迴向
一切智智脩習一切陁羅尼門一切三摩地
門慶喜當知以預流向預流果無二為方便
無生為方便無所得為方便迴向一切智智
脩習菩薩摩訶薩行以一來向一來果不還
向不還果阿羅漢向阿羅漢果無二為方便
無生為方便無所得為方便迴向一切智智
脩習菩薩摩訶薩行慶喜當知以預流向預
流果無二為方便無生為方便無所得為方
便迴向一切智智脩習無上正等菩提以一

BD01959號　大般若波羅蜜多經卷一一一　（20–19）

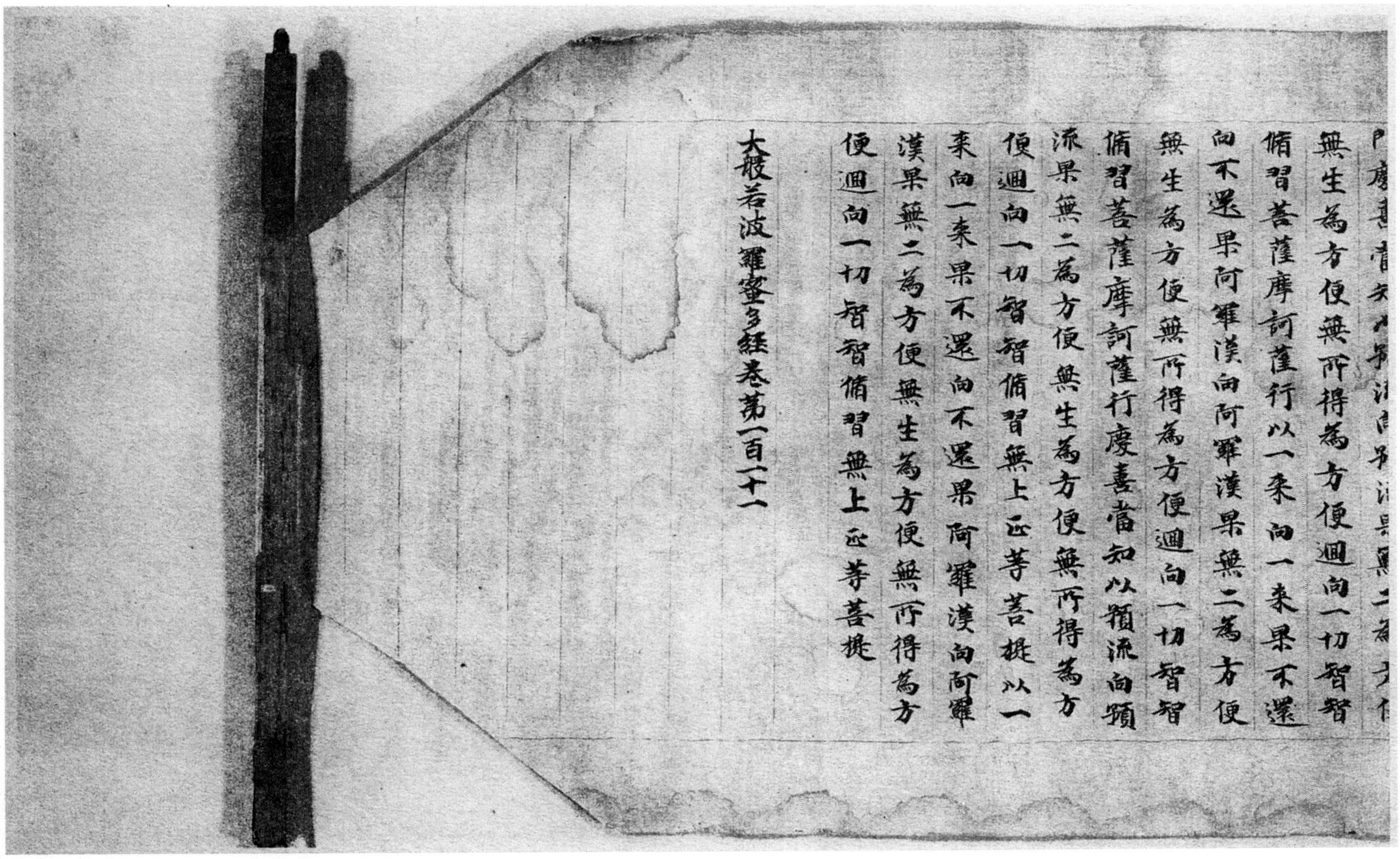
無生為方便無所得為方便迴向一切智智
脩習菩薩摩訶薩行以一來向一來果不還
向不還果阿羅漢向阿羅漢果無二為方便
無生為方便無所得為方便迴向一切智智
脩習菩薩摩訶薩行慶喜當知以預流向預
流果無二為方便無生為方便無所得為方
便迴向一切智智脩習無上正等菩提以一
來向一來果不還向不還果阿羅漢向阿羅
漢果無二為方便無生為方便無所得為方
便迴向一切智智脩習無上正等菩提

大般若波羅蜜多經卷第一百一十一

BD01959號　大般若波羅蜜多經卷一一一　（20–20）

聖

BD01959 號背　寺院題名　　　　　　　　（1–1）

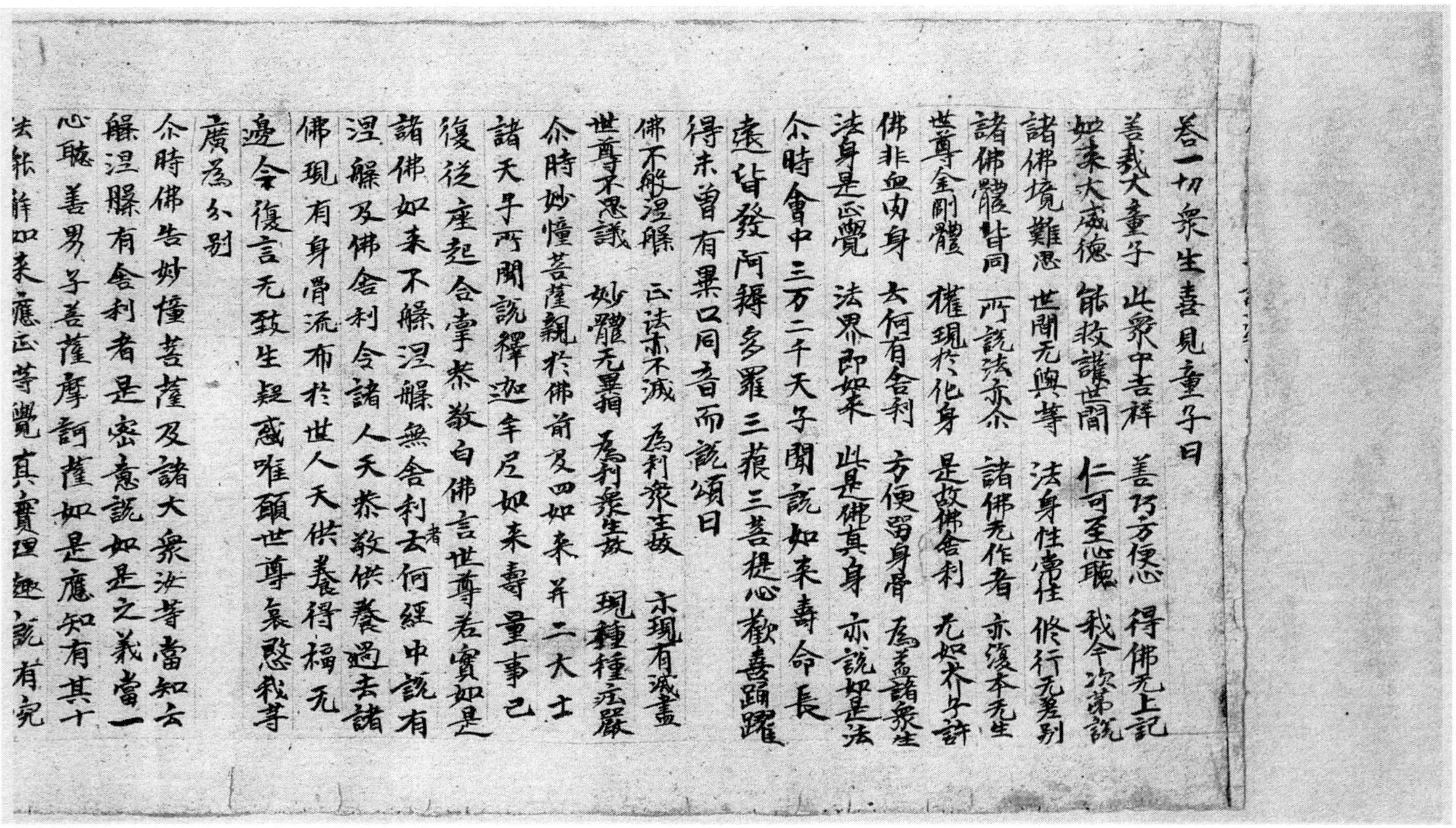
荅一切衆生喜見童子曰
善哉大童子　此衆中吉祥　善巧方便心　得佛无上記
如来大威德　能救護世間　仁可至心聽　我今次第說
諸佛境難思　世間无與等　法身性常住　修行无差別
諸佛體皆同　所說法亦尒　諸佛无作者　亦復本无生
世尊金剛體　權現於化身　是故佛舍利　无如芥子許
佛非血肉身　云何有舍利　方便留身骨　為益諸衆生
法身是正覺　法界即如来　此是佛真身　亦說如是法
尒時會中三万二千天子聞說如来壽命長
遠皆發阿耨多羅三藐三菩提心歡喜踊躍
得未曾有異口同音而說頌曰
佛不般涅槃　正法亦不滅　為利衆生故　示現有滅盡
世尊不思議　妙體无異相　為利衆生故　現種種莊嚴
尒時妙幢菩薩親於佛前及四如来并二大士
諸天子所聞說釋迦牟尼如来壽量事已
復從座起合掌恭敬白佛言世尊若實如是
諸佛如来不般涅槃無舍利者云何經中說有
涅槃及佛舍利令諸人天恭敬供養過去諸
佛現有身骨流布於世人天供養得福无
邊今復言无致生疑惑唯願世尊哀愍我等
廣為分別
尒時佛告妙幢菩薩及諸大衆汝等當知云
般涅槃有舍利者是密意說如是之義當一
心聽　善男子菩薩摩訶薩如是應知有其十
法能詮如来應正等覺真實理趣說有究

BD01960 號　金光明最勝王經卷一　　　　　　　　（4–1）

涅槃及佛舍利令諸人天恭敬供養還去詣
佛現有身骨流布於世人天供養得福无
邊今復言无致生疑惑唯願世尊哀愍我等
廣為分別
尒時佛告妙幢菩薩及諸大衆汝等當知云
槃涅槃有舍利者是密意說如是之義當一
心聽善男子菩薩摩訶薩如是應知有其十
法能解如來應正等覺真實理趣說有究
竟大般涅槃云何為十一者諸佛如來究竟斷
盡諸煩惱障所知障故名為涅槃二者諸佛
如來善能解了有情无性及法无性故名為
涅槃三者能轉身依及法依故名為涅槃四
者於諸有情任運休息化因緣故名為涅槃
五者證得真實无差別相平等法身故名為
涅槃六者了知生死及以涅槃无二性故名
為涅槃七者於一切法了其根本證清淨故
名為涅槃八者於一切法无生无滅善修行
故名為涅槃九者真如法界實際平等得
正智故名為涅槃十者於諸法性及涅槃性得
无差別故名為涅槃是謂十法說有涅槃
復次善男子菩薩摩訶薩如是應知復有十
法能解如來應正等覺真實理趣說有究
竟大般涅槃云何為十一者一切煩惱以樂欲
為本從樂欲生諸佛世尊斷樂欲故名為
涅槃二者以諸如來斷諸樂欲不取一法以不取
故无去无來无所取故名為涅槃三者以无
去來及无所取是則法身不生不滅无生
滅故名為涅槃四者此无生滅非言所宣言
語斷故名為涅槃五者无有我人唯法生滅

BD01960號　金光明最勝王經卷一　（4-2）

為本從樂欲生諸佛世尊斷樂欲故名為
涅槃二者以諸如來斷諸樂欲不取一法以不取
故无去无來无所取故名為涅槃三者以无
去來及无所取是則法身不生不滅无生
滅故名為涅槃四者此无生滅非言所宣言
語斷故名為涅槃五者无有我人唯法生滅
得轉依故名為涅槃六者煩惱隨惑皆是客
塵法性是主无來无去佛了知故名為涅槃
七者真如是實餘皆虛妄實性體者即是真
如真如性者即是如來名為涅槃八者實際
之性无有戲論唯獨如來證實際法戲論永
斷名為涅槃九者无生是實生是虛妄愚癡
之人漂溺生死如來體實无有虛妄名為涅
槃十者不實之法是從緣生真實之法不從
緣起如來法身體是真實名為涅槃善男
子是謂十法說有涅槃
復次善男子菩薩摩訶薩如是應知復有十
法能解如來應正等覺真實理趣說有究
竟大般涅槃云何為十一者如來善知施及施果
无我我所此施及果不正分別永除滅故名
為涅槃二者如來善知戒及戒果无我我所
此戒及果不正分別永除滅故名為涅槃三
者如來善知忍及忍果无我我所此忍及果
不正分別永除滅故名為涅槃四者如來善知勤
及勤果无我我所此勤及果不正分別永
除滅故名為涅槃五者如來善知定及定
果无我我所此定及果不正分別永除滅故
名為涅槃六者如來善知慧及慧果无我我
所此慧及果不正分別永除滅故名為涅槃

BD01960號　金光明最勝王經卷一　（4-3）

[illegible]
及勤果无我我所此勤及果不正分别永
除滅故名為涅槃五者如来善知定及定
果无我我所此定及果不正分别永除滅故
名為涅槃六者如来善知慧及慧果无我我
所此慧及果不正分别永除滅故名為涅槃
七者諸佛如来善能了知一切有情非有情
一切諸法皆无性不正分别永除滅故名為
涅槃八者若自愛著便起追求由追求故受
衆苦惱諸佛如来除自愛故永絶追求无追
求故名為涅槃九者有為之法皆有數量
无為法者數量皆除佛離有為證无為法
无數量故名為涅槃十者如来了知有情及
法體性皆空離空非有空性即是真法身
故名為涅槃善男子是謂十法說有涅槃
復次善男子盡唯如来不般涅槃是為希
有復有十種希有之法是如来行云何為十
一者生死過失涅槃寂静由於生死及以涅槃
證平等故不處流轉不住涅槃於諸有情
不生猒背是如来行二者佛於衆生不作是念
此諸愚夫行顛倒見為諸煩惱之所纏迫我
今開悟令得解脫然由往昔慈善根力於彼
有情隨其根性意樂勝解不起分别任運
濟度示教利喜盡未来際无有窮盡是如来
行三者佛无是念我今演說十二分教利益有
情然由往昔慈善根力於彼有情廣說乃

BD01960 號　金光明最勝王經卷一　（4–4）

[illegible]
悉知之雖未得无漏
此是人有所思惟籌量言[illegible]
真實亦是先佛經中所說
宣此義而說偈言
是人意清淨　明利无穢濁
乃至聞一偈　通達无量義
是世界内外　一切諸衆生
其在六趣中　所念若干種
十方无數佛　百福莊嚴相　為衆
思惟无量義　說法亦无量　終始
悉知諸法相　隨義識次第　達
此人有所說　皆是先佛法　[illegible]
持法華經者　意根淨若[illegible]
是人持此經　安住希有地　[illegible]
能以千万種　善巧之語言　分别而說
妙法蓮華經常不輕菩薩品第二十
尒時佛告得大勢菩薩摩訶薩
比丘比丘尼優婆塞優[illegible]
有惡口罵詈誹謗獲大罪報如
得功德如向所說眼耳鼻舌身
[illegible]

BD01961 號　妙法蓮華經卷六　（17–1）

妙法蓮華經常不輕菩薩品第二十
尒時佛告得大勢菩薩摩
比丘比丘尼優婆塞優
有惡口罵詈誹謗獲大罪報如
得功德如向所說眼耳鼻舌身
勢乃往古昔過无量无邊不可
劫有佛名威音王如來應供
善逝世間解无上士調御丈夫天人師佛世
尊劫名離衰國名大成其威音王佛於彼世
中為天人阿修羅說法為求聲聞者說應四
諦法度生老病死究竟涅槃為求辟支佛者
說應十二因緣法為諸菩薩因阿耨多羅三
藐三菩提說應六波羅蜜法究竟佛慧得
大勢是威音王佛壽四十万億那由他恒河
沙劫正法住世劫數如一閻浮提微塵像法住
世劫數如四天下微塵其佛饒益衆生已然
後滅度正法像法滅盡之後於此國土復有
佛出亦号威音王如來應供正遍知明行足善
逝世間解无上士調御丈夫天人師佛世尊
如是次第有二万億佛皆同一号最初威音
王如來既已滅度正法滅後於像法中增上
慢比丘有大勢力尒時有一菩薩比丘名
常不輕得大勢以何因緣名常不輕是比丘
凡有所見若比丘比丘尼優婆塞優婆夷皆
悉礼拜讚歎而作是言我深敬汝等不敢輕
慢所以者何汝等皆行菩薩道當得作佛而
是比丘不專讀誦經典但行礼拜乃至遠見

BD01961號　妙法蓮華經卷六　（17–2）

常不輕得大勢以何因緣名常不輕是比丘
凡有所見若比丘比丘尼優婆塞優婆夷皆
悉礼拜讚歎而作是言我深敬汝等不敢輕
慢所以者何汝等皆行菩薩道當得作佛而
是比丘不專讀誦經典但行礼拜乃至遠見
四衆亦復故往礼拜讚歎而作是言我不敢
輕於汝等汝等皆當作佛故四衆之中有生
瞋恚心不淨者惡口罵詈言是无智比丘從
何所來自言我不輕汝而與我等受記當得
作佛我等不用如是虛妄受記如此經歷多
年常被罵詈不生瞋恚常作是言汝當作佛
說是語時衆人或以杖木瓦石而打擲之避
走遠住猶高聲唱言我不敢輕於汝等汝等
皆當作佛以其常作是語故增上慢比丘比
丘尼優婆塞優婆夷号之為常不輕是比丘
臨欲終時於虛空中具聞威音王佛先所說
法華經二十千万億偈悉能受持即得如上
眼根清淨耳鼻舌身意根清淨得是六根清
淨已更增壽命二百万億那由他歲廣為人
說是法華經於時增上慢四衆比丘比丘尼
優婆塞優婆夷輕賤是人為作不輕名者
見其得大神通力樂說辯力大善寂力聞其
所說皆信伏隨從是菩薩復化千万億衆令
住阿耨多羅三藐三菩提命終之後得值二
千億佛皆号日月燈明於其法中說是法華
經以是因緣復值二千億佛同号雲自在燈
王於此諸佛法中受持讀誦為諸四衆說此

BD01961號　妙法蓮華經卷六　（17–3）

千億佛皆号日月燈明於其法中說是法華
經以是因緣復值二千億佛同号雲自在燈
王於此諸佛法中受持讀誦為諸四衆說此
經典故得是常眼清淨耳鼻舌身意諸根清
淨於四衆中說法心无所畏得大勢是常不
輕菩薩摩訶薩供養如是若干諸佛恭敬尊
重讚歎種諸善根於後復值千万億佛亦於
諸佛法中說是經典功德成就當得作佛得
大勢於意云何尒時常不輕菩薩豈異人乎
則我身是若我於宿世不受持讀誦此經為
他人說者不能疾得阿耨多羅三藐三菩提
我於先佛所受持讀誦此經為人說故疾得
阿耨多羅三藐三菩提得大勢彼時四衆比
丘比丘尼優婆塞優婆夷以瞋恚意輕賤我
故二百億劫常不值佛不聞法不見僧千劫於
阿鼻地獄受大苦惱畢是罪已復遇常不輕
菩薩教化阿耨多羅三藐三菩提得大勢於
汝意云何尒時四衆常輕是菩薩者豈異人
乎今此會中䟦陁婆羅等五百菩薩師子月
等五百比丘尼思佛等五百優婆塞皆於阿
耨多羅三藐三菩提不退轉者是得大勢當
知是法華經大饒益諸菩薩摩訶薩能令至
於阿耨多羅三藐三菩提是故諸菩薩摩
訶於如來滅後常應受持讀誦解說書寫
是經尒時世尊欲重宣此義而說偈言
過去有佛　号威音王　神智无量　將導一切
天人龍神　所共供養　是佛滅後　法欲盡時

BD01961號　妙法蓮華經卷六　（17–4）

訶於如來滅後常應受持讀誦解說書寫
是經尒時世尊欲重宣此義而說偈言
過去有佛　号威音王　神智无量　將導一切
天人龍神　所共供養　是佛滅後　法欲盡時
有一菩薩　名常不輕　時諸四衆　計著於法
不輕菩薩　往到其所　而語之言　我不輕汝
汝等行道　皆當作佛　諸人聞已　輕毀罵詈
不輕菩薩　能忍受之　其罪畢已　臨命終時
得聞此經　六根清淨　神通力故　增益壽命
復為諸人　廣說是經　諸著法衆　皆蒙菩薩
教化成就　令住佛道　不輕命終　值无數佛
說是經故　得无量福　漸具功德　疾成佛道
彼時不輕　則我身是　時四部衆　著法之者
聞不輕言　汝當作佛　以是因緣　值无數佛
此會菩薩　五百之衆　并及四部　清信士女
今於我前　聽法者是　我於前世　勸是諸人
聽受斯經　第一之法　開示教人　令住涅槃
世世受持　如是經典　億億万劫　至不可議
時乃得聞　是法華經　億億万劫　至不可議
諸佛世尊　時說是經　是故行者　於佛滅後
聞如是經　勿生疑惑　應當一心　廣說此經
世世值佛　疾成佛道
妙法蓮華經如來神力品第二十一
尒時千世界微塵等菩薩摩訶薩從地踊出
者皆於佛前一心合掌瞻仰尊顔而白佛言
世尊我等於佛滅後世尊分身所在國土滅
度之處當廣說此經所以者何我等亦自欲
得是真淨大法受持讀誦解說書寫而供養

BD01961號　妙法蓮華經卷六　（17–5）

者皆於佛前一心合掌瞻仰尊顔而白佛言
世尊我等於佛滅後世尊分身所在國土滅
度之處當廣說此經所以者何我等亦自欲
得是真淨大法受持讀誦解說書寫而供養
之尒時世尊於文殊師利等无量百千万億
舊住娑婆世界菩薩摩訶薩及諸比丘比丘
尼優婆塞優婆夷天龍夜叉乾闥婆阿脩羅
迦樓羅緊那羅摩睺羅伽人非人等一切衆
前現大神力出廣長舌上至梵世一切毛孔
放於无量无數色光皆悉遍照十方世界衆
寶樹下師子座上諸佛亦復如是出廣長舌
放无量光釋迦牟尼佛及寶樹下諸佛現神
力時滿百千歲然後還攝舌相一時謦欬俱
共彈指是二音聲遍至十方諸佛世界地皆
六種震動其中衆生天龍夜叉乾闥婆阿脩
羅迦樓羅緊那羅摩睺羅伽人非人等以佛
神力故皆見此娑婆世界无量无邊百千万
億衆寶樹下師子座上諸佛及見釋迦牟尼
佛共多寶如來在寶塔中坐師子座又見无
量无邊百千万億菩薩摩訶薩及諸四衆恭
敬圍繞釋迦牟尼佛既見是已皆大歡喜得
未曾有即時諸天於虛空中高聲唱言過
此无量无邊百千万億阿僧祇世界有國名
娑婆是中有佛名釋迦牟尼今為諸菩薩
摩訶薩說大乘經名妙法蓮華教菩薩法佛
所護念汝等當深心隨喜亦當礼拜供養釋迦
牟尼佛彼諸衆生聞虛空中聲已合掌向娑

BD01961號　妙法蓮華經卷六　（17–6）

此无量无邊百千万億阿僧祇世界有國名
娑婆是中有佛名釋迦牟尼今為諸菩薩
摩訶薩說大乘經名妙法蓮華教菩薩法佛
所護念汝等當深心隨喜亦當礼拜供養釋迦
牟尼佛彼諸衆生聞虛空中聲已合掌向娑
婆世界作如是言南无釋迦牟尼佛南无釋
迦牟尼佛以種種華香瓔珞幡蓋及諸嚴身
之具珎寶妙物皆共遙散娑婆世界所散諸
物從十方來譬如雲集變成寶帳遍覆此間
諸佛之上于時十方世界通達无礙如一佛土
尒時佛告上行等菩薩大衆諸佛神力如是
无量无邊不可思議若我以是神力於无量
无邊百千万億阿僧祇劫為囑累故說此經
功德猶不能盡以要言之如來一切所有之
法如來一切自在神力如來一切秘要之藏
如來一切甚深之事皆於此經宣示顯說是
故汝等於如來滅後應一心受持讀誦解
說書寫如說脩行所在國土若有受持讀誦
解說書寫如說脩行若經卷所住之處若於
園中若於林中若於樹下若於僧坊若白衣舍
若在殿堂若山谷曠野是中皆應起塔供養
所以者何當知是處即是道場諸佛於此得
阿耨多羅三藐三菩提諸佛於此轉于法輪
諸佛於此而般涅槃尒時世尊欲重宣此義
而說偈言
諸佛救世者　住於大神通　為悅衆生故　現无量神力
舌相至梵天　身放无數光　為求佛道者　現此希有事

BD01961號　妙法蓮華經卷六　（17–7）

諸佛於此而般涅槃。尒時世尊欲重宣此義
而說偈言
諸佛救世者　住於大神通　為悅眾生故　現无量神力
舌相至梵天　身放无數光　為求佛道者　現此希有事
諸佛謦欬聲　及彈指之聲　周聞十方國　地皆六種動
以佛滅度後　能持是經故　諸佛皆歡喜　現无量神力
囑累是經故　讚美受持者　於无量劫中　猶故不能盡
是人之功德　无邊无有窮　如十方虛空　不可得邊際
能持是經者　則為已見我　亦見多寶佛　及諸分身者
又見我今日　教化諸菩薩　能持是經者　令我及分身
滅度多寶佛　一切皆歡喜　十方現在佛　并過去未來
亦見亦供養　亦令得歡喜　諸佛坐道場　所得祕要法
能持是經者　不久亦當得　能持是經者　於諸法之義
名字及言辭　樂說无窮盡　如風於空中　一切无障礙
於如來滅後　知佛所說經　因緣及次第　隨義如實說
如日月光明　能除諸幽冥　斯人行世間　能滅眾生闇
教无量菩薩　畢竟住一乘　是故有智者　聞此功德利
於我滅度後　應受持斯經　是人於佛道　決定无有疑
妙法蓮華經囑累品第二十二
尒時釋迦牟尼佛從法座起，現大神力，以右
手摩无量菩薩摩訶薩頂，而作是言：我於无
量百千万億阿僧祇劫，修習是難得阿耨多
羅三藐三菩提法，今以付囑汝等，汝等應當
一心流布此法，廣令增益。如是三摩諸菩薩
摩訶薩頂而作是言：我於无量百千万億阿
僧祇劫，修習是難得阿耨多羅三藐三菩
提法，今以付囑汝等，汝等當受持讀誦廣宣

BD01961號　妙法蓮華經卷六　（17–8）

一心流布此法廣令增益如是三摩諸菩薩
摩訶薩頂而作是言我於无量百千万億阿
僧祇劫修習是難得阿耨多羅三藐三菩
提法今以付囑汝等汝等當受持讀誦廣宣
此法令一切眾生普得聞知所以者何如來
有大慈悲无諸慳悋亦无所畏能與眾生佛
之智慧如來智慧自然智慧如來是一切眾生
之大施主汝等亦應隨學如來之法勿生慳
悋於未來世若有善男子善女人信如來智
慧者當為演說此法華經使得聞知為令其
人得佛慧故若有眾生不信受者當於如來
餘深法中示教利喜汝等若能如是則為已
報諸佛之恩時諸菩薩摩訶薩聞佛作是說
已皆大歡喜遍滿其身益加恭敬曲躬低頭
合掌向佛俱發聲言如世尊勑當具奉行唯
然世尊願不有慮諸菩薩摩訶薩眾如是三
反俱發聲言如世尊勑當具奉行唯然世尊
願不有慮尒時釋迦牟尼佛令十方來諸分
身佛各還本土而作是言諸佛各隨所安多
寶佛塔還可如故說是語時十方无量分身
諸佛坐寶樹下師子座上者及多寶佛并上
行等无邊阿僧祇菩薩大眾舍利弗等聲聞
四眾及一切世間天人阿脩羅等聞佛所
說皆大歡喜
妙法蓮華經藥王菩薩本事品第二十三
尒時宿王華菩薩白佛言世尊藥王菩薩云
何遊於娑婆世界世尊是藥王菩薩有若干

BD01961號　妙法蓮華經卷六　（17–9）

說皆大歡喜
妙法蓮華經藥王菩薩本事品第二十三
尒時宿王華菩薩白佛言世尊藥王菩薩云
何遊於娑婆世界世尊是藥王菩薩有若干
百千万億那由他難行苦行善哉世尊願少
解說諸天龍神夜叉乾闥婆阿脩羅迦樓羅
緊那羅摩睺羅伽人非人等又他國土諸來
菩薩及此聲聞衆聞皆歡喜尒時佛告宿王
華菩薩乃往過去无量恒河沙劫有佛号曰
月淨明德如來應供正遍知明行足善逝世
間解无上士調御丈夫天人師佛世尊其佛
有八十億大菩薩摩訶薩七十二恒河沙大
聲聞衆佛壽四万二千劫菩薩壽命亦等彼
國无有女人地獄餓鬼畜生阿脩羅等及以
諸難地平如掌琉璃所成寶樹莊嚴寶帳覆
上垂寶華幡寶瓶香爐周遍國界七寶為
臺一樹一臺其樹去臺盡一箭道此諸寶樹
皆有菩薩聲聞而坐其下諸寶臺上各有百
億諸天作天伎樂歌歎於佛以為供養尒時
彼佛為一切衆生憙見菩薩及衆菩薩諸聲
聞衆說法華經是一切衆生憙見菩薩樂習
苦行於日月淨明德佛法中精進經行一心求
佛滿万二千歲已得現一切色身三昧得
此三昧已心大歡喜即作念言我得現一切
色身三昧皆是得聞法華經力我今當供養
日月淨明德佛及法華經即時入是三昧於
虛空中雨曼陀羅華摩訶曼陀羅華細末堅

BD01961號　妙法蓮華經卷六　（17–10）

佛滿万二千歲已得現一切色身三昧得
此三昧已心大歡喜即作念言我得現一切
色身三昧皆是得聞法華經力我今當供養
日月淨明德佛及法華經即時入是三昧於
虛空中雨曼陀羅華摩訶曼陀羅華細末堅
黑栴檀滿虛空中如雲而下又雨海此岸栴檀
之香此香六銖價直娑婆世界以供養佛作
是供養已從三昧起而自念言我雖以神力
供養於佛不如以身供養即服諸香栴檀薰
陸兜樓婆畢力迦沉水膠香又飲瞻蔔諸華
香油滿千二百歲已香油塗身於日月淨明
德佛前以天寶衣而自纏身灌諸香油以神
通力願而自燃身光明遍照八十億恒河沙
世界其中諸佛同時讚言善哉善哉善男子
是真精進是名真法供養如來若以華香
瓔珞燒香末香塗香天繒幡蓋及海此岸栴
檀之香如是等種種諸物供養所不能及假使
國城妻子布施亦所不及善男子是名第一
之施於諸施中最尊最上以法供養諸如來
故作是語已而各嘿然其身火然千二百歲
過是已後其身乃盡一切衆生憙見菩薩作
如是法供養已命終之後復生日月淨明德
佛國中於淨德王家結跏趺坐忽然化生即
為其父而說偈言
大王今當知　我經行彼處　即時得一切　現諸身三昧
懃行大精進　捨所愛之身
說是偈已而白父言日月淨明德佛今故現在

BD01961號　妙法蓮華經卷六　（17–11）

…而說偈言
大王今當知 我經行彼處 即時得一切 現諸身三昧
勤行大精進 捨所愛之身
說是偈已而白父言日月淨明德佛今故現在
我先供養佛已得解一切衆生語言陁羅
尼復聞是法華經八百千万億那由他甄迦
羅頻婆羅阿閦婆等偈大王我今當還供養
此佛白已即坐七寶之臺上升虛空高七多羅
樹往到佛所頭面礼足合十指爪以偈讚佛
容顏甚奇妙 光明照十方 我適曾供養 今復還親近
尒時一切衆生憙見菩薩說是偈已而白佛言
世尊世尊猶故在世尒時日月淨明德佛告
一切衆生憙見菩薩善男子我涅槃時到滅
盡時至汝可安施床座我於今夜當般涅槃
又勅一切衆生憙見菩薩善男子我以佛法
囑累於汝及諸菩薩大弟子幷阿耨多羅三
藐三菩提法亦以三千大千七寶世界諸寶
樹寶臺及給侍諸天悉付於汝我滅度後所
有舍利亦付囑汝當令流布廣設供養應起
若干千塔如是日月淨明德佛勅一切衆生
憙見菩薩已於夜後分入於涅槃尒時一切
衆生憙見菩薩見佛滅度悲感懊惱戀慕
於佛即以海此岸栴檀爲積供養佛身而以
燒之火滅已後收取舍利作八万四千寶瓶
以起八万四千塔高三世界表刹莊嚴垂諸
幡蓋懸衆寶鈴尒時一切衆生憙見菩薩復
自念言我雖作是供養心猶未足我今當更

BD01961號　妙法蓮華經卷六　(17–12)

燒之火滅已後收取舍利作八万四千寶瓶
以起八万四千塔高三世界表刹莊嚴垂諸
幡蓋懸衆寶鈴尒時一切衆生憙見菩薩復
自念言我雖作是供養心猶未足我今當更
供養舍利便語諸菩薩大弟子及天龍夜叉
等一切大衆汝等當一心念我今供養日月
淨明德佛舍利作是語已即於八万四千塔
前然百福莊嚴臂七万二千歲而以供養令
无數求聲聞衆无量阿僧祇人發阿耨多羅
三藐三菩提心皆使得住現一切色身三昧
尒時諸菩薩天人阿脩羅等見其无臂憂
惱悲哀而作是言此一切衆生憙見菩薩是
我等師教化我者而今燒臂身不具足于時一
切衆生憙見菩薩於大衆中立此誓言我捨
兩臂必當得佛金色之身若實不虛令我兩
臂還復如故作是誓已自然還復由斯菩薩
福德智慧淳厚所致當尒之時三千大千世
界六種震動天雨寶華一切人天得未曾有
佛告宿王華菩薩於汝意云何一切衆生憙
見菩薩豈異人乎今藥王菩薩是也其所捨
身布施如是无量百千万億那由他數宿王
華若有發心欲得阿耨多羅三藐三菩提者
能然手指乃至足一指供養佛塔勝以國城
妻子及三千大千國土山林河池諸珍寶物
而供養者若復有人以七寶滿三千大千世
界供養於佛及大菩薩辟支佛阿羅漢是人
所得功德不如受持此法華經乃至一四句

BD01961號　妙法蓮華經卷六　(17–13)

妻子及三千大千國土山林河池諸珎寶物
而供養者若復有人以七寶滿三千大千世
界供養於佛及大菩薩辟支佛阿羅漢是人
所得功德不如受持此法華經乃至一四句
偈其福㝡多宿王華譬如一切川流江河諸
水之中海為第一此法華經亦復如是於諸
如來所說經中㝡為深大又如土山黑山小
鐵圍山大鐵圍山及十寶山衆山之中須弥
山為第一此法華經亦復如是於諸經中㝡
為其上又如衆星之中月天子㝡為第一此法
華經亦復如是於千万億種諸經法中㝡為
照明又如日天子能除諸闇此經亦復如是能
破一切不善之闇又如諸小王中轉輪聖王
㝡為第一此經亦復如是於衆經中㝡為
其尊又如帝釋於三十三天中王此經亦復
如是諸經中王又如大梵天王一切衆生之
父此經亦復如是一切賢聖學无學及發
菩薩心者之父又如一切凡夫人中須陁洹斯
陁含阿那含阿羅漢辟支佛為第一此經
亦復如是一切如來所說若菩薩所說若聲
聞所說諸經中㝡為第一有能受持是經
典者亦復如是於一切衆生中亦為第一一
切聲聞辟支佛中菩薩為第一此經亦復如
是於一切諸經法中㝡為第一如佛為諸法
王此經亦復如是諸經中王宿王華此經能救
一切衆生者此經能令一切衆生離諸苦惱
此經能大饒益一切衆生充滿其願如清

BD01961號　妙法蓮華經卷六　（17–14）

是於一切諸經法中㝡為第一如佛為諸法
王此經亦復如是諸經中王宿王華此經能救
一切衆生者此經能令一切衆生離諸苦惱
此經能大饒益一切衆生充滿其願如清
涼池能滿一切諸渴乏者如寒者得火如裸
者得衣如商人得主如子得母如渡得船如
病得醫如暗得燈如貧得寶如民得王如賈
客得海如炬除暗此法華經亦復如是能令
衆生離一切苦一切病痛能解一切生死之
縛若人得聞此法華經若自書若使人書所
得功德以佛智慧籌量多少不得其邊若
書是經卷華香瓔珞燒香末香塗香幡蓋衣
服種種之燈蘇燈油燈諸香油燈瞻蔔油燈
須曼油燈波羅羅油燈婆利師迦油燈那婆
摩利油燈供養所得功德亦復无量宿王
華若有人聞是藥王菩薩本事品者亦得无量
无邊功德若有女人聞是藥王菩薩本事品
能受持者盡是女身後不復受若如來滅後
後五百歲中若有女人聞是經典如說脩行於
此命終即往安樂世界阿弥陁佛大菩薩衆圍
繞住處生蓮華中寶座之上不復為貪欲
所惱亦復不為瞋恚愚癡所惱亦復不為
憍慢嫉妬諸垢所惱得菩薩神通无生法忍
得是忍已眼根清淨以是清淨眼根見七百万
二千億那由他恒河沙等諸佛如來是時諸
佛遥共讚言善哉善哉善男子汝能於釋迦

BD01961號　妙法蓮華經卷六　（17–15）

惱慳嫉如諸垢所惱得菩薩神通无生法忍
得是忍已眼根清淨以是清淨眼根見七百万
二千億那由他恒河沙等諸佛如來是時諸
佛遥共讚言善哉善哉善男子汝能於釋迦
牟尼佛法中受持讀誦思惟是經為他人說
所得福德无量无邊火不能燒水不能漂汝
之功德千佛共說不能令盡汝今已能破諸魔
賊壞生死軍諸餘怨敵皆悉摧滅善男子
百千諸佛以神通力共守護汝於一切世間天
人之中无如汝者唯除如來其諸聲聞辟
支佛乃至菩薩智慧禪定无有與汝等者宿
王華此菩薩成就如是功德智慧之力若有
人聞是藥王菩薩本事品能隨喜讚善者
是人現世口中常出青蓮華香身毛孔中常
出牛頭栴檀香所得功德如上所說是故宿王
華以此藥王菩薩本事品囑累於汝我滅度
後後五百歲中廣宣流布於閻浮提无令斷
絕惡魔魔民諸天龍夜叉鳩槃荼等得其便
也宿王華汝當以神通之力守護是經所以者
何此經則為閻浮提人病之良藥若人有病
得聞是經病即消滅不老不死宿王華汝若
見有受持是經者應以青蓮華盛滿末香
供散其上散已作是念言此人不久必當取
草坐於道場破諸魔軍當吹法螺擊大法鼓
度脫一切衆生老病死海是故求佛道者見
有受持是經典人應當如是生恭敬心說是

何此經則為閻浮提人病之良藥若人有病
得聞是經病即消滅不老不死宿王華汝若
見有受持是經者應以青蓮華盛滿末香
供散其上散已作是念言此人不久必當取
草坐於道場破諸魔軍當吹法螺擊大法鼓
度脫一切衆生老病死海是故求佛道者見
有受持是經典人應當如是生恭敬心說是
藥王菩薩本事品時八万四千菩薩得解一
切衆生語言陁羅尼多寶如來於寶塔中讚
宿王華菩薩言善哉善哉宿王華汝成就不
可思議功德乃能問釋迦牟尼佛如此之事
利益无量一切衆生

妙法蓮華經卷第六

不
可……此緣故若
畢竟不生則不名地界舍利子水火風空識
界本性空故若法本性空則不可施設若生
若滅若住若異由此緣故若畢竟不生則不
名水火風空識界舍利子苦聖諦本性空故
若法本性空則不可施設若生若滅若住若
異由此緣故若畢竟不生則不名苦聖諦舍
利子集滅道聖諦本性空故若法本性空則
不可施設若生若滅若住若異由此緣故若畢
竟不生則不名集滅道聖諦舍利子无明本
性空故若法本性空則不可施設若生若滅
若住若異由此緣故若畢竟不生則不名
无明舍利子行識名色六處觸受愛取有生
老死愁歎苦憂惱本性空故若法本性空則
不可施設若生若滅若住若異由此緣故若畢
竟不生則不名行乃至老死愁歎苦憂惱舍
利子內空本性空故若法本性空則不可施
設若生若滅若住若異由此緣故若畢竟不
生則不名內空舍利子外空內外空空空大
空勝義空有為空无為空畢竟空无際空
散空无變異空本性空自相空共相空一切
法空不可得空无性空自性空无性自性空

BD01962號　大般若波羅蜜多經卷六九　（4–1）

利子內空本性空故若法本性空則不可施
設若生若滅若住若異由此緣故若畢竟不
生則不名內空舍利子外空內外空空空大
空勝義空有為空无為空畢竟空无際空
散空无變異空本性空自相空共相空一切
法空不可得空无性空自性空无性自性空
本性空故若法本性空則不可施設若生若
滅若住若異由此緣故若畢竟不生則不名
外空乃至无性自性空
舍利子布施波羅蜜多本性空故若法本性
空則不可施設若生若滅若住若異由此緣
故若畢竟不生則不名布施波羅蜜多舍利
子淨戒安忍精進靜慮般若波羅蜜多本性
空故若法本性空則不可施設若生若滅若
住若異由此緣故若畢竟不生則不名淨戒
乃至般若波羅蜜多舍利子四靜慮本性空
故若法本性空則不可施設若生若滅若住
若異由此緣故若畢竟不生則不名四靜慮
舍利子四无量四无色定本性空故若法本
性空則不可施設若生若滅若住若異由此
緣故若畢竟不生則不名四无量四无色定
舍利子八解脫本性空故若法本性空則不
可施設若生若滅若住若異由此緣故若畢
竟不生則不名八解脫舍利子八勝處九次
第定十遍處本性空故若法本性空則不可
施設若生若滅若住若異由此緣故若畢竟

BD01962號　大般若波羅蜜多經卷六九　（4–2）

緣故若畢竟不生則不名四无量四无色定
舍利子八解脫本性空故若法本性空則不
可施設若生若滅若住若異由此緣故若畢
竟不生則不名八解脫舍利子八勝處九次
第定十遍處本性空故若法本性空則不可
施設若生若滅若住若異由此緣故若畢竟
不生則不名八勝處乃至十遍處舍利子四念
住本性空故若法本性空則不可施設若生
若滅若住若異由此緣故若畢竟不生則不
名四念住舍利子四正斷四神足五根五力
七等覺支八聖道支本性空故若法本性
空則不可施設若生若滅若住若異由此緣
故若畢竟不生則不名四正斷乃至八聖道
支舍利子空解脫門本性空故若法本性空
則不可施設若生若滅若住若異由此緣故
若畢竟不生則不名空解脫門舍利子无相
无願解脫門本性空故若法本性空則不可
施設若生若滅若住若異由此緣故若畢竟
不生則不名无相无願解脫門

大般若波羅蜜多經卷第六十九

BD01962號　大般若波羅蜜多經卷六九　（4–3）

七等覺支八聖道支本性空故若法本性
空則不可施設若生若滅若住若異由此緣
故若畢竟不生則不名四正斷乃至八聖道
支舍利子空解脫門本性空故若法本性空
則不可施設若生若滅若住若異由此緣故
若畢竟不生則不名空解脫門舍利子无相
无願解脫門本性空故若法本性空則不可
施設若生若滅若住若異由此緣故若畢竟
不生則不名无相无願解脫門

大般若波羅蜜多經卷第六十九

BD01962號　大般若波羅蜜多經卷六九　（4–4）

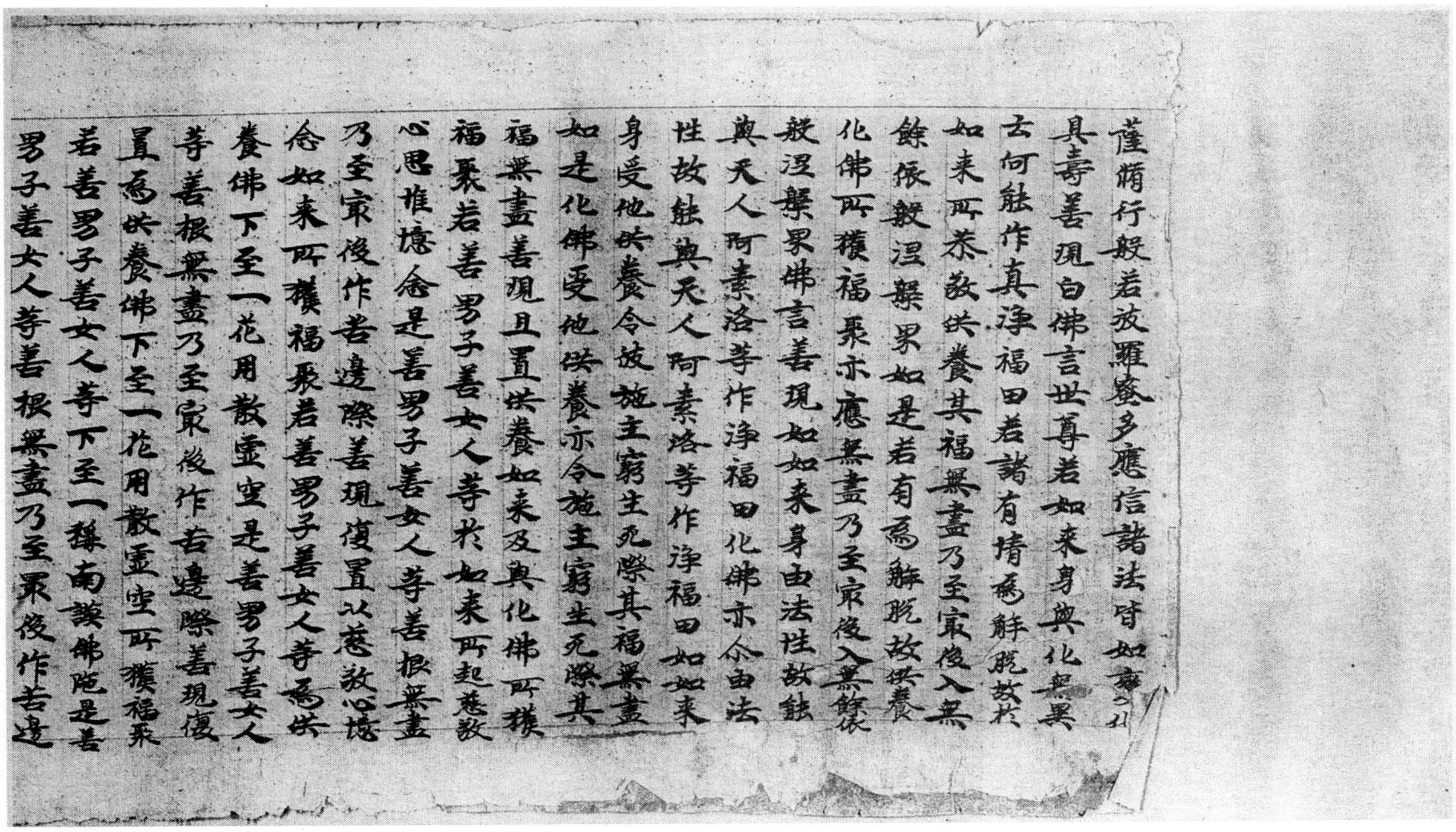
薩脩行般若波羅蜜多應信諸法皆如夢之化
具壽善現白佛言世尊若如來身與化無異
云何能作真淨福田若諸有情為解脫故於
如來所恭敬供養其福無盡乃至究竟入無
餘依般涅槃界如是若有為解脫故供養
化佛所獲福聚亦應無盡乃至究竟入無餘依
般涅槃界佛言善現如如來身由法性故能
與天人阿素洛等作淨福田化佛亦尒由法
性故能與天人阿素洛等作淨福田如如來
身受他供養令彼施主窮生死際其福無盡
如是化佛受他供養亦令施主窮生死際其
福無盡善現且置供養如來及與化佛所獲
福聚若善男子善女人等於如來所起慈敬
心思惟憶念是善男子善女人等善根無盡
乃至究竟後作苦邊際善現復置以慈敬心憶
念如來所獲福聚若善男子善女人等為供
養佛下至一花用散虛空是善男子善女人
等善根無盡乃至究竟後作苦邊際善現復
置為供養佛下至一花用散虛空所獲福聚
若善男子善女人等下至一稱南謨佛陀是善
男子善女人等善根無盡乃至眾後作苦邊

BD01963 號　大般若波羅蜜多經卷三六三　（20–1）

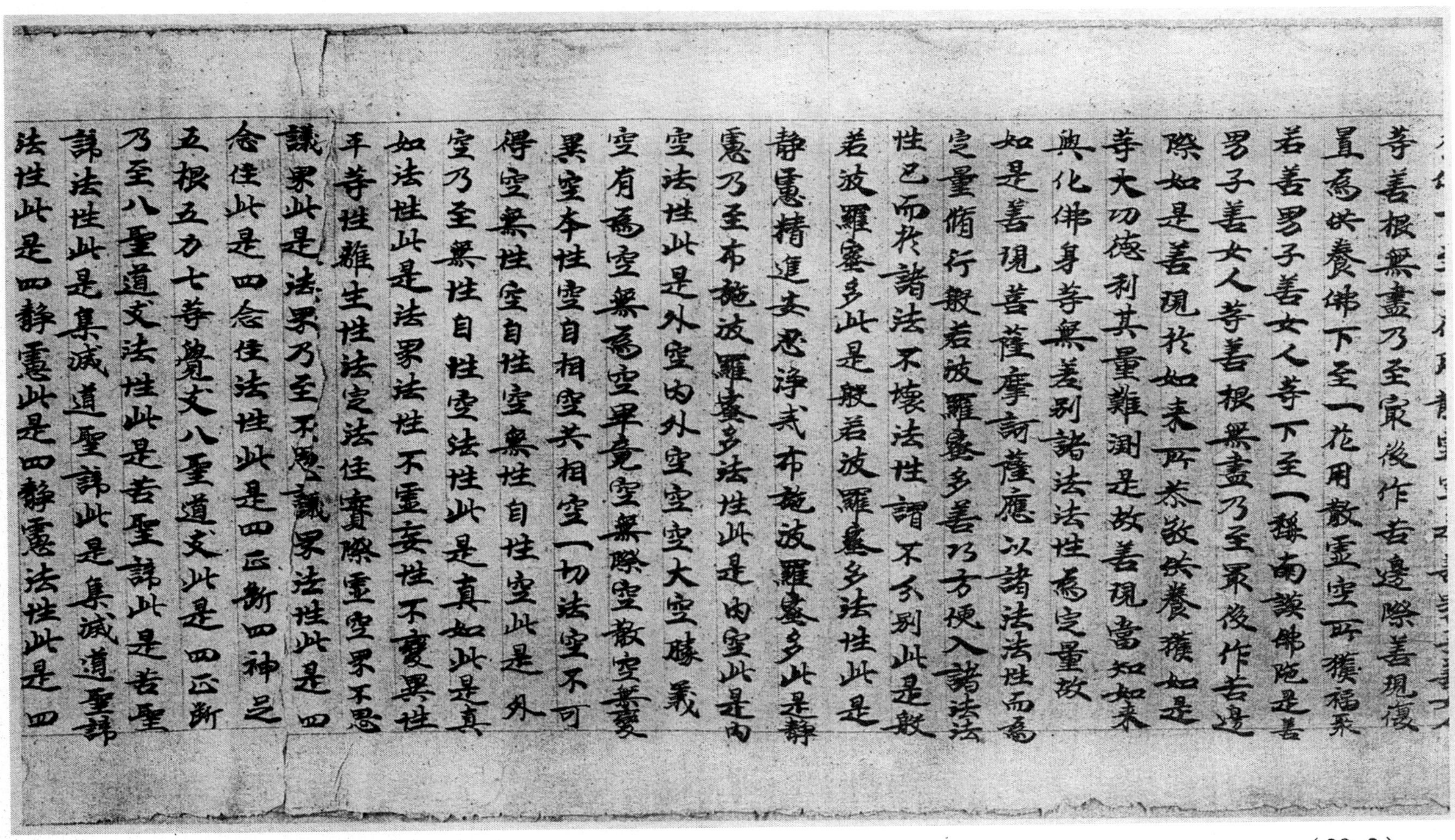
等善根無盡乃至究竟後作苦邊際善現復
置為供養佛下至一花用散虛空所獲福聚
若善男子善女人等下至一稱南謨佛陀是善
男子善女人等善根無盡乃至眾後作苦邊
際如是善現於如來所恭敬供養獲如是
等大功德利其量難測是故善現當知如來
與化佛身等無差別諸法法性為定量故
如是善現菩薩摩訶薩應以諸法法性而為
定量脩行般若波羅蜜多善巧方便入諸法法
性已而於諸法不壞法性謂不分別此是般
若波羅蜜多此是般若波羅蜜多法性此是
靜慮精進安忍淨戒布施波羅蜜多此是靜
慮乃至布施波羅蜜多法性此是內空此是內
空法性此是外空內外空空空大空勝義
空有為空無為空畢竟空無際空散空無變
異空本性空自相空共相空一切法空不可
得空無性空自性空無性自性空此是外
空乃至無性自性空法性此是真如此是真
如法性此是法界法性不虛妄性不變異性
平等性離生性法定法住實際虛空界不思
議界此是法界乃至不思議界法性此是四
念住此是四念住法性此是四正斷四神足
五根五力七等覺支八聖道支此是四正斷
乃至八聖道支法性此是苦聖諦此是苦聖
諦法性此是集滅道聖諦此是集滅道聖諦
法性此是四靜慮此是四靜慮法性此是四

BD01963 號　大般若波羅蜜多經卷三六三　（20–2）

念住此是四念住法性此是四正斷四神足
五根五力七等覺支八聖道支此是四正斷
乃至八聖道支法性此是苦聖諦此是苦聖
諦法性此是集滅道聖諦此是集滅道聖諦
法性此是四靜慮此是四靜慮法性此是四
無量四無色定此是四無量四無色定法性此
是八解脫此是八解脫法性此是八勝處九
次第定十遍處此是八勝處九次第定十遍
處法性此是一切三摩地門此是一切三摩
地門法性此是一切陁羅尼門此是一切
陁羅尼門法性此是空解脫門此是空解脫
門法性此是無相無願解脫門此是無相无
願解脫門法性此是五眼此是五眼法性此
是六神通此是六神通法性此是佛十力此
是佛十力法性此是四無所畏四無礙解大
慈大悲大喜大捨十八佛不共法此是四無
所畏乃至十八佛不共法法性此是無忘失
法此是無忘失法法性此是恒住捨性此是
恒住捨性法性此是一切智此是一切智法
性此是道相智一切相智此是道相智一切
相智法性此是預流果此是預流果法性此
是一來不還阿羅漢果此是一來不還阿羅
漢果法性此是獨覺菩提此是獨覺菩提
法性此是一切菩薩摩訶薩行此是一切菩薩
摩訶薩行法性此是諸佛無上正等菩提此
是諸佛無上正等菩提法性善現菩薩摩

BD01963號　大般若波羅蜜多經卷三六三　（20–3）

漢果法性此是獨覺菩提此是獨覺菩提
法性此是一切菩薩摩訶薩行此是一切菩薩
摩訶薩行法性此是諸佛無上正等菩提此
是諸佛無上正等菩提法性善現菩薩摩
訶薩脩行般若波羅蜜多不應如是分別諸
法法性差別而壞法性具壽善現白佛言世尊
若菩薩摩訶薩不應壞諸法法性云何如來
自壞諸法法性謂佛嘗說此是色此是受想
行識此是眼處此是耳鼻舌身意處此是
色處此是聲香味觸法處此是眼界此是耳鼻
舌身意界此是色界此是聲香味觸法界此
是眼識界此是耳鼻舌身意識界此是眼觸
此是耳鼻舌身意觸此是眼觸為緣所生諸
受此是耳鼻舌身意觸為緣所生諸受此是
地界此是水火風空識界此是無明此是行
識名色六處觸受愛取有生老死愁歎苦憂
惱此是內法此是外法此是善法此是非善
法此是有漏法此是無漏法此是世間法此
是出世間法此是共法此是不共法此是有
諍法此是無諍法此是有為法此是無為
法佛既曾說如是等法將無自壞諸法法性佛
言善現我不自壞諸法法性但以名相方便
假說諸法法性令諸有情而得悟入諸法法
性無差別理是故善現我曾不壞諸法法性
具壽善現白佛言世尊若佛但以名相宣說
諸法法性令諸有情而得悟入云何佛於無

BD01963號　大般若波羅蜜多經卷三六三　（20–4）

言善現我不自壞諸法法性但以名相方便
假說諸法法性令諸有情而得悟入諸法法
性無差別理是故善現我曾不壞諸法法性
具壽善現白佛言世尊若佛但以名相宣說
諸法法性令諸有情而得悟入云何佛於無
名無相法以名相說令他悟入耶佛言善現
我隨世俗假立名相方便宣說諸法法性而
無執著善現如諸愚夫聞說善等執著
名相不知假說非諸如來及佛弟子聞說善等
執著名相然如實知隨世俗說無有真實
諸法名相善現若諸聖者於名著名於相著相
如是亦應於空著空於無相著無相於無願
著無願於真如著真如於實際著實際於法
界著法界於無為著無為善現是一切法但有
假名但有假相而無真實聖者於中亦不住
著但假名相如是善現菩薩摩訶薩住一切
法但假名相應行般若波羅蜜多而於其中
不應住著
具壽善現白佛言世尊若一切法但有名相
菩薩摩訶薩為何事故發菩提心既發心已
受諸勤苦行菩薩行脩行布施波羅蜜多脩
行淨戒安忍精進靜慮般若波羅蜜多安住
內空安住外空內外空空空大空勝義空有
為空無為空畢竟空無際空散空無變異空
本性空自相空共相空一切法空不可得空無
性空自性空無性自性空安住真如安住

BD01963號　大般若波羅蜜多經卷三六三　（20–5）

行淨戒安忍精進靜慮般若波羅蜜多安住
內空安住外空內外空空空大空勝義空有
為空無為空畢竟空無際空散空無變異空
本性空自相空共相空一切法空不可得空無
性空自性空無性自性空安住真如安住
法界法性不虛妄性不變異性平等性離生
性法定法住實際虛空界不思議界脩行四
念住脩行四正斷四神足五根五力七等覺
支八聖道支安住苦聖諦安住集滅道聖諦
脩行四靜慮脩行四無量四無色定脩行八
解脫脩行八勝處九次第定十遍處脩行一
切三摩地門脩行一切陀羅尼門脩行空解
脫門脩行無相無願解脫門脩行五眼脩行
六神通脩行佛十力脩行四無所畏四無礙
解大慈大悲大喜大捨十八佛不共法脩行
無忘失法脩行恒住捨性脩行一切智脩行
道相智一切相智皆令圓滿佛言善現如汝
所說若一切法但有名相菩薩摩訶薩為何
事故發菩提心行菩薩行者善現以一切法
但有名相如是名相但假施設名相性空諸
有情類顛倒執著流轉生死不得解脫是故
菩薩摩訶薩發菩提心行菩薩行漸次證得
一切相智轉正法輪以三乘法度脫有情令
出生死入無餘依般涅槃界而諸名相無生
無滅亦無住異施設可得
尒時具壽善現白佛言世尊若既一切相智

BD01963號　大般若波羅蜜多經卷三六三　（20–6）

一切相智轉正法輪以三乘法度脫有情令
出生死入無餘依般涅槃果而諸名相無生
無滅亦無住異施設可得
尒時具壽善現白佛言世尊佛說一切相智
爲一切相智耶佛言善現我說一切相智爲
一切相智具壽善現復白佛言世尊如來嘗
說一切智道相智一切相智如是三智其相
云何有何差別佛言善現一切智者是共聲
聞及獨覺智道相智者是共菩薩摩訶薩
智一切相智者是諸如來應正等覺不共妙智
具壽善現復白佛言世尊何緣一切智是
共聲聞及獨覺智佛言善現一切者謂五蘊
十二處十八界等聲聞獨覺亦能了知而不能
知一切道相及一切法一切種相具壽善現
復白佛言世尊何緣道相智是共菩薩摩訶
薩智佛言善現諸菩薩摩訶薩應學遍知
一切道相謂聲聞道相獨覺道相菩薩道相
如來道相諸菩薩摩訶薩於此諸道常應脩
學令速圓滿雖令此道作所應作而不令其證
於實際具壽善現復白佛言世尊菩薩摩
訶薩脩如來道得圓滿已豈於實際不作證耶
佛言善現諸菩薩摩訶薩若未圓滿嚴淨佛
土成熟有情脩諸大願猶於實際未應作
證若已圓滿嚴淨佛土成熟有情脩諸大願於
其實際及應作證世尊菩薩摩訶薩爲住於
道證實際耶不也善現世尊菩薩摩訶薩爲

證若已圓滿嚴淨佛土成熟有情脩諸大願於
其實際及應作證世尊菩薩摩訶薩爲住於
道證實際耶不也善現世尊菩薩摩訶薩爲
住非道證實際耶不也善現世尊菩薩摩訶
薩爲住道非道證道際耶不也善現世尊菩
薩摩訶薩爲住非道非非道證實際耶不也
善現具壽善現白佛言世尊若尒菩薩摩訶
薩爲何所住而證實際佛告善現於意云何
汝爲住道得盡諸漏心解脫耶不也世尊善
現汝爲住非道得盡諸漏心解脫耶不也世
尊善現汝爲住道非道得盡諸漏心解脫耶
不也世尊善現汝爲住非道非非道得盡諸
漏心解脫耶不也世尊非我有住得盡諸漏
心永解脫然我盡漏心得解脫都無所住佛
言善現菩薩摩訶薩亦復如是脩行般若波
羅蜜多都無所住而證實際具壽善現復白
佛言世尊何緣一切相智名一切相智耶佛
言善現知一切法皆同一相謂寂滅相是故
名爲一切相智復次善現諸行狀相能表諸
法如來如實能遍覺知是故說名一切相智
具壽善現白佛言世尊若一切智若道相智
若一切相智如是三智諸煩惱斷有差別不
有有餘斷無餘斷不佛言善現非諸煩惱斷
有差別然諸如來應正等覺一切煩惱習氣
相續皆已永斷聲聞獨覺習氣相續猶未永
斷世尊諸煩惱斷得無爲不如是善現世尊

有有餘斷無餘斷不佛言善現非諸煩惱斷
有差別然諸如來應正等覺一切煩惱習氣
相續皆已永斷聲聞獨覺習氣相續猶未永
斷世尊諸煩惱斷得無為不如是善現世尊
聲聞獨覺不得無為煩惱斷不不也善現世
尊無為法中有差別不不也善現世尊若無
為法無差別者佛何故說一切如來應正等覺
習氣相續皆已永斷聲聞獨覺習氣相續
猶未永斷善現習氣相續實非煩惱然諸聲
聞及諸獨覺煩惱已斷猶有少分似貪瞋癡
身語意轉即說此為習氣相續此在愚夫異
生相續能引無義非在聲聞獨覺相續能引
無義如是一切習氣相續諸佛永無
尒時具壽善現白佛言世尊道與涅槃俱無
自性佛何故說此是預流此是一來此是不
還此是阿羅漢此是獨覺此是菩薩摩訶薩
此是如來應正等覺佛言善現若預流若一
來若不還若阿羅漢若獨覺若菩薩摩訶薩
若諸如來應正等覺如是一切無為所顯世
尊無為法中實有預流乃至如來應正等覺
差別義不不也善現世尊若尒何故佛說預
流乃至如來應正等覺一切皆是無為所顯善
現我依世俗言說顯示不依勝義中
可有顯示何以故善現非勝義中有語言路
或分別慧或復二種然於彼邊斷立故彼
後際具壽善現白佛言世尊既一切法自相

BD01963號　大般若波羅蜜多經卷三六三　（20–9）

流乃至如來應正等覺一切皆是無為所顯善
現我依世俗言說顯示不依勝義中
可有顯示何以故善現非勝義中有語言路
或分別慧或復二種然於彼邊斷立故彼
後際具壽善現白佛言世尊既一切法自相
皆空前際尚無況有後際如何可立有後際
耶佛言善現如是如是如汝所說諸所有法
自相皆空前際尚無況有後際立後際有是
無是處然諸有情不能解了諸所有法自相
皆空為饒益彼方便為說此是前際此是後際
然一切法自相空中前際後際俱不可得如
是善現菩薩摩訶薩達一切法自相空已應
行般若波羅蜜多善現若菩薩摩訶薩達
一切法自相皆空修行般若波羅蜜多於諸
法中無所執著謂不執著內法外法善法非善
法世間法出世間法有漏法無漏法有為
法無為法若聲聞法若獨覺法若菩薩法若
如來法如是一切皆不執著
具壽善現白佛言世尊如來常說般若波羅
蜜多般若波羅蜜多以何義故名為般若波
羅蜜多佛言善現如是般若波羅蜜多到一
切法究竟彼岸故名般若波羅蜜多復次善
現由此般若波羅蜜多一切聲聞獨覺菩薩
及諸如來應正等覺能到彼岸故名般若波
羅蜜多復次善現一切如來應正等覺及諸
菩薩摩訶薩衆用是般若波羅蜜多依勝義

BD01963號　大般若波羅蜜多經卷三六三　（20–10）

現由此般若波羅蜜多一切聲聞獨覺菩薩
及諸如來應正等覺能到彼岸故名般若波
羅蜜多復次善現一切如來應正等覺及諸
菩薩摩訶薩衆用是般若波羅蜜多依勝義
理分析諸法如析諸色至極微量猶不見有
少實可得故名般若波羅蜜多復次善現於
此般若波羅蜜多包含真如真際法界故名
般若波羅蜜多復次善現非此般若波羅蜜
多有少分法若合若散若有色若無色若有
見若無見若有對若無對若有漏若無漏
若有為若無為所以者何善現如是般若
波羅蜜多無色無見無對一相所謂無相故
名般若波羅蜜多復次善現如是般若波羅蜜多
能生一切殊勝善法能發一切智慧辯才能
引一切世出世樂故名般若波羅蜜多復次
善現如是般若波羅蜜多甚深堅實不可動
壞若菩薩摩訶薩行是般若波羅蜜多一切
惡魔及彼眷屬聲聞獨覺外道梵志惡友
怨讎皆不能壞何以故善現由此般若波羅蜜
多辯一切法自相皆空諸惡魔等皆不可得
故名般若波羅蜜多善現諸菩薩摩訶薩
應如實行如是般若波羅蜜多甚深義趣
復次善現若菩薩摩訶薩欲行般若波羅
蜜多甚深義趣應行無常義苦義空義無我
義應行苦智義集智義滅智義道智義應
行法智義類智義世俗智義他心智義應行盡

BD01963號　大般若波羅蜜多經卷三六三　（20–11）

應如實行如是般若波羅蜜多甚深義趣
復次善現若菩薩摩訶薩欲行般若波羅
蜜多甚深義趣應行無常義苦義空義無我
義應行苦智義集智義滅智義道智義應
行法智義類智義世俗智義他心智義應行盡
智義無生智義如說智義善現諸菩薩摩訶
薩為行般若波羅蜜多甚深義趣應行般若
波羅蜜多具壽善現白佛言世尊此甚深般若
波羅蜜多中義與非義俱不可得云何菩薩
摩訶薩為行般若波羅蜜多甚深義趣應
行般若波羅蜜多佛言善現菩薩摩訶薩為
行般若波羅蜜多甚深義趣應作是念我不
應行貪欲義非義我不應行瞋恚義非義我
不應行愚癡義非義我不應行邪見義非義我
不應行邪定義非義我不應行諸惡見趣義
非義所以者何善現貪欲瞋恚愚癡邪見邪
定見趣真如實際不與諸法為義非義復次
善現善薩摩訶薩為行般若波羅蜜多甚深
義趣應作是念我不應行色義非義我不應
行受想行識義非義我不應行眼處義非義
我不應行耳鼻舌身意處義非義我不應行
色處義非義我不應行聲香味觸法處義非
義我不應行眼界義非義我不應行耳鼻舌
身意界義非義我不應行色界義非義我不
應行聲香味觸法界義非義我不應行眼識
界義非義我不應行耳鼻舌身意識界義

BD01963號　大般若波羅蜜多經卷三六三　（20–12）

義我不應行眼界義非義我不應行耳鼻舌
身意界義非義我不應行色界義非義我不
應行聲香味觸法界義非義我不應行眼識
界義非義我不應行耳鼻舌身意識界義
非義我不應行眼觸義非義我不應行耳鼻舌
身意觸義非義我不應行眼觸為緣所生諸
受義非義我不應行耳鼻舌身意觸為緣所
生諸受義非義我不應行地界義非義我不
應行水火風空識界義非義我不應行無明
義非義我不應行行識名色六處觸受愛取
有生老死愁歎苦憂惱義非義我不應行布
施波羅蜜多義非義我不應行淨戒安忍精
進靜慮般若波羅蜜多義非義我不應行內空
義非義我不應行外空內外空空空大空勝
義空有為空無為空畢竟空無際空散空無
變異空本性空自相空共相空一切法空不
可得空無性空自性空無性自性空義非義我
不應行真如義非義我不應行法界法性不
虛妄性不變異性平等性離生性法定法住
實際虛空界不思議界義非義我不應行四
念住義非義我不應行四正斷四神足五根
五力七等覺支八聖道支義非義我不應行
苦聖諦義非義我不應行集滅道聖諦義非
義我不應行四靜慮義非義我不應行四無
量四無色定義非義我不應行八解脫義非
義我不應行八勝處九次第定十遍處義非

BD01963號　大般若波羅蜜多經卷三六三　（20–13）

義我不應行四靜慮義非義我不應行四無
量四無色定義非義我不應行八解脫義非
義我不應行八勝處九次第定十遍處義非
義我不應行一切三摩地門義非義我不應
行一切陀羅尼門義非義我不應行空解脫
門義非義我不應行無相無願解脫門義非
義我不應行五眼義非義我不應行六神通
義非義我不應行佛十力義非義我不應行
四無所畏四無礙解大慈大悲大喜大捨十
八佛不共法義非義我不應行無忘失法義
非義我不應行恒住捨性義非義我不應行
一切智義非義我不應行道相智一切相智
義非義我不應行預流果義非義我不應行
一來不還阿羅漢果義非義我不應行獨覺
菩提義非義我不應行一切菩薩摩訶薩行
義非義我不應行諸佛無上正等菩提義非
義所以者何善現如來得無上正等菩提時
不見有法能與少法為義非義善現如來出
世若不出世諸法法性法住法定法尒常住
無法於法為義非義如是善現菩薩摩訶薩
應離義非義常行般若波羅蜜多甚深義趣
具壽善現白佛言世尊何故般若波羅蜜多
不與諸法為義非義佛言善現甚深般若波
羅蜜多於有為法及無為法俱無所作非恩
非怨無益無損是故般若波羅蜜多不與諸
法為義非義具壽善現復白佛言世尊豈不

BD01963號　大般若波羅蜜多經卷三六三　（20–14）

不與諸法爲義非義佛言善現甚深般若波
羅蜜多於有爲法及無爲法俱無所作非恩
非怨無益無損是故般若波羅蜜多不與諸
法爲義非義具壽善現復白佛言世尊豈不
諸佛及佛弟子一切賢聖皆以無爲爲第一
義佛言善現如是如是如汝所說佛及弟子
一切賢聖皆以無爲爲第一義然無爲法不
與諸法爲益爲損善現譬如虛空真如不與
諸法爲益爲損菩薩摩訶薩甚深般若波羅
蜜多亦復如是不與諸法爲益爲損是故般
若波羅蜜多不與諸法爲義非義具壽善現白
佛言世尊菩薩摩訶薩豈不要學甚深無
爲般若波羅蜜多乃能證得一切智智佛言
善現如是如是如汝所說菩薩摩訶薩要學
甚深無爲般若波羅蜜多乃能證得一切智
智不以二法而爲方便世尊爲以不二法得
不二法耶不也善現世尊爲以二法得不二
法耶不也善現世尊若無二法不以二法不
二法得菩薩摩訶薩云何當得一切智智善
現二不二法俱不可得是故所得一切智智
非有所得故得亦非無所得故得有所得法
無所得法不可得故若如是知乃能證得一
切智智

初分實說品第六十二

尒時具壽善現白佛言世尊如是般若波羅
蜜多極爲甚深世尊諸菩薩摩訶薩不得有

BD01963號　大般若波羅蜜多經卷三六三　（20–15）

切智智

初分實說品第六十二

尒時具壽善現白佛言世尊如是般若波羅
蜜多極爲甚深世尊諸菩薩摩訶薩不得有
情亦復不得有情施設而爲有情求趣無上
正等菩提甚爲難事世尊譬如有人欲於無
色無見無對無所依止空中種樹故極爲難
諸菩薩摩訶薩亦復如是不得有情亦復不
得有情施設而爲有情求趣無上正等菩提
甚爲難事佛言善現如是如是如汝所說如
是般若波羅蜜多極爲甚深諸菩薩摩訶薩
不得有情亦復不得有情施設而爲有情求
趣無上正等菩提甚爲難事善現諸菩薩摩
訶薩雖不見有真實有情及施設而諸有
情愚癡顛倒執爲實有輪迴生死受苦無
窮爲度彼故求趣無上正等菩提得菩提已
斷彼我執及令解脫生死衆苦善現譬如有
人良田種樹是人雖復不見此樹根莖枝葉
花菓受者而種樹已隨時溉灌勤守護之此
樹後時漸得生長枝葉花菓皆悉茂盛衆人
受用愈疾獲安善現諸菩薩摩訶薩亦復如
是雖不見有有情佛果而爲有情求趣無
上正等菩提漸次脩行布施淨戒安忍精進靜
慮般若波羅蜜多既圓滿已證得無上正等
菩提令諸有情受用佛樹諸葉花菓各得饒
益善現當知葉饒益者謂諸有情因此佛樹

BD01963號　大般若波羅蜜多經卷三六三　（20–16）

上正等菩提漸次脩行布施淨戒安忍精進靜
慮般若波羅蜜多既圓滿已證得無上正等
菩提令諸有情受用佛樹諸葉花菓各得饒
益善現當知葉饒益者謂諸有情因此佛樹
脫惡趣苦花饒益者謂諸有情因此佛樹或生
剎帝利大族或生婆羅門大族或生長者大
族或生居士大族或生四大王眾天或生三
十三天或生夜摩天或生覩史多天或生樂
變化天或生他化自在天或生梵眾天或生
梵輔天或生梵會天或生大梵天或生光天
或生少光天或生無量光天或生極光淨天
或生淨天或生少淨天或生無量淨天或生
遍淨天或生廣天或生少廣天或生無量廣
天或生廣果天或生無煩天或生無熱天或生
善現天或生善見天或生色究竟天或生空
無邊處天或生識無邊處天或生無所有處
天或生非想非非想處天菓饒益者謂諸有
情因此佛樹或住預流果或住一來果或住
不還果或住阿羅漢果或住獨覺菩提或住
無上正等菩提是諸有情得成佛已復用
佛樹諸葉花菓饒益有情令諸有情脫惡
趣苦得人天樂漸次安立令入三乘般涅槃界
謂聲聞乘般涅槃界或獨覺乘般涅槃界
或無上乘般涅槃界善現是菩薩摩訶薩雖作
如是大饒益事而都不見真實有情得涅槃

BD01963號　大般若波羅蜜多經卷三六三　（20–17）

趣苦得人天樂漸次安立令入三乘般涅槃界
謂聲聞乘般涅槃界或獨覺乘般涅槃界
或無上乘般涅槃界善現是菩薩摩訶薩雖作
如是大饒益事而都不見真實有情得涅槃
者唯見妄想衆苦痛滅如是善現諸菩薩摩訶
薩脩行般若波羅蜜多不得有情及彼施設
然為除彼我執顛倒求趣無上正等菩提由
此因緣甚為難事
尒時具壽善現白佛言世尊當知菩薩摩訶
薩即是如來應正等覺何以故世尊曰諸菩
薩摩訶薩故便能永斷一切地獄亦能永斷
一切傍生亦能永斷一切鬼界亦能永斷一
切無暇亦能永斷一切貧窮亦能永斷一切
劣趣亦能永斷一切欲界色無色界佛言善
現如是如是如汝所說應知菩薩摩訶薩即
是如來應正等覺善現若無菩薩摩訶薩
發趣無上正等菩提世間則無過去未來現在
諸佛證得無上正等菩提亦無獨覺出現於
世亦無阿羅漢出現於世亦無不還出現於
世亦無一來出現於世亦無預流出現於世
亦無有能永斷地獄亦無有能永斷傍生亦
無有能永斷鬼界亦無有能永斷無暇亦無
有能永斷貧窮亦無有能永斷劣趣亦無有
能永斷欲界色無色界是故善現如汝所說當
知菩薩摩訶薩即是如來應正等覺者如是
如是應知菩薩摩訶薩即是如來應正等

BD01963號　大般若波羅蜜多經卷三六三　（20–18）

有能永斷貪窮亦無有能永斷劣延亦無有
能永斷欲界色無色界是故善現如汝所說當
知菩薩摩訶薩即是如來應正等覺者如是
如是應知菩薩摩訶薩即是如來應正等
覺何以故善現若由此真如施設如來即由
此真如施設獨覺若由此真如施設獨覺即
由此真如施設聲聞若由此真如施設聲聞
即由此真如施設一切賢聖若由此真如施
設一切賢聖即由此真如施設色若由此真
如施設色即由此真如施設受想行識若由
此真如施設受想行識即由此真如施設眼
處若由此真如施設眼處即由此真如施設耳
鼻舌身意處若由此真如施設耳鼻舌身
意處即由此真如施設色處若由此真如施
設色處即由此真如施設聲香味觸法處若
由此真如施設聲香味觸法處即由此真如
施設眼界若由此真如施設眼界即由此真
如施設耳鼻舌身意界若由此真如施設耳
鼻舌身意界即由此真如施設色界若由此
真如施設色界即由此真如施設聲香味觸法
界若由此真如施設聲香味觸法界即由
此真如施設眼識界若由此真如施設眼識界
即由此真如施設耳鼻舌身意識界若由此
真如施設耳鼻舌身意識界即由此真如施
設眼觸若由此真如施設眼觸即由此真如
施設耳鼻舌身意觸若由此真如施設耳

BD01963號　大般若波羅蜜多經卷三六三　（20–19）

施設眼界若由此真如施設眼界即由此真
如施設耳鼻舌身意界若由此真如施設耳
鼻舌身意界即由此真如施設色界若由此
真如施設色界即由此真如施設聲香味觸法
界若由此真如施設聲香味觸法界即由
此真如施設眼識界若由此真如施設眼識界
即由此真如施設耳鼻舌身意識界若由此
真如施設耳鼻舌身意識界即由此真如施
設眼觸若由此真如施設眼觸即由此真如
施設耳鼻舌身意觸若由此真如施設耳
鼻舌身意觸即由此真如施設眼觸為緣所
生諸受若由此真如施設眼觸為緣所生諸
受即由此真如施設耳鼻舌身意觸為緣所
生諸受若由此真如施設耳鼻舌身意觸為
緣所生諸受即由此真如施設地界

大般若波羅蜜多經卷第三百六十三

BD01963號　大般若波羅蜜多經卷三六三　（20–20）

BD01963 號背　勘記　　（1–1）

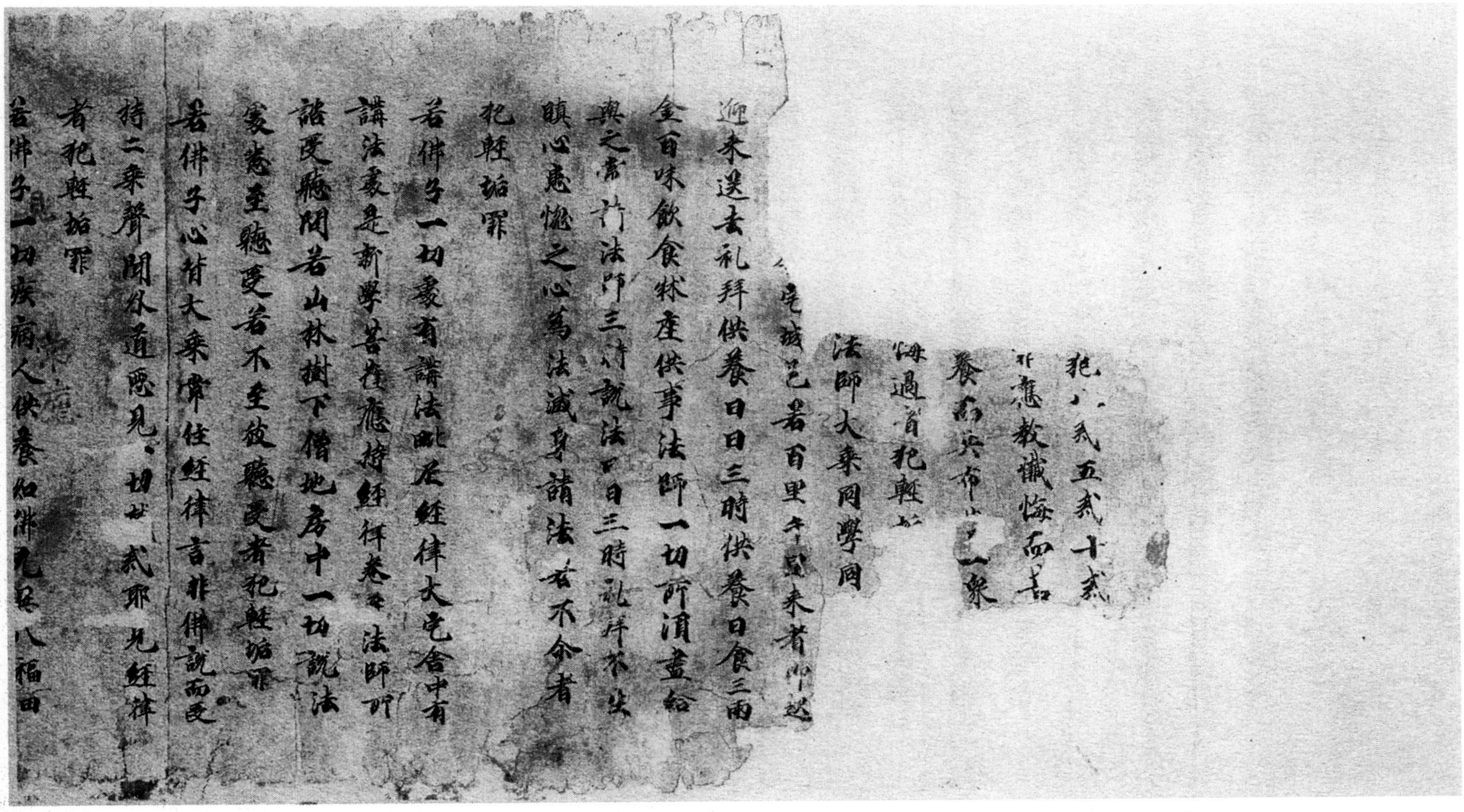
宅城邑若百里千里來者即起
迎來送去禮拜供養日日三時供養日食三兩
金百味飲食牀座供事法師一切所須盡給
與之常請法師三時說法日日三時禮拜不生
瞋心患惱之心為法滅身請法不懈者
犯輕垢罪
若佛子一切處有講法毗尼經律大宅舍中有
講法處是新學菩薩應持經律卷至法師所
諸受聽問若山林樹下僧地房中一切說法
處悉至聽受若不至彼聽受者犯輕垢罪
若佛子心背大乘常住經律言非佛說而受
持二乘聲聞外道惡見一切禁戒邪見經律
者犯輕垢罪
若佛子見一切疾病人常供養如佛無異八福田
法師大乘同學同

BD01964 號　梵網經盧舍那佛說菩薩心地戒品第十卷下　　（10–1）

若佛子心背大乘常住經律言非佛說而受
持二乘聲聞外道惡見、一切禁戒邪見經律
者犯輕垢罪
若佛子一切疾病人供養如佛无異八福田
中看病福田第一福田若父母師僧弟子病
諸根不具百種病苦皆養令差而菩薩以瞋
恨心不至僧房中城邑曠野山林道路中見
病不救濟者犯輕垢罪
若佛子不得畜一切刀杖弓箭鉾斧鬪戰之
具及惡網羅煞生之器一切不得畜而菩薩
乃至煞父母尚不加報況煞一切眾生若故畜
刀杖犯輕垢罪
如是十戒應當學敬心奉持下六品中當廣開
佛言佛子為利養惡心故通國使命軍陣合會
興師相伐煞无量眾生而菩薩不得入軍中往
來況故作國賊若故作者犯輕垢罪
若佛子故販賣良人奴婢六畜市易棺材板
木盛死之具尚不應自作況教人作若故作者
犯輕垢罪
若佛子以惡心故无事謗他良人善人法師
師僧國王貴人言犯七逆十重於父母兄弟六親
中應生孝順心慈悲心而反更加於逆害墮不
如意處者犯輕垢罪
若佛子以惡心故放大火燒山林曠野田

BD01964號　梵網經盧舍那佛說菩薩心地戒品第十卷下　（10–2）

師僧國王貴人言犯七逆十重於父母兄弟六親
中應生孝順心慈悲心而反更加於逆害墮不
如意處者犯輕垢罪
若佛子以惡心故放大火燒山林曠野田
四月乃至九月放火若燒他人家屋宅城
邑僧房田木及鬼神官物一切有主物不得故
燒若故燒者犯輕垢罪
若佛子自佛弟子及外道人六親一切善知
識應一一教受持大乘經律教解義理使發
菩提心十發趣心十長養心十金剛心一一解
其次第法用而菩薩以惡心瞋心橫教他二乘
聲聞戒經律外道邪見論等者犯輕垢罪
若佛子應以好心先學大乘威儀經律廣開
解義味見後新學菩薩有百里千里來求
大乘經律應如法為說一切苦行若燒身燒
臂燒指若不燒身臂指供養諸佛非出家菩
薩乃至餓虎狼師子一切餓鬼悉應捨身肉
手足而供養之然後一一次第為說正法使
心開意解而菩薩為利養故應答不答倒說
經律文字无前无後謗三寶說者犯輕垢罪
若佛子自為飲食錢物利養名譽故親近國
王王子大臣百官恃作形勢乞索打拍牽挽
橫取錢物一切求利名為惡求多求教他人
求都无慈心无孝順心者犯輕垢罪
若佛子學誦戒者日日六時持菩薩戒解其

BD01964號　梵網經盧舍那佛說菩薩心地戒品第十卷下　（10–3）

王子大臣百官恃作形勢乞索打拍牽挽
横取錢物一切求利名爲惡求多求教他人
求都无慈心无孝順心者犯輕垢罪
若佛子學誦戒者日日六時持菩薩戒解其
義理佛性之性而菩薩不解一句一偈戒律
因緣詐言能解即爲自欺誑亦欺誑他人一一
不解一切法而爲他人作師受戒者犯輕垢罪
若佛子以惡心故見持戒比丘手捉香爐行
菩薩行而鬬過兩頭謗欺賢人无惡不造者
故作者犯輕垢罪
若佛子以慈心故行放生業一切男子是我
父一切女人是我母我生生无不從之受生故
六道衆生皆是我父母而殺而食者即殺我
父母亦殺我故身一切地水是我先身一
切火風是我本體故常行放生業生生受生
若見世人殺畜生時應方便救護解其苦難
常教化講說菩薩戒救度衆生若父母兄弟
死亡之日應請法師講菩薩戒經律福資其
亡者得見諸佛生人天上若不尒者犯輕垢
罪
如是十戒應當學敬心奉持如滅罪品中廣明一一戒相
佛言佛子以瞋報瞋以打報打若殺父母兄
弟六親不得加報若國主爲他人殺者亦不得
加報煞生報生不順孝道尚不畜奴婢打拍罵
辱日日起三業罪无量况故作七逆之罪而出

BD01964號　梵網經盧舍那佛說菩薩心地戒品第十卷下　（10–4）

如是十戒應當學敬心奉持如滅罪品中廣明一一戒相
佛言佛子以瞋報瞋以打報打若殺父母兄
弟六親不得加報若國主爲他人殺者亦不得
加報煞生報生不順孝道尚不畜奴婢打拍罵
辱日日起三業罪无量况故作七逆之罪而出
家菩薩无慈報讎乃至六親中故作者犯
輕垢罪
若佛子初始出家未有所解而自恃聰明有智
或高貴年宿或恃大姓高門大解大富饒財
七寶以此憍慢而不諮受先學法師經律其
法師者或小姓年少卑門貧窮諸根不具而
實有德一切經律盡解而新學菩薩不得
覩法師種姓而不來諮受法師第一義諦者
犯輕垢罪
若佛子佛滅度後欲以好心受菩薩戒時於佛
菩薩形像前自誓受戒當七日佛前懺悔得見
好相便得受戒若不得好相應二七三七日乃
至一年要得好相得好相已便得佛菩薩
形像前受戒若不得好相時佛菩薩形像前
受戒不名得戒若先受菩薩戒法師前受戒
時不須要見好相何以故是法師師師相受故
不須好相是以法師前受戒即得戒以生重心
故便得戒若千里內无能授戒師得佛菩薩形
像前受得戒而要見好相若法師自倚解經
律大乘學戒與國王太子百官以爲善友而

BD01964號　梵網經盧舍那佛說菩薩心地戒品第十卷下　（10–5）

不須好相是以法師前受戒即得戒以生重心
故便得戒若千里內无能授戒師得佛菩薩形
像前受得戒而要見好相若法師自倚解經
律大乘學戒與國王太子百官以為善友而
新學菩薩來問若經義律義輕心惡心慢心
不一一好答問者犯輕垢罪
若佛子有佛經律大乘正法正見正性正法
身而不能勤學修習而捨七寶反學耶見二
乘外道俗典阿毗曇雜論書記是斷佛性鄣
道因緣非行菩薩道者若故作者犯輕垢罪
若佛子佛滅度後為說法主為僧房主教化
主坐禪主行來主應生慈心善和鬪訟善守
三寶物莫无度用如己自有而反亂眾鬪諍恣
心用三寶物者犯輕垢罪
若佛子先在僧房中住後見客菩薩比丘來入
僧房舍宅城邑國王宅舍中乃至夏坐安居
處及大會中先住僧應迎來送去飲食供
養房舍臥具繩牀事事給與若无有物應自
賣身及男女身供給所須悉以與之若有檀
越來請眾僧客僧有利養分僧房主應次第
差客僧受請而先住僧獨受請而不差客僧
房主得无量罪畜生无異非沙門非釋種性
若故作者犯輕垢罪
若佛子一切不得受別請利養入己而此利

BD01964號　梵網經盧舍那佛說菩薩心地戒品第十卷下　（10–6）

房主得无量罪畜生无異非沙門非釋種性
若故作者犯輕垢罪
若佛子一切不得受別請利養入己而此利
養屬十方僧而別受請即取十方僧物入己
及八福田諸佛聖人一一師僧父母病人物自
己用故犯輕垢罪
若佛子有出家菩薩在家菩薩及一切檀
越請僧福田求願之時應入僧中問知事人
今欲次第請者即得十方賢聖僧而世人別
請五百羅漢菩薩僧不如僧次一凡夫僧若
別請僧者是外道法七佛无別請法不順孝
道若故別請僧者犯輕垢罪
若佛子以惡心故為利養販賣男女色自手
作食自磨自舂占相男女解夢吉凶是男是
女呪術工巧調鷹方法和百種毒藥千種毒
藥虵毒生金銀蠱毒都无慈心若故作者犯
輕垢罪
若佛子以惡心故自身謗三寶詐現親附口
便說空行在有中為白衣通致男女交會淫
色作諸縛著於六齋日年三長齋月作煞生
劫盜破齋犯戒者犯輕垢罪
如是十戒應當學敬心奉持制戒品中廣解
佛言佛子佛滅度後於惡世中若見外道一
切惡人劫賊賣佛菩薩父母形像販賣經律

BD01964號　梵網經盧舍那佛說菩薩心地戒品第十卷下　（10–7）

如是十戒應當學敬心奉持[illegible]
佛言佛子佛滅度後於惡世中若見外道一
切惡人劫賊賣佛菩薩父母形像販賣經律
販賣比丘比丘尼亦賣發心菩薩道人或為
官使與一切人作奴婢者而菩薩見是事已
應生慈心方便救護處處教化取物贖佛菩
薩形像及比丘比丘尼一切經律若不贖者
犯輕垢罪
若佛子不得畜刀杖弓箭販賣輕秤小升因
官形勢取人財物害心繫縛破壞成功長養
猫狸猪狗若故養者犯輕垢罪
若佛子以惡心故觀一切男女等鬪軍陣兵
將劫賊等鬪亦不得聽吹貝鼓角琴瑟箏笛
箜篌歌叫伎樂之聲不得樗蒱圍棊波羅塞
戲彈碁六博拍毬擲石投壺八道行城爪鏡芝
草楊枝鉢盂髑髏而作卜筮不得作盜賊使
命一一不得作若故作者犯輕垢罪
若佛子護持禁戒行住坐臥日夜六時讀誦
是戒猶如金剛如帶持浮囊欲渡大海如草
繫比丘常生大乘信自知我是未成之佛諸
佛是已成之佛發菩提心念念不去心若起
一念二乘外道心者犯輕垢罪
若佛子常應發一切願孝順父母師僧三寶
常願得好師同學善友知識常教我大乘
經律十發趣十長養十金剛十地使我開解如

BD01964 號　梵網經盧舍那佛說菩薩心地戒品第十卷下　（10–8）

一念二乘外道心者犯輕垢罪
若佛子常應發一切願孝順父母師僧三寶
常願得好師同學善友知識常教我大乘
經律十發趣十長養十金剛十地使我開解如
法修行堅持佛戒寧捨身命念念不去心若
一切菩薩不發是願者犯輕垢罪
若佛子發十大願已持佛禁戒作是願言寧
以此身投大熾然猛火大坑刀山終不毀犯三
世諸佛經律與一切女人作不淨行
復作是願寧以熱鐵羅網千重周匝纏身終
不以破戒之身受信心檀越一切衣服
復作是願寧以此口吞熱鐵丸及大流猛火經百年
終不以破戒之口食信心檀越百味飲食
復作是願寧以此身臥大猛火羅網熱鐵地
上終不以破戒之身受信心檀越百種牀坐
復作是願寧以此身受三百鉾刺經一劫二劫
終不以破戒之身受信心檀越百味醫藥
復作是願寧以此身投熱鐵鑊經百千劫終
不以破戒之身受信心檀越千種房舍屋宅園
林田地
復作是願寧以鐵鎚打碎此身從頭至足令
如微塵終不以此破戒之身受信心檀越恭
敬礼拜
復作是願寧以百千熱鐵刀鉾挑其兩目終不
以此破戒之心視他好色

BD01964 號　梵網經盧舍那佛說菩薩心地戒品第十卷下　（10–9）

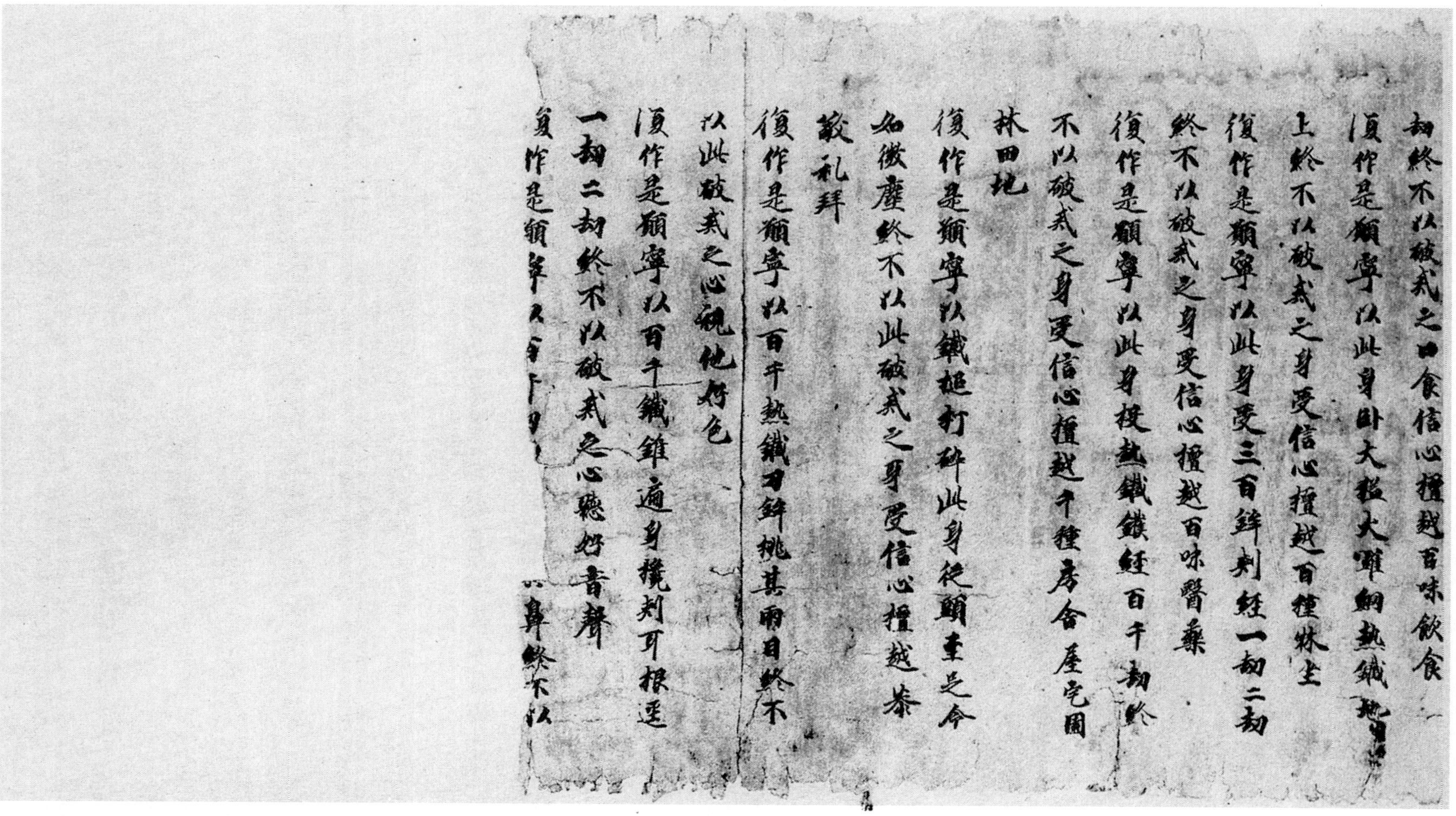
劫終不以破戒之口食信心檀越百味飲食
復作是願寧以此身臥大猛火羅網熱鐵地
上終不以破戒之身受信心檀越百種牀坐
復作是願寧以此身受三百鉾刺經一劫二劫
終不以破戒之身受信心檀越百味醫藥
復作是願寧以此身投熱鐵鑊經百千劫終
不以破戒之身受信心檀越千種房舍屋宅園
林田地
復作是願寧以鐵鎚打碎此身從頭至足令
如微塵終不以此破戒之身受信心檀越恭
敬禮拜
復作是願寧以百千熱鐵刀鉾挑其兩目終不
以此破戒之心視他好色
復作是願寧以百千鐵錐遍身撓刺耳根逕
一劫二劫終不以破戒之心聽好音聲
復作是願寧[illegible]鼻終不以

BD01964號　梵網經盧舍那佛說菩薩心地戒品第十卷下　（10–10）

佛說阿彌陀

BD01964號背　雜寫　（1–1）

BD01964號背　藏文　（1–1）

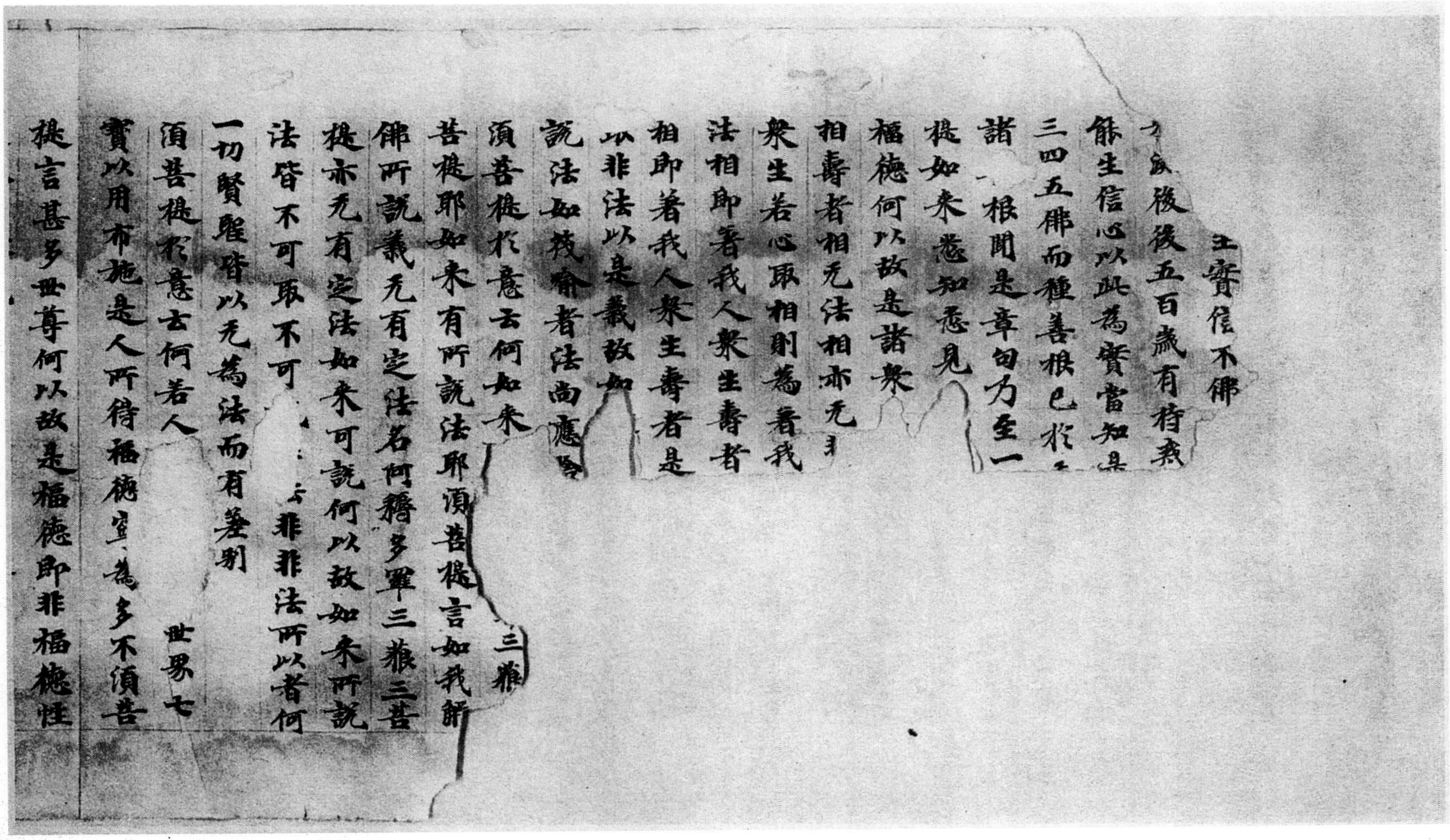

生實信不佛
滅後後五百歲有持戒
能生信心以此為實當知是
三四五佛而種善根已於
諸　根聞是章句乃至一
提如來悉知悉見
福德何以故是諸衆
相壽者相无法相亦无
衆生若心取相則為著我
法相即著我人衆生壽者
相即著我人衆生壽者是
以非法以是義故如
說法如筏喻者法尚應
須菩提於意云何如來　三藐
菩提耶如來有所說法耶須菩提言如我解
佛所說義无有定法名阿耨多羅三藐三菩
提亦无有定法如來可說何以故如來所說
法皆不可取不可　非非法所以者何
一切賢聖皆以无為法而有差別
須菩提於意云何若人　世界七
寶以用布施是人所得福德寧為多不須菩
提言甚多世尊何以故是福德即非福德性

BD01965號　金剛般若波羅蜜經　（13–1）

一切賢聖皆以无為法而有差別
須菩提於意云何若人[illegible]世界七
寶以用布施是人所得福德寧為多不須菩
提言甚多世尊何以故是福德即非福德性
是故如來說福德多若復有人於此經中受
持乃至四句偈等為他人說其福勝彼何以
故須菩提一切諸佛及諸佛阿耨多羅三藐
三菩提法皆從此經出[illegible]佛法者
即非佛法
須菩提於意云何須陀洹能作是念我得須
陀洹果不須菩提言不也世尊何以故須陀
洹名為入流而无所入不入色聲香味觸法
是名須陀洹須菩提於意云何斯陀含能作
是念我得斯陀含果不[illegible]也世尊
何以故斯陀含名一往來而實无往來是名
斯陀含須菩提於意云何阿那含能作是念
我得阿那含果不須菩[illegible]言不也世尊何以
故阿那含名為不來而實无來是故名阿那
含須菩提於意云何阿羅漢能作是念我得
阿羅漢道不須菩提言[illegible]以故實
无有法名阿羅漢世尊若阿羅漢作是念我
得阿羅漢道即為著我人眾生壽者世尊佛
說我得无諍三昧人中[illegible]為第一是第一離
欲阿羅漢我不作是念我是離欲阿羅漢世
尊我若作是念我得阿羅漢道世尊則不說
須菩提是樂阿蘭那行[illegible]提實无所

BD01965號　金剛般若波羅蜜經　（13–2）

說我得无諍三昧人中[illegible]為第一是第一離
欲阿羅漢我不作是念我是離欲阿羅漢世
尊我若作是念我得阿羅漢道世尊則不說
須菩提是樂阿蘭那行[illegible]提實无所
行而名須菩提是樂阿蘭那行
佛告須菩提於意云何如來昔在然燈佛所
於法有所得不世尊如來在然燈佛所於法
實无所得須菩提於意云何菩薩莊嚴佛土
不不也世尊何以故莊嚴[illegible]非莊嚴
是名莊嚴是故須菩提諸菩薩摩訶薩應如
是生清淨心不應住色生心不應住聲香味
觸法生心應无所住而生其心須菩提譬如
有人身如須彌山王於意云何是身為大不
須菩提言甚大世尊何以故佛說非身是名
大身須菩提如恒河中所[illegible]是沙等
恒河於意云何是諸恒河沙寧為多不須菩
提言甚多世尊但諸恒[illegible]尚多无數何況其
沙須菩提我今實言告汝若有善男子善女
人以七寶滿尒所恒河沙數三千大千世界
以用布施得福多不須菩[illegible]甚多世尊佛
告須菩提若善男子善女人[illegible]此經中乃至
受持四句偈等為他人說而此福德勝前福
德復次須菩提隨說是經乃至四句偈等當
知此處一切世間天人阿脩羅皆應供養如
佛塔廟何況有人盡能受持讀誦須菩提當
知是人成就最上第一希[illegible]是經典

BD01965號　金剛般若波羅蜜經　（13–3）

德復次須菩提隨說是經乃至四句偈等當
知此處一切世間天人阿脩羅皆應供養如
佛塔廟何况有人盡能受持讀誦須菩提當
知是人成就冣上第一希　是經典
所在之處則為有佛若尊重弟子
尒時須菩提白佛言世尊當何名此經我等
云何奉持佛告須菩提是經名為金剛般若
波羅蜜以是名字汝當奉持所以者何須菩
提佛說般若波羅蜜則非般若波羅蜜須菩
提於意云何如來有所說法不須菩提白佛
言世尊如來无所說須菩提於意云何三千
大千世界所有微塵是為多不須菩提言甚
多世尊須菩提諸微塵如來說非微塵是名
微塵如來說世界非世界是名世界須菩提
於意云何可以三十二相見如來不　不也世尊
不可以三十二相得見如來何以故如來說三十二
相即是非相是名三十二相須菩提若有善
男子善女人以恒河沙等身命布施若復有
人於此經中乃至受持四句偈等為他人說其福甚多
尒時須菩提聞說是經深解義趣涕淚悲泣
而白佛言希有世尊佛說如是甚深經典我
從昔來所得慧眼未曾得聞如是之經世尊
若復有人得聞是經信心清淨則生實相當
知是人成就第一希有功德世尊是實相者
則是非相是故如來說名　尊我今得

BD01965號　金剛般若波羅蜜經　　（13–4）

若復有人得聞是經信心清淨則生實相當
知是人成就第一希有功德世尊是實相者
則是非相是故如來說名　尊我今得
聞如是經典信解受持不足為難若當來世
後五百歲其有衆生得聞是經信解受持是
人則為第一希有何以故此人无我相人相衆
生相壽者相所以者何我相即是非相人相
衆生相壽者相即是非相何　離一切諸
相則名諸佛
佛告須菩提如是如是若復有人得聞是經
不驚不怖不畏當知是人甚為希有何以故
須菩提如來說第一波羅蜜非第一波羅蜜
是名第一波羅蜜
須菩提忍辱波羅蜜如來說非忍辱波羅蜜
何以故須菩提如我昔為歌利王割截身體
我於尒時无我相无人相无衆生相无壽者
相何以故我於往昔節節支解時若有我相
人相衆生相壽者相應生瞋恨須菩提又念
過去於五百世作忍辱仙人於尒所世无我相
无人相无衆生相无壽者相是故須菩提
菩薩應離一切相發阿耨多羅三藐三菩提
心不應住色生心不應住聲香味觸法生心應
生无所住心若心有住則為非住是故佛說
菩薩心不應住色布施須菩提菩薩為利益
一切衆生應如是布施如來說一切諸相即

BD01965號　金剛般若波羅蜜經　　（13–5）

心不應住色生心不應住聲香味觸法生心應
生无所住心若心有住則為非住是故佛說
菩薩心不應住色布施須菩提菩薩為利益
一切衆生應如是布施如來說一切諸相即
是非相又說一切衆生則非衆生須菩提如
來是真語者實語者如語者不誑語者不
異語者須菩提如來所得法此法无實无虛
須菩提若菩薩心住於法而行布施如人入
闇則无所見若菩薩心不住法而行布施如
人有目日光明照見種種色須菩提當來之
世若有善男子善女人能於此經受持讀誦
則為如來以佛智慧悉知是人悉見是人皆
得成就无量无邊功德
須菩提若有善男子善女人初日分以恒河
沙等身布施中日分復以恒河沙等身布施
後日分亦以恒河沙等身布施如是无量百
千萬億劫以身布施若復有人聞此經典信
心不逆其福勝彼何況書寫受持讀誦為人
解說須菩提以要言之是經有不可思議不
可稱量无邊功德如來為發大乘者說為發
最上乘者說若有人能受持讀誦廣為人說
如來悉知是人悉見是人皆得成就不可量
不可稱无有邊不可思議功德如是人等則
為荷擔如來阿耨多羅三藐三菩提何以故
須菩提若樂小法者著我見人見衆生見壽
者見則於此經不能聽受讀誦為人解說須

BD01965號　金剛般若波羅蜜經　（13–6）

不可稱无有邊不可思議功德如是人等則
為荷擔如來阿耨多羅三藐三菩提何以故
須菩提若樂小法者著我見人見衆生見壽
者見則於此經不能聽受讀誦為人解說須
菩提在在處處若有此經一切世間天人阿脩
羅所應供養當知此處則為是塔皆應恭敬
作禮圍繞以諸華香而散其處
復次須菩提善男子善女人受持讀誦此經
若為人輕賤是人先世罪業應墮惡道以今世
人輕賤故先世罪業則為消滅當得阿耨多
羅三藐三菩提須菩提我念過去无量阿僧
祇劫於然燈佛前得值八百四千萬億那由
他諸佛悉皆供養承事无空過者若復有
人於後末世能受持讀誦此經所得功德於
我所供養諸佛功德百分不及一千萬億分乃
至筭數譬喻所不能及須菩提若善男子善
女人於後末世有受持讀誦此經所得功德
我若具說者或有人聞心則狂亂狐疑不信
須菩提當知是經義不可思議果報亦不可
思議
尒時須菩提白佛言世尊善男子善女人發阿
耨多羅三藐三菩提心云何應住云何降伏其
心佛告須菩提善男子善女人發阿耨多
羅三藐三菩提者當生如是心我應滅度一
切衆生滅度一切衆生已而无有一衆生實

BD01965號　金剛般若波羅蜜經　（13–7）

耨多羅三藐三菩提心云何應住云何降伏其
心佛告須菩提善男子善女人發阿耨多
羅三藐三菩提者當生如是心我應滅度一
切衆生滅度一切衆生已而[illegible]一衆生實
滅度者何以故若菩薩有我相人相衆生相
壽者相則非菩薩所以者何須菩提實无
有法發阿耨多羅三藐三菩提者須菩提於
意云何如來於然燈佛所有法得阿耨多羅
三藐三菩提不不也世尊如我解佛所說義
佛於然燈佛所无有法得阿耨多羅三藐三
菩提佛言如是如是須菩提實无有法如來
得阿耨多羅三藐三菩提須菩提若有法如
來得阿耨多羅三藐三菩提者然燈佛則不
與我受記汝於來世當得作佛号釋迦牟尼
以實无有法得阿耨多羅三藐三菩提是故
然燈佛與我受記作是言汝[illegible]世當得作
佛号釋迦牟尼何以故如來者即諸法如義
若有人言如來得阿耨多羅三藐三菩提須
菩提實无有法佛得阿耨多羅三藐三菩提
須菩提如來所得阿耨多羅[illegible]三菩提於
是中无實无虛是故如來說一切法皆是佛
法須菩提所言一切法者即非一切法是故
名一切法須菩提譬如人身長大須菩提言
世尊如來說人身長大則爲非[illegible]身是名大
身須菩提菩薩亦如是若作是言我當滅度
无量衆生則不名菩薩何以故須菩提實无

名一切法須菩提譬如人身長大須菩提言
世尊如來說人身長大則爲非[illegible]身是名大
身須菩提菩薩亦如是若作是言我當滅度
无量衆生則不名菩薩何以故須菩提實无
有法名爲菩薩是故佛說一切法无我无人
无衆生无壽者須菩提若菩薩作是言我當
莊嚴佛土是不名菩薩何以故如來說莊嚴
佛土者即非莊嚴是名莊嚴須菩提若菩薩
通達无我法者如來說名真是菩薩
須菩提於意云何如來有肉眼不如是世尊
如來有肉眼須菩提於意云何如來有天眼
不如是世尊如來有天眼須菩提於意云何
如來有慧眼不如是世尊如來有慧眼須菩
提於意云何如來有法眼不如是世尊如來
有法眼須菩提於意云何如來有佛眼不如
是世尊如來有佛眼須菩提於意云何恒河
中所有沙佛說是沙不如是世尊如來說是
沙須菩提於意云何如一恒河中所有沙有
如是等恒河是諸恒河所有沙數佛世界如
是寧爲多不甚多世尊佛告須菩提尒所國
土中所有衆生若干種心如來悉知何以故
如來說諸心皆爲非心是名爲心所以者何
須菩提過去心不可得現在心不可得未來
心不可得須菩提於意云何若有人滿三千
大千世界七寶以用布施是人以是因緣得福

如來說諸心皆爲非心是名爲心所以者何
須菩提過去心不可得現在心不可得未來
心不可得須菩提於意云何若有人滿三千
大千世界七寶以用布施是人以是因緣得福
多不如是世尊此人以是因緣得福甚多
須菩提若福德有實如來不說得福德多以
福德无故如來說得福德多
須菩提於意云何佛可以具足色身見不不
也世尊如來不應以具足色身見何以故如來
說具足色身即非具足色身是名具足色身
須菩提於意云何如來可以具足諸相見不不
也世尊如來不應以具足諸相見何以故如
來說諸相具足即非具足是名諸相具足須
菩提汝勿謂如來作是念我當有所說法莫
作是念何以故若人言如來有所說法即爲
謗佛不能解我所說故須菩提說法者无法
可說是名說法須菩提白佛言世尊佛得阿
耨多羅三藐三菩提爲无所得耶如是如是
須菩提我於阿耨多羅三藐三菩提乃至无
有少法可得是名阿耨多羅三藐三菩提復
次須菩提是法平等无有高下是名阿耨多
羅三藐三菩提以无我无人无衆生无壽者
脩一切善法則得阿耨多羅三藐三菩提須
菩提所言善法者如來說非善法是名善法
須菩提若三千大千世界中所有諸須彌山
王如是等七寶聚有人持用布施若人以此

BD01965號　金剛般若波羅蜜經　（13–10）

脩一切善法則得阿耨多羅三藐三菩提須
菩提所言善法者如來說非善法是名善法
須菩提若三千大千世界中所有諸須彌山
王如是等七寶聚有人持用布施若人以此
般若波羅蜜經乃至四句偈等受持讀誦爲
他人說於前福德百分不及一百千萬億分乃
至筭數譬喻所不能及
須菩提於意云何汝等勿謂如來作是念我
當度衆生須菩提莫作是念何以故實无有
衆生如來度者若有衆生如來度者如來則
有我人衆生壽者須菩提如來說有我者則
非有我而凡夫之人以爲有我須菩提凡夫
者如來說則非凡夫須菩提於意云何可以
三十二相觀如來不須菩提言如是如是以
三十二相觀如來佛言須菩提若以三十二
相觀如來者轉輪聖王則是如來須菩提白
佛言世尊如我解佛所說義不應以三十二
相觀如來尒時世尊而說偈言
若以色見我　以音聲求我　是人行邪道　不能見如來
須菩提汝若作是念如來不以具足相故得
阿耨多羅三藐三菩提須菩提莫作是念如
來不以具足相故得阿耨多羅三藐三菩提
須菩提汝若作是念發阿耨多羅三藐三菩
提者說諸法斷滅相莫作是念何以故發阿
耨多羅三藐三菩提者於法不說斷滅相須

BD01965號　金剛般若波羅蜜經　（13–11）

須菩提汝若作是念發阿耨多羅三藐三菩
提者說諸法斷滅相莫作是念何以故發阿
耨多羅三藐三菩提者於法不說斷滅相須
菩提若菩薩以滿恒河沙等世界七寶布施
若復有人知一切法无我得成於忍此菩薩
勝前菩薩所得功德須菩提以諸菩薩不受
福德故須菩提白佛言世尊云何菩薩不受
福德須菩提菩薩所作福德不應貪著是故
說不受福德須菩提若有人言如來若來若
去若坐若卧是人不解我所說義何以故如
來者无所從來亦无所去故名如來
須菩提若善男子善女人以三千大千世界
碎為微塵於意云何是微塵衆寧為多不甚
多世尊何以故若是微塵衆實有者佛則不
說是微塵衆所以者何佛說微塵衆則非微
塵衆是名微塵衆世尊如來所說三千大千
世界則非世界是名世界何以故若世界實有
者則是一合相如來說一合相則非一合相是
名一合相須菩提一合相者則是不可說但
凡夫之人貪著其事須菩提若人言佛說我
見人見衆生見壽者見須菩提於意云何
是人解我所說義不世尊是人不解如來所
說義何以故世尊說我見人見衆生見壽者
見即非我見人見衆生見壽者見是名我見
人見衆生見壽者見須菩提發阿耨多羅三

BD01965號　金剛般若波羅蜜經　（13–12）

說義何以故世尊說我見人見衆生見壽者
見即非我見人見衆生見壽者見是名我見
人見衆生見壽者見須菩提發阿耨多羅三
藐三菩提心者於一切法應如是知如是見
如是信解不生法相須菩提所言法相者如
來說即非法相是名法相須菩提若有人
以滿无量阿僧祇世界七寶持用布施若有
善男子善女人發菩薩心者持於此經乃至
四句偈等受持讀誦為人演說其福勝彼云
何為人演說不取於相如如不動何以故
一切有為法　如夢幻泡影　如露亦如電　應作如是觀
佛說是經已長老須菩提及諸比丘比丘尼
優婆塞優婆夷一切世間天人阿脩羅聞佛
所說皆大歡喜信受奉行

金剛般若波羅蜜經

BD01965號　金剛般若波羅蜜經　（13–13）

乎名天部龍八部神鬼集會印第七
起立並足先以左手无名指捻大母指甲上次以右手
指及中指直竪頭相拄合腕以頭指來去呪曰
唵一 薩婆提婆那伽二 阿去 攞耶三 莎訶
乎名大梵天王及帝釋迦來門法印第八
准前印上開腕以手側相拄仰掌以頭指來去呪曰
唵一 摩訶梵摩去耶二 瑿醯夷醯三 莎訶
此印呪法能攝受光顯光數陁羅尼印法門悉皆靈
日月食時呪藉廿三 印印藉食者令人聡明日誦
万偈此印法門日旅如來受與觀世音菩薩
菩薩歡喜摩尼隨意明珠印第九
起立合掌當心以二大母指雙屈入掌中餘四指直竪合掌
當心誦前大身呪廿一遍决定得入諸天宮殿遊歷十方諸
佛刹土百千珍寶隨心皆得供養諸佛若有人能作此法
門者晨朝早起清淨澡漱作此印法面見十方恒沙諸佛
除无量劫來生死惡業重罪是故讚歎如是功德
乞願隨心呪印第十 准前印屈二頭指相拄大母指押上其頭指背相著用前大身呪若人隨所求願皆悉滿足定不退菩薩之道
入藏盡空三昧印第十一
准前印直竪散頭指大母指開掌此印我在因地時恒河沙
諸佛受我此法令我得證菩提之道用大身呪

BD01966號　千眼千臂觀世音菩薩陀羅尼神咒經（B本異卷）卷下　（12–1）

乞願隨心呪印第十 准前印屈二頭指相拄大母指押上其頭指背相著用前大身呪若人隨所求願皆悉滿足定不退菩薩之道
入藏盡空三昧印第十一
准前印直竪散頭指大母指開掌此印我在因地時恒河沙
諸佛受我此法令我得證菩提之道用大身呪
請佛三昧印第十二
准前印合掌當心頭指來去呪曰
唵一 薩婆勃陁二 摩去耶二 瑿醯夷醯三 鉢囉摩輸陀
四 莎訶五
十肘曼荼羅法門次說壇法凡作一切曼荼羅法門
誰業梵本云此國土先有作曼荼羅地如彼天竺皆身
上勝福德之地以為壇場婆羅門國別有擇地方法不
法不能廣說且論漢地第一山居閑靜之處極地去其
石礫及瓦器惡物然始平治以牛糞摩夷和香塗地縱廣
一丈六尺壇開四門東方門安提頭賴吒天王南門安毗樓
勒叉天王西方安毗樓博叉天王北方安毗沙門天王次安天王
右及其眷屬各居本位其曼荼羅中心安千眼千臂
觀世音菩薩像像前置案案上置呪法燒種種香
安種種飲食散種種花以為供養唯除雜物葷辛
酒肉自外日別造香鮮者供養日別不闕如是乃至三七
日盡心供養但准法呼名一切皆來其法師面向東方誦
呪作前第一第二第三乃至第十二請佛三昧印作法

BD01966號　千眼千臂觀世音菩薩陀羅尼神咒經（B本異卷）卷下　（12–2）

酒肉自外日別造香鮮者供養日別不斷如是乃至三七
日盡心供養 但淮法呼名一切皆来其六法師面向東方誦
呪作前弟一弟二弟三乃至弟十二請佛三昧印作此
一遍各誦呪七遍乃至弟十二印畢當自發不退堅固
法呼名一切皆来令菩提心決定端坐想一切神在其眼前一
无鄣難不得異境誦前大身呪滿一千八遍尒時觀世
音菩薩現身當化現阿難身相白八米問行者所須何
法求何願耶行者白言為求无上菩提陁羅尼法當像
受記之時唯願發勤心不求名聞利養所願願救一切
生觀同一子又願一切鬼神悉皆順伏得如是願已但自知
不得向人傳說（一遍當此法与吾等一本學得即共和本唯有此本自外更究知此一切法門悉皆成就）
又法若欲得一切願者當作四肘水界禁羅法燒沈水香誦
呪一百八遍作前弟十七願印即得一切如願滿足又法若
欲得一切歡喜者作前弟九歡喜摩尼隨意明珠印誦
大身呪呪烏麻廿一遍火中燒之即得如意若欲令冨
羅二合闍歡喜者當取烏羅二合 闍國內樹枝呪廿一遍
置國中即得歡喜若欲得降伏惡人怨家者
呪苦練木廿一遍火中燒之即得歸伏又法若有鬼神
難伏者取安悉香及白芥子呪廿一遍置火中燒一切神鬼
病者然者伏若有疾病流行者當作四肘水界等
羅取牛蘇呪一百八遍火中燒之一切災疫悉皆消

BD01966號　千眼千臂觀世音菩薩陀羅尼神咒經（B本異卷）卷下　（12–3）

呪苦練木廿一遍火中燒之即得歸伏又法若有鬼神
難伏者取安悉香及白芥子呪廿一遍置火中燒一切神鬼
病者然者伏若有疾病流行者當作四肘水界等
羅取牛蘇呪一百八遍火中燒之一切災疫悉皆消
滅又蘇取少分與病人食之立除愈 若有罽賓國
疫患流行得病不過一二日並死有婆羅門真帝將
此法行疫病應時即得消滅行病鬼王出離國境
有驗耳又法他國侵擾盜賊逆乱起来作前弟一惣
攝身印呪一百八遍一切盜賊自然殄滅若一切業報衆生
命根盡者作前滅盡定印日日供養燒沈水香誦呪
滿一千八十遍即得轉其業鄣若有女人臨當産時受
大苦惱呪蘇廿一遍令彼食之定得安樂所生男女具大
相好衆善庄嚴宿殖德本令人愛敬常於人中
勝妓樂若有衆生有眼痛者以菩薩千眼印呪廿一
遍以姥陁羅尼印印眼眼即光明徹見上界諸天受
勝妓樂
菩薩畫像法門次説畫像
法鞋素梵本造像皆用白疊廣十肘此土一丈六尺
長二十肘此土三丈二尺菩薩身作檀金色面有三眼一千
臂一一掌中有一眼綵色中不得着膠以香乳和綵色菩
薩頭着七寶天冠身垂瓔珞又一本云此无好白疊
取一幅白疊菩薩身長五尺作兩臂此法亦依梵

BD01966號　千眼千臂觀世音菩薩陀羅尼神咒經（B本異卷）卷下　（12–4）

長三肘此土三丈二尺菩薩身作檀金色面有三眼一千
臂一一掌中有一眼綵色中不得著膠以香乳和綵色菩
薩頭著七寶天冠身垂瓔珞又一本云此元好白疊五
取一幅白疊菩薩身長五尺作兩臂此法亦依梵
本唯菩薩額上更安一眼即得若欲供養此法門
者先須畫像其畫像法必須作婆羅門如法令
受八戒齋若出一上廁一洗浴其像作成安置壇中即須
廣設供養作法祈請滿三七日千眼千臂觀世音菩
像必放大光明過於日月除不至心其千眼千臂觀
世音菩薩法武德年中天竺婆羅門瞿陀提婆
有像本來進入通使梵本只言千眼千臂過去毗婆
尸佛等亦現作降伏魔身千眼中各出一佛以爲賢
劫千佛世尊臂各各化出一輪王爲千代輪轉聖王此
菩薩降魔身中最爲第一尒時世尊等告觀世音菩
薩我以佛神力窮劫廣說不能得盡尒時觀世音
菩薩聞佛說已歡喜信受作禮奉行尒時觀世音
菩薩說是神呪時三千大千世界乃至非想非非想天
六反震動色究竟天摩醯首羅不安其處皆大恐
懼一切惡鬼皆大叫喚受大苦惱東西散走莫知所趣尒
時化身諸諸大衆及諸惡鬼神等若不隨我呪者違

BD01966 號　千眼千臂觀世音菩薩陀羅尼神咒經（B 本異卷）卷下　（12–5）

懼一切惡鬼皆大叫喚受大苦惱東西散走莫知所趣尒
時化身諸諸大衆及諸惡鬼神等若不隨我呪者違
逆者頭破碎此呪能摧破諸山乾竭大海此呪能摧伏
脩羅軍護諸國土此呪能摧伏一切諸惡鬼神一切諸病
一切惡毒一切惡人此呪能摧碎卅三天皆令降伏若有
善男子有能誦持此呪者其人威力說不可盡此中
能令誦持之者豪貴自在亦能令國王終身受念稱
意一所求悉皆滿足若欲降伏魔惡者當燒求羅香
稱我身呪廿一遍若欲自身辯才智慧者呪白楊枝廿一遍
口嚼之即得愛敬若欲令一切人愛己者呪菖蒲
一千八遍塗其心上即得辯才無礙作娑陀羅尼心呪印
菩薩辯才無礙印第十三
以兩手相背合掌大母指向前翻此印能自護護他
當須結界隨一所心方或呪淨水或呪淨灰各呪七遍
一所在住處以手掬一掬水灰先灑自身然後向於四方
四角如法灑若有善男子善女人被諸惡鬼邪魍魎
之所惑亂者取石榴枝及柳枝誦此呪鞭打病人無病
不差呪曰
南无薩婆勃陀達摩僧祇比耶南无阿利耶
婆盧吉伍攝伐羅寫菩提薩多跛寫南无破
[illegible]

BD01966 號　千眼千臂觀世音菩薩陀羅尼神咒經（B 本異卷）卷下　（12–6）

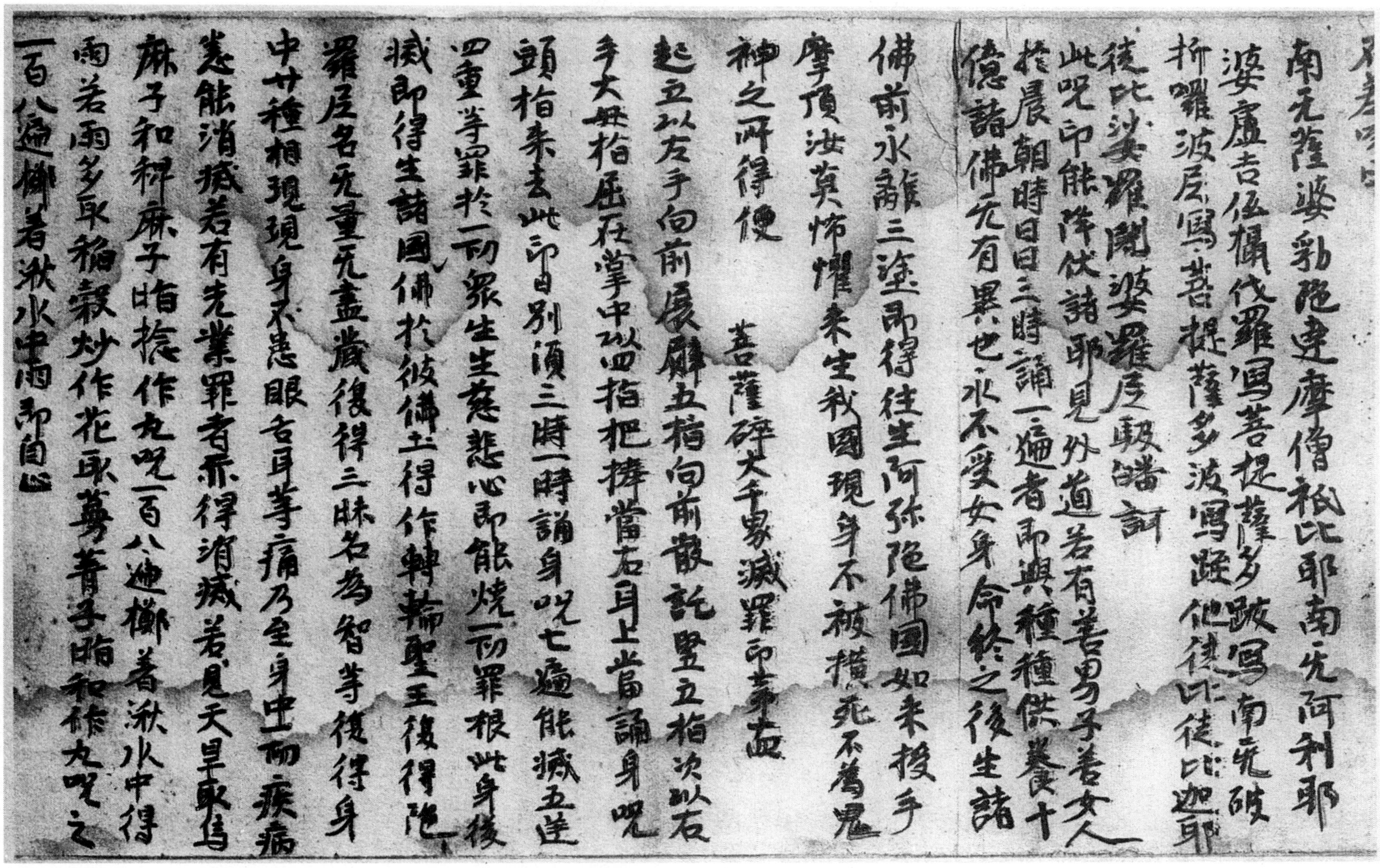

南无薩婆勃陁達摩僧祇比耶南无阿利耶
婆盧吉伭攝伐羅寫菩提薩多跋寫南无破
折囉波尼寫菩提薩多波寫㧴他徒比徒比迦耶
徒比婆羅闍婆羅尼馭鐠訶
此呪印能降伏諸耶見外道若有善男子善女人
於晨朝時日日三時誦一遍者即與種種供養十
億諸佛无有異也。永不受女身命終之後生諸
佛前永離三塗即得往生阿弥陁佛國如来授手
摩頂汝莫怖懼来生我國現身不被横死不為鬼
神之所得便　菩薩碎大千界滅罪印第十四
起立以左手向前展舒五指向前散託竪五指次以右
手大拇指屈在掌中以四指把拳當右耳上當誦身呪
頭指来去此印日別須三時一時誦身呪七遍能滅五逆
四重等罪於一切衆生生慈悲心即能燒一切罪根此身後
滅即得生諸國佛於彼佛土得作轉輪聖王復得陁
羅尼名无量无盡藏復得三昧名為智等復得身
中卅種相現身不患眼舌耳等痛乃至身中一切疾病
悉能消滅若有先業罪者亦得消滅若見天旱取烏
麻子和粇麻子皆搗作丸呪一百八遍擲着湫水中得
雨若雨多取稻穀炒作花取蔓菁子皆和作丸呪之
一百八遍擲着湫水中雨即自止

BD01966號　千眼千臂觀世音菩薩陀羅尼神咒經（B本異卷）卷下　（12–7）

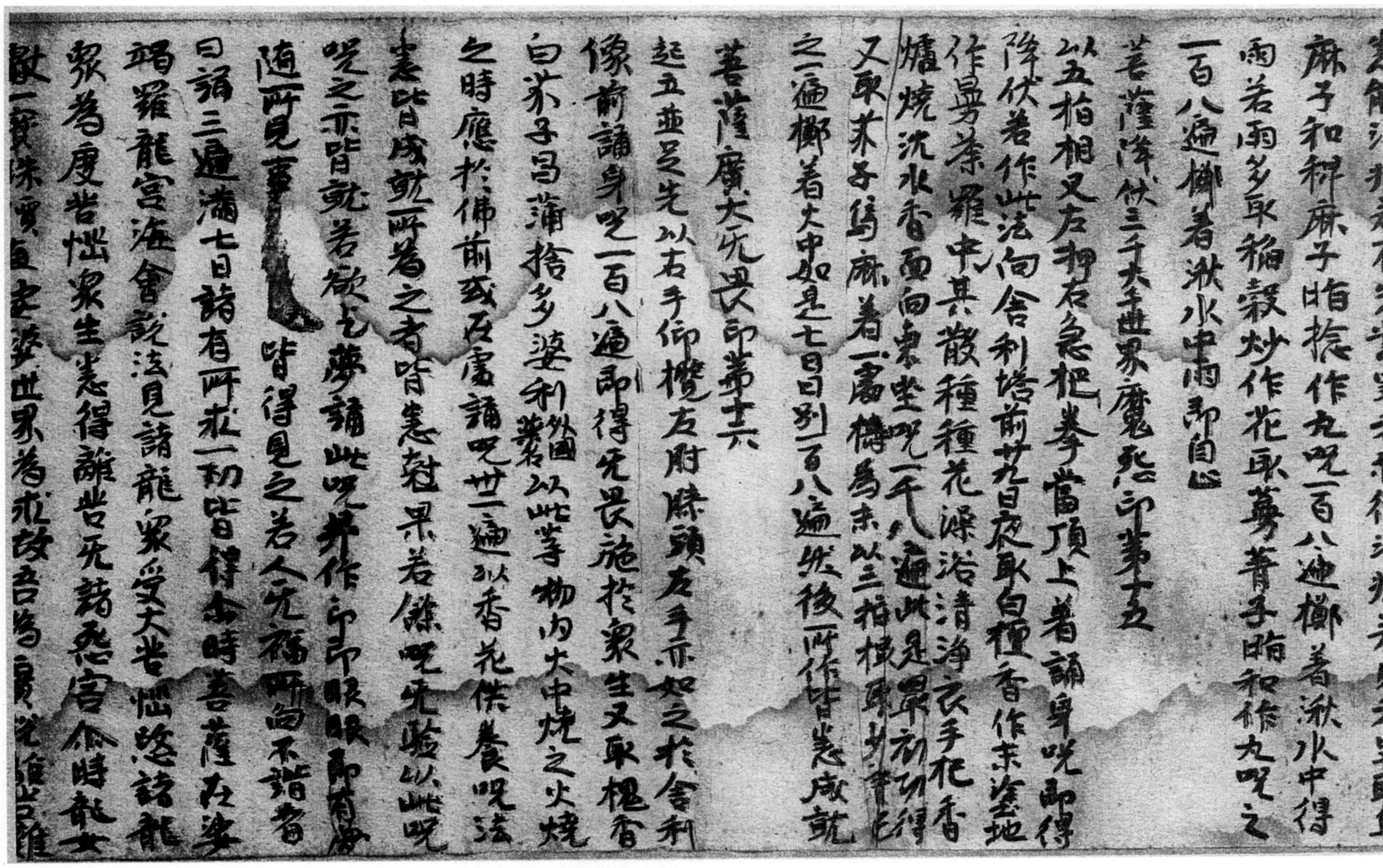

麻子和粇麻子皆搗作丸呪一百八遍擲着湫水中得
雨若雨多取稻穀炒作花取蔓菁子皆和作丸呪之
一百八遍擲着湫水中雨即自止
菩薩降伏三千大千世界魔冤印第十五
以五指相叉左押右急把拳當頂上着誦身呪即得
降伏若作此法向舍利塔前廿九日夜取白檀香作末塗地
作曼荼羅中其散種種花澡浴清淨衣手把香
爐燒沉水香面向東坐呪一千八遍此是畢初功得
又取芥子烏麻着一處擣為末以三指撮取身前自
之一遍擲着火中如是七日日別一百八遍然後一所作皆悉成就
菩薩廣大无畏印第十六
起立並足先以右手仰攬左肘膝頭左手亦如之於舍利
像前誦身呪一百八遍即得无畏施於衆生又取槐香
白芥子昌蒲搭多婆利外國藥以此等物內大中燒之火燒
之時應於佛前或在處誦呪廿一遍以香花供養呪法
悉皆成就所為之者皆悉尅果若餘呪无驗以此呪
呪之亦皆就若欲七夢誦此呪并作印即眼眼即有夢
隨所見事皆得見之若人无福所向不諧者
日誦三遍滿七日諸有所求一切皆得尒時菩薩在娑
竭羅龍宮海會說法見諸龍衆受大苦惱路諸龍
衆為度苦惱衆生悉得離苦无諸惡宫尒時龍女
獻一寶珠價直娑婆世界為求故吾為

BD01966號　千眼千臂觀世音菩薩陀羅尼神咒經（B本異卷）卷下　（12–8）

日誦三遍滿七日誦有四十一切皆得尒時菩薩在娑
竭羅龍宮海會說法見諸龍衆受大苦惱然諸龍
衆爲度苦惱衆生悉得離苦无諸怨害尒時龍女
獻一寶珠價直娑婆世界爲求故吾爲廣說離苦難
水精菩薩護持千眼印呪第十七
尒時水精菩薩爲欲利益護持此呪而說呪曰
咄摩跢摩訶咄摩跢郁呵跢摩訶郁呵跢休摩跢
摩訶休摩跢薩訶跢心跢涕馭婆訶
若有善男子善女人在所遊方受持此千眼千臂菩
薩法者我當隨衛護乃至諸魔眷屬无惱亂者
若人急難他國相侵盜賊逆乱當取五色綫結
誦呪廿一遍一遍一結繫於左臂又以左手无名指中指
頭指把拳大母指上展小母指指所賊方誦呪遍七悉除
退散不能爲害尒時菩薩在雪山中說法觀見夜
叉羅剎國中人民唯食衆生血肉无有善心若菩薩爲
欲利益方便教化衆生以神通力尋至彼國現千眼千
臂降伏魔身設成就娆陀羅印尒時羅剎國王來至我
所所求皆得　菩薩成就第十八
起立並足合掌當心以小指又左押右誦身呪廿一遍種種皆
得成就若救六道苦難衆生當用輪印以十指頭各相跓開
腕掌中使開其六指開各去一寸許即是菩薩在六道脩

BD01966 號　千眼千臂觀世音菩薩陀羅尼神咒經（B 本異卷）卷下　（12–9）

起立並足合掌當心以小指又左押右誦身呪廿一遍種種皆
得成就若救六道苦難衆生當用輪印以十指頭各相跓開
腕掌中使開其六指開各去一寸許即是菩薩在六道脩
還度諸苦難以此印輪迴悉得離苦　菩薩成等正覺印第十九
結跏趺坐先以左手舒五指仰掌在左膝上次以右手舒五指
覆手捺右膝上此與減盡印法同過去未來現在諸佛皆同
此印得佛菩薩提此印能除一切業鄣若坐禪誦法不現
前者當七日七夜於阿練若處誦此陀羅尼并作此印法至心
念佛晝夜六時懺悔即得諸法現前及所得福无量无
邊不可稱計　菩薩呼召卅三天印第廿
先以左手四指把拳次以右手握左手大母指亦如把拳令左手
大母指在右手虎口中出頭以右手頭指來去呪曰
唵一俱智俱智二俱耶利三遮利遮利四遮利牟盧五蘇婆訶六
此陀羅尼印呪不可思議若善男子善女人臨欲眠時
誦此呪一百八遍心中所願於夢寐中悉得知見若能日日
誦此呪者亦能滅一切罪不失菩提心其人夢寐漸漸增
廣皆得吉祥乃至夢見如來在菩提樹下授記成道
乃至梵光諸天常來侍衛　菩薩呼召天龍八部鬼神印第廿一
起立並足先以左手大母指屈在掌中四指把拳當心上着次以
右手亦如之以右手在右耳邊以頭指來去呪曰
南无尼乾陀一南无阿利闍波陀二馭婆訶三南无阿利闍
羅馭婆訶四唖醯醯五馭婆訶六

BD01966 號　千眼千臂觀世音菩薩陀羅尼神咒經（B 本異卷）卷下　（12–10）

起立並足先以左手大母指壓在掌中四指把拳當心上著次以
右手亦如之以右手在右耳邊以頭指來去呪曰
南无尼乾陀一南无阿利闍波陀二娑婆訶三南无阿利闍
羅娑婆訶四 唵醯醯醯五 娑婆訶六
此印呪若善男子善女人受持誦者知七世宿命善惡不敢憋
藥不能傷刀不能害王亦不能瞋水亦不受地獄苦若
誦此呪時廿八部鬼神來詣誦呪人邊坐聽呪若善男子
善女人為鬼魅所著以白縷為呪索一遍一結如是卅九結
繫其咽下其病即除若國內災疫流行國人死亡多者
當取王園池中蓮花一千八莖一花為呪一遍置火中燒令
湯盡災疫即除　菩薩解印第廿二
結跏趺坐先以左手中指與大母指頭相捻仰掌向上餘
三指散展置於左膝上次以右手亦如之覆手置於右膝
上誦身呪廿遍所願悉皆滿足諸有苦惱悉皆解脫
若善男子善女人具造十惡五逆等罪如閻浮塵地獄
塵二微塵成於一劫是人造若干等罪應墮地獄
歷劫受苦永无出期是善男子善女人能於舍利像
前白月十五日一日一夜不食結印誦呪滿一百八遍如上諸苦
悉皆消滅若不滅者无有是處不可思議
菩薩自在神足印第廿三
起立先以左手摳左腳大母指如把拳次以右手摳左手腕

BD01966 號　千眼千臂觀世音菩薩陀羅尼神咒經（B 本異卷）卷下　（12–11）

歷劫受苦永无出期是善男子善女人能於舍利像
前白月十五日一日一夜不食結印誦呪滿一百八遍如上諸苦
悉皆消滅若不滅者无有是處不可思議
菩薩自在神足印第廿三
起立先以左手摳左腳大母指如把拳次以右手摳左手腕
背上誦身呪七遍欲涉千里不以為難誦呪之時勿令出聲
菩薩神變自在印第廿四
先以左手大母指捻小指甲上次以右手亦如之解三指各散豎
合腕相著置於頂上誦身呪廿遍皆得巡行自在
昔有罽賓國僧闍提於北天竺求得此梵本未曾翻譯
自得受持威力廣大不敢流傳智通此於僧弟婆伽邊
得本法受持功効不少唯不流行於代此本絕无後國學
得者願同功力　菩薩王心印呪第廿五
唵一阿嚕力希癈路迦 三夜 毗社 時反 耶薩婆鑠覩嚧 二合
鉢囉摩默娜迦囉耶𤚥泮莎訶
佛說千眼千臂觀世音菩薩陀羅尼經卷下

BD01966 號　千眼千臂觀世音菩薩陀羅尼神咒經（B 本異卷）卷下　（12–12）

皆謂世尊同其語　斯則神力不共法
佛以一音演說法　衆生各各隨所解
普得受行獲其利　斯則神力不共法
佛以一音演說法　或有恐畏或歡喜
或生厭離或斷疑　斯則神力不共法
稽首十力大精進　稽首已得无所畏
稽首住於不共法　稽首一切大導師
稽首能斷衆結縛　稽首已到於彼岸
稽首能度諸世間　稽首永離生死道
悉知衆生來去相　善於諸法得解脫
不著世間如蓮華　常善入於空寂行
達諸法相无罣礙　稽首如空无所依
尒時長者子寶積說此偈已白佛言世尊是
五百長者子皆已發阿耨多羅三藐三菩提
心願聞得佛國土清淨唯願世尊說諸菩薩
淨土之行佛言善哉寶積乃能為諸菩薩問
於如來淨土之行諦聽諦聽善思念之當為
汝說於是寶積及五百長者子受教而聽佛
言寶積衆生之類是菩薩佛土所以者何菩
薩隨所化衆生而取佛土隨所調伏衆生而
取佛土隨諸衆生應以何國入佛智慧而取
佛土隨諸衆生應以何國起菩薩根而取佛
土所以者何菩薩取於淨國皆為饒益諸衆

BD01967 號　維摩詰所說經卷上　（12–1）

汝說於是寶積及五百長者子受教而聽佛
言寶積衆生之類是菩薩佛土所以者何菩
薩隨所化衆生而取佛土隨所調伏衆生而
取佛土隨諸衆生應以何國入佛智慧而取
佛土隨諸衆生應以何國起菩薩根而取佛
土所以者何菩薩取於淨國皆為饒益諸衆
生故譬如有人欲於空地造立宮室隨意无
礙若於虛空終不能成菩薩如是為成就衆
生故願取佛國願取佛國者非於空也寶積
當知直心是菩薩淨土菩薩成佛時不諂衆
生來生其國深心是菩薩淨土菩薩成佛時
具足功德衆生來生其國大乘心是菩薩淨
土菩薩成佛時大乘衆生來生其國布施是
菩薩淨土菩薩成佛時一切能捨衆生來生
其國持戒是菩薩淨土菩薩成佛時行十善
道滿願衆生來生其國忍辱是菩薩淨土菩
薩成佛時三十二相莊嚴衆生來生其國精
進是菩薩淨土菩薩成佛時勤脩一切功德衆
生來生其國禪定是菩薩淨土菩薩成佛時
攝心不亂衆生來生其國智慧是菩薩淨土
菩薩成佛時正定衆生來生其國四无量心
是菩薩淨土菩薩成佛時成就慈悲喜捨衆
生來生其國四攝法是菩薩淨土菩薩成佛
時解脫所攝衆生來生其國方便是菩薩淨
土菩薩成佛時於一切法方便无礙衆生來

BD01967 號　維摩詰所說經卷上　（12–2）

是菩薩淨土菩薩成佛時成就慈悲喜捨衆
生來生其國四攝法是菩薩淨土菩薩成佛
時解脫所攝衆生來生其國方便是菩薩淨
土菩薩成佛時於一切法方便无礙衆生來
生其國卅七道品是菩薩淨土菩薩成佛時
念處正勤神足根力覺道衆生來生其國迴
向心是菩薩淨土菩薩成佛時得一切具足
功德國土說除八難是菩薩淨土菩薩成佛
時國土无有三惡八難自守戒行不譏彼闕
是菩薩淨土菩薩成佛時國土无有犯禁之
名十善是菩薩淨土菩薩成佛時命不中夭
大富梵行所言誠諦常以軟語眷屬不離善
和諍訟言必饒益不嫉不恚正見衆生來生
其國如是寶積菩薩隨其直心則能發行隨
其發行則得深心隨其深心則意調伏隨意
調伏則如說行隨如說行則能迴向隨其迴向
則有方便隨其方便則成就衆生隨成就衆
生則佛土淨隨佛土淨則說法淨隨說法淨
則智慧淨隨智慧淨則其心淨隨其心淨則
一切功德淨是故寶積若菩薩欲得淨土當
淨其心隨其心淨則佛土淨
尒時舍利弗承佛威神作是念若菩薩心淨
則佛土淨者我世尊本為菩薩時意豈不淨
而是佛土不淨若此佛知其念即告之言於
意云何日月豈不淨邪而盲者不見對曰不
也世尊是盲者過非日月咎舍利弗衆生罪

BD01967號　維摩詰所說經卷上　（12–3）

則佛土淨者我世尊本為菩薩時意豈不淨
而是佛土不淨若此佛知其念即告之言於
意云何日月豈不淨邪而盲者不見對曰不
也世尊是盲者過非日月咎舍利弗衆生罪
故不見如來佛國嚴淨非如來咎舍利弗我
見此土清淨而汝不見尒時螺髻梵王語舍利
弗勿作是意謂此佛土以為不淨所以者何我
見釋迦牟尼佛土清淨譬如自在天宮舍利
弗言我見此土丘陵坑坎荊蕀沙礫土石諸
山穢惡充滿螺髻梵言仁者心有高下不依
佛慧故見此土為不淨耳舍利弗菩薩於一
切衆生悉皆平等深心清淨依佛智慧則能
見此佛土清淨於是佛以足指案地即時三
千大千世界若干百千珍寶嚴飾譬如寶
莊佛无量功德寶莊嚴土一切大衆嘆未曾
有而皆自見坐寶蓮華佛告舍利弗汝且觀
是佛土嚴淨舍利弗言唯然世尊本所不見
本所不聞今佛國土嚴淨悉現佛語舍利弗
我佛國土常淨若此為欲度斯下劣人故示是
衆惡不淨土耳譬如諸天共寶器食隨其福
德飯色有異如是舍利弗若人心淨便見此
土功德莊嚴當佛現此國土嚴淨之時寶
積所將五百長者子皆得无生法忍八万四
千人發阿耨多羅三藐三菩提心佛攝神足
於是世界還復如故求聲聞乘三萬二千天
及人知有為法皆悉无常遠塵離垢得法

BD01967號　維摩詰所說經卷上　（12–4）

千人發阿耨多羅三藐三菩提心佛攝神足
於是世界還復如故求聲聞乘三萬二千天
及人知有為法皆悉无常遠塵離垢得法
眼淨八千比丘不受諸法漏盡意解

方便品第二

尒時毗耶離大城中有長者名維摩詰已曾
供養无量諸佛深植善本得无生忍辯才无
礙遊戲神通逮諸揔持獲无所畏降魔勞怨
入深法門善於智度通達方便大願成就明
了衆生心之所趣又能分別諸根利鈍久於
佛道心已純淑決定大乘諸有所作能善思
量住佛威儀心如大海諸佛咨嗟弟子釋梵
世主所敬欲度人故以善方便居毗耶離資
財无量攝諸貧民奉戒清淨攝諸毀禁忍
調行攝諸恚怒以大精進攝諸懈怠一心禪
寂攝諸亂意以決定慧攝諸无智雖為白衣
奉持沙門清淨律行雖處居家不著三界示
有妻子常脩梵行現有眷屬常樂遠離雖服
寶飾而以相好嚴身雖復飲食而以禪悅為
味若至博弈戲處輙以度人受諸異道不毀
正信雖明世典常樂佛法一切見敬為供養
中最執持正法攝諸長幼一切治生諧偶雖
獲俗利不以喜悅遊諸四衢饒益衆生入治
正法救護一切入講論處導以大乘入諸學
堂誘開童蒙入諸婬舍示欲之過入諸酒肆
能立其志若在長者長者中尊為說勝法若

獲俗利不以喜悅遊諸四衢饒益衆生入治
正法救護一切入講論處導以大乘入諸學
堂誘開童蒙入諸婬舍示欲之過入諸酒肆
能立其志若在長者長者中尊為說勝法若
在居士居士中尊斷諸貪著若在剎利剎利
中尊教以忍辱若在婆羅門婆羅門中尊除
其我慢若在大臣大臣中尊教以正法若在
王子王子中尊示以忠孝若在內官內官中
尊化政宮女若在庶民庶民中尊令興福力
若在梵天梵天中尊誨以勝慧若在帝釋帝
釋中尊示現无常若在護世護世中尊護諸
衆生長者維摩詰以如是等无量方便饒益
衆生其以方便現身有疾以其疾故國王大
臣長者居士婆羅門等及諸王子并餘官屬
无數人天皆往問疾其往者維摩詰因以身
疾廣為說法諸仁者是身无常无強无力无
堅速朽之法不可信也為苦為惱衆病所集
諸仁者如此身明智者所不怙是身如聚沫
不可撮摩是身如泡不得久立是身如炎從
渴愛生是身如芭蕉中无有堅是身如幻從
顛倒起是身如夢為虛妄見是身如影從業
緣現是身如響屬諸因緣是身如浮雲須臾
變滅是身如電念念不住是身无主為如地
是身无我為如火是身无壽為如風是身无
人為如水是身不實四大為家是身為空離
我我所是身无知如草木瓦礫是身无作風
[illegible]淨穢惡充滿是身為虛偽雖

是身无我為如火是身无壽為如風是身无
人為如水是身不實四大為家是身為空離
我我所是身无知如草木瓦礫是身无作風
力所轉是身不淨穢惡充滿是身為虛偽雖
假以澡浴衣食必歸磨滅是身為災百一病
惱是身如丘井為老所逼是身无定為要當
死是身如毒虵如怨賊如空聚陰界諸入所共
合成諸仁者此可患厭當樂佛身所以者何
佛身者即法身也從无量功德智慧生從戒
定慧解脫解脫知見生從慈悲喜捨生從布
施持戒忍辱柔和勤行精進禪定解脫三昧
多聞智慧諸波羅蜜生從方便生從六通生
從三明生從卅七道品生從止觀生從十力
四无所畏十八不共法生從斷一切不善法
集一切善法生從真實生從不放逸生從如
是无量清淨法生如來身諸仁者欲得佛身
斷一切眾生病者當發阿耨多羅三藐三菩
提心如是長者維摩詰為諸問疾者如應說
法令无數千人皆發阿耨多羅三藐三菩提
心

弟子品第三

尒時長者維摩詰自念寢疾于牀世尊大慈
寧不垂愍佛知其意即告舍利弗汝行詣維
摩詰問疾舍利弗白佛言世尊我不堪任詣
彼問疾所以者何憶念我昔曾於林中宴坐

BD01967號　維摩詰所說經卷上　（12–7）

尒時長者維摩詰自念寢疾于牀世尊大慈
寧不垂愍佛知其意即告舍利弗汝行詣維
摩詰問疾舍利弗白佛言世尊我不堪任詣
彼問疾所以者何憶念我昔曾於林中宴坐
樹下時維摩詰來謂我言唯舍利弗不必是
坐為宴坐也夫宴坐者不於三界現身意是
為宴坐不起滅定而現諸威儀是為宴坐不
捨道法而現凡夫事是為宴坐心不住內亦
不在外是為宴坐於諸見不動而脩行三十
七品是為宴坐不斷煩惱而入涅槃是為宴
坐若能如是坐者佛所印可時我世尊聞是
語已默然而止不能加報故我不任詣彼問
疾

佛告大目揵連汝行詣維摩詰問疾目連白
佛言世尊我不堪任詣彼問疾所以者何憶
念我昔入毗耶離大城於里巷中為諸居士
說法時維摩詰來謂我言唯大目連為白衣
居士說法不當如仁者所說夫說法者當如
法說法无眾生離眾生垢故法无有我離我
垢故法无壽命離生死故法无有人前後際
斷故法常寂然滅諸相故法離於相无所緣
故法无名字言語斷故法无有說離覺觀故
法无形相如虛空故法无戲論畢竟空故法
无我所離我所故法无分別離諸識故法无有
比无相待故法不屬因不在緣故法同法性
入諸法故法隨於如无所隨故法住實際諸

BD01967號　維摩詰所說經卷上　（12–8）

法无形相如虚空故法无戲論畢竟空故法
无我所離我所故法无分別離諸識故法无有
比无相待故法不屬因不在緣故法同法性
入諸法故法隨於如无所隨故法住實際諸
邊不動故法无動搖不依六塵故法无去來
常不住故法順空隨无相應无作法離好醜
法无增損法无生滅法无所歸法過眼耳鼻
舌身心法无高下法常住不動法離一切觀
行唯大目連法相如是豈可說乎夫說法者
无說无示其聽法者无聞无得譬如幻士為
幻人說法當達是意而為說法當了衆生
根有利鈍善於知見无所罣礙以大悲心讚
于大乘念報佛恩不斷三寶然後說法維摩
詰說是法時八百居士發阿耨多羅三藐三
菩提心我无此辯是故不任詣彼問疾
佛告大迦葉汝行詣維摩詰問疾迦葉白佛
言世尊我不堪任詣彼問疾所以者何憶念
我昔於貧里而行乞食時維摩詰來謂我言
唯大迦葉有慈悲心而不能普捨豪富從貧
乞迦葉住平等法應次行乞食為不食故應
行乞食為壞和合相故應取揣食為不受故
應受彼食以空聚相入於聚落所見色與盲
等所聞聲與響等所嗅香與風等所食味不
分別受諸觸如智證知諸法如幻相无自性无
他性本性不然今則无滅迦葉若能不捨八
邪入八解脫以邪相入正法以一食施一切供

BD01967號　維摩詰所說經卷上　（12–9）

分別受諸觸如智證知諸法如幻相无自性无
他性本性不然今則无滅迦葉若能不捨八
邪入八解脫以邪相入正法以一食施一切供
養諸佛及衆賢聖然後可食如是食者非
有煩惱非離煩惱非入定意非起定意非住
世間非住涅槃其施者无大福无小福不為
益不為損是為正入佛道不依聲聞迦葉
若如是食為不空食人之施也時我世尊聞
說是語得未曾有即於一切菩薩深起敬心
復作是念斯有家名辯才智慧乃能如是
其誰不發阿耨多羅三藐三菩提心我從是
來不復勸人以聲聞辟支佛行故我不任詣
彼問疾
佛告須菩提汝行詣維摩詰問疾須菩提白
佛言世尊我不堪任詣彼問疾所以者何憶
念我昔入其舍從乞食時維摩詰取我鉢盛
滿飯謂我言唯須菩提若能於食等者諸法
亦等諸法等者於食亦等如是行乞乃可取
食若須菩提不斷婬怒癡亦不與俱不壞於
身而隨一相不滅癡愛起於明脫以五逆相
而得解脫亦不解不縛不見四諦非不見諦
非得果非不得果非凡夫非離凡夫法非聖人非
不聖人雖成就一切法而離諸法相乃可取食
若須菩提不見佛不聞法彼外道六師富蘭
那迦葉末伽梨拘賒梨子刪闍夜毗羅胝子阿
耆多翅舍欽婆羅迦羅鳩馱迦旃延尼犍陀若

BD01967號　維摩詰所說經卷上　（12–10）

不聖人雖成就一切法而離諸法相乃可取食
若須菩提不見佛不聞法彼外道六師富蘭
那迦葉末伽梨拘賒梨子删闍夜毗羅胝子阿
耆多翅舍欽婆羅迦羅鳩馱迦旃延尼犍陁若
提子等是汝之師因其出家彼師所墮汝亦隨
墮乃可取食若須菩提入諸耶見不到彼岸
住於八難不得无難同於煩惱離清淨法汝
得无諍三昧一切衆生亦得是定其施汝者
不名福田供養汝者墮三惡道為與衆魔共
一手作諸勞侶汝與衆魔及諸塵勞等无
有異於一切衆生而有怨心謗諸佛毀於法
不入衆數終不得滅度汝若如是乃可取食
時我世尊聞此茫然不識是何言不知以何
荅便置鉢欲出其舍維摩詰言唯須菩提取
鉢勿懼於意云何如來所化作人若以是事
詰寧有懼不我言不也維摩詰言一切諸法如
幻相化汝今不應有所懼也所以者何一切言
說不離是相至於智者不著文字故无所懼
何以故文字性離无有文字是則解脫解脫
相者則諸法也維摩詰說是法時二百天子
得法眼淨故我不任詣彼問疾
佛告富樓那弥多羅尼子汝行詣維摩詰問
疾富樓那白佛言世尊我不堪任詣彼問疾
所以者何憶念我昔於大林中在一樹下為
諸新學比丘說法時維摩詰來謂我言唯當

詰寧有懼不我言不也維摩詰言一切諸法如
幻相化汝今不應有所懼也所以者何一切言
說不離是相至於智者不著文字故无所懼
何以故文字性離无有文字是則解脫解脫
相者則諸法也維摩詰說是法時二百天子
得法眼淨故我不任詣彼問疾
佛告富樓那弥多羅尼子汝行詣維摩詰問
疾富樓那白佛言世尊我不堪任詣彼問疾
所以者何憶念我昔於大林中在一樹下為
諸新學比丘說法時維摩詰來謂我言唯當
樓那先當入定觀此人心然後說法无以穢食
置於寶器當知是比丘心之所念无以瑠璃
同彼水精汝不能知衆生根原无得發起以
小乘法彼自无瘡勿傷之也欲行大道莫示
小徑无以大海内於牛跡无以日光等彼熒
火富樓那此比丘久發大乘心中忘此意如何
以小乘法而教導之我觀小乘智慧微淺
猶如盲人不能分別一切衆生根之利鈍時
維摩詰即入三昧令此比丘自識宿命曾於
五百佛所殖衆得本迴向阿耨多羅三藐三

法蓮華經五百弟子受記品第八
尒時富樓那彌多羅尼子從佛聞
方便隨宜說法又聞授諸大弟子阿
三藐三菩提記復聞宿世因緣之事
有大自在神通之力得未曾
即從座起到於佛前頭面禮足却住一面瞻
仰尊顏目不暫捨而作是念世尊甚奇特
所為希有隨順世間若干種性以方便知見而
為說法拔出衆生處處貪著我等於佛功德言
不能宣唯佛世尊能知我等深心本願尒時
佛告諸比丘汝等見是富樓那彌多羅尼子
不我常稱其於說法人中最為第一亦常歎
其種種功德精勤護持助宣我法能於四衆
示教利喜具足解釋佛之正法而大饒益同
梵行者自捨如來无能盡其言論之辯汝等
勿謂富樓那但能護持助宣我法亦於過去
九十億諸佛所護持助宣佛之正法於彼說
法人中亦最第一又於諸佛所說空法明了
通達得四无礙智常能審諦清淨說法无有
疑惑具足菩薩神通之力隨其壽命常脩梵
行彼佛世人咸皆謂之實是聲聞而富樓那

BD01968號　妙法蓮華經卷四　（16–1）

梵行者自捨如來无能盡其言論之辯汝等
勿謂富樓那但能護持助宣我法亦於過去
九十億諸佛所護持助宣佛之正法於彼說
法人中亦最第一又於諸佛所說空法明了
通達得四无礙智常能審諦清淨說法无有
疑惑具足菩薩神通之力隨其壽命常脩梵
行彼佛世人咸皆謂之實是聲聞而富樓那
以斯方便饒益无量百千衆生又化无量阿僧
祇人令立阿耨多羅三藐三菩提為淨佛
土故常作佛事教化衆生諸比丘富樓那亦
於七佛說法人中而得第一今於我所說法
人中亦為第一於賢劫中當來諸佛說法人
中亦復第一而皆護持助宣佛法亦於未來
護持助宣无量无邊諸佛之法教化饒益无
量衆生令立阿耨多羅三藐三菩提為淨佛
土故常勤精進教化衆生漸漸具足菩薩
之道過无量阿僧祇劫當於此土得阿耨多羅
三藐三菩提号曰法明如來應供正遍知明
行足善逝世間解无上士調御丈夫天人師
佛世尊其佛以恒河沙等三千大千世界為
一佛土七寶為地地平如掌无有山陵谿澗溝
壑七寶臺觀充滿其中諸天宮殿近處虛
空人天交接兩得相見无諸惡道亦无女人
一切衆生皆以化生无有婬欲得大神通身
出光明飛行自在志念堅固精進智慧普皆
金色三十二相而自莊嚴其國衆生常以二

BD01968號　妙法蓮華經卷四　（16–2）

……无諸惡道亦无女人
一切衆生皆以化生无有婬欲得大神通身
出光明飛行自在志念堅固精進智慧普皆
金色三十二相而自莊嚴其國衆生常以二
食一者法喜食二者禪悅食有无量阿僧祇
千万億那由他諸菩薩衆得大神通四无
礙智善能教化衆生之類其聲聞衆筭數校計
所不能知皆得具足六通三明及八解脫其
佛國土有如是等无量功德莊嚴成就劫名
寶明國名善淨其佛壽命无量阿僧祇劫
法住甚久佛滅度後起七寶塔遍滿其國尒
時世尊欲重宣此義而說偈言
諸比丘諦聽　佛子所行道　善學方便故　不可得思議
知衆樂小法　而畏於大智　是故諸菩薩　作聲聞緣覺
以无數方便　化諸衆生類　自說是聲聞　去佛道甚遠
度脫无量衆　皆悉得成就　雖小欲懈怠　漸當令作佛
內秘菩薩行　外現是聲聞　少欲厭生死　實自淨佛土
示衆有三毒　又現邪見相　我弟子如是　方便度衆生
若我具足說　種種現化事　衆生聞是者　心則懷疑惑
今此富樓那　於昔千億佛　勤修所行道　宣護諸佛法
為求无上慧　而於諸佛所　現居弟子上　多聞有智慧
所說无所畏　能令衆歡喜　未曾有疲倦　而以助佛事
已度大神通　具四无礙智　知諸根利鈍　常說清淨法
演暢如是義　教諸千億衆　令住大乘法　而自淨佛土
未來亦供養　无量无數佛　護助宣正法　亦自淨佛土
常以諸方便　說法无所畏　度不可計衆　成就一切智
供養諸如來　護持法寶藏　其後當作佛　号名曰法明

BD01968號　妙法蓮華經卷四　（16–3）

……知諸根利鈍　常說清淨法
演暢如是義　教諸千億衆　令住大乘法　而自淨佛土
未來亦供養　无量无數佛　護助宣正法　亦自淨佛土
常以諸方便　說法无所畏　度不可計衆　成就一切智
供養諸如來　護持法寶藏　其後當作佛　号名曰法明
其國名善淨　七寶所合成　劫名為寶明　菩薩衆甚多
其數无量億　皆度大神通　威德力具足　充滿其國土
聲聞亦无數　三明八解脫　得四无礙智　以是等為僧
其國諸衆生　婬欲皆已斷　純一變化生　具相莊嚴身
法喜禪悅食　更无餘食想　无有諸女人　亦无諸惡道
富樓那比丘　功德悉成滿　當得斯淨土　賢聖衆甚多
如是无量事　我今但略說
尒時千二百阿羅漢心自在者作是念我等
歡喜得未曾有若世尊各見授記如餘大弟
子者不亦快乎佛知此等心之所念告摩訶
迦葉是千二百阿羅漢我今當現前次第與
受阿耨多羅三藐三菩提記於此衆中我大
弟子憍陳如比丘當供養六万二千億佛然
後得成為佛号曰普明如來應供正遍知明
行足善逝世間解无上士調御丈夫天人師
佛世尊其五百阿羅漢優樓頻螺迦葉伽耶
迦葉那提迦葉迦留陀夷優陀夷阿㝹樓馱
離婆多劫賓那薄拘羅周陀莎伽陀等皆當
得阿耨多羅三藐三菩提盡同一号名曰普
明尒時世尊欲重宣此義而說偈言
憍陳如比丘　當見无量佛　過阿僧祇劫　乃成等正覺
常放大光明　具足諸神通　名聞遍十方　一切之所敬

BD01968號　妙法蓮華經卷四　（16–4）

離婆多劫賓那薄拘羅周陀莎伽陀等皆當
得阿耨多羅三藐三菩提盡同一号名曰普
明尒時世尊欲重宣此義而說偈言

憍陳如比丘　當見无量佛　過阿僧祇劫　乃成等正覺
常放大光明　具足諸神通　名聞遍十方　一切之所敬
常說无上道　故号為普明　其國土清淨　菩薩皆勇猛
咸昇妙樓閣　遊諸十方國　以无上供具　奉獻於諸佛
作是供養已　心懷大歡喜　須臾還本國　有如是神力
佛壽六万劫　正法住倍壽　像法復倍是　法滅天人憂
其五百比丘　次第當作佛　同号曰普明　轉次而授記
我滅度之後　某甲當作佛　其所化世間　亦如我今日
國土之嚴淨　及諸神通力　菩薩聲聞眾　正法及像法
壽命劫多少　皆如上所說　迦葉汝已知　五百自在者
餘諸聲聞眾　亦當復如是　其不在此會　汝當為宣說

尒時五百阿羅漢於佛前得受記已歡喜踊
躍即從座起到於佛前頭面礼足悔過自責
世尊我等常作是念自謂已得究竟滅度今
乃知之如无智者所以者何我等應得如來
智慧而便自以小智為足世尊譬如有人至
親友家醉酒而卧是時親友官事當行以无
價寶珠繫其衣裏與之而去其人醉卧都不
覺知起已遊行到於他國為衣食故勤力求
索甚大艱難若少有所得便以為足於後親
友會遇見之而作是言咄哉丈夫何為衣食
乃至如是我昔欲令汝得安樂五欲自恣於
某年日月以无價寶珠繫汝衣裏今故現在
而汝不知勤苦憂惱以求自活甚為癡也

友會遇見之而作是言咄哉丈夫何為衣食
乃至如是我昔欲令汝得安樂五欲自恣於
某年日月以无價寶珠繫汝衣裏今故現在
而汝不知勤苦憂惱以求自活甚為癡也汝
今可以此寶貿易所須常可如意无所乏短
佛亦如是為菩薩時教化我等令發一切智
心而尋廢忘不知不覺既得阿羅漢道自謂
滅度資生艱難得少為足一切智願猶在不
失今者世尊覺悟我等作如是言諸比丘汝
等所得非究竟滅我久令汝等種佛善根以
方便故示涅槃相而汝謂為實得滅度世尊
我今乃知實是菩薩得受阿耨多羅三藐三
菩提記以是因緣甚大歡喜得未曾有尒
時阿若憍陳如等欲重宣此義而說偈言

我等聞无上　安隱授記聲　歡喜未曾有　礼无量智佛
今於世尊前　自悔諸過咎　於无量佛寶　得少涅槃分
如无智愚人　便自以為足　譬如貧窮人　往至親友家
其家甚大富　具設諸餚饍　以无價寶珠　繫著內衣裏
嘿與而捨去　時卧不覺知　是人既已起　遊行詣他國
求衣食自濟　資生甚艱難　得少便為足　更不願好者
不覺內衣裏　有无價寶珠　與珠之親友　後見此貧人
苦切責之已　示以所繫珠　貧人見此珠　其心大歡喜
富有諸財物　五欲而自恣　我等亦如是　世尊於長夜
常愍見教化　令種无上願　我等无智故　不覺亦不知
得少涅槃分　自足不求餘　今佛覺悟我　言非實滅度
得佛无上慧　尒乃為真滅　我今從佛聞　受記莊嚴事

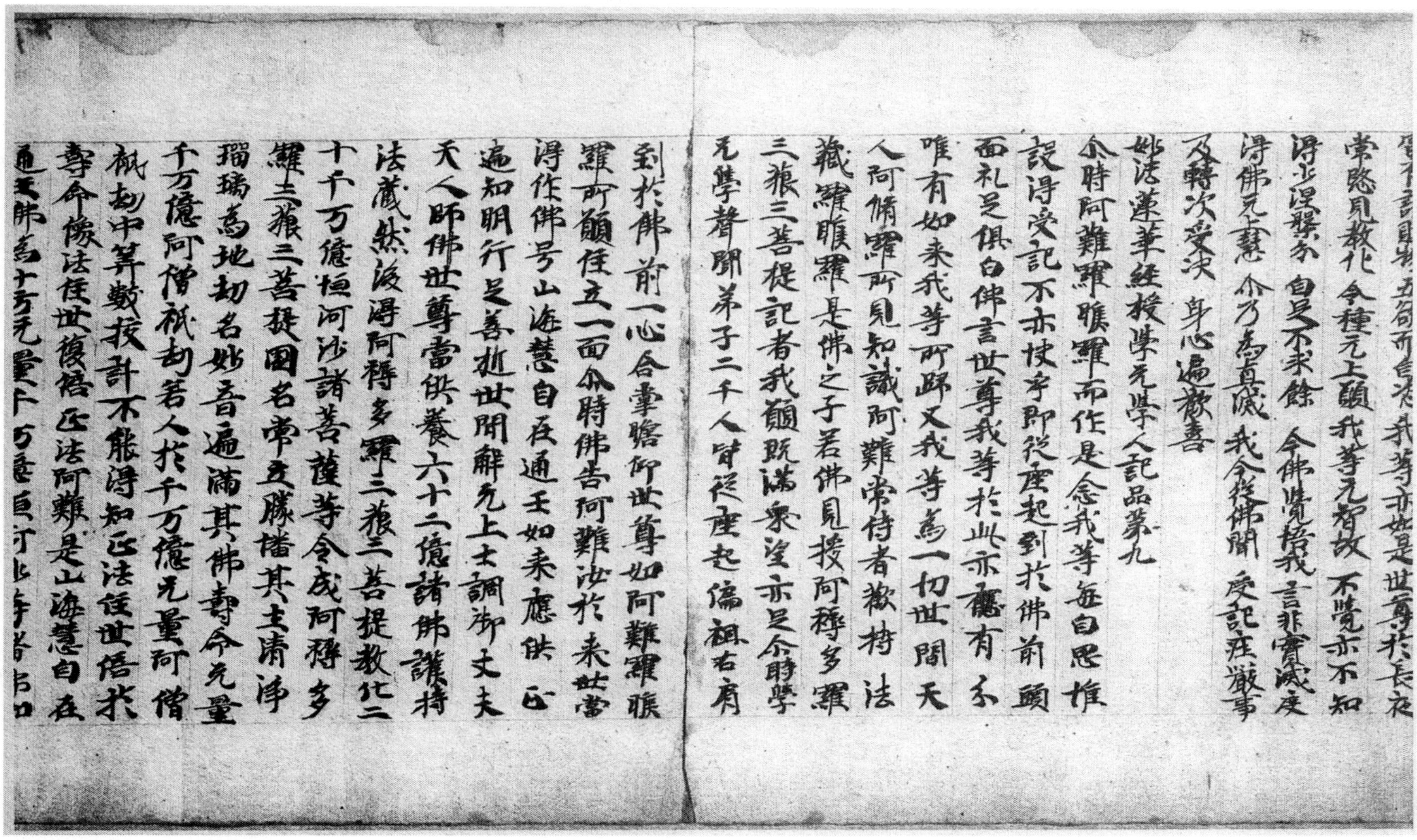

……我等亦如是　世尊於長夜
常愍見教化　令種無上願　我等無智故　不覺亦不知
得少涅槃分　自足不求餘　今佛覺悟我　言非實滅度
得佛無上慧　爾乃為真滅　我今從佛聞　受記莊嚴事
及轉次受決　身心遍歡喜
妙法蓮華經授學無學人記品第九
爾時阿難羅睺羅而作是念我等每自思惟
設得受記不亦快乎即從座起到於佛前頭
面禮足俱白佛言世尊我等於此亦應有分
唯有如來我等所歸又我等為一切世間天
人阿脩羅所見知識阿難常為侍者護持法
藏羅睺羅是佛之子若佛見授阿耨多羅
三藐三菩提記者我願既滿眾望亦足爾時學
無學聲聞弟子二千人皆從座起偏袒右肩
到於佛前一心合掌瞻仰世尊如阿難羅睺
羅所願住立一面爾時佛告阿難汝於來世當
得作佛号山海慧自在通王如來應供正
遍知明行足善逝世間解無上士調御丈夫
天人師佛世尊當供養六十二億諸佛護持
法藏然後得阿耨多羅三藐三菩提教化二
十千万億恒河沙諸菩薩等令成阿耨多
羅三藐三菩提國名常立勝幡其土清淨
瑠璃為地劫名妙音遍滿其佛壽命無量
千万億阿僧祇劫若人於千万億無量阿僧
祇劫中算數挍計不能得知正法住世倍於
壽命像法住世復倍正法阿難是山海慧自在
通王佛為十方無量千万億恒河沙等諸佛如

BD01968 號　妙法蓮華經卷四　　（16–7）

……遍滿其佛壽命無量
千万億阿僧祇劫若人於千万億無量阿僧
祇劫中算數挍計不能得知正法住世倍於
壽命像法住世復倍正法阿難是山海慧自在
通王佛為十方無量千万億恒河沙等諸佛如
來所共讚歎稱其功德爾時世尊欲重宣此
義而說偈言
我今僧中說　阿難持法者　當供養諸佛　然後成正覺
号曰山海慧　自在通王佛　其國土清淨　名常立勝幡
教化諸菩薩　其數如恒沙　佛有大威德　名聞滿十方
壽命無有量　以愍眾生故　正法倍壽命　像法復倍是
如恒河沙等　無數諸眾生　於此佛法中　種佛道因緣
爾時會中新發意菩薩八千人咸作是念我
等尚不聞諸大菩薩得如是記有何因緣而
諸聲聞得如是決爾時世尊知諸菩薩心之
所念而告之曰諸善男子我與阿難等於
空王佛所同時發阿耨多羅三藐三菩提心阿
難常樂多聞我常勤精進是故我已得成阿
耨多羅三藐三菩提而阿難護持我法亦護
將來諸佛法藏教化成就諸菩薩眾其本願
如是故獲斯記阿難面於佛前自聞授記及國
土莊嚴所願具足心大歡喜得未曾有即
時憶念過去無量千万億諸佛法藏通達無礙
如今所聞亦識本願爾時阿難而說偈言
世尊甚希有　令我念過去　無量諸佛法　如今日所聞
我今無復疑　安住於佛道　方便為侍者　護持諸佛法
爾時佛告羅睺羅汝於來世當得作佛号蹈

BD01968 號　妙法蓮華經卷四　　（16–8）

如今所聞亦識本願　尒時阿難而說偈言
世尊甚希有　令我念過去　无量諸佛法　如今日所聞
我今无復疑　安住於佛道　方便為侍者　護持諸佛法
尒時佛告羅睺羅汝於來世當得作佛号蹈
七寶華如來應供正遍知明行足善逝世間
解无上士調御丈夫天人師佛世尊當供養
十世界微塵等數諸佛如來常為諸佛而作
長子猶如今也是蹈七寶華佛國土莊嚴壽
命劫數所化弟子正法像法亦如山海慧自
在通王如來无異亦為此佛而作長子過是
已後當得阿耨多羅三藐三菩提尒時世尊
欲重宣此義而說偈言
我為太子時　羅睺為長子　我今成佛道　受法為法子
於未來世中　見无量億佛　皆為其長子　一心求佛道
羅睺羅密行　唯我能知之　現為我長子　以示諸眾生
无量億千万　功德不可數　安住於佛法　以求无上道
尒時世尊見學无學二千人其意柔軟寂然
清淨一心觀佛佛告阿難汝見是學无學二千
人不唯然已見阿難是諸人等當供養五十
世界微塵數諸佛如來恭敬尊重護持法
藏末後同時於十方國各得成佛皆同一号
名曰寶相如來應供正遍知明行足善逝世
間解无上士調御丈夫天人師佛世尊壽命
一劫國土莊嚴聲聞菩薩正法像法皆悉同
等尒時世尊欲重宣此義而說偈言
是二千聲聞　今於我前住　悉皆與授記　未來當成佛
所供養諸佛　如上說塵數　護持其法藏　後當成正覺

BD01968 號　妙法蓮華經卷四　（16–9）

間解无上士調御丈夫天人師佛世尊壽命
一劫國土莊嚴聲聞菩薩正法像法皆悉同
等尒時世尊欲重宣此義而說偈言
是二千聲聞　今於我前住　悉皆與授記　未來當成佛
所供養諸佛　如上說塵數　護持其法藏　後當成正覺
各於十方國　悉同一名号　俱時坐道場　以證无上慧
皆名為寶相　國土及弟子　正法與像法　悉等无有異
咸以諸神通　度十方眾生　名聞普周遍　漸入於涅槃
尒時學无學二千人聞佛授記歡喜踊躍而
說偈言
世尊慧燈明　我聞授記音　心歡喜充滿　如甘露見灌
妙法蓮華經法師品第十
尒時世尊因藥王菩薩告八万大士藥王汝
見是大眾中无量諸天龍王夜叉乾闥婆
阿脩羅迦樓羅緊那羅摩睺羅伽人與非人
及比丘比丘尼優婆塞優婆夷求聲聞者求辟
支佛者求佛道者如是等類咸於佛前聞妙
法華經一偈一句乃至一念隨喜者我皆與授
記當得阿耨多羅三藐三菩提佛告藥王
又如來滅度之後若有人聞妙法華經乃至
一偈一句一念隨喜者我亦與授阿耨多羅
三藐三菩提記若復有人受持讀誦解說書
寫妙法華經乃至一偈於此經卷敬視如佛
種種供養華香瓔珞末香塗香燒香繒蓋幢
幡衣服伎樂乃至合掌恭敬藥王當知是諸
人等已曾供養十万億佛於諸佛所成就大
願愍眾生故生此人間藥王若有人問何等

BD01968 號　妙法蓮華經卷四　（16–10）

種種供養華香瓔珞末香塗香燒香繒蓋幢
幡衣服伎樂乃至合掌恭敬藥王當知是諸
人等已曾供養十万億佛於諸佛所成就大
願愍衆生故生此人間藥王若有人問何等
衆生於未來世當得作佛應示是諸人等於
未來世必得作佛何以故若善男子善女人
於法華經乃至一句受持讀誦解說書寫種
種供養經卷華香瓔珞末香塗香燒香繒蓋
幢幡衣服伎樂合掌恭敬是人一切世間所
應瞻奉應以如來供養而供養之當知此人
是大菩薩成就阿耨多羅三藐三菩提哀愍
衆生願生此間廣演分別妙法華經何況盡
能受持種種供養者藥王當知是人自捨清
淨業報於我滅度後愍衆生故生於惡世
廣演此經若是善男子善女人我滅度後能
竊為一人說法華經乃至一句當知是人則如
來使如來所遣行如來事何況於大衆中廣
為人說藥王若有惡人以不善心於一劫中
現於佛前常毀罵佛其罪尚輕若人以一惡
言毀呰在家出家讀誦法華經者其罪甚重
藥王其有讀誦法華經者當知是人以佛
莊嚴而自莊嚴則為如來肩所荷擔其所至
方應隨向禮一心合掌恭敬供養尊重讚歎
華香瓔珞末香塗香燒香繒蓋幢幡衣服餚
饌作諸伎樂人中上供而供養之應持天寶
而以散之天上寶聚應以奉獻所以者何是人

BD01968號　妙法蓮華經卷四　（16–11）

華香瓔珞末香塗香燒香繒蓋幢幡衣服餚
饌作諸伎樂人中上供而供養之應持天寶
而以散之天上寶聚應以奉獻所以者何是人
歡喜說法須臾聞之即得究竟阿耨多羅三
藐三菩提故尒時世尊欲重宣此義而說偈
言

若欲住佛道　成就自然智　常當勤供養　受持法華者
其有欲疾得　一切種智慧　當受持是經　并供養持者
若有能受持　妙法華經者　當知佛所使　愍念諸衆生
諸有能受持　妙法華經者　捨於清淨土　愍衆故生此
當知如是人　自在所欲生　能於此惡世　廣說無上法
應以天華香　及天寶衣服　天上妙寶聚　供養說法者
吾滅後惡世　能持是經者　當合掌禮敬　如供養世尊
上饌衆甘美　及種種衣服　供養是佛子　冀得須臾聞
若能於後世　受持是經者　我遣在人中　行於如來事
若於一劫中　常懷不善心　作色而罵佛　獲無量重罪
其有讀誦持　是法華經者　須臾加惡言　其罪復過彼
有人求佛道　而於一劫中　合掌在我前　以無數偈讚
由是讚佛故　得無量功德　歎美持經者　其福復過彼
於八十億劫　以最妙色聲　及與香味觸　供養持經者
如是供養已　若得須臾聞　則應自欣慶　我今獲大利
藥王今告汝　我所說諸經　而於此經中　法華最第一

尒時佛復告藥王菩薩摩訶薩我所說經典无
量千億已說今說當說而於其中此法華經
最為難信難解藥王此經是諸佛祕要之
藏不可分布妄授與人諸佛世尊之所守護

BD01968號　妙法蓮華經卷四　（16–12）

尒時佛復告藥王菩薩摩訶薩我所說經典无
量千億已說今說當說而於其中此法華經
最為難信難解藥王此經是諸佛秘要之
藏不可分布妄授與人諸佛世尊之所守護
從昔已來未曾顯說而此經者如來現在猶
多怨嫉況滅度後藥王當知如來滅後其能
書持讀誦供養為他人說者如來則為以衣
覆之又為他方現在諸佛之所護念是人有
大信力及志願力諸善根力當知是人與如
來共宿則為如來手摩其頭藥王在在處處
若說若讀若誦若書若經卷所住處皆應起
七寶塔極令高廣嚴飾不須復安舍利所以
者何此中已有如來全身此塔應以一切華
香瓔珞繒蓋幢幡伎樂歌頌供養恭敬尊重
讚歎若有人得見此塔禮拜供養當知是等
皆近阿耨多羅三藐三菩提藥王多有人在
家出家行菩薩道若不能得見聞讀誦書持
供養是法華經者當知是人未善行菩薩道
若有得聞是經者乃能善行菩薩之道其
有眾生求佛道者若見若聞是法華經聞已
信解受持者當知是人得近阿耨多羅三藐
三菩提藥王譬如有人渴乏須水於彼高原
穿鑿求之猶見乾土知水尚遠施功不已轉
見濕土遂漸至泥其心決定知水必近菩薩
亦復如是若未聞未解未能修習是法華經
當知是人去阿耨多羅三藐三菩提尚遠若得
聞解思惟修習必知得近阿耨多羅三藐三

穿鑿求之猶見乾土知水尚遠施功不已轉
見濕土遂漸至泥其心決定知水必近菩薩
亦復如是若未聞未解未能修習是法華經
當知是人去阿耨多羅三藐三菩提尚遠若得
聞解思惟修習必知得近阿耨多羅三藐三
菩提所以者何一切菩薩阿耨多羅三藐三
菩提皆屬此經此經開方便門示真實相
是法華經藏深固幽遠无人能到今佛教化
成就菩薩而為開示藥王若有菩薩聞是
法華經驚疑怖畏當知是為新發意菩薩若
聲聞人是經驚疑怖畏當知是為增上慢者
藥王若有善男子善女人如來滅後欲為四
眾說是法華經者云何應說是善男子善女人
入如來室著如來衣坐如來座尒乃應為四
眾廣說斯經如來室者一切眾生中大慈悲
心是如來衣者柔和忍辱心是如來座者
一切法空是安住是中然後以不懈怠心為
諸菩薩及四眾廣說是法華經藥王我於餘
國遣化人為其集聽法眾亦遣化比丘比丘
尼優婆塞優婆夷聽其說法是諸化人聞法
信受隨順不逆若說法者在空閑處我時廣
遣天龍鬼神乾闥婆阿脩羅等聽其說法我
雖在異國時時令說法者得見我身若於此
經忘失句逗我還為說令得具足尒時世尊
欲重宣此義而說偈言
欲捨諸懈怠　應當聽此經　是經難得聞　信受者亦難
如人渴須水　穿鑿於高原　猶見乾燥土　知去水尚遠

雖在異國時時令說法者得見我身若於此
經忘失句逗我還為說令得具足尒時世尊
欲重宣此義而說偈言
欲捨諸懈怠　應當聽此經　是經難得聞　信受者亦難
如人渴須水　穿鑿於高原　猶見乾燥土　知去水尚遠
漸見濕土泥　決定知近水　藥王汝當知　如是諸人等
不聞法華經　去佛智甚遠　若聞是深經　決了聲聞法
是諸經之王　聞已諦思惟　當知此人等　近於佛智慧
若人說此經　應入如來室　著於如來衣　而坐如來座
處衆無所畏　廣為分別說　大慈悲為室　柔和忍辱衣
諸法空為座　處此為說法　若說此經時　有人惡口罵
加刀杖瓦石　念佛故應忍　我千万億土　現淨堅固身
於無量億劫　為衆生說法　若我滅度後　能說此經者
我遣化四衆　比丘比丘尼　及清信士女　供養於法師
引導諸衆生　集之令聽法　若人欲加惡　刀杖及瓦石
則遣變化人　為之作衛護　若說法之人　獨在空閑處
寂漠无人聲　讀誦此經典　我尒時為現　清淨光明身
若忘失章句　為說令通利　若人具是德　或為四衆說
空處讀誦經　皆得見我身　若人在空閑　我遣天龍王
夜叉鬼神等　為作聽法衆　是人樂說法　分別无罣礙
諸佛護念故　能令大衆喜　若親近法師　速得菩薩道
隨順是師學　得見恒沙佛
妙法蓮華經見寶塔品第十一
尒時佛前有七寶塔高五百由旬縱廣二百
百十由旬從地踊出住在空中種種寶物而
莊挍之五千欄楯龕室千万无數幢幡以為

BD01968號　妙法蓮華經卷四　（16–15）

於無量億劫　為衆生說法　若我滅度後　能說此經者
我遣化四衆　比丘比丘尼　及清信士女　供養於法師
引導諸衆生　集之令聽法　若人欲加惡　刀杖及瓦石
則遣變化人　為之作衛護　若說法之人　獨在空閑處
寂漠无人聲　讀誦此經典　我尒時為現　清淨光明身
若忘失章句　為說令通利　若人具是德　或為四衆說
空處讀誦經　皆得見我身　若人在空閑　我遣天龍王
夜叉鬼神等　為作聽法衆　是人樂說法　分別无罣礙
諸佛護念故　能令大衆喜　若親近法師　速得菩薩道
隨順是師學　得見恒沙佛
妙法蓮華經見寶塔品第十一
尒時佛前有七寶塔高五百由旬縱廣二百
百十由旬從地踊出住在空中種種寶物而
莊挍之五千欄楯龕室千万无數幢幡以為
嚴飾垂寶瓔珞寶鈴万億而懸其上四面皆
出多摩羅跋栴檀之香充遍世界其諸幡
蓋以金銀瑠璃車𤦲馬瑙真珠玫瑰七寶合成
高至四天王宮三十三天雨天曼陀羅華供
養寶塔餘諸天龍夜叉乾闥婆阿脩羅迦樓

BD01968號　妙法蓮華經卷四　（16–16）

□□悶絕　心沒於憂海　煩惱火燒然　臣以栴檀水　灑王及夫人
皆悉起大悲號　舉手推胸臆　第三大臣來　白王如是語　我見二王子
悶絕在林中　臣以冷水灑　今乃蘇醒悟　顧視於四方　猛火周遍
起扶而還倒　悲號不自勝　舉手以哀言　稱歎弟希有　王聞如是語
倍增憂火煎　夫人大號叫　白而作是語　我之一子偏鍾愛　已為無常羅剎吞
餘有二子今現存　復被憂火所燒逼　我今速可至山中　安慰令其存餘命
即駕乘輿向山路　一心諸彼捨身處　路逢二子行啼泣　推胸懊惱失容儀
父母見已抱憂悲　俱往山林捨身處　既至菩薩捨身地　共聚悲號生大苦
脫去瓔珞盡哀心　收取菩薩身餘骨　與諸人衆同供養　共造七寶窣覩波
以彼舍利置函中　勒駕懷憂歸故邑　復告阿難陀　往時薩埵者　即我牟尼是
勿生於異念　王是父淨飯　后是母摩耶　太子謂慈氏　次曼殊室利　虎是大世主
五兒五苾芻　一是大目連　一是舍利子　我為汝等說　往昔利他緣　如是菩薩行
成佛因當學　菩薩捨身時　發如是弘誓　願我身餘骨　來世益衆生　如是捨身處
七寶窣覩波　以經無量時　遂沉於厚地　由昔本願力　隨緣興濟度　為利於人天
從地而涌出　爾時世尊說是往昔因緣之時無量阿僧企耶人天大
衆皆大悲喜歎未曾有悉發阿耨多羅三藐三菩提心復告樹神
我為報恩故致禮敬佛攝神力其窣覩波還沒于地
金光明最勝王經十方菩薩讚歎品第廿七　爾時釋迦牟尼如來說是
經時於十方世界有無量百千萬億諸菩薩衆各從本土詣鷲峯山至世尊
所五輪著地禮世尊已一心合掌異口同音而讚歎曰
佛身微妙真金色　其光普照等金山　清淨柔軟若蓮花　無量妙彩而嚴飾
三十二相遍莊嚴　八十種好皆圓滿　光明炳著無與等　離垢猶如淨滿月
其聲清徹甚微妙　如師子吼震雷音　超勝迦陵頻伽等　百福妙相以嚴容
光明具足淨無垢　智慧澄明如大海　功德廣大若虛空　圓光遍滿十方界
隨緣普濟諸有情　煩惱愛染習皆除　法炬恒然不休息　哀愍利益諸世間

BD01969號　金光明最勝王經卷一〇　（6–1）

三十二相遍莊嚴　八十種好皆圓滿　光明炳著無與等　離垢猶如淨滿月
其聲清徹甚微妙　如師子吼震雷音　超勝迦陵頻伽等　百福妙相以嚴容
光明具足淨無垢　智慧澄明如大海　功德廣大若虛空　圓光遍滿十方界
隨緣普濟諸有情　煩惱愛染習皆除　法炬恒然不休息　哀愍利益諸世間
現在未來能與樂　常為宣說第一義　令證涅槃真寂靜　佛說甘露殊勝法
能與甘露微妙義　引入甘露涅槃城　令受甘露無為樂　常於生死大海中
解脫一切衆生苦　令彼能住安隱路　恒與難思如意樂　如來德海甚深廣
非諸譬喻所能知　於衆常起大悲心　方便精勤恒不息　如來智海無邊際
一切天人共測量　假使千萬億劫中　不能得知其少分　我今略讚佛功德
於德海中唯一渧　迴斯福聚施群生　皆願速證菩提果
爾時世尊告諸菩薩言善哉善哉汝等善能如是讚佛功德利益有情廣
興佛事能滅諸罪生無量福　金光明最勝王經妙幢菩薩讚歎品第廿八
爾時妙幢菩薩即從座起偏袒右肩右膝著地合掌向佛而讚曰
牟尼百福相圓滿　無量功德以嚴身　廣大清淨人樂觀　猶如千日光明照
焰彩無邊光熾盛　如妙寶聚相端嚴　如日初出映虛空　紅白分明間金色
亦如金山光普照　悉能周遍百千土　能滅衆生無量苦　皆與無邊勝妙樂
諸相具足悉嚴淨　衆生樂觀無厭足　頭如黑蜂集妙花　大喜大捨淨莊嚴
大慈大悲皆具足　衆妙相好為嚴飾　菩提分法之所成　如來能施衆福利
令彼常蒙大安樂　種種妙德共莊嚴　光明普照千萬土　如來光相極圓滿
猶如赫日遍空中　佛如須彌功德具　亦現能周於十方　如來金口妙端嚴
齒白齊密如珂雪　如來面貌無倫匹　眉間毫相常右旋　光潤鮮白等頗梨
猶如滿月居空界　佛告妙幢菩薩汝能如是讚佛功德不可思議利益
一切令未知者隨順修學　金光明最勝王經菩提樹神讚歎品廿九
爾時菩提樹神亦以伽他讚世尊曰　敬禮如來清淨慧　敬禮常求正法慧
敬禮能離非法慧　敬禮恒無分別慧　希有世尊無邊行　希有難見優曇
希有如海鎮山王　希有善逝光無量　希有釋種明逾日　能說如是經中寶
哀愍利益諸群生　牟尼寂靜諸根定　能入寂靜涅槃城　能住寂靜等持門
能知寂靜深境界　兩足中尊住空寂　聲聞弟子身亦空　一切法體性皆空
一切衆生悉空寂　我常憶念於諸佛　我常樂見諸世尊　我常發起殷重心
常得值遇如來日　我常頂禮於世尊　願常渴仰心不捨　悲泣流淚情無間
常得奉事不知厭　唯願世尊起悲心　和顏常得令我見　佛及聲聞衆清淨
願常普濟於人天　佛身本淨若虛空　亦如幻焰及水月　願說涅槃甘露法
能生一切功德聚　世尊所有淨境界　慈悲正行不思議　聲聞獨覺非所量

BD01969號　金光明最勝王經卷一〇　（6–2）

常得值遇如來曰 我常頂礼於世尊 願常渴仰心不捨 悲泣流淚情無間
常得奉事不知猒 唯願世尊起悲心 和顏常得令我見 佛及聲聞衆清淨
願常普濟於人天 佛身本淨若虛空 亦如幻焰及水月 願說涅槃甘露法
能生一切功德聚 世尊所有淨境界 慈悲正行不思議 聲聞獨覺非所量
大仙菩薩不能測 唯願如來哀愍我 常令覩見大悲身 三業無倦奉慈尊
速出生死歸真際 尒時世尊聞是讚已以梵音聲告樹神曰善哉善
哉善女天汝能於我真實無妄清淨法身自利利他宣揚妙相以此功德令
汝速證最上菩提一切有情同所修習若得聞者皆入甘露無生法門
金光明最勝王經大辯才天女讚歎品第卅 尒時大辯才天女即從座起合掌恭敬以直
言詞讚世尊曰 南謨釋迦牟尼如來應正等覺身真金色咽如螺貝
面如滿月目類青蓮脣口赤好如頗梨色鼻高脩直如截金鋌齒白齊
密如拘物頭花身光普照如百千日光彩映徹如贍部金所有言詞皆無
謬失示三解脫門開三菩提路心常清淨意樂亦然佛所住處及所行境
亦常清淨離非威儀進止無謬六年苦行三轉法輪度苦衆生令歸彼
岸身相圓滿如拘陁樹六度熏修三業無失具一切智自他利滿所有宣說常
為衆生言不虛設於釋種中為大師子堅固勇猛具八解脫我今隨力稱
讚如來少分功德猶如蚊子飲大海水願以此福廣及有情永離生死成無
上道 尒時世尊告大辯才天曰善哉善哉汝久修習具大辯才今復於我廣
陳讚歎令汝速證無上法門相好圓明普利一切
金光明最勝王經付囑品第卅一 尒時世尊普告無量菩薩及諸人天一切
大衆汝等當知我於無量無數大劫勤修苦行獲甚深法菩提正因已
為汝說汝等誰能發勇猛心恭敬守護我涅槃後於此法門廣宣流布
能令正法久住世間尒時衆中有六十俱胝諸大菩薩六十俱胝諸天大衆
異口同音作如是語世尊我等咸有欣樂之心於佛世尊無量大劫勤修
苦行所獲甚深微妙之法菩提正因恭敬護持不惜身命佛涅槃後於
此法門廣宣流布當令正法久住世間尒時諸大菩薩即於佛前說伽
他曰
世尊真實語 安住於實法 由彼真實故 護持於此經 大悲為甲冑
安住於大慈 由彼慈悲力 護持於此經 福資粮圓滿 生起智資粮
由資粮滿故 護持於此經 降伏一切魔 破滅諸邪論 斷除惡見故
護持於此經 護世并釋梵 乃至阿蘇羅 龍神藥叉等 護持於此經
地上及虛空 久住於斯者 奉持佛教故 護持於此經 四梵住相應
四聖諦嚴飾 降伏四魔故 護持於此經 虛空成質礙 質礙成虛空
諸佛所護持 無能傾動者

BD01969號　金光明最勝王經卷一〇　（6–3）

世尊真實語 安住於實法 由彼真實故 護持於此經 大悲為甲冑
安住於大慈 由彼慈悲力 護持於此經 福資粮圓滿 生起智資粮
由資粮滿故 護持於此經 降伏一切魔 破滅諸邪論 斷除惡見故
護持於此經 護世并釋梵 乃至阿蘇羅 龍神藥叉等 護持於此經
地上及虛空 久住於斯者 奉持佛教故 護持於此經 四梵住相應
四聖諦嚴飾 降伏四魔故 護持於此經 虛空成質礙 質礙成虛空
諸佛所護持 無能傾動者
尒時四大天王聞佛說此護持妙法各生隨喜護正法心一時同聲說伽他曰
我今於此經 及男女眷屬 皆一心擁護 令得廣流通 若有持經者
能作菩提因 我常於四方 擁護而承事
尒時天帝釋合掌恭敬說伽他曰
諸佛證此法 為欲報恩故 饒益菩薩衆 出世演斯經 我於彼諸佛
報恩常供養 護持如是經 及持經者
尒時覩史多天子合掌恭敬說伽他曰
佛說如是經 若有能持者 當住菩提位 來生覩史天 世尊我慶悅
捨天殊勝報 住於贍部洲 宣揚是經典
時索訶世界主梵天王合掌恭敬說伽他曰
諸靜慮無量 諸乘及解脫 皆從此經出 是故演斯經 若說是經處
我捨梵天樂 為聽如經是 亦常為擁護
尒時魔王子名曰商主合掌恭敬說伽他曰
若有受持此 正義相應經 不隨魔所行 淨除魔惡業 我等於此經
亦當勤守護 發大精進意 隨處廣流通
尒時魔王合掌恭敬說伽他曰
若有持此經 能伏諸煩惱 如是衆生類 擁護令安樂 若有說是經
諸魔不得便 由佛威神故 我當擁護彼
尒時妙吉祥天子亦於佛前說伽他曰
諸佛妙菩提 於此經中說 若持此經者 是供養如來 我當持此經
為俱胝天說 恭敬聽聞者 勸至菩提處
尒時慈氏菩薩合掌恭敬說伽他曰
若見住菩提 与為不請友 乃至捨身命 為護此經王 我聞如是法
當住覩史天 由世尊加護 廣為人天說
尒時上坐大迦攝波合掌恭敬說伽他曰
佛於聲聞乘 說我少智慧 我今隨自力 護持如是經 若有持此經
我當攝受彼 授其詞辯力 當隨讚善哉

BD01969號　金光明最勝王經卷一〇　（6–4）

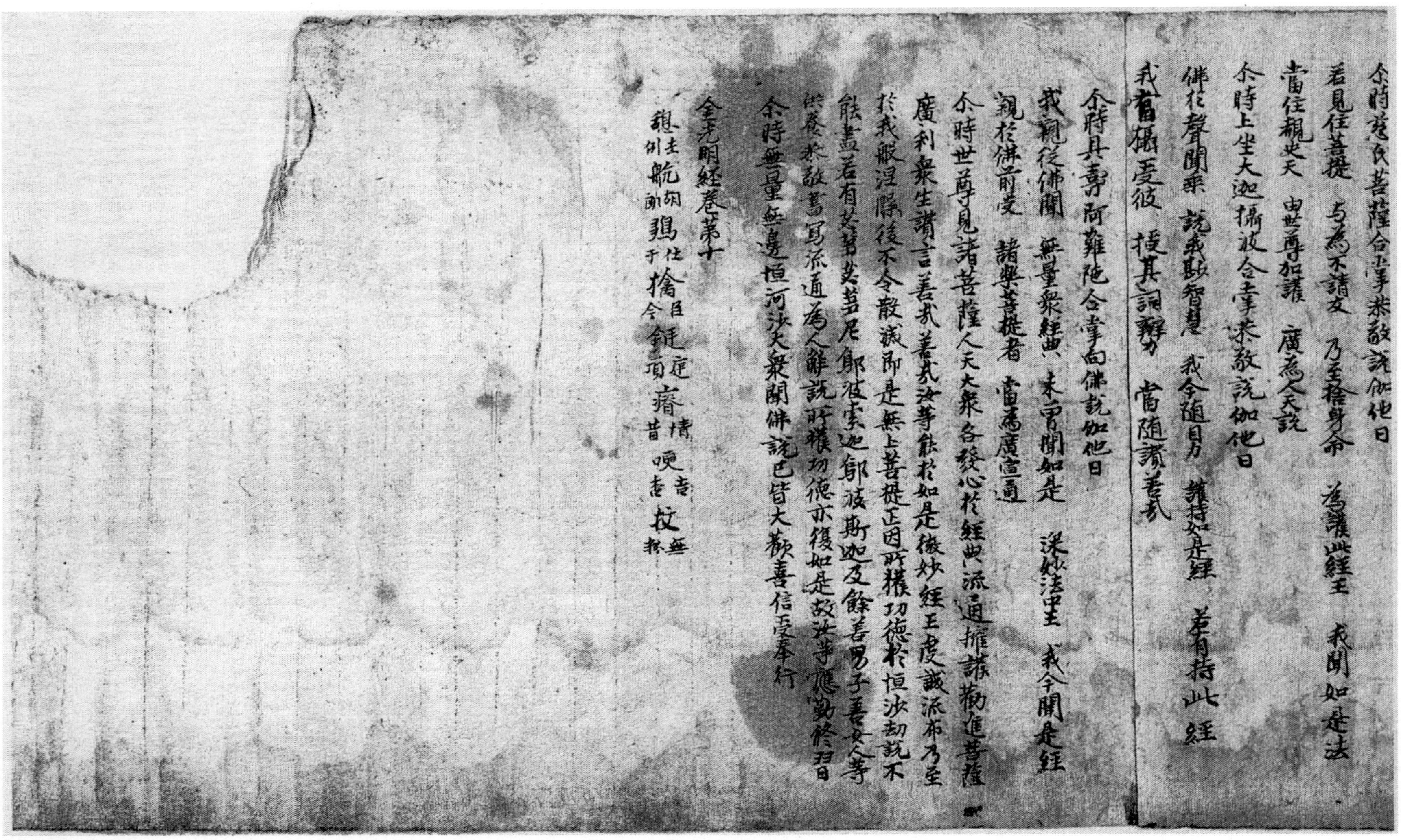
爾時慈氏菩薩合掌恭敬說伽他曰
若見住菩提　而為不請友　乃至捨身命　為護此經王　我聞如是法
當往覩史天　由世尊加護　廣為人天說
爾時上坐大迦攝波合掌恭敬說伽他曰
佛說聲聞乘　說我聽智慧　我今隨自力　護持如是經　若有持此經
我當攝受彼　授其詞辯力　當隨讚善哉
爾時具壽阿難陁合掌向佛說伽他曰
我親從佛聞　無量衆經典　未曾聞如是　深妙法中王　我今聞是經
親於佛前受　諸樂菩提者　當為廣宣通
爾時世尊見諸菩薩人天大衆各發心於經典流通擁護勸進菩薩
廣利衆生讚言善哉善哉汝等能於如是微妙經王虔誠流布乃至
於我般涅槃後不令散滅即是無上菩提正因所獲功德於恒沙劫說不
能盡若有苾芻苾芻尼鄔波索迦鄔波斯迦及餘善男子善女人等
供養恭敬書寫流通為人解說所獲功德亦復如是故汝等應勤修習
爾時無量無邊恒河沙大衆聞佛說已皆大歡喜信受奉行
金光明經卷第十
䫂主例　觥胡郎　鵄住于　擒巨今　鋋延項　瘠情昔　嗄音吉　拔無㧊

BD01969 號　金光明最勝王經卷一〇　（6–5）

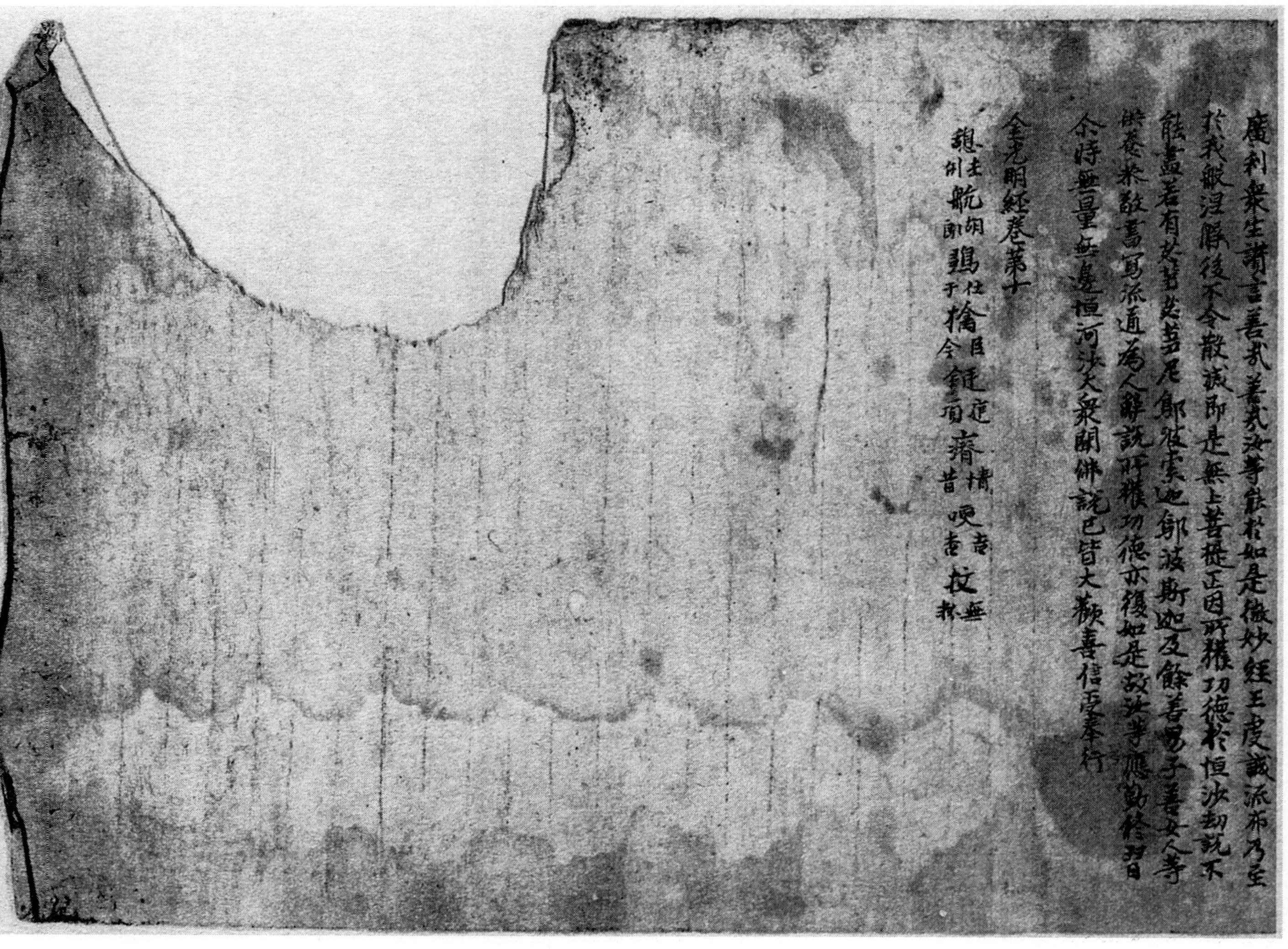

廣利衆生讚言善哉善哉汝等能於如是微妙經王虔誠流布乃至
於我般涅槃後不令散滅即是無上菩提正因所獲功德於恒沙劫說不
能盡若有苾芻苾芻尼鄔波索迦鄔波斯迦及餘善男子善女人等
供養恭敬書寫流通為人解說所獲功德亦復如是故汝等應勤修習
爾時無量無邊恒河沙大衆聞佛說已皆大歡喜信受奉行
金光明經卷第十
䫂主例　觥胡郎　鵄住于　擒巨今　鋋延項　瘠情昔　嗄音吉　拔無㧊

BD01969 號　金光明最勝王經卷一〇　（6–6）

BD01969 號背　雜寫　　（1–1）

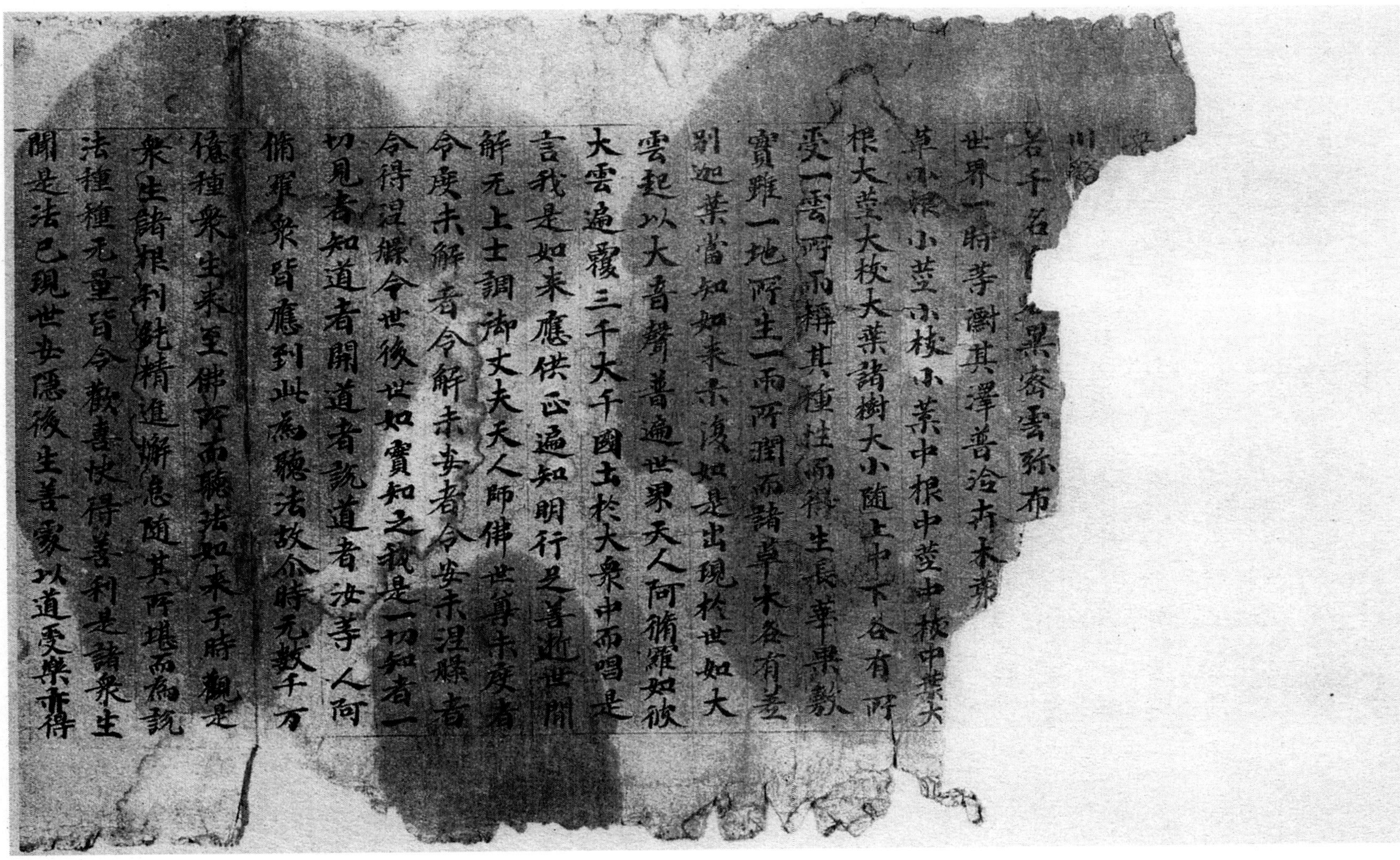
若干名□□異密雲彌布
世界一時等澍其澤普洽卉木叢
草小根小莖小枝小葉中根中莖中枝中葉大
根大莖大枝大葉諸樹大小隨上中下各有所
受一雲所雨稱其種性而得生長華果敷
實雖一地所生一雨所潤而諸草木各有差
別迦葉當知如來亦復如是出現於世如大
雲起以大音聲普遍世界天人阿脩羅如彼
大雲遍覆三千大千國土於大衆中而唱是
言我是如來應供正遍知明行足善逝世間
解无上士調御丈夫天人師佛世尊未度者
令度未解者令解未安者令安未涅槃者
令得涅槃今世後世如實知之我是一切知者一
切見者知道者開道者說道者汝等天人阿
脩羅衆皆應到此為聽法故尒時无數千万
億種衆生來至佛所而聽法如來于時觀是
衆生諸根利鈍精進懈怠隨其所堪而為說
法種種无量皆令歡喜快得善利是諸衆生
聞是法已現世安隱後生善處以道受樂亦得

BD01970 號　妙法蓮華經卷三　　（10–1）

備種衆生來至佛所而聽法如來于時觀是
衆生諸根利鈍精進懈怠隨其所堪而為說
法種種无量皆令歡喜快得善利是諸衆生
聞是法已現世安隱後生善處以道受樂亦得
聞法既聞法已離諸鄣礙於諸法中任力所能
漸得入道如彼大雲雨於一切卉木叢林及諸
藥草如其種性具足蒙潤各得生長如來說
法一相一味所謂解脫相離相滅相究竟
至於一切種智其有衆生聞如來法若持讀
誦如說修行所得功德不自覺知所以者何
唯有如來知此衆生種相體性念何事思何
事修何事云何念云何思云何修以何法
念以何法思以何法修以何法得何法衆生
住於種種之地唯有如來如實見之明
了无㝵如彼卉木叢林諸藥草等而不自
知上中下性如來知是一切一味之法所謂解脫
相離相滅相究竟涅槃常寂滅相終歸於
空佛知是已觀衆生心欲而將護之是故不即
為說一切種智汝等迦葉甚為希有能知如來
隨宜說法能信能受所以者何諸佛世尊
隨宜說法難解難知尒時世尊欲重宣此義
而說偈言
破有法王　出現世間　隨衆生欲　種種說法
如來尊重　智慧深遠　久默斯要　不務速說
有智若聞　則能信解　无智疑悔　則為永失
是故迦葉　隨力為說　以種種緣　令得正見
迦葉當知　譬如大雲　起於世間　遍覆一切

BD01970號　妙法蓮華經卷三　（10–2）

如來尊重　智慧深遠　久默斯要　不務速說
有智若聞　則能信解　无智疑悔　則為永失
是故迦葉　隨力為說　以種種緣　令得正見
迦葉當知　譬如大雲　起於世間　遍覆一切
慧雲含潤　電光晃曜　雷聲遠震　令衆悅豫
日光掩蔽　地上清涼　靉靆垂布　如可承攬
其雨普等　四方俱下　流澍无量　率土充洽
山川險谷　幽邃所生　卉木藥草　大小諸樹
百穀苗稼　甘蔗蒲桃　雨之所潤　无不豐足
乾地普洽　藥木並茂　其雲所出　一味之水
草木叢林　隨分受潤　一切諸樹　上中下等
稱其大小　各得生長　根莖枝葉　華菓光色
一雨所及　皆得鮮澤　如其體相　性分大小
所潤是一　而各滋茂　佛亦如是　出現於世
譬如大雲　普覆一切　既出于世　為諸衆生
分別演說　諸法之實　大聖世尊　於諸天人
一切衆中　而宣是言　我為如來　兩足之尊
出于世間　猶如大雲　充潤一切　枯槁衆生
皆令離苦　得安隱樂　世間之樂　及涅槃樂
諸天人衆　一心善聽　皆應到此　觀无上尊
我為世尊　无能及者　安隱衆生　故現於世
為大衆說　甘露淨法　其法一味　解脫涅槃
以一妙音　演暢斯義　常為大乘　而作因緣
我觀一切　普皆平等　无有彼此　愛憎之心
我无貪著　亦无限礙　恒為一切　平等說法
如為一人　衆多亦然　常演說法　曾无他事

BD01970號　妙法蓮華經卷三　（10–3）

我觀一切　普皆平等　无有彼此　愛憎之心
我无貪著　亦无限礙　恒為一切　平等說法
如為一人　衆多亦然　常演說法　曾无他事
去來坐立　終不疲猒　充足世間　如雨普潤
貴賤上下　持戒毀戒　威儀具足　及不具足
正見耶見　利根鈍根　等雨法雨　而无懈惓
一切衆生　聞我法者　隨力所受　住於諸地
或處人天　轉輪聖王　釋梵諸王　是小藥草
知无漏法　能得涅槃　起六神通　及得三明
獨處山林　常行禪定　得緣覺證　是中藥草
求世尊處　我當作佛　行精進定　是上藥草
又諸佛子　專心佛道　常行慈悲　自知作佛
決定无疑　是名小樹　安住神通　轉不退輪
度无量億　百千衆生　如是菩薩　名為大樹
佛平等說　如一味雨　隨衆生性　所受不同
如彼草木　所稟各異　佛以此喻　方便開示
種種言辞　演說一法　於佛智慧　如海一渧
我雨法雨　充滿世間　一味之法　隨力脩行
如彼叢林　藥草諸樹　隨其大小　漸增茂好
諸佛之法　常以一味　令諸世間　普得具足
漸次脩行　皆得道果　聲聞緣覺　處於山林
住最後身　聞法得果　是名藥草　各得增長
若諸菩薩　智慧堅固　了達三界　求最上乘
是名小樹　而得增長　復有住禪　得神通力
聞諸法空　心大歡喜　放无數光　度諸衆生

BD01970號　妙法蓮華經卷三　（10–4）

若諸菩薩　智慧堅固　了達三界　求最上乘
是名小樹　而得增長　復有住禪　得神通力
聞諸法空　心大歡喜　放无數光　度諸衆生
是名大樹　而得增長　如是迦葉　佛所說法
譬如大雲　以一味雨　潤於人華　各得成實
迦葉當知　以諸因緣　種種譬喻　開示佛道
是我方便　諸佛亦然　今為汝等　說最實事
諸聲聞衆　皆非滅度　汝等所行　是菩薩道
漸漸脩學　悉當成佛

妙法蓮華經授記品第六

尒時世尊說是偈已告諸大衆唱如是言我
此弟子摩訶迦葉於未來世當得奉覲三百
万億諸佛世尊供養恭敬尊重讚歎廣宣諸
佛无量大法於最後身得成為佛名曰光明
如來應供正遍知明行足善逝世間解无上
士調御丈夫天人師佛世尊國名光德劫名
大莊嚴佛壽十二小劫正法住世二十小劫像
法亦住二十小劫國界嚴飾无諸穢惡瓦礫荊
棘便利不淨其土平正无有高下坑坎堆
阜瑠璃為地寶樹行列黃金為繩以界道側
散諸寶華周遍清淨其國菩薩无量千億諸
聲聞衆亦復无數无有魔事雖有魔及魔
民皆護佛法尒時世尊欲重宣此義而說偈言
告諸比丘　我以佛眼　見是迦葉　於未來世
過无數劫　當得作佛　而於來世　供養奉覲
三百万億　諸佛世尊　為佛智慧　淨脩梵行

BD01970號　妙法蓮華經卷三　（10–5）

皆護佛法尒時世尊欲重宣此義而說偈言
告諸比丘　我以佛眼　見是迦葉　於未來世
過无數劫　當得作佛　而於來世　供養奉覲
三百万億　諸佛世尊　為佛智慧　淨脩梵行
供養最上　二足尊已　脩習一切　无上之慧
於最後身　得成為佛　其土清淨　瑠璃為地
多諸寶樹　行列道側　金繩界道　見者歡喜
常出好香　散衆名華　種種奇妙　以為莊嚴
其地平正　无有丘坑　諸菩薩衆　不可稱計
其心調柔　逮大神通　奉持諸佛　大乘經典
諸聲聞衆　无漏後身　法王之子　亦不可計
乃以天眼　不能數知　其佛當壽　十二小劫
正法住世　二十小劫　像法亦住　二十小劫
光明世尊　其事如是
尒時大目揵連須菩提摩訶迦栴延等皆悉
悚慄一心合掌瞻仰世尊目不暫捨即共同聲
而說偈言
大雄猛世尊　諸釋之法王　哀愍我等故　而賜佛音聲
若知我深心　見為授記者　如以甘露灑　除熱得清涼
如從飢國來　忽遇大王饍　心猶懷疑懼　未敢即便食
若復得王教　然後乃敢食　我等亦如是　每惟小乘過
不知當云何　得佛无上慧　雖聞佛音聲　言我等作佛
心尚懷憂懼　如未敢便食　若蒙佛授記　尒乃快安樂
大雄猛世尊　常欲安世間　願賜我等記　如飢須教食
尒時世尊知諸大弟子心之所念告諸比丘是
須菩提於當來世奉覲三百万億那由他佛

BD01970號　妙法蓮華經卷三　（10–6）

大雄猛世尊　常欲安世間　願賜我等記　如飢須教食
尒時世尊知諸大弟子心之所念告諸比丘是
須菩提於當來世奉覲三百万億那由他佛
供養恭敬尊重讚歎常脩梵行具菩薩道
於最後身得成為佛号曰名相如來應供正
遍知明行足善逝世間解无上士調御丈夫天
人師佛世尊劫名有寶國名寶生其土平正
頗梨為地寶樹莊嚴无諸丘坑沙礫荊棘便
利之穢寶華覆地周遍清淨其土人民皆
處寶臺珎妙樓閣聲聞弟子无量无邊筭
數譬喻所不能知諸菩薩衆无數千万億那
由他佛壽十二小劫正法住世二十小劫像法
亦住二十小劫其佛常處虛空為衆說法度
脫无量菩薩及聲聞衆尒時世尊欲重宣此
義而說偈言
諸比丘衆　今告汝等　皆當一心　聽我所說
我大弟子　須菩提者　當得作佛　号曰名相
當供无數　万億諸佛　隨佛所行　漸具大道
最後身得　三十二相　端正姝妙　猶如寶山
其佛國土　嚴淨第一　衆生見者　无不愛樂
佛於其中　度无量衆　其佛法中　多諸菩薩
皆悉利根　轉不退輪　彼國常以　菩薩莊嚴
諸聲聞衆　不可稱數　皆得三明　具六神通
住八解脫　有大威德　其佛說法　現於无量
神通變化　不可思議　諸天人民　數如恒沙
皆共合掌　聽受佛語　其佛當壽　十二小劫
正法住世　二十小劫　像法亦住　二十小劫

BD01970號　妙法蓮華經卷三　（10–7）

住八解脫 有大威德 其佛說法 現於无量
神通變化 不可思議 諸天人民 數如恒沙
皆共合掌 聽受佛語 其佛當壽 十二小劫
正法住世 二十小劫 像法亦住 二十小劫
尔時世尊復告諸比丘衆我今語汝是大迦栴
延於當來世以諸供具供養奉事八千億佛
恭敬尊重諸佛滅後各起塔廟高千由旬
縱廣正等五百由旬以金銀瑠璃車𤦲馬瑙真
珠玫瑰七寶合成衆華瓔珞塗香末香燒香
繒蓋幢幡供養塔廟過是已後當復供養二
万億佛亦復如是供養是諸佛已具菩薩道
當得作佛号曰閻浮那提金光如來應供正遍
知明行足善逝世間解无上士調御丈夫天
人師佛世尊其土平正頗梨為地寶樹莊嚴
黃金為繩以界道側妙華覆地周遍清淨
見者歡喜无四惡道地獄餓鬼畜生阿脩羅
道多有天人諸聲聞衆及諸菩薩无量万億
莊嚴其國佛壽十二小劫正法住世二十小
劫像法亦住二十小劫尔時世尊欲重宣
此義而說偈言
諸比丘衆 皆一心聽 如我所說 真實无異
是迦栴延 當以種種 妙好供具 供養諸佛
諸佛滅後 起七寶塔 亦以華香 供養舍利
其最後身 得佛智慧 成等正覺 國土清淨
度脫无量 万億衆生 皆為十方 之所供養
佛之光明 无能勝者 其佛号曰 閻浮金光
菩薩聲聞 斷一切有 无量无數 莊嚴其國

BD01970號 妙法蓮華經卷三 （10–8）

其最後身 得佛智慧 成等正覺 國土清淨
度脫无量 万億衆生 皆為十方 之所供養
佛之光明 无能勝者 其佛号曰 閻浮金光
菩薩聲聞 斷一切有 无量无數 莊嚴其國
尔時世尊復告大衆我今語汝是大目揵連
當以種種供具供養八千諸佛恭敬尊重諸
佛滅後各起塔廟高千由旬縱廣正等五百
由旬以金銀瑠璃車𤦲馬瑙真珠玫瑰七寶
合成衆華瓔珞塗香末香燒香繒蓋幢幡
以用供養過是已後當復供養二百万億諸
佛亦復如是當得成佛号曰多摩羅跋栴檀香
如來應供正遍知明行足善逝世間解无上士
調御丈夫天人師佛世尊劫名喜滿國名意
樂其土平正頗梨為地寶樹莊嚴散真珠華
周遍清淨見者歡喜多諸天人菩薩聲聞其
數无量佛壽二十四小劫正法住世四十小劫
像法亦住四十小劫尔時世尊欲重宣此義
而說偈言
我此弟子 大目揵連 捨是身已 得見八千
二百万億 諸佛世尊 為佛道故 供養恭敬
於諸佛所 常脩梵行 於无量劫 奉持佛法
諸佛滅後 起七寶塔 長表金刹 華香伎樂
而以供養 諸佛塔廟 漸漸具足 菩薩道已
於意樂國 而得作佛 号多摩羅 栴檀之香
其佛壽命 二十四劫 常為天人 演說佛道
聲聞无量 如恒河沙 三明六通 有大威德

BD01970號 妙法蓮華經卷三 （10–9）

我此弟子　大目揵連　捨是身已　得見八千
二百万億　諸佛世尊　為佛道故　供養恭敬
於諸佛所　常脩梵行　於无量劫　奉持佛法
諸佛滅後　起七寶塔　長表金刹　華香伎樂
而以供養　諸佛塔廟　漸漸具足　菩薩道已
於意樂國　而得作佛　号多摩羅　栴檀之香
其佛壽命　二十四劫　常為天人　演說佛道
聲聞无量　如恒河沙　三明六通　有大威德
菩薩无數　志固精進　於佛智慧　皆不退轉
佛滅度後　正法當住　四十小劫　像法亦尒
我諸弟子　威德具足　其數五百　皆當授記
於未來世　咸得成佛　我及汝等　宿世因緣
吾今當說　汝等善聽
妙法蓮華經化城喩品第七
佛告諸比丘乃往過去无量无邊不可思議
阿僧祇劫尒時有佛名大通智勝如來應
供正遍知明行足善逝世間解无上士調御
大夫天人師佛世尊其國名好成劫名大相
諸比丘彼佛滅度已來甚大久遠譬如三千

BD01970號　妙法蓮華經卷三　（10–10）

大乘无量壽經
如是我聞一時薄伽梵在舍衛國祇樹給孤獨園與大苾芻僧千二百五十人大菩薩摩訶薩
衆俱尒時世尊告曼殊室利童子曼殊上方有世界名无量功德聚彼土有佛
号无量智決定王如來阿羅訶三藐三菩提現為衆生開示說法曼殊師利諦聽南閻
浮提人皆短壽大限百年於中殀枉橫死者衆曼殊如是无量壽如來功德名稱讚
若有衆生得聞名号若自書或使人書能為經卷受持讀誦若於舍宅所住之處以
種種花鬘瓔珞塗香末香而為供養如其命盡復得延年滿足百歲如是曼殊若有衆生
得聞是无量壽智決定王如來一百八名号者益其長壽若有衆生大命將盡憶念是
如來名号更得增壽如是曼殊若有善男子善女人欲求長命於是无量壽如來
一百八名号有得聞者或自書使人書受持讀誦得如是等果報福德具足陁羅尼曰
南謨薄伽勃底　阿波利蜜哆　阿喻紇硯娜三　須毗你悉指陁四　囉佐耶　怛他羯他耶　怛姪他唵
薩婆桑悉迦羅八　波利輸底　達磨底　伽迦娜十　莎訶其特迦底　莎婆婆毗輸底　摩訶
娜耶　波利婆囉莎訶十二　世尊復告曼殊室利如是如來一百八名号若有自書或使人
書能為經卷受持讀誦如命盡復滿百年壽終此身後得往生无量福智世界无量淨土
陁羅尼曰　南謨薄伽謙勃底　阿波利蜜哆　阿喻紇硯娜　須毗你悉指　囉佐耶　怛他羯他耶　怛姪他唵
薩婆桑悉迦羅八　波利輸底　達摩底　伽迦娜　莎訶其特迦底　莎婆婆毗輸底　摩訶娜耶
波利婆囉莎訶　尒時有九十九殑伽沙佛一時同聲說是无量壽宗要經陁羅尼曰
南无薄伽勃底　阿波利蜜哆　阿喻紇硯娜　須毗你悉指陁　囉佐耶　怛他羯他耶　怛姪他唵
薩婆桑悉迦羅八　波利輸底　達磨底　伽迦娜　莎訶其特迦底　莎婆婆毗輸底　摩訶娜耶
波利婆囉莎訶十五　尒時復有一百四殑伽沙佛一時同聲說是无量壽宗要經陁羅尼曰
南謨薄伽勃底　阿波利蜜哆　阿喻紇硯娜三　須毗你悉指陁　囉佐耶　怛他羯他耶　怛姪他唵　薩婆
桑悉迦羅八　波利輸底　達磨底　伽迦娜　莎訶其特迦底

BD01971號　無量壽宗要經　（5–1）

波利婆羅莎訶　介時有九十九拘胝佛等一時同聲説是无量壽宗要經陁羅尼曰
南无薄伽勃底　阿波唎蜜多　阿喻紇硯娜　須毗你悉指陁　囉佐耶　怛他羯他耶　怛姪他唵七　薩
薩婆桒悉迦羅八　波唎輸底　達磨底　伽迦娜　莎訶三摩特迦底　莎婆婆毗輸底　摩訶娜耶
波利婆羅莎訶十
介時復有一百四拘胝佛一時同聲説是无量壽宗要經陁羅尼曰
南謨薄伽勃底　阿波唎蜜多　阿喻紇硯娜三　須毗你悉指陁　囉佐耶　怛他羯他耶　怛姪他唵　薩婆
桒悉迦羅八　波唎輸底　達磨底　伽迦娜　莎訶三摩特迦底　莎婆婆毗輸底　摩訶娜耶　波利
婆利莎訶十
介時復有七拘胝佛一時同聲説是无量壽宗要經陁羅尼曰
南謨薄伽勃底　阿波唎蜜多　阿喻紇硯娜　須毗你悉指陁　囉佐耶　怛他羯他耶　怛姪他唵　薩
婆桒悉迦羅八　波唎輸底　達磨底　伽迦娜土　莎訶三摩特迦底　莎婆婆毗輸底　摩訶娜耶
波利婆羅莎訶　介時有二十五拘胝佛一時同聲説是无量壽宗要經陁羅尼曰
南謨薄伽勃底　阿波唎蜜多　阿喻紇硯娜　須毗你悉指陁　囉佐耶　怛他羯他耶　怛姪他唵　薩婆
悉迦羅八　波唎輸底　達磨底　伽迦娜　莎訶三摩特迦底　莎婆婆毗輸底　摩訶娜耶　波利
婆羅莎訶　介有復有五十五拘胝佛一時同聲説是无量壽宗要經陁羅尼曰
南謨薄伽勃底　阿波唎蜜多　阿喻紇硯娜　須毗你悉指陁　囉佐耶　怛他羯他耶　怛姪他唵　薩婆
桒悉迦羅　波唎輸底　達磨底　伽迦娜　莎訶三摩特迦底　莎婆婆毗輸底　摩訶娜耶
波利婆羅沙訶　介時復有四拘胝佛一時同聲説是无量壽宗要經陁羅尼曰
南謨薄伽勃底　阿波唎蜜多　阿喻紇硯娜　須毗你悉指陁　囉佐耶　怛他羯他耶　怛姪他唵　薩婆
桒悉迦羅　波唎輸底　達磨底　伽迦娜　莎訶三摩特迦底　莎婆婆毗輸底　摩訶娜耶　波利婆
羅莎訶　介時復有三十六拘胝佛一時同聲説是无量壽宗要經陁羅尼曰
南謨薄伽勃底　阿波唎蜜多　阿喻紇硯娜　須毗你悉指陁　囉佐耶　怛他羯他耶　怛姪他唵　薩婆
桒悉迦羅　波唎輸底　達磨底　伽迦娜　莎訶三摩特迦底　莎婆婆毗輸底　摩訶娜耶
波利婆羅莎訶　介時二十五拘胝佛一時同聲説是无量壽宗要經陁羅尼曰
南謨薄伽勃底　阿波唎蜜多　阿喻紇硯娜　須毗你悉指陁　囉佐耶　怛他羯他耶　怛姪他唵　薩
婆桒悉迦羅　波唎輸底　達磨底　伽迦娜　莎訶三摩特迦底　莎婆婆毗輸底　摩訶娜耶
波利婆羅莎訶　介時復有恒河沙拘胝佛一時同聲説是无量壽宗要經陁羅尼曰
南謨薄伽勃底　阿波唎蜜多　阿喻紇硯娜　須毗你悉指陁　囉佐耶　怛他羯他耶　怛姪他唵　薩婆桒悉
迦羅　波唎輸底　達磨底　伽迦娜　莎訶三摩特迦底　莎婆婆毗輸底　摩訶娜耶　波利婆羅莎訶
善男子若有自書寫教人書寫是无量壽宗要經如其命盡復得長壽滿百年陁羅尼曰
南謨薄伽勃底　阿波唎蜜多　阿喻紇硯娜三　須毗你悉指陁　囉佐耶　怛他羯他耶　怛姪他唵　薩婆桒
悉迦羅　波唎輸底　達磨底　伽迦娜　莎訶三摩特迦底　莎婆婆毗輸底　摩訶娜耶　波利婆羅莎訶

BD01971號　無量壽宗要經　（5–2）

婆桒悉迦羅　波唎輸底　達磨底　伽迦娜　莎訶三摩特迦底　莎婆婆毗輸底　摩訶娜耶
波利婆羅沙訶　介時復有恒河沙拘胝佛一時同聲説是无量壽宗要經陁羅尼曰
南謨薄伽勃底　阿波唎蜜多　阿喻紇硯娜　須毗你悉指陁　囉佐耶　怛他羯他耶　怛姪他唵　薩婆桒悉
迦羅　波唎輸底　達磨底　伽迦娜　莎訶三摩特迦底　莎婆婆毗輸底　摩訶娜耶　波利婆羅莎訶
善男子若有自書寫教人書寫是无量壽宗要經如其命盡復得長壽滿百年陁羅尼曰
南謨薄伽勃底　阿波唎蜜多　阿喻紇硯娜三　須毗你悉指陁　囉佐耶　怛他羯他耶　怛姪他唵　薩婆桒
悉迦羅　波唎輸底　達磨底　伽迦娜　莎訶三摩特迦底　莎婆婆毗輸底　摩訶娜耶　波利婆羅莎訶
若有自書寫教人書寫是无量壽宗要經讀誦受持畢竟不墮地獄在在所生得宿命智陁羅尼曰
南謨薄伽勃底　阿波唎蜜多　阿喻紇硯娜　須毗你悉指陁　囉佐耶　怛他羯他耶　怛姪他唵　薩婆桒
悉迦羅　波唎輸底　達磨底　伽迦娜　莎訶三摩特迦底　莎婆婆毗輸底　摩訶娜耶　波利
婆羅莎訶　若有自書教人書寫是无量壽宗要經受持讀誦如同書寫八万四千一切經典陁羅尼曰
南謨薄伽勃底　阿波唎蜜多　阿喻紇硯娜　須毗你悉指陁　囉佐耶　怛他羯他耶　怛姪他唵七　薩婆桒
悉迦羅　波唎輸底　達磨底　伽迦娜　莎訶三摩特迦底　莎婆婆毗輸底　摩訶娜耶　波利
波利婆羅莎訶　若有自書寫教人書寫是无量壽宗要經即是書寫八万四千部建立塔廟陁羅尼曰
南謨薄伽勃底　阿波唎蜜多　阿喻紇硯娜　須毗你悉指陁　囉佐耶　怛他羯他耶　怛姪他唵七　薩婆桒
迦羅　波唎輸底　達磨底　伽迦娜　莎訶三摩特迦底　莎婆婆毗輸底　摩訶娜耶　波利婆羅莎訶
若有自書寫教人書寫是无量壽宗要經能消五无間等一切重罪陁羅尼曰
南謨薄伽勃底　阿波唎蜜多　阿喻紇硯娜　須毗你悉指陁　囉佐耶　怛他羯他耶　怛姪他唵　薩婆桒
悉迦羅　波唎輸底　達磨底　伽迦娜　莎訶三摩特迦底　莎婆婆毗輸底　摩訶娜耶　波利
婆羅莎訶　若有自書寫教人書寫是无量壽宗要經受持讀誦設有重罪猶如須彌盡
能除滅陁羅尼曰　南謨薄伽勃底　阿波唎蜜多　阿喻紇硯娜　須毗你悉指陁　囉佐耶　怛他羯他
怛姪他唵　薩婆桒悉迦羅　波唎輸底　達磨底　伽迦娜土　薩訶三摩特迦底　薩婆婆毗輸
底　摩訶娜耶　波利婆羅莎訶　若有自書寫教人書寫是无量壽宗要經受持讀誦者
魔之眷屬夜叉羅剎不得其便終无枉死陁羅尼曰
南謨薄伽勃底　阿波唎蜜多　阿喻紇硯娜　須毗你悉指陁　囉佐耶　怛他羯他耶　怛姪他唵　薩婆桒悉
迦羅　波唎輸底　達磨底　伽迦娜　莎訶三摩特迦底　莎婆婆毗輸底　摩訶娜耶　波利婆羅莎訶
若有自書教人書寫是无量壽宗要經受持讀誦當命終時有九十九拘胝佛現其人前來千佛授手現
形是一切佛刹不生疑惑陁羅尼曰　南謨薄伽勃底　阿波唎蜜多
阿喻紇硯娜　須毗你悉指陁　囉佐耶　怛他羯他耶　怛姪他唵　薩婆桒悉迦羅　波唎輸底
達磨底　伽迦娜　莎訶三摩特迦底　莎婆婆毗輸底　摩訶娜耶　波利婆羅莎訶
若有自書寫教人書寫是无量壽宗要經受持讀誦常得四大天王隨其衛護陁羅尼曰
南謨薄伽勃底　阿波唎蜜多　阿喻紇硯娜　須毗你悉指陁　囉佐耶　怛他羯他耶　怛姪他唵七

BD01971號　無量壽宗要經　（5–3）

達磨底 伽伽那 莎訶其持迦底 薩婆娑毗輸底 摩訶娜耶 波唎婆羅莎訶
若有自書寫教人書寫是无量壽宗要經受持讀誦當得四大天王隨其衛護陁羅尼曰
南謨薄伽勒底 阿波唎蜜多 阿喻紇硯那 須毗你悉指陀 羅佐耶 怛他羯他耶 怛姪他唵 七
薩婆桑悉迦羅 波唎輸底 達磨底 伽伽那 莎訶其持迦底 薩婆娑毗輸底 摩訶娜耶
波唎婆羅莎訶　若有自書教人書寫是无量壽宗要經受持讀誦當得往生西方極樂世
界阿彌陁淨土陁羅尼曰　南謨薄伽勒底 阿波唎蜜多 阿喻紇硯那 須毗你悉指陀 羅佐耶
怛他羯他耶 怛姪他唵 薩婆桑悉迦羅 波唎輸底 達磨底 伽伽那 莎訶其持迦
薩婆娑毗輸底 摩訶娜耶 波唎婆羅莎訶
若有方所自書寫使人書寫是无量壽經典之處則為是塔廟應恭敬作礼若是畜生或
為鳥獸得聞是經類皆當不久得成一切種智陁羅尼曰　南謨薄伽勒底 阿波唎蜜多
阿喻紇硯那 須毗你悉指陀 羅佐耶 怛他羯他耶 怛姪他唵 薩婆桑悉迦羅 波唎輸底
達磨底 伽伽那 莎訶其持迦底 薩婆娑毗輸底 摩訶娜耶 波唎婆羅莎訶
若有於是无量壽經自書寫若使人書寫畢竟不受女人之身陁羅尼曰　南謨薄伽勒底
阿波唎蜜多 阿喻紇硯那 須毗你悉指陀 羅佐耶 怛他羯他耶 怛姪他唵 薩婆桑悉迦羅 波唎輸
底 達磨底 伽伽那 莎訶其持迦底 薩婆娑毗輸底 摩訶娜耶 波唎婆羅莎訶
若有能於是經少分能惠施者等於三千大千世界滿中七寶布施陁羅尼曰
南謨薄伽勒底 阿波唎蜜多 阿喻紇硯那 須毗你悉指陀 羅佐耶 怛他羯他耶 怛姪他唵 七
薩婆桑悉迦羅 波唎輸底 達磨底 伽伽那 莎訶其持迦底 薩婆娑毗輸底 摩訶娜耶
波唎婆羅莎訶　若有能供養經者則是供養一切諸經等无有異陁羅尼曰
南謨薄伽勒底 阿波唎蜜多 阿喻紇硯那 須毗你悉指陀 羅佐耶 怛他羯他耶 怛姪他唵 薩
婆桑悉迦羅 波唎輸底 達磨底 伽伽那 莎訶其持迦底 薩婆娑毗輸底 摩訶娜耶
波唎婆羅莎訶　如是毗婆尸佛 尸棄佛 毗舍浮佛 俱留孫佛 俱那含牟尼佛 迦葉佛 釋迦牟
尼佛
若有人以七寶供養如是七佛其福有限書寫受持是无量壽經典所有功德不可限量
陁羅尼曰　南謨薄伽勒底 阿波唎蜜多 阿喻紇硯那 須毗你悉指陀 羅佐耶 怛他羯他
耶 怛姪他唵 薩婆桑悉迦羅 波唎輸底 達磨底 伽伽那 莎訶其持迦底 薩婆娑毗輸底
摩訶娜耶 波唎婆羅莎訶　若有七寶等於須弥以用布施其福亦能知其限量是无量壽經
其福不可數量陁羅尼曰　南謨薄伽勒底 阿波唎蜜多 阿喻紇硯那 須毗你悉指陀 羅佐耶
怛他羯他耶 怛姪他唵 薩婆桑悉迦羅 波唎輸底 達磨底 伽伽那 莎訶其持迦底 薩
婆娑毗輸底 摩訶娜耶 波唎婆羅莎訶　如是四大海水可知滴數是无量壽經典所生果報不可
數量陁羅尼曰　南謨薄伽勒底 阿波唎蜜多 阿喻紇硯那 須毗你悉指陀 羅佐耶 怛他羯他

BD01971號　無量壽宗要經　(5-4)

怛他羯他耶 怛姪他唵 薩婆桑悉迦羅 波唎輸底 達磨底 伽伽那 莎訶其持迦底 薩
婆娑毗輸底 摩訶娜耶 波唎婆羅莎訶　如是四大海水可知滴數是无量壽經典所生果報不可
數量陁羅尼曰　南謨薄伽勒底 阿波唎蜜多 阿喻紇硯那 須毗你悉指陀 羅佐耶 怛他羯他耶
怛姪他唵 薩婆桑悉迦羅 波唎輸底 達磨底 伽伽那 莎訶其持迦底 薩婆娑毗輸底
摩訶娜耶 波唎婆羅莎訶
若有自書使人書寫是无量壽經典又能讀持供養即如來教供養一切十方佛土如來无有別異
陁羅尼曰　南无薄伽勒底 阿波唎蜜多 阿喻紇硯那 須毗你悉指陀 羅佐耶 怛他羯他耶
怛姪他唵 薩婆桑悉迦羅 波唎輸底 達磨底 伽伽那 莎訶其持迦底 薩婆娑毗輸底
摩訶娜耶 波唎婆羅莎訶
若有人自書使人書寫是无量壽經典又能讀持供養即如來教供養一切十方佛土如來无有
別異陁羅尼曰　南謨薄伽勒底 阿波唎蜜多 阿喻紇硯那 須毗你悉指陀 怛他羯他耶 怛
他唵 薩婆桑悉迦羅 波唎輸底 達磨底 伽伽那 莎訶其持迦底 薩婆娑毗輸底
摩訶娜耶 波唎婆羅莎訶
布施力能成正覺　悟布施力人師子　布施力能聲普聞　慈悲階漸最能入
持戒力能成正覺　悟持戒力人師子　持戒力能聲普聞　慈悲階漸最能入
忍辱力能成正覺　悟忍辱力人師子　忍辱力能聲普聞　慈悲階漸最能入
精進力能成正覺　悟精進力人師子　精進力能聲普聞　慈悲階漸最能入
禪定力能成正覺　悟禪定力人師子　禪定力能聲普聞　慈悲階漸最能入
智慧力能成正覺　悟智慧力人師子　智慧力能聲普聞　慈悲階漸最能入
尒時如來說是經已一切世間天人阿脩羅揵闥婆等聞佛所說皆大歡喜
信受奉行

佛說无量壽宗要經

BD01971號　無量壽宗要經　(5-5)

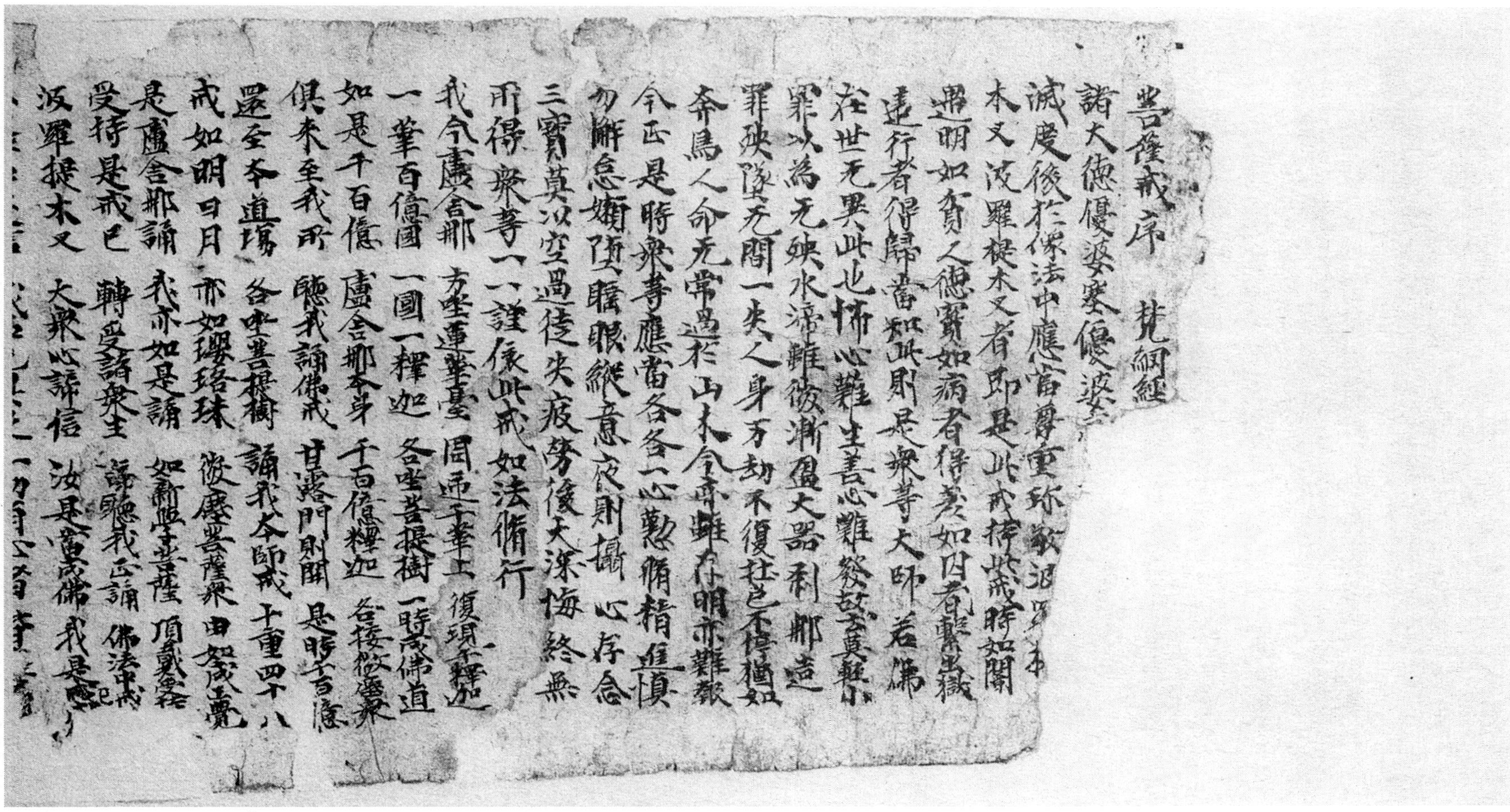

菩薩戒序　梵網經
諸大德優婆塞優婆
滅度後於像法中應當尊重珍敬波羅提木
木叉波羅提木叉者即是此戒持此戒時如闇
遇明如貧人得寶如病者得差如囚繫出獄
遠行者得歸當知此則是眾人大師若佛
在世无異此也怖心難生善心難發故經云勿輕小
罪以為无殃水滴雖微漸盈大器剎那造
罪殃墮无間一失人身万劫不復壯色不停猶如
奔馬人命无常過於山水今日雖存明亦難報
今正是時眾等應當各各一心懃循精進慎
勿懈怠嬾墮睡眠縱意夜則攝心存念
三寶莫以空過徒失疲勞後代深悔終無
所得眾等一一謹依此戒如法修行
我今盧舍那　方坐蓮華臺　周匝千華上　復現千釋迦
一華百億國　一國一釋迦　各坐菩提樹　一時成佛道
如是千百億　盧舍那本身　千百億釋迦　各接微塵眾
俱來至我所　聽我誦佛戒　甘露門則開　是時千百億
還至本道場　各坐菩提樹　誦我本師戒　十重四十八
戒如明日月　亦如瓔珞珠　微塵菩薩眾　由是成正覺
是盧舍那誦　我亦如是誦　汝新學菩薩　頂戴受持戒
受持是戒已　轉授諸眾生　諦聽我正誦　佛法中戒藏
波羅提木叉　大眾心諦信　汝是當成佛　我是已成佛
[illegible]

BD01972 號 1　梵網經盧舍那佛說菩薩心地戒品第十序　（19–1）
BD01972 號 2　梵網經盧舍那佛說菩薩心地戒品第十卷下

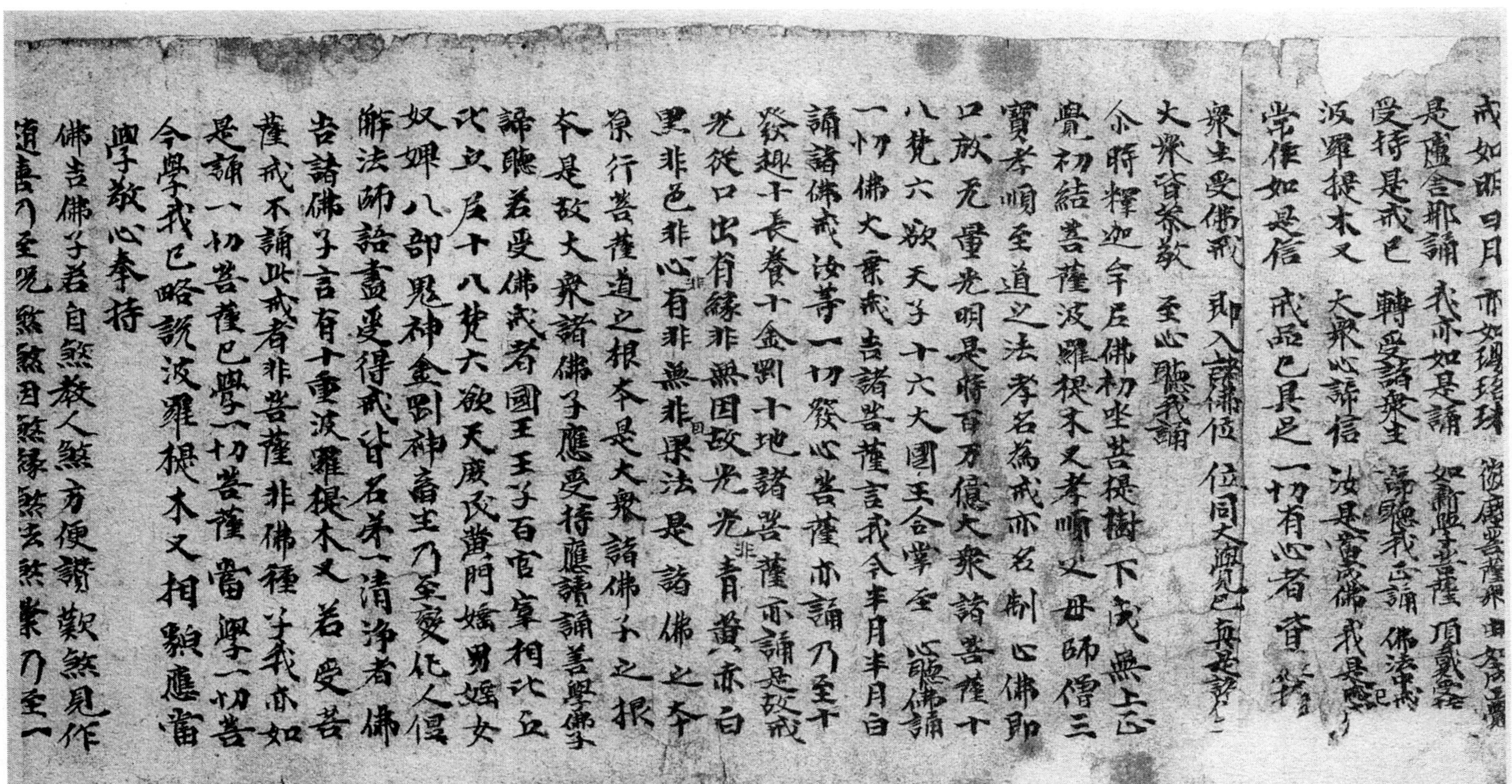

戒如明日月　亦如瓔珞珠　微塵菩薩眾　由是成正覺
是盧舍那誦　我亦如是誦　汝新學菩薩　頂戴受持戒
受持是戒已　轉授諸眾生　諦聽我正誦　佛法中戒藏
波羅提木叉　大眾心諦信　汝是當成佛　我是已成佛
常作如是信　戒品已具足　一切有心者　皆應攝佛戒
眾生受佛戒　即入諸佛位　位同大覺已　真是諸佛子
大眾皆恭敬　至心聽我誦
尒時釋迦牟尼佛初坐菩提樹下成無上正
覺初結菩薩波羅提木叉孝順父母師僧三
寶孝順至道之法孝名為戒亦名制止佛即
口放无量光明是時百万億大眾諸菩薩十
八梵六欲天子十六大國王合掌至心聽佛誦
一切佛大乘戒告諸菩薩言我今半月半月自
誦諸佛戒汝等一切發心菩薩亦誦乃至十
發趣十長養十金剛十地諸菩薩亦誦是故戒
光從口出有緣非無因故光光非青黃赤白
黑非色非心非有非無非因果法是諸佛之本
源行菩薩道之根本是大眾諸佛子之根
本是故大眾諸佛子應受持應讀誦善學學
諦聽若受佛戒者國王王子百官宰相比丘
比丘尼十八梵六欲天庶民黃門婬男婬女
奴婢八部鬼神金剛神畜生乃至變化人但
解法師語盡受得戒皆名第一清淨者佛
告諸佛子言有十重波羅提木叉若受菩
薩戒不誦此戒者非菩薩非佛種子我亦如
是誦一切菩薩已學一切菩薩當學一切菩
薩今學我已略說波羅提木叉相貌應當
學敬心奉持
佛告佛子若自殺教人殺方便讚歎殺見作
隨喜乃至呪殺殺因殺緣殺法殺業乃至一

BD01972 號 2　梵網經盧舍那佛說菩薩心地戒品第十卷下　（19–2）

學敬心奉持
佛告佛子若自殺教人殺方便讚歎殺見作
隨喜乃至呪殺殺因殺緣殺法殺業乃至一
切有命者不得故殺而菩薩應起常住慈悲
心孝順心方便救護一切衆生而反自恣心
快意殺生者是菩薩波羅夷罪
若佛子自偷盜教人偷盜方便盜盜因盜緣
盜法盜業乃至鬼神有主劫賊物一切財物
一針一草不得故盜而菩薩應生佛性孝順
心慈悲心常助一切人生福生樂而反更盜人
財物者是菩薩波羅夷罪
若佛子自婬教人婬乃至一切女人不得故婬
婬因婬緣婬法婬業乃至畜生女諸天鬼神
女及非道行婬而菩薩應生孝順心救度一
切衆生淨法與人而反更起一切人婬不擇
畜生乃至母女姊妹六親行婬無慈悲心者
是菩薩波羅夷罪
若佛子自妄語教人妄語方便妄語妄語因
妄語緣妄語法妄語業乃至不見言見見
言不見身心妄語而菩薩常生正語正見亦生
一切衆生正語正見而反更起一切衆生邪語
邪見邪業者是菩薩波羅夷罪
若佛子自酤酒教人酤酒酤酒因酤酒緣酤酒
法酤酒業一切酒不得酤是酒起罪因緣而
菩薩應生一切衆生明達之慧而反更生衆
生顛倒之心者是菩薩波羅夷罪
若佛子口自說出家在家菩薩比丘比丘尼
罪過教人說罪過罪過因罪過業罪過法
過緣而菩薩聞外道惡人及二乘惡人說佛

BD01972 號 2　梵網經盧舍那佛說菩薩心地戒品第十卷下　（19–3）

若佛子口自說出家在家菩薩比丘比丘尼
罪過教人說罪過罪過因罪過業罪過法
過緣而菩薩聞外道惡人及二乘惡人說佛
法中非法非律常生悲心教化是惡人輩令
生大乘善信而菩薩反更自說佛法中罪過者
是菩薩波羅夷罪
若佛子口自讚毀他亦教人自讚毀他毀〻
因毀他業毀他法毀他緣而菩薩代一切衆
生受加毀辱惡事自向己好事與他人若自
揚己德隱他人好事他人受毀者是菩薩波
羅夷罪
若佛子自慳教人慳慳因慳業慳法慳緣而
菩薩見一切貧窮人來乞者隨前人所須一
切給與而菩薩惡心瞋心乃至不施一錢一針
一草有求法者而不為說一句一偈一微塵
許法而反更罵辱者是菩薩波羅夷罪
若佛子自瞋教人瞋瞋因瞋業瞋法瞋緣而
菩薩應生一切衆生中善根無諍之事常生
悲心而反更於一切衆生中乃至於非衆生
中以惡口罵辱加以手打及以刀杖意猶不
息前人求悔善言懺謝猶瞋不解者是菩薩波
羅夷罪
若佛子自謗三寶教人謗三寶謗因謗業謗
法謗緣而菩薩見外道及以惡人一言謗佛
音聲如三百鉾刺心況口自謗不生信心孝順
心而反更助惡人邪見人謗者是菩薩波羅
夷罪
善學諸人者是菩薩十波羅提木叉應當於

BD01972 號 2　梵網經盧舍那佛說菩薩心地戒品第十卷下　（19–4）

音聲如三百鉾刺心況口自謗不生信心孝順
心而反更助惡人邪見人謗是菩薩波羅
夷罪
善學諸人者是菩薩十波羅提木叉應當於
中不應一一犯如微塵許何況具足犯十戒
若有犯者不得現身發菩提心亦失國王位
轉輪王位亦失比丘比丘尼位失十發趣十
長養十金剛十地佛性常住妙果一切皆失
三惡道中若一劫二劫三劫不聞父母三寶
名字以是不應一一犯汝等一切諸菩薩今
學當學已學如是十戒應當學敬心奉持八万
威儀品當明
佛告諸菩薩言已說十波羅提木叉竟四十
八輕今當說
若佛子欲受國王位時受轉輪王位時百官
受位時應先受菩薩戒一切鬼神救護王身
百官之身諸佛歡喜既得戒已生孝順心恭
敬心見上坐和上阿闍梨大同學不起迎礼
拜一一不如法供養以自賣身國城男女七
寶百物而供給之若不尔者犯輕垢罪
若佛子故飲酒而生酒過失无量若自身手
過酒器與人飲酒者五百世无手何況自飲
不得教一切人飲及一切衆生飲酒況自飲
酒若故自飲教人飲者犯輕垢罪
若佛子故食宍一切宍不得食斷大慈悲佛性
種子一切衆生見而捨去故一切菩薩不得
食一切衆生宍食宍得无量罪若故食犯輕垢罪
若佛子不得食五辛大蒜革葱慈葱蘭葱興

BD01972 號 2　梵網經盧舍那佛說菩薩心地戒品第十卷下　（19–5）

種子一切衆生見而捨去故一切菩薩不得
食一切衆生宍食宍得无量罪若故食犯輕垢罪
若佛子不得食五辛大蒜革葱慈葱蘭葱興
渠是五種一切食中不得食若故食者犯輕垢罪
若佛子見一切衆生犯八戒五戒十戒毀禁七逆
八難一切犯戒罪應教懺悔而菩薩不教懺
悔同住同僧利養而共布薩一衆住說戒而
不舉其罪不教悔過者犯輕垢罪
若佛子見大乘法師大乘同見同行來入僧
坊舍宅城邑若百里千里來者即起迎來送去
礼拜供養日日三時供養日食三兩金百味
飲食床坐供事法師一切所須盡給與之常
請法師三時說法日日三時礼拜不生瞋心
患惱之心為法滅身請法若不尔者犯輕垢
罪
若佛子一切處有講法毗尼經律大宅舍中有
講法處是新學菩薩應持經律卷至法師所聽
受諮問若山林樹下僧地房中一切說法處
悉至聽受若不至彼聽受者犯輕垢罪
若佛子心背大乘常住經律言非佛說而受
持二乘聲聞外道惡見一切禁戒邪見經律
者犯輕垢罪
若佛子見一切疾病人常應供養如佛无異八福田
中看病福田第一福田若父母師僧弟子病諸
根不具百種病苦惱皆養令差而菩薩以瞋
恨心不至僧房中城邑曠野山林道路中見
病不救濟者犯輕垢罪
若佛子不得畜一切刀杖鬪戰弓箭鉾斧之

BD01972 號 2　梵網經盧舍那佛說菩薩心地戒品第十卷下　（19–6）

中看病福田第一福田若父母師弟子病諸
根不具百種病苦惱皆養令差而菩薩以瞋
恨心不至僧房中城邑曠野山林道路中見
病不救濟者犯輕垢罪
若佛子不得畜一切刀杖鬪戰弓箭鉾斧之
具惡網羅殺生之器一切不得畜而菩薩乃
至殺父母尚不加報況殺一切衆生若故畜
刀杖者犯輕垢罪
如是十戒應當學敬心奉持下六六品中廣開
佛言佛子為利養惡心故通國使命軍陣合
會興師相殺无量衆生而菩薩不得入陣中
往來況故作國賊若故作者犯輕垢罪
若佛子故販賣良人奴婢六畜市易官材板
木盛死之具尚不故作況教人作犯輕垢罪
若佛子以惡心无事謗他良人善人法師師
僧國王貴人言犯七逆十重父母兄弟六親
中應生孝順心慈心而反更加於逆害墮不
如意處犯輕垢罪
若佛子以惡心故放大火燒山林曠野四月
乃至九月放火若燒他人家屋宅城邑僧房
田木及鬼神官物一切有主物不得故燒犯
輕垢罪
若佛子自佛弟子及外道人六親一切善知識
應一一教受持大乘經律中教解義理使發
菩提心發十心金剛心一一解其次第法
用而菩薩以惡心瞋心橫教他二乘聲聞戒經
律外道邪見論等犯輕垢罪

BD01972號2　梵網經盧舍那佛說菩薩心地戒品第十卷下　（19–7）

菩提心發十心金剛心一一解其次第法
用而菩薩以惡心瞋心橫教他二乘聲聞戒經
律外道邪見論等犯輕垢罪
若佛子應好心先學大乘威儀經律廣開解
義味見後新學菩薩有百里千里來求大乘
經律應如法為說一切苦行若燒身燒臂燒
指若不燒身臂指供養諸佛非出家菩薩乃至
餓虎狼師子口中一切餓鬼悉應捨身肉
手足而供養之然後一一次第為說正法使心
開意解而菩薩為利養故應答不答例說經
律文字无前无後謗三寶說犯輕垢罪
若佛子自為飲食錢物利養名譽故親近國
王王子大臣百官恃作形勢乞索打拍牽挽
橫取錢物一切求利名為惡求多求教他人
求都无慈心无孝順心者犯輕垢罪
若佛子學誦戒者日日六時持菩薩戒解其
義理佛性之性而菩薩不解一句一偈戒律
因緣詐言能解者即為自欺誑亦欺誑他人一
不解一切法而為他人作師受戒者犯輕垢
罪
若佛子以惡心見持戒比丘手捉香爐行菩薩
行而鬪遘兩頭謗欺賢人无惡不造犯輕垢
罪
若佛子以慈心故行放生業一切男子是我
父一切女人是我母我生生无不從之受生
故六道衆生皆是我父母而殺而食者即殺
我父母亦殺我故身一切地水是我先身一
切火風是我本體故常行放生生生受生若

BD01972號2　梵網經盧舍那佛說菩薩心地戒品第十卷下　（19–8）

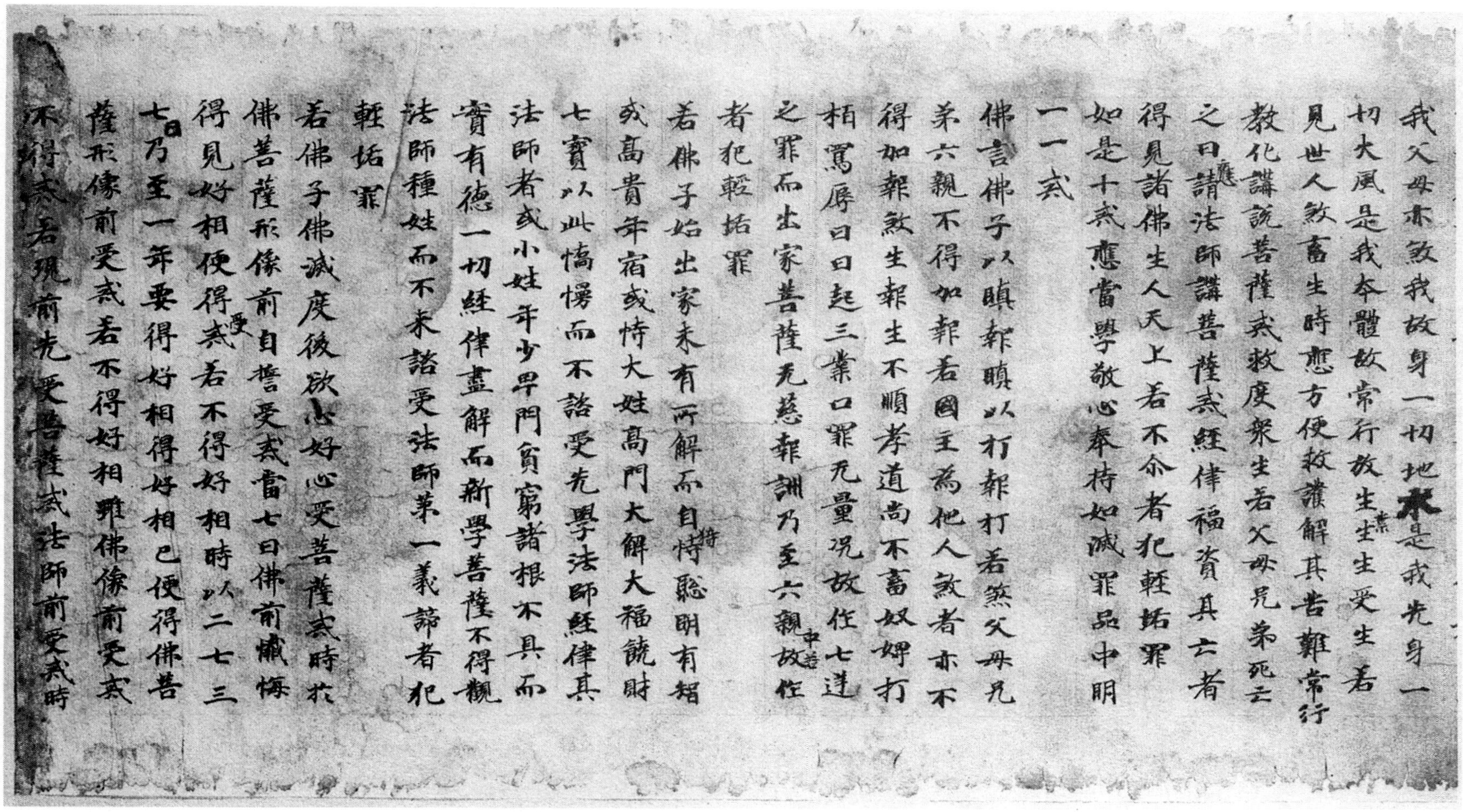

我父母亦殺我故身一切地水是我先身一
切火風是我本體故常行放生生生受生若
見世人殺畜生時應方便救護解其苦難常行
教化講說菩薩戒救度衆生若父母兄弟死亡
之日應請法師講菩薩戒經律福資亡者
得見諸佛生人天上若不尒者犯輕垢罪
如是十戒應當學敬心奉持如滅罪品中明
一一戒
佛言佛子以瞋報瞋以打報打若煞父母兄
弟六親不得加報若國主為他人殺者亦不
得加報殺生報生不順孝道尚不畜奴婢打
拍罵辱日日起三業口罪无量況故作七逆
之罪而出家菩薩无慈報讎乃至六親中故作
者犯輕垢罪
若佛子始出家未有所解而自恃聰明有智
或高貴年宿或恃大姓高門大解大福饒財
七寶以此憍慢而不諮受先學法師經律其
法師者或小姓年少卑門貧窮諸根不具而
實有德一切經律盡解而新學菩薩不得觀
法師種姓而不來諮受法師第一義諦者犯
輕垢罪
若佛子佛滅度後欲心好心受菩薩戒時於
佛菩薩形像前自誓受戒當七日佛前懺悔
得見好相便得戒若不得好相時以二七三
七日乃至一年要得好相得好相已便得佛菩
薩形像前受戒若不得好相雖佛像前受戒
不得戒若現前先受菩薩戒法師前受戒時

BD01972 號 2　梵網經盧舍那佛說菩薩心地戒品第十卷下　（19–9）

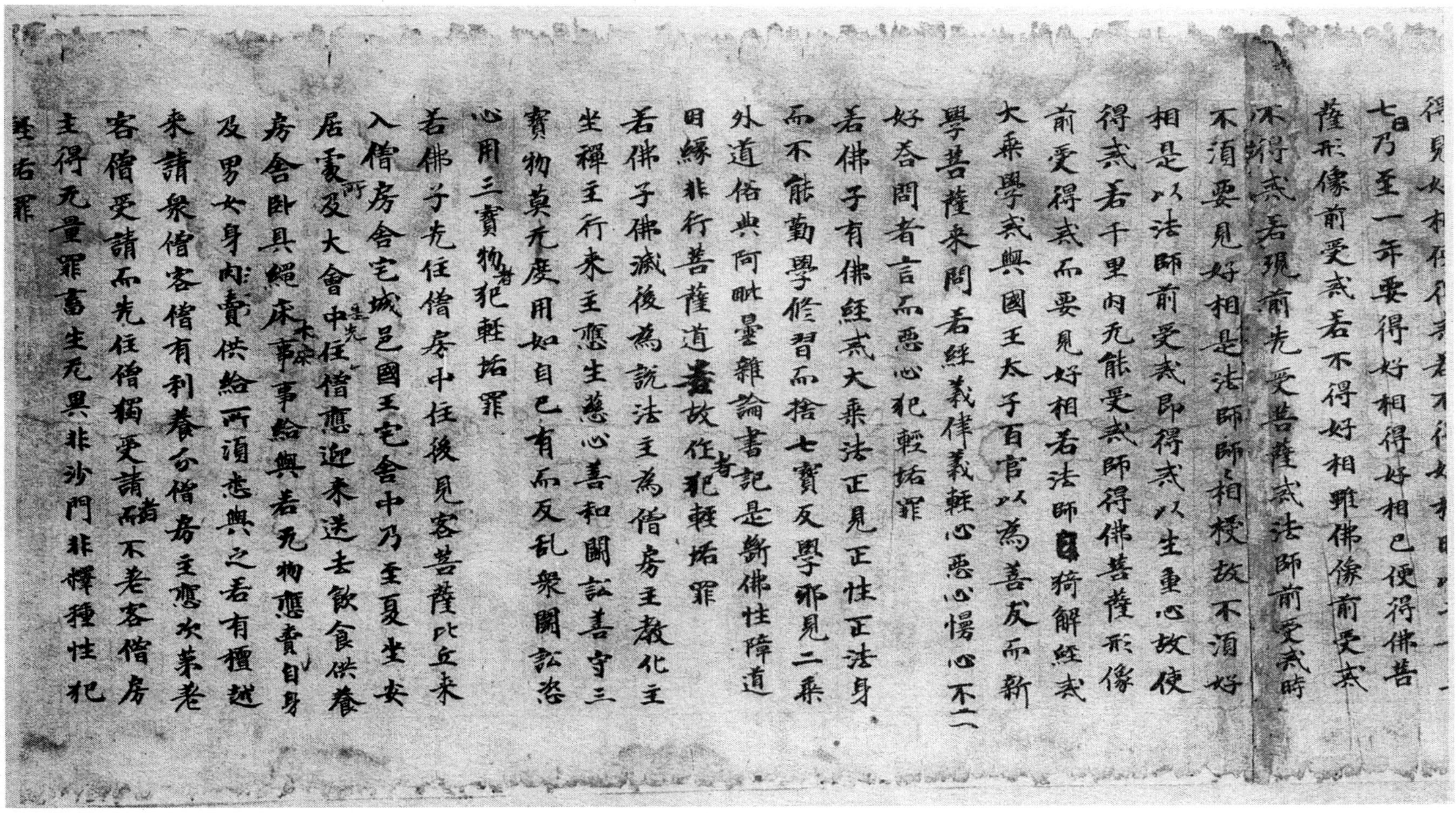

得見好相便得戒若不得好相時以二七三
七日乃至一年要得好相得好相已便得佛菩
薩形像前受戒若不得好相雖佛像前受戒
不得戒若現前先受菩薩戒法師前受戒時
不須要見好相是法師師相授故不須好
相是以法師前受戒即得戒以生重心故便
得戒若千里內无能授戒師得佛菩薩形像
前受得戒而要見好相若法師自倚解經律
大乘學戒與國王太子百官以為善友而新
學菩薩來問若經義律義輕心惡心慢心不一一
好荅問者犯輕垢罪
若佛子有佛經律大乘法正見正性正法身
而不能勤學修習而捨七寶反學邪見二乘
外道俗典阿毗曇雜論書記是斷佛性障道
因緣非行菩薩道者故作者犯輕垢罪
若佛子佛滅後為說法主為僧房主教化主
坐禪主行來主應生慈心善和鬪諍善守三
寶物莫无度用如自己有而反亂衆鬪諍恣
心用三寶物者犯輕垢罪
若佛子先住僧房中住後見客菩薩比丘來
入僧房舍宅城邑國王宅舍中乃至夏坐安
居處所及大會中先住僧應迎來送去飲食供養
房舍卧具繩床木床事事給與若无物應賣自身
及男女身肉賣供給所須悉與之若有檀越
來請衆僧客僧有利養分僧房主應次第差
客僧受請而先住僧獨受請不差客僧房
主得无量罪畜生无異非沙門非釋種姓犯
輕垢罪

BD01972 號 2　梵網經盧舍那佛說菩薩心地戒品第十卷下　（19–10）

来請衆僧客僧有利養分僧房主應次茅差
客僧受請而先住僧獨受請而(若)不差客僧房
主得无量罪畜生无異非沙門非釋種性犯
輕垢罪
若佛子一切不得受別請利養入己而此利
養屬十方僧而別受請即取十方僧物入己(及)
八福田諸佛聖人一一師僧父母病人物自
已用故犯輕垢罪
若佛子有出家菩薩在家菩薩及一切檀越
請僧福田求願之時應入僧房問知事人今
欲次第請者即得十方賢聖僧而世人別請(五)
百羅漢菩薩僧不如僧次一凡夫僧若別請
僧者是外道法七佛无別請法不順孝道若
故別請僧者犯輕垢罪
若佛子以悪心故為利養販賣男女色自手
作食自磨自舂占相男女解夢吉凶是男是
女呪術工巧調鷹方法和(合)百種毒藥千種毒
藥蛇毒生像金銀蠱毒都无慈心犯輕垢罪
若佛子以悪心(故)自身謗三寶詐現親附口便
說空行在有中為白衣通致男女交會婬色(作諸)
縛著於六齋日年三長齋月作煞生劫盜破
齋犯戒者犯輕垢罪
(如)是十戒應當學敬心奉持制戒品中廣解
佛言佛子佛滅度後悪世中若見外道一切悪
人劫賊賣佛菩薩父母形像販賣經律販賣
比丘比丘尼亦賣發心菩薩道人或為官使
與一切人作奴婢者而菩薩見是事已應(生)慈

BD01972號2　梵網經盧舍那佛說菩薩心地戒品第十卷下　（19–11）

人劫賊賣佛菩薩父母形像販賣經律販賣
比丘比丘尼亦賣發心菩薩道人或為官使
與一切人作奴婢者而菩薩見是事已應(生)慈
心方便救護處處教化取物贖佛菩薩形
像及比丘比丘尼一切經律若不贖者犯輕
垢罪
若佛子不得畜刀杖弓箭販賣輕秤小斗因
官形勢取人財物害心繫縛破壞成功長養
猫狸猪狗若故養者犯輕垢罪
若佛子以悪心故觀一切男女等闘軍陣兵
(將)闘劫賊等闘亦不得聽吹貝鼓角琴瑟箏笛
箜篌歌叫妓樂之聲不聽摴蒲圍棊波羅塞
戲彈棊六博(拍)擲石投壺八道行城爪鏡芝草
楊枝鉢盂髑髏而作卜筮不作盜賊使命一一
不得若故作者犯輕垢罪
若佛子護持禁戒行住坐卧日夜六時讀誦
是戒猶如金剛如帶持浮囊欲度大海如草
繫比丘常生大乘(善)信自知我是未成之佛諸
佛是已成之佛發菩提心念念不去心若起
一念二乘外道心者犯輕垢罪
若佛子常應發一切願孝順父母師(僧三寶)願得
好師(僧)同學善(有)知識常教我大乘經(律)十發趣
十長養十金剛十地使我開解如法修行堅
持佛戒寧捨身命念念不去心若一切菩薩
不發是願者犯輕垢罪
若佛子發十大願已持佛禁戒作是願言寧
以此身投(大)熾然猛火大坑刀山終不毀犯三

BD01972號2　梵網經盧舍那佛說菩薩心地戒品第十卷下　（19–12）

不發是願者犯輕垢罪
若佛子發十大願已持佛禁戒作是願言寧
以此身投熾然猛火大火坑刀山終不毀犯三
世諸佛經律與一切女人作不淨行復作是
願寧以熱鐵羅網千重周匝纏身終不以破戒
之身受於信心檀越一切衣服復作是願寧
以此口吞熱鐵丸及大流猛火經百千劫終不
破戒之口食信心檀越百味飲食復作是願
寧以此身臥大猛火羅網熱鐵地上終不破戒
之身受信心檀越百種床坐復作是願寧以
此身受三百鉾刺身終不破戒之身受信心
檀越百味醫藥復作是願寧以此身投熱鐵
鑊經百千劫終不以破戒之身受信心檀越千種房舍
屋宅園林田地復作是願寧以鐵鎚打碎此
身從頭至足令如微塵終不以此破戒之身
受信心檀越恭敬礼拜復作是願寧以百千
熱鐵刀鉾挑其兩目終不以破戒之心視他好色
復作是願寧以百千鐵釘遍身挽刺耳根經
一劫二劫終不以破戒之心聽好音聲復作是願
寧以百千刃刀割去其鼻終不破戒之心貪嗅
諸香復作是願寧以百千刃刀割斷其舌終不
以破戒之心食人百味淨食復作是願寧以
利斧斬破其身終不以破戒之心貪著好觸
復作是願願一切人成佛菩薩若不發是願
者犯輕垢罪
若佛子常應二時頭陀冬夏坐禪結夏安居
常用楊枝澡豆三衣瓶鉢坐具錫杖香爐漉

BD01972號2　梵網經盧舍那佛說菩薩心地戒品第十卷下　（19–13）

復作是願願一切人成佛菩薩若不發是願
者犯輕垢罪
若佛子常應二時頭陀冬夏坐禪結夏安居
常用楊枝澡豆三衣瓶鉢坐具錫杖香爐漉
水囊手巾刀子火燧鑷子繩床經律佛像菩
薩形像而菩薩行頭陀時及遊方時行來百
里千里此十八種物常隨其身頭陀者從正
月十五日至三月十五日八月十五日至十
月十五日是二時中十八種物常隨其身如
鳥二翼若布薩日新學菩薩半月半月布薩
誦十重四十八輕戒時於諸佛菩薩形像前
一人布薩即一人誦若二人三人至百千人
亦一人誦誦者高坐聽者下坐各各披九條七
條五條袈裟結夏安居一一如法若頭陀時莫
入難處若國難惡王土地高下草木深邃師
子虎狼水火風劫賊道路毒蛇一切難處悉
不得入一切難處故頭陀行道乃至夏坐安
居是諸難處亦不得入此難處況行頭陀
見難處故入者犯輕垢罪
若佛子應如法次第坐先受戒者在前坐後
受戒者在後坐不問老少比丘比丘尼貴人
國王王子乃至黃門奴婢皆應先受戒者在
前坐後受戒者次第而坐莫如外道癡人若
老若少无前无後坐无次第兵奴之法我佛
法中先者先坐後者後坐而菩薩不次第坐
者犯輕垢罪
若佛子常應教化一切衆生建立僧房山林

BD01972號2　梵網經盧舍那佛說菩薩心地戒品第十卷下　（19–14）

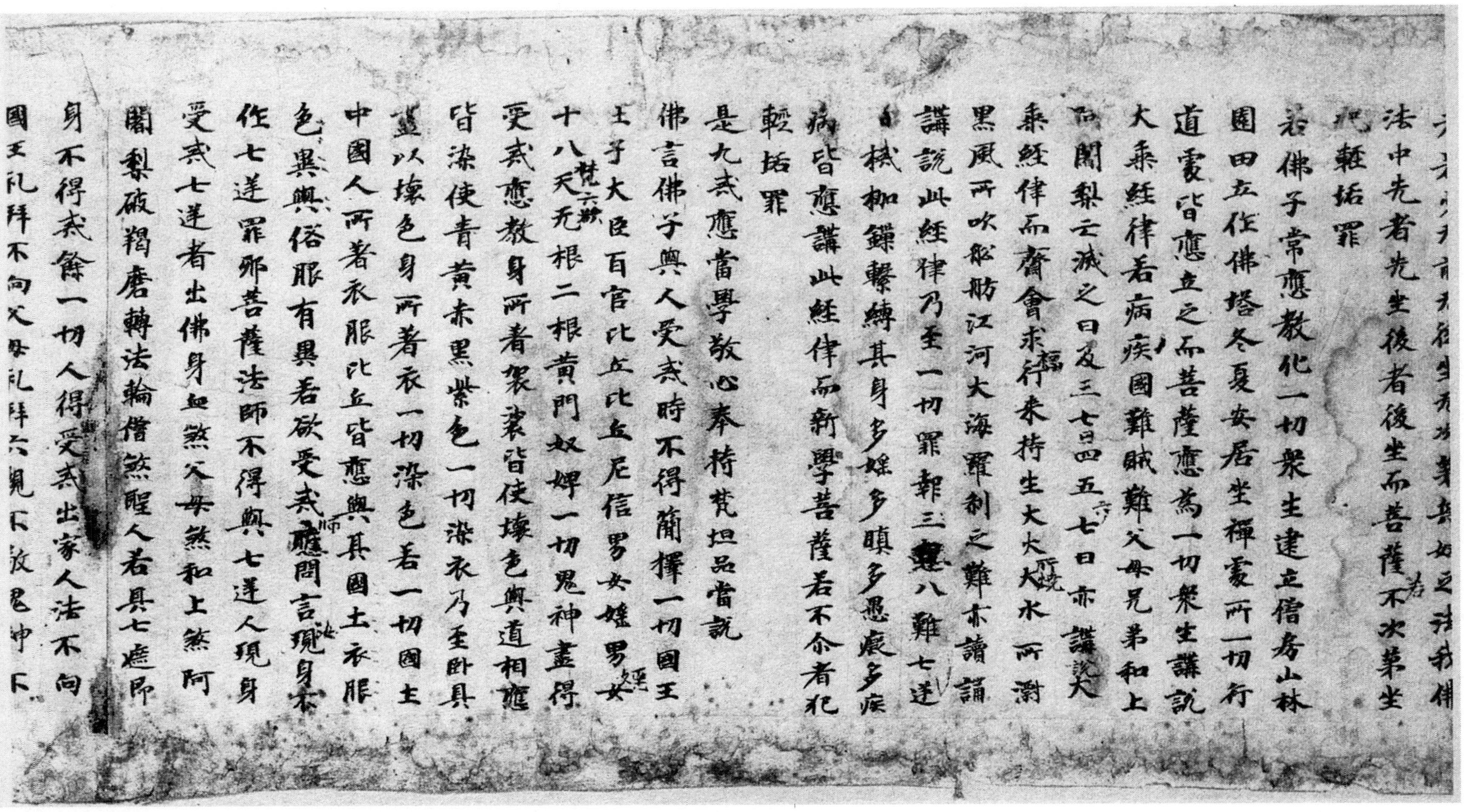
法中先者先坐後者後坐而菩薩不次第坐
犯輕垢罪
若佛子常應教化一切眾生建立僧房山林
園田立作佛塔冬夏安居坐禪處所一切行
道處皆應立之而菩薩應為一切眾生講說
大乘經律若病疾國難賊難父母兄弟和上
阿闍梨亡滅之日及三七日四五六七日亦講說大
乘經律而齋會求福行來持生大火所燒大水所漂
黑風所吹船舫江河大海羅剎之難亦讀誦
講說此經律乃至一切罪報三惡八難七逆
杻械枷鎖繫縛其身多婬多瞋多愚癡多疾
病皆應講此經律而新學菩薩若不爾者犯
輕垢罪
是九戒應當學敬心奉持梵壇品當說
佛言佛子與人受戒時不得簡擇一切國王
王子大臣百官比丘比丘尼信男信女婬男婬女
十八梵天六欲天無根二根黃門奴婢一切鬼神盡得
受戒應教身所著袈裟皆使壞色與道相應
皆染使青黃赤黑紫色一切染衣乃至臥具
盡以壞色身所著衣一切染色若一切國土
中國人所著衣服比丘皆應與其國土衣服
色異與俗服有異若欲受戒時師應問言汝現身不
作七逆罪邪菩薩法師不得與七逆人現身
受戒七逆者出佛身血殺父殺母殺和上殺阿
闍梨破羯磨轉法輪僧殺聖人若具七遮即
身不得戒餘一切人得受戒出家人法不向
國王禮拜不向父母禮拜六親不敬鬼神

BD01972 號 2　梵網經盧舍那佛說菩薩心地戒品第十卷下　（19–15）

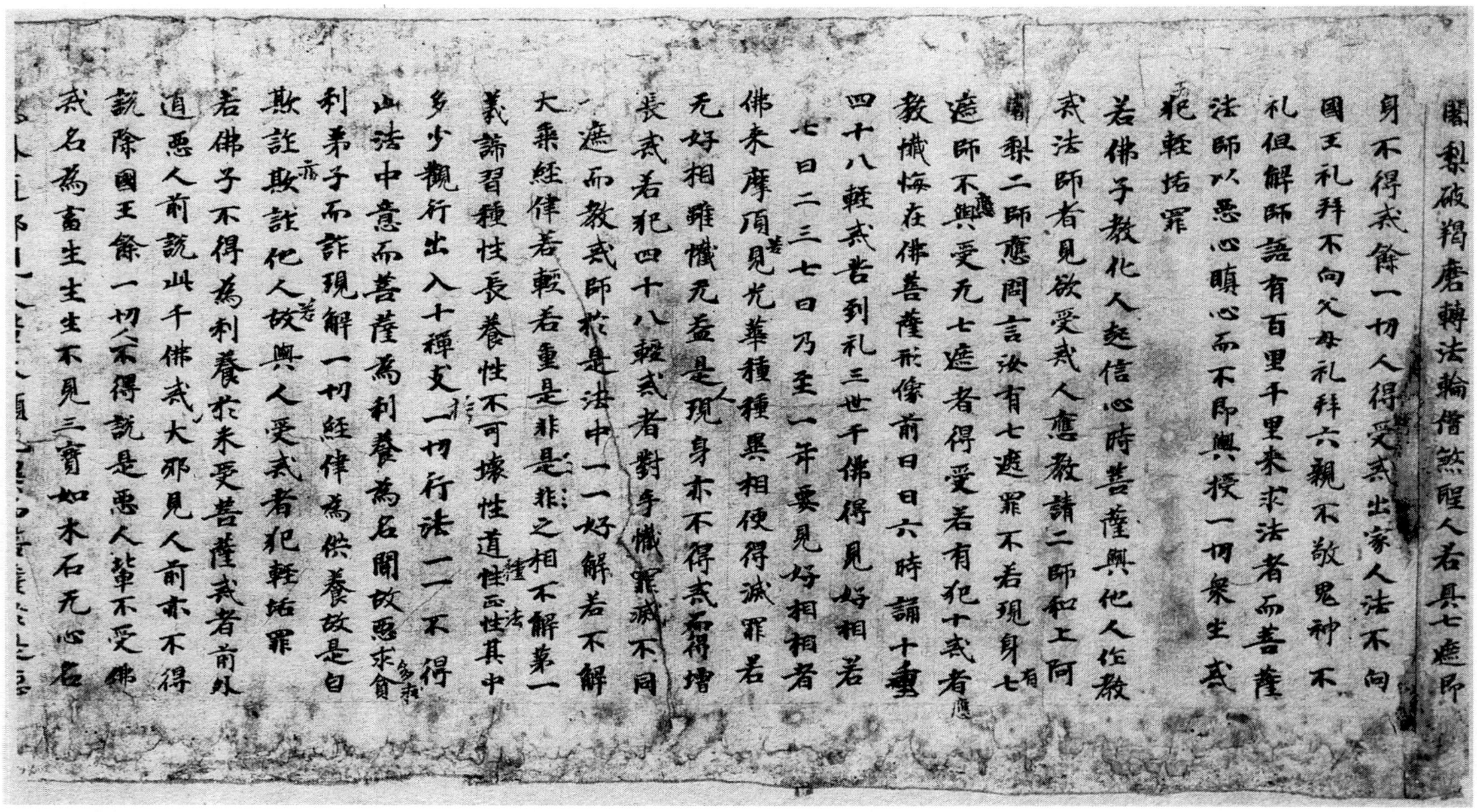
闍梨破羯磨轉法輪僧殺聖人若具七遮即
身不得戒餘一切人得受戒出家人法不向
國王禮拜不向父母禮拜六親不敬鬼神不
禮但解師語有百里千里來求法者而菩薩
法師以惡心瞋心而不即與授一切眾生戒
犯輕垢罪
若佛子教化人起信心時菩薩與他人作教
戒法師者見欲受戒人應教請二師和上阿
闍梨二師應問言汝有七遮罪不若現身有七
遮師不應與受無七遮者得受若有犯十戒者應
教懺悔在佛菩薩形像前日日六時誦十重
四十八輕戒若到禮三世千佛得見好相若
七日二三七日乃至一年要見好相相者
佛來摩頂見光見華種種異相便得滅罪若
無好相雖懺無益是人現身亦不得戒而得增
長戒若犯四十八輕戒者對手懺罪滅不同
七遮而教戒師於是法中一一好解若不解
大乘經律若輕若重是非之相不解第一
義諦習種性長養性不可壞性道種性正法性其中
多少觀行出入十禪支一切行法一一不得
此法中意而菩薩為利養為名聞故惡求多求貪
利弟子而詐現解一切經律為供養故是自
欺詐亦欺詐他人故與人受戒者犯輕垢罪
若佛子不得為利養於未受菩薩戒者前外
道惡人前說此千佛戒大邪見人前亦不得
說除國王餘一切人不得說是惡人輩不受佛
戒名為畜生生生不見三寶如木石無心名

BD01972 號 2　梵網經盧舍那佛說菩薩心地戒品第十卷下　（19–16）

若佛子不得為利養於未受菩薩戒者前外
道惡人前說此千佛戒大邪見人前亦不得
說除國王餘一切不得說是惡人輩不受佛
戒名為畜生生生不見三寶如木石无心名
為外道邪見人輩木頭无異而菩薩於是惡
人前說七佛教戒者犯輕垢罪
若佛子信心出家受佛正戒故起心毀犯聖
戒者不得受一切檀越供養亦不得國王地
上行不得飲國王水五千大鬼常遮其前鬼
言大賊入房舍城邑宅中鬼復常掃其脚迹
一切世人罵言佛法中賊一切衆生眼不欲
見犯戒之人畜生无異木頭无異若毀正戒
者犯輕垢罪
若佛子常應一心受持讀誦剝皮為紙刺血
為墨以髓為水析骨為筆書寫佛戒木皮
紙絹亦應悉書持常以七寶无價香華一切
雜寶為箱盛經律卷若不如法供養者犯輕
垢罪
若佛子常起大悲心若入一切城邑舍宅見
一切衆生唱言汝衆生盡應受三歸十戒若
見牛馬猪羊一切畜生應心念口言汝是畜
生發菩薩心而菩薩入一切處山林川野皆
使一切衆生發菩提心是菩薩若不教化衆
生犯輕垢罪
若佛子常行教化大悲心入檀越貴人家一切
衆中不得立為白衣說法應白衣衆前高
座上坐法師比丘不得地立為四衆白衣說

BD01972 號 2　梵網經盧舍那佛說菩薩心地戒品第十卷下　（19–17）

若佛子常行教化大悲心入檀越貴人家一切
衆中不得立為白衣說法應白衣衆前高
座上坐法師比丘不得地立為四衆白衣說
法若說法時法師高坐香華供養四衆聽者
下坐如敬孝順父母孝順師教如事火婆羅
門其說法者若不如法犯輕垢罪
若佛子皆以信心受戒者若國王太子百官
四部弟子自恃高貴滅破佛法戒律明作制
法制我四部弟子不聽出家行道亦復不聽
造立形像佛塔經律破三寶之罪而故作破
法者犯輕垢罪
若佛子以好心出家而為名聞利養於國王
百官前說佛戒橫與比丘比丘尼菩薩弟子作
繫縛如師子身中虫自食師子非外道天魔
若受佛戒者應護佛戒如念一子如事父母
聞外道惡人以惡言謗佛戒時如三百鉾刺
心千刀万杖打拍其身等无有異寧自入地
百劫而不一聞惡言破佛戒之聲況自破
佛戒教人破法因緣亦无孝順之心若故作
者犯輕垢罪
九戒應當學敬心奉持諸佛子是四十八
輕戒汝等受持過去諸菩薩已誦現在諸菩
今誦佛子聽十重四十八戒三世諸佛已
誦當誦今誦我今亦如是誦汝等一切大衆
若國王王子百官比丘比丘尼信男信女受
持菩薩戒者應受持讀誦解說書寫佛性常
住戒卷流通三世一切衆生化化不絕得見
佛佛授手世世不墮惡道八難常生人

BD01972 號 2　梵網經盧舍那佛說菩薩心地戒品第十卷下　（19–18）

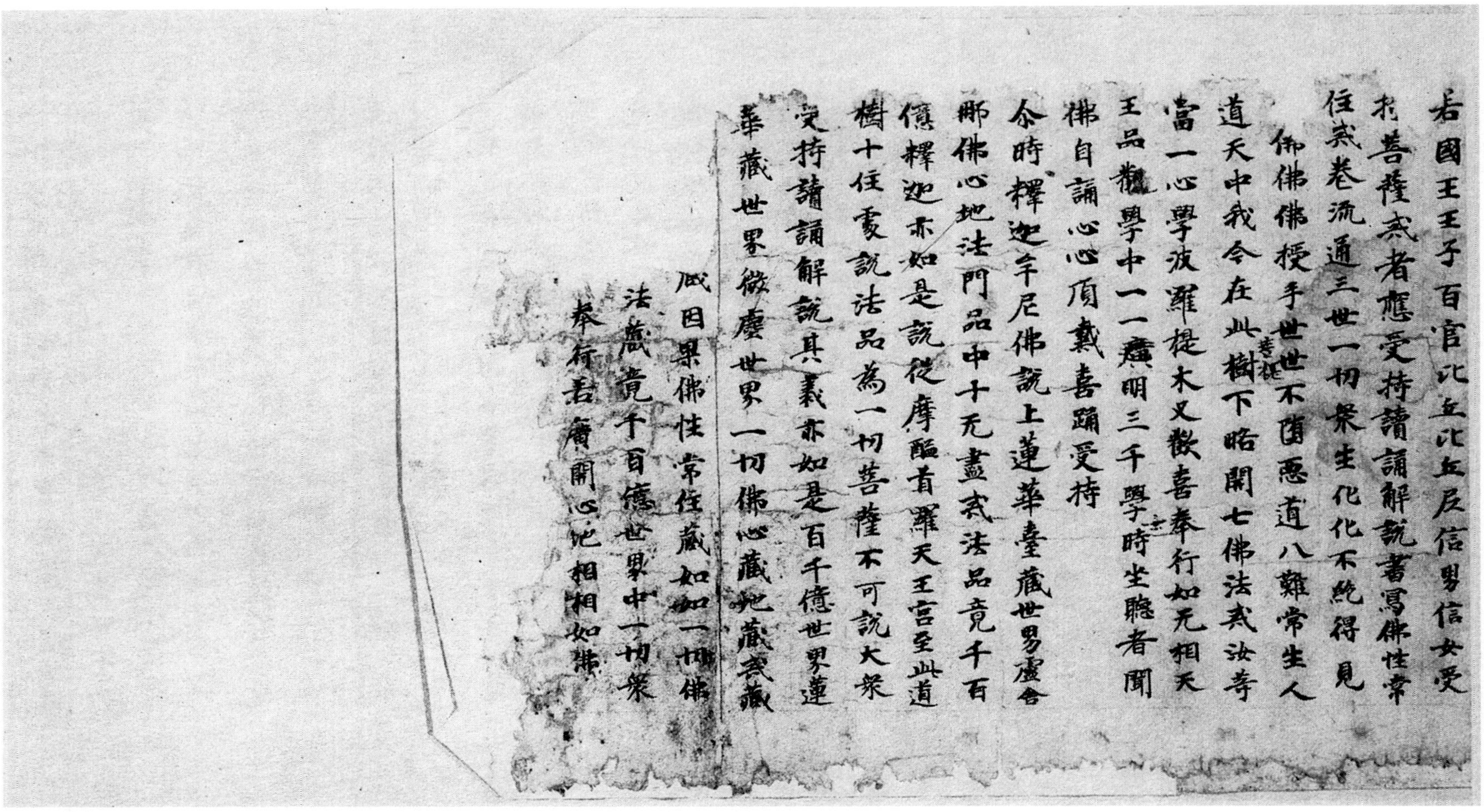

若國王王子百官比丘比丘尼信男信女受
持菩薩戒者應受持讀誦解說書寫佛性常
住戒卷流通三世一切衆生化化不絕得見
佛佛佛授手世世不墮惡道八難常生人
道天中我今在此樹下略開七佛法戒汝等
當一心學波羅提木叉歡喜奉行如无相天
王品勸學中一一廣明三千學時坐聽者聞
佛自誦心心頂戴喜踊受持
尒時釋迦牟尼佛說上蓮華臺藏世界盧舍
那佛心地法門品中十无盡戒法品竟千百
億釋迦亦如是說從摩醯首羅天王宮至此道
樹十住處說法品為一切菩薩不可說大衆
受持讀誦解說其義亦如是百千億世界蓮
華藏世界微塵世界一切佛心藏地藏戒藏
藏因果佛性常住藏如如一切佛
法藏竟千百億世界中一切衆
奉行若廣開心地相相如佛

BD01972 號 2　梵網經盧舍那佛說菩薩心地戒品第十卷下　（19–19）

BD01972 號背　勘記、雜寫　（2–1）

BD01972 號背　雜寫　　　　（2–2）

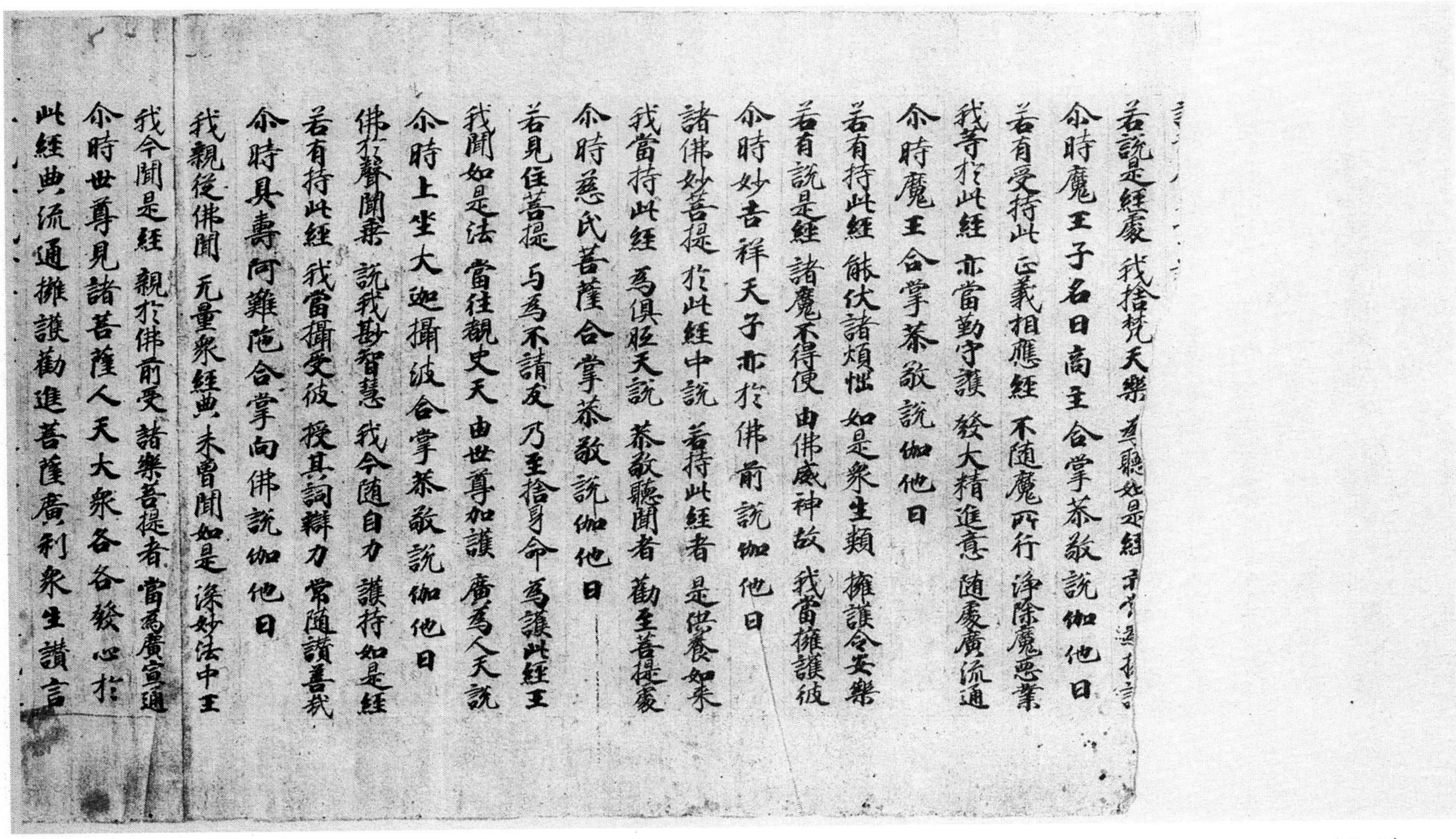

若說是經處　我捨梵天樂　爲聽如是經

尒時魔王子名曰商主合掌恭敬說伽他曰

若有受持此　正義相應經　不隨魔所行　淨除魔惡業

我等於此經　亦當勤守護　發大精進意　隨處廣流通

尒時魔王合掌恭敬說伽他曰

若有持此經　能伏諸煩惱　如是衆生類　擁護令安樂

若有說是經　諸魔不得便　由佛威神故　我當擁護彼

尒時妙吉祥天子亦於佛前說伽他曰

諸佛妙菩提　於此經中說　若持此經者　是供養如來

我當持此經　爲俱胝天說　恭敬聽聞者　勸至菩提處

尒時慈氏菩薩合掌恭敬說伽他曰

若見住菩提　与爲不請友　乃至捨身命　爲護此經王

我聞如是法　當往覩史天　由世尊加護　廣爲人天說

尒時上坐大迦攝波合掌恭敬說伽他曰

佛於聲聞乘　說我少智慧　我今隨自力　護持如是經

若有持此經　我當攝受彼　授其詞辯力　常隨讚善哉

尒時具壽阿難陁合掌向佛說伽他曰

我親從佛聞　无量衆經典　未曾聞如是　深妙法中王

我今聞是經　親於佛前受　諸樂菩提者　當爲廣宣通

尒時世尊見諸菩薩人天大衆各各發心於

此經典流通擁護勸進菩薩廣利衆生讚言

BD01973 號　金光明最勝王經卷一〇　　　　（2–1）

尒時慈氏菩薩合掌恭敬説伽他曰
若見住菩提 与為不請友 乃至捨身命 為護此經王
我聞如是法 當往覩史天 由世尊加護 廣為人天説
尒時上坐大迦攝波合掌恭敬説伽他曰
佛於聲聞衆 説我㝡智慧 我今随自力 護持如是經
若有持此經 我當攝受彼 授其詞辯力 常随讃善哉
尒時具壽阿難陁合掌向佛説伽他曰
我親従佛聞 无量衆經典 未曽聞如是 深妙法中王
我今聞是經 親於佛前受 諸樂菩提者 當為廣宣通
尒時世尊見諸菩薩人天大衆各各發心於
此經典流通擁護勸進菩薩廣利衆生讃言
善哉善哉汝等能於如是微妙經王虔誠流
布乃至於我般涅槃後不令散滅即是无上
菩提正因所獲功德於恒沙劫説不能盡若
有苾芻苾芻尼鄔波索迦鄔波斯迦及餘善
男子善女人等供養恭敬書寫流通為人解
説所獲功德亦復如是是故汝等應勤修習
尒時无量无邊恒沙大衆聞佛説已皆大歡
喜信受奉行

金光明最勝王經卷第十

諰去側 航胡郎 鵶于仕 擒巨今 鋌庭頂 齊精昔 哽古杏 挍要紣

BD01973號 金光明最勝王經卷一〇 （2–2）

揔三摩地大智慧炬三摩地出生十力三摩
地開闡三摩地壞身惡行三摩地壞語惡行
三摩地壞意惡行三摩地善觀察三摩地如
虛空三摩地無染著如虛空三摩地舍利子
若菩薩摩訶薩於如是等諸三摩地恒住不
捨速證無上正等菩提復有所餘無量無數
三摩地門陁羅尼門若菩薩摩訶薩能善
脩學亦令速證阿耨多羅三藐三菩提
尒時具壽善現承佛神力語舍利子言若菩
薩摩訶薩住如是等三摩地者當知已為過
去諸佛之所授記亦為現在十方諸佛之所
授記舍利子是菩薩摩訶薩雖住如是諸三
摩地而不見此諸三摩地亦不著此諸三摩
地亦不念言我已入此諸三摩地我今入此
諸三摩地我當入此諸三摩地唯我能入非
餘所能彼如是等尋思分別由斯定力皆不
現行時舍利子問善現言為別實有菩薩
摩訶薩住如是等諸三摩地已為過去現在諸
佛所授記耶善現答言不也舍利子何以故
舍利子般若波羅蜜多不異諸三摩地諸三

BD01974號 大般若波羅蜜多經卷四一 （3–1）

摩訶薩住如是等諸三摩地已為過去現在諸
佛所授記耶善現荅言不也舍利子何以故
舍利子般若波羅蜜多不異諸三摩地諸三
摩地不異般若波羅蜜多菩薩摩訶薩不異
般若波羅蜜多及三摩地般若波羅蜜多及
三摩地不異菩薩摩訶薩般若波羅蜜多即
是諸三摩地諸三摩地即是般若波羅蜜多
菩薩摩訶薩即是般若波羅蜜多及三摩地
般若波羅蜜多及三摩地即是菩薩摩訶薩
所以者何以一切法性平等故舍利子言若
一切法性平等者此三摩地可示現不善
現荅言不可示現舍利子言是菩薩摩訶薩
於此三摩地有想解不善現荅言彼無想解
舍利子言彼何故無想解善現荅言彼無分
別故舍利子言彼何故無分別善現荅言一切
法性都無所有故彼於定不起分別由此因
緣是菩薩摩訶薩於一切法及三摩地俱無
想解何以故以一切法及三摩地俱無所有無
所有中分別想解無由起故時薄伽梵讚善
現言善哉善哉如汝所說故我說汝住無諍
定聲聞衆中最為第一由斯我說與義相
應善現菩薩摩訶薩欲學般若波羅蜜多應
如是學欲學靜慮精進安忍淨戒布施波羅蜜
多應如是學善現菩薩摩訶薩欲學四靜
慮應如是學欲學四無量四無色定應如是學
善現菩薩摩訶薩欲學四念住應如是學欲

BD01974號　大般若波羅蜜多經卷四一　　（3–2）

現言善哉善哉如汝所說故我說汝住無諍
定聲聞衆中最為第一由斯我說與義相
應善現菩薩摩訶薩欲學般若波羅蜜多應
如是學欲學靜慮精進安忍淨戒布施波羅蜜
多應如是學善現菩薩摩訶薩欲學四靜
慮應如是學欲學四無量四無色定應如是學
善現菩薩摩訶薩欲學四念住應如是學欲
學四正斷四神足五根五力七等覺支八聖
道支應如是學善現菩薩摩訶薩欲學五眼
應如是學欲學六神通應如是學善現菩薩
摩訶薩欲學佛十力應如是學欲學四無所
畏四無礙解大慈大悲大喜大捨十八佛不
共法一切智道相智一切相智應如是學時
舍利子白佛言世尊菩薩摩訶薩作如是學
為正學般若波羅蜜多乃至為正學一切相
智耶佛告舍利子菩薩摩訶薩作如是學為
正學般若波羅蜜多以無所得為方便故乃
至為正學一切相智以無所得為方便故時
舍利子復白佛言世尊菩薩摩訶薩作如是
學以無所得為方便學般若波羅蜜多乃至以

BD01974號　大般若波羅蜜多經卷四一　　（3–3）

一切一切切切切切切切切切切是是之多
地獄德習心遍
送耳鼻患者舌若能潛本大菩薩向心亦不
義順上下勤然老已耶涼鼻承泥定出黃蓮
心平用池成行直行坐禪思明華父子
諸諸諸者者者者者為為為别别都 都
授記舍利弗是菩薩摩訶薩雖其易者者
循學亦令速證阿耨多羅三菩提
為上正等菩提提

BD01974號背　雜寫　　（1–1）

佛世任比丘惡口罵詈客比丘
身有光明口有惡言故見虫從口出如經說
心清淨優劣故光有上中下少光大光光音
欲界諸天心清淨布施持戒故身有光明復
次有人憐愍衆生故於闇處燃燈燭為供養
尊像塔寺故燃以明珠户牖明鏡等明淨物
明復次常修慈心念衆生
心清淨故又常修念佛三昧念諸佛光明神
德故得身光明復次行者常修火一切入又
以智慧光明教化愚闇邪見衆生以是業因
緣故得心中智慧明身亦有光如是等業因
緣得身光清淨十方如恒河沙等世界中无
有佛名法名僧名欲使一切衆生皆得正見
聞三寶音者當學般若波羅蜜菩薩於先无
佛法塔寺處於中起塔以是業因緣後身得
力成就於无佛法衆處讚嘆三寶令衆生入
於正見如經說有人於先无佛塔國王中修
立塔廟得梵福德梵名无量福德以是因緣
疾得禪定得禪定故得无量神通神通力故
能至十方讚嘆三寶正見者若先不識三寶
功德因菩薩故得信三寶信三寶故信業因
緣罪福信業因緣故信世間是縛涅槃是解

BD01975號　大智度論卷三四　　（20–1）

疾得禪定得禪定故得无量神通神通力故
能至十方讚嘆三寶已見者若先不識三寶
功德因菩薩故得信三寶信三寶故信業因
緣罪福信業因緣故信世間是縛涅槃是解
讚嘆三寶義如八念中說
欲令十方如恒河沙等世界中眾生以我力
故盲者得觀聾者得聽狂者得念裸者得衣
飢渴者得飽滿當學般若波羅蜜菩薩行无
㝵般若波羅蜜者得无㝵解脫成佛若住法
性生身菩薩如文殊尸利等在十住地有種
種功德具足眾生見者皆得如願辟如如意
珠所欲皆得法性生身佛及法性生身菩薩
人有見者皆得所願亦復如是復次菩薩從
初發意已來於无量劫中治一切眾生九十
六種眼病又於无量世中自以眼布施眾生
又智慧光明破耶見黑闇又以大悲欲令眾
生所願皆得如是業因緣云何令眾生見菩
薩身而不得眼餘事亦如是此諸義如放光
中說
復次舍利弗菩薩摩訶薩若欲令十方如恒
沙等世界中眾生諸在三惡趣者以我力故
皆得人身當學般若波羅蜜問曰自以善業
因緣故得人身云何菩薩言以我力因緣故
令三惡道中眾生皆得人身答曰不言以善
薩業因緣令眾生得人身但言菩薩恩力因
緣故得菩薩以神通變化說法力故令眾生

BD01975號　大智度論卷三四　（20-2）

因緣故得人身云何菩薩言以我力因緣故
令三惡道中眾生皆得人身答曰不言以善
薩業因緣令眾生得人身但言菩薩恩力因
緣故得菩薩以神通變化說法力故令眾生
脩善得人身如經中說二因緣發起正見一
者外聞正法二者內有正念又如草木內有
種子外有雨澤然後得生若无菩薩眾生雖
有業因緣无由發起以是故知諸佛菩薩所
益甚多問曰云何能令三惡道中眾生皆得
解脫佛尚不能何況菩薩答曰菩薩心願欲
尒則无過咎又多得解脫故言一切如諸佛
及大菩薩身遍出无量光明是光明出无量
化身遍入十方三惡道中令地獄火滅湯冷
其中眾生心清淨故生天上人中令餓鬼道
飢渴飽滿開發善心得生天人中令畜生道
隨意得食離諸恐怖開發善心亦得生天人
中如是名為一切三惡道得解脫問曰如餘
經說生天人中此何以但說皆得人身答曰
於人中得脩大功德亦受富樂天上多著樂
故不能脩道以是故願令皆得人身復次菩
薩不願眾生但受福樂欲令得解脫常樂涅
槃以是故不說生天上
欲令十方如恒河沙等世界中眾生以我力
故立於戒三昧智慧解脫解脫知見令得須
陁洹果乃至阿耨多羅三藐三菩提當學般
若波羅蜜問曰[illegible]可人

BD01975號　大智度論卷三四　（20-3）

欲令十方如恒河沙等世界中衆生以我力
故立於戒三昧智慧解脫解脫知見令得須
陁洹果乃至阿耨多羅三藐三菩提當學般
若波羅蜜問曰先已說此五衆道果今何以
更說答曰上說但是聲聞法從須陁洹乃至
无餘涅槃今雜說三乘聲聞辟支佛乃至阿
耨多羅三藐三菩提復次舍利弗菩薩摩訶
薩欲學諸佛威儀當學般若波羅蜜問曰何
等是諸佛威儀答曰威儀名身四動心辟如
鴈王迴身而觀行時足離地四指雖不蹈地
而輪跡現不遲不疾身不傾動常舉右手安
慰衆生結加趺坐其身正直常襵右脇累膝
而卧所敷草蓐齊整不亂食不著味美惡等
一若受人請嘿然无言言辝柔濡方便利益
不失時節復次法身佛威儀者還東方如恒
河沙等世界以為一步梵音說法亦復如是
法身佛相義如先說
菩薩摩訶薩欲得如鴈王視觀當學般若波
羅蜜菩薩作是願使我行時離地四指足不
蹈地我當共四天王天乃至阿迦貳吒无量
千万億諸天衆圍繞恭敬至菩提樹下當學
般若波羅蜜如鴈王視者若欲迴身觀時舉
身俱轉大人相者身心專一是故若有所觀
身心俱迴辟如師子有所搏攫不以小物故
而改其莊勢佛亦如是若有所觀若有所說
身與心俱常不分散所以者何從无數劫来

而改其莊勢佛亦如是若有所觀若有所說
身與心俱常不分散所以者何從无數劫来
集一心法以是業因緣故頭骨與身為一无
有分解又以世世破憍慢故不輕衆生觀則
俱轉如昆池阿波陁那中說舍婆提國除糞
人而佛以手摩頭教令出家猶不輕之足離
地四指者佛若常飛衆生起恠謂佛非是人
類則不歸附若足到地則衆生以為與常人
不異不生敬心是故雖為行地四指不到地
而轉跡現問曰如佛常放大光足不到地衆
生何以故不盡敬附答曰衆生无量劫中積
罪甚重无明垢深於佛生疑謂是幻師以術
誑人或言足不蹈地生性自尒如鳥能飛有
何奇特或有衆生罪重因緣故不見佛相直
謂大威德沙門而已辟如人重病欲死名藥
美食皆謂臭穢是故不盡敬附共四天王乃
至阿迦貳吒无量千萬億諸天衆恭敬圍繞
至菩提樹下者是諸佛常法佛為世尊至菩
提樹下欲破二種魔一者結使魔二者自在
天子魔欲成一切智是諸天衆云何不恭敬
侍送又諸天世世佐助擁護菩薩乃至出家
時令諸宮人婇女傳婚而卧捧馬足踰城出
今日事辦我當共侍送至菩提樹下問曰何
以不說剎利婆羅門等无量人侍送而但說
諸天答曰佛獨於深林中求菩提樹非是人

以不說剎利婆羅門等无量人侍送而但說
諸天荅曰佛獨於深林中求菩提樹非是人
行處是故不說又以人无天眼他心智故不
知佛當成道是故不說復次諸天貴於人故
但說天復次諸佛常樂閑靜處諸天能隱身
不現不妨閑靜是故但說諸天侍從復次菩
薩見五比丘捨菩薩而去而菩薩獨至樹下
是故作是難
我當於菩提樹下坐四天王天乃至阿迦貳
吒天以天衣為坐當學般若波羅蜜問曰如
經說佛敷草樹下坐而成佛道今云何難言
以天衣為坐荅曰聲聞經中說敷草摩訶衍
經中隨衆生所見或有見敷草樹下或見敷
天綩綖隨其福德多少所見不同復次生身
佛把草樹下法性生身佛以天衣為坐或勝
天衣復次佛於深林樹下成佛林中人見則
奉佛草若貴人見者當以所貴衣服為坐但
林中无貴人故時諸龍神天各以妙衣為坐
四天王衣重二兩忉利天衣重一兩夜摩天
衣重十八銖兜率陁天衣重十二銖化樂天
衣重六銖他化自在天衣重三銖色界天衣
无重相欲界天衣從樹邊生无縷无織譬如
薄氷光曜明淨有種種色色界天衣純金色
光明不可稱知如是等寶衣敷坐菩薩坐上
成阿耨多羅三藐三菩提問曰何以但說諸
天敷衣不說十方諸大菩薩為佛敷坐諸菩

BD01975號　大智度論卷三四　（20–6）

成阿耨多羅三藐三菩提問曰何以但說諸
天敷衣不說十方諸大菩薩為佛敷坐諸菩
薩等佛將成道時皆為佛敷坐或廣長一由
旬十百千萬億乃至无量由旬高亦如是此
諸寶坐是菩薩无漏福德生故是諸天自所
不見何況手觸十方三世諸佛降魔得道莊
嚴佛事皆悉照見譬如明鏡如是妙坐何以
不說荅曰般若波羅蜜有二種一者與聲聞
菩薩諸天共說二者但與十住具足菩薩說
是般若波羅蜜中應說菩薩為佛敷坐所以
者何諸天知佛恩不及一生二生諸大菩薩
如是菩薩云何不以神通力而供養佛是中
合聲聞說是故不說
我得阿耨多羅三藐三菩提時行住坐臥處
欲使悉為金剛當學般若波羅蜜問曰何以
故佛四威儀中地悉為金剛荅曰有人言菩
薩至菩提樹下時於此處坐得阿耨多羅三
藐三菩提介時菩薩入諸法實相中无有地
能舉是菩薩所以者何地皆是衆生虛誑業
因緣報故有是故不能舉菩薩欲成佛時實
相智慧身是時坐處變為金剛有人言土在
金輪上金輪在金剛上從金剛際出如蓮華
臺直上持菩薩坐處令不陷沒以是故以道
場坐處名為金剛有人言成佛道已四種威
德處悉變成金剛問曰金剛亦是衆生虛誑
業因緣有云何能舉佛荅曰金剛雖是虛誑

BD01975號　大智度論卷三四　（20–7）

場坐處名為金剛有人言成佛道已四種威
德處悉變成金剛問曰金剛上是衆生虛誑
業因緣有云何能舉佛荅曰金剛雖是虛誑
所成於地最為牢固更无勝者金剛下水諸
大龍王以此堅固物奉獻於佛上是佛宿世
業因緣故得此安立處又復佛變金剛及四
大令為空空空不誑佛智慧亦不誑二事
既同是故能舉
復次舍利弗菩薩摩訶薩欲出家日即成阿
耨多羅三藐三菩提即是日轉法輪轉法輪
時无量阿僧祇衆生遠塵離垢諸法中得法
眼淨无量阿僧祇衆生一切法不受故諸漏
心得解脫无量阿僧祇衆生於阿耨多羅三
藐三菩提得不退轉當學般若波羅蜜故有
菩薩於惡世耶見衆生中為除衆生耶見故
自行懃若甚難之行如釋迦文佛於漚樓頻
螺樹林中食一麻一米諸外道言我等先師
雖脩若行不能如是六年懃若又復有人謂
佛先世惡業令受若報有菩薩謂佛為實受
是若是故發心我當即以出家日成佛又有
菩薩於好世出家如大通慧求佛道結跏趺坐
經十小劫乃得成道菩薩聞是已發心言願
我以出家日即得成佛有菩薩成佛已不即
轉法輪如燃燈佛成佛已十二年但放光明
人无識者而不說法又如須扇多佛成佛已

BD01975號　大智度論卷三四　（20–8）

轉法輪如燃燈佛成佛已十二年但放光明
人无識者而不說法又如須扇多佛成佛已
无受化者作化佛留住一劫說法度人自身
滅度又如釋迦文佛成佛已五十七日不說
法菩薩聞是已願我成佛已即轉法輪有佛
度衆生有限數如釋迦文佛轉法輪時憍陳
如一人得初道八万諸天諸法中得法眼淨
菩薩聞是已作是願我轉法輪時令无量阿
僧祇人遠塵離垢諸法中得法眼淨以釋迦
文佛初轉法輪時一比丘及諸天皆得初道
而无一人得阿羅漢及菩薩道者是故菩薩
願言我作佛時當使无量阿僧祇衆生一切
法不受諸漏心得解脫及无量阿僧祇衆生
於阿耨多羅三藐三菩提得不退轉問曰若
一切佛神力功德度衆生皆等此菩薩何以
作此願荅曰一佛能變作无量阿僧祇身而
度衆生而世界有嚴淨者有不嚴淨者菩薩
若見若聞是諸佛有苦行難得佛者有不即
轉法輪者有如釋迦牟尼佛六年苦行成道
又聞初轉法輪時未有得阿羅漢道者何況
得菩薩道是故菩薩未聞諸佛力等故作是
願然諸佛神力功德平等无量
我得阿耨多羅三藐三菩提時以无量阿僧
祇聲聞為僧我一說法時便於坐上盡得阿
羅漢當學般若波羅蜜有佛以聲聞為僧有

BD01975號　大智度論卷三四　（20–9）

祇聲聞為僧我一說法時便於坐上盡得阿
羅漢當學般若波羅蜜有佛以聲聞為僧有
數有限如釋迦文尼佛千二百五十比丘為
僧弥勒佛初會僧九十九億第二會九十六
億第三會九十三億如是次第諸佛僧各各
有限有數不同以是故菩薩願言我當以无
量阿僧祇聲聞為僧有佛為衆生說法一說
法得初道異時更說得二道三道第四道如
釋迦文尼佛為五比丘說法得初道異日得
阿羅漢道如舍利弗得初道經半月然後得
阿羅漢道摩訶迦葉見佛得初道過八日已
得阿羅漢如阿難得須陁洹道廿五歲供養
佛已佛般涅槃後得阿羅漢如是等諸阿羅
漢不一時得四道以是故菩薩願言我一說
法時便於坐上盡得阿羅漢
我當以无量阿僧祇菩薩摩訶薩為僧我一
說法時无量阿僧祇菩薩皆得阿鞞跋致菩
薩所以作此願者諸佛多以聲聞為僧无別
菩薩僧如弥勒菩薩文殊師利菩薩等以釋
迦文佛无別菩薩僧故入聲聞僧中次第坐
有佛為一乘說法純以菩薩為僧有佛聲聞
菩薩雜以為僧如阿弥陁佛國菩薩僧多聲
聞僧少以是故願以无量菩薩為僧有佛初
轉法輪時无有人得阿鞞跋致以是故菩薩
願言我一說法无量阿僧祇人得阿鞞跋致
欲得壽命无量光明具足當學般若波羅蜜

BD01975號　大智度論卷三四　（20–10）

轉法輪時无有人得阿鞞跋致以是故菩薩
願言我一說法无量阿僧祇人得阿鞞跋致
欲得壽命无量光明具足當學般若波羅蜜
諸佛壽命有長有短如鞞婆尸佛壽八万四
千歲如拘樓飡地佛壽六万歲迦那伽牟尼
佛壽三万歲迦葉佛壽二万歲釋迦文佛壽
百歲少有過者弥勒佛壽八万四千歲如釋
迦文佛常光一丈弥勒佛常光十里諸佛壽
命光明各有二種一者隱藏二者顯現一者
真實二者為衆生故隱藏真實者无量顯現
為衆生者有限有量實佛壽不應短所以者
何諸佛長壽業因緣具足故如婆伽梵宿世
救一聚落人命故得无量阿僧祇壽命梵世
中壽法不過半劫而此梵天壽獨无量以是
故生耶見言唯我常住佛到其所破其耶見
說其本緣救一聚落其壽乃介何況佛世世
救无量阿僧祇衆生或以財物救濟或以身
命代死去何壽限不過百歲又不煞生戒是
長壽業因緣佛以大慈衆生愛徹骨髓常能
為衆生故死何況煞生又以諸法實相智慧
真實不誑故亦是長壽因緣菩薩以般若波
羅蜜和合持戒諸功德故得壽命无量何況
佛世世具足此諸无量功德而壽命有限短
次如一切色中佛身第一一切心中佛心第
一以是故一切壽命中佛壽亦應第一如世

BD01975號　大智度論卷三四　（20–11）

佛世世具足此諸无量功德而壽命有限
次如一切色中佛身第一一切心中佛心第
一以是故一切壽命中佛壽亦應第一如世
俗人言人生於世以壽為貴佛為人中之上
壽亦應長問曰佛雖有長壽業因緣生於惡
世故壽命便短以此短壽能具佛事何用長
為又佛以神通力故一日之中能具佛事何
況百歲答曰此閒閻浮提惡故佛壽應短餘
處好故佛壽應長問曰若然者菩薩於此閻
浮提淨飯王宮生出家成道是實佛餘處皆
是神通力變化作佛以度衆生答曰此言非
也所以者何餘處閻浮提亦各各言我國是
實佛餘處為變化何以知之若餘處國王自
知是化佛則不肯信受教戒又如餘處國王
人壽命一劫若佛受百歲於彼或无一日衆
生則起輕慢不肯受教彼則以一劫為實佛
以此為變化如首楞嚴經說神通遍照佛壽
七百千阿僧祇劫佛告文殊尸利彼佛則是
我身彼佛亦言釋迦文佛則是我身以是故
知諸佛壽命實皆无量為度人故現有長短
汝言釋迦文佛以神通力故所度衆生與久
壽不異者則不須百歲一日之中可具足佛
事如阿難一時心生是念如然燈世尊一切
勝佛鞞婆尸佛出於好世壽命極多能具佛
事我釋迦文佛出生惡世壽命極短將无世
尊不能具足佛事耶尒時世尊入日出三昧

BD01975號　大智度論卷三四　（20–12）

勝佛鞞婆尸佛出於好世壽命極多能具佛
事我釋迦文佛出生惡世壽命極短將无世
尊不能具足佛事耶尒時世尊入日出三昧
從身變化出无量諸佛及无量光明普至十
方一一化佛在諸世界各作佛事或有說法
或現神通或現三昧或現飲食如是之比種
種因緣施作佛事而度衆生從三昧起告阿
難曰汝悉現聞是事不阿難言唯然已見佛
告阿難佛以如是神力能具佛事不阿難言
假令佛壽一日大地草木悉為可度衆生則
能度盡何況百歲以是故知諸佛壽命悉皆
无量為度人故現有長短譬如日出影現於
水隨水大小水大則影久水小則速滅若照
流離頗梨珠山影則久住又如火燒草木燃
少則速滅燃多則久住不可以滅處无火故
謂多燃處亦无无量光明長短義亦如是
我成阿耨多羅三藐三菩提時世界中无有
婬欲瞋恚愚癡亦无三毒之名一切衆生成
就如是智慧善施善戒善定善梵行善不燒
衆生當學般若波羅蜜問曰若世界无三毒
亦无三毒名者佛為何等故出生其国答曰
貪欲瞋恚愚癡名為三不善根是欲界繫法
佛若說貪欲瞋恚愚癡是欲界繫不善若說
染愛无明是則通三界有佛世界雖離欲
人為是衆生故菩薩願言我成佛時國无三

BD01975號　大智度論卷三四　（20–13）

染愛无明是則通三界有佛世界純諸離欲
人為是衆生故菩薩願言我成佛時國无三
毒及三毒之名復有清淨佛國純向解脫致
法性生身菩薩无諸煩惱唯有餘習是故言
无三毒之名若有人言如菩薩願言我當度
一切衆生而衆生實不盡度此亦如是欲令
世界无三毒之名亦應實有三毒不盡若无
三毒何用佛為如地无大闇則不須日照如
經所說若无三法則佛不出世若三法不斷
則不得離老病死三法者則是三毒如三法
經此中應廣說復次有世界衆生分別諸法
是善是不善是縛是解等於一相寂滅法中
而生戲論菩薩以是故願言令我世界衆生
不生三毒知三毒實相即是涅槃問曰一切
衆生如是智慧是何等智慧答曰智慧是世
間正見世間正見中說有布施有罪福有今
世後世有阿羅漢信罪福故能善布施信有
阿羅漢故能善持戒善禪定善行得正見
力故能善不燒衆生世間正見是无漏智慧
根本以是故說國中无三毒之名貪欲有二
種一者耶貪欲二者貪欲瞋恚有二種一者
耶瞋恚二者瞋恚愚癡有二種一者耶見愚
癡二者愚癡是三種耶毒衆生難可化度餘
三易度无三毒名者无三耶毒之名善布施

耶瞋恚二者瞋恚愚癡有二種一者耶見愚
癡二者愚癡是三種耶毒衆生難可化度餘
三易度无三毒名者无三耶毒之名善布施
等五事如上放光品中說
便我般涅槃後法无滅盡亦无滅盡之名當
學般若波羅蜜問曰佛為法主尚自滅度云
何言法无滅盡答曰如上說是菩薩願事不
必實一切有為法從因緣和合生云何常住
而不滅佛如日明法如日没餘光云何日没
而餘光不滅但久住故无能見滅者故名不
滅復次菩薩見諸佛法住有多有少如迦葉佛
法住七日如釋迦牟尼佛法住千歲是故
菩薩發是願言法雖有為願令相續不滅如
火得薪相傳不絕復次諸法實相名為佛法
是實法相不生不滅不斷不常不一不異不
來不去不受不動不著不依无所有如涅槃
相法相如是云何可滅問曰若如是者一切
佛法皆應不滅答曰如所言諸法實相无有
滅者有人憶想分別取諸法相壞實法相用
二法說是故有滅實相法中无有滅也復次
般若波羅蜜无导法集无量功德故隨其本
願法法相續无有見其滅者譬如仰射虛空
箭去極遠人雖不見要必當墮
我得阿耨多羅三藐三菩提時十方如恒河
沙等世界中衆生聞我名者必得阿耨多羅
三藐三菩提欲得如是等功德當學般若波

菩提道人雖不見要必當值
我得阿耨多羅三藐三菩提時十方如恒河
沙等世界中衆生聞我名者必得阿耨多羅
三藐三菩提欲得如是等功德當學般若波
羅蜜問曰有人生值佛世在佛法中故墮地獄
者如提婆達俱迦梨訶多釋子等三不善
法覆心故墮地獄此中云何言十方如恒河
沙等世界但聞佛名便得道耶答曰上已說
有二種佛一者法性生身佛二者隨衆生優
劣現化佛為法性生身佛故說乃至聞名得
度為隨衆生現身佛故說雖共佛住隨業因
緣有墮地獄者法性生身佛者无事不濟无
願不滿所以者何於无量阿僧祇劫積集一
切善本功德一切智慧无导具足為衆聖主
諸天於大菩薩希能見者譬如如意寶珠難
見難得若有見者所願必果如毒見藥其有
見者衆患悉除如轉輪聖王人有見者无不
富足如釋提桓因有人見者隨願悉得如梵
天王衆生依附恐怖悉除如人念觀世音菩
薩悉脫厄難是事尚尒何況諸佛法性生身
問曰釋迦文佛亦是法性生身分无有異辭
何以故佛在世時有作五逆罪人餘飢餓賊
盜如是等惡答曰釋迦文佛本誓我出惡世
欲以道法度脫衆生不為富貴世樂故出若
佛以力與之則无事不能又亦是衆生福德
力薄罪垢深重故不得隨意度脫又今佛但

BD01975號　大智度論卷三四　（20–16）

欲以道法度脫衆生不為富貴世樂故出若
佛以力與之則无事不能又亦是衆生福德
力薄罪垢深重故不得隨意度脫又今佛但
說清淨涅槃而衆生譏論誹謗言何以多畜
弟子化導人民此亦是繫縛法但以涅槃法
化猶尚譏謗何況雜以世樂如提婆達欲令
足下有千輻相輪故以鐵作模燒而爍之爍
已足壞身惱大呼尒時阿難聞已涕泣白佛
我兄欲死願佛哀救佛即申手就摩其身發
至誠言我看羅睺羅與提婆達等者彼痛當
滅是時提婆達衆痛即除執手觀之知是佛
手便作是言淨飯王子以此醫術足自生活
佛告阿難汝觀提婆達不用心如是之何可
度若好世人則无是咎如是衆生若以世樂
不得度也是事種種因緣上已廣說以是故
說聞佛名有得道者有不得者復次佛身无
量阿僧祇種種不同有佛為衆生說法令得
道者有佛放无量光明衆生遇之而得道者
有以神通變化指示其心而得道者有佛但
現色身而得道者有佛遍身毛孔出衆妙香
衆生聞之而得道者有佛以食與衆生令得
道者有佛衆生但念而得道者有佛能以一
切草木之聲而作佛事令衆生得道者有佛
衆生聞名而得道者為是佛故說言我作佛
時其聞名者皆令得度復次聞名不但以名
便得道也聞已脩道然後得度如[illegible]

BD01975號　大智度論卷三四　（20–17）

衆生聞名而得道者為是佛故說言我作佛
時其聞名者皆令得度復次聞名不但以名
便得道也聞已脩道然後得度如須達長者
初聞佛名内心驚喜詣佛聽法而能得道又
如質帝羅婆羅門從難泥耶結髮梵志所初
聞佛名心即驚喜直詣佛所聞法得道是但
說聞名聞名為得道因緣非得道也問曰此
經言聞諸佛名即時得道不言聞名已脩道
乃得荅曰今言即時不言一心中但言更无
異事聞之故言即時譬如經中說脩慧心時
即脩七學意難者言慧三昧有漏是緣衆生
法云何即時脩七覺荅者言從慧起已即脩
七覺更无餘法故言即時即時有二種一者
同時二者雖久更无異法即是心而得脩七
覺亦名即時復次有衆生福德淳熟結使心
薄應當得道若聞佛名即時得道又復以佛
威力故聞即得度譬如熟癰若无治者得小
因緣而便自潰亦如熟菓若无人取微風因
緣便自墮落譬如新淨白疊易為受色為是
人故說若聞佛名即時得道譬如鬼神著人
聞仙人呪名即時捨去問曰過如恒河沙等
世界誰傳此名令彼得聞荅曰佛以神力舉
身毛孔放无量光明一一光上皆有寶華一
一華上皆有坐佛一一諸佛各說妙法以度
衆生又說諸佛名字以是故聞如放光中說

BD01975號　大智度論卷三四　(20–18)

世界誰傳此名令彼得聞荅曰佛以神力舉
身毛孔放无量光明一一光上皆有寶華一
一華上皆有坐佛一一諸佛各說妙法以度
衆生又說諸佛名字以是故聞如放光中說
復次諸大菩薩以本願欲至无佛法處稱揚
佛名如此品中說者是故得聞復有大功德
人從虛空中聞佛名號如薩陀波崙菩薩又
有從諸天聞或從樹木音聲中聞或從夢中
聞復次諸佛有不可思議力或自住語或以
聲告又如菩薩作願誓度一切衆生以是故
說我成佛時過如恒河沙等世界衆生聞我
名皆得成佛欲得是者當學般若波羅蜜問
曰上欲得諸功德及諸所願是諸事皆是衆
行和合所成何以故但該當學般若波羅蜜
荅曰是經名般若波羅蜜佛欲解說其事是
故品品中皆讚般若波羅蜜復次般若波羅
蜜是諸佛母父母之中母功最重是故佛以
般若為母般周三昧為父三昧能攝持亂心
令智慧得成而不能觀諸法實相般若波羅
蜜能遍觀諸法分別實相无事不達无事不
成功德大故名之為母以是故行者雖行六
波羅蜜及種種功德和合能具衆願而但說
當學般若波羅蜜復次如般若後品中說若
无般若波羅蜜餘五事不名波羅蜜雖普
脩衆行亦不能滿具諸願如種種畫綵若无

BD01975號　大智度論卷三四　(20–19)

无般若波羅蜜餘五事不名波羅蜜　雖菩
備衆行亦不能滿具諸願如種種畫綵若无
膠者亦不中用衆生從无始世界中來雖備
布施持戒忍辱精進一心智慧受世間果報
已而復還盡所以者何離般若波羅蜜故今
以佛恩以般若波羅蜜備行六事故得名波
羅蜜成就佛道使佛佛相續而无窮盡復次
菩薩行般若波羅蜜時善觀諸法皆空空亦
復空滅諸觀得无㝵般若波羅蜜以大悲方
便力還起諸功德業此清淨業因緣故无願
不得餘功德離般若波羅蜜无有无㝵智慧
云何言欲得諸願當學檀波羅蜜復次又
以五波羅蜜離般若不得波羅蜜名字五波
羅蜜如盲般若波羅蜜如眼五波羅蜜如坏
瓶成水般若波羅蜜如成熟瓶五波羅蜜如
鳥无羽翼般若波羅蜜如有翼之鳥如是等
種種因緣故般若波羅蜜能成大事以是故
言欲得諸功德及願當學般若波羅蜜

BD01975 號　大智度論卷三四　（20–20）

智清淨无二无二分无別无斷故儒童清淨
故觸界身識界及身觸身觸為緣所生諸
受清淨觸界乃至身觸為緣所生諸受清淨
故一切智智清淨何以故若儒童清淨若
觸界乃至身觸為緣所生諸受清淨若一切
智智清淨无二无二分无別无斷故善現儒
童清淨故意界清淨意界清淨故一切智智
清淨何以故若儒童清淨若意界清淨若一
切智智清淨无二无二分无別无斷故儒童
清淨故法界意識界及意觸意觸為緣所生
諸受清淨法界乃至意觸為緣所生諸受
清淨故一切智智清淨何以故若儒童清
淨若法界乃至意觸為緣所生諸受清
淨若一切智智清淨无二无二分无別无斷故
善現儒童清淨故地界清淨地界清淨故一切
智智清淨何以故若儒童清淨若地界清淨
若一切智智清淨无二无二分无別无斷故
儒童清淨故水火風空識界清淨水火風空識
界清淨故一切智智清淨何以故若儒童清淨
若水火風空識界清淨若一切智智清淨无二

BD01976 號　大般若波羅蜜多經卷一九九　（2–1）

諸受清淨法界乃至意觸為緣所生諸受
清淨故一切智智清淨何以故若儒童清
淨若法界乃至意觸為緣所生諸受清
淨若一切智智清淨无二无二分无別无斷故
善現儒童清淨故地界清淨地界清淨故一切
智智清淨何以故若儒童清淨若地界清淨
若一切智智清淨无二无二分无別无斷故
儒童清淨故水火風空識界清淨水火風空識
界清淨故一切智智清淨何以故若儒童清淨
若水火風空識界清淨若一切智智清淨无二
无二分无別无斷故善現儒童清淨故无明清
淨无明清淨故一切智智清淨何以故若儒童
清淨若无明清淨若一切智智清淨无二无
二分无別无斷故儒童清淨故行識名色六
處觸受愛取有生老死愁歎苦憂惱清淨
行乃至老死愁歎苦憂惱清淨故一切智智
清淨何以故若儒童清淨若行乃至老死愁
歎苦憂惱清淨若一切智智清淨无二无二
分无別无斷故

BD01976號 大般若波羅蜜多經卷一九九 （2–2）

衆恭敬圍繞而来詣此娑婆世界耆闍崛山
到已下七寶臺以價直百千瓔珞持至釋迦
牟尼佛所頭面礼足奉上瓔珞而白佛言世
尊淨華宿王智佛問訊世尊少病少惱起居
輕利安樂行不四大調和不世事可忍不衆
生易度不无多貪欲瞋恚愚癡嫉妬慳慢不
无不孝父母不敬沙門耶見不善心不攝五
情不世尊衆生能降伏諸魔怨不久滅度多
寶如来在七寶塔中来聽法不又問訊多寶
如来安隱少惱堪忍久住不世尊我今欲見
多寶佛身唯願世尊示我令見尒時釋迦牟
尼佛語多寶佛是妙音菩薩欲得相見時多
寶佛告妙音言善哉善哉汝能為供養釋迦
牟尼佛及聽法華經并見文殊師利等故来
至此尒時華德菩薩白佛言世尊是妙音菩
薩種何善根脩何功德有是神力佛告華德
菩薩過去有佛名雲雷音王多陁阿伽度阿
羅訶三藐三佛陁國名現一切世間劫名憙見
妙音菩薩於万二千歲以十万種伎樂供養
雲雷音王佛并奉上八万四千七寶鉢以是
因緣果報今生淨華宿王智佛國有是神

BD01977號 妙法蓮華經卷七 （21–1）

妙音菩薩於万二千歲以十万種伎樂供養
雲雷音王佛并奉上八万四千七寶鉢以是
因緣果報今生淨華宿王智佛國有是神
力華德於汝意云何尒時雲雷音王佛所妙
音菩薩伎樂供養奉上寶器者豈異人乎今
此妙音菩薩摩訶薩是華德是妙音菩薩已
曽供養親近无量諸佛久殖德本又值恒河
沙等百千万億那由他佛華德汝但見妙音
菩薩其身在此而是菩薩現種種身處處為
諸衆生說是經典或現梵王身或現帝釋身
或現自在天身大自在天身或現天大將軍
身或現毗沙門天王身或現轉輪聖王身或
現諸小王身或現長者身或現居士身或現
宰官身或現婆羅門身或現比丘比丘尼優
婆塞優婆夷身或現長者居士婦女身或現
宰官婦女身或現婆羅門婦女身或現童男
童女身或現天龍夜叉乾闥婆阿脩羅迦樓
羅緊那羅摩睺羅伽人非人等身而說是經
諸有地獄餓鬼畜生及衆難處皆能救濟乃
至於王後宮變為女身而說是經華德是妙
音菩薩能救護娑婆世界諸衆生者是妙音
菩薩如是種種變化現身在此娑婆國土為
諸衆生說是經典於神通變化智慧无所損
減是菩薩以若干智慧明照娑婆世界令一
切衆生各得所知於十方恒河沙世界中亦
復如是若應以聲聞形得度者現聲聞形而

BD01977號　妙法蓮華經卷七　（21–2）

減是菩薩以若干智慧明照娑婆世界令一
切衆生各得所知於十方恒河沙世界中亦
復如是若應以聲聞形得度者現聲聞形而
為說法應以辟支佛形得度者現辟支佛形
而為說法應以菩薩形得度者現菩薩形而
為說法應以佛形得度者即現佛形而為說
法如是種種隨所應度而為現形乃至應以
滅度而得度者亦現滅度華德妙音菩薩摩
訶薩成就大神通智慧之力其事如是尒時
華德菩薩白佛言世尊是妙音菩薩深種善
根世尊是菩薩住何三昧而能如是在所變
現度脫衆生佛告華德菩薩善男子其三昧
名現一切色身妙音菩薩住是三昧中能如
是饒益无量衆生說是妙音菩薩品時與妙
音菩薩俱來者八万四千人皆得現一切色
身三昧此娑婆世界无量菩薩亦得是三昧
及陁羅尼尒時妙音菩薩摩訶薩供養釋迦
牟尼佛及多寶佛塔已還歸本土所經諸國
六種震動雨寶蓮華作百千万億種種伎樂
既到本國與八万四千菩薩圍繞至淨華宿
王智佛所白佛言世尊我到娑婆世界饒益
衆生見釋迦牟尼佛及見多寶佛塔礼拜供
養又見文殊師利法王子菩薩及見藥王菩
薩得勤精進力菩薩勇施菩薩等亦令八万
四千菩薩得現一切色身三昧說是妙音菩
薩來往品時四万二千天子得无生法忍華

BD01977號　妙法蓮華經卷七　（21–3）

薩得勤精進力菩薩勇施菩薩等亦令八万
四千菩薩得現一切色身三昧説是妙音菩
薩来往品時四万二千天子得无生法忍華
德菩薩得法華三昧
妙法蓮華經觀世音菩薩普門品第二十五
尒時无盡意菩薩即從座起偏袒右肩合掌
向佛而作是言世尊觀世音菩薩以何因緣
名觀世音佛告无盡意菩薩善男子若有无
量百千万億衆生受諸苦惱聞是觀世音菩
薩一心稱名觀世音菩薩即時觀其音聲皆
得解脱若有持是觀世音菩薩名者設入大
火火不能燒由是菩薩威神力故若為大水
所漂稱其名号即得淺處若有百千万億衆
生為求金銀琉璃車𤦲馬瑙珊瑚虎珀真珠
等寶入於大海假使黒風吹其船舫漂墮羅
剎鬼國其中若有乃至一人稱觀世音菩薩
名者是諸人等皆得解脱羅剎之難以是因
緣名觀世音若復有人臨當被害稱觀世音
菩薩名者彼所執刀杖尋段段壞而得解脱
若三千大千國土滿中夜叉羅剎欲来惱人
聞其稱觀世音菩薩名者是諸惡鬼尚不能
以惡眼視之況復加害設復有人若有罪若
无罪杻械枷鎖檢繫其身稱觀世音菩薩名
者皆悉斷壞即得解脱若三千大千國土滿
中怨賊有一商主將諸商人賫持重寶經過
險路其中一人作是唱言諸善男子勿得恐

BD01977號　妙法蓮華經卷七　（21–4）

以惡眼視之況復加害設復有人若有罪若
无罪杻械枷鎖檢繫其身稱觀世音菩薩名
者皆悉斷壞即得解脱若三千大千國土滿
中怨賊有一商主將諸商人賫持重寶經過
險路其中一人作是唱言諸善男子勿得恐
怖汝等應當一心稱觀世音菩薩名号是菩
薩能以无畏施於衆生汝等若稱名者於此
怨賊當得解脱衆商人聞俱發聲言南无觀
世音菩薩稱其名故即得解脱无盡意觀世
音菩薩摩訶薩威神之力巍巍如是若有衆
生多於婬欲常念恭敬觀世音菩薩便得離
欲若多瞋恚常念恭敬觀世音菩薩便得離
瞋若多愚癡常念恭敬觀世音菩薩便得離
癡无盡意觀世音菩薩有如是等大威神力
多所饒益是故衆生常應心念若有女人設
欲求男礼拜供養觀世音菩薩便生福德智
慧之男設欲求女便生端正有相之女宿殖
德本衆人愛敬无盡意觀世音菩薩有如是
力若有衆生恭敬礼拜觀世音菩薩福不唐
捐是故衆生皆應受持觀世音菩薩名号无
盡意若有人受持六十二億恒河沙菩薩名
字復盡形供養飲食衣服卧具醫藥於汝意
云何是善男子善女人功德多不无盡意言
甚多世尊佛言若復有人受持觀世音菩薩
名号乃至一時礼拜供養是二人福正等无
異於百千万億劫不可窮盡无盡意受持觀

BD01977號　妙法蓮華經卷七　（21–5）

名号乃至一時礼拜供養是二人福正等无
異於百千万億劫不可窮盡无盡意受持觀
世音菩薩名号得如是无量无邊福德之利
无盡意菩薩白佛言世尊觀世音菩薩云何
遊此娑婆世界云何而為衆生說法方便之
力其事云何佛告无盡意菩薩善男子若有
國土衆生應以佛身得度者觀世音菩薩即
現佛身而為說法應以辟支佛身得度者即
現辟支佛身而為說法應以聲聞身得度者
即現聲聞身而為說法應以梵王身得度者
即現梵王身而為說法應以帝釋身得度者
即現帝釋身而為說法應以自在天身得度
者即現自在天身而為說法應以大自在天
身得度者即現大自在天身而為說法應以
天大將軍身得度者即現天大將軍身而為
說法應以毗沙門身得度者即現毗沙門身
而為說法應以小王身得度者即現小王身
而為說法應以長者身得度者即現長者身
而為說法應以居士身得度者即現居士身
而為說法應以宰官身得度者即現宰官身
而為說法應以婆羅門身得度者即現婆羅
門身而為說法應以比丘比丘尼優婆塞優
婆夷身得度者即現比丘比丘尼優婆塞優
婆夷身而為說法應以長者居士宰官婆羅
門婦女身得度者即現婦女身而為說法應
以童男童女身得度者即現童男童女身而

BD01977號　妙法蓮華經卷七　（21–6）

婆夷身而為說法應以長者居士宰官婆羅
門婦女身得度者即現婦女身而為說法應
以童男童女身得度者即現童男童女身而
為說法應以天龍夜叉乾闥婆阿脩羅迦樓
羅緊那羅摩睺羅伽人非人等身得度者即
皆現之而為說法應以執金剛神得度者即
現金剛神而為說法无盡意是觀世音菩薩
成就如是功德以種種形遊諸國土度脫衆
生是故汝等應當一心供養觀世音菩薩是
觀世音菩薩摩訶薩於怖畏急難之中能施
无畏是故此娑婆世界皆号之為施无畏者
无盡意菩薩白佛言世尊我今當供養觀世
音菩薩即解頸衆寶珠瓔珞價直百千兩金
而以與之作是言仁者受此法施珎寶瓔珞
時觀世音菩薩不肯受之无盡意復白觀世
音菩薩言仁者愍我等故受此瓔珞尒時佛
告觀世音菩薩當愍此无盡意菩薩及四衆
天龍夜叉乾闥婆阿脩羅迦樓羅緊那羅摩
睺羅伽人非人等故受是瓔珞即時觀世音
菩薩愍諸四衆及於天龍人非人等受其瓔
珞分作二分一分奉釋迦牟尼佛一分奉多
寶佛塔无盡意觀世音菩薩有如是自在神
力遊於娑婆世界尒時持地菩薩即從座起
前白佛言世尊若有衆生聞是觀世音菩薩
品自在之業普門示現神通力者當知是人
功德不少佛說是普門品時衆中八万四千

BD01977號　妙法蓮華經卷七　（21–7）

品自在之業普門示現神通力者當知是人
功德不少佛說是普門品時衆中八万四千
衆生皆發无等等阿耨多羅三藐三菩提心
妙法蓮華經陁羅尼品苐二十六
尒時藥王菩薩即從座起偏袒右肩合掌向
佛而白佛言世尊若善男子善女人有能受
持法華經者若讀誦通利若書寫經卷得幾
所福佛告藥王若有善男子善女人供養八
百万億那由他恒河沙等諸佛於汝意云何
其所得福寧為多不甚多世尊佛言若善男
子善女人能於是經乃至受持一四句偈讀
誦解義如說脩行功德甚多尒時藥王菩薩
白佛言世尊我今當與說法者陁羅尼呪以
守護之即說呪曰
安尒一 曼尒二 摩祢三 摩摩祢四 旨隸五
遮梨苐六 賒咩羊鳴音七 賒履罔雉反多瑋八 羶輸干反
帝九 目帝十 目多履十一 娑履十二 阿瑋娑履十三
桑履十四 娑履十五 叉裔十六 阿叉裔十七 阿耆膩十八
羶帝十九 賒履二十 陁羅尼二十一 阿盧伽婆娑蘇奈反
簸蔗毗叉膩二十二 祢毗剃二十三 阿便哆都餓反邏
祢履剃二十四 阿亶哆波隸輸地途賣反二十五 漚究隸二十六
牟究隸二十七 阿羅隸二十八 波羅隸二十九 首迦差初几反
三十 阿三磨三履三十一 佛馱毗吉利袠帝三十二 達
磨波利差猜離反三十三 僧伽涅瞿沙祢三十四 婆
舍婆舍輸地三十五 曼哆邏三十六 曼哆邏叉夜多
三十七 郵樓哆三十八 郵樓哆憍舍略三十九 惡叉邏四十

BD01977號　妙法蓮華經卷七　（21–8）

磨波利差猜離反三十三 僧伽涅瞿沙祢三十四 婆
舍婆舍輸地三十五 曼哆邏三十六 曼哆邏叉夜多
三十七 郵樓哆三十八 郵樓哆憍舍略三十九 惡叉邏四十
惡叉治多冶四十一 阿婆盧四十二 阿摩若荏蔗反那
多夜四十三
世尊是陁羅尼神呪六十二億恒河沙等諸
佛所說若有侵毀此法師者則為侵毀是諸
佛已時釋迦牟尼佛讚藥王菩薩言善哉善
哉藥王汝愍念擁護此法師故說是陁羅尼
於諸衆生多所饒益尒時勇施菩薩白佛言
世尊我亦為擁護讀誦受持法華經者說陁
羅尼若此法師得是陁羅尼若夜叉若羅剎
若冨單那若吉蔗若鳩槃荼若餓鬼等伺求
其短无能得便即於佛前而說呪曰
痤誓螺反隸一 摩訶痤隸二 郁枳三 目枳四 阿
隸五 阿羅婆苐六 涅隸苐七 涅隸多婆苐八
伊緻猪履反柅九 韋緻柅十 旨緻柅十一 涅隸墀柅十二
涅犁墀婆底十三
世尊是陁羅尼神呪恒河沙等諸佛所說亦
皆隨喜若有侵毀此法師者則為侵毀是諸
佛已尒時毗沙門天王護世者白佛言世尊
我亦為愍念衆生擁護此法師故說是陁羅
尼即說呪曰
阿梨一 那梨二 㝹那梨三 阿那盧四 那履五
拘那履
世尊以是神呪擁護法師我亦自當擁護持

BD01977號　妙法蓮華經卷七　（21–9）

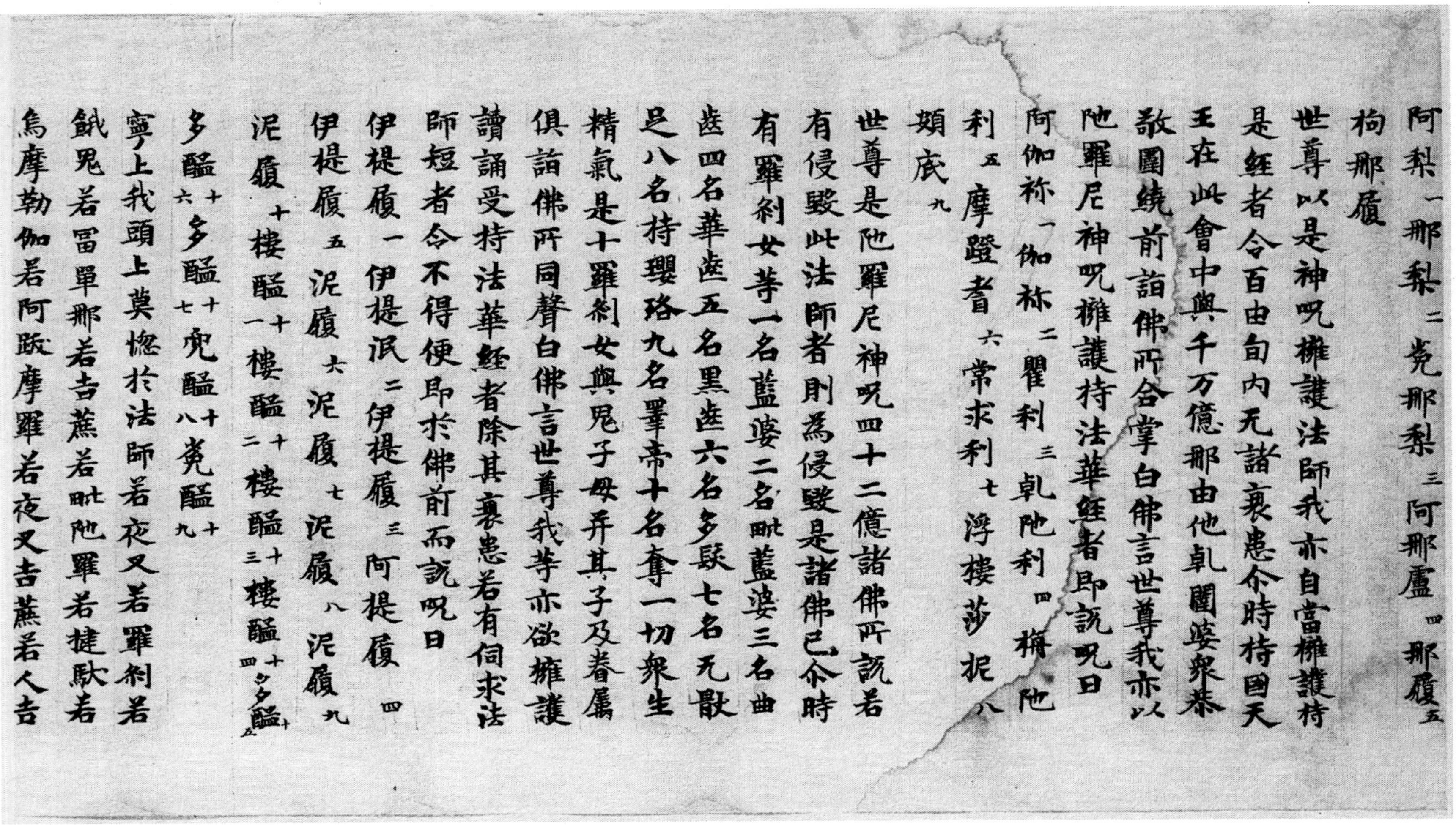

阿梨一那梨二菟那梨三阿那盧四那履五
拘那履
世尊以是神呪擁護法師我亦自當擁護持
是經者令百由旬内无諸衰患尒時持國天
王在此會中與千万億那由他乾闥婆衆恭
敬圍繞前詣佛所合掌白佛言世尊我亦以
陁羅尼神呪擁護持法華經者即說呪曰
阿伽祢一伽祢二瞿利三乾陁利四栴陁
利五摩蹬耆六常求利七浮樓莎抳八
頞底九
世尊是陁羅尼神呪四十二億諸佛所說若
有侵毀此法師者則為侵毀是諸佛已尒時
有羅刹女等一名藍婆二名毗藍婆三名曲
齒四名華齒五名黑齒六名多髮七名无猒
足八名持瓔珞九名睪帝十名奪一切衆生
精氣是十羅刹女與鬼子母并其子及眷屬
俱詣佛所同聲白佛言世尊我等亦欲擁護
讀誦受持法華經者除其衰患若有伺求法
師短者令不得便即於佛前而說呪曰
伊提履一伊提泯二伊提履三阿提履四
伊提履五泥履六泥履七泥履八泥履九
泥履十樓醯十一樓醯十二樓醯十三樓醯十四多醯十五
多醯十六多醯十七兜醯十八菟醯十九
寧上我頭上莫惱於法師若夜叉若羅刹若
餓鬼若富單那若吉蔗若毗陁羅若揵馱若
烏摩勒伽若阿跋摩羅若夜叉吉蔗若人吉

BD01977 號　妙法蓮華經卷七　（21-10）

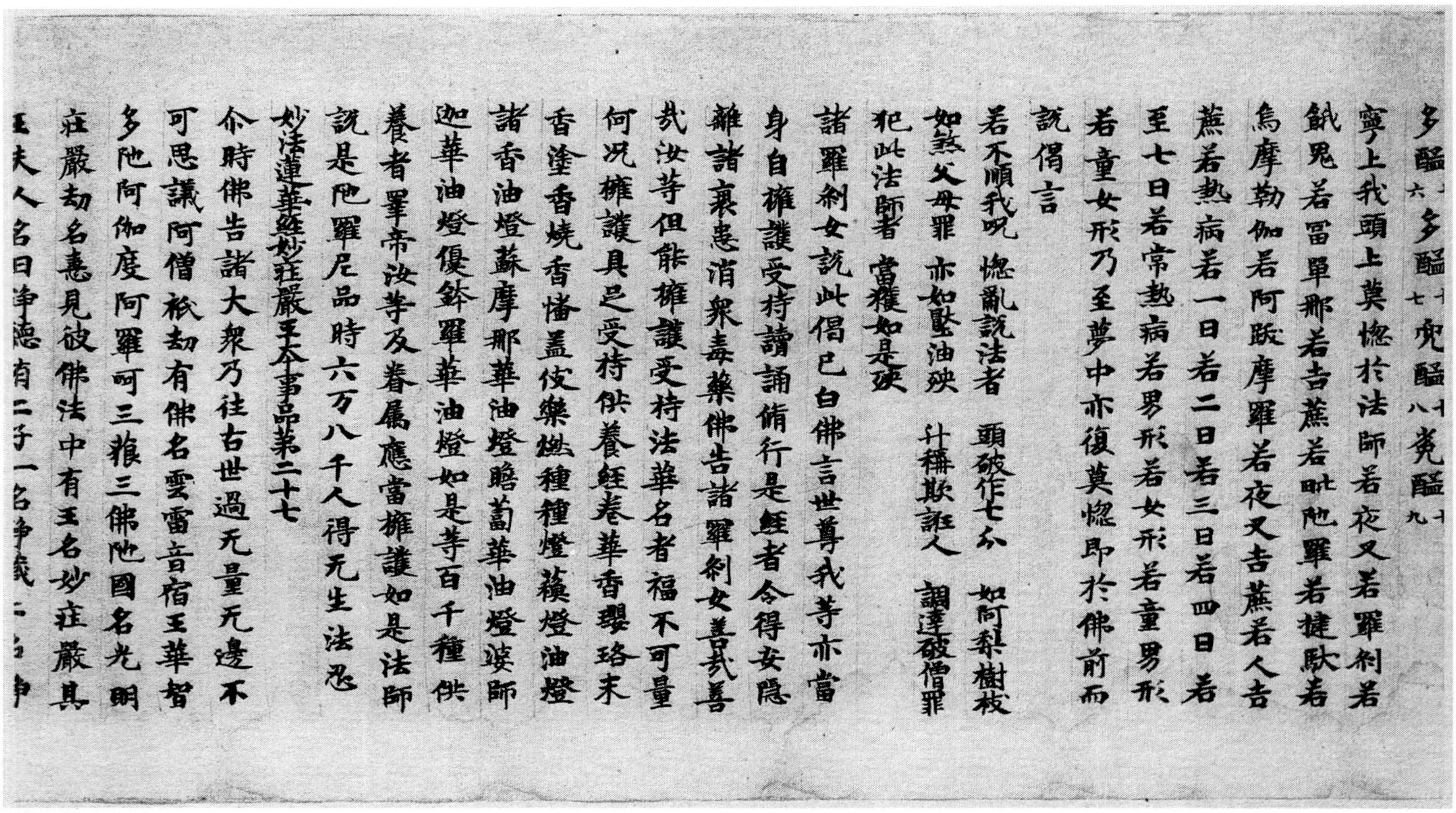

多醯十六多醯十七兜醯十八菟醯十九
寧上我頭上莫惱於法師若夜叉若羅刹若
餓鬼若富單那若吉蔗若毗陁羅若揵馱若
烏摩勒伽若阿跋摩羅若夜叉吉蔗若人吉
蔗若熱病若一日若二日若三日若四日若
至七日若常熱病若男形若女形若童男形
若童女形乃至夢中亦復莫惱即於佛前而
說偈言
若不順我呪　惱亂說法者　頭破作七分　如阿梨樹枝
如殺父母罪　亦如壓油殃　斗秤欺誑人　調達破僧罪
犯此法師者　當獲如是殃
諸羅刹女說此偈已白佛言世尊我等亦當
身自擁護受持讀誦脩行是經者令得安隱
離諸衰患消衆毒藥佛告諸羅刹女善哉善
哉汝等但能擁護受持法華名者福不可量
何況擁護具足受持供養經卷華香瓔珞末
香塗香燒香幡蓋伎樂然種種燈蘇燈油燈
諸香油燈蘇摩那華油燈瞻蔔華油燈婆師
迦華油燈優鉢羅華油燈如是等百千種供
養者睪帝汝等及眷屬應當擁護如是法師
說是陁羅尼品時六万八千人得无生法忍
妙法蓮華經妙莊嚴王本事品第二十七
尒時佛告諸大衆乃往古世過无量无邊不
可思議阿僧祇劫有佛名雲雷音宿王華智
多陁阿伽度阿羅呵三藐三佛陁國名光明
莊嚴劫名憙見彼佛法中有王名妙莊嚴其
王夫人名曰淨德有二子一名淨藏二名淨

BD01977 號　妙法蓮華經卷七　（21-11）

可思議阿僧祇劫有佛名雲雷音宿王華智
多陁阿伽度阿羅呵三藐三佛陁國名光明
莊嚴劫名憙見彼佛法中有王名妙莊嚴其
王夫人名曰淨德有二子一名淨藏二名淨
眼是二子有大神力福德智慧久脩菩薩所
行之道所謂檀波羅蜜尸羅波羅蜜羼提波
羅蜜毗梨耶波羅蜜禪波羅蜜般若波羅蜜
方便波羅蜜慈悲憙捨乃至三十七助道法
皆悉明了通達又得菩薩淨三昧日星宿三
昧淨光三昧淨色三昧淨照明三昧長莊嚴
三昧大威德藏三昧於此三昧亦悉通達尒
時彼佛欲引道妙莊嚴王及愍念衆生故說
是法華經時淨藏淨眼二子到其母所合十
指爪掌白言願母往詣雲雷音宿王華智佛
所我等亦當侍從親近供養礼拜所以者何
此佛於一切天人衆中說法華經宜應聽受
母告子言汝父信受外道深著婆羅門法汝
等應往白父與共俱去淨藏淨眼合十爪指
掌白母我等是法王子而生此耶見家母告
子言汝等當憂念汝父為現神變若得見者
心必清淨或聽我等往至佛所於是二子念
其父故踊在虛空高七多羅樹現種種神變
於虛空中行住坐卧身上出水身下出火身
下出水身上出火或現大身滿虛空中而復
現小小復現大於空中滅忽然在地入地如
水履水如地現如是等種種神變令其父王

下出水身上出火或現大身滿虛空中而復
現小小復現大於空中滅忽然在地入地如
水履水如地現如是等種種神變令其父王
心淨信解時父見子神力如是心大歡憙得
未曾有合掌向子言汝等師為是誰誰之弟
子二子白言大王彼雲雷音宿王華智佛今
在七寶菩提樹下法座上坐於一切世間天
人衆中廣說法華經是我等師我是弟子父
語子言我今亦欲見汝等師可共俱往於是
二子從空中下到其母所合掌白母父王今
已信解堪任發阿耨多羅三藐三菩提心我
等為父已作佛事願母見聽於彼佛所出家
脩道尒時二子欲重宣其意以偈白母
願母放我等　出家作沙門　諸佛甚難值　我等隨佛學
如優曇波羅　值佛復難是　脫諸難亦難　願聽我出家
母即告言聽汝出家所以者何佛難值故於
是二子白父母言善哉父母願時往詣雲雷
音宿王華智佛所親近供養所以者何佛難
得值如優曇波羅華又如一眼之龜值浮木
孔而我等宿福深厚生值佛法是故父母當
聽我等令得出家所以者何諸佛難值時亦
難遇彼時妙莊嚴王後宮八万四千人皆悉
堪任受持是法華經淨眼菩薩於法華三昧
久已通達淨藏菩薩已於无量百千万億劫
通達離諸惡趣三昧欲令一切衆生離諸惡
趣故其王夫人得諸佛習三昧能知諸佛祕

久已通達淨藏菩薩已於无量百千万億劫
通達離諸惡趣三昧欲令一切眾生離諸惡
趣故其王夫人得諸佛習三昧能知諸佛祕
密之藏二子如是以方便力善化其父令心
信解好樂佛法於是妙莊嚴王與群臣眷屬
俱淨德夫人與後宮婇女眷屬俱其王二子
與四万二千人俱一時共詣佛所到已頭面
礼足繞佛三帀却住一面尒時彼佛為王說
法示教利喜王大歡悅尒時妙莊嚴王及其
夫人解頸真珠瓔珞價直百千以散佛上於
虛空中化成四柱寶臺臺中有大寶床敷百
千万天衣其上有佛結跏趺坐放大光明尒
時妙莊嚴王作是念佛身希有端嚴殊特成
就第一微妙之色時雲雷音宿王華智佛告
四眾言汝等見是妙莊嚴王於我前合掌立
不此王於我法中作比丘精勤脩習助佛道
法當得作佛号娑羅樹王國名大光劫名大
高王其娑羅樹王佛有无量菩薩眾及无量
聲聞其國平正功德如是其王即時以國付
弟與夫人二子并諸眷屬於佛法中出家脩
道王出家已於八万四千歲常勤精進脩行
妙法華經過是已後得一切淨功德莊嚴三
昧即外虛空高七多羅樹而白佛言世尊此
我二子已作佛事以神通變化轉我耶心令
得安住於佛法中得見世尊此二子者是我
善知識為欲發起宿世善根饒益我故來生

BD01977號　妙法蓮華經卷七　（21–14）

我二子已作佛事以神通變化轉我耶心令
得安住於佛法中得見世尊此二子者是我
善知識為欲發起宿世善根饒益我故來生
我家尒時雲雷音宿王華智佛告妙莊嚴王
言如是如是如汝所言若善男子善女人種
善根故世世得善知識其善知識能作佛事
示教利喜令入阿耨多羅三藐三菩提大王
當知善知識者是大因緣所謂化導令得見
佛發阿耨多羅三藐三菩提心大王汝見此
二子不此二子已曾供養六十五百千万億
那由他恒河沙諸佛親近恭敬於諸佛所受
持法華經愍念耶見眾生令住正見妙莊嚴
王即從虛空中下而白佛言世尊如來甚希
有以功德智慧故頂上肉髻光明顯照其眼
長廣而紺青色眉間毫相白如珂月齒白齊
密常有光明脣色赤好如頻婆菓尒時妙莊
嚴王讚歎佛如是等无量百千万億功德已
於如來前一心合掌復白佛言世尊未曾有
也如來之法具足成就不可思議微妙功德
教戒所行安隱快善我從今日不復自隨心
行不生耶見憍慢瞋恚諸惡之心說是語已
礼佛而出佛告大眾於意云何妙莊嚴王豈
異人乎今華德菩薩是其淨德夫人今佛前
光照莊嚴相菩薩是哀愍妙莊嚴王及諸眷
屬故於彼中生其二子者今藥王菩薩藥上
菩薩是是藥王藥上菩薩成就如此諸大功

BD01977號　妙法蓮華經卷七　（21–15）

光照莊嚴相菩薩是哀愍妙莊嚴王及諸眷
屬故於彼中生其二子者今藥王菩薩藥上
菩薩是是藥王藥上菩薩成就如此諸大功
德已於无量百千万億諸佛所殖衆德本成
就不可思議諸善功德若有人識是二菩薩
名字者一切世間諸天人民亦應礼拜佛說
是妙莊嚴王本事品時八万四千人遠塵離
垢於諸法中得法眼浄
妙法蓮華經普賢菩薩勸發品第二十八
尒時普賢菩薩以自在神通威德名聞與大
菩薩无量无邊不可稱數從東方來所經諸
國普皆震動雨寶蓮華作无量百千万億種
種伎樂又與无數諸天龍夜叉乹闥婆阿脩
羅迦樓羅緊那羅摩睺羅伽人非人等大衆
圍繞各現威德神通之力到娑婆世界耆闍
崛山中頭面礼釋迦牟尼佛右繞七帀白佛
言世尊我於寶威德上王佛國遥聞此娑婆
世界說法華經與无量无邊百千万億諸菩
薩衆共來聽受唯願世尊當為說之若善男
子善女人於如來滅後云何能得是法華經
佛告普賢菩薩若善男子善女人成就四法
於如來滅後當得是法華經一者為諸佛護
念二者殖衆德本三者入正定聚四者發救
一切衆生之心善男子善女人如是成就四
法於如來滅後必得是經尒時普賢菩薩白
佛言世尊於後五百歳濁惡世中其有受持

BD01977號　妙法蓮華經卷七　（21–16）

念二者殖衆德本三者入正定聚四者發救
一切衆生之心善男子善女人如是成就四
法於如來滅後必得是經尒時普賢菩薩白
佛言世尊於後五百歳濁惡世中其有受持
是經典者我當守護除其衰患令得安隱使
无伺求得其便者若魔若魔子若魔女若魔
民若為魔所著者若夜叉若羅剎若鳩槃荼
若毗舍闍若吉蔗若冨單那若韋陁羅等諸
惱人者皆不得便是人若行若立讀誦此經
我尒時乘六牙白象王與大菩薩衆俱詣其
所而自現身供養守護安慰其心亦為供養
法華經故是人若坐思惟此經尒時我復乘
白象王現其人前其人若於法華經有所忘
失一句一偈我當教之與共讀誦還令通利
尒時受持讀誦法華經者得見我身甚大歡
喜轉復精進以見我故即得三昧及陁羅尼
名為旋陁羅尼百千万億旋陁羅尼法音方
便陁羅尼得如是等陁羅尼世尊若後世後
五百歳濁惡世中比丘比丘尼優婆塞優婆
夷求索者受持者讀誦者書寫者欲脩習是
法華經於三七日中應一心精進滿三七日
已我當乘六牙白象與无量菩薩而自圍繞
以一切衆生所憙見身現其人前而為說法
亦教利憙亦復與其陁羅尼呪得是陁羅尼
故无有非人能破壞者亦不為女人之所惑
亂我身亦自常護是人唯願世尊聽我說此

BD01977號　妙法蓮華經卷七　（21–17）

亦教利憙亦復與其陁羅尼呪得是陁羅尼
故无有非人能破壞者亦不為女人之所惑
亂我身亦自常護是人唯願世尊聽我說此
陁羅尼即於佛前而說呪曰
阿檀地途賣反一 檀陁婆地二 檀陁婆帝三 檀陁
鳩舍隸四 檀陁脩陁隸五 脩陁隸六 脩陁羅
婆底七 佛馱波羶祢八 薩婆陁羅尼阿婆多
尼九 薩婆婆沙阿婆多尼十 脩阿婆多尼十一
僧伽婆履叉尼十二 僧伽涅伽陁尼十三 阿僧祇
十四 僧伽波伽地十五 帝隸阿惰僧伽兜略盧遮反 波
羅帝十六 薩婆僧伽三摩地伽蘭地十七 薩婆
達磨脩波利刹帝十八 薩婆薩埵樓馱憍舍略
阿㝹伽地十九 辛阿毗吉利地帝二十
世尊若有菩薩得聞是陁羅尼者當知普賢
神通之力若法華經行閻浮提有受持者應
作此念皆是普賢威神之力若有受持讀誦
正憶念解其義趣如說脩行當知是人行普
賢行於无量无邊諸佛所深種善根為諸如
来手摩其頭若但書寫是人命終當生忉利
天上是時八万四千天女作衆伎樂而来迎
之其人即著七寶冠於采女中娛樂快樂何
況受持讀誦正憶念解其義趣如說脩行若
有人受持讀誦解其義趣是人命終為千佛
授手令不恐怖不墮惡趣即往兜率天上弥
勒菩薩所弥勒菩薩有三十二相大菩薩衆
所共圍繞有百千万億天女眷屬而於中生

BD01977號　妙法蓮華經卷七　（21-18）

授手令不恐怖不墮惡趣即往兜率天上弥
勒菩薩所弥勒菩薩有三十二相大菩薩衆
所共圍繞有百千万億天女眷屬而於中生
有如是等功德利益是故智者應當一心自
書若使人書受持讀誦正憶念如說脩行世
尊我今以神通力守護是經於如来滅後閻
浮提內廣令流布使不斷絕尒時釋迦牟尼
佛讚言善哉善哉普賢汝能護助是經令多
所衆生安樂利益汝已成就不可思議功德
深大慈悲從久遠来發阿耨多羅三藐三菩
提意而能作是神通之願守護是經我當以
神通力守護能受持普賢菩薩名者普賢若
有受持讀誦正憶念脩習書寫是法華經者
當知是人則見釋迦牟尼佛如從佛口聞此
經典當知是人供養釋迦牟尼佛當知是人
佛讚善哉當知是人為釋迦牟尼佛手摩其
頭當知是人為釋迦牟尼佛衣之所覆如是
之人不復貪著世樂不好外道經書手筆亦
復不憙親近其人及諸惡者若屠兒若畜猪
羊雞狗若獵師若衒賣女色是人心意質直
有正憶念有福德力是人不為三毒所惱亦
不為嫉妬我慢邪慢增上慢所惱是人少欲
知足能脩普賢之行普賢若如来滅後後五
百歲若有人見受持讀誦法華經者應作是
念此人不久當詣道場破諸魔衆得阿耨多
羅三藐三菩提轉法輪擊法鼓吹法螺雨法

BD01977號　妙法蓮華經卷七　（21-19）

百為若有人見受持讀誦法華經者應作是
念此人不久當詣道場破諸魔衆得阿耨多
羅三藐三菩提轉法輪擊法鼓吹法螺雨法
雨當坐天人大衆中師子法座上普賢若於
後世受持讀誦是經典者是人不復貪著衣
服臥具飲食資生之物所願不虛亦於現世
得其福報若有人輕毀之言汝狂人耳空作
是行終无所獲如是罪報當世世无眼若有
供養讚嘆之者當於今世得現果報若復見
受持是經者出其過惡若實若不實此人現
世得白癩病若輕笑之者當世世牙齒踈缺
醜脣平鼻手脚繚戾眼目角睞身體臭穢惡
瘡膿血水腹短氣諸惡重病是故普賢若見
受持是經典者當起遠迎當如敬佛說是普
賢勸發品時恒河沙等无量无邊菩薩得百
千億旋陀羅尼三千大千世界微塵等諸菩
薩具普賢道佛說是經時普賢等諸菩薩舍
利弗等諸聲聞及諸天龍人非人等一切大
會皆大歡喜受持佛語作礼而去

妙法蓮華經卷第七

BD01977號　妙法蓮華經卷七　（21–20）

是行終无所獲如是罪報當世世无眼若有
供養讚嘆之者當於今世得現果報若復見
受持是經者出其過惡若實若不實此人現
世得白癩病若輕笑之者當世世牙齒踈缺
醜脣平鼻手脚繚戾眼目角睞身體臭穢惡
瘡膿血水腹短氣諸惡重病是故普賢若見
受持是經典者當起遠迎當如敬佛說是普
賢勸發品時恒河沙等无量无邊菩薩得百
千億旋陀羅尼三千大千世界微塵等諸菩
薩具普賢道佛說是經時普賢等諸菩薩舍
利弗等諸聲聞及諸天龍人非人等一切大
會皆大歡喜受持佛語作礼而去

妙法蓮華經卷第七

BD01977號　妙法蓮華經卷七　（21–21）

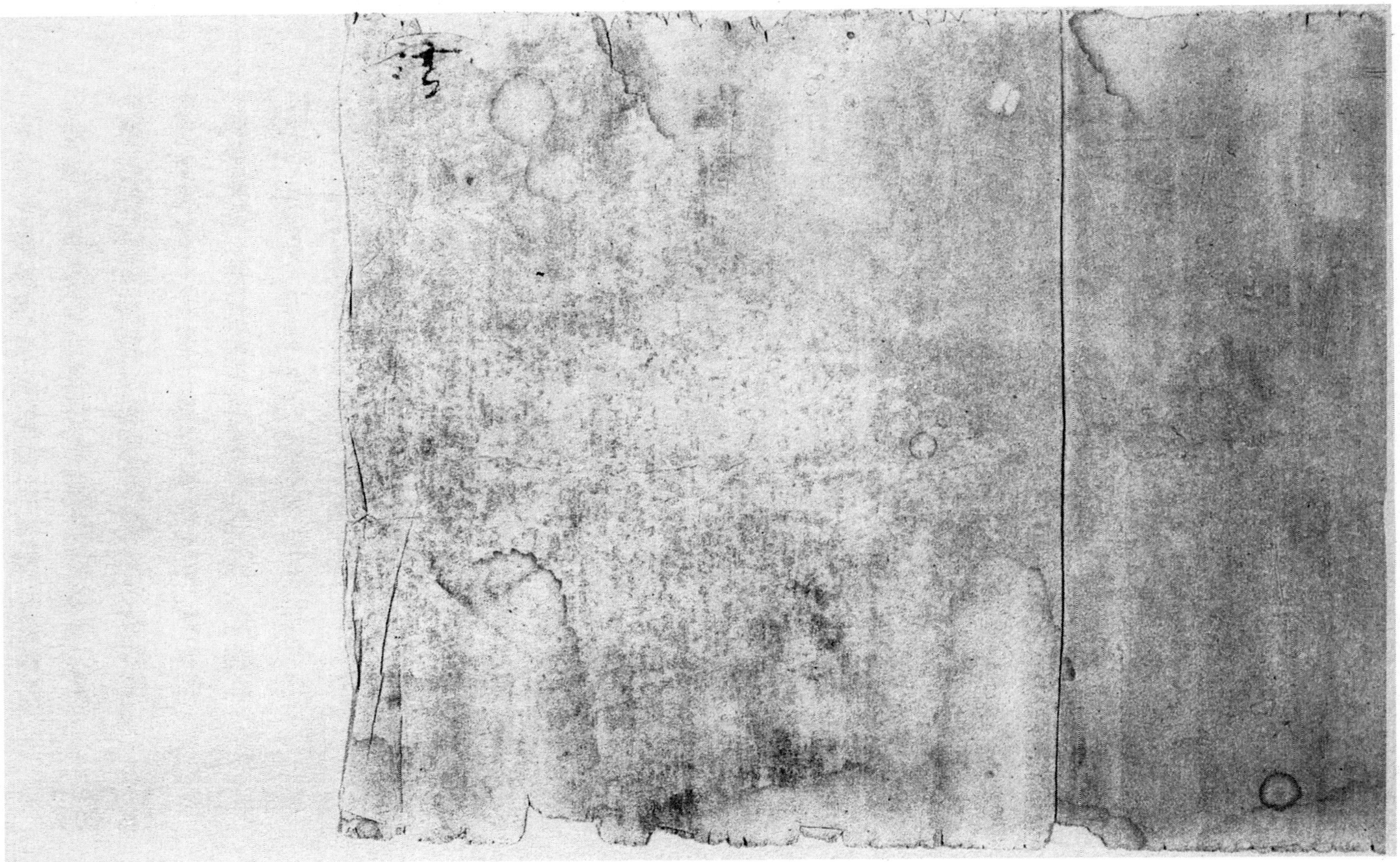

BD01977 號背　雜寫　（1–1）

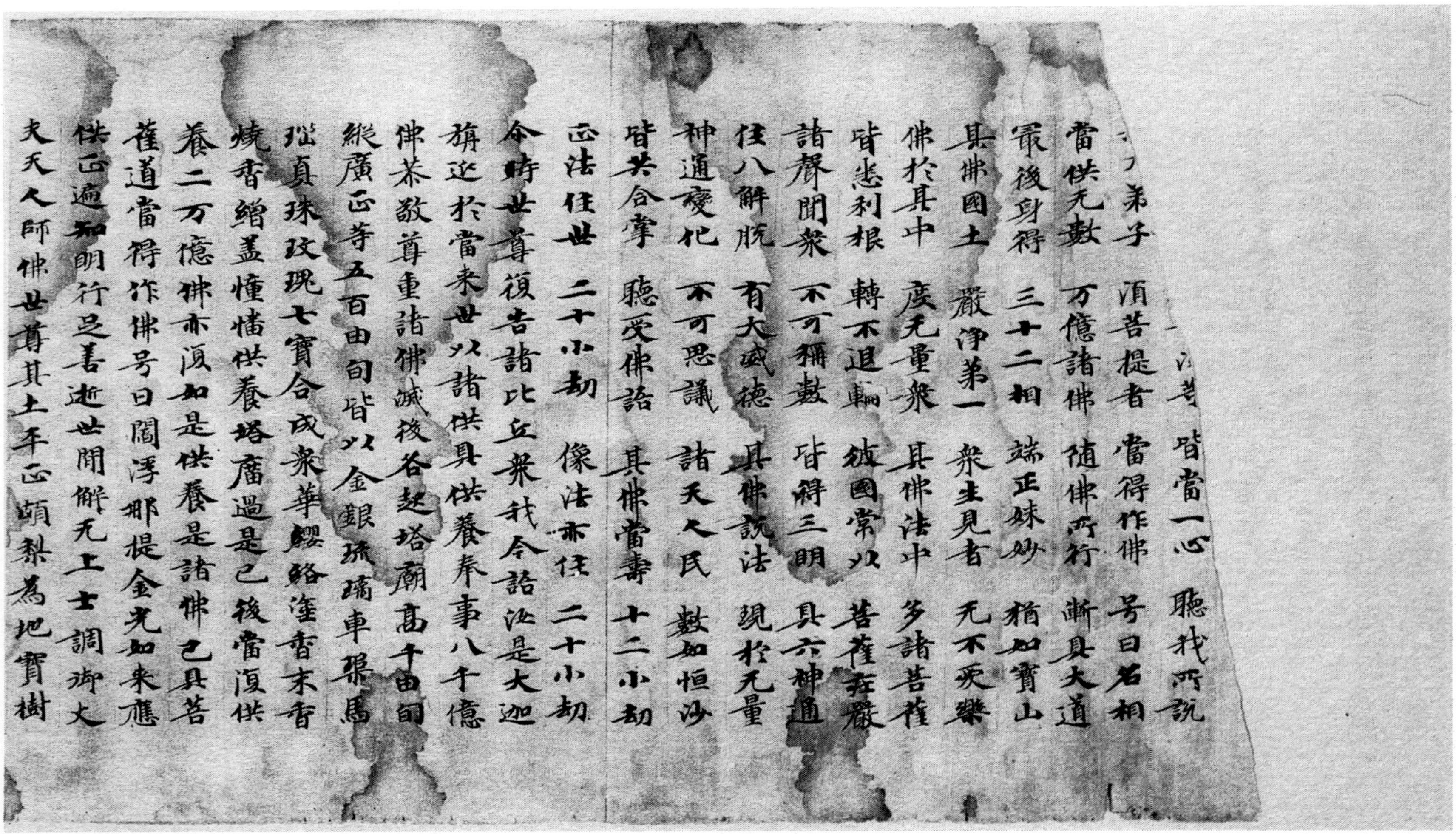

……汝等　皆當一心　聽我所說
…弟子　須菩提者　當得作佛　号曰名相
當供无數　万億諸佛　隨佛所行　漸具大道
最後身得　三十二相　端正姝妙　猶如寶山
其佛國土　嚴淨第一　衆生見者　无不愛樂
佛於其中　度无量衆　其佛法中　多諸菩薩
皆悉利根　轉不退輪　彼國常以　菩薩莊嚴
諸聲聞衆　不可稱數　皆得三明　具六神通
住八解脫　有大威德　其佛說法　現於无量
神通變化　不可思議　諸天人民　數如恒沙
皆共合掌　聽受佛語　其佛當壽　十二小劫
正法住世　二十小劫　像法亦住　二十小劫
尒時世尊復告諸比丘衆我今語汝是大迦
旃延於當來世以諸供具供養奉事八千億
佛恭敬尊重諸佛滅後各起塔廟高千由旬
縱廣正等五百由旬皆以金銀琉璃車璖馬
瑙真珠玫瑰七寶合成衆華瓔珞塗香末香
燒香繒蓋幢幡供養塔廟過是已後當復供
養二万億佛亦復如是供養是諸佛已具菩
薩道當得作佛号曰閻浮那提金光如來應
供正遍知明行足善逝世間解无上士調御丈
夫天人師佛世尊其土平正頗梨為地寶樹

BD01978 號　妙法蓮華經卷三　（18–1）

供正遍知明行足善逝世間解无上士調御丈
夫天人師佛世尊其土平正頗梨為地寶樹
莊嚴黃金為繩以界道側妙華覆地周遍清
淨見者歡喜无四惡道地獄餓鬼畜生阿脩
羅道多有天人諸聲聞衆及諸菩薩无量
万億莊嚴其國佛壽十二小劫正法住世二
十小劫像法亦住二十小劫尒時世尊欲重
宣此義而說偈言
諸比丘衆 皆一心聽 如我所說 真實无異
是迦旃延 當以種種 妙好供具 供養諸佛
諸佛滅後 起七寶塔 亦以華香 供養舍利
其最後身 得佛智慧 成等正覺 國土清淨
度脫无量 万億衆生 皆為十方 之所供養
佛之光明 无能勝者 其佛号曰 閻浮金光
菩薩聲聞 斷一切有 无量无數 莊嚴其國
尒時世尊復告大衆我今語汝是大目揵連
當以種種供具供養八千諸佛恭敬尊重諸
佛滅後各起塔廟高千由旬縱廣正等五百
由旬以金銀琉璃車𤦲馬瑙真珠玫瑰七寶
合成衆華瓔珞塗香末香燒香繒蓋幢幡以
用供養過是已後當復供養二百万億諸佛
亦復如是當得成佛号曰多摩羅跋栴檀香
如來應供正遍知明行足善逝世間解无上
士調御丈夫天人師佛世尊劫名喜滿國名
意樂其土平正頗梨為地寶樹莊嚴散真珠
華周遍清淨見者歡喜多諸天人菩薩聲聞

BD01978 號　妙法蓮華經卷三　（18–2）

士調御丈夫天人師佛世尊劫名喜滿國名
意樂其土平正頗梨為地寶樹莊嚴散真珠
華周遍清淨見者歡喜多諸天人菩薩聲聞
其數无量佛壽二十四小劫正法住世四十
小劫像法亦住四十小劫尒時世尊欲重宣
此義而說偈言
我此弟子 大目揵連 捨是身已 得見八千
二百万億 諸佛世尊 為佛道故 供養恭敬
於諸佛所 常脩梵行 於无量劫 奉持佛法
諸佛滅後 起七寶塔 長表金刹 華香伎樂
而以供養 諸佛塔廟 漸漸具足 菩薩道已
於意樂國 而得作佛 号多摩羅 栴檀之香
其佛壽命 二十四劫 常為天人 演說佛道
聲聞无量 如恒河沙 三明六通 有大威德
菩薩无數 志固精進 於佛智慧 皆不退轉
佛滅度後 正法當住 四十小劫 像法亦尒
我諸弟子 威德具足 其數五百 皆當授記
於未來世 咸得成佛 我及汝等 宿世因緣
吾今當說 汝等善聽
妙法蓮華經化城喻品第七
佛告諸比丘乃往過去无量无邊不可思議
阿僧祇劫尒時有佛名大通智勝如來應供
正遍知明行足善逝世間解无上士調御丈
夫天人師佛世尊其國名好成劫名大相諸
比丘彼佛滅度已來甚大久遠譬如三千大
千世界所有地種假使有人磨以為墨過於

BD01978 號　妙法蓮華經卷三　（18–3）

夫天人師佛世尊其國名好成劫名大相諸
比丘彼佛滅度已來甚大久遠譬如三千大
千世界所有地種假使有人磨以為墨過於
東方千國土乃下一點大如微塵又過千國
土復下一點如是展轉盡地種墨於汝等意
云何是諸國土若筭師若筭師弟子能得邊
際知其數不不也世尊諸比丘是人所經國
土若點不點盡末為塵一塵一劫彼佛滅度
已來復過是數无量无邊百千万億阿僧祇
劫我以如來知見力故觀彼久遠猶若今日
尒時世尊欲重宣此義而說偈言
我念過去世　无量无邊劫　有佛兩足尊　名大通智勝
如人以力磨　三千大千土　盡此諸地種　皆悉以為墨
過於千國土　乃下一塵點　如是展轉點　盡此諸塵墨
如是諸國土　點與不點等　復盡末為塵　一塵為一劫
此諸微塵數　其劫復過是　彼佛滅度來　如是无量劫
如來无㝵智　知彼佛滅度　及聲聞菩薩　如見今滅度
諸比丘當知　佛智淨微妙　无漏无所㝵　通達无量劫
佛告諸比丘大通智勝佛壽五百卌万億那
由他劫其佛本坐道場破魔軍已垂得阿耨
多羅三藐三菩提而諸佛法不現在前如是
一小劫乃至十小劫結跏趺坐身心不動而
諸佛法猶不在前尒時忉利諸天先為彼佛
於菩提樹下敷師子座高一由旬佛於此坐
當得阿耨多羅三藐三菩提適坐此座時諸
梵天王雨衆天華面百由旬香風時來吹去
萎華更雨新者如是不絕滿十小劫供養於

BD01978 號　妙法蓮華經卷三　（18–4）

於菩提樹下敷師子座高一由旬佛於此坐
當得阿耨多羅三藐三菩提適坐此座時諸
梵天王雨衆天華面百由旬香風時來吹去
萎華更雨新者如是不絕滿十小劫供養於
佛乃至滅度常雨此華四王諸天為供養佛
常擊天鼓其餘諸天作天伎樂滿十小劫至
于滅度亦復如是諸比丘大通智勝佛過十
小劫諸佛之法乃現在前成阿耨多羅三藐
三菩提其佛未出家時有十六子其第一者
名曰智積諸子各有種種珎異玩好之具
聞父得成阿耨多羅三藐三菩提皆捨所珎
往詣佛所諸母涕泣而隨送之其祖轉輪聖
王與一百大臣及餘百千万億人民皆共圍
繞隨至道場咸欲親近大通智勝如來供養
恭敬尊重讚歎到已頭面礼足遶佛畢已一
心合掌瞻仰世尊以偈頌曰
大威德世尊　為度衆生故　於无量億歲　尒乃得成佛
諸願已具足　善哉吉无上　世尊甚希有　一坐十小劫
身體及手足　靜然安不動　其心常憺怕　未曾有散亂
究竟永寂滅　安住无漏法　今者見世尊　安隱成佛道
我等得善利　稱慶大歡喜　衆生常苦惱　盲冥无導師
不識苦盡道　不知求解脫　長夜增惡趣　減損諸天衆
從冥入於冥　永不聞佛名　今佛得最上　安隱无漏道
我等及天人　為得最大利　是故咸稽首　歸命无上尊
尒時十六王子偈讚佛已勸請世尊轉於法
輪咸作是言世尊說法多所安隱憐愍饒益

BD01978 號　妙法蓮華經卷三　（18–5）

我等及天人 為得最大利 是故咸稽首 歸命无上尊
尒時十六王子偈讚佛已勸請世尊轉於法
輪咸作是言世尊說法多所安隱憐愍饒益
諸天人民重說偈言
世雄无等倫 百福自莊嚴 得无上智慧 願為世間說
度脫於我等 及諸衆生類 為分別顯示 令得是智慧
若我等得佛 衆生亦復然 世尊知衆生 深心之所念
亦知所行道 又知智慧力 欲樂及脩福 宿命所行業
世尊悉知已 當轉无上輪
佛告諸比丘大通智勝佛得阿耨多羅三藐
三菩提時十方各五百万億諸佛世界六種
震動其國中間幽冥之處日月威光所不能
照而皆大明其中衆生各得相見咸作是言
此中云何忽生衆生又其國界諸天宮殿乃
至梵宮六種震動大光普照遍滿世界勝諸
天光尒時東方五百万億諸國土中梵天宮
殿光明照曜倍於常明諸梵天王各作是念
今者宮殿光明昔所未有以何因緣而現此
相是時諸梵天王即各相詣共議此事而彼
衆中有一大梵天王名救一切為諸梵衆而
說偈言
我等諸宮殿 光明昔未有 此是何因緣 宜各共求之
為大德天生 為佛出世間 而此大光明 遍照於十方
尒時五百万億國土諸梵天王與宮殿俱各
以衣裓盛諸天華共詣西方推尋是相見大
通智勝如來處于道場菩提樹下坐師子座

BD01978號　妙法蓮華經卷三　（18–6）

為大德天生 為佛出世間 而此大光明 遍照於十方
尒時五百万億國土諸梵天王與宮殿俱各
以衣裓盛諸天華共詣西方推尋是相見大
通智勝如來處于道場菩提樹下坐師子座
諸天龍王乾闥婆緊那羅摩睺羅伽人非人
等恭敬圍遶及見十六王子請佛轉法輪即
時諸梵天王頭面禮佛遶百千匝即以天華
而散佛上其所散華如須弥山并以供養佛
菩提樹其菩提樹高十由旬華供養已各以
宮殿奉上彼佛而作是言唯見哀愍饒益我
等所獻宮殿願垂納處時諸梵天王即於佛
前一心同聲以偈頌曰
世尊甚希有 難可得值遇 具无量功德 能救護一切
天人之大師 哀愍於世間 十方諸衆生 普皆蒙饒益
我等所從來 五百万億國 捨深禪定樂 為供養佛故
我等先世福 宮殿甚嚴飾 今以奉世尊 唯願哀納受
尒時諸梵天王偈讚佛已各作是言唯願世
尊轉於法輪度脫衆生開涅槃道時諸梵天
王一心同聲而說偈言
世雄兩足尊 唯願演說法 以大慈悲力 度苦惱衆生
尒時大通智勝如來黙然許之又諸比丘東
南方五百万億國土諸大梵王各自見宮殿
光明照曜昔所未有歡喜踊躍生希有心即
各相詣共議此事而彼衆中有一大梵天王
名曰大悲為諸梵衆而說偈言
是事何因緣 而現如此相 我等諸宮殿 光明昔未有

BD01978號　妙法蓮華經卷三　（18–7）

各相詣共議此事而彼衆中有一大梵天王
名曰大悲爲諸梵衆而說偈言
是事何因緣　而現如此相　我等諸宮殿　光明昔未有
爲大德天生　爲佛出世間　未曾見此相　當共一心求
過千万億土　尋光共推之　多是佛出世　度脫苦衆生
尒時五百万億諸梵天王與宮殿俱各以衣
裓盛諸天華共詣西北方推尋是相見大通
智勝如來處于道場菩提樹下坐師子座諸
天龍王乾闥婆緊那羅摩睺羅伽人非人等
恭敬圍遶及見十六王子請佛轉法輪時諸
梵天王頭面礼佛遶百千匝即以天華而散
佛上所散之華如須弥山并以供養佛菩提
樹華供養已各以宮殿奉上彼佛而作是言
唯見哀愍饒益我等所獻宮殿願垂納處尒
時諸梵天王即於佛前一心同聲以偈頌曰
聖主天中天　迦陵頻伽聲　哀愍衆生者　我等今敬礼
世尊甚希有　久遠乃一現　一百八十劫　空過无有佛
三惡道充滿　諸天衆減少　今佛出於世　爲衆生作眼
世間所歸趣　救護於一切　爲衆生之父　哀愍饒益者
我等宿福慶　今得値世尊
尒時諸梵天王偈讚佛已各作是言唯願世
尊哀愍一切轉於法輪度脫衆生時諸梵天
王一心同聲而說偈言
大聖轉法輪　顯示諸法相　度苦惱衆生　令得大歡喜
衆生聞是法　得道若生天　諸惡道減少　忍善者增益
尒時大通智勝如來嘿然許之又諸比丘南

BD01978號　妙法蓮華經卷三　（18–8）

大聖轉法輪　顯示諸法相　度苦惱衆生　令得大歡喜
衆生聞是法　得道若生天　諸惡道減少　忍善者增益
尒時大通智勝如來嘿然許之又諸比丘南
方五百万億國土諸大梵王各自見宮殿光
明照曜昔所未有歡喜踊躍生希有心即各
相詣共議此事以何因緣我等宮殿有此光
曜而彼衆中有一大梵天王名曰妙法爲諸
梵衆而說偈言
我等諸宮殿　光明甚威曜　此非无因緣　是相宜求之
過於百千劫　未曾見此相　爲大德天生　爲佛出世間
尒時五百万億諸梵天王與宮殿俱各以衣
裓盛諸天華共詣北方推尋是相見大通智
勝如來處于道場菩提樹下坐師子座諸天
龍王乾闥婆緊那羅摩睺羅伽人非人等恭
敬圍遶及見十六王子請佛轉法輪時諸梵
天王頭面礼佛遶百千匝即以天華而散佛
上所散之華如須弥山并以供養佛菩提樹
華供養已各以宮殿奉上彼佛而作是言唯
見哀愍饒益我等所獻宮殿願垂納處尒時
諸梵天王即於佛前一心同聲以偈頌曰
世尊甚難値　破諸煩惱者　過百三十劫　今乃得一見
諸飢渴衆生　以法雨充滿　昔所未曾覩　无量智慧者
如優曇波羅　今日乃値遇　我等諸宮殿　蒙光故嚴飾
世尊大慈愍　唯願垂納受
尒時諸梵天王偈讚佛已各作是言唯願世
尊轉於法輪令一切世間諸天魔梵沙門婆

BD01978號　妙法蓮華經卷三　（18–9）

尒時諸梵天王偈讚佛已各作是言唯願世
尊轉於法輪令一切世間諸天魔梵沙門婆
羅門皆獲安隱而得度脫時諸梵天王一心
同聲以偈頌曰
唯願天人尊　轉无上法輪　擊于大法鼓　而吹大法螺
普雨大法雨　度无量衆生　我等咸歸請　當演深遠音
尒時大通智勝如來黙然許之西南方乃至下
方亦復如是
尒時上方五百万億國土諸大梵王皆悉自
覩所止宮殿光明威曜昔所未有歡喜踊躍
生希有心即各相詣共議此事以何因緣我
等宮殿有斯光明而彼衆中有一大梵天王
名曰尸棄為諸梵衆而說偈言
今以何因緣　我等諸宮殿　威德光明曜　嚴飾未曾有
如是之妙相　昔所未聞見　為大德天生　為佛出世間
尒時五百万億諸梵天王與宮殿俱各以衣
裓盛諸天華共詣下方推尋是相見大通智
勝如來處于道場菩提樹下坐師子座諸天
龍王乾闥婆緊那羅摩睺羅伽人非人等恭
敬圍遶及見十六王子請佛轉法輪時諸梵
天王頭面礼佛遶百千匝即以天華而散佛
上所散之華如須彌山并以供養佛菩提樹
華供養已各以宮殿奉上彼佛而作是言唯
見哀愍饒益我等所獻宮殿願垂納處時諸
梵天王即於佛前一心同聲以偈頌曰
善哉見諸佛　救世之聖尊　能於三界獄　免出諸衆生

BD01978號　妙法蓮華經卷三　（18–10）

梵天王即於佛前一心同聲以偈頌曰
善哉見諸佛　救世之聖尊　能於三界獄　免出諸衆生
普智天人尊　哀愍群萌類　能開甘露門　廣度於一切
於昔无量劫　空過无有佛　世尊未出時　十方常闇冥
三惡道增長　阿脩羅亦盛　諸天衆轉減　死多墮惡道
不從佛聞法　常行不善事　色力及智慧　斯等皆減少
罪業因緣故　失樂及樂想　住於邪見法　不識善儀則
不蒙佛所化　常墮於惡道　佛為世間眼　久遠時乃出
哀愍諸衆生　故現於世間　超出成正覺　我等甚欣慶
及餘一切衆　喜歎未曾有　我等諸宮殿　蒙光故嚴飾
今以奉世尊　唯垂哀納受　願以此功德　普及於一切
我等與衆生　皆共成佛道
尒時五百万億諸梵天王偈讚佛已各白佛
言唯願世尊轉於法輪多所安隱多所度脫
時諸梵天王而說偈言
世尊轉法輪　擊甘露法鼓　度苦惱衆生　開示涅槃道
唯願受我請　以大微妙音　哀愍而敷演　无量劫集法
尒時大通智勝如來受十方諸梵天王及十
六王子請即時三轉十二行法輪若沙門婆
羅門若天魔梵及餘世間所不能轉謂是苦
是苦集是苦滅是苦滅道及廣說十二因緣
法无明緣行行緣識識緣名色名色緣六入
六入緣觸觸緣受受緣愛愛緣取取緣有有
緣生生緣老死憂悲苦惱无明滅則行滅行
滅則識滅識滅則名色滅名色滅則六入滅
六入滅則觸滅觸滅則受滅受滅則愛滅愛

BD01978號　妙法蓮華經卷三　（18–11）

緣生生緣老死憂悲苦惱无明滅則行滅行
滅則識滅識滅則名色滅名色滅則六入滅
六入滅則觸滅觸滅則受滅受滅則愛滅愛
滅則取滅取滅則有滅有滅則生滅生滅則
老死憂悲苦惱滅佛於天人大衆之中說是
法時六百万億那由他人以不受一切法故
而於諸漏心得解脫皆得深妙禪定三明六
通具八解脫第二第三第四說法時千万億
恒河沙那由他等衆生亦以不受一切法故
而於諸漏心得解脫從是已後諸聲聞衆无
量无邊不可稱數尒時十六王子皆以童子
出家而為沙弥諸根通利智慧明了已曾供
養百千万億諸佛淨脩梵行求阿耨多羅三
藐三菩提俱白佛言世尊是諸无量千万億
大德聲聞皆已成就世尊亦當為我等說阿
耨多羅三藐三菩提法我等聞已皆共脩學
世尊我等志願如來知見深心所念佛自證
知尒時轉輪聖王所將衆中八万億人見十
六王子出家亦求出家王即聽許尒時彼佛
受沙弥請過二万劫已乃於四衆之中說是
大乘經名妙法蓮華教菩薩法佛所護念說
是經已十六沙弥為阿耨多羅三藐三菩提
故皆共受持諷誦通利說是經時十六菩薩
沙弥皆悉信受聲聞衆中亦有信解其餘衆
生千万億種皆生疑惑佛說是經於八千劫
未曾休廢說此經已即入靜室住於禪定八

BD01978號　妙法蓮華經卷三　（18–12）

沙弥皆悉信受聲聞衆中亦有信解其餘衆
生千万億種皆生疑惑佛說是經於八千劫
未曾休廢說此經已即入靜室住於禪定八
万四千劫是時十六菩薩沙弥知佛入室寂
然禪定各昇法座亦於八万四千劫為四部
衆廣說分別妙法華經一一皆度六百万億
那由他恒河沙等衆生示教利喜令發阿耨
多羅三藐三菩提心大通智勝佛過八万四
千劫已從三昧起往詣法座安詳而坐普告
大衆是十六菩薩沙弥甚為希有諸根通利
智慧明了已曾供養无量千万億數諸佛於
諸佛所常脩梵行受持佛智開示衆生令入
其中汝等皆當數數親近而供養之所以者
何若聲聞辟支佛及諸菩薩能信是十六菩
薩所說經法受持不毀者是人皆當得阿耨
多羅三藐三菩提如來之慧佛告諸比丘是
十六菩薩常樂說是妙法華經一一菩薩所
化六百万億那由他恒河沙等衆生世世所
生與菩薩俱從其聞法悉皆信解以此因緣
得值四万億諸佛世尊于今不盡諸比丘我
今語汝彼佛弟子十六沙弥今皆得阿耨多
羅三藐三菩提於十方國土現在說法有无
量百千万億菩薩聲聞以為眷屬其二沙弥
東方作佛一名阿閦在歡喜國二名須弥頂
東南方二佛一名師子音二名師子相南方
二佛一名虛空住二名常滅西南方二佛一

BD01978號　妙法蓮華經卷三　（18–13）

東方作佛一名阿閦在歡喜國二名須弥頂
東南方二佛一名師子音二名師子相南方
二佛一名虛空住二名常滅西南方二佛一
名帝相二名梵相西方二佛一名阿弥陁二
名度一切世間苦惱西北方二佛一名多摩
羅跋栴檀香神通二名須弥相北方二佛一
名雲自在二名雲自在王東北方佛名壞一
切世間怖畏第十六我釋迦牟尼佛於娑婆
國土成阿耨多羅三藐三菩提諸比丘我等
為沙弥時各各教化无量百千万億恒河沙
等衆生從我聞法為阿耨多羅三藐三菩提
此諸衆生于今有住聲聞地者我常教化阿
耨多羅三藐三菩提是諸人等應以是法漸
入佛道所以者何如來智慧難信難解尒時
所化无量恒河沙等衆生者汝等諸比丘及
我滅度後未來世中聲聞弟子是也我滅度
後復有弟子不聞是經不知不覺菩薩所行
自於所得功德生滅度想當入涅槃我於餘
國作佛更有異名是人雖生滅度之想入於
涅槃而於彼土求佛智慧得聞是經唯以佛
乘而得滅度更无餘乘除諸如來方便說法
諸比丘若如來自知涅槃時到衆又清淨信
解堅固了達空法深入禪定便集諸菩薩及
聲聞衆為說是經世間无有二乘而得滅度
唯一佛乘得滅度耳比丘當知如來方便深
入衆生之性知其志樂小法深著五欲為是

BD01978號　妙法蓮華經卷三　　（18–14）

唯一佛乘得滅度耳比丘當知如來方便深
入衆生之性知其志樂小法深著五欲為是
等故說於涅槃是人若聞則便信受譬如五
百由旬險難惡道曠絕无人怖畏之處若有
多衆欲過此道至珎寶處有一導師聰慧明
達善知險道通塞之相將導衆人欲過此難
所將人衆中路懈退白導師言我等疲極而
復怖畏不能復進前路猶遠今欲退還導師
多諸方便而作是念此等可愍云何捨大珎
寶而欲退還作是念已以方便力於險道中
過三百由旬化作一城告衆人言汝等勿怖
莫得退還今是大城可於中止隨意所作若
入是城快得安隱若能前至寶所亦可得去
是時疲極之衆心大歡喜歎未曾有我等今
者免斯惡道快得安隱於是衆人前入化城
生已度想生安隱想尒時導師知此人衆既
得止息无復疲倦即滅化城語衆人言汝等
去來寶處在近向者大城我所化作為止息
耳諸比丘如來亦復如是今為汝等作大導
師知諸生死煩惱惡道險難長遠應去應度
若衆生但聞一佛乘者則不欲見佛不欲親
近便作是念佛道長遠久受勤苦乃可得成
佛知是心怯弱下劣以方便力而於中道為
止息故說二涅槃若衆生住於二地如來尒
時即便為說汝等所作未辦汝所住地近於
佛慧當觀察籌量所得涅槃非真實也但是

BD01978號　妙法蓮華經卷三　　（18–15）

佛知是心怯弱下劣，以方便力而於中道為
止息故，說二涅槃。若衆生住於二地，如來尔
時即便為說：汝等所作未辦，汝所住地近於
佛慧，當觀察籌量，所得涅槃非真實也。但是
如來方便之力，於一佛乘分別說三。如彼導
師為止息故，化作大城，既知息已，而告之言：
寶處在近，此城非實，我化作耳。尔時世尊欲
重宣此義，而說偈言：
大通智勝佛　十劫坐道場　佛法不現前　不得成佛道
諸天神龍王　阿脩羅衆等　常雨於天華　以供養彼佛
諸天擊天鼓　并作衆伎樂　香風吹萎華　更雨新好者
過十小劫已　乃得成佛道　諸天及世人　心皆懷踊躍
彼佛十六子　皆與其眷屬　千万億圍遶　俱行至佛所
頭面礼佛足　而請轉法輪　聖師子法雨　充我及一切
世尊甚難值　久遠時一現　為覺悟群生　震動於一切
東方諸世界　五百万億國　梵宮殿光曜　昔所未曾有
諸梵見此相　尋來至佛所　散華以供養　并奉上宮殿
請佛轉法輪　以偈而讚嘆　佛知時未至　受請默然坐
三方及四維　上下亦復尔　散華奉宮殿　請佛轉法輪
世尊甚難值　願以大慈悲　廣開甘露門　轉无上法輪
无量慧世尊　受彼衆人請　為宣種種法　四諦十二緣
无明至老死　皆從生緣有　如是衆過患　汝等應當知
宣暢是法時　六百万億姟　得盡諸苦際　皆成阿羅漢
第二說法時　千万恒沙衆　於諸法不受　亦得阿羅漢
從是後得道　其數无有量　万億劫筭數　不能得其邊
時十六王子　出家作沙弥　皆共請彼佛　演說大乘法
我等及營從　皆當成佛道　願得如世尊　慧眼第一淨

BD01978號　妙法蓮華經卷三　（18–16）

第二說法時　千万恒沙衆　於諸法不受　亦得阿羅漢
從是後得道　其數无有量　万億劫筭數　不能得其邊
時十六王子　出家作沙弥　皆共請彼佛　演說大乘法
我等及營從　皆當成佛道　願得如世尊　慧眼第一淨
佛知童子心　宿世之所行　以无量因緣　種種諸譬喻
說六波羅蜜　及諸神通事　分別真實法　菩薩所行道
說是法華經　如恒河沙偈　彼佛說經已　靜室入禪定
一心一處坐　八万四千劫　是諸沙弥等　知佛禪未出
為无量億衆　說佛无上慧　各各坐法座　說是大乘經
於佛宴寂後　宣揚助法化　一一沙弥等　所度諸衆生
有六百万億　恒河沙等衆　彼佛滅度後　是諸聞法者
在在諸佛土　常與師俱生　是十六沙弥　具足行佛道
今現在十方　各得成正覺　尔時聞法者　各在諸佛所
其有住聲聞　漸教以佛道　我在十六數　曾亦為汝說
是故以方便　引汝趣佛慧　以是本因緣　今說法華經
令汝入佛道　慎勿懷驚懼　譬如險惡道　迥絕多毒獸
又復无水草　人所怖畏處　无數千万衆　欲過此險道
其路甚曠遠　經五百由旬　時有一導師　強識有智慧
明了心決定　在險濟衆難　衆人皆疲惓　而白導師言
我等今頓乏　於此欲退還　導師作是念　此輩甚可愍
如何欲退還　而失大珍寶　尋時思方便　當設神通力
化作大城郭　莊嚴諸舍宅　周匝有園林　渠流及浴池
重門高樓閣　男女皆充滿　即作是化已　慰衆言勿懼
汝等入此城　各可隨所樂　諸人既入城　心皆大歡喜
皆生安隱想　自謂已得度　導師知息已　集衆而告言
汝等當前進　此是化城耳　我見汝疲極　中道欲退還

BD01978號　妙法蓮華經卷三　（18–17）

汝等入此城　各可隨所樂　諸人既入城　心皆大歡喜
皆生安隱想　自謂已得度　導師知息已　集眾而告言
汝等當前進　此是化城耳　我見汝疲極　中道欲退還
故以方便力　權化作此城　汝今勤精進　當共至寶所
我亦復如是　為一切導師　見諸求道者　中路而懈廢
不能度生死　煩惱諸險道　故以方便力　為息說涅槃
言汝等苦滅　所作皆已辦　既知到涅槃　皆得阿羅漢
今乃集大眾　為說真實法　諸佛方便力　分別說三乘
唯有一佛乘　息處故說二　今為汝說實　汝所得非滅
為佛一切智　當發大精進　汝證一切智　十力等佛法
具三十二相　乃是真實滅　諸佛之導師　為息說涅槃
既知是息已　引入於佛慧

妙法蓮華經卷第三

BD01978 號　妙法蓮華經卷三　　　　（18–18）

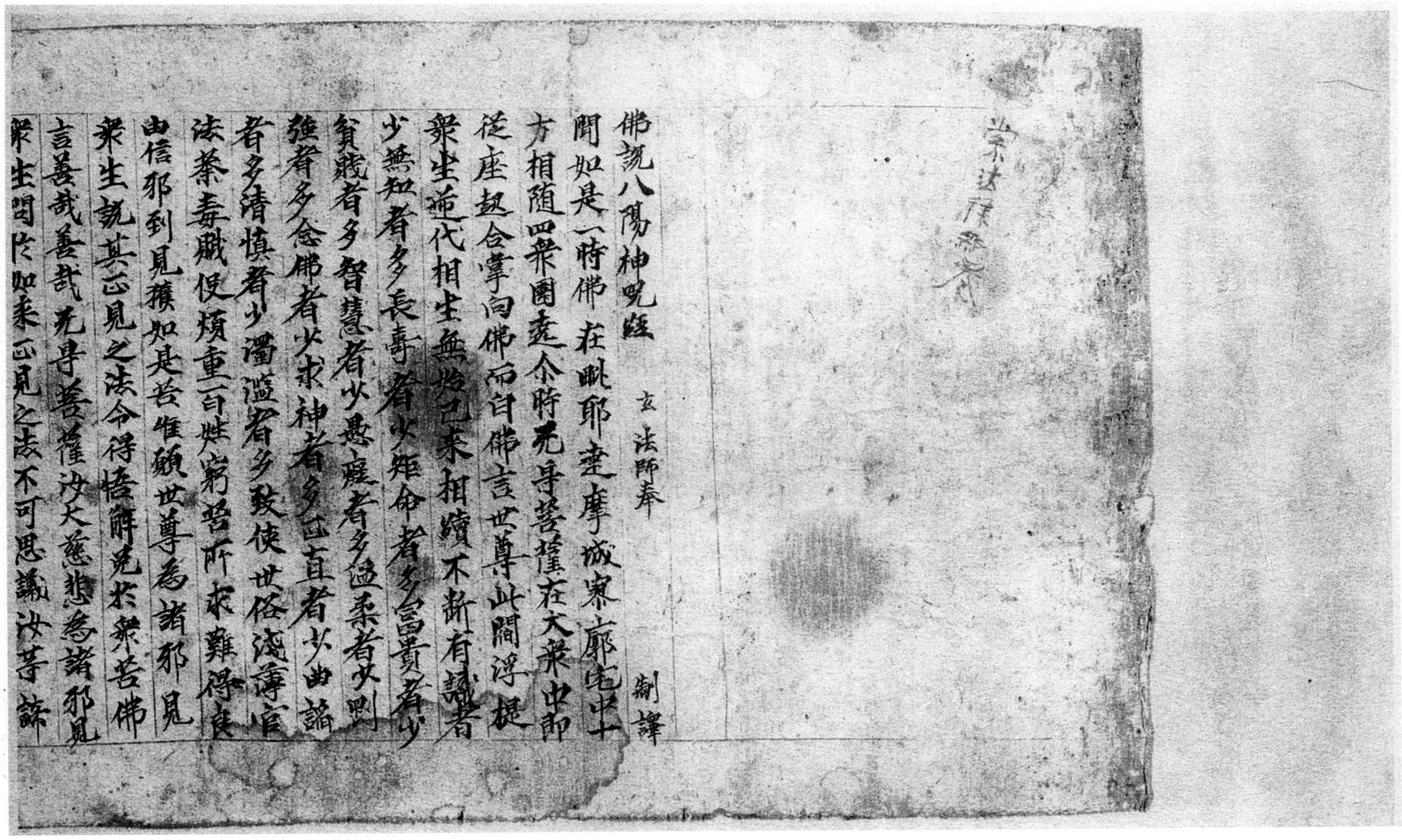

佛說八陽神呪經　　玄　法師奉　詔譯
聞如是一時佛在毗耶達摩城寂廓宅中十
方相隨四眾圍遶尒時無邊身菩薩在大眾中即
從座起合掌向佛而白佛言世尊此閻浮提
眾生遞代相生無始已來相續不斷有識者
少無知者多長壽者少短命者多富貴者少
貧賤者多智慧者少愚癡者多溫柔者少剛
強者多念佛者少求神者多正直者少曲諂
者多清慎者少濁濫者多致使世俗淺薄官
法荼毒賦役煩重百姓窮苦所求難得良
由信邪到見獲如是苦唯願世尊為諸邪見
眾生說其正見之法令得悟解免於眾苦佛
言善哉善哉無邊菩薩汝大慈悲為諸邪見
眾生問於如來正見之法不可思議汝等諦

BD01979 號　天地八陽神咒經　　　　（10–1）

由信邪到見獲如是苦惟願世尊為諸邪見
衆生說其正見之法令得悟解免於衆苦佛
言善哉善哉无导菩薩汝大慈悲為諸邪見
衆生問於如來正見之法不可思議汝等諦
聽善思念之吾當為汝分別解說天地八陽
之經此經過去諸佛已說未來諸佛當說現
在諸佛今說夫天地之間為人最勝最上貴
於一切万物人者真也正也心無虛妄身行正
真左日為正右日為真常行正真故名為
人是知人能弘道道以潤身依道依人皆成
聖道
佛告无导菩薩一切衆生既得人身不能脩
福背真向偽造種種惡業命將欲終必沉苦
海受種種罪苦若聞此經信心不逆即得解
脫諸罪之難出於苦海善神加護无諸鄣导
延年益壽而无橫夭以信力故獲如斯福
復次无导菩薩若有善男子善女人信邪到
見即被邪魔外道魑魅魍魎鳥鳴百怪是諸惡
鬼競來惱亂與其橫病惡腫惡疰受其痛
苦无有休息皆悉遇善知識為讀八陽經三遍是
諸惡鬼皆悉消滅病即除愈身強力足讀經
功德獲如斯福若有衆生多於淫欲瞋恚愚
癡慳貪嫉妬若見此經信敬供養即讀三遍
愚癡等惡並皆除滅慈悲喜捨得佛法分
復次无导菩薩若有善男子善女人等興有
為法先讀此經三遍築牆動土安立家宅南
廳北堂東序西序廚舍客屋門戶井竈碓磑
庫藏六畜蘭圈日遊月殺將軍太歲黃幡豹
尾五土地神青龍白虎朱雀玄武六甲禁諱

為法先讀此經三遍築牆動土安立家宅南
廳北堂東序西序廚舍客屋門戶井竈碓磑
庫藏六畜蘭圈日遊月殺將軍太歲黃幡豹
尾五土地神青龍白虎朱雀玄武六甲禁諱
十二諸神土府伏龍一切鬼魅皆悉隱藏遠
屏四方形消影滅不敢為害甚大吉利獲福
无量善男子興功之後堂舍永安屋宅牢固
富貴吉昌不求自得若遠行從軍仕官興生
甚得宜利門興人貴百子千孫父慈子孝男
忠女貞兄恭弟順夫妻和睦信義篤親所願
成就若有衆生忽被縣官拘執盜賊牽挽
讀此經三遍即得解脫若有善男子善女人
受持讀誦為他書寫八陽經者設入水火不
被焚溺或在山澤一切虎狼屏跡不敢憎噬
善神衛護成无上道
若復有人多於妄語綺語兩舌惡口若能受
持讀誦此經永除四過得四无导辯而成佛
道
復次善男子善女人父母有罪臨終之日應
墮地獄受无量苦其子即為讀斯經典七遍
父母即離地獄而生天上見佛聞法悟无生
忍而證菩提
佛告无导菩薩毗婆尸佛時有優婆塞優婆
夷心不信耶敬崇佛法書寫此經受持讀誦
所有興作須作即作一无所問以正信故兼
行布施平等供養得无漏身成菩提道號曰
普光如來應正等覺劫名大滿國號无邊一
切人民皆行菩薩无上正法

所有興作須作即作一无所閡以正信故益
行布施平等供養得无漏身成菩提道号曰
普光如來應正等覺劫名大滿国号无邊一
切人民皆行菩薩无上正法
復次善男子此八陽經行在閻浮提在在處
處有八陽菩薩諸梵天王一切明靈圍遶此
經香花供養如佛无異若善男子善女人等
為諸衆生講說此經深解實相得甚深理即
知身心佛身法心所以能知即智慧眼常見
種種无盡色色即是空空即是色受想行識
亦空即是妙色身如來耳常聞種種无盡聲
聲即是空空即是聲是妙音聲如來鼻常嗅
種種无盡香香即是空空即是香是香積如
來舌常覺種種无盡味味即是空空即是味
是法喜如來身常覺種種无盡觸觸即是空
空即是觸是智明如來意常想分別種種无
盡法法即是空空即是法是法明如來善男
子此六根顯現人皆口說其善法法輪常轉
得成聖道若說邪語惡法常轉即墮惡趣善
男子善惡之理不得不信无礙菩薩人之身
心是佛法器亦是十二部大經卷也无始以
來轉轉不盡不損豪毛如來藏經唯識心
見性者之所能知非諸聲聞凡夫所能知也
復次善男子讀誦此經為他講說深解真理
者即知身心是佛法器若醉迷不醒不了自
心是佛法根本流浪諸趣墮於惡道永沉苦

BD01979 號　天地八陽神咒經　（10–4）

者即知身心是佛法器若醉迷不醒不了自
心是佛法根本流浪諸趣墮於惡道永沉苦
海不聞佛名字无导菩薩復白佛言世尊人
之在世生死為重生不擇日時至即生死不
擇日時至即死何因殯葬即問良辰吉日然
始殯葬殯葬之後還有妨害貧窮者多滅門
者不少唯願世尊為諸邪見无知衆生說其
因緣令得正道除其顛倒
佛言善哉善哉善男子汝實甚能問於衆生
生死之事殯葬之法汝等諦聽當為汝說智
慧之理大道之法夫天地廣太清日月廣長
明時年善善美實无有異善男子人王菩薩
甚大慈悲愍念衆生皆如赤子下為人主作
人父母順於俗民教於俗法遣作曆日頒下
天下令知時節為有平滿成收開除之字執
危破煞之文愚人依字信用无不免於凶禍
又使邪師厭鎮說是道非温耶神拜餓鬼却
招殃自受苦如斯人輩反天時逆地理背日
月之光明常投闇室違正道之廣路恒尋邪
徑顛倒之甚也
復次善男子生時讀此經三遍兒則易生大
吉利聰明利智福德具足而无中夭死時讀
經三遍一无妨害得福无量善男子日日好
日月月好月年年好年實无間隔但辦即須
殯葬殯葬之日讀此經七遍甚大吉利獲福
无量門榮人貴延年益壽命終之日並得成

BD01979 號　天地八陽神咒經　（10–5）

日月月好月年年好年賁无間隔但辯即須
殯葬殯葬之日讀此經七遍甚大吉利獲福
无量門榮人貴延年益壽命終之日並得成
聖善男子殯葬之地不問東西南北安隱之
處人之愛樂鬼神愛樂讀此經三遍便以修
營安置墓田永无災鄣家冨人興甚大吉利
尒時世尊欲重宣此義而說偈言
勞生善善日　休殯好好時　生死讀誦經　甚得大利益
月月善明月　年年大好年　讀經即殯葬　榮華万代昌
尒時衆中七万七千人聞佛所說心開意解
捨邪歸正得佛法分永斷疑惑皆得阿耨多
羅三藐三菩提
无㝵菩薩復白佛言世尊一切凡夫皆以婚
姻為親先問相宜後取吉日然始成親已後
冨貴偕老者少貧寒生離死別者多一種信
邪如何而有差別唯願世尊為決衆疑
佛言善男子汝等諦聽當為汝說天陰地陽
月陰日陽水陰火陽男陰女陽天地氣合一
切草木生焉日月交運四時八節明焉水火
相承一切万物熟焉男女允諧子孫興焉皆
是天之常道自然之理世諦之法善男子愚
人无智信其邪師卜問望吉而不脩善造種
種惡業命終之後復得人身者如指甲上土
墮於地獄作餓鬼畜生者如大地土善男子
復得人身正信脩善者如指甲上土信邪造
惡業者如大地土善男子若結婚姻親莫聞水

BD01979 號　天地八陽神咒經　（10–6）

墮於地獄作餓鬼畜生者如大地土善男子
復得人身正信脩善者如指甲上土信邪造
惡業者如大地土善男子若結婚姻親莫聞水
火相尅胎胞相壓唯看相命即知福德多少
以為眷屬娉迎之日讀此經三遍即以成礼
此乃善善相因明明相屬門高人貴子孫興
盛聰明利智多才多藝孝敬相承甚大吉利
而无中夭福德具足皆成佛道
時有八菩薩承佛威神得大總持常處人間
和光同塵破邪立正應四生處八解其名曰
䟦陁和菩薩漏盡和　羅隣竭菩薩漏盡和
憍日兜菩薩漏盡和　須弥深菩薩漏盡和
那羅達菩薩漏盡和　因坻達菩薩漏盡和
和輪調菩薩漏盡和　无緣觀菩薩漏盡和
是八菩薩俱白佛言世尊我等於諸佛所受
得陁羅尼神呪而今說之擁護受持讀誦八
陽經者永无恐怖使一切不善之物不得侵
損讀經法師即於佛前而說呪曰
阿佉尼　尼佉尼　阿比羅　曼隸　曼多隸
世尊若有不善者欲來惱法師聞我說此
呪頭破作七分如阿梨樹枝
是時无邊身菩薩白佛言世尊云何名為八
陽經唯願世尊為諸聽衆解說其義令得醒
悟速達心本入佛知見永斷疑悔
佛言善哉善哉善男子汝等諦聽吾今為汝
解說八陽之經八者分別也陽者明解也明

BD01979 號　天地八陽神咒經　（10–7）

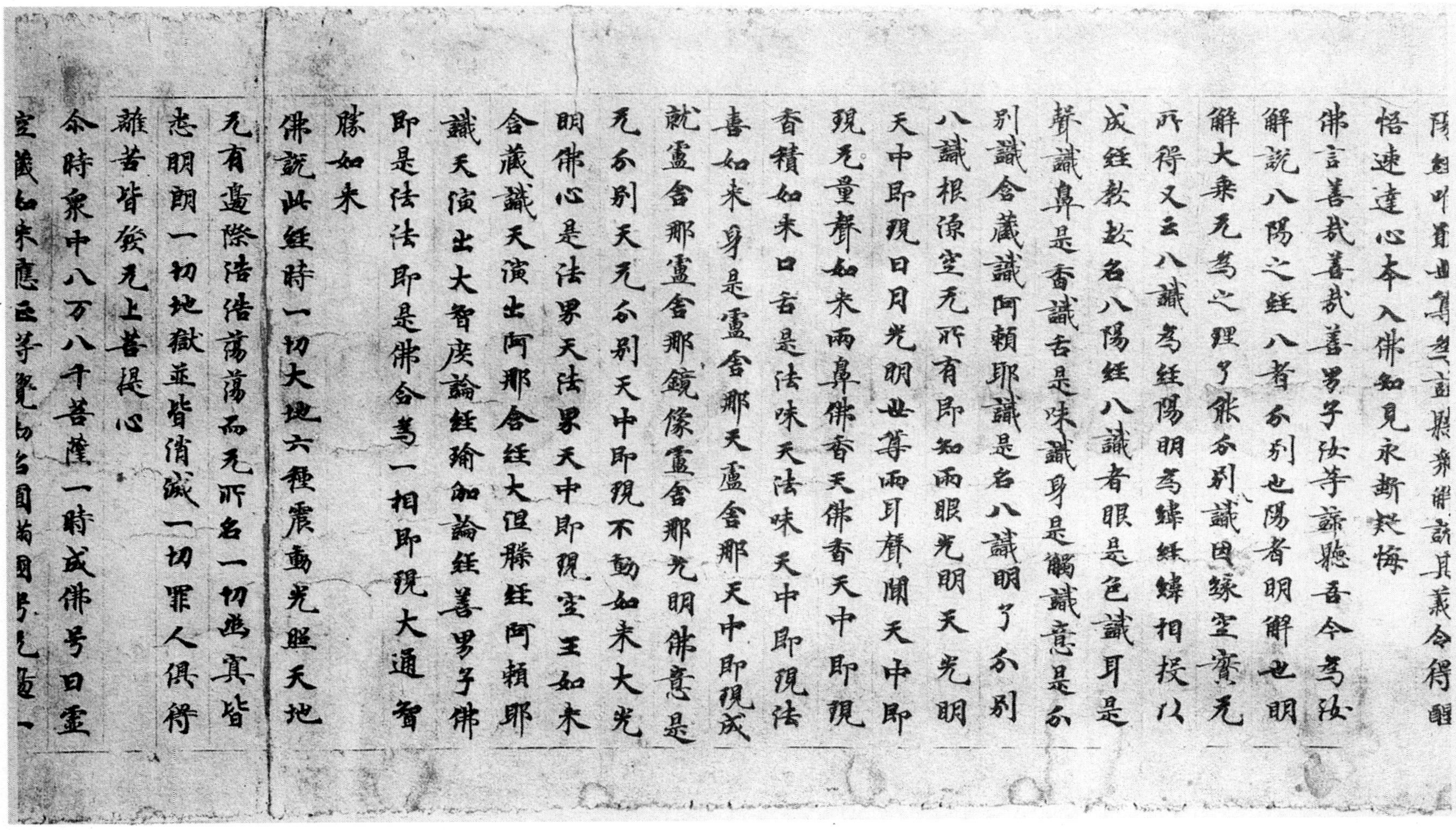

陵劫中值世尊無量聽聞說其義令得醒
悟速達心本入佛知見永斷疑悔
佛言善哉善哉善男子汝等諦聽吾今為汝
解說八陽之經八者分別也陽者明解也明
解大乘無為之理了能分別八識因緣空實無
所得又云八識為經陽明為緯經緯相投以
成經教故名八陽經八識者眼是色識耳是
聲識鼻是香識舌是味識身是觸識意是分
別識含藏識阿賴耶識是名八識明了分別
八識根源空無所有即知兩眼光明天光明
天中即現日月光明世尊兩耳聲聞天中即
現無量聲如來兩鼻佛香天佛香天中即現
香積如來口舌是法味天法味天中即現法
喜如來身是盧舍那天盧舍那天中即現成
就盧舍那盧舍那鏡像盧舍那光明佛意是
無分別天無分別天中即現不動如來大光
明佛心是法界天法界天中即現空王如來
含藏識天演出阿那含經大般涅槃經阿賴耶
識天演出大智度論經瑜伽論經善男子佛
即是法法即是佛合為一相即現大通智
勝如來
佛說此經時一切大地六種震動光照天地
無有邊際浩浩蕩蕩無所名一切幽冥皆
悉明朗一切地獄並皆消滅一切罪人俱得
離苦皆發無上菩提心
爾時衆中八万八千菩薩一時成佛号曰虛
空藏如來應正等覺劫名圓滿國号無邊一

BD01979號　天地八陽神咒經　（10–8）

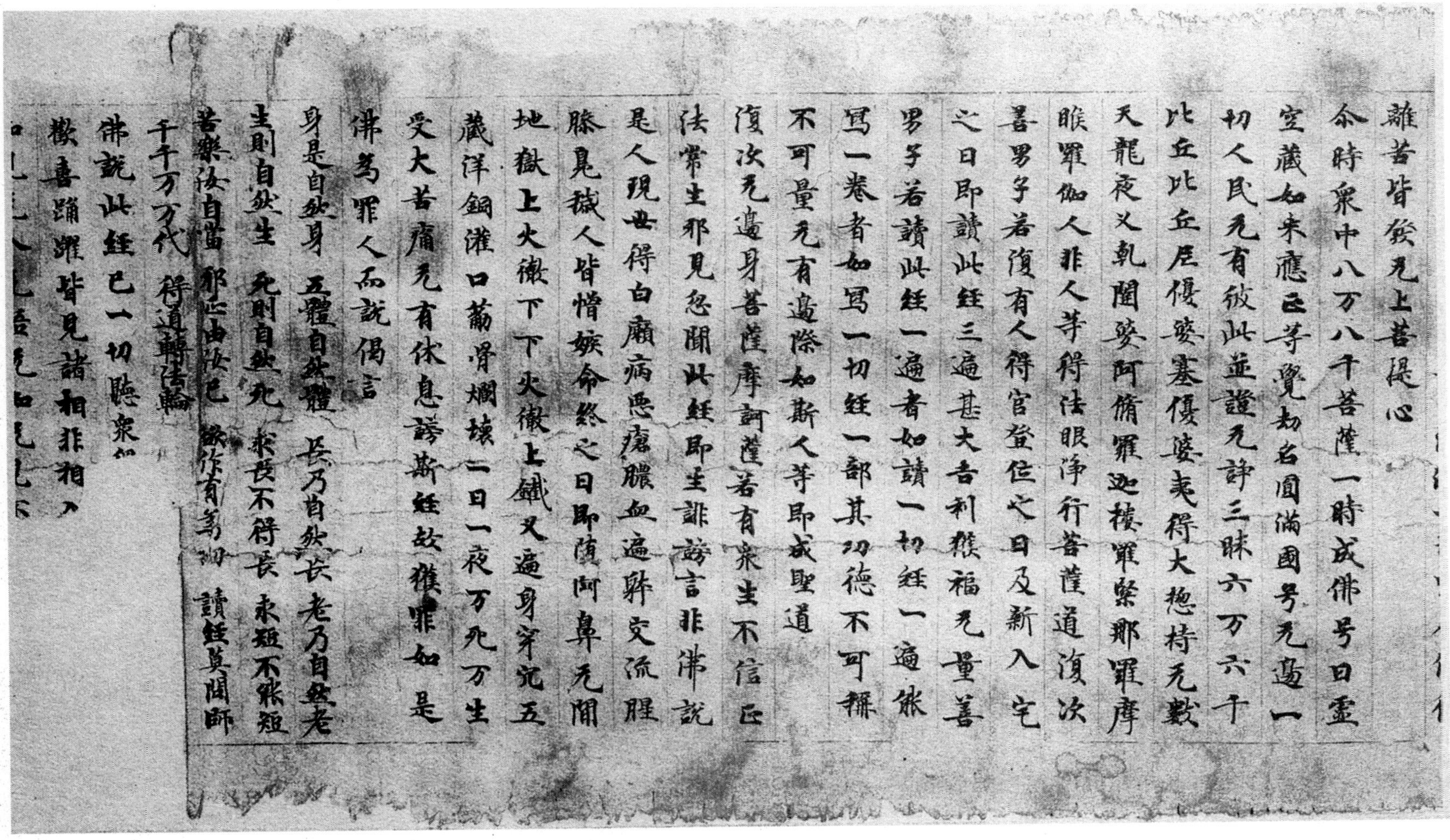

離苦皆發無上菩提心
爾時衆中八万八千菩薩一時成佛号曰虛
空藏如來應正等覺劫名圓滿國号無邊一
切人民無有彼此並證無諍三昧六万六千
比丘比丘尼優婆塞優婆夷得大摠持無數
天龍夜叉乾闥婆阿脩羅迦樓羅緊那羅摩
睺羅伽人非人等得法眼淨行菩薩道復次
善男子若復有人得官登位之日及新入宅
之日即讀此經三遍甚大吉利獲福無量善
男子若讀此經一遍者如讀一切經一遍能
寫一卷者如寫一切經一部其功德不可稱
不可量無有邊際如斯人等即成聖道
復次無邊身菩薩摩訶薩若有衆生不信正
法常生邪見忽聞此經即生誹謗言非佛說
是人現世得白癩病惡瘡膿血遍體交流腥
臊臭穢人皆憎嫉命終之日即墮阿鼻無間
地獄上火徹下下火徹上鐵叉遍身穿穴五
藏洋銅灌口筋骨爛壞一日一夜万死万生
受大苦痛無有休息謗斯經故獲罪如是
佛為罪人而說偈言
身是自然身　五體自然體　長乃自然長　老乃自然老
生則自然生　死則自然死　求長不得長　求短不能短
苦樂汝自當　邪正由汝已　欲作有為功　讀經莫問師
千千万万代　得道轉法輪
佛說此經已一切聽衆如
歡喜踴躍皆見諸相非相入
[illegible]

BD01979號　天地八陽神咒經　（10–9）

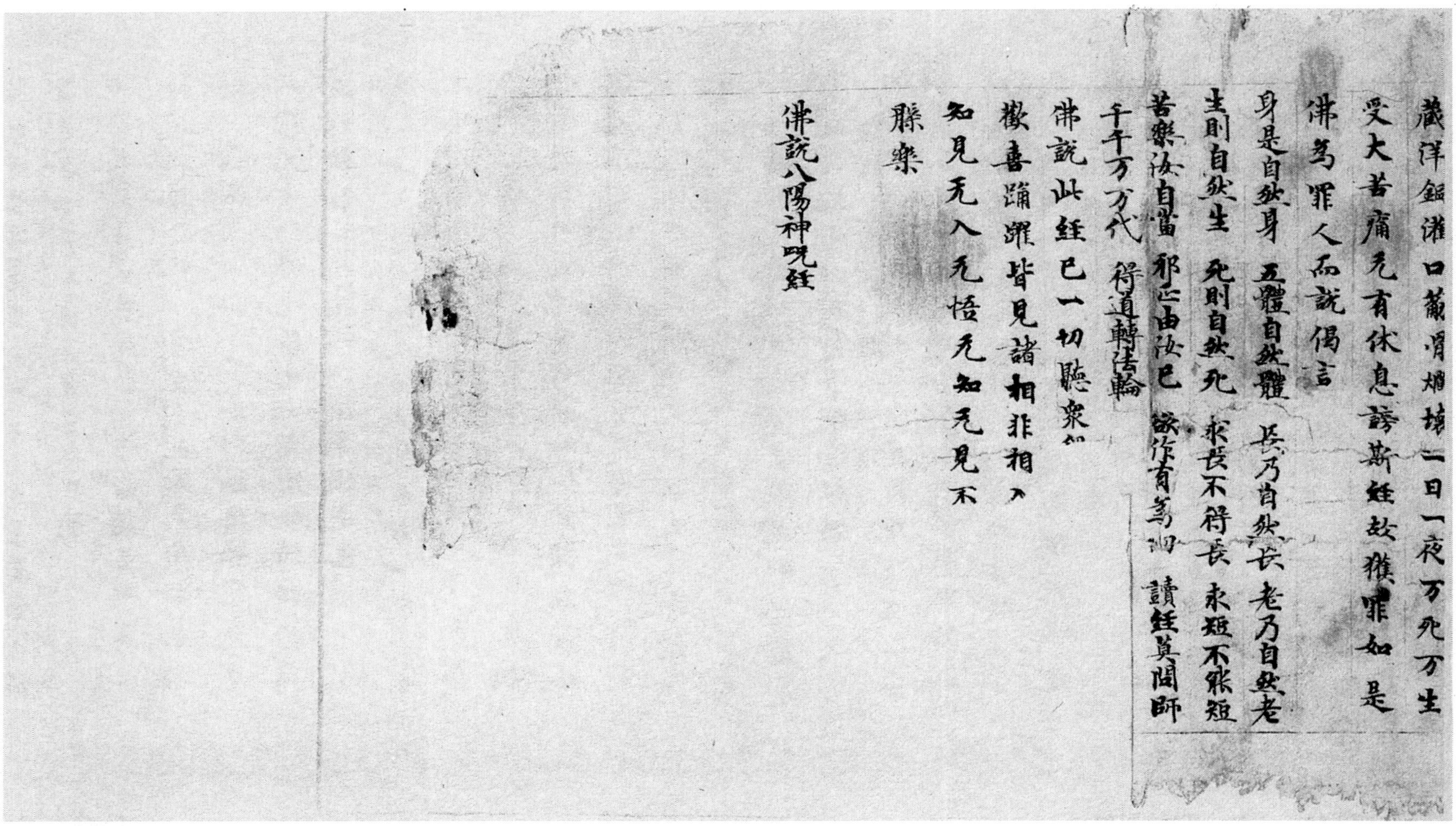

藏洋銅灌口藏骨爛壞一日一夜万死万生

受大苦痛无有休息謗斯經故獲罪如是

佛為罪人而説偈言

身是自然身　五體自然體　長乃自然長　老乃自然老

生則自然生　死則自然死　求長不得長　求短不得短

苦樂汝自當　邪正由汝已　欲作有為功　讀經莫問師

千千万万代　得道轉法輪

佛説此經已一切聽衆如

歡喜踊躍皆見諸相非相入

知見无入无悟无知无見不

勝樂

佛説八陽神咒經

BD01979 號　天地八陽神咒經　（10–10）

BD01979 號背　雜寫　（1–1）

從座起

尊顏目不暫捨而作是念

希有隨順世間若干種性

說法拔出衆生處處貪著

不能宣唯佛世尊能知我

尒時佛告諸比丘汝等見□

尼子不我常稱其於說法人中

常嘆其種種功德精勤護持助宣

四衆示教利喜具足解釋佛之正

益同梵行者自捨如來无能盡其

女等勿謂富樓那但能護持助宣

過去九十億諸佛所護持助宣佛

彼說法人中亦最第一又於諸佛

明了通達得四无㝵智常能審諦清淨

无有疑惑具足菩薩神通之力隨其壽命常

脩梵行彼佛世人咸皆謂之實是聲聞而富

樓那以斯方便饒益无量百千衆生又化无

量阿僧祇人令立阿耨多羅三藐三菩提為

淨佛土故常作佛事教化衆生諸比丘富樓

那亦於七佛說法人中而得第一今於我所

說法人中亦為第一於賢劫中當來諸佛說

BD01980號　妙法蓮華經（八卷本）卷四　（22–1）

淨佛土故常作佛事教化衆生諸比丘富樓

那亦於七佛說法人中而得第一今於我所

說法人中亦為第一於賢劫中當來諸佛說

法人中亦復第一而皆護持助宣佛法亦於

未來護持助宣无量无邊諸佛之法教化饒

益无量衆生令立阿耨多羅三藐三菩提為

淨佛土故常勤精進教化衆生漸漸具足菩

薩之道過无量阿僧祇劫當於此土得阿耨

多羅三藐三菩提号曰法明如來應供正遍

知明行足善逝世間解无上士調御丈夫天

人師佛世尊其佛以恒河沙等三千大千世

界為一佛土七寶為地地平如掌无有山陵

谿澗溝壑七寶臺觀充滿其中諸天宮殿近

處虛空人天交接兩得相見无諸惡道亦无

女人一切衆生皆以化生无有婬欲得大神

通身出光明飛行自在志念堅固精進智慧

普皆金色三十二相而自莊嚴其國衆生常

以二食一者法喜食二者禪悅食有无量阿

僧祇千万億那由他諸菩薩衆得大神通四

无㝵智善能教化衆生之類其聲聞衆筭數

校計所不能知皆得具足六通三明及八解

脫其佛國土有如是等无量功德莊嚴成就

劫名寶明國名善淨其佛壽命无量阿僧祇

劫法住甚久佛滅度後起七寶塔遍滿其國

尒時世尊欲重宣此義而說偈言

諸比丘諦聽　佛子所行道　善學方便故　不可得思議

BD01980號　妙法蓮華經（八卷本）卷四　（22–2）

劫法住甚久佛滅度後起七寶塔遍滿其國
尒時世尊欲重宣此義而說偈言
諸比丘諦聽　佛子所行道　善學方便故　不可得思議
知衆樂小法　而畏於大智　是故諸菩薩　作聲聞緣覺
以无數方便　化諸衆生類　自說是聲聞　去佛道甚遠
度脫无量衆　皆悉得成就　雖小欲懈怠　漸當令作佛
内秘菩薩行　外現是聲聞　少欲猒生死　實自淨佛土
示衆有三毒　又現邪見相　我弟子如是　方便度衆生
若我具足說　種種現化事　衆生聞是者　心則懷疑惑
今此富樓那　於昔千億佛　勤循所行道　宣護諸佛法
為求无上慧　而於諸佛所　現居弟子上　多聞有智慧
所說无所畏　能令衆歡喜　未曾有疲惓　而以助佛事
已度大神通　具四无导慧　知衆根利鈍　常說清淨法
演暢如是義　教諸千億衆　令住大乘法　而自淨佛土
未來亦供養　无量无數佛　護助宣正法　亦自淨佛土
常以諸方便　說法无所畏　度不可計衆　成就一切智
供養諸如來　護持法寶藏　其後得成佛　号名曰法明
其國名善淨　七寶所合成　劫名為寶明　菩薩衆甚多
其數无量億　皆度大神通　威德力具足　充滿其國土
聲聞亦无數　三明八解脫　得四无导智　以是等為僧
其國諸衆生　婬欲皆已斷　淳一變化生　具相莊嚴身
法喜禪悅食　更无餘食想　无有諸女人　亦无諸惡道
富樓那比丘　功德悉成滿　當得斯淨土　賢聖衆甚多
如是无量事　我今但略說
尒時千二百阿羅漢心自在者作是念我等

富樓那比丘　功德悉成滿　當得斯淨土　賢聖衆甚多
如是无量事　我今但略說
尒時千二百阿羅漢心自在者作是念我等
歡喜得未曾有若世尊各見授記如餘大弟
子者不亦快乎佛知此等心之所念告摩訶
迦葉是千二百阿羅漢我今當現前次第與
受阿耨多羅三藐三菩提記於此衆中我大
弟子憍陳如比丘當供養六万二千億佛然
後得成為佛号曰普明如來應供正遍知明
行足善逝世間解无上士調御丈夫天人師
佛世尊其五百阿羅漢優樓頻螺迦葉伽耶
迦葉那提迦葉迦留陁夷優陁夷阿㝹樓馱
離波多劫賓那薄拘羅周陁莎伽陁等皆當
得阿耨多羅三藐三菩提盡同一号名曰普
明尒時世尊欲重宣此義而說偈言
憍陳如比丘　當見无量佛　過阿僧祇劫　乃成等正覺
常放大光明　具足諸神通　名聞遍十方　一切之所敬
常說无上道　故号為普明　其國土清淨　菩薩皆勇猛
咸昇妙樓閣　遊諸十方國　以无上供具　奉獻於諸佛
作是供養已　心懷大歡喜　須臾還本國　有如是神力
佛壽六万劫　正法住倍壽　像法復倍是　法滅天人憂
其五百比丘　次第當作佛　同号曰普明　轉次而授記
我滅度之後　某甲當作佛　其所化世間　亦如我今日
國土之嚴淨　及諸神通力　菩薩聲聞衆　正法及像法
壽命劫多少　皆如上所說　迦葉汝已知　五百自在者
餘諸聲聞衆　亦當復如是　其不在此會　汝當為宣說

國土之嚴淨　及諸神通力　菩薩聲聞衆　正法及像法
壽命劫多少　皆如上所說　迦葉汝已知　五百自在者
餘諸聲聞衆　亦當復如是　其不在此會　汝當為宣說
尒時五百阿羅漢於佛前得受記已歡喜踊
躍即從坐起到於佛前頭面礼足悔過自責
世尊我等常作是念自謂已得究竟滅度今
乃知之如无智者所以者何我等應得如來
智慧而便自以小智為足世尊譬如有人至
親友家醉酒而卧是時親友官事當行以无
價寶珠繫其衣裏與之而去其人醉卧都不
覺知起已遊行到於他國為衣食故勤力求
索甚大艱難若少有所得便以為足於後親
友會遇見之而作是言咄哉丈夫何為衣食
乃至如是我昔欲令汝得安樂五欲自恣於
某年日月以无價寶珠繫汝衣裏今故現在
而汝不知勤苦憂惱以求自活甚為癡也汝
今可以此寶貿易所須常可如意无所乏短
佛亦如是為菩薩時教化我等令發一切智
心而尋廢忘不知不覺既得阿羅漢道自謂
滅度資生艱難得少為足一切智願猶在不
失今者世尊覺悟我等作如是言諸比丘汝
等所得非究竟滅我久令汝等種佛善根以
方便故示涅槃相而汝謂為實得滅度世
尊我今乃知實是菩薩得受阿耨多羅三藐
三菩提記以是因緣甚大歡喜得未曾有尒
時阿若憍陳如等欲重宣此義而說偈言

BD01980號　妙法蓮華經（八卷本）卷四　（22–5）

尊我今乃知實是菩薩得受阿耨多羅三藐
三菩提記以是因緣甚大歡喜得未曾有尒
時阿若憍陳如等欲重宣此義而說偈言
我等聞无上　安隱授記聲　歡喜未曾有　礼无量智佛
今於世尊前　自悔諸過咎　於无量佛寶　得少涅槃分
如无智愚人　便自以為足　譬如貧窮人　往至親友家
其家甚大富　具設諸餚膳　以无價寶珠　繫著內衣裏
嘿與而捨去　時卧不覺知　是人既已起　遊行詣他國
求衣食自濟　資生甚艱難　得少便為足　更不願好者
不覺內衣裏　有无價寶珠　與珠之親友　後見此貧人
苦切責之已　示以所繫珠　貧人見此珠　其心大歡喜
富有諸財物　五欲而自恣　我等亦如是　世尊於長夜
常愍見教化　令種无上願　我等无智故　不覺亦不知
得少涅槃分　自足不求餘　今佛覺悟我　言非實滅度
得佛无上慧　尒乃為真滅　我今從佛聞　受記莊嚴事
及轉次受決　身心遍歡喜
妙法蓮華經授學无學人記品第九
尒時阿難羅睺羅而作是念我等每自思惟
設得受記不亦快乎即從坐起到於佛前頭
面礼足俱白佛言世尊我等於此亦應有分
唯有如來我等所歸又我等為一切世間天
人阿脩羅所見知識阿難常為侍者護持法
藏羅睺羅是佛之子若佛見授阿耨多羅三
藐三菩提記者我願既滿衆望亦足尒時學
无學聲聞弟子二千人皆從坐起偏袒右有

BD01980號　妙法蓮華經（八卷本）卷四　（22–6）

藏羅睺羅是佛之子若佛見授阿耨多羅三
藐三菩提記者我願既滿衆望亦足尒時學
无學聲聞弟子二千人皆從坐起偏袒右肩
到於佛前一心合掌瞻仰世尊如阿難羅睺
羅所願住立一面尒時佛告阿難汝於來世
當得作佛号山海慧自在通王如来應供正
遍知明行足善逝世間解无上士調御丈夫
天人師佛世尊當供養六十二億諸佛護持
法藏然後得阿耨多羅三藐三菩提教化二
十千万億恒河沙諸菩薩等令成阿耨多羅
三藐三菩提國名常立勝幡其土清淨瑠璃
為地劫名妙音遍滿其佛壽命无量千万億
阿僧祇劫若人於千万億无量阿僧祇劫中
筭數校計不能得知正法住世倍於壽命像
法住世復倍正法阿難是山海慧自在通王
佛為十方无量千万億恒河沙等諸佛如来
所共讚歎稱其功德尒時世尊欲重宣此義
而說偈言

我今僧中說　阿難持法者　當供養諸佛　然後成正覺
号曰山海慧　自在通王佛　其國土清淨　名常立勝幡
教化諸菩薩　其數如恒沙　佛有大威德　名聞滿十方
壽命无有量　以愍衆生故　正法倍壽命　像法復倍是
如恒河沙等　无數諸衆生　於此佛法中　種佛道因緣

尒時會中新發意菩薩八千人咸作是念我
等尚不聞諸大菩薩得如是記有何因緣而
諸聲聞得如是決尒時世尊知諸菩薩心之

BD01980號　妙法蓮華經（八卷本）卷四　（22–7）

如恒河沙等　无數諸衆生　於此佛法中　種佛道因緣
尒時會中新發意菩薩八千人咸作是念我
等尚不聞諸大菩薩得如是記有何因緣而
諸聲聞得如是決尒時世尊知諸菩薩心之
所念而告之曰諸善男子我與阿難等於空
王佛所同時發阿耨多羅三藐三菩提心阿
難常樂多聞我常勤精進是故我已得成阿
耨多羅三藐三菩提而阿難護持我法亦護
將来諸佛法藏教化成就諸菩薩衆其本願
如是故獲斯記阿難面於佛前自聞受記及
國土莊嚴所願具足心大歡喜得未曾有即
時憶念過去无量千万億諸佛法藏通達无
㝵如今所聞亦識本願尒時阿難而說偈言

世尊甚希有　令我念過去　无量諸佛法　如今日所聞
我今无復疑　安住於佛道　方便為侍者　護持諸佛法

尒時佛告羅睺羅汝於來世當得作佛号蹈
七寶華如来應供正遍知明行足善逝世間
解无上士調御丈夫天人師佛世尊當供養
十世界微塵等數諸佛如来常為諸佛而作
長子猶如今也是蹈七寶華佛國土莊嚴壽
命劫數所化弟子正法像法亦如山海慧自
在通王如来无異亦為此佛而作長子過是
已後當得阿耨多羅三藐三菩提尒時世尊
欲重宣此義而說偈言

我為太子時　羅睺為長子　我今成佛道　受法為法子
於未來世中　見无量億佛　皆為其長子　一心求佛道

BD01980號　妙法蓮華經（八卷本）卷四　（22–8）

欲重宣此義而說偈言
我爲太子時　羅睺爲長子　我今成佛道　受法爲法子
於未來世中　見无量億佛　皆爲其長子　一心求佛道
羅睺羅密行　唯我能知之　現爲我長子　以示諸衆生
无量億千万　功德不可數　安住於佛法　以求无上道
尒時世尊見學无學二千人其意柔軟寂然
清淨一心觀佛佛告阿難汝見是學无學二
千人不唯然已見阿難是諸人等當供養五
十世界微塵數諸佛如來恭敬尊重護持法
藏末後同時於十方國各得成佛皆同一号
名曰寶相如來應供正遍知明行足善逝世
間解无上士調御丈夫天人師佛世尊壽命
一劫國土莊嚴聲聞菩薩正法像法皆悉同
等尒時世尊欲重宣此義而說偈言
是二千聲聞　今於我前住　悉皆與授記　未來當成佛
所供養諸佛　如上說塵數　護持其法藏　後當成正覺
各於十方國　悉同一名号　俱時坐道場　以證无上慧
皆名爲寶相　國土及弟子　正法與像法　悉等无有異
咸以諸神通　度十方衆生　名聞普周遍　漸入於涅槃
尒時學无學二千人聞佛授記歡喜踊躍而
說偈言
世尊慧燈明　我聞授記音　心歡喜充滿　如甘露見灌
妙法蓮華經法師品第十
尒時世尊因藥王菩薩告八万大士藥王汝
見是大衆中无量諸天龍王夜叉乾闥婆阿

BD01980號　妙法蓮華經（八卷本）卷四　（22–9）

妙法蓮華經法師品第十
尒時世尊因藥王菩薩告八万大士藥王汝
見是大衆中无量諸天龍王夜叉乾闥婆阿
脩羅迦樓羅緊那羅摩睺羅伽人與非人及
比丘比丘尼優婆塞優婆夷求聲聞者求辟
支佛者求佛道者如是等類咸於佛前聞妙
法華經一偈一句乃至一念隨喜者我皆與
授記當得阿耨多羅三藐三菩提佛告藥王
又如來滅度之後若有人聞妙法華經乃至
一偈一句一念隨喜者我亦與授記阿耨多羅
三藐三菩提記若復有人受持讀誦解說書
寫妙法華經乃至一偈於此經卷敬視如佛
種種供養華香瓔珞末香塗香燒香繒蓋幢
幡衣服伎樂乃至合掌恭敬藥王當知是諸
人等已曾供養十万億佛於諸佛所成就大
願愍衆生故生此人間藥王若有人問何等
衆生於未來世當得作佛應示是諸人等於
未來世必得作佛何以故善男子善女人於
法華經乃至一句受持讀誦解說書寫種種
供養經卷華香瓔珞末香塗香燒香繒蓋幢
幡衣服伎樂合掌恭敬是人一切世間所應
瞻奉應以如來供養而供養之當知此人是
大菩薩成就阿耨多羅三藐三菩提哀愍衆
生願生此間廣演分別妙法華經何況盡能
受持種種供養者藥王當知是人自捨清淨
業報於我滅後愍衆生故生於惡世廣演此

BD01980號　妙法蓮華經（八卷本）卷四　（22–10）

生願生此閒廣演分別妙法華經何況盡能
受持種種供養者藥王當知是人自捨清淨
業報於我滅後愍衆生故生於惡世廣演此
經若是善男子善女人我滅度後能竊為一
人說法華經乃至一句當知是人則如來使
如來所遣行如來事何況於大衆中廣為人
說藥王若有惡人以不善心於一劫中現於
佛前常毀罵佛其罪尚輕若人以一惡言毀
呰在家出家讀誦法華經者其罪甚重藥王
其有讀誦法華經者當知是人以佛莊嚴而
自莊嚴則為如來肩所荷擔其所至方應隨
向礼一心合掌恭敬供養尊重讚嘆華香瓔
絡末香塗香燒香繒蓋幢幡衣服餚饌作諸
伎樂人中上供而供養之應持天寶而以散
之天上寶聚應以奉獻所以者何是人歡喜
說法須臾聞之即得究竟阿耨多羅三藐三
菩提故尒時世尊欲重宣此義而說偈言
若欲住佛道　成就自然智　常當勤供養　受持法華者
其有欲疾得　一切種智慧　當受持是經　并供持經者
若有能受持　妙法華經者　當知佛所使　愍念諸衆生
諸有能受持　妙法華經者　捨於清淨土　愍衆故生此
當知如是人　自在所欲生　能於此惡世　廣說无上法
應以天華香　及天寶衣服　天上妙寶聚　供養說法者
吾滅後惡世　能持是經者　當合掌礼敬　如供養世尊
上饌衆甘美　及種種衣服　供養是佛子　兾得須臾聞
若能於後世　受持是經者　我遣在人中　行於如來事

BD01980號　妙法蓮華經（八卷本）卷四　（22-11）

吾滅後惡世　能持是經者　當合掌礼敬　如供養世尊
上饌衆甘美　及種種衣服　供養是佛子　兾得須臾聞
若能於後世　受持是經者　我遣在人中　行於如來事
若於一劫中　常懷不善心　作色而罵佛　獲无量重罪
其有讀誦持　是法華經者　須臾加惡言　其罪復過彼
有人求佛道　而於一劫中　合掌在我前　以无數偈讚
由是讚佛故　得无量功德　嘆美持經者　其福復過彼
於十八億劫　以最妙色聲　及與香味觸　供養持經者
如是供養已　若得須臾聞　則應自欣慶　我今獲大利
藥王今告汝　我所說諸經　而於此經中　法華最第一
尒時佛復告藥王菩薩摩訶薩我所說經典
无量千万億已說今說當說而於其中此法
華經最為難信難解藥王此經是諸佛秘要
之藏不可分布妄授與人諸佛世尊之所守
護從昔已來未曾顯說而此經者如來現在
猶多怨嫉況滅度後藥王當知如來滅後其
能書持讀誦供養為他人說者如來則為以
衣覆之又為他方現在諸佛之所護念是人
有大信力及志願力諸善根力當知是人與
如來共宿則為如來手摩其頭藥王在在處處
若說若讀若誦若書若經卷所住處皆應起
七寶塔極令高廣嚴飾不須復安舍利所以
者何此中已有如來全身此塔應以一切華
香瓔珞繒蓋幢幡伎樂歌頌供養恭敬尊重
讚嘆若有人得見此塔礼拜供養當知是等
皆近阿耨多羅三藐三菩提藥王多有人在
家出家行菩薩道若不能得見聞讀誦書持

BD01980號　妙法蓮華經（八卷本）卷四　（22-12）

香瓔珞繒蓋幢幡伎樂歌頌供養恭敬尊重
讚嘆若有人得見此塔礼拜供養當知是等
皆近阿耨多羅三藐三菩提藥王多有人在
家出家行菩薩道若不能得見聞讀誦書持
供養是法華經者當知是人未善行菩薩道
若有得聞是經典者乃能善行菩薩之道其
有衆生求佛道者若見若聞是法華經聞已
信解受持者當知是人得近阿耨多羅三藐
三菩提藥王譬如有人渴乏須水於彼高原
穿鑿求之猶見乾土知水尚遠施功不已轉
見濕土遂漸至泥其心決定知水必近菩薩
亦復如是若未聞未解未能修習是法華經
當知是人去阿耨多羅三藐三菩提尚遠若
得聞解思惟修習必知得近阿耨多羅三藐
三菩提所以者何一切菩薩阿耨多羅三藐
三菩提皆屬此經此經開方便門示真實相
是法華經藏深固幽遠无人能到今佛教化
成就菩薩而為開示藥王若有菩薩聞是法
華經驚疑怖畏當知是為新發意菩薩若聲
聞人聞是經驚疑怖畏當知是為增上慢者
藥王若有善男子善女人如來滅後欲為四
衆說是法華經者云何應說是善男子善女
人入如來室著如來衣坐如來座尒乃應為
四衆廣說斯經如來室者一切衆生中大慈
悲心是如來衣者柔和忍辱心是如來座者
一切法空是安住是中然後以不懈怠心為

BD01980 號　妙法蓮華經（八卷本）卷四　（22–13）

人入如來室著如來衣坐如來座尒乃應為
四衆廣說斯經如來室者一切衆生中大慈
悲心是如來衣者柔和忍辱心是如來座者
一切法空是安住是中然後以不懈怠心為
諸菩薩及四衆廣說是法華經藥王我於餘
國遣化人為其集聽法衆亦遣化比丘比丘
尼優婆塞優婆夷聽其說法是諸化人聞法
信受隨順不逆若說法者在空閑處我時廣
遣天龍鬼神乾闥婆阿脩羅等聽其說法我
雖在異國時時令說法者得見我身若於此
經忘失句逗我還為說令得具足尒時世尊
欲重宣此義而說偈言
欲捨諸懈怠　應當聽此經　是經難得聞　信受者亦難
如人渴須水　穿鑿於高原　猶見乾燥土　知去水尚遠
漸見濕土泥　決定知水近　藥王汝當知　如是諸人等
不聞法華經　去佛道甚遠　若聞是深經　決了聲聞法
是諸經之王　聞已諦思惟　當知此人等　近於佛智慧
若人說此經　應入如來室　著於如來衣　而坐如來座
處衆无所畏　廣為分別說　大慈悲為室　柔和忍辱衣
諸法空為座　處此為說法　若說此經時　有人惡口罵
加刀杖瓦石　念佛故應忍　我千万億土　現淨堅固身
於无量億劫　為衆生說法　若我滅度後　能說此法者
我遣化四衆　比丘比丘尼　及清信士女　供養於法師
引導諸衆生　集之令聽法　若人欲加惡　刀杖及瓦石
則遣變化人　為之作衛護　若說法之人　獨在空閑處
寂漠无人聲　讀誦此經典　我尒時為現　清淨光明身

BD01980 號　妙法蓮華經（八卷本）卷四　（22–14）

引導諸衆生　集之令聽法　若人欲加惡　刀杖及瓦石
則遣變化人　為之作衛護　若說法之人　獨在空閑處
寂漠无人聲　讀誦此經典　我爾時為現　清淨光明身
若忘失章句　為說令通利　若人具是德　或為四衆說
空處讀誦經　皆得見我身　若人在空閑　我遣天龍王
夜叉鬼神等　為作聽法衆　是人樂說法　分別无罣㝵
諸佛護念故　能令大衆喜　若親近法師　速得菩薩道
隨順是師學　得見恒沙佛
妙法蓮華經見寶塔品第十一
尒時佛前有七寶塔高五百由旬縱廣二百
五十由旬從地踊出住在空中種種寶物而
莊挍之五千欄楯龕室千万无數幢幡以為
嚴飾垂寶瓔珞寶鈴万億而懸其上四面皆
出多摩羅跋栴檀之香充遍世界其諸幡蓋
以金銀琉璃車𤦲馬瑙真珠玫瑰七寶合成
高至四天王宮三十三天雨天曼陀羅華供
養寶塔餘諸天龍夜叉乾闥婆阿脩羅迦樓
羅緊那羅摩睺羅伽人非人等千万億衆以
一切華香瓔珞幡蓋伎樂供養寶塔恭敬尊重
讚嘆尒時寶塔中出大音聲嘆言善哉善哉
釋迦牟尼世尊能以平等大慧教菩薩法佛
所護念妙法華經為大衆說如是如是釋迦
牟尼世尊如所說者皆是真實
尒時四衆見大寶塔住在空中又聞塔中所
出音聲皆得法喜怪未曾有從座而起恭敬
合掌却住一面尒時有菩薩摩訶薩名大樂

BD01980號　妙法蓮華經（八卷本）卷四　（22-15）

尒時四衆見大寶塔住在空中又聞塔中所
出音聲皆得法喜怪未曾有從座而起恭敬
合掌却住一面尒時有菩薩摩訶薩名大樂
說知一切世間天人阿脩羅等心之所疑而
白佛言世尊以何因緣有此寶塔從地踊出
又於其中發是音聲尒時佛告大樂說菩薩
此寶塔中有如來全身乃往過去東方无量
千万億阿僧祇世界國名寶淨彼中有佛号
曰多寶其佛行菩薩道時作大誓願若我成
佛滅度之後於十方國土有說法華經處我
之塔廟為聽是經故踊現其前為作證明讚
言善哉彼佛成道已臨滅度時於天人大衆
中告諸比丘我滅度後欲供養我全身者應
起一大塔其佛以神通願力十方世界在在
處處若有說法華經者彼之寶塔皆踊出其
前全身在於塔中讚言善哉善哉大樂說今
多寶如來塔聞說法華經故從地踊出讚言
善哉善哉是時大樂說菩薩以如來神力故
白佛言世尊我等願欲見此佛身佛告大樂
說菩薩摩訶薩是多寶佛有深重願若我寶
塔為聽法華經故出於諸佛前時其有欲以
我身示四衆者彼佛分身諸佛在於十方世
界說法盡還集一處然後我身乃出現耳大
樂說我分身諸佛在於十方世界說法者今
應當集大樂說白佛言世尊我等亦願欲見
世尊分身諸佛礼拜供養

BD01980號　妙法蓮華經（八卷本）卷四　（22-16）

樂説我分身諸佛在於十方世界説法者今
應當集大樂説白佛言世尊我等亦願欲見
世尊分身諸佛禮拜供養
尒時佛放白毫一光即見東方五百万億那
由他恒河沙等國土諸佛彼諸國土皆以頗
梨為地寶樹寶衣以為莊嚴无數千万億菩
薩充滿其中遍張寶幔寶網羅上彼國諸佛
以大妙音而説諸法及見无量千万億菩薩
遍滿諸國為衆説法南西北方四維上下白
毫相光所照之處亦復如是尒時十方諸佛
各告衆菩薩言善男子我今應往娑婆世界
釋迦牟尼佛所并供養多寶如來寶塔時娑
婆世界即變清淨琉璃為地寶樹莊嚴黄金
為繩以界八道无諸聚落村營城邑大海江
河山川林藪燒大寶香曼陁羅華遍布其地
以寶網幔羅覆其上懸諸寶鈴唯留此會衆
移諸天人置於他土是時諸佛各將一大菩
薩以為侍者至娑婆世界各到寶樹下一一
寶樹高五百由旬枝葉華菓次第莊嚴諸寶
樹下皆有師子之座高五由旬亦以大寶而
校餝之
尒時諸佛各於此座結跏趺坐如是展轉遍
滿三千大千世界而於釋迦牟尼佛一方所
分之身猶故未盡時釋迦牟尼佛欲容受所
分身諸佛故八方各更變二百万億那由他
國皆令清淨无有地獄餓鬼畜生及阿脩羅

BD01980號　妙法蓮華經（八卷本）卷四　（22–17）

分身諸佛故八方各更變二百万億那由他
國皆令清淨无有地獄餓鬼畜生及阿脩羅
又移諸天人置於他土所化之國亦以琉璃
為地寶樹莊嚴樹高五百由旬枝葉華菓次
第嚴餝樹下皆有寶師子座高五由旬種種
諸寶以為莊校亦无大海江河及目真隣陁
山摩訶目真隣陁山鐵圍山大鐵圍山須弥
山等諸山王通為一佛國土寶地平正寶交
露幔遍覆其上懸諸幡蓋燒大寶香諸天寶
華遍布其地釋迦牟尼佛為諸佛當來坐故
復於八方各變二百万億那由他國皆令清
淨无有地獄餓鬼畜生及阿脩羅又移諸天
人置於他土所化之國亦以琉璃為地寶樹
莊嚴樹高五百由旬枝葉華菓次第莊嚴樹
下皆有寶師子座高五由旬亦以大寶而校
餝之亦无大海江河及目真隣陁山摩訶目
真隣陁山鐵圍山大鐵圍山須弥山等諸山
王通為一佛國土寶地平正寶交露幔遍覆
其上懸諸幡蓋燒大寶香諸天寶華遍布其
地尒時東方釋迦牟尼佛所分之身百千万億
那由他恒河沙等國土中諸佛各各説法來
集於此如是次第十方諸佛皆悉來集坐於
八方
尒時一一方四百万億那由他國土諸佛如
來遍滿其中是時諸佛各在寶樹下坐師子
座皆遣侍者問訊釋迦牟尼佛各賫寶華滿

BD01980號　妙法蓮華經（八卷本）卷四　（22–18）

尒時一一方四百万億那由他國土諸佛如
來遍滿其中是時諸佛各在寶樹下坐師子
座皆遣侍者問訊釋迦牟尼佛各賫寶華滿
掬而告之言善男子汝往詣耆闍崛山釋迦
牟尼佛所如我辭曰少病少惱氣力安樂及
菩薩聲聞衆悉安隱不以此寶華散佛供養
而作是言彼某甲佛與欲開此寶塔諸佛遣
使亦復如是尒時釋迦牟尼佛見所分身佛
悉已來集各各坐於師子之座皆聞諸佛與
欲同開寶塔即從坐起住虚空中一切四衆
起立合掌一心觀佛於是釋迦牟尼佛以右
指開七寶塔戶出大音聲如却關鑰開大城
門即時一切衆會皆見多寶如來於寶塔中
坐師子座全身不散如入禪定又聞其言善
哉善哉釋迦牟尼佛快說是法華經我為聽
是經故而來至此尒時四衆等見過去无量
千万億劫滅度佛說如是言歎未曾有以天
寶華聚散多寶佛及釋迦牟尼佛上尒時多
寶佛於寶塔中分半座與釋迦牟尼佛而作
是言釋迦牟尼佛可就此座即時釋迦牟尼
佛入其塔中坐其半座結加趺坐尒時大衆
見二如來在七寶塔中師子座上結加趺坐
各作是念佛座高遠唯願如來以神通力令
我等輩俱處虚空即時釋迦牟尼佛以神通
力接諸大衆皆在虚空以大音聲普告四衆
誰能於此娑婆國土廣說妙法華經今正是

BD01980號　妙法蓮華經（八卷本）卷四　（22-19）

力接諸大衆皆在虚空以大音聲普告四衆
誰能於此娑婆國土廣說妙法華經今正是
時如來不久當入涅槃佛欲以此妙法華經
付囑有在尒時世尊欲重宣此義而說偈言
聖主世尊　雖久滅度　在寶塔中　尚為法來
諸人云何　不勤為法　此佛滅度　无央數劫
處處聽法　以難遇故　彼佛本願　我滅度後
在在所往　常為聽法　又我分身　无量諸佛
如恒沙等　來欲聽法　及見滅度　多寶如來
各捨妙土　及弟子衆　天人龍神　諸供養事
令法久住　故來至此　為坐諸佛　以神通力
移无量衆　令國清淨　諸佛各各　詣寶樹下
如清淨池　蓮華莊嚴　其寶樹下　諸師子座
佛坐其上　光明嚴飾　如夜闇中　然大炬火
身出妙香　遍十方國　衆生蒙薰　喜不自勝
譬如大風　吹小樹枝　以是方便　令法久住
告諸大衆　我滅度後　誰能護持　讀誦斯經
今於佛前　自說誓言　其多寶佛　雖久滅度
以大誓願　而師子吼　多寶如來　及與我身
所集化佛　當知此意　諸佛子等　誰能護法
當發大願　令得久住　其有能護　此經法者
則為供養　我及多寶　此多寶佛　處於寶塔
常遊十方　為是經故　亦復供養　諸來化佛
莊嚴光飾　諸世界者　若說此經　則為見我
多寶如來　及諸化佛

BD01980號　妙法蓮華經（八卷本）卷四　（22-20）

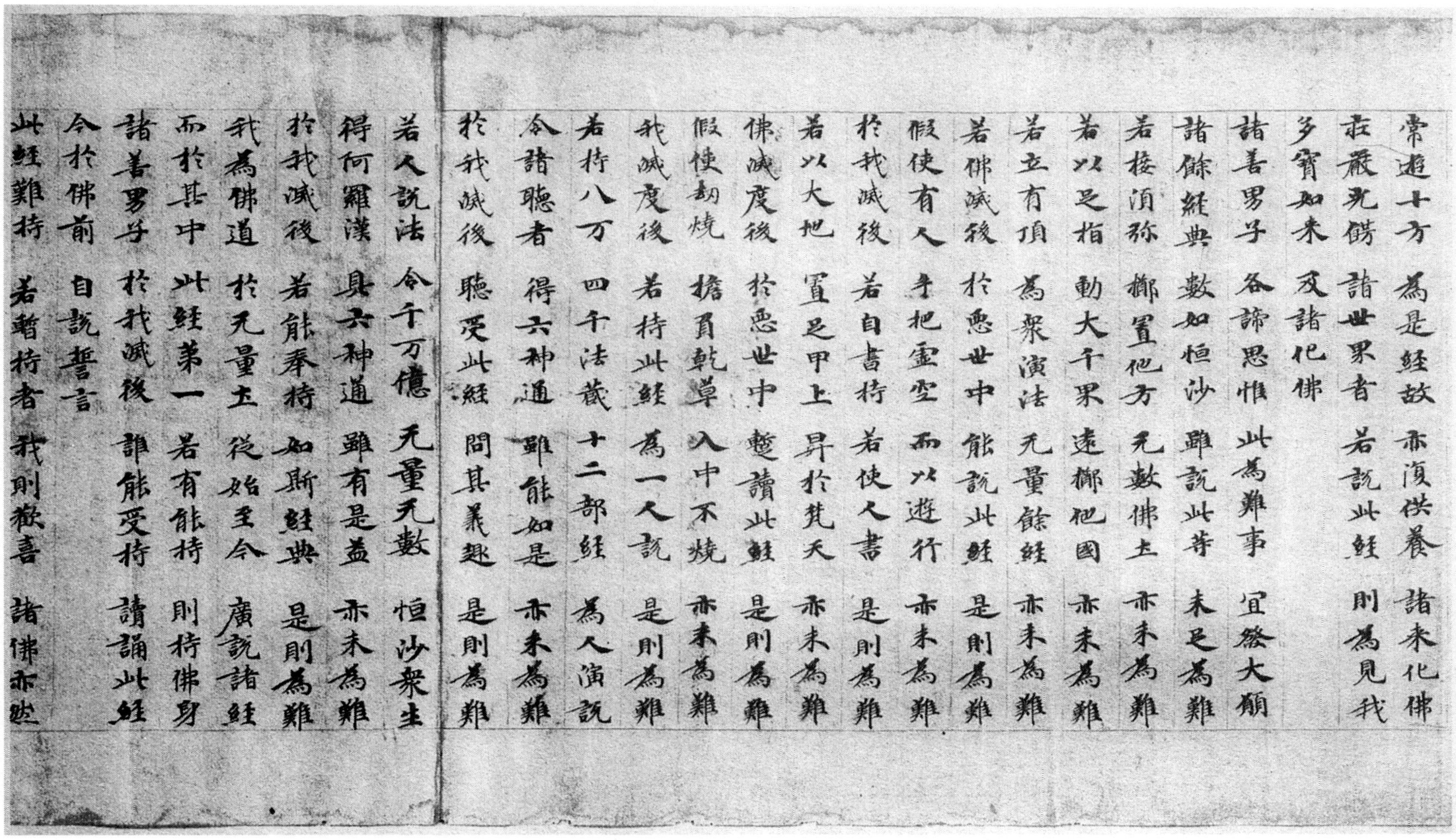
常遊十方　為是經故　亦復供養　諸來化佛
莊嚴光餝　諸世界者　若說此經　則為見我
多寶如來　及諸化佛
諸善男子　各諦思惟　此為難事　宜發大願
諸餘經典　數如恒沙　雖說此等　未足為難
若接須弥　擲置他方　无數佛土　亦未為難
若以足指　動大千界　遠擲他國　亦未為難
若立有頂　為衆演法　无量餘經　亦未為難
若佛滅後　於惡世中　能說此經　是則為難
假使有人　手把虛空　而以遊行　亦未為難
於我滅後　若自書持　若使人書　是則為難
若以大地　置足甲上　昇於梵天　亦未為難
佛滅度後　於惡世中　暫讀此經　是則為難
假使劫燒　擔負乾草　入中不燒　亦未為難
我滅度後　若持此經　為一人說　是則為難
若持八万　四千法藏　十二部經　為人演說
令諸聽者　得六神通　雖能如是　亦未為難
於我滅後　聽受此經　問其義趣　是則為難
若人說法　令千万億　无量无數　恒沙衆生
得阿羅漢　具六神通　雖有是益　亦未為難
於我滅後　若能奉持　如斯經典　是則為難
我為佛道　於无量土　從始至今　廣說諸經
而於其中　此經第一　若有能持　則持佛身
諸善男子　於我滅後　誰能受持　讀誦此經
今於佛前　自說誓言
此經難持　若暫持者　我則歡喜　諸佛亦然

BD01980號　妙法蓮華經（八卷本）卷四　（22–21）

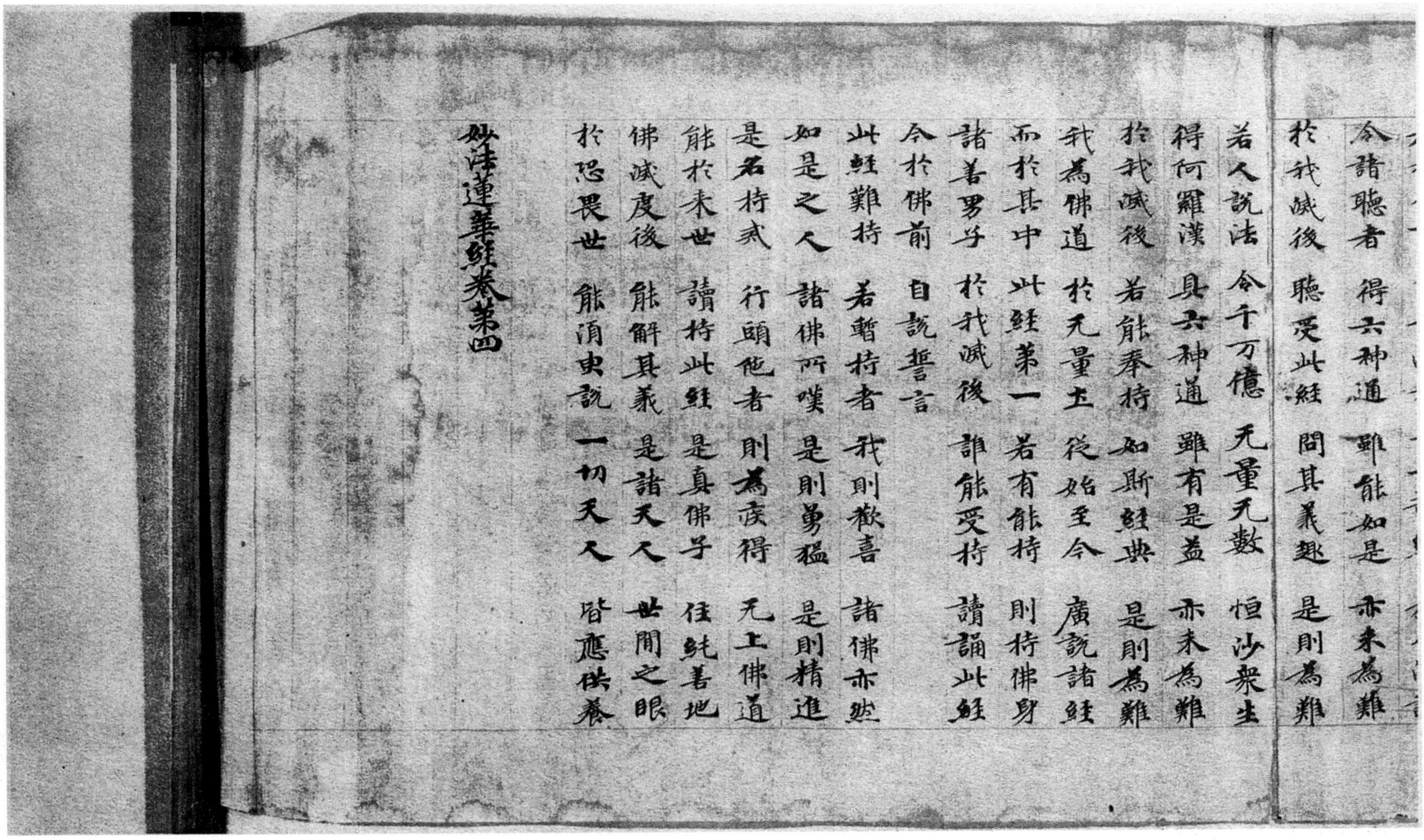
令諸聽者　得六神通　雖能如是　亦未為難
於我滅後　聽受此經　問其義趣　是則為難
若人說法　令千万億　无量无數　恒沙衆生
得阿羅漢　具六神通　雖有是益　亦未為難
於我滅後　若能奉持　如斯經典　是則為難
我為佛道　於无量土　從始至今　廣說諸經
而於其中　此經第一　若有能持　則持佛身
諸善男子　於我滅後　誰能受持　讀誦此經
今於佛前　自說誓言
此經難持　若暫持者　我則歡喜　諸佛亦然
如是之人　諸佛所歎　是則勇猛　是則精進
是名持戒　行頭陀者　則為疾得　无上佛道
能於來世　讀持此經　是真佛子　住純善地
佛滅度後　能解其義　是諸天人　世間之眼
於恐畏世　能須臾說　一切天人　皆應供養
妙法蓮華經卷第四

BD01980號　妙法蓮華經（八卷本）卷四　（22–22）

知一切諸法之
通達无礙又於諸法究
切智慧迦葉譬如三千
土地所生卉木叢林及諸
干名色各異密雲弥布遍覆三
界一時等澍其澤普洽卉木叢林及諸
藥草小根小莖小枝小葉中根中莖中枝中葉大
根大莖大枝大葉諸樹大小隨上中下各有
所受一雲所雨稱其種性而得生長華菓敷
實雖一地所生一雨所潤而諸草木各有差
迦葉當知如來亦復如是出現於世如大
雲起以大音聲普遍世界天人阿脩羅如
彼大雲遍覆三千大千國土於大眾中而唱
是言我是如來應供正遍知明行足善逝世
解无上士調御丈夫天人師佛世尊未度者
令度未解者令解未安者令安未涅槃者
令得涅槃今世後世如實知之我是一切知者
一切見者知道者開道者說道者汝等天人
阿脩羅眾皆應到此為聽法故尒時无數千
万億種眾生來至佛所而聽法如來于時觀
是眾生諸根利鈍精進懈怠隨其所堪而
為說法種種无量皆令歡喜快得善利是

BD01981號　妙法蓮華經卷三　（13–1）

万億種眾生來至佛所而聽法如來于時觀
是眾生諸根利鈍精進懈怠隨其所堪而
為說法種種无量皆令歡喜快得善利是
諸眾生聞是法已現世安隱後生善處以道
受樂亦得聞法既聞法已離諸障礙於諸法
中任力所能得入道如彼大雲雨於一切卉木
叢林及諸藥草如其種性具足蒙潤各得生
長如來說法一相一味所謂解脫相離相滅相
究竟至於一切種智其有眾生聞如來法若
持讀誦如說脩行所得功德不自覺知所以
者何唯有如來知此眾生種相體性念何事思何
事脩何事云何念云何思云何脩以何
法念以何法思以何法脩以何法得何法眾生
住於種種之地唯有如來如實見之明了无
礙如彼卉木叢林諸藥草等而不自知上中
下性如來知是一相一味之法所謂解脫相離
相滅相究竟涅槃常寂滅相終歸於空
佛知是已觀眾生心欲而將護之是故不即
為說一切種智汝等迦葉甚為希有能知
如來隨宜說法能信能受所以者何諸佛
世尊隨宜說法難解難知尒時世尊欲重宣
此義而說偈言
破有法王　出現世間　隨眾生欲　種種說法
如來尊重　智慧深遠　久默斯要　不務速說
有智若聞　則能信解　无智疑悔　則為永失
是故迦葉　隨力為說　以種種緣　令得正見
迦葉當知　譬如大雲　起於世間　遍覆一切

BD01981號　妙法蓮華經卷三　（13–2）

如來尊重 智慧深遠 久默斯要 不務速說
有智若聞 則能信解 无智疑悔 則為永失
是故迦葉 隨力為說 以種種緣 令得正見
迦葉當知 譬如大雲 起於世間 遍覆一切
慧雲含潤 電光晃曜 雷聲遠震 令眾悅豫
日光掩蔽 地上清涼 靉靆垂布 如可承攬
其雨普等 四方俱下 流澍无量 率土充洽
山川險谷 幽邃所生 卉木藥草 大小諸樹
百穀苗稼 甘蔗蒲桃 雨之所潤 无不豐足
乾地普洽 藥草並茂 其雲所出 一味之水
草木叢林 隨分受潤 一切諸樹 上中下等
稱其大小 各得生長 根莖枝葉 華果光色
一雨所及 皆得鮮澤 如其體相 性分大小
所潤是一 而各滋茂 佛亦如是 出現於世
譬如大雲 普覆一切 既出于世 為諸眾生
分別演說 諸法之實 大聖世尊 於諸天人
一切眾中 而宣是言 我為如來 兩足之尊
出于世間 猶如大雲 充潤一切 枯槁眾生
皆令離苦 得安隱樂 世間之樂 及涅槃樂
諸天人眾 一心善聽 皆應到此 覲无上尊
我為世尊 无能及者 安隱眾生 故現於世
為大眾說 甘露淨法 其法一味 解脫涅槃
以一妙音 演暢斯義 常為大乘 而作因緣
我觀一切 普皆平等 无有彼此 愛憎之心
我无貪著 亦无限礙 恒為一切 平等說法
如為一人 眾多亦然 常演說法 曾无他事

BD01981號　妙法蓮華經卷三　　（13–3）

我觀一切 普皆平等 无有彼此 愛憎之心
我无貪著 亦无限礙 恒為一切 平等說法
如為一人 眾多亦然 常演說法 曾无他事
去來坐立 終不疲猒 充足世間 如雨普潤
貴賤上下 持戒毀戒 威儀具足 及不具足
正見邪見 利根鈍根 等雨法雨 而无懈倦
一切眾生 聞我法者 隨力所受 住於諸地
或處人天 轉輪聖王 釋梵諸王 是小藥草
如无漏法 能得涅槃 起六神通 及得三明
獨處山林 常行禪定 得緣覺證 是中藥草
求世尊處 我當作佛 行精進定 是上藥草
又諸佛子 專心佛道 常行慈悲 自知作佛
決定无疑 是名小樹 安住神通 轉不退輪
度无量億 百千眾生 如是菩薩 名為大樹
佛平等說 如一味雨 隨眾生性 所受不同
如彼草木 所稟各異 佛以此喻 方便開示
種種言辭 演說一法 於佛智慧 如海一渧
我雨法雨 充滿世間 一味之法 隨力修行
如彼叢林 藥草諸樹 隨其大小 漸增茂好
諸佛之法 常以一味 令諸世間 普得具足
漸次修行 皆得道果 聲聞緣覺 處於山林
住最後身 聞法得果 是名藥草 各得增長
若諸菩薩 智慧堅固 了達三界 求最上乘
是名小樹 而得增長 復有住禪 得神通力
聞諸法空 心大歡喜 放无數光 度諸眾生
是名大樹 而得增長 如是迦葉 佛所說法

BD01981號　妙法蓮華經卷三　　（13–4）

是名小樹 而得增長 復有住禪 得神通力
聞諸法空 心大歡喜 放无數光 度諸衆生
是名大樹 而得增長 如是迦葉 佛所說法
譬如大雲 以一味雨 潤於人華 各得成實
迦葉當知 以諸因緣 種種譬喻 開示佛道
是我方便 諸佛亦然 今為汝等 說最實事
諸聲聞衆 皆非滅度 汝等所行 是菩薩道
漸漸修學 悉當成佛

妙法蓮華經授記品第六

尒時世尊說是偈已告諸大衆唱如是言
我此弟子摩訶迦葉於未來世當得奉覲三
百万億諸佛世尊供養恭敬尊重讚歎廣
百万億諸佛世尊供養恭敬尊成為佛名
日光明如來應供正遍知明行足善逝世間
解无上士調御丈夫天人師佛世尊國名
光德劫名大莊嚴壽十二小劫正法住世二十
小劫像法亦住二十小劫國界嚴飾无諸穢
惡瓦礫荊棘便利不淨其土平正无有高下
坎堆瑠璃為地寶樹行列黃金為繩以界道
側散諸寶華周遍清淨其國菩薩无量千
億諸聲聞衆亦復无數无有魔事雖有魔
及魔民皆護佛法尒時世尊欲重宣此義
而說偈言
告諸比丘 我以佛眼 見是迦葉 於未來世
過无數劫 當得作佛 而於來世 供養奉覲
三百万億 諸佛世尊 為佛智慧 淨修梵行
供養最上 二足尊已 修習一切 无上之慧

BD01981 號 妙法蓮華經卷三 (13-5)

告諸比丘 我以佛眼 見是迦葉 於未來世
過无數劫 當得作佛 而於來世 供養奉覲
三百万億 諸佛世尊 為佛智慧 淨修梵行
供養最上 二足尊已 修習一切 无上之慧
於最後身 得成為佛 其土清淨 琉璃為地
多諸寶樹 行列道側 金繩界道 見者歡喜
常出好香 散衆名華 種種奇妙 以為莊嚴
其地平正 无有丘坑 諸菩薩衆 不可稱計
其心調柔 逮大神通 奉持諸佛 大乘經典
諸聲聞衆 无漏後身 法王之子 亦不可計
乃以天眼 不能數知 其佛當壽 十二小劫
正法住世 二十小劫 像法亦住 二十小劫
光明世尊 其事如是
尒時大目揵連須菩提摩訶迦栴延等皆悉
悚慄一心合掌瞻仰尊顏目不暫捨即共同
聲而說偈言
大雄猛世尊 諸釋之法王 哀愍我等故 而賜佛音聲
若知我深心 見為授記者 如以甘露灑 除熱得清涼
如從飢國來 忽遇大王饍 心猶懷疑懼 未敢即便食
若復得王教 然後乃敢食 我等亦如是 每惟小乘過
不知當云何 得佛无上慧 雖聞佛音聲 言我等作佛
心尚懷憂懼 如未敢便食 若蒙佛授記 尒乃快安樂
大雄猛世尊 常欲安世間 願賜我等記 如飢須教食
尒時世尊知諸大弟子心之所念告諸比丘是
須菩提於當來世奉覲三百万億那由他佛
供養恭敬尊重讚歎常修梵行具菩薩道於
最後身得成為佛号曰名相如來應供正遍

BD01981 號 妙法蓮華經卷三 (13-6)

須菩提於當來世奉覲三百万億那由他佛
供養恭敬尊重讚歎常脩梵行具菩薩道於
㝡後身得成為佛号曰名相如來應供正遍
知明行足善逝世間解无上士調御丈夫
天人師佛世尊劫名有寶國名寶生其土平
正頗梨為地寶樹莊嚴无諸丘坑沙礫荊
棘便利之穢寶華覆地周遍清淨其土人民
皆處寶臺珍妙樓閣聲聞弟子无量无邊
筭數譬喻所不能知諸菩薩衆无數千万
億那由他佛壽十二小劫正法住世廿小
劫像法亦住二十小劫其佛常處虛空為衆
說法度脫无量菩薩及聲聞衆尒時世尊
欲重宣此義而說偈言
諸比丘衆　今告汝等　皆當一心　聽我所說
我大弟子　須菩提者　當得作佛　号曰名相
當供无數　万億諸佛　隨佛所行　漸具大道
㝡後身得　三十二相　端正姝妙　猶如寶山
其佛國土　嚴淨第一　衆生見者　无不愛樂
佛於其中　度无量衆　其佛法中　多諸菩薩
皆悉利根　轉不退輪　彼國常以　菩薩莊嚴
諸聲聞衆　不可稱數　皆得三明　具六神通
住八解脫　有大威德　其佛說法　現於无量
神通變化　不可思議　諸天人民　數如恒沙
皆共合掌　聽受佛語　其佛當壽　十二小劫
正法住世　二十小劫　像法亦住　二十小劫
尒時世尊復告諸比丘衆我今語汝是大迦

BD01981號　妙法蓮華經卷三　（13-7）

神通變化　不可思議　諸天人民　數如恒沙
皆共合掌　聽受佛語　其佛當壽　十二小劫
正法住世　二十小劫　像法亦住　二十小劫
尒時世尊復告諸比丘衆我今語汝是大迦
旃延於當來世以諸供具供養奉事八千億
佛恭敬尊重諸佛滅後各起塔廟高千由
旬縱廣正等五百由旬皆以金銀琉璃車璩
馬瑙真珠玫瑰七寶合成衆華瓔珞塗香末
香燒香繒蓋幢幡供養塔廟過是已後當
當復供養二万億佛亦復如是供養是諸
佛已具菩薩道當得作佛号曰閻浮那提金光
如來應供正遍知明行足善逝世間解无上士
調御丈夫天人師佛世尊其土平正頗梨為
地寶樹莊嚴黃金為繩界道側妙華覆地周
遍清淨見者歡喜无四惡道地獄餓鬼畜生阿
脩羅道多有天人諸聲聞衆及諸菩薩无量
万億莊嚴其國佛壽十二小劫正法住世二
十小劫像法亦住二十小劫尒時世尊欲重宣
此義而說偈言
諸比丘衆　皆一心聽　如我所說　真實无異
是迦旃延　當以種種　妙好供具　供養諸佛
諸佛滅後　起七寶塔　亦以華香　供養舍利
其㝡後身　得佛智慧　成等正覺　國土清淨
度脫无量　万億衆生　皆為十方　之所供養
佛之光明　无能勝者　其佛号曰　閻浮金光
菩薩聲聞　斷一切有　无量无數　莊嚴其國

BD01981號　妙法蓮華經卷三　（13-8）

度脱无量 万億衆生 皆為十方 之所供養
佛之光明 无能勝者 其佛号曰 閻浮金光
菩薩聲聞 断一切有 无量无數 莊嚴其國
尒時世尊復告大衆我今語汝是大目揵連
當以種種供具供養八千諸佛恭敬尊重諸
佛滅後各起塔廟高千由旬縱廣正等五百
由旬以金銀琉璃車𤦲馬瑙真珠玫瑰七寶
合成衆華瓔珞塗香末香燒香繒蓋幢幡以
用供養過是已後當復供養二百万億諸佛
亦復如是當得成佛号曰多摩羅跋栴檀香
如来應供正遍知明行足善逝世間解无上
士調御丈夫天人師佛世尊劫名喜滿國名
意樂其土平正頗梨為地寶樹莊嚴散真
珠華周遍清淨見者歡喜多諸天人菩薩
聲聞其數无量佛壽二十四小劫正法住世
四十小劫像法亦住四十小劫尒時世尊欲重
宣此義而說偈言
我此弟子 大目揵連 捨是身已 得見八千
二百万億 諸佛世尊 為佛道者 供養恭敬
於諸佛所 常脩梵行 於无量劫 奉持佛法
諸佛滅後 起七寶塔 長表金刹 華香伎樂
而以供養 諸佛塔廟 漸漸具足 菩薩道已
於意樂國 而得作佛 号多摩羅 栴檀之香
其佛壽命 二十四劫 常為天人 演說佛道
聲聞无量 如恒河沙 三明六通 有大威德
菩薩无數 志固精進 於佛智慧 皆不退轉

BD01981號　妙法蓮華經卷三　（13–9）

於意樂國 而得作佛 号多摩羅 栴檀之香
其佛壽命 二十四劫 常為天人 演說佛道
聲聞无量 如恒河沙 三明六通 有大威德
菩薩无數 志固精進 於佛智慧 皆不退轉
佛滅度後 正法當住 四十小劫 像法亦住
我弟諸子 威德具足 其數五百 皆當授記
於未来世 咸得成佛 我及汝等 宿世因緣
吾今當說 汝等善聽

妙法蓮華經化城品第七

佛告諸比丘乃往過去无量无邊不可思議阿
僧祇劫尒時有佛名大通智勝如来應供正
遍知明行足善逝世間解无上士調御丈夫
天人師佛世尊其國名好成劫名大相諸
比丘彼佛滅度已来其大久遠譬如三千大千
世界所有地種假使有人磨以為墨過於
東方千國土乃下一點大如微塵又過千國土
復下一點如是展轉盡地種墨於汝等意云
何是諸國土若算師若算師弟子能得邊
際知其數不不也世尊諸比丘是人所經國土
若點不點盡末為塵一塵一劫彼佛滅度
已来復過是數无量无邊百千万億阿僧祇
劫我以如来知見力故觀彼久遠猶若今日
尒時世尊欲重宣此義而說偈言
我念過去世 无量无邊劫 有佛兩足尊 名大通智勝
如人以力磨 三千大千土 盡此諸地種 皆悉以為墨
過於千國土 乃下一塵點 如是展轉點 盡此諸塵墨
如是諸國土 點與不點等 復盡末為塵 一塵為一劫

BD01981號　妙法蓮華經卷三　（13–10）

我念過去世 无量无邊劫 有佛兩足尊 名大通智勝
如人以力磨 三千大千土 盡此諸地種 皆悉以爲墨
過於千國土 乃下一塵點 如是展轉點 盡此諸塵墨
如是諸國土 點與不點等 復盡末爲塵 一塵爲一劫
此諸微塵數 其劫復過是 彼佛滅度來 如是无量劫
如來无礙智 知彼佛滅度 及聲聞菩薩 如見今滅度
諸比丘當知 佛智淨微妙 无漏无所礙 通達无量劫
佛告諸比丘大通智勝佛壽五百四十万億那
由他劫其佛本坐道場破魔軍已垂得阿耨多
羅三藐三菩提而諸佛法不現在前如是一小
劫乃至十小劫結跏趺坐身心不動而諸佛法
猶不在前尒時忉利諸天先爲彼佛於菩提
樹下敷師子座高一由旬佛於此座當得
阿耨多羅三藐三菩提適坐此座時諸
梵天王雨衆天華面百由旬香風時來吹去
萎華更雨新者如是不絶滿十小劫供養
於佛乃至滅度常雨此華四王諸天爲供養
佛常擊天鼓其餘諸天作天伎樂滿十小劫
至于滅度亦復如是諸比丘大通智勝佛過
十小劫諸佛之法乃現在前成阿耨多羅三
藐三菩提其佛未出家時有十六子其第一
者名曰智積諸子各有種種珍異玩好之具聞
父得成阿耨多羅三藐三菩提皆捨所珍往詣
諸佛所諸母涕泣而隨送之其祖轉輪聖王
與一百大臣及餘百千万億人民皆共圍繞隨
至道場咸欲親近大通智勝如來供養恭
敬尊重讚歎到已頭面礼足繞佛畢已一心合

BD01981號 妙法蓮華經卷三 （13–11）

諸佛所諸母涕泣而隨送之其祖轉輪聖王
與一百大臣及餘百千万億人民皆共圍繞隨
至道場咸欲親近大通智勝如來供養恭
敬尊重讚歎到已頭面礼足繞佛畢已一心合
掌瞻仰世尊以偈頌曰
大雄猛世尊 爲度衆生故 於无量億歲 尒乃得成佛
諸願已具足 善哉吉无上 世尊甚希有 一坐十小劫
身體及手足 靜然安不動 其心常憺怕 未曾有散乱
究竟永寂滅 安住无漏法 今者見世尊 安隱成佛道
我等得善利 稱慶大歡喜 衆生常苦惱 盲瞑无導師
不識苦盡道 不知求解脫 長夜增惡趣 減損諸天衆
從瞑入於瞑 永不聞佛名 今佛得最上 安隱无漏法
我等及天人 爲得最大利 是故咸稽首 歸命无上尊
尒時十六王子偈讚佛已勸請世尊轉於法輪咸
作是言世尊說法多所安隱憐愍饒益諸天
人民重說偈言
世雄无等倫 百福自莊嚴 得无上智慧 願爲世間說
度脫於我等 及諸衆生類 爲分別顯示 令得是智慧
若我等得佛 衆生亦復然 世尊知衆生 深心之所念
亦知所行道 又知智慧力 欲樂及脩福 宿命所行業
世尊悉知已 當轉无上輪
佛告諸比丘大通智勝佛得阿耨多羅三藐三菩
提時十方各五百万億諸佛世界六種震動
其國中間幽瞑之處日月威光所不能照而
皆大明其中衆生各得相見咸作是言此中
云何忽生衆生又其國界諸天宮殿乃至梵
宮六種震動大光普照遍滿世界勝諸天

BD01981號 妙法蓮華經卷三 （13–12）

而皆大明其中衆生各得相見咸作是言此中
云何忽生衆生又其國界諸天宮殿乃至梵
宮六種震動大光普照遍滿世界勝諸天
光尒時東方五百万億諸國土中梵天宮殿
光明照曜倍於常明諸梵天王各作是念
今者宮殿光明昔所未有以何因緣而現此相
是時諸梵天王即各相詣共議此事而彼衆中
有一大梵天王名救一切為諸梵衆而說偈言
我等諸宮殿　光明昔未有　此是何因緣　宜各共求之
為大德天生　為佛出世間　而此大光明　遍照於十方
尒時五百万億國土諸梵天王與宮殿俱各以
衣裓盛諸天華共詣西方推尋是相見大通
智勝如來處于道場菩提樹下師子座諸
天龍王乾闥婆緊那羅摩睺羅伽人非人
等恭敬圍繞及見十六王子請佛轉法輪即
時諸梵天王頭面礼佛繞百千币即以天華
而散佛上其所散華如須弥山并以供養佛
菩提樹其菩提樹高十由旬華供養已各以
宮殿奉上彼佛而作是言唯見哀愍饒益
等我所獻宮殿願垂納處時諸梵天王即於佛
前一心同聲以偈頌曰
世尊甚希有　難可得值遇　具无量功德　能救護一切
天人之大師　哀愍於世間　十方諸衆生　普皆蒙饒益
我等所從來　五百万億國　捨深禪定樂　為供養佛故
我等先世福　宮殿甚嚴飾　今以奉世尊　唯願哀納受
尒時諸梵天王偈讚佛已各作是言唯願世尊

BD01981 號　妙法蓮華經卷三　（13–13）

之　義不然何以故先受施者煩惱未
盡未得成就一切種智亦未能令衆生具足
檀波羅蜜後受施者煩惱已盡已得成就一切
種智能令衆生普得具足檀波羅蜜先受施
者直是衆生後受施者是天中天先受施者
是雜食身煩惱之身是後邊身是无常身
後受施者无煩惱身金剛之身法身常身无
云何而言二施果報等无差別先受
波羅蜜乃至般若波羅蜜
唯得肉眼未得佛眼乃至慧眼後受施者已
得具足檀波羅蜜乃至般若波羅蜜具足肉
眼乃至慧眼云何而言二施果報等无差別
世尊先受施者受已食噉入腹消化得命得色
得力得安得无㝵辯後受施者不食不消无
五事果云何而言二施果報等无差別佛言
善男子如來已於无量无邊阿僧祇劫无有食
身煩惱之身无後邊身常身法身金剛之
身善男子未見佛性者名煩惱身雜食之身
是後邊身菩薩尒時受飲食已入金剛三昧此
食消已即見佛性得阿耨多羅三藐三菩提是
故我言二施果報等无差別菩薩尒時破壞
四魔今入涅槃亦破四魔是故我言二施果報

BD01982 號　大般涅槃經（北本）卷二　（11–1）

是後邊身菩薩尒時受飲食已入金剛三昧此
食消已即見佛性得阿耨多羅三藐三菩提是
故我言二施果報等无差别菩薩尒時破壞
四魔今入涅槃亦破四魔是故我言二施果報
等无差别菩薩尒時雖不廣說十二部經先
已通達今入涅槃廣爲衆生分别演說是故
我言二施果報等无差别善男子如來之身
已於无量阿僧祇劫不受飲食爲諸聲聞
說言先受難陁難陁波羅二牧牛女所奉乳
糜然後乃得阿耨多羅三藐三菩提我實
不食我今爲於此會大衆是故受汝最後所
奉實亦不食尒時大衆聞佛世尊普爲大
會受於純陁最後供養歡喜踊躍同聲讚
言善哉善哉希有純陁汝今立字名虛稱言
純陁者名解妙義汝今建立如是大義是故
依實從義立名故名純陁汝今現世得大名
利德願滿足甚奇純陁生在人中復得難得
无上之利善哉純陁如優曇華世間希有佛
出於世亦復甚難值佛生信聞法復難佛臨
涅槃最後供養能辦是事復難於是南无純
陁南无純陁汝今已具檀波羅蜜猶如秋月
十五日夜清淨圓滿无諸雲翳一切衆生无不
瞻仰汝亦如是而爲我等之所瞻仰佛已受
汝最後供養令汝具足檀波羅蜜南无純陁
是故說汝如月盛滿一切衆生无不瞻仰南

十五日夜清淨圓滿无諸雲翳一切衆生无不
瞻仰汝亦如是而爲我等之所瞻仰佛已受
汝最後供養令汝具足檀波羅蜜南无純陁
是故說汝如月盛滿一切衆生无不瞻仰南
无純陁雖受身心如佛心汝今純陁真是佛
子如羅睺羅等无有異尒時大衆即說偈言
汝雖生人道　已超第六天　我及一切衆　今故稽首請
人中最勝尊　今當入涅槃　汝應愍我等　唯願速請佛
久住於世間　利益无量衆　演說智所讚　无上甘露法
汝若不請佛　我命將不全　是故應見爲　稽請調御師
尒時純陁歡喜踊躍譬如有人父母卒喪忽然
還活純陁歡喜亦復如是復起礼佛而說偈言
快哉獲己利　善得於人身　蠲除貪恚等　永離三惡道
快哉獲己利　遇得金寶聚　值遇調御師　不懼墮畜生
佛如優曇華　值遇生信難　遇已種善根　永滅餓鬼苦
亦復能損減　阿脩羅種類　芥子投針鋒　佛出難於是
我以具足檀　度人天生死　佛不染世法　如蓮華處水
善斷有頂種　永度生死流　生世爲人難　值佛世亦難
猶如大海中　盲龜遇乳孔　我今所奉食　願得无上報
一切煩惱結　摧破不堅固　我今於此處　不求天人身
設使得之者　心亦不甘樂　如來受我供　歡喜无有量
猶如伊蘭華　出於旃檀香　我身如伊蘭　如來受我供
如出旃檀香　是故我歡喜　我今得現報　最勝上妙處
釋梵諸天等　悉來供養我　一切諸世間　悉生諸苦惱
以知佛世尊　欲入於涅槃

如出栴檀香　是故我歡喜　我今得現報　最勝上妙處
釋梵諸天等　悉來供養我　一切諸世間　悉生諸苦惱
以知佛世尊　欲入於涅槃
高聲唱是言　世間无調御　不應捨衆生　應視如一子
如來在僧中　演說无上法　如須弥寶山　安處于大海
佛智能善斷　我等无明闇　猶如虛空中　起雲得清涼
如來能善除　一切諸煩惱　猶如日出時　除雲光普照
是諸衆生等　啼泣面目腫　悉皆爲生死　苦水之所漂
以是故世尊　應長衆生信　爲斷生死苦　久住於世間
佛告純陀　如是如是　如汝所說　佛出世難　如優
曇華　值佛生信　亦復甚難　佛臨涅槃　最後施食
能具足檀　復倍甚難　汝今純陀　莫大愁苦　應生
踊躍　喜自慶幸　得值最後　供養如來　成就具
足檀波羅蜜　不應請佛　久住於世　汝今當觀
諸佛境界　悉皆无常　諸行性相　亦復如是　即爲
純陀　而說偈言
一切諸世間　生者皆歸死　壽命雖无量　要必當有盡
夫盛必有衰　合會有別離　壯年不久停　盛色病所侵
命爲死所吞　无有法常者　諸王得自在　勢力无等雙
一切皆遷動　壽命亦如是　衆苦輪无際　流轉无休息
三界皆无常　諸有无有樂　有道本性相　一切皆空无
可壞法流動　常有憂患等　恐怖諸過惡　老病死衰惱
是諸无有邊　易壞怨所侵　煩惱所纏裹　猶如蠶處繭
何有智慧者　而當樂是處　此身苦所集　一切皆不淨

BD01982號　大般涅槃經（北本）卷二　（11-4）

可壞法流動　常有憂患等　恐怖諸過惡　老病死衰惱
是諸无有邊　易壞怨所侵　煩惱所纏裹　猶如蠶處繭
何有智慧者　而當樂是處　此身苦所集　一切皆不淨
扼縛癰瘡等　根本无義利　上至諸天身　皆亦復如是
諸欲皆无常　故我不貪著　離欲善思惟　而證於真實
究竟斷有者　今日當涅槃
我度於彼岸　已得過諸苦　是故於今者　純受上妙樂
以是因緣故　證无戲論邊　永斷諸纏縛　今日入涅槃
我無老病死　壽命不可盡　我今入涅槃　猶如大火滅
純陀汝不應　思量如來義　當觀如來性　猶如須弥山
我今入涅槃　受於第一樂　諸佛法如是　不應復啼哭
尒時純陀白佛言　世尊　如是如是　誠如聖教　我
今所有智慧微淺　猶如蚊虻　何能思議如來
涅槃深奧之義　世尊　我今已與諸大龍象菩
薩摩訶薩　斷諸結漏　文殊師利法王子等　世
尊　譬如幼年初得出家　雖未受具戒　即墮僧
數　我亦如是　以佛菩薩神通力故　得在如是
大菩薩數　是故我今欲令如來久住於世　不
入涅槃　譬如飢人終无變吐　願使世尊亦復
如是　常住於世　不入涅槃　尒時文殊師利法
王子告純陀言　純陀　汝今不應發如是言　欲
使如來常住於世　不般涅槃　如彼飢人无所變
吐　汝今當觀諸行性相　如是觀行具空三昧
欲求正法　應如是學　純陀問言　文殊師利　夫
如來者　天上人中最尊最勝　如是如來　豈是

BD01982號　大般涅槃經（北本）卷二　（11-5）

謂三寶如須弥山高峻廣大无有傾倒是故
名彌那者三寶安住无有傾動喻如門閫是
故名那波者名顛倒義若言三寶悉皆滅盡
當知是人為自疑惑是故名波頗者是世間
災若言世間災起之時三寶亦盡當知是人
愚癡无智違失聖旨是故名頗婆者名佛十
力是故名婆洗者名為重擔堪任荷負无上
正法當知是人是大菩薩是故名洗摩者是
諸菩薩嚴峻制度所謂大乘大般涅槃是故
名摩虵者是諸菩薩在在處處為諸衆生說
大乘法是故名虵囉者能壞貪欲瞋恚愚癡
說真實法是故說囉羅者名聲聞乘動轉不
住大乘安固无有傾動捨聲聞乘精勤脩習
无上大乘是故名羅啝者如來世尊為諸衆
生而大法雨所謂世間呪術經書是故名啝
奢者遠離三箭是故名奢沙者名具足義若
能聽是大涅槃經則為已得聞持一切大乘
經典是故名沙娑者為諸衆生演說正法令
心歡喜是故名娑呵者名心歡喜奇哉世尊
離一切行怯哉如來入般涅槃是故名呵荼者
名曰魔義无量諸魔不能毀壞如來秘藏是
故名荼復次荼者乃至亦現隨順世間有父
母妻子是故名荼魯流盧樓如是四字說有四
義謂佛法僧及以對法言對法者隨順世間
如調婆達亦現壞僧化作種種形貌色像為
制戒故智者了達不應於此而生畏怖是名

BD01983號　大般涅槃經（北本　異卷）卷八　（21–9）

義謂佛法僧及以對法言對法者隨順世間
如調婆達亦現壞僧化作種種形貌色像為
制戒故智者了達不應於此而生畏怖是名
隨順世間之行以是故名為魯流盧樓吸氣
舌根隨鼻之聲長短超聲隨音解義皆因舌
齒而有差別如是字義能令衆生口業清淨
衆生佛性則不如是假於文字然後清淨何
以故性本淨故雖復處在陰入界中則不同
於陰入界也是故衆生悉應歸依諸菩薩等
以佛性故等視衆生无有差別是故半字於
諸經書記論文字而為根本又半字義皆是
煩惱言說之本故名半字滿字者乃是一切
善法言說之根本也譬如世間為惡之者名
為半人脩善之者名為滿人如是一切經書
記論皆因半字而為根本若言如來及正解
脫入於半字是事不然何以故離文字故是
故如來於一切法无㝵无著真得解脫何等
名為解了字義有知如來出現於世能滅半
字是故名為解了字義若有隨逐半字義者
是人不知如來之性何等名為无字義也親
近脩習不善法者是名无字又无字者雖能
親近脩習善法不知如來常與无常恒與非
恒及法僧二寶律與非律經與非經魔說佛
說若有不能如是分別是名隨逐无字義也
我今已說如是隨逐无字之義善男子是故
汝今應離半字善解滿字迦葉菩薩白佛言
世尊我今應當[illegible]

BD01983號　大般涅槃經（北本　異卷）卷八　（21–10）

我今已說如是隨逐无字之義善男子是故
汝今應離半字善解滿字迦葉菩薩白佛言
世尊我今應當善解字數今我值遇无上之
師已受如來慇懃誨勑佛讃迦葉善哉善哉
樂正法者應如是學佘時佛告迦葉菩薩善
男子鳥有二種一名迦隣提二名鴛鴦遊
止共俱不相捨離是苦无常无我等法亦復如
是不得相離迦葉菩薩白佛言世尊云何是
苦无常无我如彼鴛鴦迦隣提鳥佛言善男
子異法是苦異法是樂異法是常異法无常
異法是我異法无我譬如稻米異於麻麥麻
麥復異豆粟甘蔗如是諸種從其萌芽乃至
華葉皆是无常菓實成熟人受用時乃名為
常何以故性真實故迦葉白佛言世尊如是
等物若是常者同如來耶佛言善男子汝今
不應作如是說何以故若言如來如須弥山
劫壞之時須弥崩倒如來佘時豈同壞耶善
男子汝今不應受持是義善男子一切諸法
唯除涅槃更无一法而是常者直以世諦言
菓實常迦葉菩薩白佛言世尊善哉善哉如
佛所說佛告迦葉如是如是善男子雖脩一
切契經諸定乃至未聞大般涅槃皆言一切
悉是无常聞是經已雖有煩惱如无煩惱即
能利益一切人天何以故曉了己身有佛性
故是名為常復次善男子譬如菴羅樹其華
始敷名无常相若成菓實多所利益乃名為

BD01983號　大般涅槃經（北本　異卷）卷八　（21–11）

能利益一切人天何以故曉了己身有佛性
故是名為常復次善男子譬如菴羅樹其華
始敷名无常相若成菓實多所利益乃名為
常如是善男子雖脩一切契經諸定未聞如
是大涅槃時咸言一切悉是无常聞是經已
雖有煩惱如无煩惱即能利益一切人天何
以故曉了自身有佛性故是名為常復次善
男子譬如金卝消融之時是无常相融已成
金多所利益乃名為常如是善男子雖脩一
切契經諸定未聞如是大涅槃時咸言一切
悉是无常聞是經已雖有煩惱如无煩惱即
能利益一切人天何以故曉了自身有佛性
故是名為常復次善男子譬如胡麻未被押
時名曰无常既押成油多所利益乃名為常
善男子雖脩一切契經諸定未聞如是大涅
槃時咸言一切悉是无常聞是經已雖有煩
惱如无煩惱即能利益一切人天何以故曉
了己身有佛性故是名為常復次善男子譬
如衆流皆歸于海一切契經諸定三昧皆歸
大乘大涅槃經何以故究竟善說有佛性故
善男子是故我言異法是常異法无常乃至
无我亦復如是迦葉菩薩白佛言世尊如來
已離憂悲毒箭夫憂悲者名之為天如來非天
憂悲者名為人如來非人憂悲者名二十五有
如來非二十五有是故如來无有憂悲何故稱
言如來憂悲善男子无想天者名為无想若
无想者則无壽命若无壽命云何而有陰界

BD01983號　大般涅槃經（北本　異卷）卷八　（21–12）

使如來常住於世不般涅槃如彼飢人无所愛
吐汝今當觀諸行性相如是觀行具空三昧
欲求正法應如是學純陀問言文殊師利夫
如來者天上人中最尊最勝如是如來豈是
行耶若是行者為生滅法譬如水泡速起速滅
往來流轉猶如車輪一切諸行亦復如是我
聞諸天壽命極長云何世尊是天中天壽命
更促不滿百年如聚落主勢得自在以自在
力能制他人是人福盡其後貧賤人所輕
蔑為他策使所以者何失勢力故世尊亦尒
同於諸行同諸行者則不得稱為天中天何
以故諸行即是生死法故是故文殊師利勿觀
如來同於諸行復次文殊為知而說不知而
說而言如來同於諸行設使如來同諸行者
則不得言於三界中為天中天自在法王譬
如人王有大力士其力當千更无有能降伏
之者故稱此人一人當千如是力士王所愛
念偏賜爵祿封賞自然所以得稱當千人
者是人未必力敵於千但以種種伎藝所能
能勝千故故稱當千如來亦尒降煩惱魔陰
魔天魔天魔死魔是故如來名三界尊如彼
力士一人當千以是因緣成就具足種種无
量真實功德故稱如來應正遍知文殊師利
汝今不應憶想分別以如來法同於諸行譬
如巨富長者生子相師占之有短壽相父母

量真實功德故稱如來應正遍知文殊師利
汝今不應憶想分別以如來法同於諸行譬
如巨富長者生子相師占之有短壽相父母
聞已知其不任紹繼家嗣不復愛重視如草
草夫短壽者不為沙門婆羅門等男女大
小之所敬念若使如來同諸行者亦復不為
一切世間人天衆生之所奉敬如來所說不變
異真實之法亦无受者是故文殊不應說言
如來同於一切諸行復次文殊譬如貧女无有
居家救護之者加復病苦飢渴所逼遊行乞匃
止他客舍寄生一子是客舍主驅逐令去其
產未久攜抱是兒欲至他國於其中路遇惡
風雨寒苦並至多為蚊虻蜂螫毒蟲之所唼
食經由恒河抱兒而渡其水漂疾而不放捨
於是母子遂共俱沒如是女人慈念功德命
終之後生於梵天文殊師利若有善男子欲
護正法勿說如來同於諸行不同諸行唯當
自責我今愚癡未有慧眼如來正法不可思
議是故不應宣說如來定是有為定是无
為若正見者應說如來定是无為何以故能
為衆生生善法故生憐愍故如彼貧女在於恒
河為愛念子而捨身命善男子護法菩薩亦
應如是寧捨身命不說如來同於有為當
言如來同於无為以說如來同无為故得阿

河爲愛念子而捨身命善男子護法菩薩亦
應如是寧捨身命不説如來同於有爲當
言如來同於无爲以説如來同无爲故得阿
耨多羅三藐三菩提如彼女人得生梵天何
以故以護法故云何護法所謂説言如來同
於无爲善男子如是之人雖不求解脱解脱
自至如彼貧女不求梵天梵天自至文殊師利
如人遠行中路疲極寄止他舍卧寐之中其室
忽然大火卒起即時驚寤尋自思惟我於今
者定死不疑具慚愧故以衣纏身即便命終
生忉利天從是以後滿八十反作大梵王滿百
千世生於人中爲轉輪王是人不復生三惡趣
展轉常生安樂之處以是緣故文殊師利若
善男子有慚愧者不應觀佛同於諸行文
殊師利外道邪見可説如來同於有爲持戒
比丘不應如是於如來所生有爲想若言
如來是有爲者即是妄語當知是人死
入地獄如人自處於己舍宅文殊師利如來
真實是无爲法不應復言是有爲也汝從
今日於生死中應捨无智求於正智當知如
來即是无爲若能如是觀如來者具足當
得三十二相速疾成就阿耨多羅三藐三菩
提爾時文殊師利法王子讃純陀言善哉
善哉善男子汝今已作長壽因緣能知如
來是常住法不變異法无爲之法汝今如是

BD01982號　大般涅槃經（北本）卷二　（11–8）

提爾時文殊師利法王子讃純陀言善哉
善哉善男子汝今已作長壽因緣能知如
來是常住法不變異法无爲之法汝今如是
善覆如來有爲之相如彼火人爲慚愧故以
覆身以是善心故生忉利天復爲梵王轉
輪聖王不至惡趣常受安樂汝亦如是善
覆如來有爲相故於未來世必定當得三
十二相八十種好十八不共法无量壽命不
在生死常壽安樂不久得成應正遍知純陀
如來次後自當廣説我之與汝俱亦當覆如
來有爲无爲且共置之汝可隨時速施
飯食如是施者諸施中最若比丘比丘尼
優婆塞優婆夷遠行疲極所須之物應當
清淨隨時給與如是速施即是具足檀波羅
蜜根本種子純陀若有最後施佛及僧若
多若少若足不足宜速及時如來正爾當般
涅槃純陀答言文殊師利汝今何故貪爲此
食而言多少足與不足令我時施文殊師利如
來昔日苦行六年尚自支持況於今日須臾
間耶文殊師利汝今實謂如來正覺受斯
食耶然我定知如來身者即是法身爲食
身
爾時佛告文殊師利如是如是如純陀言善
哉純陀汝已成就微妙大智善入甚深大乘
經典文殊師利語純陀言汝謂如來是无爲

BD01982號　大般涅槃經（北本）卷二　（11–9）

後數時先逃王子從他國還來至本國復得
爲王既登王位復問諸臣汝見刀不荅言大
王臣等皆見復復問言其狀何似荅言天子
其色清淨如優鉢羅華復有荅言形如羊角
復有說言其色紅赤猶如火聚復有荅言猶
如黑虵時王大笑卿等皆悉不見我刀真實
之相善男子菩薩摩訶薩亦復如是出現於
世說我真相說已捨去喻如王子持淨妙刀
逃至他國凡夫愚人說言一切有我有我如
彼貧人止宿他舍囈語刀刀聲聞緣覺問諸
衆生我有何相荅言我見我相大如拇指或
言如米或如稗子有言我相住在心中熾然
如日如是衆生不知我相喻如諸臣不知刀
相菩薩如是說於我法凡夫不知種種分別
妄作我相如問刀相荅似羊角是諸凡夫次
第相續而起耶見爲斷如是諸耶見故如來
示現說於无我喻如王子語諸臣言我庫藏
中无如是刀善男子今日如來所說真我名
曰佛性如是佛性我佛法中喻如淨刀善男
子若有凡夫能善說者即是隨順无上佛法
若有善能分別隨順宜說是者當知即是菩
薩相貌善男子所有種種異論呪術言語文
字皆是佛說非外道說迦葉菩薩白佛言世
尊云何如來說字根本佛言善男子說初半
字以爲根本持諸記論呪術文章諸陰實法
凡夫之人學是字本然後能知是法非法迦

BD01983號　大般涅槃經（北本　異卷）卷八　（21-5）

尊云何如來說字根本佛言善男子說初半
字以爲根本持諸記論呪術文章諸陰實法
凡夫之人學是字本然後能知是法非法迦
葉菩薩復白佛言世尊所言字者其義云何
善男子有十四音名爲字義所言字者名爲
涅槃常故不流若不流者則爲无盡夫无盡
者即是如來金剛之身是十四音名爲字本
惡者不破壞故不破壞者名曰三寶喻如金
剛又復惡者不流故不流者即是如來如來
九孔无所流故是故不流又无九孔是故不
流不流即常常即如來如來无作是故不流
又復惡者名爲功德功德者即是三寶是故
名惡阿者名何闍利何闍利者義何謂世於
世間中得名聖者何謂爲聖聖名无著少欲
知足亦名清淨能度衆生於三有流生死大
海是名爲聖又復阿者名曰制度脩持淨戒
隨順威儀又復阿者名依聖人應學威儀進
止舉動供養恭敬禮拜三尊孝養父母及學
大乘善男子汝等具持禁戒及諸菩薩摩訶
薩等是名聖人又復阿者名曰教誨汝言如
來如是應作如是莫作若有能遮非威儀法
是名聖人是故名阿億者即是佛法梵行廣
大清淨无垢喻如滿月汝等如是應作不作
是義非義此是佛說此是魔說是故名億伊
者佛法微妙甚深難得如自在天大梵天王
法名自在若能持者則名護法又自在者名

BD01983號　大般涅槃經（北本　異卷）卷八　（21-6）

河爲愛念子而捨身命善男子護法菩薩亦
應如是寧捨身命不說如來同於有爲當
言如來同於无爲以說如來同无爲故得阿
耨多羅三藐三菩提如彼女人得生梵天何
以故以護法故云何護法所謂說言如來同
於无爲善男子如是之人雖不求解脫解脫
自至如彼貧女不求梵天梵天自至文殊師利
如人遠行中路疲極寄心他舍卧寐之中其室
忽然大火卒起即時驚寤尋自思惟我於今
者定死不疑具慚愧故以衣纏身即便命終
生忉利天從是以後滿八十反作大梵王滿百
千世生於人中爲轉輪王是人不復生三惡趣
展轉常生安樂之處以是緣故文殊師利若
善男子有慚愧者不應觀佛同於諸行文
殊師利外道耶見可說如來同於有爲持戒
比丘不應如是於如來所生有爲想若言
如來是有爲者即是妄語當知是人死
入地獄如人自處於己舍宅文殊師利如來
真實是无爲法不應復言是有爲也汝從
今日於生死中應捨无智求於正智當知如
來即是无爲若能如是觀如來者具足當
得三十二相速疾成就阿耨多羅三藐三菩

提尒時文殊師利法王子讚純陀言善哉
善哉善男子汝今已作長壽因緣能知如
來是常住法不變異法无爲之法汝今如是

提尒時文殊師利法王子讚純陀言善哉
善哉善男子汝今已作長壽因緣能知如
來是常住法不變異法无爲之法汝今如是
善覆如來有爲之相如彼火人爲慚愧故以
覆身以是善心故生忉利天復爲梵王轉
輪聖王不至惡趣常受安樂汝亦如是善
覆如來有爲相故於未來世必定當得三
十二相八十種好十八不共法无量壽命不
在生死常壽安樂不久得成應正遍知純陀
如來次後自當廣說我之與汝俱亦當覆如
來有爲有爲无爲旦共置之汝可隨時速施
飯食如是施者諸施中最若比丘比丘尼
優婆塞優婆夷遠行疲極所須之物應當
清淨隨時給與如是速施即是具足檀波羅
蜜根本種子純陀若有最後施佛及僧若
多若少若足不足宜速及時如來正尒當般
涅槃純陀荅言文殊師利汝今何故貪爲此
食而言多少足與不足令我時施文殊師利如
來昔日苦行六年尚自支持況於今日須臾
間耶文殊師利汝今實謂如來正覺受斯
食耶然我定知如來身者即是法身爲食
身

尒時佛告文殊師利如是如是如純陀言善
哉純陀汝已成就微妙大智善入甚深大乘
經典文殊師利語純陀言汝謂如來是无爲

後數時先逃王子從他國還來至本國復得
爲王既登王位復問諸臣汝見刀不荅言大
王臣等皆見復復問言其狀何似荅言天子
其色清淨如優鉢羅華復有荅言形如羊角
復有說言其色紅赤猶如火聚復有荅言猶
如黑虵時王大咲卿等皆悉不見我刀真實
之相善男子菩薩摩訶薩亦復如是出現於
世說我真相說已捨去喻如王子持淨妙刀
逃至他國凡夫愚人說言一切有我有我如
彼貧人止宿他舍讇語刀刀聲聞緣覺問諸
衆生我有何相荅言我見我相大如栂指或
言如米或如稗子有言我相住在心中熾然
如日如是衆生不知我相喻如諸臣不知刀
相菩薩如是說於我法凡夫不知種種分別
妄作我相如問刀相荅似羊角是諸凡夫次
第相續而起耶見爲斷如是諸耶見故如來
亦現說於无我喻如王子語諸臣言我庫藏
中无如是刀善男子今日如來所說真我名
曰佛性如是佛性我佛法中喻如淨刀善男
子若有凡夫能善說者即是隨順无上佛法
若有善能分別隨順宣說是者當知即是菩
薩相貌善男子所有種種異論呪術言語文
字皆是佛說非外道說迦葉菩薩白佛言世
尊云何如來說字根本佛言善男子說初半
字以爲根本持諸記論呪術文章諸陰實法
凡夫之人學是字本然後能知是法非法迦

BD01983號　大般涅槃經（北本　異卷）卷八　（21–5）

尊云何如來說字根本佛言善男子說初半
字以爲根本持諸記論呪術文章諸陰實法
凡夫之人學是字本然後能知是法非法迦
葉菩薩復白佛言世尊所言字者其義云何
善男子有十四音名爲字義所言字者名爲
涅槃常故不流若不流者則爲无盡夫无盡
者即是如來金剛之身是十四音名爲字本
惡者不破壞故不破壞者名曰三寶喻如金
剛又復惡者不流故不流者即是如來如來
九孔无所流故是故不流又无九孔是故不
流不流即常常即如來如來无作是故不流
又復惡者名爲功德功德者即是三寶是故
名惡啊者名何闍利何闍利者義何謂也於
世間中得名聖者何謂爲聖聖名无著少欲
知足亦名清淨能度衆生於三有流生死大
海是名爲聖又復啊者名曰制度脩持淨戒
隨順威儀又復啊者名依聖人應學威儀進
止舉動供養恭敬礼拜三尊孝養父母及學
大乘善男子汝等具持禁戒及諸菩薩摩訶
薩等是名聖人又復啊者名曰教誨汝言如
來如是應作如是莫作若有能遮非威儀法
是名聖人是故名啊億者即是佛法梵行廣
大清淨无垢喻如滿月汝等如是應作不作
是義非義此是佛說此是魔說是故名億伊
者佛法微妙甚深難得如自在天大梵天王
法名自在若能持者則名護法又自在者名

BD01983號　大般涅槃經（北本　異卷）卷八　（21–6）

是義非義此是佛說此是魔說是故名億伊
者佛法微妙甚深難得如自在天大梵天王
法名自在若能持者則名護法又自在者名
四護世是四自在則能攝護大涅槃經之能
自在敷楊宣說又復伊者能為衆生自在說
法復次伊者為自在故說何等是也所謂脩
習方等經典復次伊者為斷嫉妬如除稗穢
皆悉能令變成吉祥是故名伊郁者於諸經
中最上最勝增長上上謂大涅槃復次郁者
如來之性聲聞緣覺所未曾聞如一切處北欝
單曰最為殊勝菩薩若能聽受是經於一切衆
最為殊勝以是義故是經得名最上最勝是故
名郁優者喻如牛乳諸味中上如來之性亦復如
是於諸經中最尊最上若有誹謗當知是人與
牛无別復次優者是人名為无慧正念誹謗如來
微密秘藏當知是人甚可憐愍遠離如來秘密
之藏說无我法是故名優哩者即是諸佛法性
涅槃是故名哩野者謂如來義復次野者如來
進止屈申舉動无不利益一切衆生是故名野烏
者名煩惱義煩惱者名曰諸漏如來永斷一切煩
惱是故名烏炮者謂大乘義於十四音是究竟
義大乘經典亦復如是於諸經論最為究竟是
故名炮菴者能遮一切諸不淨物於佛法中
能捨一切金銀寶物是故名菴阿者名勝乘
義何以故此大乘典大涅槃經於諸經中最
為殊勝是故名阿迦者於諸衆生起大慈悲

BD01983號　大般涅槃經（北本　異卷）卷八　（21–7）

能捨一切金銀寶物是故名菴阿者名勝乘
義何以故此大乘典大涅槃經於諸經中最
為殊勝是故名阿迦者於諸衆生起大慈悲
生於子想如羅睺羅作妙善義是故名迦呿
者名非善友非善友者名曰雜穢不信如來
秘密之藏是故名呿伽者名藏藏者即是如
來秘藏一切衆生皆有佛性是故名伽恒者
如來常音何等名為如來常音所謂如來常
住不變是故名恒俄者一切諸行破壞之相
是故名俄遮者即是脩義調伏一切諸衆生
故名為脩義是故名遮車者如來覆蔭一切
衆生喻如大蓋是故名車閣者是正解脫无
有老相是故名閣膳者煩惱繁茂喻如稠林
是故名膳若者是智慧義知真法性是故名
若吒者於閻浮提示現半身而演說法喻如
半月是故名吒咃者法身具足喻如滿月是
故名咃荼者是愚癡僧不知常與无常喻如
小兒是故名荼袒者不知師恩喻如羝羊是故
名袒拏者是非聖義喻如外道是故名拏多
者如來於彼告諸比丘宜離驚畏當為汝等
說微妙法是故名多他者名愚癡義衆生流
轉生死纏裹如蠶蜣蜋是故名他陀者名曰
大施所謂大乘是故名陀彈者稱讚功德所
謂三寶如須彌山高峻廣大无有傾倒是故
名彈那者三寶安住无有傾動喻如門閫是
故名那波者名顛倒義若言三寶悉皆滅盡

BD01983號　大般涅槃經（北本　異卷）卷八　（21–8）

尒時佛告文殊師利如是如是如純陀言善
哉純陀汝已成就微妙大智善入甚深大乘
經典文殊師利語純陀言汝謂如來是无為
者如來之身即是長壽若作是知佛所悅
可純陀荅言如來非獨悅可於我亦復悅可
一切衆生文殊師利言如來於汝及以於我一
切衆生皆悉悅可純陀荅言汝不應言如來
悅可夫悅可者則是倒想若有倒想即是生
死有生死者即有法為是故文殊勿謂如來
是有為也若言如來是有為者我與仁者俱
行顛倒文殊師利如來无有愛念之想夫愛
念者如彼母牛愛念其子雖復飢渴行求水
草若足不足忽然還歸諸佛世尊无有是念
等視一切如羅睺羅如是念者即是諸佛智慧
境界文殊師利辟如國王調御駕駟欲令驢
車而及之者无有是處我與仁者亦復如是
欲盡如來微密深奧亦无是處文殊師利
如金翅鳥王上昇虛空无量由旬下觀大海

BD01982號 大般涅槃經(北本)卷二 (11-10)

境界文殊師利辟如國王調御駕駟欲令驢
車而及之者无有是處我與仁者亦復如是
欲盡如來微密深奧亦无是處文殊師利
如金翅鳥王上昇虛空无量由旬下觀大海

BD01982號 大般涅槃經(北本)卷二 (11-11)

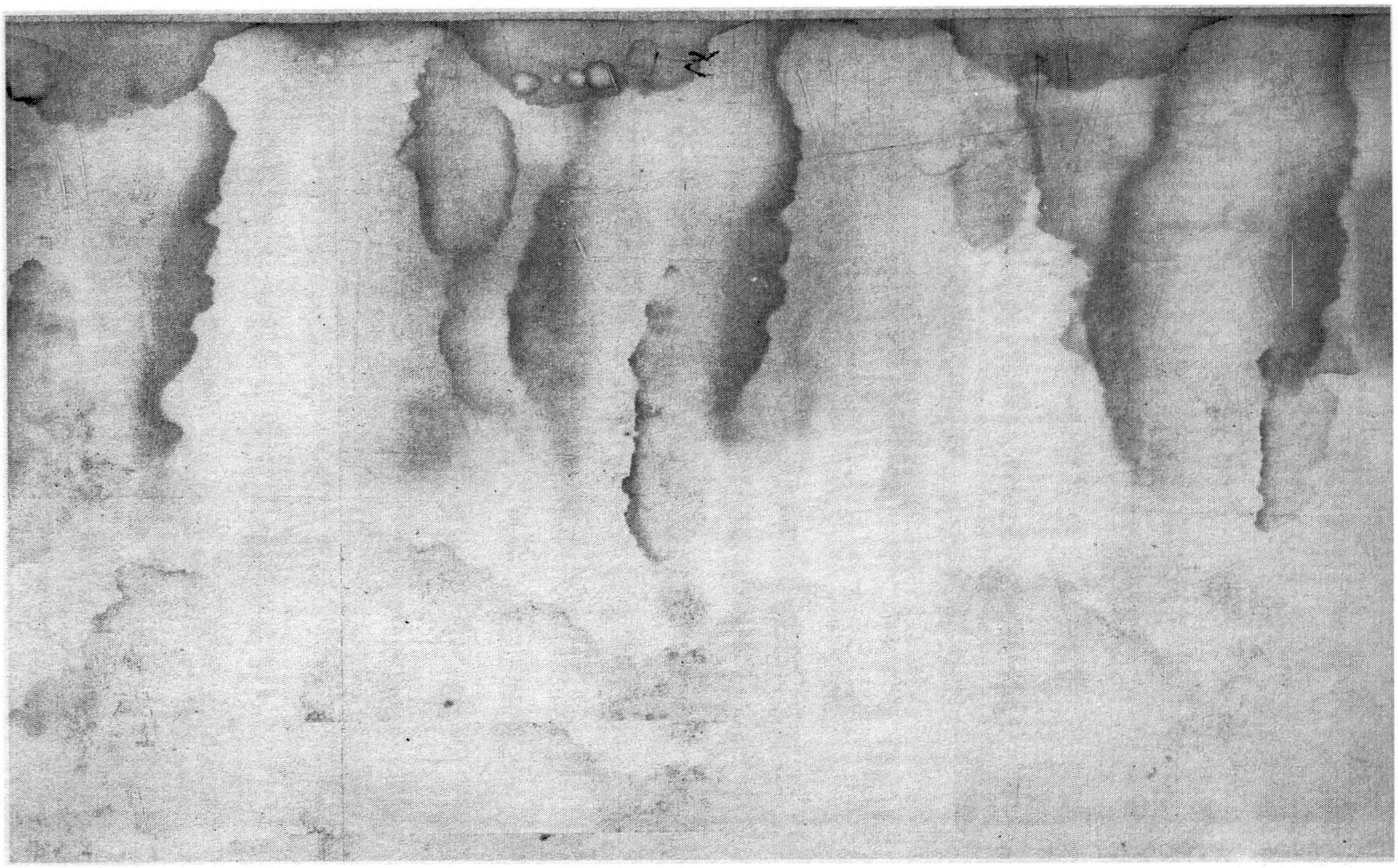

BD01982 號背　雜寫　　（2–1）

BD01982 號背　雜寫　　（2–2）

生无我若得聞是大般涅槃微妙經典
性如爲万華難聞其經一切三昧不
經不知如來微妙之相如无雷時爲万上
不可得見聞是經已即知一切如來所
藏佛性喻如天雷見爲万華聞是經已即
一切无量衆生皆有佛性以是義故說大涅
槃名爲如來祕密之藏增長法身猶如雷時
爲万上華以一養如是大義故得稱爲大
般涅槃若有善男子善女人有能習學是大
涅槃微妙經典當知是人能報佛恩真佛弟
子迦葉菩薩復白佛言甚奇世尊所言佛性
甚深甚深難見難入聲聞緣覺所不能服佛
言善男子如是如是如汝所嘆不違我說迦
葉菩薩白佛言世尊佛性者云何甚深難見
難入佛言善男子如百盲人爲治目故造詣
良醫是時良醫即以金根決其眼膜以一指
示問言見不盲人答言我猶未見復以二指
三指示之乃言少見善男子是大涅槃微妙
經典如來未說亦復如是无量菩薩雖具足
行諸波羅蜜乃至十住猶未能見所有佛性
如來既說即便少見是菩薩摩訶薩既得見

BD01983號　大般涅槃經（北本　異卷）卷八　（21–1）

示問言見不盲人答言我猶未見復以二指
三指示之乃言少見善男子是大涅槃微妙
經典如來未說亦復如是无量菩薩雖具足
行諸波羅蜜乃至十住猶未能見所有佛性
如來既說即便少見是菩薩摩訶薩既得見
已咸作是言甚奇世尊我等流轉无量生死
常爲无我之所惑亂善男子如是菩薩位階
十住尚不了了知見佛性何況聲聞緣覺之
人能得見耶復次善男子譬如仰觀虛空鵝
鴈爲是虛空爲是鵝鴈諦觀不已髣髴見之
十住菩薩於如來性知見少分亦復如是況
復聲聞緣覺之人能得知見善男子譬如醉
人欲涉遠路蒙朧見道十住菩薩於如來性
知見少分亦復如是善男子譬如渴人行於
曠野是人渴逼遍行求水見有叢樹樹有白
鶴是人迷悶不能分別是樹是水諦觀不已
乃見白鶴及以叢樹善男子十住菩薩於如
來性知見少分亦復如是善男子譬如有人
在大海中乃至无量百千由旬遠望大舶樓
櫓臺閣即作是念彼是樓櫓爲是虛空久視
乃生畢定之心知是樓櫓十住菩薩於自身
中見如來性亦復如是善男子譬如王子身
極濡弱通夜遊戲至明清旦目視一切悉不
明了十住菩薩雖於己身見如來性亦復如
是不大明了復次善男子譬如臣吏王事所
拘逼夜還家電明暫發因見牛衆即作是念

BD01983號　大般涅槃經（北本　異卷）卷八　（21–2）

明了十住菩薩雖於已身見如來性亦復如
是不大明了復次善男子譬如臣吏王事所
拘逼夜還家電明暫發因見牛聚即作是念
為是牛耶叢雲屋舍是人久視雖生牛想猶
不審定十住菩薩雖於已身見如來性未能
審定亦復如是復次善男子如持戒比丘觀
无虫水而作虫想即作是念此中動者為是
虫耶是塵土耶久視不已雖知是塵亦不明
了十住菩薩於已身中見如來性亦復如是
不大明了復次善男子譬如有人於陰闇中
遠見小兒即作是念彼為牛鷺鳥人耶久
視不已雖見小兒猶不明了十住菩薩於已
身分見如來性亦復如是不大明了復次善
男子譬如有人於夜闇中見畫菩薩像即作
是念是菩薩像自在天像大梵天像氐深衣
耶是人久觀雖復意謂是菩薩像亦不明了
十住菩薩於已身分見如來性亦復如是不
大明了善男子所有佛性如是甚深難得知
見唯佛能知非諸聲聞緣覺所及善男子智
者應作如是分別知如來性迦葉菩薩白佛
言世尊佛性如是微細難見云何肉眼而能
得見佛告迦葉善男子如彼非想非非想天
亦非二乘所能得知隨順契經以信故知善
男子聲聞緣覺信順如是大涅槃經自知已
身有如來性亦復如是善男子是故應當精
勤脩習大涅槃經善男子如是佛性唯佛能
知非諸聲聞緣覺所及迦葉菩薩復白佛言

BD01983 號　大般涅槃經（北本　異卷）卷八　　（21–3）

男子聲聞緣覺信順如是大涅槃經自知已
身有如來性亦復如是善男子是故應當精
勤脩習大涅槃經善男子如是佛性唯佛能
知非諸聲聞緣覺所及迦葉菩薩復白佛言
世尊非聖凡夫有衆生性皆說有我佛言譬
如二人共為親友一是王子一是貧賤如是
二人身相往返是時貧人見是王子有一好
刀淨妙第一心中貪著王子後時提持是刀
逃至他國於是貧人後於他家寄卧止宿即
於眠中讇語刀刀傍人聞之收至王所時王
問言汝言刀者何處得耶是人具以上事荅
王王今設使屠割臣身分張手足欲得刀者
實不可得臣與王子素為親厚先與一處雖
曾眼見乃至不敢以手案觸況當故取王復
問言卿見刀時相貌何類荅言大王臣所見
者如羖羊角王聞是已欣然而咲語言汝今
隨意所至莫生憂怖我庫藏中都无是刀況
汝乃於王子邊見時王即問諸羣臣言汝等
曾見如是刀不言已崩背尋立餘子紹繼王
位復問輔臣卿等曾於宮藏之中見是刀不
諸臣荅言臣等曾見覆復問言其狀何似荅
言大王如羖羊角王言我宮藏中何處當有
如是相刀次第四王皆悉撿校求索不得却
後數時先逃王子從他國還來至本國復得
為王既登王位復問諸臣汝見刀不荅言大
王臣等皆見覆復問言其狀何似荅言天子

BD01983 號　大般涅槃經（北本　異卷）卷八　　（21–4）

憂悲者名為人如來非人憂悲者名二十五有
如來非二十五有是故如來无有憂悲何故稱
言如來憂悲善男子无想天者名為无想若
无想者則无壽命若无壽命云何而有陰界
諸入以是義故无想天壽不可說言有所住
處善男子譬如樹神依樹而住不得定言依
枝依節依莖依葉雖无定所不得言无无想
天壽亦復如是善男子佛法亦尒甚深難解
如來實无憂愁苦惱而於眾生起大慈悲現
有憂悲視諸眾生如羅睺羅復次善男子无
想天中所有壽命唯佛能知非餘所及乃至
非想非非想處亦復如是迦葉如來之性清
淨无染猶如化身何處當有憂悲苦惱若言
如來无憂悲者云何能利一切眾生和廣佛
法若言无者云何而言等視眾生如羅睺羅
若不等視如羅睺羅如是之言則為虛妄以
是義故善男子佛不可思議法不可思議眾
生性不可思議无想天壽不可思議如來有
憂及以无憂是佛境界非聲聞緣覺所知
善男子譬如空中舍宅微塵不得住立若言
舍宅不因空住无有是處以是義故不可說
舍住於虛空不住虛空凡夫之人雖復說言
舍住虛空而是虛空實无所住何以故性无
住故善男子心亦如是不可說言住陰界入
及以不住无想天壽亦復如是如來憂悲亦
復如是若无憂悲云何說言等視眾生如羅

BD01983號　大般涅槃經（北本　異卷）卷八　（21–13）

及以不住无想天壽亦復如是如來憂悲亦
復如是若无憂悲云何說言等視眾生如羅
睺羅若言有者復云何言性同虛空善男子
譬如幻師雖復化作種種宮殿煞生長養繫
縛放捨及作金銀琉璃寶物叢林樹木都无
實性如來亦尒隨順世間亦現憂悲无有真
實善男子如來已入於般涅槃云何當有憂
愁苦惱若謂如來入於涅槃是无常者當知
是人則有憂愁若謂如來不入涅槃常住不
變當知是人无有憂愁如來有愁及以无愁
无能知者復次善男子譬如下人能知下法
不知中上中者知中不知於上上者知上及
知中下聲聞緣覺亦復如是齊知自地如來
不尒悉知自地及以他地是故如來名无㝵
智亦現幻化隨順世間凡夫肉眼謂是真實
而欲盡知如來无㝵无上智者无有是處有
愁无愁唯佛能知以是因緣異法有我異法
无我是名鴛鴦迦隣提鳥性復次善男子佛
法猶如鴛鴦共行是迦隣提及鴛鴦鳥盛夏
水長選擇高原安處其子為長養故然後隨
本安隱而遊如來出世亦復如是化无量眾
令住正法如彼鴛鴦迦隣提鳥選擇高原安
置其子如來亦尒令諸眾生所作辦已即便
入於大般涅槃善男子是名異法是苦異法
是樂諸行是苦涅槃是樂第一微妙壞諸行
故迦葉菩薩白佛言世尊云何眾生得涅槃
者名第一樂佛言善男子如我所說諸行和

BD01983號　大般涅槃經（北本　異卷）卷八　（21–14）

是樂諸行是苦涅槃是樂第一微妙壞諸行
故迦葉菩薩白佛言世尊云何衆生得涅槃
者名第一樂佛言善男子如我所說諸行和
合名爲老死
謹慎不放逸　是處名甘露　放逸不謹慎　是名爲死句
若不放逸者　則得不死處　如其放逸者　常趣於死路
若放逸者名有爲法是有爲法爲第一苦不
放逸者則名涅槃彼涅槃者名爲甘露第一
最樂若趣諸行是名死處受第一苦若至涅
槃則名不死受最妙樂若不放逸雖習諸行
是亦名爲常樂不死不破壞身云何放逸云
何不放逸非聖凡夫是名放逸常死之法出
世聖人是不放逸无有老死何以故入於第
一常樂涅槃以是義故異法是苦異法是樂
異法是我異法无我如人在地仰觀虛空不
見鳥跡善男子衆生亦尒无有天眼在煩惱
中而不自見有如來性是故我說无我密教
所以者何无天眼者不知真我横計我故因
諸煩惱所造有爲即是无常是故我說異法
是常異法无常
精勤勇健者　若處於山頂　平地及曠野　常見諸凡夫
昇大智慧殿　无上微妙臺　既自除憂患　亦見衆生憂
如來悉斷无量煩惱住智慧山見諸衆生常
在无量億煩惱中迦葉菩薩白佛言世尊如
偈所說是義不然何以故入涅槃者无憂无
喜云何得昇智慧臺殿復當云何住在山頂
而見衆生佛言善男子智慧殿者即名涅槃

喜云何得昇智慧臺殿復當云何住在山頂
而見衆生佛言善男子智慧殿者即名涅槃
无憂愁者謂如來也有憂愁者名凡夫人以
凡夫憂故如來无憂須弥山頂者謂正解脫
勤精進者喻須弥山无有動轉地謂有爲行
也是諸凡夫安住是地造作諸行其智慧者
則名正覺離有常住故名如來如來悲念无
量衆生常爲諸有毒箭所中是故名爲如來
有憂迦葉菩薩白佛言世尊若使如來有憂
慼者則不得稱爲等正覺佛言迦葉皆有因
緣隨有衆生應受化處如來於中亦現受生
雖現受生而實无生是故如來名常住法如迦
隣提鵞鸛等鳥復次善男子譬如有人見
月不現皆言月沒而作沒想而此月性實无
沒也轉現他方彼處衆生復謂月出而此月
性實无出也何以故以須弥山鄣故不現其
月常生性无出沒如來應正遍知亦復如是
出於三千大千世界或閻浮提亦有父母衆
生皆謂如來生於閻浮提內或閻浮提亦現
涅槃而如來性實无涅槃而諸衆生皆謂如
來實般涅槃喻如月沒善男子如來之性實
无生滅爲化衆生故示生滅善男子如此滿
月餘方現半此方半現餘方現滿閻浮提人
若見月初皆謂一日起初月想見月盛滿謂
十五日生盛滿想而此月性實无虧盈因須
弥山而有增減善男子如來亦尒於閻浮提
或現初生或示涅槃現始生時猶如月初一
切皆謂童子初生行於七步如二日月或復

彌山而有增減善男子如來亦尒於閻浮提
或現初生或亦涅槃現始生時猶如月初一
切皆謂童子初生行於七步如二日月或復
亦現入於書堂如三日月亦現出家如八日
月放大智慧微妙光明能破無量衆生魔衆
如十五日盛滿之月或復亦現三十二相八十
種好以自莊嚴而現涅槃喻如月蝕如是衆
生所見不同或見半月或見滿月或見月蝕
而此月性實無增減蝕敢之者常是滿月如
來之身亦復如是是故名爲常住不變復次
善男子喻如滿月一切悉現在在處處城邑
聚落山澤水中若井若池若瓮若鍑一切皆
現有諸衆生行百由旬百千由旬見月常隨
凡夫愚人妄生憶想言我本於城邑屋宅見
如是月今復於此空澤而見爲是本月爲異
於本各作是念月形大小或如鍑口或復有
言大如車輪或言猶如四十九由旬一切皆見
月之光明或見團圓喻如金槃是月性一種
種衆生各見異相善男子如來亦尒出現於
世或有人天而作是念如來今者在我前住
復有畜生亦生是念如來今者在我前住或
有聾瘂亦見如來有聾瘂想衆生雜類言音
各異皆謂如來悉同己語亦各生念在我舍
宅受我供養或有衆生見如來身廣大無量
有見微小或有見佛是聲聞像或復有見爲
緣覺像有諸外道復各念言如來今者在我
法中出家學道或有衆生復作是念如來今

BD01983號　大般涅槃經（北本　異卷）卷八　（21–17）

有見微小或有見佛是聲聞像或復有見爲
緣覺像有諸外道復各念言如來今者在我
法中出家學道或有衆生復作是念如來今
者獨爲我故出現於世如來實性喻如彼月
即是法身是無生身方便之身隨順於世亦
現無量本業因緣在在處處亦現有生猶如
彼月以是義故如來常住無有變異復次善
男子如羅睺羅阿脩羅王以手遮月世間諸
人咸謂月蝕阿脩羅王實不能蝕以阿脩羅
鄣其明故是月團圓無有虧損但以手鄣故
使不現若攝手時世間咸謂月已還生皆言
是月多受苦惱假使百千阿脩羅王不能惱
之如來亦尒亦有衆生於如來所生麁惡心
出佛身血起五逆罪至一闡提爲未來世諸
衆生故如是亦現壞僧斷法而作留難假使
百千無量諸魔不能侵出如來身血所以者
何如來之身無有宍血筋脉骨髓如來真實
實無惱壞衆生皆謂法僧毀壞如來滅盡而
如來性真實無變無有破壞隨順世間如是
亦現復次善男子如二人闘若以刀杖傷身
出血雖至於死不起煞想如是業相輕而不
重於如來所本無煞心雖出身血是業亦尒
輕而不重如來如是於未來世爲化衆生亦
現業報復次善男子猶如良醫勤教其子醫
方根本此是根藥此是味藥此是色藥種種
相貌汝當善知其子敬奉父之所勑精勤習
學善解諸藥是醫後時壽盡命終其子號咷

BD01983號　大般涅槃經（北本　異卷）卷八　（21–18）

[illegible]
學善解諸藥是醫後時壽盡命終其子歸此
而作是言父本教我根藥如是莖藥如是華
藥如是色相如是如來之尒為化衆生亦現
制戒應當如是受持莫犯作五逆罪誹謗正
法及一闡提為未來世起是事者是故亦現
欲令比丘於佛滅後作如是知此是契經甚
深之義此是戒律輕重之相此是阿毗曇分
別法句如彼醫子復次善男子如人知月六
月一蝕而上諸天須臾之閒已見月蝕何以
故彼天日長人間短故善男子如來之尒天
人咸謂如來壽短如彼天人須臾之間頻見
月蝕如來又於須臾之間亦現百千万億涅
槃斷煩惱魔陰魔死魔是故百千万億天魔
悉知如來入般涅槃又復亦現无量百千先
業因緣隨順世間種種性相亦現如是无量
无邊不可思議是故如來常住无變復次善
男子譬如明月衆生樂見是故稱月号為樂
見衆生若有貪恚愚癡則不得稱為樂見也
如來如是具性純善清淨无垢是冣可稱為
樂見世樂法衆生視之无猒惡心之人不惠
瞻覩以是義故故言如來喻如明月復次善
男子譬如日出有三時異謂春夏冬冬日則
短春日處中夏日極長如來之尒於此三千
大千世界為短壽者及諸聲聞亦現壽短斯
等見已咸謂如來壽命短促喻於冬日為諸
菩薩亦現中壽若至一劫若減一劫喻如春
日唯佛覩佛其壽无量喻如夏日善男子如

BD01983號　大般涅槃經（北本　異卷）卷八　（21–19）

等見已咸謂如來壽命短促喻於冬日為諸
菩薩亦現中壽若至一劫若減一劫喻如春
日唯佛覩佛其壽无量喻如夏日善男子如
來所說方等大乘微密之教亦現世間而大
法雨於未來世若有人能護持是典開示分
別利益衆生當知是輩真是菩薩喻如盛夏
天降甘雨若有聲聞緣覺之人聞佛如來祕
密之教喻如冬日多遇冷患菩薩之人若聞
如是微密教誨如來常住性无變易喻如春
日萌牙開敷而如來性實无長短為世間故
亦現如是即是諸佛真實法性復次善男子
譬如衆星晝則不現而人皆謂晝星滅沒其
實不沒所以不現日光映故如來之尒聲聞
緣覺不能得見喻如世人不見晝星復次善
男子譬如陰闇日月不現愚夫謂言日月失
沒而是日月實不失沒如來正法滅盡之時
三寶現沒亦復如是非為永滅是故當知如
來常住无有變易何以故三寶真性不為諸
垢之所染故復次善男子譬如黑月彗星夜
現其明炎熾暫出還沒衆生見已生不祥想
諸辟支佛亦復如是出无佛世衆生見已皆
謂如來真實滅度生憂悲想而如來身實不
滅沒如彼日月无有滅沒復次善男子譬如
日出衆霧悉除此大涅槃微妙經典亦復如
是出興於世若有衆生一逕耳者悉能滅除
一切諸惡无閒罪業是大涅槃甚深境界不
可思議善說如來微密之性以是義故諸菩

BD01983號　大般涅槃經（北本　異卷）卷八　（21–20）

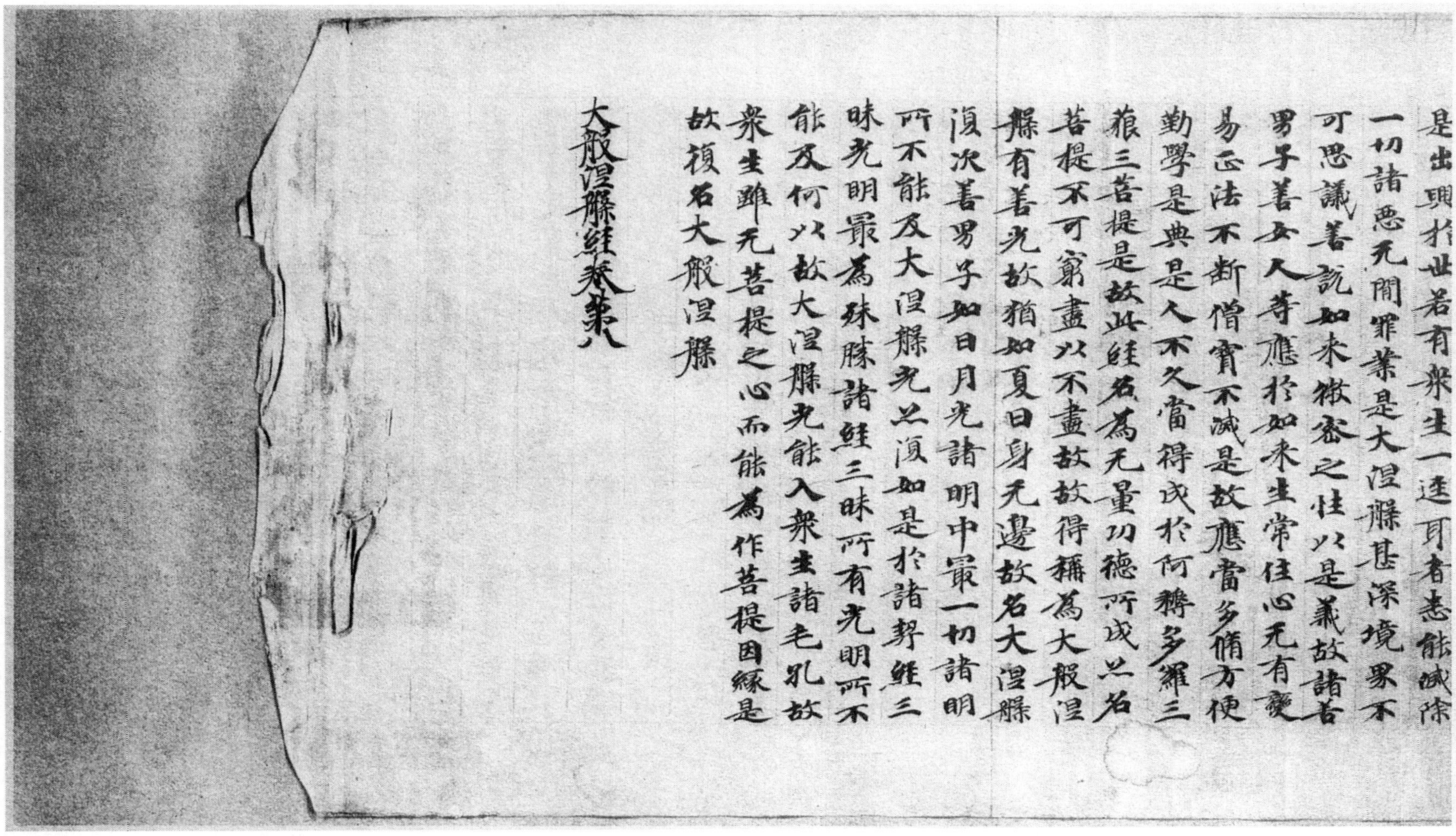

是出現於世若有衆生一逕耳者悉能滅除
一切諸惡无間罪業是大涅槃甚深境界不
可思議善説如來微密之性以是義故諸善
男子善女人等應於如來生常住心无有變
易正法不斷僧寶不滅是故應當多脩方便
勤學是典是人不久當得成於阿耨多羅三
藐三菩提是故此經名爲无量功德所成亦名
菩提不可窮盡以不盡故故得稱爲大般涅
槃有善光故猶如夏日身无邊故名大涅槃
復次善男子如日月光諸明中最一切諸明
所不能及大涅槃光亦復如是於諸契經三
昧光明最爲殊勝諸經三昧所有光明所不
能及何以故大涅槃光能入衆生諸毛孔故
衆生雖无菩提之心而能爲作菩提因緣是
故復名大般涅槃

大般涅槃經卷第八

BD01983號　大般涅槃經（北本　異卷）卷八　（21–21）

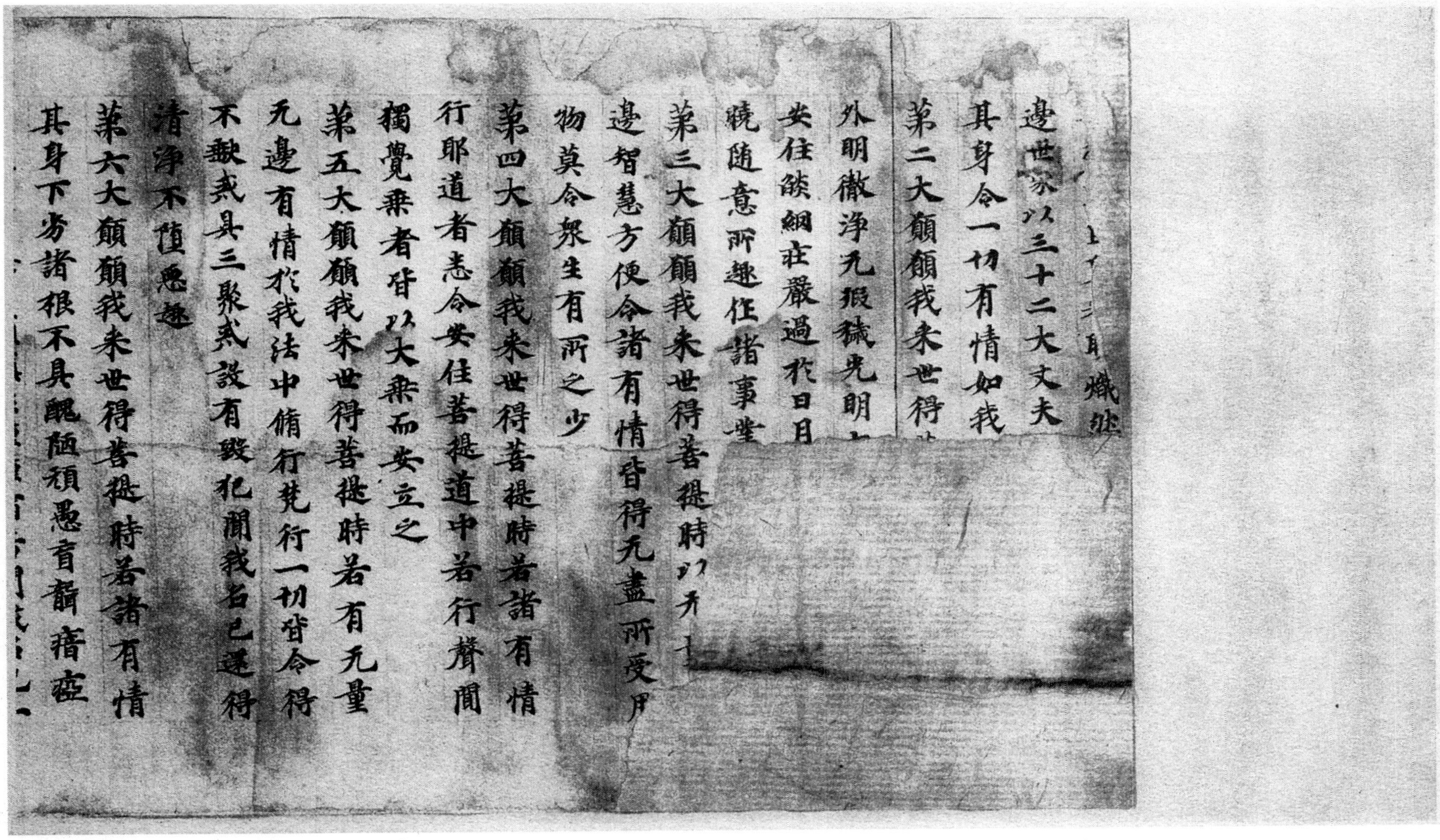

熾然
邊世界以三十二大丈夫
其身令一切有情如我
第二大願願我來世得
外明徹淨无瑕穢光明
安住燄網莊嚴過於日月
曉隨意所趣作諸事業
第三大願願我來世得菩提時以无
邊智慧方便令諸有情皆得无盡所受用
物莫令衆生有所乏少
第四大願願我來世得菩提時若諸有情
行邪道者悉令安住菩提道中若行聲聞
獨覺乘者皆以大乘而安立之
第五大願願我來世得菩提時若有无量
无邊有情於我法中脩行梵行一切皆令得
不缺戒具三聚戒設有毀犯聞我名已還得
清淨不墮惡趣
第六大願願我來世得菩提時若諸有情
其身下劣諸根不具醜陋頑愚盲聾瘖瘂

BD01984號　藥師瑠璃光如來本願功德經　（5–1）

不缺戒具三聚戒設有毀犯聞我名已還得
清淨不墮惡趣
第六大願願我來世得菩提時若諸有情
其身下劣諸根不具醜陋頑愚盲聾瘖瘂
攣躄背僂白癩癲狂種種病苦聞我名已一
切皆得端政黠慧諸根完具无諸病苦
第七大願願我來世得菩提時若諸有情衆
病逼切无救无歸无醫无藥无親无家貧窮
多苦我之名号一經其耳衆病悉除身心安
樂家屬資具悉皆豊足乃至證得无上菩提
第八大願願我來世得菩提時若有女人為
女百惡之所逼惱極生厭離願捨女身聞我
名已一切皆得轉女成男具丈夫相乃至證得
无上菩提
第九大願願我來世得菩提時令諸有情出
魔羂網解脫一切外道纏縛若墮種種惡見
稠林皆當引攝置於正見漸令脩習諸菩薩
行速證无上正等菩提
第十大願願我來世得菩提時若諸有情王
法所縲縛錄鞭撻繫閉牢獄或當刑戮及餘
无量災難陵辱悲愁煎迫身心受苦若聞我
名以我福德威神力故皆得解脫一切憂苦
第十一大願願我來世得菩提時若諸有情
飢渴所惱為求食故造諸惡業得聞我名專
念受持我當先以上妙飲食飽之其身後以

BD01984號　藥師瑠璃光如來本願功德經　（5–2）

名以我福德威神力故皆得解脫一切憂苦
第十一大願願我來世得菩提時若諸有情
飢渴所惱為求食故造諸惡業得聞我名專
念受持我當先以上妙飲食飽之其身後以
法味畢竟安樂而建立之
第十二大願願我來世得菩提時若諸有情
貧无衣服蚊虻寒熱晝夜逼惱若聞我名專
念受持如其所好即得種種上妙衣服亦得
一切寶莊嚴具華鬘塗香鼓樂衆伎隨心所
翫皆令滿足
曼殊室利是為彼世尊藥師瑠璃光如來應
正等覺行菩薩道時所發十二微妙上願
復次曼殊室利彼世尊藥師瑠璃光如來行
菩薩道時所發大願及彼佛土功德莊嚴我
若一劫若一劫餘說不能盡然彼佛土一向清
淨无有女人亦无惡趣及苦音聲瑠璃為地
金繩界道城闕宮閣軒窓羅網皆七寶成
亦如西方極樂世界功德莊嚴等无差別於
其國中有二菩薩摩訶薩一名日光遍照二
名月光遍照是彼无量无數菩薩衆之上首
悉能持彼世尊藥師瑠璃光如來正法寶藏
是故曼殊室利諸有信心善男子善女人等
應當願生彼佛世界
尒時世尊復告曼殊室利童子言曼殊室利
[illegible]

BD01984號　藥師瑠璃光如來本願功德經　（5–3）

應當願生彼佛世界
尒時世尊復告曼殊室利童子言曼殊室利
有諸衆生不識善惡唯懷貪悋不知布施及
施果報愚癡无智闕於信根多聚財寶勤
加守護見乞者來其心不喜設不獲已而行
施時如割身宍深生痛惜復有无量慳貪
有情積集資財於其自身尚不受用何況
能與父母妻子奴婢作使及來乞者彼諸有
情從此命終生餓鬼界或傍生趣由昔人
間曽得蹔聞藥師瑠璃光如來名故今在惡
趣蹔得憶念彼如來名即於念時從彼處沒
還生人中得宿命念畏惡趣苦不樂欲樂好
行惠施讚歎施者一切所有悉无貪惜漸次尚
能以頭目手足血宍身分施來求者況餘財物
復次曼殊室利若諸有情雖於如來受諸學
處而破尸羅有雖不破尸羅而破軌則有於
尸羅軌則雖得不壞然毀正見有雖不毀正
見而棄多聞於佛所說契經深義不能解
了有雖多聞而增上慢由增上慢覆蔽心故
自是非他嫌謗正法為魔伴黨如是愚人自
行邪見復令无量俱胝有情墮大險坑此諸
有情應於地獄傍生鬼趣流轉无窮若得聞
此藥師瑠璃光如來名号便捨惡行脩諸善
法不墮惡趣設有不能捨諸惡行脩行善法墮
惡趣者以彼如來本願威力令其現前蹔聞

BD01984號　藥師瑠璃光如來本願功德經　（5-4）

復次曼殊室利若諸有情雖於如來受諸學
處而破尸羅有雖不破尸羅而破軌則有於
尸羅軌則雖得不壞然毀正見有雖不毀正
見而棄多聞於佛所說契經深義不能解
了有雖多聞而增上慢由增上慢覆蔽心故
自是非他嫌謗正法為魔伴黨如是愚人自
行邪見復令无量俱胝有情墮大險坑此諸
有情應於地獄傍生鬼趣流轉无窮若得聞
此藥師瑠璃光如來名号便捨惡行脩諸善
法不墮惡趣設有不能捨諸惡行脩行善法墮
惡趣者以彼如來本願威力令其現前蹔聞
名号從彼命終還生人趣得正見精進善調意
樂便能捨家趣於非家如來法中受持學
處无有毀犯正見多聞解甚深義離增上慢
不謗正法不為魔伴漸次脩行諸菩薩行
速得圓滿

BD01984號　藥師瑠璃光如來本願功德經　（5-5）

方底顧從眉間出清淨光明名髻珠莊
嚴成光明網是光明網流照之時一切佛土莊嚴之相分明分明
佛土嚴飾細妙同於微塵密嚴佛土超諸佛國无有日月及諸星宿如无為性
不同微塵此密嚴中諸佛菩薩并餘國土來此會者皆如涅槃虛空及非擇滅
尒時世尊現諸國土及佛菩薩勝功德已復以佛眼遍視十方諸菩薩衆謂如
實見菩薩言如實見今此國土名為密嚴是中菩薩從色无色无想之處以
三昧力生智慧火焚燒色愛及以无明轉所依心而得智定意生之身神足力通以
為嚴飾无竅隙无骨體如日月虹電紫金明珠頗梨珊瑚訶利多羅白波迦孔
雀花月鏡中之像住於諸地淨有漏因三昧自在十究竟願及以迴向獲殊妙
身而來住此尒時如實見菩薩在大衆中即從座起偏袒右肩右膝著地曲躬
合掌白佛言世尊我於今者欲有所問唯願如來哀許為說佛告之言善哉善
哉恣汝所問當為開演時如實見即白佛言世尊唯此佛土出過欲色无色无
想衆生界耶佛言善男子上方去此過百億佛國有梵音佛土娑羅樹
王佛土星宿王佛土過如是國復有无量百千國土廣博殊麗種種莊嚴彼
中諸佛咸為菩薩說現法樂住內證智境離諸分別真如實際大涅槃界究
竟之法是故當知此佛土外有如是等无量佛國如實見非唯汝今於此國土
菩薩衆會心生疑惑請問如來此有菩薩名曰精進曾於佛所生疑惑心便以
神通力昇於上方過百千億乃至如恒河沙諸佛世界不能一見如來之頂心生
希有念佛菩薩不可思議還娑婆世界舍衛城中至於我所悔謝已過歎佛
无邊猶如虛空住內證境來密嚴國　尒時會中金剛藏菩薩摩訶薩善能
演說諸地之相微妙決定盡其源底從座而起偏袒右肩右膝著地曲躬合掌白
佛言世尊我於如來應正等覺所欲問少法願佛慈哀為我宣示佛言金剛藏
汝於我所欲有所問如來應正等覺當順汝心為汝開演　尒時金剛藏菩薩
摩訶薩蒙佛許已即白佛言世尊佛菩提者是何句義所覺是何諸說第一義
境亦法性佛除去來今在行地者色相之見及取著外論行分別境起微塵勝性自
在時方虛空我意根境和合如是諸見復有計著无明愛業眼色與明是時復

BD01985 號 1　大乘密嚴經（地婆訶羅本）卷上　（25–1）

佛言世尊我於如來應正等覺所欲問少法願佛慈哀為我宣示佛言金剛藏
汝於我所欲有所問如來應正等覺當順汝心為汝開演　尒時金剛藏菩薩
摩訶薩蒙佛許已即白佛言世尊佛菩提者是何句義所覺是何諸說第一義
境亦法性佛除去來今在行地者色相之見及取著外論行分別境起微塵勝性自
在時方虛空我意根境和合如是諸見復有計著无明愛業眼色與明是時復
有觸及作意如是等法而為因緣等无間緣所緣緣增上緣和合生識虛妄憶
度起有无等種種言論此法之中復有諸人於蘊衆生及空性見為如是妄分別
覺唯願世尊說離五種識所知相能於諸法最自在者佛大菩提所覺知義令得
聞者如其了悟所知五種而成正覺　尒時佛告金剛藏菩薩摩訶薩言善哉
善哉金剛藏十地自在超分別境有大聰慧能欲顯示法性佛種最上瑜祇非唯汝
今於佛菩提所覺之義生希有念請問於我有賢幼等无量菩薩咸於此義生
希有心種種思惟而求佛體如來者是何句義為色是如來耶異色是如來乎如是
於蘊界處諸行之中內外循求不見如來皆是所作滅壞法故以智定意審諦觀
察乃至分析至於微塵皆悉不見蘊處界故如來者常法身故善哉佛子汝能善
入甚深法界諦聽諦聽善思念之當為汝說金剛藏菩薩摩訶薩唯然受教
佛言善男子金剛三昧藏勝自在者如來非蘊亦不異蘊非依蘊非不依蘊非生
非滅非智非所知非根非境何以故蘊界處諸根境等皆麁鄙故不應住內不應住
外而見如來善男子色无覺知无有思慮生已必滅同於草木瓦石之類微塵集成
如水聚沫受以二法和合而生猶如浮泡燕衣等想亦二和合因緣所生如熱時燄群
如盛熱地氣蒸涌照以日光如水波浪諸鳥獸等為渴所逼遠而見之生真水解想
亦如是无有體性虛妄不實分別智者如有性見各別體相名字可得定者審
觀猶如兔角石女兒等但有假名都无實義如夢中色唯想妄見寤即非有无
明夢中見男女等種種之色成於正覺即无所見辟如芭蕉皮葉既除中无有實
行亦如是離於身境即无體性識亦如是幻事虛偽不實辟如幻師若幻師弟子
以草木等物幻作於人及諸象馬種種形體具足莊嚴愚幻貪求非明智者識
亦如是依餘而異分別謂能所取二種而生若自了知即皆轉滅是故无體同於幻
事金剛藏如來常住恒不變易是修念佛觀行之境名如來藏猶如虛空不可壞
滅名涅槃界亦名法界過現未來諸佛世尊皆隨順此而說宣故如來出世不出世
聞此性常在名法住性亦名法定夜摩性金剛藏云何名為定夜摩後有諸惡此
皆離故又此三昧能決定除後有諸惡以如是義名定夜摩若有住此三昧之者
於諸衆生心无願戀證於實際及以涅槃猶如熱鐵投清冷水故諸菩薩捨而不
證近住而已常為衆生而作利益不捨精進大悲諸度不斷佛種不行外道二
乘之徑如大力鳥不為三昧淤泥所溺心不味著識之境界趣佛法門恒无退轉以
究竟慧入佛法身開顯如來廣大威德當成正覺轉妙法輪智境衆色而為資
用入如來定遊涅槃境漸次脩行超第八地善巧積習乃至法雲資用如來廣大威
德住於諸佛內證之地與无功用三昧相應遍遊十方不動本處而恒依止密嚴佛

BD01985 號 1　大乘密嚴經（地婆訶羅本）卷上　（25–2）

乘之住如大力[illegible]
究竟慧入佛法身開顯如來廣大威德當成正覺轉妙法輪智境衆色而爲資
用入如來定遊涅槃境漸次脩行超第八地善巧積習乃至法雲資用如來廣大威
德住於諸佛內證之地與无功用三昧相應遍遊十方不動本處而恒依止密嚴佛
國轉於所依智定意身力通自在皆得具足譬如空月影遍衆水佛亦如是化形普
降於諸世間隨衆生心所樂不同皆使豪益无空見者復令當詣密嚴佛國如其
性欲而漸開誘爲說一切欲界天王自在菩薩摩尼宮等諸安樂處乃至諸地次
第十方佛土功德莊嚴盡於未來隨機應現如因持呪安繕那藥及諸靈仙宮殿
之神與人同止而不可見如來變化所爲事畢住於真身晦而不現亦復如是尒時世尊
而說偈言　根藴如蛇聚　境界緣所瘤　癡愛業以生　衆習縛難解　心及諸心法　動處恒不安
覺觀所纏遶　如龍共纏結　瞋毒從此興　譬如大威火　諸修觀行者　爲捨衆藴法　於此常諦觀
一心而不懈　譬如虛空中　无樹而有影　風衝與鳥跡　此見甚爲難　能造及所造　色與非色法
於彼見如來　其難亦如是　真如實際等　及諸佛體性　內證之所行　超諸語言境　涅槃名爲佛
佛亦名涅槃　離諸分別想　云何而可見　碎末於金礦　礦中不見金　智者巧融鍊　真金方乃顯
分別於諸色　乃至爲微塵　及於求諸藴　若一若異性　佛體不可見　亦非无有佛　定者觀如來
三十二相具　若樂菩薩事　施作皆明顯　是故不應說　如來定是无　三昧一緣佛　善目眷根佛
一切世勝佛　及正等覺佛　如是五種佛　所餘皆變化　三十二勝相　如來藏具有　是故佛非无
定者能觀見　出過於三界　无量諸佛國　如來微妙剎　淨佛子充滿　禪慧手相資　以成堅固性
遊於密嚴土　思惟佛威德　密嚴中之人　一切同於佛　超過剎那壞　恒遊三昧中　世尊有大定
湛然而正受　相好諸功德　內外以莊嚴　衆讚佛化身　從於兜率降　佛常密嚴住　像現從其國
住真而正受　隨緣衆像生　如月在虛空　影鑒於諸水　如摩尼衆影　色合而明現　如來住正定
現影亦復然　譬如形與像　非一亦非異　如是勝丈夫　成於諸事業　非微塵勝性　非時非自在
亦非餘緣等　而作於世間　如來以因性　莊嚴其果體　隨世之所應　種種皆明現　遊戲於三昧
內外无不爲　山川及林野　朋友諸眷屬　衆星與日月　皎鏡而垂鎮　如是諸世間　身中盡包納
復置於掌內　散擲如芥子　佛於定自在　牟尼衆勝尊　无能作世間　唯佛之所化　貪瞋无智者
馳流妄分別　計著於有无　若我及非我　或言一切壞　或言少分滅　如是諸人等　常自害其身
云何於此中　而生是諸見　佛是遍三界　觀行之大師　觀世如乾城　所作衆事業　亦如夢中色
渴獸所求水　因於種種業　風鼓而進退　佛於方便中　自在知見者　譬如工巧匠　善守於機發
亦如海船師　執拖而搖動　如來最微妙　寂靜无有邊　超諸有著根　淨根之所護　是修行定者
微妙定所依　一切觀行人　明了心中住　佛體最清淨　非有亦非无　遠離於限量　及以能所覺
妙智相應心　最上之境界　知相皆无性　是則見如來　破諸煩惱心　不著於三昧　住於无漏路
一切皆无染　諸天乾闥婆　阿脩緊那羅　仙人及外道　讚歎而供養　於彼不耽求　而興世間業
以住本清淨　相應妙理中　天人等見者　變化之所作　佛非彼此現　而同於日月　住於圓應道
現除諸貢高　異學各不同　隨所而攝御　種種衆法智　王論三毗陁　悉是諸如來　定力持而說
國王王臣等　乃至山林處　所有諸儀則　皆從佛出生　十方衆寶藏　出生清淨寶　悉是天中天
自在威神故　一切三界中　有諸明智者　種種方便業　因佛而成就　現從兜率降　婇女衆圍遶
歌舞共歡娛　日夜常遊集　或如堅利智　含陵波尼王　執世之直繩　與奪而拓放　雖於一切處

BD01985 號 1　大乘密嚴經（地婆訶羅本）卷上　（25-3）

現除諸貢高　異學各不同　隨所而攝御　種種衆法智　王論三毗陁　悉是諸如來　定力持而說
國王王臣等　乃至山林處　所有諸儀則　皆從佛出生　十方衆寶藏　出生清淨寶　悉是天中天
自在威神故　一切三界中　有諸明智者　種種方便業　因佛而成就　現從兜率降　婇女衆圍遶
歌舞共歡娛　日夜常遊集　或如堅利智　含陵波尼王　執世之直繩　與奪而拓放　雖於一切處
現爲明智者　而住密嚴中　寂然无動作　此大牟尼境　凡愚異分別　譬如翳目人　亦猶衆渴獸
如世觀於幻　夢中諸所趣　天中天境界　佛子見其真　如是觀行人　如從於睡覺　那羅與伊舍
梵天婆豆那　難陁鄔波難　劫比首迦等　處定而思審　於此常迷惑　去來現在世　一切諸牟尼
習氣覆於心　亦所不能見　善哉金剛藏　善行諸地中　復以佛威神　而居密嚴土　是汝之境界
我今爲汝說　或有妄分別　勝性與微塵　如工作諸物　種種諸形相　生唯是法生　滅亦唯法滅
妄計一切物　細塵能造作　因能了於果　譬如燈照物　先不得其相　後壞亦復然　非於過去中
有體而可得　未來亦如是　離緣无有性　一一諸緣內　遍求无有體　不見性有无　亦无无有見
於瓫瓶衣等　微細而分別　三百有六十　邪宗壞正道　往來生死中　无有涅槃法
大乘密嚴經妙身生品第二　尒時如實見菩薩有大威力世中自在其
身妙好上服莊嚴在於佛前避坐而立曲躬合掌一心恭敬向金剛藏菩薩摩訶薩
而作是言尊者善能通達自智之境現法樂住於三乘世間心得无違爲大定
師於定自在能隨順說諸地之相常在一切佛國土中爲諸上首演深妙法是故
我今勸請尊者說諸聖人不隨他行現法樂住內證之境令我及餘諸菩薩衆得
見斯法安樂脩行趣於佛地獲意生身及言說身力通自在皆得具足轉所依止
不住實際如衆彩摩尼現諸色像於一切佛國說密嚴行金剛藏菩薩摩訶薩言
善哉仁主能請我說入於密嚴无我之法仁主先應覺了諸分別境是心之相於
境界中捨諸分別仁主一切世間是分別見見世間體即於所緣而得三昧我今爲汝
開示彼法王應善聽即說偈言　一切諸世間　譬如熱時燄　以諸不實相　无而妄分別
覺因所覺生　所覺依能現　離一則无二　譬如光共影　无心亦无境　量及所量事　但依於一心
如是而分別　能知所知法　唯依心妄計　若了所知无　能知即非有　心爲法自性　及人之所還
入於八地中　而彼得清淨　九地行禪定　十地大開覺　法水灌其頂　而成世所尊　法身无有盡
是佛之境界　究竟如虛空　心識亦如是　无盡亦无壞　衆德以莊嚴　恒住不思議　密嚴諸佛土
譬如瓶破已　无因而顯現　无破頭於塵　塵折極微顯　如是因有漏　而成无漏法　如火燒盡木
復於餘處然　味於不動智　轉依離分別　密嚴佛國中　如是而常現　不生衆名類　莫住於世間
捨於一切見　歸依此无我　斷諸相續流　无生亦无壞　盡於一切見　歸依此无我　諸患皆已息
寂住不思議　淨於一切見　歸依此无我　世間種種法　本來无我性　非由彼壞无　及前之所斷
如火焚薪已　自於是中滅　觀察於三界　无我智亦然　是名現法樂　聖人自智境　依此入諸地
淨除无始惡　捨離世所依　出世而安住　其心轉清淨　恒居密嚴土　尒時如實見菩薩
及諸王衆俱作是言金剛自在我等今者咸欲歸依願亦於我歸依之處住是
金剛藏菩薩摩訶薩以偈答曰　佛體非是有　亦非无有佛　藴樹已焚燒　應當咸遠離
住於如來地　密嚴之妙國　所覺淨无垢　仁主可歸依　遠離諸分別　證於无我所　密嚴諸定者
仁主可歸依　密嚴勝淨剎　衆聖之依處　觀行者充滿　應歸此嚴國　尒時金剛藏菩薩

BD01985 號 1　大乘密嚴經（地婆訶羅本）卷上　（25-4）

及諸王衆俱作是言金剛自在我等今者咸欲歸依願示於我歸依之處於是
金剛藏菩薩摩訶薩以偈答曰 佛體非是有 亦非无有佛 蘊樹已焚燒 魔軍咸退殄
住於如來地 密嚴之妙國 所覺淨无垢 仁主可歸依 遠離諸分別 證於无處所 密嚴諸定者
仁主可歸依 密嚴勝淨剎 衆聖之依處 觀行者充滿 應歸此嚴國　尒時金剛藏菩薩
摩訶薩說是語已復告如實見菩薩言仁主已得住地諸觀行者觀一切世間
如鏡像中而有高下如夢所見婦女色如石女人忽夢已身誕育於子如乾闥
婆城因諸所施為如旋火成輪如空中垂髮如幻化所作人馬等形樹林花果如浮
雲之影如奔電之光皆是虛偽非真實有分別所成猶工造器仁主世間衆生
習氣覆心生種種戲論意與意識及餘諸識相續而轉五法三性二種无我
恒共相應譬如瀑流為風所擊起諸波浪浪起相尋而流不息阿賴耶識在於世間
亦復如是无始習氣猶如瀑流為境界風之所飄動起諸識浪恒无斷絕仁主是八
種心雖无如是若干體異而隨緣漸起或一時生心生之時取諸境界亦有如是漸
頓差別若於屋宅及諸星宿軍衆山林枝葉花菓如是等處多是一時或次第
取若在眠夢見昔所更或相念利生至于老死及算數衆物尋思句義觀異文
形受好飲食於是境界次第了知或有一時頓取之者仁主心性本淨不可思議是
諸如來微妙之藏如金在礦意從心生餘六亦然如是多種於世法中而為差別仁
主阿賴耶識雖與能熏及諸心法乃至一切染淨種子而同止住性恒明潔如來
種性應知亦然定不定別體常清淨如海常住波瀾轉移阿賴耶識亦復如是諸地
漸脩下中上別捨諸雜染而得明現於是金剛藏菩薩摩訶薩復說偈言
善哉如實慈 於斯微妙法 從我已聽聞 心淨能開了 十方一切國 諸王衆會中 汝當隨所願
廣為其宣說 若人聞法已 漸淨阿賴耶 或作人中王 轉輪四天下 或復為帝釋 兜率須夜摩
乃至自在宮 而為欲天主 或為色界主 及生无色天 无想衆生中 受諸禪定樂 證真而不住
譬如師子吼 衆定皆自在 喜樂以相應 一心求密嚴 不染着三界 至於密嚴已 漸次而開覺
轉依獲安樂 寂靜常安住 无量諸佛子 圍遶以莊嚴 為法自在主 衆中之最上 非如外道說
壞滅為涅槃 壞應同有為 无有復生過 十業上中下 三乘以出生 界上生密嚴 諸地轉增進
得解脫智慧 如來微妙身 云何說涅槃 是滅壞之法 涅槃若滅壞 衆生有終盡 衆生若有終
是亦有初際 應有非生法 而始作衆生 无有非衆生 而生衆生界 衆生界既盡 佛无餘說法
是則无能覺 亦无有涅槃 妄計解脫者 而說於解脫 譬如種已燋 燈滅及薪盡 彼說解脫性
是壞有成无 於解脫妙樂 遠離不能證 遍處及諸禪 无色无想定 逆順而入出 力通皆自在
於彼不退還 亦不恒沉沒 審知諸法相 諸地得善巧 如是而莊嚴 而來密嚴國 若言解脫性
壞有已成无 斯人住諸有 畢竟不能出 亦壞三和合 因等四種緣 眼色內外緣 和合所生識
世間內外法 衆力以相生 如是等衆義 一切皆違反 若知唯識現 離於心所得 分別不現前
亦不住其性 是時擧緣離 寂然心正受 捨於世間中 所取能取見 轉依離麁重 智慧不思議
十種意生身 衆妙為嚴好 作三界之主 而來密嚴國 色心及心法 不相應无為 內外衆世間
諦觀无別異 如是諸智者 來於密嚴國 名相與分別 正智及如如 定者能照明 體性皆平等
入佛所讚揚 密嚴之淨國 若壞三和合 及以四種緣 不固於自宗 同諸妄分別 惡習分別者

BD01985號1　大乘密嚴經（地婆訶羅本）卷上　（25-5）

亦不住其性 是時擧緣離 寂然心正受 捨於世間中 所取能取見 轉依離麁重 智慧不思議
十種意生身 衆妙為嚴好 作三界之主 而來密嚴國 色心及心法 不相應无為 內外衆世間
諦觀无別異 如是諸智者 來於密嚴國 名相與分別 正智及如如 定者能照明 體性皆平等
入佛所讚揚 密嚴之淨國 若壞三和合 及以四種緣 不固於自宗 同諸妄分別 惡習分別者
彼之五種論 譬喻不成立 諸義皆相違 五種悉成過 惑亂於智眼 顛倒不顛倒 同異法斯壞
捨離於自宗 依止他宗法 初際等諸見 皆從滅壞生 大王應當知 衆生在諸有 如輪而運轉
初際不可得 如來以悲願 普應諸有緣 如淨月光明 无處不周遍 各順其根性 隨宜而說法
涅槃若壞滅 佛有何功利 增上有三種 解脫亦復然 四諦及神足 念處无礙解 四緣无色住
根力及神通 覺支諸道等 有為无為法 乃至衆聖人 皆依識而有 若法若觀智 及昔隨生智
集智三亦然 滅道亦如是 如是十二種 名之為現觀 學人數有十 第八七及生 家家一往來
一間而滅度 中般與生般 有行及无行 上流於處處 然後般涅槃 如是一切種 諸智之品位
脩行觀行人 下中上不同 菩薩增上修 功德衆殊勝 十一與十二 乃至於十六 此諸修定者
復漸滅於心 所盡非是心 亦非心共住 未來心未至 未至故非有 心緣不和合 非此非彼生
第四禪无心 有因不能害 有因為諸識 意識及五種 妄想不自覺 猶如波浪生 定者觀賴耶
離能所分別 微妙无所有 轉依而不壞 在於密嚴中 如月恒明顯 密嚴諸智者 與佛常共俱
遊恒定境中 一味无差別 密嚴定者處 定力生於彼 是故應修習 相應妙定心 欲界有六天
梵摩十二處 无色及无想 一切諸地中 若生密嚴國 於彼為天主 欲求密嚴土 當修十種智
法智隨生智 世俗知他心 及苦集滅道 盡智无生智 仁者真實見 舍若羅漢與 甘蔗月王
種姓无殊異 當求密嚴國 勿懷疑退心 如羊被牽械 惴懼而前却 意在於身中 似幻歡而住
亦如幻為樹 何中之箜篌 如王獄園苑 運動諸身分 意及於意識 心心法共俱 譬如空中雲
共聚而无實 種子賴耶識 諸習所纏覆 譬如摩尼寶 隨緣現衆色 雖住衆生身 體淨而无垢
是決定種性 亦為大涅槃 名因於相生 相從因緣起 以諸形相故 而起於分別 分別從二因
外相心習氣 第七末那識 應知亦復然 諸根意緣會 發生於五識 心法共相應 如是身中住
正智常觀察 一切諸世間 從於如是因 而生彼諸果 真如非異此 諸法互相生 與理相應心
明了而觀見 此即是諸法 究竟真實性 亦為妄所計 一切法不生 諸法性常空 非无亦非有
如幻及陽焰 乾城等衆物 種種諸形相 名句及文身 如是執着生 咸於遍計性 根境意和合
熏習於成種 與心无別異 識諸從此生 資於互因力 是謂依他起 內證真實智 現前所住法
是即說圓成 衆聖之境界 佛及諸佛子 證此名聖人 若人證斯法 即見於真際 冒言生已盡
梵行皆已立 所作莫不成 永離於諸有 解脫一切苦 滅除衆怖畏 生法二无我 善能明了知
普燒諸習氣 永斷於分別 從於无始來 戲論而積聚 无量衆過患 一切皆已除 譬如熱鐵團
熱去鐵无損 解脫者亦尒 惑盡而清凉 入於无漏界 密嚴之妙土 此土最微妙 非餘所能及
佛與諸菩薩 清淨之所居 三昧樂現前 以此而為食 欲生斯土者 當修真實觀 復為諸有緣
如理廣宣說 名生本於相 相起復從緣 種種諸分別 皆因相而有 根境瓶衣等 廬法所合成
分別從此生 了知而間異 若動若非動 一切諸世間 皆因癡闇生 虛實以為體 長短等諸色
音聲與香味 甘苦堅滑等 意識之所緣 善與不善性 有為无為法 乃至於涅槃 斯為智之境
念念常遷轉 皆依識已生 譬如磁石力 吸鐵令迴轉 末那於藏識 當知亦復然 如蛇有二頭

BD01985號1　大乘密嚴經（地婆訶羅本）卷上　（25-6）

佛與諸菩薩清淨之所居三昧樂現前以此而為食欲生斯土者當修真實觀復為諸有緣
如理廣宣說名生本於相相起復從緣種種諸分別皆因相而有根境執衣等蘊法所合成
分別從此生了知而簡異若動若非動一切諸世間皆因癡闇生愚夫以為體長短等諸色
音聲與香味甘苦堅滑等意識之所緣善與不善法有為无為法乃至於涅槃斯為智之境
念念常遷轉皆依識已生譬如慈石力吸鐵令迴轉求那於藏識當知亦復然如地有二頭
各別為其業染意亦如是執取阿賴耶能為我事業增益於我所復與意識俱為依而轉謝
身中煖觸生運動作諸業飲食及衣服隨事而受用騰躍或歌舞種種自歡娛持諸衆生身
斯由意功力如於夢驚等一切諸境界起種種分別不知唯自心如人在空中走索以遊戲
飄危不安固分別亦如是分別无所依但行於自境譬如鏡中像識種動而見愚夫此迷惑
非諸明智者仁主應當知此三時識現於斯遠離處是即名真實特進菩薩等及[illegible]
遍觀諸億剎種種皆嚴好於彼莊嚴中此土最殊勝極樂及現喜乃至於下方无量[illegible]
諸佛所稱讚皆言密嚴國威德化自然无始亦无終本音如來地出過於三有寂靜[illegible]
自利及利他一切業悉成滿非不此成佛欲中施佛事要從於密嚴化為无量億常依於此定
遊戲諸神通一切國土中如月无不見隨諸衆生類所應而化益十地花嚴等大樹與神通
勝鬘及餘經皆從此經出此經最殊勝衆經莫能比仁主及諸王宜應盡尊敬欲色无色界
无想等天宮佛已超過彼而依密嚴住此土諸宮殿如蓮備衆飾是一切如來淨智之妙相
佛及諸菩薩常在於是中世尊恒住禪寂靜最无上依自難思定現於衆妙色色相无有邊
非餘所能見極樂莊嚴國世尊无量壽諸修觀行者色相皆亦然或見天中天[illegible]含衆彩
訶利占皮色真金明月光孔雀素霓暉珊瑚蓮雷等或見身[illegible]中或如千日光
處大蓮花上或見諸菩薩頂飾龍王髻或以帝青寶莊嚴為寶冠或見輪幢文魚螺等衆相
或見光燄色如蜆而施蠡或見以須彌置之於右掌或持大海水其狀如牛跡或見作人王
覓眼當斯事輔佐衆圍遶共宣於國化或見諸菩薩最上修行者說於自境界先佛所知法
或說以智定速轉於所依得如幻之身種種皆无礙或示了於境斷諸取著業諸見皆已除
不受於諸有譬如膏炷盡燈滅而涅槃或有示修行一切波羅蜜行那之大會周給无窮盡
菩行持戒等種種諸儀則極樂莊嚴國人非胎藏生身相如金山光色常圓滿瑜伽自在者
安樂及光明斯人之境界百分无其一極樂中之人自然隨念食[illegible]勝自在定為甘露味
寶樹名如意遊憩於其下妙金為砕末布地以莊嚴池蓮及衆花數䕺而藹蓊如是其嚴飾
不可得為喻若人有淨信善巧行諸禪受樂佛功德專精以迴向即於佛勝土蓮花而化生
衆相以莊嚴皎鏡无塵垢 尒時金剛藏菩薩摩訶薩說是偈已自現其身如指
節或如芥子乃至毫端百分之一或現佛身或現獨覺身或現聲聞身及餘无
量種種之形而說於法或說菩薩入於諸地了知五法八識三性及二无我得如幻
三昧隨意受身自在神通力无所畏皆不退轉淨所依止入於佛地无漏蘊界常无
變易或說菩薩善能遊履如夢如像如水中月諸觀行人所行之道得首楞嚴
三昧十幻喻身諸究竟願莫不成滿逮于正覺坐妙蓮花諸佛子衆所共圍遶
或說菩薩以願力故現種種形遊諸國土歷事諸佛是諸菩薩其身微妙不可看
无譬如天仙乾闥婆衆依須彌住或在虛空地行衆生所不能覩彼諸菩薩亦復如

BD01985 號 1　大乘密嚴經（地婆訶羅本）卷上　（25–7）

變易或說菩薩善能遊履如夢如像如水中月諸觀行人所行之道得首楞嚴
三昧十幻喻身諸究竟願莫不成滿逮于正覺坐妙蓮花諸佛子衆所共圍遶
或說菩薩以願力故現種種形遊諸國土歷事諸佛是諸菩薩其身微妙不可看
无譬如天仙乾闥婆衆依須彌住或在虛空地行衆生所不能覩彼諸菩薩亦復如
是非觀行者不能得見或說菩薩得禪自在三昧力故於十方國土蓮花之宮示現
受生及般涅槃或說菩薩以三昧力轉於所依而不住實際於一切有衆生處利現
身其心平等如地如水如日如月或說菩薩以大悲心愍諸衆生輪轉生死孤窮下賤
衆苦所逼譬如黑蜂依船而住遊於大海隨船飄蕩或一由旬乃至百千无量由旬為
說非我生死无常令知速滅剎那不住或說諸佛及諸菩薩見一切衆生渴愛迷
亂為分別苦之所逼迫於无相法中而取於相虛妄計著有能所取是能所取纏縛其
心於生死海馳蕩不息貧窮孤露无有所依如大海中蛛蝥之網佛及菩薩猶住於
人於諸衆生心生憐愍欲令解脫生死苦難隨其所應而為現身說布施等種種諸行

大乘密嚴經妙身生品之餘 卷中

尒時普賢衆色大光菩薩摩訶薩與諸同類持世菩薩特進菩薩文殊師利菩
薩神通王菩薩得大勢菩薩聖者月菩薩金剛齊菩薩大樹王菩薩虛空藏
菩薩等乃至摩尼寶殿无量諸天密嚴土中諸佛子衆并餘佛國來聽法者
聞說密嚴微妙功德於法尊重決定轉依恒居此土不生餘處然皆隨念未來衆
生普欲為其而作利益遂共同心白金剛藏菩薩摩訶薩言尊者願為我說
一切世間若千色像誰之所作如陶工埏埴而造瓶等世間衆像為如是作為不然
耶又如伶人擊動絲竹匏木之類繁會成音一切世間豈亦如是如隨一物有三自
性世間衆色已成體相若未成者此豈咸在一物中乎為夜摩天兜率陀天他化自
在天及以大樹緊那羅作為是善現色究竟天螺髻梵王无色天作為是一切諸
天主等同心勠力而共作耶為是此方及他方中諸佛菩薩以變化力作是一切世間
衆像而於此中起諸迷惑是迷惑見如陽燄水譬如瓶處為德所依一切世間住於
處者非諸德者眷屬於德亦非是德依於德者展轉合故衆德集成如是世
間若千色像為誰惑亂為有住耶或有言是大梵天王那羅延天自在天作或
謂力沙迦拏提耶劫比羅仙自力而作或有妄執從於勝性自然及時无明愛業而
得生起諸仙天等及餘一切修世定人悉懷疑惑為无有體如幻如夢如熱時燄
如乾闥婆城无始分別有能所取如蛇二首如起尾行亦如木人因機動轉空中垂
髮旋火輪耶尒時金剛藏菩薩摩訶薩以偈答曰　世間衆色像不從能作生
非是劫毗羅因陀羅等作亦非大施會祠祭之福果毗陀所說因互為无定義亦復非无有
能持世間因所謂阿賴耶第八丈夫識運動於一切如輪轉衆瓶如油遍在麻鹽中有鹹味
亦如无常性普遍於諸色沉麝等有香日月光亦尒非有亦非无非能作所作遠離諸外道
一異等衆見非智所尋求不可得分別定心无礙者內智之所證若離阿賴耶即无有餘識
譬如海波浪與海雖不異海淨波去來亦不可言一譬如修定者內定清淨心神通自在人
所有諸通慧觀行者能見非餘之所了藏識亦如是與轉識同行佛及諸佛子定者常觀見
藏識持於有猶如線貫珠亦如車有輪隨於業風轉陶師運輪杖器成隨所用藏識與諸界

BD01985 號 1　大乘密嚴經（地婆訶羅本）卷上　（25–8）
BD01985 號 2　大乘密嚴經（地婆訶羅本）卷中

[illegible]
譬如海波浪　與海雖不異　海淨波去來　亦不可言一　譬如修定者　內定清淨心　神通自在人
所有諸通慧　觀行者能見　非餘之所了　藏識亦如是　與轉識同行　佛及諸佛子　定者常觀見
藏識持世間　猶如線貫珠　亦如車有輪　隨於業風轉　陶師運輪杖　器成隨所用　藏識與諸界
共力无不成　內外諸世間　彌綸悉周遍　譬如衆星像　布列在虛空　風力之所持　運行常不息
如空中鳥跡　求之不可見　然鳥不離空　頡頏而進退　藏識亦如是　不離自他身　如海起波濤
如空含萬像　藏識亦如是　蘊蓄諸習氣　譬如水中月　及以諸蓮花　與水不相離　不為水所著
藏識亦復然　習氣莫能染　如目有瞳子　眼終不自見　識藏住於身　攝藏諸種子　遍持壽煖識
如雲覆世間　業用曾不停　衆生莫能見　世間妄分別　見牛等有角　不了角非有　因言兔角无
分析至微塵　求角无所有　要待於有法　而起於无見　有法本自无　无見何所待　若有若无法
展轉互相因　有无二法中　不應起分別　若離於所覺　能覺即不生　譬如旋火輪　翳幻乾城事
皆因少所見　而生是諸覺　若離於所因　此覺即无有　若相互相業　習氣无有邊　一切諸分別
與意而俱起　迷於真實境　習氣心不生　從於无始來　流注諸妄境　戲論而熏習　生於種種心
能取及所取　衆生心自性　瓶衣等諸相　離心无所有　一切唯有覺　所覺義皆无　能覺所覺性
自然如是轉　習氣擾濁心　凡愚不能見　如海風所擊　波浪无停止　心為境風動　識浪生亦然
種種諸分別　自內而執取　如地无分別　庶物依以生　藏識亦復然　衆境之依處　如人以己手
還自摩其身　亦如象以鼻　取水自霑洒　復似諸嬰兒　以口含其指　如是自心內　現境還自緣
是心之境界　普遍於有　久修觀行者　而能善通達　內外諸世間　一切唯心現
爾時金剛藏菩薩摩訶薩說此語竟默然而坐住无處所微妙之禪遊法界
門入諸佛境見有无量佛子當來此國住修行地便從定起放大光明其光
普照欲色无色无想天宮是光明中復現无量殊勝佛土有无量佛相好莊嚴
諸世間之所歎樂而為利益皆使受持密嚴名号彼諸佛子互相觀察而作
是言密嚴佛土能淨衆福滅一切罪諸觀行人所住之處於諸佛國最上无比我
等聞已心咸忻樂可共俱往時諸佛子各從所住而來此國爾時淨居諸天與阿迦
尼吒螺髻梵王同會一處咸於此土佛及菩薩生希有心請梵王言天主我等今
者咸興是念何時當得陪侍天王詣密嚴土爾時梵王聞是語已與諸天衆遍
所同行中路持迴罔知所適梵王先悟作是思惟密嚴佛國觀行之境若非其
人何階可至非是欲色无色諸天及外道神通所能往詣我今云何而來至此復自
念言我天中天假吾威力而能並往作是念已發聲歸命即時見有无量諸佛在
於道中威光照曜時螺髻梵王即白佛言世尊我等今者當何所作而能速詣密
嚴佛土佛告之言汝可退還所以者何密嚴佛國觀行之境得正定人之所住處於
諸佛剎最勝无比非有色者所能往詣時螺髻梵王聞佛語已與諸天衆尋還天
宮爾時淨居諸天共相議言螺髻梵王有大威力而不能往當知此土最為殊勝但是
得如幻三昧諸觀行人所行之境如是稱揚密嚴功德其聲展轉靡不傳聞爾時諸佛
子衆來此會者聞是語已益加欽敬白金剛藏菩薩摩訶薩言我等於法深懷渴
慕唯願大明為我宣說金剛藏言佛所說法誰能具演唯除如來之所護念夫如來
者於觀行中最勝自在所有境界不可思議云何可為非觀行人開示演說時持進菩

BD01985 號 2　大乘密嚴經（地婆訶羅本）卷中　（25-9）

得如幻三昧諸觀行人所行之境如是稱揚密嚴功德其聲展轉靡不傳聞爾時諸佛
子衆來此會者聞是語已益加欽敬白金剛藏菩薩摩訶薩言我等於法深懷渴
慕唯願大明為我宣說金剛藏言佛所說法誰能具演唯除如來之所護念夫如來
者於觀行中最勝自在所有境界不可思議云何可為非觀行人開示演說時持進菩
薩及須夜摩諸佛子等復共同聲請言速說爾時神通王菩薩文殊師利菩薩慈氏
菩薩緊那羅菩薩及餘无量諸菩薩衆復作是言善哉仁者願速為說是時復
有无量諸天於虛空中作天妓樂同心勸請當爾之時螺髻梵王承佛威力而來
此會向金剛藏菩薩摩訶薩而說偈言　今此諸大會　嚴飾未曾有　悉是尊弟子
悲慧无等倫　皆於尊者處　渴仰而求法　我今猶未知　所問為何等　為問俱羅婆　勝隨及頂生
乃至威年馬　轉輪王所作　為問甘蔗種　十弓持國王　欲色无色中　人天等之法　為問菩薩行
獨覺及聲聞　乃至阿脩羅　星像等衆論　唯願如其事　次第而演說　我等及天人　一心咸聽受
爾時金剛藏菩薩摩訶薩告諸大衆汝豈不聞螺髻梵王淨居諸天衆及諸佛子
勤心請法爾時解脫月菩薩无盡慧菩薩虛空王菩薩持世菩薩得大勢菩薩觀
自在菩薩陀羅尼自在菩薩寶髻菩薩天冠菩薩金剛手菩薩寂靜慧菩薩寶
手菩薩及餘无量諸億土中俱來佛子咸共瞻仰金剛藏尊而說偈言
過去及未來　如來清淨智　尊於佛親受　明了心不疑　此衆皆樂聞　願尊時演說　爾時金
剛藏三昧王普觀大衆以偈答曰　如來所說法　非我具能演　唯除佛菩薩　威神之所護
我今至心禮　自在清淨宮　摩尼寶藏殿　佛及諸佛子　我以敬心說　如來清淨智　紹隆佛種姓
汝等應聽受　非說過去等　最勝諸王法　但示於密嚴　如來之種姓　佛智甚微妙　牟尼勝功德
正觀之所行　離諸心妄計　是故非我力　能演此甚深　但以佛威神　從佛而聽受　此智最微妙
是諸三昧花　佛在密嚴中　正受而開演　遠離諸言說　及以一切見　若有若无等　如是四種邊
是名最清淨　中道之妙理　密嚴諸定者　於此能觀察　離著而轉依　速入如來地　　爾時會
中諸佛子衆聞金剛藏菩薩摩訶薩說是偈已稽首恭敬而白之言我等於法
深生愛樂如渴思漿如蜂念蜜今此會中諸佛子衆於深定智皆得自在有大神
力王諸世界願聞如來所說之法唯願尊者以梵音聲因陀羅聲及以如來衆
所悅可深遠之音演殊勝義令得顯了金剛藏菩薩言如來所說語義真實希
有難見譬如空中无樹等物而見其影甚為希有如來所說希有亦然如空中風
及以鳥跡无能見者牟尼所說種種義趣難可得見亦復如是世間之法有智慧
者能以譬喻分明顯說佛口所宣過諸譬喻非言所及我之所見譬如夢境乾闥婆
城今此會中諸觀行者有大智慧於真實義已得明了我今云何能為是人說不
思議諸佛境界雖然當承如來威神之力為衆宣述汝諸佛子咸應諦聽如來
所說文義相應出過心意非喻所及譬如妙花衆蜂競採先至之者取其精粹後來
至者但味其餘如是如來得法精粹我味其餘為衆說耳即說偈言
天中天境界　增悅諸明智　非心口所能　度量分別說　為欲善降伏　世間憍慢心　亦同人之形
佛相為嚴飾　圓光及輪輻　種種皆成就　遊處諸宮殿　人天具所瞻　如來四時中　常依密嚴住
而於諸世界　現生及涅槃　淳善少減時　惡生及濁亂　隨諸衆生類　所應而利益　業用无暫停
[illegible]

BD01985 號 2　大乘密嚴經（地婆訶羅本）卷中　（25-10）

至者但味其餘如是如來得法精稡我味其餘為衆說可所說偈言
天中天境界瓌悅諸明智非心口所能 度量分別說 為欲普降伏 世間憍慢心 亦同人之形
佛相為嚴飾 圓光及輪輞 種種皆成就 遊處諸宮殿 人天共所瞻 如來四時中 常依密嚴住
而於諸世界 現生及涅槃 溥善少減時 惡生及濁亂 隨諸衆生類 所應而利益 業用无暫停
密嚴恒不動 密嚴无垢處 觀行者所依 惡生濁亂時 顯示如來相 譬如淨滿月 影遍於衆水
如是諸色像 普現於世間 如來淨智境 智者所觀見 以諸衆生類 所樂各不同 佛以種種身
隨宜而應化 或見大自在 或見毗紐天 或見迦毗羅 住空而說法 或見毗陁者 或復見常行
或見娑旦那 鳩摩及尸棄 羅睺散部等 乃至緊那羅 甘蔗月種王 一切所瞻仰 金剛等衆寶
乃至於鉛錫 皆由佛威力 隨應而出生 天女及龍女 乾闥婆之女 治容而進趣 不能惑其心
欲界中諸境 如來已降伏 色无色亦然 无有能迷動 无想諸定者 未離於惑纏 非安非清淨
退墮而流轉 有身者所生 非如密嚴國 密嚴殊妙土 清淨福為嚴 解脫知見人 最勝之依處
十種大自在 力通三昧法 如佛而嚴飾 意生之妙身 修行於十地 施等波羅蜜 衆相以莊嚴
其身甚清淨 遠離於分別 亦非无覺了 无有我意根 慧根常悅樂 施等諸功德 淨業悉圓滿
得佛勝所依 密嚴之淨國 此土最殊妙 不以日為明 諸佛及菩薩 施光而普照 其光甚威曜
逾於百千日 无有晝夜時 亦无老死患 密嚴最勝處 諸天所希仰 最上修行者 地地而進修
了知一切法 皆以心為性 善說阿賴耶 三性法无我 其身轉清淨 而來生此國

大乘密嚴經胎生品第三　尒時金剛藏菩薩摩訶薩復告螺髻梵王言天主
當知衆生之身九物為性有為衆相恒共遷動大種諸色微塵之聚以諸不淨精
血合成為无量業常所纏覆譬如毒樹扶踈蓊欝貪恚及癡而共增長經於九月
或十月餘業力驅馳生機運動從於產門倒首而出煩冤逼迫受无量苦天主此諸衆
生或從人中或從畜生餓鬼羅剎阿脩羅等而來生此或有曾作轉輪聖王乃至天中
威力自在或是持呪外道仙人并其眷屬或修禪者退失禪定從如是等處而生此
中既生之已諸根長大隨所親近宿習因緣而造諸業復因此業輪迴諸趣若有
智者遇善知識聞法思惟而得解悟不著文字離諸分別入三解脫門見法真
理最上清淨最上上清淨而來住此密嚴佛國於无量億諸佛土中隨宜應現天主
如是生者永得解脫生死險趣名為丈夫名為智者亦復說名天中之天諸佛子衆
所共遶遶天主胎藏之身虛偽不實非自性生亦非无明愛業所生何以故无明
愛業因相而有若能了達悉滅无餘亦无名字及以分別斯人即生密嚴佛土
天主若諸定者住於三昧心有攀緣即為色聲之所誑惑而生取著不能堅
固此即名為散動之道是三昧力生於欲界及色无色乃至无想衆生之處是
人即為三昧所縛著住三昧善調其心離能所取離二取已心即不生是名真實
觀行之者若欲生於密嚴佛國常當住此真實三昧

大乘密嚴經顯示自作品第四　尒時金剛藏菩薩摩訶薩復告螺髻
梵天王言天主心有八種或復有九與无明俱為世間因世間悉是心心法現是心
心法及以諸根生滅流轉為无明等之所變異其根本心堅固不動天主世間因緣
有十二分若根若境能生所生剎那壞滅從於梵世至非非想皆因緣起唯有如

BD01985號2　大乘密嚴經（地婆訶羅本）卷中　（25–11）

大乘密嚴經顯示自作品第四　尒時金剛藏菩薩摩訶薩復告螺髻
梵天王言天主心有八種或復有九與无明俱為世間因世間悉是心心法現是心
心法及以諸根生滅流轉為无明等之所變異其根本心堅固不動天主世間因緣
有十二分若根若境能生所生剎那壞滅從於梵世至非非想皆因緣起唯有如
來離諸因緣天主內外世間動不動法皆如瓶等壞滅為性天主諸識微細遷流
速疾是佛境界非諸世間仙人外道所能知見衆仙外道為愛所纏不能了知心
相差別天主假使有人勉意勤行歌讚祠祀毗陁之法而祭於火經於一月或滿四
月如是一歲至于千歲生於梵境終亦退還天主汝不知耶三毗陁行所得之果譬
如芭蕉性不堅固天主密嚴佛土是諸如來解脫之處從智定得若樂解脫應當
修行天主密嚴中人无有眷屬生死之患其心不為諸業習氣之所滌著如蓮
花出水如虛空无塵如日月高昇淨无雲翳一切諸佛恒共稱受沐淨戒流飲智慧
流得真實解度生死岸天主衆生身中諸界五蘊識等衆法皆无所有眼色為緣
而生於識譬如因木火得燃然天主一切境界隨妄識轉如鐵動移遂於慈石又如陽
燄乾闥婆城是諸渴獸愚癡所取此中无有能造等物但是凡夫心之變異天主如城乾
之中人衆往來馳鶩所作見而非實衆生之身進止去為亦復如是如夢中所見寤即非
有世間之人見蘊等法覺心明照本來寂靜天主地等和合微塵之聚若離於心即
无所得世間諸物可持舉等皆非大種之所合成譬如風渼痛緣惑亂見種種物又如
起屍无能作者世間諸法悉亦如是汝諸佛子應勤觀察天主一切世間動植之物
譬如水沫共聚成形瓶衣等想同於陽燄若樂諸受猶如浮泡行如芭蕉中无有堅
識如幻事虛偽不實天主三界之中動不動法同於夢境迷心所現亦如幻事乾闥
婆城但誑愚夫若諸佛子於如是法能正覺知心无所畏以智慧火焚燒一切諸惡
因緣即生妙樂密嚴之土天主一切世間皆无有相相為繫縛无相即解相是心境心境
不實真實之法是智境界遠離衆相非心所行天主一切諸相是三界法色聲等法
名之為相諸根境界一切衆生繫縛之因若能於相而不貪著衆縛悉除安樂自在
尒時寶髻菩薩摩訶薩在大衆中坐殊妙座向金剛藏菩薩摩訶薩而作是言尊
者於諸億佛國菩薩衆中最為上首成最上智了所知法无量悉檀皆已明見在於
衹衆能淨彼疑善知衆生身之本起能於一劫或一劫餘以妙音詞演而不倦何故不為
諸人等說離諸違順似非似因真實之法令諸智者心淨无疑捨蘊因緣疾得解脫
法與非法是蘊因緣生於此身及後身故智能解脫若愛為堅縛尊者衆生之
心因色與明作意等緣馳散於境其心速疾難可覺知无明愛業以之濁亂尊者衆
生身中種種諸法意為先導意最速疾意為殊勝隨所有法與意相應彼法皆
以意為其性如摩尼珠顯現衆彩如是之義仁何不說又如衆色摩尼之寶隨所相應
種種明現仁亦如是具如來像住自在宮諸佛子衆所共圍遶亦應如是隨宜說法
尒時金剛藏菩薩摩訶薩言密嚴佛土是大涅槃是妙解脫是淨法界亦是智慧及以
神通諸觀行者所止之處本來常住不壞不滅水不能濡風不能燥非如瓶等勤力所成
尋復破壞非諸似因及不似因之所成立何以故宗及諸分是不定法諸宗及因各差別故
[illegible]

BD01985號2　大乘密嚴經（地婆訶羅本）卷中　（25–12）

種種明現仁亦如是具如來像住自在宮諸佛子衆所共圍遶亦應如是隨宜說法
尒時金剛藏菩薩摩訶薩言密嚴佛土是大涅槃是妙解脫是淨法界亦是智慧亦以
神通諸觀行者所止之處本來常住不壞不滅水不能濡風不能燥非如瓶等勤力所成
尋復破壞非諸似因及不似因之所成立何以故宗及諸分是不定法諸宗及因各差別故
密嚴佛土是轉依識超分別心非諸妄情所行之境密嚴佛土是如來處无始无終非微
塵生非自性生非樂欲生不從摩醯首羅而生亦非无明愛業所生但是无功用智之所
生起出過欲界及色无色无想天中閒真之綱密嚴佛土阿若悉種非因明者所量境
界亦非勝性自在聲論毗陁如是等宗之所顯示乃至於資糧位智慧之力不能照了唯
是如來十地所循清淨智境諸仁者一切凡夫迷於世間於業非業我今當說業非業義
令諸定者獲於安樂即說偈言　内外一切物　所見唯自心　衆生心二性　能取及所取
心體有二門　即心見衆物　凡夫性迷惑　於自不能了　所見衆境界　皆是自所爲　瓶等想現前
求之悉无體　諸仙智微劣　不能明了知　捨於真實理　而行分別路　是心有二性　如鏡含衆像
亦如水現月　翳者見毛輪　毛輪瓔珞珠　此皆无所有　但從病翳眼　若斯而顯現　瓶衣皆自識
衆生亦復然　虗妄計著人　不知恒執取　衆生及瓶等　種種諸形相　内外雖不同　一切從心起
此密嚴妙定　非餘之所有　若有能脩行　生於衆福地　或生欲自在　及以色界天　乃至无想宮
阿迦尼吒處　空識无所有　非想非非想　如是諸地中　漸次除貪欲　住彼非究竟　尋來生密嚴
佛子衆圍遶　自在而遊戲　汝應脩此定　何爲着親屬　親眷相羈縛　輪迴生死因　男女相耽愛
精血共和合　如虫生臭泥　此中生亦尒　九月或十月　諸根漸成就　時至出母胎　譬如虫蠕動
從此而長大　乃至心了知　我觀諸衆生　生生悉如此　父母无有數　妻子亦然復　一切諸世閒
无處不周遍　譬如石女人　夢已忽生子　捧對方歡樂　尋又見其亡　悲哀不自勝　忽然從睡覺
不見有其子　初生及後終　又夢山川中　田野村城邑　人衆悉充滿　共營諸業務　彼此互相見
猶如世所爲　及後於睡覺　一切皆非有　復有多欲人　夢瞻於女色　姿容極姝艷　眠玩皆珍綺
在夢極歡娛　覺已即无見　一切世閒事　當知悉如是　王位及軍旅　父母等宗親　但誑於凡夫
體性皆非實　汝於如是定　何故不勤修　无量諸聲聞　獨覺及菩薩　在於空閑處　山林恒寂靜
或住於乳海　及以摩羅延　須彌與頻陁　摩醯因陁羅　雞羅娑利師　乃至雪山等　或在劫波樹
波利耶多羅　拘鞞羅樹下　半住波羅上　食閻浮果味　及諸不死食　具足諸神通　而常修此觀
過去未來世　常坐於蓮花　結跏身不動　正定恒觀察　諸根善調攝　不散於衆境　譬如象得鉤
離欲而三昧　世閒若出世　一切諸定中　佛定淨无垢　貪愛皆除遣　遍處无色定　无想等禪中
見日月蓮花　水火虗空相　若離是分別　其心不動搖　即於三昧中　見无量諸佛　一時共舒手
以水灌其頂　如是入佛地　一切皆明覺　具足衆色身　隨宜而普現　力通諸自在　三昧陁羅尼
如是等功德　莫不皆成就　分析於諸色　乃至觀微塵　自性无所有　譬如兎无角　无分无分者
蘊有蘊亦然　同於幻所作　一切皆如是　此中无業果　亦无作業人　无能作世閒　設有非能作
能作待於作　何名能作人　此言成過失　說者非清淨　若謂云何有　水輪與地輪　及衆生世閒
次第而安布　諸趣各差別　彼此互往來　誰復作諸根　隨情取於境　此等皆分別　展轉而變異
同於乳酪蘇　如是生住滅　若業若非業　於斯生妄計　定者常觀此　如夢與乾城　衆生无始來
戲論所薰習　生起於分別　種種衆過咎　諸根猶如幻　境界同於夢　能作作及業　定者不分別
習惑故多昏　妄生諸惡見　計有於能作　作一切世閒　或謂摩尼珠　金銀等衆礦　鳥獸色差別

BD01985號2　大乘密嚴經（地婆訶羅本）卷中　（25–13）

同於乳酪蘇　如是生住滅　若業若非業　於斯生妄計　定者常觀此　如夢與乾城　衆生无始來
戲論所薰習　生起於分別　種種衆過咎　諸根猶如幻　境界同於夢　能作作及業　定者不分別
習惑故多昏　妄生諸惡見　計有於能作　作一切世閒　或謂摩尼珠　金銀等衆礦　鳥獸色差別
判端鐵以利　此等誰所爲　當知无作者　世閒非勝性　微塵等能作　亦非无有因　自然而得有
惑心妄計者　不知其體性　爲業爲非業　如是而分別　如毒入於乳　隨處與相應　諸法亦復然
分別業俱起　法性非是生　亦非是滅壞　惑者不能了　種種異分別　定者應觀察　世閒唯積聚
若業若非業　於此物思惟　諸趣互來往　譬如於日月　在空无所依　隨風而運轉　業性甚微隱
密嚴者能見　脩行觀行人　不爲其所縛　譬如大燒木　須臾作灰燼　智火焚業薪　當知亦如是
又如燈破闇　一念盡无餘　諸業之闇真　多劫所熏聚　牟尼智燈照　刹那悉除滅

大乘密嚴經分別觀行品第五

尒時金剛藏菩薩摩訶薩復告大衆諸仁
者譬如有人在空閑地以泥凡草木膏之成宇舍而諦觀一一物中无舍可得又如多指共
合成拳離指求拳即无所有軍徒車乘城邑山林瓶衣等物一切皆是和合所成智者觀
之悉如夢事凡夫身宅亦復如是諸界積集譬如高山危脆不安同於朽屋不生不滅
非自非他如乾闥婆城如影如雲如陽焰如繢像雖可現觀性常清淨遠離一切有无分別如
盲與跛相假而行无決定性乃至分析至於微塵但有空名都无實物若諸定者作是思
惟即於色聲等法不生覺念離覺念已心得休息泰然解脫不受諸有常樂脩行甚深
禪定諸天仙等端正女人而來供養如觀夢事不生染着身雖在此諸仙外道持呪之人乃
至梵天不能見頂是人不久生摩尼寶藏宮殿之中遊戲神通具諸功德此觀行法是大心
者所行境界仁應速發廣大之心大心之人疾得生於光明宮殿離諸貪欲瞋恚愚癡
乃至當詣密嚴佛土此土廣博微妙寂靜无諸老死憂惱之患遠離衆相非識所行妄
計之人所不能得諸仁者此土清淨觀行所居若懷希仰當勤修習斷貪瞋癡離我我所
何以故貪等煩惱取諸境界若取於境即二覺生如有女人端正可喜有多欲者見已
生着欲心迷亂若行若坐飲食睡眠專想思惟更无餘念彼女容相常現於心此心即爲
境界所泥之所濁亂是故於境不應貪着諸仁者譬如有人見牛麋山羊有角之獸即
於彪兔生无角解若使不見牛等有角於彪兔等決定不生无角之見世閒妄見悉亦
如是妄有所得起有分別後其求體不可得故便言諸法決定是无乃至未離分別之
心常生如是不平等覺諸仁者應以智慧審諦觀察心之所行一切境界皆如妄計見
牛角等若諸佛子作如是觀隨其意樂或生人中爲轉輪王有大威力騰空來往或生
日月星宿之宮四天王天世三天夜摩天兜率陁天乃至自在天王摩尼藏殿或生色界梵
身等天脩行定者于梵之處无煩无熱善見善現阿迦尼吒空處識處无所有處非
想非非想處住於彼已漸除貪欲從此而生清淨佛土常遊妙定至真解脫尒時金剛
藏菩薩摩訶薩復說偈言　如因瓶破　而成於瓦　刹那各別　恒是无常　因種生牙
牙生種壞　又如陶匠　以泥作瓶　泥是舍摩　瓶如其色　若復兼用　餘色泥作　火燒熟已
各離色生　箭竹生葱　角生於蒜　不淨之處　蠅生於虫　世閒之中　有果似因　或有諸物
不似因者　皆因變壞　而有果生　微塵等因　體不變壞　不應妄作　如是分別　无能作我
内我勝我　亦无我意　境界諸根　和合爲因　而生於識　智者方便　善知衆境　破煩惱等

BD01985號2　大乘密嚴經（地婆訶羅本）卷中　（25–14）

牙生種壞又如陶近以泥作瓶泥是陶摩瓶如其色若復更用餘色泥作火燒熟已
各雜色生箭竹生葱角生於森不淨之處蠅生於虫世間之中有果似因或有諸物
不似因者皆因變壞而有果生微塵等因體不變壞不應妄作如是分別无能作我
內我勝我亦无我意境界諸根和合為因而生於識智者方便善知衆境破煩惱等
一切諸魔世有貪愛如溪得塞貪愛若除衆縛悉解如蛇螫物瞋毒亦然生死趣中
多所惱害諸仁者欲令彼除盡宜各勤心修行觀行　大乘密嚴經阿賴耶建立品第六
尒時金剛藏菩薩摩訶薩復告衆言諸仁者我念昔曾蒙佛與力而得妙定尒
然明見十方國土修世定人及佛菩薩所住之處於如是處中密嚴佛國土安樂第一
諸佛菩薩數如微塵處蓮花藏我於尒時一心瞻仰尋從定出即自見身与諸菩薩
在密嚴土復於尒時見解脫藏住在宮中其量大小如一指節色相明潔如阿恒斯
花亦如空中清淨滿月我時見已便生念言此為是誰而有如是不思議事作是
念時即見我身在其身內於中普見一切世間尒時蓮花藏中无量菩薩以佛神力
亦如是見咸生是念此為希有不可思議時天中天所為事畢還攝神力諸菩薩等悉
復如故我時見此希有事已知諸菩薩種種變現是佛境界不可思議諸仁者如来
昔為菩薩之時從初歡喜至法雲地得陀羅尼句義无盡及首楞嚴等諸大三昧
意生之身八種自在如應而現遊戲神通名稱光明如是等一切功德悉已成就轉復清
淨遠成正覺住密嚴土隨宜變化佛及菩薩種種色像自然周遍一切世間轉妙
法輪令諸衆生速滅癡闇修行善法或有菩薩見佛身相尸利娑踐等具足莊嚴
自然光明猶如盛火与諸菩薩住如蓮花清淨之宮常遊妙定以為安樂或見大那
羅王現百千億種種變化如月光明遍諸國土或見无量佛子智慧善巧衆相莊
嚴頂飾寶冠身珮瓔珞住兜率陀天等諸天之宮或見普賢有大威力得一切智
无礙辯才身相光明獨无倫比所居宮殿如淨滿月雖住密嚴定之海而現衆色像
靡不周遍一切賢聖所共稱譽无量天仙乾闥婆等國王王子并其眷屬圍遶侍
衛或復見有觀行之師諸佛子衆所共圍遶住禪寂靜猶如睡眠而離昏沉懈怠等
過悉曾侍奉无量諸佛或復有見為大導師降神誕生出家苦行一心正受乃至涅
槃於虛空中行住坐卧現諸神變令閻浮提至色究竟諸天人等莫不瞻仰諸仁者諸
佛體性唯佛所知佛之智慧最上无比如釋迦牟尼人中師子之所已得汝諸佛子咸當
得之是故仁等應生淨信信為佛體必當解脫斷人或作轉輪聖王及諸小王乃至或
生梵天等宮而為天主是諸佛子轉復精進於蓮花藏清淨佛土與諸菩薩蓮花
化生入一乘道離貪等習乃至降伏欲界天魔夫精進者忘无怯弱光隆佛家王諸
國土諸仁者若欲作佛當淨佛種姓淨種姓已必為如来之所授記成无上覺利益一
切諸修行者譬如大地与諸衆生而作所依又如良醫善調衆藥周行城邑普心救
療佛亦如是平等教化心无分別設有衆生剖截肌膚心亦不動諸仁者內外境界
心之所行皆唯是識惑亂而見此中无我亦无我所能害所害及以害具一切皆是
意識境界依阿賴耶如是分別譬如有人置珠日中或因鑽燧而生於火此火非是珠
燧所生亦非人作心意意識亦復如是根境作意和合而生此性非如陽燄夢幻迷惑

BD01985 號 2　大乘密嚴經（地婆訶羅本）卷中　（25–15）

療佛亦如是平等教化心无分別設有衆生剖截肌膚心亦不動諸仁者內外境界
心之所行皆唯是識惑亂而見此中无我亦无我所能害所害及以害具一切皆是
意識境界依阿賴耶如是分別譬如有人置珠日中或因鑽燧而生於火此火非是珠
燧所生亦非人作心意意識亦復如是根境作意和合而生此性非如陽燄夢幻迷惑
所取亦不同於龜毛及以兎角如霹靂火為從水生為從電生為雲生耶无能定
知此所從生如見陶師造於瓶等欲等心法與心共生亦復如是諸仁者心之體性不可
思議密嚴中人善能知見諸仁者一切衆生阿賴耶識本来而有圓滿清淨出過於
世同於涅槃譬如明月現衆國土世間之人見有虧盈而月體性未曾增減藏識亦
尒普現一切衆生界中性常圓潔不增不減无智之人妄生計著若有於此能正了
知即得无漏轉依差別此差別法得者甚難如月在雲中恒性明潔藏識亦尒於轉
識境界習氣之中而常清淨如河中有木隨流漂轉而木與流體相各別藏識亦尒
諸識習氣雖常與俱不為所雜諸仁者阿賴耶識恒与一切染淨之法而作所依是諸聖
人現法樂住三昧之境人天等趣諸佛國土悉以為因常与諸乘而作種性若能了悟
即成佛道諸仁者一切衆生有具功德威力自在乃至有生險難之處阿賴耶識恒住
其中作所依止此是衆生无始時界諸業習氣能自增長亦能增長餘之七識由是凡夫
執為所作能作內我諸仁者意在身中如風速轉業風吹動遍在諸根七識同時如浪而
起外道所計勝性微塵自在時等悉是清淨阿賴耶識諸仁者阿賴耶識由先業力
及愛為因成就世間若干品類妄計之人執為作者此識體相微細難知未見真實心迷
不了於根境意而生愛著尒時金剛藏菩薩摩訶薩復說偈言　汝等諸佛子
云何不見聞　藏識體清淨　衆身所依止　或具三十二　佛相及輪王　或為種種形　世間皆悉見
譬如淨空月　衆星所環遶　諸識阿賴耶　如是身中住　譬如欲天主　侍衛遊寶宮　江海等諸神
水中而自在　藏識處於世　當知亦復然　如地生衆物　是心多所現　譬如日天子　赫奕乘寶宮
旋遶須弥山　周流照天下　諸天世人等　見之而礼敬　藏識佛地中　其相亦如是　十地行衆行
顯發大乘法　普与衆生樂　常讚於如来　在於菩薩身　是則名菩薩　佛与諸菩薩　皆是賴耶名
佛及諸佛子　已受當受記　廣大阿賴耶　而成於正覺　密嚴諸定者　与妙定相應　能於阿賴耶
明了而觀見　佛及辟支佛　聲聞諸異道　見理无怯人　所觀皆此識　種種諸識境　皆從心所變
瓶衣等衆物　如是性皆无　悉依阿賴耶　衆生迷惑見　以諸習氣故　所取能取轉　此性非如幻
陽燄及毛輪　非生非不生　非空亦非有　譬如長短等　離一即皆无　智者觀幻事　此皆唯幻術
未曾有一物　与幻而同起　幻燄及毛輪　和合而可見　離一无和合　過未亦非有　幻事毛輪等
在在諸物相　皆此心變異　无體亦无名　世中迷惑人　其心不自在　妄說有能幻　幻成種種物
幻師瓶衣等　所作衆物類　動轉若去来　此見皆非實　如鐵因慈石　所向而轉移　藏識亦如是
隨於分別轉　一切諸世間　无處不周遍　如日摩尼寶　无思及分別　此識遍諸處　見之謂流轉
不死亦不生　本非流轉法　定者勤觀察　生死猶如夢　是時即轉依　說名為解脫　此即是諸佛
最上之教理　審量一切法　如稱如明鏡　又如大明燈　亦如試金石　遠離於斷滅　正道之標相
修行妙定者　至解脫之因　永離諸雜染　轉依而顯現　　大乘密嚴經卷中
大乘密嚴經自識界境品第七　卷下

BD01985 號 2　大乘密嚴經（地婆訶羅本）卷中　（25–16）

隨於分別轉一切諸世間　无處不周遍　如日摩尼寶　无思及分別　此識遍諸處　見之謂流轉
不死亦不生　本非流轉法　定者勤觀察　生死猶如夢　是時即轉依　說名為解脫　此即是諸佛
最上之教理　審量一切法　如稱如明鏡　又如大明燈　亦如試金石　遠離於斷滅　正道之標相
修行妙定者　至解脫之因　永離諸雜染　轉依而顯現　　大乘密嚴經卷中

大乘密嚴經自識境界品第七　卷下

尒時金剛藏菩薩摩訶薩遍觀十方從髻珠中放大光明其光普照一切國土及密嚴中諸
菩薩衆放斯光已即告如實見菩薩言仁主雪山之中有一惡獸名為能害變詐皐
以取諸獸盜之而食若見牝麘有子之者便為子聲悲鳴相呼若見牡麘便現有角與其
相似而往親附彼无驚懼然而食之見牛馬等種種諸獸悉同彼形而肆其惡仁主一
切外道於阿賴耶所生我見亦復如是如彼惡獸變種種形著我之人所執我相各各
差別乃至極小由如微塵仁主是諸我執於何而住不住於餘但住自識計我之人言我
與意根境和合意等和合而有識生本无有我如衣與花和合而有香氣未和合時
无香可得是故當知但唯有識心及心法无別有我如縣中菓如籠中燈如伊尸迦文
閣之草而可得者但以因緣心心法生此中无我亦无有生微妙一相本來寂靜是諸佛菩
薩觀行之人內證境界諸外道等不了唯識生於我見无知法智而强分別執著有无
若一若多我我所論如彼惡獸多所傷殺此亦如是令諸衆生於生死中馳騖往來不肯
親近佛及菩薩諸善知識展轉遠離无歸向時違背聖道失於己利於三乘中乃至
不得一乘之法為取所縛不見真諦不得預於密嚴之土乃至名字亦不得聞仁主諸
觀行人咸於此識淨除我見汝及諸菩薩摩訶薩亦應如是既自勤修復為人說令其
速入密嚴佛土　大乘密嚴經阿賴耶微密品第八

尒時衆中有菩薩名曰寶手白衆色最勝王言王應請問金剛藏住三昧者一切世
間所有衆法離諸分別及以名字不相應名相應之名彼法自性於何而住此諸佛
子專心願聞時衆色最勝王即隨其義而問之曰　名相等境界　一切世間法
為唯是分別　為離分別有　如其所立名　是名何所住　金剛自在者　願為我宣說　尒時金
剛藏菩薩摩訶薩以偈答曰　世間種種法　一切唯有名　但想所安立　離名无別義
四蘊唯名字　是故說為名　如名摩納婆　但名无有體　佛及諸佛子　說名唯在相　離相而有名
不作是分別　是故依於相　分別種種名　譬如袪吐等　此皆无有實　凡夫所分別　莫不皆依相
是故世間法　離相即皆无　瓶衣車乘等　名言所分別　色相雖可說　體性无所有　世間衆色法
但相无有餘　唯依相立名　是名无實事　王應觀世法　離名无所有　但以分別心　而生於取著
若離於分別　取著即不生　无生即轉依　證於无盡法　是故大王等　常應觀想事　但是分別心
離此即无有　形相體增長　散壞質与身　如是等衆名　皆唯色之想　想名及分別　體性本无異
隨於世俗義　建立而不同　若捨離名字　而求於物體　過去及未來　此皆无所得　能知諸識起
无有所知法　所知唯是名　世法悉如是　以名分別法　法不稱於名　諸法性如是　不住於分別
以法唯名故　想即无有體　想无名亦无　何處有分別　若得无分別　身心恒寂靜　如木火燒已
畢竟不復生　譬如人負擔　是人名擔者　隨其擔有殊　擔者相差別　名如所擔物　分別名擔者
以名種種故　分別各不同　如見杌為人　見人以為杌　人杌二分別　但有於名字　諸大和合中

BD01985號3　大乘密嚴經（地婆訶羅本）卷下　（25–17）

離此即无有　形相體增長　散壞質与身　如是等衆名　皆唯色之想　想名及分別　體性本无異
隨於世俗義　建立而不同　若捨離名字　而求於物體　過去及未來　此皆无所得　能知諸識起
无有所知法　所知唯是名　世法悉如是　以名分別法　法不稱於名　諸法性如是　不住於分別
以法唯名故　想即无有體　想无名亦无　何處有分別　若得无分別　身心恒寂靜　如木火燒已
畢竟不復生　譬如人負擔　是人名擔者　隨其擔有殊　擔者相差別　名如所擔物　分別名擔者
以名種種故　分別各不同　如見杌為人　見人以為杌　人杌二分別　但有於名字　諸大和合中
分別以為色　若離於諸大　色性即无有　如得依瓶處　瓶衣名亦然　捨名而取瓶　瓶終不可得
瓶不住瓶體　名豈住於名　二合生分別　名量亦非有　住於如是定　其心不動搖　譬如金石等
本來无水相　與火共和合　若水而流轉　藏識亦如是　體非流轉法　諸識共相應　與法同流轉
如鐵因慈石　周迴而轉移　二俱无有思　狀若有思覺　賴耶與七識　當知亦復然　習繩之所牽
无人而若有　普遍衆生身　周行諸險趣　如鐵與慈石　展轉不相知　或離於險道　而得住諸地
神通自在力　如幻首楞嚴　乃至陀羅尼　莫不皆成滿　諸佛實功德　以之為供養　或現无量身
一身无量手　肩頭口及舌　展轉皆无量　往詣十方國　供養諸如來　或雨衆妙花　寶衣及瓔珞
其積甚高廣　如須弥等山　供養於如來　及以諸菩薩　或作寶宮殿　如雲備衆彩　化現諸天女
遊處於其中　妓樂衆妙音　供養於諸佛　或與諸菩薩　遊止常共俱　一切衆魔怨　自在而降伏
自得證三昧　己轉於所依　闡揚五種法　八識及无我　相續无暫停　一心而供養　或現身為小
其量如微塵　復現為大身　无邊不可測　種種諸色相　以供養如來　或於自身中　普納諸世界
復以諸世界　置之於芥子　大海為牛跡　牛跡海亦然　是中諸衆生　身心无所嬈　一切所資用
平等而饒益　如日月如地　如水及火風　又如大寶洲　亦如良妙藥　諸法不生滅　不斷亦不常
一異及來去　如是悉无有　妄立種種名　是為遍計性　諸法猶如幻　如夢与乾城　陽焰水中月
火輪雲電等　此中妄所取　是為遍計性　種種諸名字　說於種種法　此皆无所有　是為遍計性
一切世間法　不離於名色　斯皆但有名　離名无別義　如是遍計性　我說為世間　眼色等為緣
而起三和合　觸依得熾發　有從地種生　宮殿及瓶衣　无非衆緣起　衆生若諸法　此悉依他性
若法是无漏　其義不可捨　證智所從生　此性名真實　諸法相差別　已說其自性　若離自性門
諸法不明了　如人以衆物　幻作種種形　色相雖不同　性皆无決定　世事悉如是　種種皆非實
妄情之所執　遍計无有餘　譬如摩尼寶　隨色而像現　世間亦復然　隨他分別有　體用无所在
是為遍計性　如乾闥婆城　非城而似城　亦非无有因　而能如是見　世間種種物　應知悉亦然
日月及諸山　屋宅煙雲等　體相各差別　未曾有雜亂　自他及与共　體性皆不成　但是所分別
遍計之自性　諸物非因生　亦非无有因　若有若非有　此皆情所執　名依於相起　二從分別生
正智及如如　遠離於分別　心如相顯現　相為意所依　意及五心生　猶如海波浪　習氣无有始
境界亦復然　心因習氣生　境令心惑亂　依止賴耶識　一切諸種子　心如境界現　是說為世間
七識阿賴耶　展轉力相生　如是八種識　不常亦不斷　一切諸世間　似有而安布　有計諸衆生
我等三和合　發生種種識　了別於諸境　或有妄計言　作者業因故　生於梵天等　內外諸世間
世間非作者　業及微塵作　但是阿賴耶　變現似於境　藏識非緣作　藏亦不作緣　諸識雖流轉
无有三和合　賴耶體常住　衆識與之俱　如輪與水精　亦如星共月　從此生習氣　新新自增長
復增長餘識　餘識亦復然　如是常輪轉　悟者心方息　譬如火燒木　漸次而轉移　此木既已燒

BD01985號3　大乘密嚴經（地婆訶羅本）卷下　（25–18）

世間非作者業及微塵作但是阿賴耶變現似於境藏識非緣作藏亦不作緣諸識雖流轉
无有三和合賴耶體常住衆識與之俱如輪與水精亦如星共月從此生習氣新新自增長
復增長餘識餘識亦復然如是常輪轉悟者心方息譬如火燒木漸次而轉移此木既已燒
復更燒餘木依止賴耶識无漏心亦然漸除諸有漏永息輪迴法此是現法樂三昧之境界
衆聖由斯道普詣十方國如金在礦中无有能見金智者善陶鍊真金乃明顯藏識亦如是
習氣之所纏三昧淨除已覺者常明見如酪未攢搖蘇終不可得是故諸智者攢酪而得蘇
藏識亦復然諸識所纏覆密嚴諸定者勤觀乃能得密嚴是大明妙智之殊勝佛子勤修習
當生此國中色及无色界空識非非想於彼常勤修而來生此處此中諸佛子咸光猶日月
住於脩行地演說相應旨如來所證法隨見而依轉一切佛世尊灌頂受其位雖住密嚴土
應物隨所宜在空而變化若見或聞法
尒時金剛藏菩薩摩訶薩復告大衆諸仁
者阿賴耶識從无始來為戲論熏習諸業所計輪迴不息如海因風起諸識浪恒生恒
滅不斷不常而諸衆生不自覺知隨於自識現衆境界若自了知如火焚薪即皆息滅入
无漏位名為聖人諸仁者阿賴耶識變似衆境彌於世間染意奉緣執我我所諸識於
境各各了別諸仁者心積集業意亦復然意識了知種種諸法五識分別現前境界
如翳目者見似毛輪於似色心中非色計色諸仁者如摩尼寶體性清淨若有置於日
月光中隨其所應各雨其物阿賴耶識亦復如是是諸如來清淨之藏与習氣合變似
衆色周於世間若无漏相應即雨一切諸衆功德法如乳變異而成於酪乃至酪漿阿賴
識亦復如是變似一切世間衆色如翳目者以翳病故見似毛輪一切衆生亦復如是以習
氣發住藏識眼生諸似色此所見色譬如陽燄遠離有无皆阿賴耶之所變現諸仁者
依於眼色有似色識如幻而生住於眼中其相飄動如熱時燄諸仁者一切衆色皆阿賴
耶与色習相應變似其相非別有體同於愚夫妄所分別諸仁者一切衆生若坐若卧
若行若立惛醉睡眠乃至狂走莫不皆是阿賴耶識譬如盛日舒光燭地蒸飄動猶如
水流渴獸迷惑向之奔走阿賴耶識亦復如是體性非色現分別之人妄生取着如意石
力令鐵動移雖无有心似有心者阿賴耶識亦復如是為生死法之所攝持往來諸趣非
我似我如水中有物雖无思覺而隨於水流動不住阿賴耶識亦復如是雖无分別依身
運行如有二象摘力而闘若一被傷退而不復阿賴耶識應知亦然斷諸染分更不流轉
譬如蓮花出離淤泥皎潔清淨離諸塵垢諸天貴人見之珍敬阿賴耶識亦復如是出
習氣泥而得明潔為諸佛菩薩大人所重如有妙寶世所希絕在愚下人邊常被汙賤
智者得已獻之於王用飾寶冠為王所戴阿賴耶識亦復如是是諸如來清淨種性
於凡夫位恒被雜染菩薩證已斷諸習氣乃至成佛常所寶持如美玉在水苔衣所
覆阿賴耶識亦復如是在生死海為諸惡習覆而不現諸仁者阿賴耶識有能取所
取二種相生如蛇有二頭所樂同往此亦如是与色相俱世間之人取之為色計我我所若有
若无能作世間於世自在諸仁者阿賴耶識雖種種變現而性甚深无智之人不能覺
了譬如幻師幻作諸獸或行或走相似衆生都无定實阿賴耶識亦復如是幻作種種世
間衆生而无實事凡愚不了妄生取着起微塵勝性自在丈夫有无等見諸仁者意
能分別一切世間是分別見如盡中質如雲中形如翳夢者所見之物如因陀羅与如氣

BD01985 號 3　大乘密嚴經（地婆訶羅本）卷下　（25–19）

若无能作世間於世自在諸仁者阿賴耶識雖種種變現而性甚深无智之人不能覺
了譬如幻師幻作諸獸或行或走相似衆生都无定實阿賴耶識亦復如是幻作種種世
間衆生而无實事凡愚不了妄生取着起微塵勝性自在丈夫有无等見諸仁者意
能分別一切世間是分別見如盡中質如雲中形如翳夢者所見之物如因陀羅与如氣
闍婆城如谷響如陽燄水如以影樹如池像月分別之人於阿賴耶如是妄取若有於此
能正觀察知諸世間皆是自心是分別見即皆轉滅諸仁者阿賴耶識是意等諸法習
氣所依為分別心之所攖濁若離分別即成无漏无漏即常猶如虛空若諸菩薩於阿賴
耶而得三昧則生无漏禪定解脫及方便力自在神通如是等諸功德法十究竟願意生
之身轉於所依識界常住同虛空性不壞不盡諸仁者如來善現一切世間无有增減
般涅槃者非是滅壞亦无非衆生而令始生十方國土同一法性諸佛出世不出世間一切諸
法住於法性不常不斷若解脫者衆生界滅即壞如來一切智性去來今佛所知之法不得
平等又若涅槃衆生滅者誰離於苦有餘无餘降魔等事皆是妄說是故當知諸
觀行者證於解脫其身常住離衆有蘊滅諸習氣譬如熱鐵投之冷水熱勢雖除
而鐵不壞此亦如是諸仁者阿賴耶海為戲論蘊重所擊五法三性諸識波浪相續而
生所有境界其相飄動於无義處中似義而現諸仁者阿賴耶識行於諸蘊稠林
之中意為先導意識決了色等衆境五識依根了現境界所取之境莫不皆是阿
賴耶識諸仁者阿賴耶識与壽命煖觸和合而住意住於此識復住意所餘五識亦住
自根諸仁者心意及識住於諸蘊為業所牽流轉不息諸所有業因愛而起以
業受身身後造業捨此身已更受餘身如步屈蟲行心及心法生於諸趣復更積
集稠林之蘊諸仁者壽煖及識若捨於身身无覺知同於木石諸仁者藏識
是心執我名意取諸境界說之為識諸仁者心能持身意着諸趣意識遍了
五現分別諸仁者藏識為因生於諸識又從所緣无間而起五識復待增上緣生所謂
時自根為增上故諸仁者身如起尸亦如陽燄隨於諸行因緣而轉非是虛妄亦非真
實為愛所牽性空无我諸仁者意等諸識与心共生五識復与意識同生如是恒時
大地俱轉諸仁者阿賴耶識為愛所熏而得增長自增長已復增餘識如輪不絕
以諸識故衆趣得生於諸趣中識復增長恒与世間更互為因如河中流前後不斷
如牙与種相續而生各各差別分明顯現識行亦尒三和合已復更和合差別而生无
有斷絕內外衆法因藴而起一切凡夫不了自心汝諸佛弟子應勤觀察尒時衆色
家勝王等復向金剛藏菩薩摩訶薩而作是言　金剛三昧藏得无所畏者
善入於密嚴能演一切法佛及諸佛子三昧正思惟所觀諸法相微妙最无比唯願大智者
為我等宣說尊者恒安住摩尼月藏宮坐於師子座菩薩衆圍遶願為諸瑜祇說密嚴定法
此是月幢佛為衆所開演彼衆皆來此願說而无倦　尒時月幢世尊无量分身在於
欲色諸天宮殿有无央數菩薩及諸天眷圍繞供養說密嚴中諸无畏者所修觀
行實相之法彼諸菩薩聞說是已得內證智相應三昧心不樂於正位之樂不住實
際即於定中互相觀察心各念言其誰已見證於實相觀行之首云何而得見斯之乎
心生渴仰僉然而住彼諸佛子復更思惟何者是定云何非定於何所定孰是其定所待之
緣作是念已以三昧力見密嚴土中菩薩之王首戴寶冠三十二相以為嚴飾彼諸

BD01985 號 3　大乘密嚴經（地婆訶羅本）卷下　（25–20）

行實相之法[illegible]
際即於定中互相觀察心各念言其誰已見證於實相觀行之首云何而得見斯之寧
心生渴仰俞然而住彼諸佛子復更思惟何者是定云何非定於何所定孰是其定所待之
緣作是念已以三昧力見密嚴主中善薩之王首戴寶冠三十二相以為嚴飾彼諸
善薩便從定起著上好衣從於他方无量佛國而來此會一心瞻仰金剛藏尊尒時金
剛藏善薩摩訶薩周顧四方見諸大眾便生覺念將欲說法凞怡微笑發和雅音
而說偈言　汝等諸佛子　咸應一心聽　定境難可思　非分別所了　定及於定者　定緣亦然後
離諸欲不善　而有於覺觀　寂靜生喜樂　是謂入初禪　如是漸次第　四八至于十　外道著我者
常修諸此定　一切聲聞眾　辟支佛亦然　了知於世間　諸法之自相　蘊處如空宅　此中无有我
无思无動作　如機關起屍　但有三和合　本无能作者　外道修定人　起於空性見　此人迷法相
壞於一切法　若有能修行　如來微妙定　善知蘊无我　諸見悉除滅　一切唯有識　諸法相皆无
无能相所相　无界亦无蘊　分析至微塵　此皆无所住　地水等眾物　皆從分別生　不知其性者
取於如是相　惡色與好色　似色餘亦然　譬如虛空中　雲霓等眾彩　思惟如骨鏁　遍滿於世間
及遍處相觀　觀於諸大等　身有色无色　定者常諦思　若於緣一心　即緣說清淨　如其所分別
即彼成所緣　非定非定者　妄計以為定　定者在定中　了世皆藏識　法及諸法相　一切皆除遣
獲於勝定者　善說於諸定　破諸修定人　妄智所知法　若人生小智　取法及於我　自謂成諦言
善巧說諸法　計著諸法相　自壞亦壞他　无能相所相　妄生差別見　甜性能除熱　苦酢鹹辺淡
辛物療於冷　鹹能已風疾　身中有淡㾌　共生於虛病　或復但因風　或三和合起　以病各差別
良醫說眾藥　石蜜并六分　庚沙諸食等　能除眾生身　種種諸虛病　若法有自性　及以諸相者
藥无除病能　病者不應差　云何世人見　服藥病除愈　定者觀世間　但是賴耶識　變異而流轉
譬如眾幻獸　无能相所相　蘊與於蘊者　亦无支分殊　及以有支分　世中无能作　而作於世間
亦非散十方　微塵之所聚　非初眾微細　漸次大如指　二指或復三　諸法轉和合　來耶各差別
如是義皆无　非時非勝性　及三法所作　亦非无有因　自然而得有　斯由業習氣　擾濁於內心
依心及眼根　種種妄分別　意與於意識　及以阿賴耶　普現於世間　如幻作眾物　瓶等眾境界
悉以心為體　非瓶似瓶現　是故說為空　世間所有色　諸天宮殿等　皆是阿賴耶　變異而可見
眾生身所有　從頭至手足　頓生或漸次　无非阿賴耶　習氣濁於心　凡愚不能了　此性非是有
亦復非是空　如人以諸物　擊破於瓶等　物體若是空　即无能所破　譬如須彌量　我見未為惡
憍慢而著空　此惡過於彼　空性隨應說　不應演非處　若演於非處　甘露即為毒　一切諸眾生
生於種種見　欲令斷諸見　為說於空理　聞空執為實　不能斷諸見　此見不可除　如病愁所捨
譬如火燒木　木盡火不留　見木若已燒　空火亦應滅　生於智慧火　諸見得滅時　普燒諸煩惱
一切皆清淨　牟尼以此智　密嚴而解脫　不見以兔角　觸壞於太山　曾无石女兒　執箭射於物
未聞欲鬪戰　而求兔角弓　誰復須宮室　令石女兒造　一切法空性　與法常同體　始於胎藏時
色生便滅壞　離空无有色　離色无有空　如月與光明　始終恒不異　諸法亦如是　空性與之一
展轉无差別　所為皆得成　是身如死屍　本來无自性　恒為愛繩縛　境界所牽動　佛說於空理
為欲斷諸見　汝等有智人　宜應一心學　譬如工幻者　以諸呪術力　草木等眾像　隨意之所作
依於眼及愛　作意色與明　如是眼識生　如幻亦如焰　是識无來處　去亦无處所　諸識性如是
[illegible]

BD01985 號 3　大乘密嚴經（地婆訶羅本）卷下　（25–21）

[illegible]
為欲斷諸見　汝等有智人　宜應一心學　譬如工幻者　以諸呪術力　草木等眾像　隨意之所作
依於眼及愛　作意色與明　如是眼識生　如幻亦如焰　是識无來處　去亦无處所　諸識性如是
不應著有无　譬如石女兒　兔角毛輪等　本來无有體　妄立於名字　師子熊羆類　此皆无有角
何故不分別　唯言兔角无　善巧談論者　豈不宜能說　古先諸智人　但說兔角无　惑者妄分別
如瘖及聾鼓　斯人无現智　不能自證法　但隨他語轉　何用分別為　若離於分別　當生密嚴土
一心正定中　普現十方國　譬如天宮殿　眾星及日月　依止須彌山　風力所持運　七識亦如是
依於阿賴耶　習氣之所持　處處恒流轉　譬如依大地　發生種種物　一切諸含情　乃至眾珍寶
藏識亦如是　眾識之所依　譬如孔雀鳥　毛羽多光色　雄雌相愛樂　鼓舞共歡娛　定者觀賴耶
應知亦如是　種子及諸法　展轉相依住　譬如百川流　日夜歸大海　川流无有盡　海亦不分別
藏識亦如是　甚深无有涯　諸識之習氣　日夜常歸往　如地有眾寶　及餘種種物　給施諸眾生
隨其所資用　藏識亦如是　與諸分別俱　增長於生死　轉依成正覺　善行清淨行　出過於十地
入如來地中　十力皆圓滿　正住於真際　常恒不壞滅　如地无分別　應化无有窮　如春眾花發
人鳥皆欣玩　執持識亦然　定者多迷取　如是諸佛子　无慧離真實　於義不善知　妄言生決定
非法離間語　誑惑於眾生　諸法別異住　而別起言說　譬如工幻師　善用於呪術　於无花葉處
現種種花葉　如是佛菩薩　善巧方便智　世間別異住　別異而安立　說種種教門　誘誨无終已
決定真實法　密嚴中顯現　六界與十八　十二處丈夫　意繩之所牽　眾生以流轉　八識諸界處
共起而和合　從於意繩轉　前身復後身　佛說此丈夫　隨世因流轉　是一切身者　續生无斷絕
尒時金剛藏菩薩摩訶薩說諸界處丈夫義已摩尼寶藏清淨宮中已得无畏
諸大菩薩皆前頂禮又有无量佛菩薩眾從諸國土來此會者同聲讚曰善哉善
哉眾中復有无量菩薩諸天及諸天女皆從座起合掌而立遞相瞻顧而說偈言
一切定中者　惟仁為上首　今為諸菩薩　說微妙丈夫　遠離於外道　著我等之論　如仁所宣示
六界淨丈夫　但是諸界合　隨因以流轉　譬如虛空中　有鳥跡明現　亦如離於木　而火得熾然
空中鳥跡現　離木而求火　我及諸世間　未曾見是事　鳥飛以羽翰　空中无有跡　仁者說丈夫
與鳥跡相似　云何於諸有　得有輪迴義　而說界丈夫　常流轉生死　受諸苦樂果　所作業无失
如農夫作業　未曾不得果　此果成熟已　後果當復生　身者亦復然　住身修善行　前生後生處
恒受人天樂　或常修福德　資糧為佛因　解脫及諸度　速成於正覺　生天自在果　觀行見真義
若離趣丈夫　一切悉无有　有丈夫流轉　在於生死中　下從阿鼻獄　上至諸天處　是業生果
所作不唐捐　若內外世間　互力而生起　此法似於彼　彼從於此生　雖離趣丈夫　得有輪迴者
如言石女子　威儀而進退　兔角有銛利　沙中能出油　尒時會中諸菩薩天及天女說
是語已皆共供養所應供者金剛藏尊并諸菩薩供養畢已復共同心而說偈言
法眼具无缺　因喻皆莊嚴　能伏他人論　顯示自宗德　是故大精進　宜應速開演　此會天人等
一心皆願聞　尒時金剛藏菩薩摩訶薩以偈答曰　此法深難思　分別不能及
瑜伽清淨理　因喻所開敷　密嚴修定處　於中我宣說　汝等諸天人　咸應一心聽　尒時金
剛藏菩薩摩訶薩說是語已復向大樹緊那羅王而說偈言　大樹緊那羅
汝應知法性　諸法云何住　性空无所有　如是見相應　於定不迷惑　如飯一粒熟　餘粒即可知
諸法亦復然　知一即知彼　譬如攢酪者　嘗之以指端　如是諸法性　可以一觀察　法性非是有

BD01985 號 3　大乘密嚴經（地婆訶羅本）卷下　（25–22）

聞藏菩薩[illegible]

汝應知法性　諸法云何住　性空无所有　如是見相應　於空不迷惑　如飯一粒熟　餘粒即可知
諸法亦復然　知一即知彼　譬如積䀋者　嘗之以指端　如是諸法性　可以一觀察　法性非是有
亦復非是空　藏識之所變　藏以空為相　尒時大樹緊那羅王以偈問曰　云何心量中
而有界丈夫　云何生諸界　堅濕及煖動　尒時金剛藏菩薩摩訶薩聞是語已偈荅之言
善哉大樹王　汝今作是問　欲令修行者　其心諦真實　我今為汝說　琴師應善聽　汝昔乘宮殿
并諸眷屬俱　皷樂從空下　而來詣佛所　汝手所鳴琴　琉璃以為飾　擊奏聲和雅　恱動於衆心
无量諸聲聞　在佛所觀聽　不能持本志　各自起而舞　時天冠大士　告迦葉等言　汝等離欲人
云何而舞戲　是時大迦葉　白彼天冠士　菩薩有大力　譬如旋嵐風　聲聞无定智　如黑山搖動
雖離處分別　尚染習氣泥　彼捨諸習氣　心淨當成佛　汝於微細境　其心已通達　種種世論中
明了而決定　善於諸地相　及佛清淨法　汝在宮殿中　眷屬所圍遶　清淨而嚴好　譬如盛滿月
能於修觀行　自在之衆中　問我界丈夫　云何從心起　汝及諸佛子　咸應一心聽　如其諸界內
心名為丈夫　諸界因此生　是義我當說　津潤生於水　炎盛生於火　動搖諸作業　因斯起風界
從於色分齊　有地及虛空　境界與諸習　識生而會聚　眼及於色等　相狀各不同　此為生廣門
諸有恒相續　尒時摩尼寶藏自在宮中特進菩薩與无量菩薩俱從座而起稽
首作礼持諸妙供而以供養金剛藏尊復張寶網弥覆其上同聲讚曰善哉善哉
而說頌曰　尊者住法雲　善入於佛地　能為諸菩薩　開示如來境　尒時大樹緊那羅王
并諸婇女復持種種妙好供具以為供養供養畢已讚偈之曰　善哉金剛藏
得无所畏者　為我等開演　如來妙微法　令此摩尼殿　清淨最吉祥　尒時聖者觀自在
菩薩慈氏菩薩得大勢菩薩文殊師利菩薩寶髻菩薩天冠菩薩摠持王菩薩
一切義成菩薩如是等菩薩摩訶薩及餘无量修觀行者皆是佛子有大威德善
能開示觀行之心悉從座起弃相觀察向金剛藏菩薩摩訶薩而說偈言
惟願金剛尊　顯示於法眼　尊者善地相　一切咸綜知　如來常念持　佛子所宗敬　今此大力衆
同心而勸請　瑜伽自在者　願示於密嚴　善令諸世間　得所未曾有　此法最清淨　遠離於言說
化佛諸菩薩　經中未開演　諸聖現法樂　見真无漏界　自覺智所行　清淨最无比　具足衆三昧
及以陁羅尼　諸自在解脫　意生身十種　嚴淨佛國土　不可思議數　佛及諸菩薩　身量如微塵
乃至如毛端　百分中之一　密嚴佛國土　諸土中最勝　如是觀行者　未生於是間　此皆何所因
佛子願宣說　尒時金剛藏菩薩摩訶薩三十二相八十種好莊嚴其身為欲宣示无
分別離分別光佛法眼如師子王普觀衆會知其智力堪能聽受即以梵聲迦陵迦頻
廣長舌相清美之聲其聲決定衆所恱可无有麁獷調柔簡暢鞬羅摩聲烏拖
多聲悉利多聲離沙婆聲般遮摩聲毗嵐頻儸度路等聲皆悉具足无量功德
而共相應不令聽者其心迷著善能了達音聲之相一切天人乾闥婆等莫不欣樂
金剛藏菩薩摩訶薩口无言說以本願力於其身上眉額頂鼻乃至肩膝偹如
變化自然而出如是之音為諸大衆演說法眼譬如鵝王群鵝翼從在沙汀上衆
嚴好金剛藏大精進者住於自在清淨之宮諸佛子衆所共圍遶嚴潔亦尒如空
中朗月光歒衆星金剛藏菩薩亦復如是處師子座映蔽一切諸修行者如月與光无
有差別佛與金剛藏菩薩亦復如是等无有異尒時如實見菩薩摩訶薩住修

BD01985 號 3　大乘密嚴經（地婆訶羅本）卷下　（25–23）

變化自然而出如是之音為諸大衆演說法眼譬如鵝王群鵝翼從在沙汀上衆
嚴好金剛藏大精進者住於自在清淨之宮諸佛子衆所共圍遶嚴潔亦尒如空
中朗月光歒衆星金剛藏菩薩亦復如是處師子座映蔽一切諸修行者如月與光无
有差別佛與金剛藏菩薩亦復如是等无有異尒時如實見菩薩摩訶薩住修
行地衆中上首從座而起合掌恭敬觀諸菩薩說是偈言　嗚呼大乘法　微妙不思議
如來之境界　佛子應頂礼　无思離垢法　希有甚難遇　一切國土中　諸佛所觀察　大乘真實見
清淨无等倫　遠離諸分別　轉依之妙道　八種識境界　諸自性不同　五法及无我　差別而開示
五種智所經　生諸思分別　見此微妙法　清淨如真金　得於清淨者　即住佛種性　如來性微妙
非外道聲聞　一切國土中　密嚴為最上　種性成就已　而來生此國　尊者金剛藏　已得何三昧
所說清淨法　是何三昧境　尒時會中有无量菩薩衆稽首作礼而說偈言
大智金剛藏　願為我開演　住何三昧中　而能說是法　此諸佛子等　一切皆願聞　尒時金
剛藏菩薩大无畏者普觀衆會智慧之力為住聽受不思議法為不住耶諦觀察
已知諸佛子堪受斯法即說偈言　汝等諸佛子　咸應一心聽　我今為汝說　轉依之妙道
我所得三昧　名大乘威德　菩薩住是中　能演清淨法　亦見殑伽剎　所有諸如來　塵數那由他
在前而讚嘆　善哉汝所說　此是瑜伽道　我等諸如來　皆行此三昧　於斯得自在　清淨成正覺
未曾有一佛　非此三昧生　是故此三昧　思惟不能及　若有諸菩薩　住是三昧中　即住不思議
諸佛之境界　證於自智境　及見於諸佛　變化百千億　乃至如微塵　內證之妙理　諸佛所安住
此法无諸相　遠離於色聲　名從於相生　相從因緣起　此二生分別　諸法性如如　於斯善觀察
是名為正智　名為遍計性　相是依他起　名相二俱遣　是為第一義　藏識住於身　隨處而流轉
習氣如山積　染意之所纏　末那有二門　意識同時起　五境現前轉　諸識身和合　猶如有我人
住在於身內　藏識暴流水　境界風所飄　種種識生浪　相續恒无斷　佛及諸佛子　能知法无我
已得成如來　復為人宣說　分析於諸蘊　見人无我性　不知无有法　是說為聲聞　菩薩善能觀
人法二无我　觀已即便捨　不住於真際　若住於真際　便捨大悲心　功業悉不成　不得成正覺
希有難思智　普利諸群生　如蓮出於泥　色相甚嚴潔　諸天聖人等　見之生愛敬　如是佛菩薩
出於生死泥　成佛體清淨　諸天所欣仰　從初菩薩位　或作轉輪王　天主阿脩羅　乾闥婆王等
乃悟大乘者　獲於如是身　漸次而循行　決定得成佛　是故諸佛子　宜應一心學　世間諸衆生
染淨等諸法　皆依於藏識　為因而得生　此因勝无比　證實者宣示　非異於能作　自在等相似
世尊說此識　為除諸習氣　了知解脫已　此亦无所得　賴耶有可得　解脫非是常　如來清淨藏
亦名无垢智　常住无始終　離四句言說　佛說如來藏　以為阿賴耶　惡慧不能知　藏即賴耶識
如來清淨藏　世間阿賴耶　如金與指環　展轉无差別　譬如巧金師　以淨好真金　造作指嚴具
欲以莊嚴指　其相異衆物　說名為指環　現衆諸聖之　證於自智境　功德轉增勝　自共无能說
現法諸定者　了境唯是識　得第七地已　轉滅不復生　心識之所行　一切諸境界　所見雖差別
但識无有境　瓶衣等衆物　境界悉皆无　心變似境生　謂能取所取　譬如星月等　依須弥運行
諸識亦復然　恒依賴耶轉　當知賴耶識　即名為密嚴　譬如好真金　光色常无滿　自證清淨境
非分別境界　性與分別離　不可得分別　體實而是常　定者能觀見　意識所行境　但轉於凡夫
聖見悉清淨　譬如陽燄等　尒時世尊說是經已金剛藏等无量菩薩摩訶薩及
[illegible]

BD01985 號 3　大乘密嚴經（地婆訶羅本）卷下　（25–24）

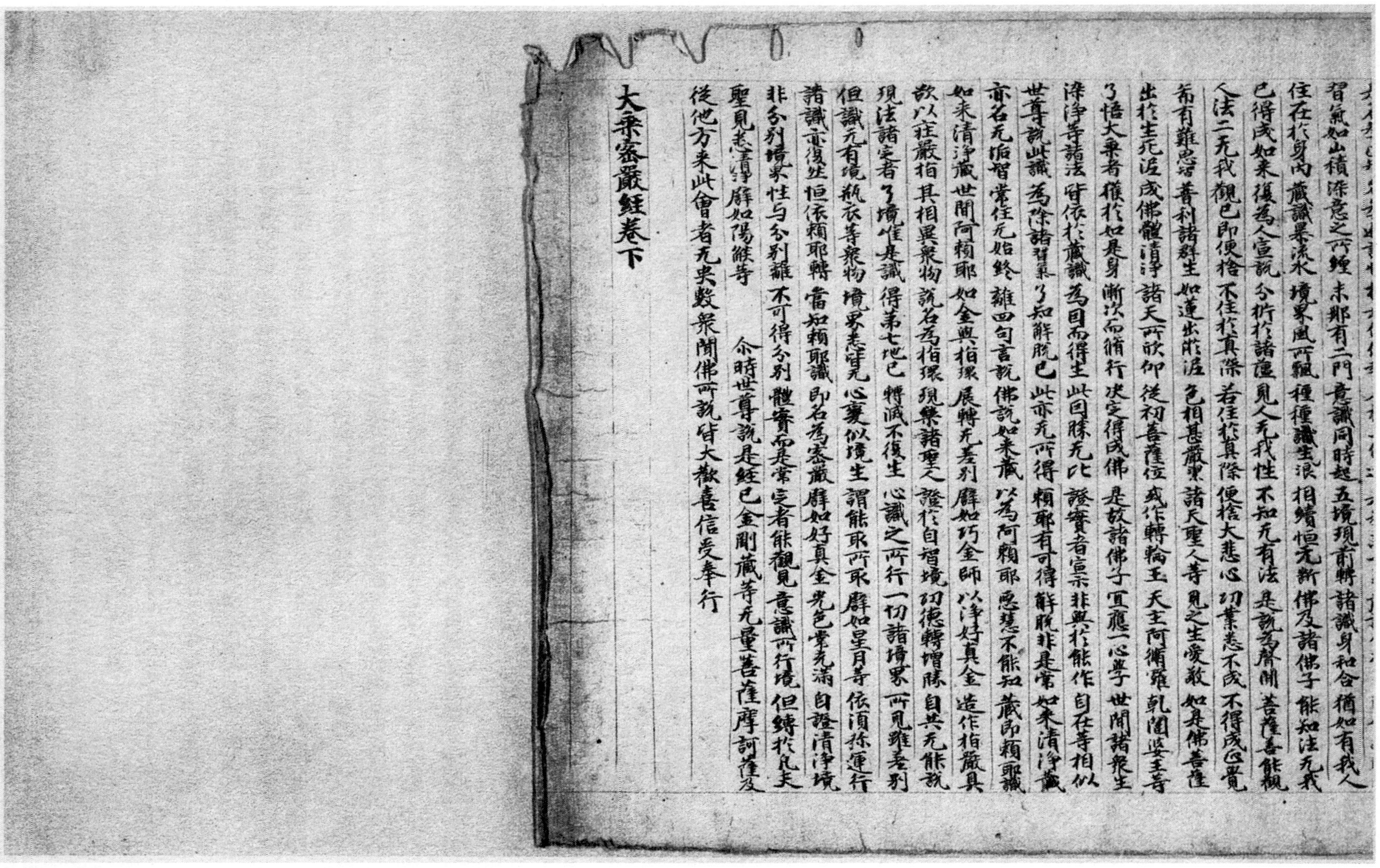

習氣如山積深意之所纏未那有二門意識同時起五境現前轉諸識身和合猶如有我人
住在於身內藏識暴流水境界風所飄種種識生浪相續恒无斷佛及諸佛子能知法无我
已得成如來復為人宣說分析於諸蘊見人无我性不知无有法是說為聲聞菩薩善能觀
人法二无我觀已即便捨不住於真際若住於真際便捨大悲心功業悉不成不得成正覺
希有難思智普利諸群生如蓮出淤泥色相甚嚴潔諸天重人等見之生愛敬如是佛菩薩
出於生死泥成佛體清淨諸天所欽仰從初菩薩位或作轉輪王天主阿脩羅乾闥婆王等
了悟大乘者獲於如是身漸次而脩行决定得成佛是故諸佛子宜應一心學世間諸衆生
滌淨等諸法皆依於藏識為因而得生此因勝无比證實者宣示非與於能作自在等相似
世尊說此識為除諸習氣了知解脫已此亦无所得賴耶有可得解脫非是常如來清淨藏
亦名无垢智常住无始終離四句言說佛說如來藏以為阿賴耶惡慧不能知藏即賴耶識
如來清淨藏世間阿賴耶如金與指環展轉无差別譬如巧金師以淨好真金造作指嚴具
欲以莊嚴指其相異衆物說名為指環現衆諸聖之證於自智境功德轉增勝自共无能說
現法諸定者了境唯是識得第七地已轉滅不復生心識之所行一切諸境界所見雖差別
但識无有境瓶衣等衆物境界悉皆无心變似境生謂能取所取譬如星月等依須弥運行
諸識亦復然恒依賴耶轉當知賴耶識即名為密嚴譬如好真金光色常无滿自證清淨境
非分別境界性與分別離不可得分別體實而是常定者能觀見意識所行境但轉於凡夫
聖見悉清淨譬如陽燄等　尒時世尊說是經已金剛藏等无量菩薩摩訶薩及
從他方來此會者无央數衆聞佛所說皆大歡喜信受奉行

大乘密嚴經卷下

BD01985 號 3　大乘密嚴經（地婆訶羅本）卷下　（25–25）

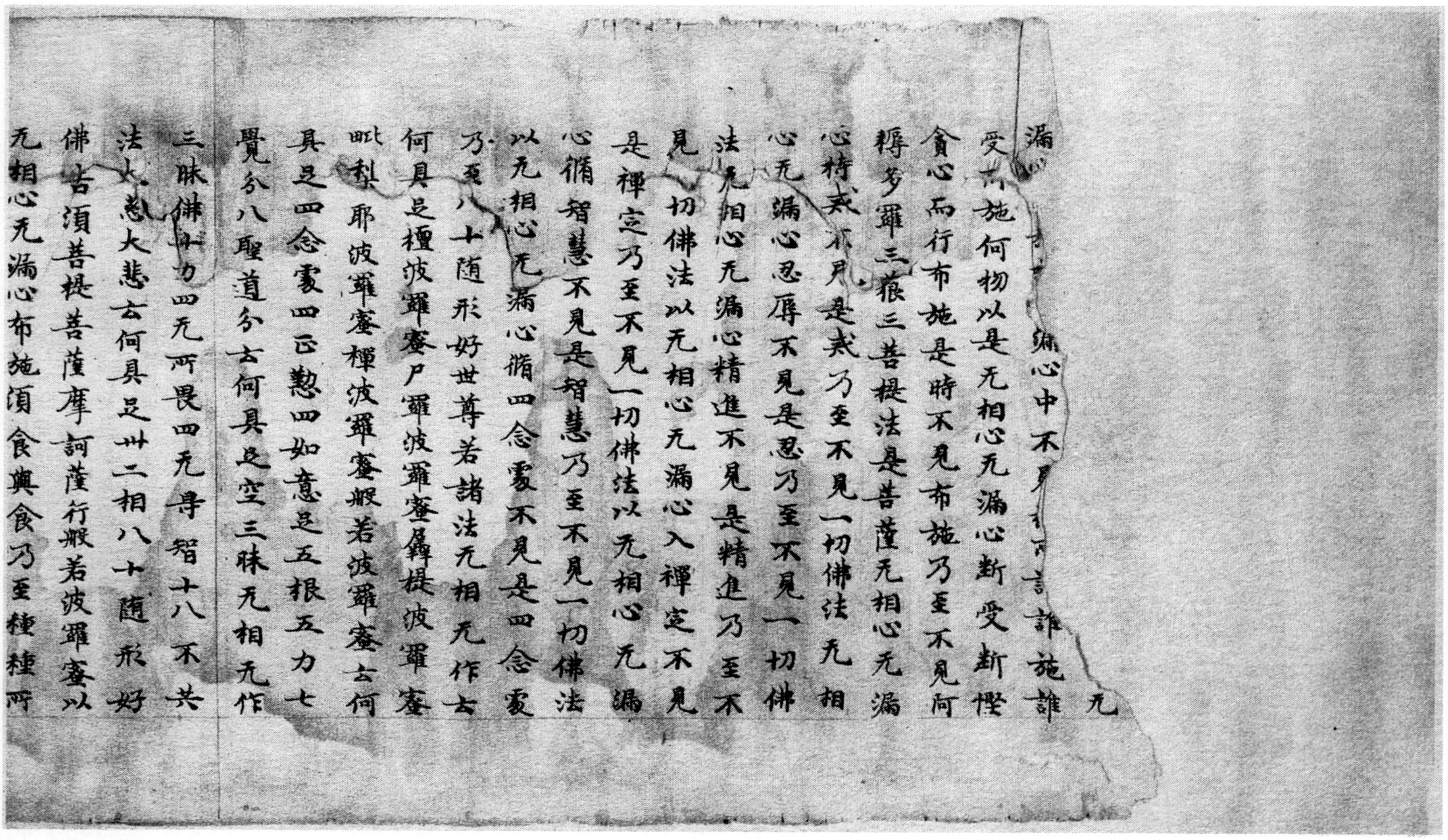

无
漏[illegible]心中不見[illegible]誰施誰
受何施何物以是无相心无漏心斷受斷慳
貪心而行布施是時不見布施乃至不見阿
耨多羅三藐三菩提法是菩薩无相心无漏
心持戒不見是戒乃至不見一切佛法无相
心无漏心忍辱不見是忍乃至不見一切佛
法无相心无漏心精進不見是精進乃至不
見一切佛法以无相心无漏心入禪定不見
是禪定乃至不見一切佛法以无相心无漏
心循智慧不見是智慧乃至不見一切佛法
以无相心无漏心循四念處不見是四念處
乃至八十隨形好世尊若諸法无相无作云
何具足檀波羅蜜尸羅波羅蜜羼提波羅蜜
毗梨耶波羅蜜禪波羅蜜般若波羅蜜云何
具足四念處四正懃四如意足五根五力七
覺分八聖道分云何具足空三昧无相无作
三昧佛十力四无所畏四无导智十八不共
法大慈大悲云何具足卅二相八十隨形好
佛告須菩提菩薩摩訶薩行般若波羅蜜以
无相心无漏心布施須食與食乃至種種所

BD01986 號　摩訶般若波羅蜜經卷二三　（13–1）

三眛佛十力四无所畏四无㝵智十八不共
法大慈大悲云何具足卅二相八十隨形好
佛告須菩提菩薩摩訶薩行般若波羅蜜以
无相心无漏心布施須食與食乃至種種所
須盡給與之若内若外支解其身若國城妻
子布施衆生若有人来語菩薩言何用是
布施為是无所益行般若波羅蜜菩薩作是
念是人雖来訶我布施我終不悔我當懃行
布施不應不與施已與一切衆生共之迴向
阿耨多羅三藐三菩提亦不見是相誰施誰
受所施何物迴向者誰何等是迴向法何等
是迴向處所謂阿耨多羅三藐三菩提是相
皆不可見何以故一切法以内空故空外空
故空内外空故空空空有為空无為空畢竟
空无始空散空性空一切法空自相空故空
如是觀作是念迴向者誰迴向何處用何法
迴向是名正迴向尒時菩薩能成就衆生淨
佛國土能具足檀波羅蜜尸波羅蜜羼提波
羅蜜毗梨耶波羅蜜禪波羅蜜般若波羅蜜
乃至卅七助道法空无相无作三昧乃至十
八不共法是菩薩如是具足檀波羅蜜而不
受世間果報辟如他化自在諸天隨意所須
即皆得之菩薩亦如是心生所願隨意即得
是菩薩摩訶薩以是布施果報故能供養諸
佛亦能滿足一切衆生天及人阿脩羅是菩
薩以檀波羅蜜攝取衆生用方便力以三乘
法度脫衆生如是須菩提菩薩摩訶薩於无

BD01986 號　摩訶般若波羅蜜經卷二三　（13–2）

是菩薩摩訶薩以是布施果報故能供養諸
佛亦能滿足一切衆生天及人阿脩羅是菩
薩以檀波羅蜜攝取衆生用方便力以三乘
法度脫衆生如是須菩提菩薩摩訶薩於无
相无得无作諸法中具足檀波羅蜜須菩提
菩薩摩訶薩云何於无相无得无作法中具
足尸羅波羅蜜須菩提是菩薩摩訶薩行尸
羅波羅蜜時持種種戒所謂八聖道戒自然
戒報得戒受得戒心生戒如是等不缺不破
不雜不濁不着自在戒智所讚戒用是戒无
所取若色若受想行識若卅二相八十隨形
好若剎利大姓若波羅門大姓居士大家若
四天王天卅三天夜摩天兜率陁天化樂天
他化自在天梵衆天光音天遍淨天廣果天
无拒天无廣天无熱天妙見天喜見天阿迦
尼吒天空處天識處天无所有處天非有想
非无想處天若須陁洹果若斯陁含果若阿
那含果若阿羅漢果若辟支佛道若轉輪聖
王若天王但為一切衆生共之迴向阿耨多
羅三藐三菩提以无相无得无二迴向故為世
俗法故非第一實義是菩薩具足尸羅波羅
蜜以方便力起四禪不味着故得五神通因
四禪得天眼是菩薩住二種天眼脩得報得
得天眼已見東方現在諸佛乃至得阿耨多
羅三藐三菩提如所見事不失南西北方四
維上下現在諸佛乃至得阿耨多羅三藐三
菩提如所見不失是菩薩用天耳淨過於人

BD01986 號　摩訶般若波羅蜜經卷二三　（13–3）

得天眼已見東方現在諸佛乃至得阿耨多
羅三藐三菩提如所見事不失南西北方四
維上下現在諸佛乃至得阿耨多羅三藐三
菩提如所見不失是菩薩用天耳淨過於人
耳聞十方諸佛說法如所聞不失能自饒益
亦益他人是菩薩以知他心智知十方諸佛
心及知一切衆生心亦能饒益一切衆生是
菩薩用宿命智知過去諸業緣是業因緣不
失故是衆生在在處處所生悉知是菩薩用
是漏盡智命衆生得須陁洹果乃至阿羅漢
辟支佛道在在處處能令衆生入善法中如
是須菩提菩薩摩訶薩於諸法无相无得无
作具足尸羅波羅蜜世尊云何諸法无相无
作无得菩薩摩訶薩能具足羼提波羅蜜須
菩提菩薩摩訶薩從初發意已來乃至坐道
場於其中間若一切衆生來以瓦石刀杖加
是菩薩菩薩是時不起瞋心乃至不生一念
尒時菩薩應循二種忍一者一切衆生惡口
罵詈若加刀杖瓦石瞋心不起二者一切法
无生无生法忍菩薩若人來惡口罵詈或以
瓦石刀杖加之尒時菩薩應如是思惟罵我
者誰讖訶者誰打擲者誰有受者即菩薩
應思惟諸法實性所謂畢竟空无法无衆生
諸法尚不可得何況有衆生如是觀諸法相
時不見罵者不見割截者是菩薩如是觀諸
法相時即得无生法忍云何名无生法忍知
諸法相常不生諸煩惱從本已來亦常不生

BD01986號　摩訶般若波羅蜜經卷二三　　（13–4）

諸法尚不可得何況有衆生如是觀諸法相
時不見罵者不見割截者是菩薩如是觀諸
法相時即得无生法忍云何名无生法忍知
諸法相常不生諸煩惱從本已來亦常不生
是菩薩摩訶薩住是二忍能具足四禪四无
量心四无色定四念處乃至八聖道分三解
脫門佛十力四无所畏四无㝵智十八不共
法大慈大悲是菩薩住是聖无漏出世間法
不共一切聲聞辟支佛具足聖神通住聖神
通已以天眼見東方諸佛是人得念佛三昧
乃至阿耨多羅三藐三菩提終不斷絕南西
北方四維上下亦如是是菩薩用天耳聞十
方諸佛所說法如所聞爲衆生說是菩薩亦
知十方諸佛心及知一切衆生念知已隨其
心而說法是菩薩以宿命智知一切衆生宿
世善根爲衆生說法令其歡喜是菩薩以漏
盡神通教化衆生令得三乘是菩薩摩訶
薩行般若波羅蜜以方便力成就衆生具足一
切種智得阿耨多羅三藐三菩提轉法輪如
是須菩提菩薩摩訶薩无相无得无作法中
具足羼提波羅蜜　摩訶般若波羅蜜經卷第卌四
須菩提言世尊菩薩摩訶薩云何於諸法无
相无作无得能具足毗梨耶波羅蜜佛告須
菩提菩薩摩訶薩行般若波羅蜜時成就身
精進心精進入初禪乃至入第四禪受種種
神通力能分一身爲多身乃至手捫摸日月
成就身精進故飛到東方過无量百千方諸

BD01986號　摩訶般若波羅蜜經卷二三　　（13–5）

菩薩摩訶薩行般若波羅蜜時成就身
精進心精進入初禪乃至入第四禪受種種
神通力能分一身為多身乃至手捫摸日月
成就身精進故飛到東方過无量百千万諸
佛國土供養諸佛飲食衣服醫藥卧具華香
瓔珞種種所須乃至阿耨多羅三藐三菩提
福德果報終不滅盡是菩薩得阿耨多羅三
藐三菩提時一切世間天人懃設供養衣服
飲食乃至入无餘涅槃後舍利及弟子得供
養亦以是神通力故至諸佛所聽受法教乃
至阿耨多羅三藐三菩提終不違失是菩薩
脩一切種智時淨佛國土成就眾生如是須
菩提菩薩摩訶薩行般若波羅蜜成就身精
進能具足毗梨耶波羅蜜須菩提云何菩薩
成就心精進能具足毗梨耶波羅蜜須菩提
菩薩摩訶薩心精進以是心精進聖无漏入
八聖道分精進不令身口不善業得入亦不
取諸法相若常若无常若苦若樂若我若无
我若有為若无為若欲界若色界若无色界
若有漏性若无漏性若初禪乃至第四禪若
慈悲喜捨若无邊虛空處乃至非有想非无
想處若四念處四正懃四如意足五根五力
七覺分八聖道分若空无相无作若佛十力
乃至十八不共法不取相若常若无常若苦
若樂若我若无我若須陁洹果若斯陁含果
若阿那含果若阿羅漢果若辟支佛道若菩
薩道若阿耨多羅三藐三菩提若是須陁洹

BD01986號　摩訶般若波羅蜜經卷二三　（13–6）

若樂若我若无我若須陁洹果若斯陁含果
若阿那含果若阿羅漢果若辟支佛道若菩
薩道若阿耨多羅三藐三菩提若是須陁洹
斯陁含阿那含阿羅漢若是辟支佛是菩薩
是佛不取相是眾生斷三結故得須陁洹是
眾生三毒薄故得斯陁含是眾生斷下結故
得阿那含是眾生斷上結故得阿羅漢是眾
生以辟支佛道故作辟支佛是眾生行道種
智故名菩薩亦不取是諸法相何以故所可
以性取相是性无故是菩薩以是心精進故
廣利益眾生亦不得是眾生是為菩薩具足
毗梨耶波羅蜜具足諸佛法淨佛國土成就
眾生不可得故是菩薩身精進心精進成就
故攝取一切諸善諸法是法亦不著故從一
佛國至一佛國為利益眾生所作神通隨意无
导若雨諸華若散諸名香若作伎樂若動大
地若放光明若示七寶莊嚴國土若現種種
身若放大智光明令知聖道令遠離煞生乃
至耶見或以布施利益眾生或以持戒或丈
解身體或以妻子或以國土或以己身給施
隨所方便利益眾生如是須菩提菩薩摩訶
薩行般若波羅蜜无相无作无得諸法中用
身心精進能具足毗梨耶波羅蜜世尊云何
菩薩摩訶薩行般若波羅蜜住无相无作无
得法中能具足禪波羅蜜須菩提菩薩摩訶
薩除佛諸禪定餘一切諸禪三昧皆能具足
是菩薩離諸欲諸惡不善法離生喜樂有覺

BD01986號　摩訶般若波羅蜜經卷二三　（13–7）

得法中能具足禪波羅蜜須菩提菩薩摩訶
薩除佛諸禪定餘一切諸禪三昧皆能具足
是菩薩離諸欲諸惡不善法離生喜樂有覺
有觀入初禪乃至入第四禪以是慈悲喜捨
心遍滿一方乃至十方一切世間遍滿是菩
薩過一切色相滅有對相不念別異相故入
无邊虛空處乃至入非有想非无想處是菩
薩於禪波羅蜜中住逆順入八背捨九第
定入空三昧无相无作三昧或時入无相三
昧或時入如電光三昧或時入聖正三昧或
時入如金剛三昧是菩薩住禪波羅蜜中修
卅七品道法用道種智入一切禪定過乾慧
地性地八人地見地薄地離欲地已辦地辟
支佛地入菩薩位入菩薩位已具足佛地是
諸地中行乃至阿耨多羅三藐三菩提不中
道取道果是菩薩住是禪波羅蜜中從一佛
國至一佛國供養諸佛從諸佛所殖諸善根
淨佛國土從一佛國至一佛國利益眾生以
布施攝取眾生或以持戒或以三昧或以智慧或
以解脫或以解脫知見攝取眾生教眾生令得
須陁洹果斯陁含果阿那含果阿羅漢果
辟支佛道諸有善法能令眾生得道皆教令
得是菩薩住此禪波羅蜜中能生一切陁羅
尼門得四无导智得報得諸神通是菩薩終
不入母人胞胎終不受五欲无生不生雖生
不為生法所汙何以故是菩薩見一切作法

BD01986號　摩訶般若波羅蜜經卷二三　（13-8）

不入母人胞胎終不受五欲无生不生雖生
不為生法所汙何以故是菩薩見一切作法
如幻而利益眾生亦不得眾生及一切法教
眾生令得无所得處是世俗法故非第一實
義住是禪波羅蜜一切行禪定能脫三昧乃
至阿耨多羅三藐三菩提終不離禪波羅蜜
是菩薩行如是道種智時得一切種智斷一
切煩惱習斷已自益其身亦益他人自益益
他已為一切世間天及人阿脩羅作福田如
是須菩提菩薩摩訶薩行般若波羅蜜時能
具足无相禪波羅蜜世尊云何菩薩摩訶薩
行般若波羅蜜時住无相无作无得法中修
具足般若波羅蜜須菩提菩薩摩訶薩行般
若波羅蜜時於諸法不見定實相是菩薩見
色不定非實相乃至見識不定非實相不見
色生乃至不見識生若不見色生乃至不見
識生一切法若有漏若无漏不見來處不見
去處亦不見集處如是觀時不得色性乃至
識性亦不得有漏无漏法性是菩薩行般若
波羅蜜時信解一切諸法无所有相如是信
解已行內空乃至无法有法空於諸法无所
著若色若受想行識乃至阿耨多羅三藐三
菩提是菩薩行无所有般若波羅蜜能具足
菩薩道所謂六波羅蜜乃至卅七品道法佛
十力四无所畏四无导智十八不共法卅二

BD01986號　摩訶般若波羅蜜經卷二三　（13-9）

菩提是菩薩行无所有般若波羅蜜能具足
菩薩道所謂六波羅蜜乃至卅七助道法佛
十力四无所畏四无导智十八不共法卅二
相八十随形好是菩薩住空淨佛道中所謂
六波羅蜜卅七助道法報得神通以是法饒
益衆生宜以布施攝教令布施宜以戒攝教
令持戒宜以禪定智慧解脫解脫知見攝者教令
脩禪定智慧解脫解脫知見宜以諸道法教
者教令得須陁洹果得斯陁含果阿那含果
阿羅漢果辟支佛道宜以佛道化者教令得
菩薩道具足佛道以是等随其應道地而教
化之各各令得所是菩薩現種種神通力
時過无量恒河沙國土度脫衆生随其所須
皆化給之各令滿足從一國土至一國土見
淨妙國土以自莊嚴己佛國土譬如他化自
在天中資生所須随意自至亦如諸淨佛國
離於求欲是人以是報得檀波羅蜜尸羅波
羅蜜羼提波羅蜜毗梨耶波羅蜜禪波羅蜜
般若波羅蜜報得五神通行菩薩道種智
成就一切功德當得阿耨多羅三藐三菩提
是菩薩尒時不受色行乃至識不受一切法
若善若不善若世間若出世間若有漏若无
漏若有為若无為如是一切法皆不受是菩
薩得阿耨多羅三藐三菩提時國土一切所
有資生之物皆无有主何以故是菩薩行一

BD01986號　摩訶般若波羅蜜經卷二三　（13–10）

若善若不善若世間若出世間若有漏若无
漏若有為若无為如是一切法皆不受是菩
薩得阿耨多羅三藐三菩提時國土一切所
有資生之物皆无有主何以故是菩薩行一
切法不受以不可得故如是得菩提菩薩摩
訶薩无相法中能具足般若波羅蜜
摩訶般若波羅蜜經夢化六度品第七十六
須菩提白佛言世尊云何无相不可分別白相
空諸法中具足脩六波羅蜜所謂檀波羅
蜜尸羅波羅蜜羼提波羅蜜毗梨耶波羅蜜
禪波羅蜜般若波羅蜜世尊云何无異法中
而分別說異相云何般若波羅蜜攝檀尸羼
提精進禪云何行異相法以一相道得果佛
告須菩提菩薩摩訶薩住五陰如夢如響如
影如炎如幻如化住是中行布施持戒脩忍
辱懃精進入禪定脩智慧知是五陰實如夢
如響如影如炎如幻如化五陰如夢无相乃
至如化无相何以故夢无自性響影炎幻
化皆无自性若法无自性是法无相若法无相
是法一相所謂无相以是因緣故須菩提當
知菩薩布施无相施者无相受者无相能如
是知布施是能具足檀波羅蜜乃至能具足
般若波羅蜜能具足四念處乃至八聖道分
能具足內空乃至无法有法空能具足空三
昧无相无作三昧能具足八背捨九次第定
五神通五百陁羅尼門能具足佛十力四无
所畏四无导智十八不共法是菩薩住是果
報得无漏法中飛到東方无量國土供養諸

BD01986號　摩訶般若波羅蜜經卷二三　（13–11）

五神通五百陁羅尼門能具足佛十力四无
所畏四无㝵智十八不共法是菩薩住是果
報得无漏法中飛到東方无量國土供養諸
佛衣服飲食乃至随其所須而供養之亦利
益衆生應以布施攝者而布施之應以持戒
攝者教令持戒應以忍辱精進禪定智慧攝
者教令忍辱精進禪定智慧而攝取之乃至
應以種種善法攝者以種種善法而攝取之
是菩薩成就是一切善法受世間身不爲世
間生死所汙爲衆生故於天人中受尊貴富
樂以是尊貴富樂攝取衆生是菩薩知一切
法无相故知須陁洹果不於中住知斯陁
含果阿那含果阿羅漢果亦不於中住知辟
支佛道不於中住何以故是菩薩用一切種
智知一切法已應當得一切種智不與聲聞
辟支佛共如是須菩提菩薩摩訶薩知一切
法无相已知六波羅蜜无相乃至知一切佛
法无相復次須菩提菩薩摩訶薩住五陰如
夢如響如影如炎如幻如化能具足无相尸
羅波羅蜜是戒不缺不破不雜不著聖人所
讃无漏戒入八聖道分住是戒中持一切戒
所謂名字戒自然戒律儀戒作戒无作戒威
儀戒非威儀戒是菩薩成就諸戒不作是願
我以此戒因緣故生刹利大姓婆羅門大姓
居士大家若小王家若轉輪聖王家若四天
王天處生若卅三天夜摩天兜率陁天化樂
天他化自在天不作是願我持戒因緣故當

BD01986號　摩訶般若波羅蜜經卷二三　（13–12）

羅波羅蜜是戒不缺不破不雜不著聖人所
讃无漏戒入八聖道分住是戒中持一切戒
所謂名字戒自然戒律儀戒作戒无作戒威
儀戒非威儀戒是菩薩成就諸戒不作是願
我以此戒因緣故生刹利大姓婆羅門大姓
居士大家若小王家若轉輪聖王家若四天
王天處生若卅三天夜摩天兜率陁天化樂
天他化自在天不作是願我持戒因緣故當
得須陁洹果斯陁含果阿那含果阿羅漢果
辟支佛道何以故一切法无相所謂一相无
相法不能得无相法有相法不能得有相法
无相法不能得有相法有相法不能得无相
法如是須菩提菩薩摩訶薩行般若波羅蜜
時能具足无相尸羅波羅蜜而入菩薩位入
菩薩位已得无生法忍行道種智得報得五
神通住五百陁羅尼門得四无㝵智從一佛
國至一佛國[illegible]
雖入六道中生死業不能染汙

BD01986號　摩訶般若波羅蜜經卷二三　（13–13）

三藏法師義淨奉

說此十千天子往昔因
緣大衆我於過去行菩
濟彼魚命乃至今捨所
察爾時如來應正
㝡勝㝡尊百千光明照十方
界具一切智功德圓滿將諸苾芻及於大衆
至般遮羅聚落詣一林中其地平正无諸荊
棘名花軟草遍布其處佛告具壽阿難陀
可於此樹下為我敷座時阿難陀受教敷已
白言世尊其座敷訖唯聖知時爾時世尊即
於座上跏趺而坐端身正念告諸苾芻汝等
樂欲見彼往昔苦行菩薩本舍利不諸苾芻
言我等樂見世尊即以百福莊嚴相好之手
而按其地于時大地六種震動即便開裂七
寶制底忽然涌出衆寶羅網莊嚴其上大衆
見已生希有心爾時世尊即從座起作礼右
繞還就本座告阿難陀汝可開此制底之戶

BD01987號　金光明最勝王經卷一〇　（6–1）

而按其地于時大地六種震動即便開裂七
寶制底忽然涌出衆寶羅網莊嚴其上大衆
見已生希有心爾時世尊即從座起作礼右
繞還就本座告阿難陀汝可開此制底之戶
時阿難陀即開其戶見七寶函奇珍間飾白
言世尊有七寶函衆寶莊挍佛言汝可開函
時阿難陀奉教開已見有舍利白如珂雪拘
物頭華即白佛言函有舍利色妙異常佛言
阿難陀汝可持此大士骨來時阿難陀即取
其骨奉授世尊世尊受已告諸苾芻汝等應
觀苦行菩薩遺身舍利而說頌曰
菩薩勝德相應慧　勇猛精勤六度圓
常修不息為菩提　大捨堅固心无倦
汝等苾芻咸應礼敬菩薩本身此之舍利乃
是无量戒定慧香之所薰馥最上福田極難
逢遇時諸苾芻及諸大衆咸皆至心合掌恭
敬頂礼舍利歎未曾有時阿難陀前礼佛足
白言世尊如來大師出過一切為諸有情之
所恭敬何因緣故礼此身骨佛告阿難陀我
因此骨速得无上正等菩提為報往恩我今
致礼復告阿難陀吾今為汝及諸大衆斷除
疑惑說是舍利往昔因緣汝等善思當一心
聽阿難陀曰我等樂聞願為開闡阿難陀過
去世時有一國王名曰大車巨富多財庫藏盈
滿軍兵武勇衆所欽伏常以正法施化黔

BD01987號　金光明最勝王經卷一〇　（6–2）

[illegible]
聽阿難陁曰我等樂聞顯為開闡阿難陁過
去世時有一國王名曰大車巨富多財庫藏盈
滿軍兵武勇衆所欽伏常以正法施化黔
黎人民熾盛无有怨敵國大夫人誕生三子
顏容端正人所樂觀太子名曰摩訶波羅次
子名曰摩訶提婆幼子名曰摩訶薩埵是時
大王為欲遊觀縱賞山林其三王子亦皆隨
從為求華果捨父周旋至大竹林於中憩息
第一王子作如是言我於今日心甚驚惶於
此林中將无猛獸損害於我第二王子復作
是言我於自身初无悋惜恐於所愛有別離
苦第三王子白二兄曰
此是神仙所居處　我无恐怖別離憂
身心充遍生歡喜　當獲殊勝諸功德
時諸王子各說本心所念之事次復前行見
有一虎生七子纔經七日諸子圍繞飢渴
所逼身形羸瘦將死不久第一王子作如是
言哀哉此虎産来七日七子圍繞無暇求食
飢渴所逼必還噉子薩埵王子問言此虎每
常所食何物第一王子荅曰
虎豹豺師子　唯噉熱血肉　更無餘飲食　可濟此虚羸
第二王子聞此語已作如是言此虎羸瘦飢
渴所逼餘命無幾我等何能為求如是難得
飲食誰復為斯自捨身命濟其飢苦第一王

BD01987號　金光明最勝王經卷一〇　（6–3）

虎豹豺師子　唯噉熱血肉　更無餘飲食　可濟此虚羸
第二王子聞此語已作如是言此虎羸瘦飢
渴所逼餘命無幾我等何能為求如是難得
飲食誰復為斯自捨身命濟其飢苦第一王
子言一切難捨無過己身薩埵王子言我等
今者於自己身各生愛戀復無智慧不能於
他而興利益然有上士懷大悲心常為利他
忘身濟物復作是念我今此身於百千生虚
棄爛壞曾無所益云何今日而不能捨以濟
飢苦如捐涕唾時諸王子作是議已各起慈
心悽傷愍念共觀羸虎目不暫移徘徊久之
俱捨而去尒時薩埵王子便作是念我捨身
命今正是時何以故
我從久来持此身　臭穢膿流不可愛
供給敷具并衣食　象馬車乘及珍財
變壞之法體無常　恒求難滿難保守
雖常供養懷怨害　終歸棄我不知恩
復次此身不堅於我無益可畏如賊不淨如
糞我於今日當使此身脩廣大業於生死海
作大舟航棄捨輪迴令得出離復作是念若
捨此身則捨無量癰疽惡疾百千怖畏是
身唯有大小便利不堅如泡諸蟲所集血脈筋
骨共相連持甚可猒患是故我今應當棄
捨以求無上究竟涅槃永離憂患無常苦惱
生死休息斷諸塵累以定慧力圓滿熏脩百福

BD01987號　金光明最勝王經卷一〇　（6–4）

捨以求無上究竟涅槃永離憂患無常苦惱
生死休息斷諸塵累以定慧力圓滿薰脩百福
莊嚴成一切智諸佛所讚微妙法身既證得
已施諸衆生無量法樂是時王子興大勇猛
發弘誓願以大悲念增益其心慮彼二兄情
懷怖懼共爲留難不果所祈即便白言二兄
前去我且於後尒時王子摩訶薩埵還入林
中至其虎所脫去衣服置於竹上作是誓言
我爲法界諸衆生　志求無上菩提處
起大悲心不傾動　當捨凡夫所愛身
菩提無患無熱惱　諸有智者之所樂
三界苦海諸衆生　我今拔濟令安樂
是時王子作是言已於餓虎前委身而卧
此菩薩慈悲威勢虎無能爲菩薩見即
上高山投身于地復作是念虎今羸瘦不
能食我即起求刀竟不能得即以乾竹刺頸出
血漸近虎邊是時大地六種震動如風激水
涌沒不安日无精明如羅睺障諸方闇蔽无
復光輝天雨名華及妙香末繽紛亂墜遍滿林
中尒時虛空有諸天衆見是事已生隨喜心
歎未曾有咸共讚言善哉大士即說頌曰
大士救護運悲心　等視衆生如一子
勇猛歡喜情無怯　捨身濟苦福難思
定至真常勝妙處　永離生死諸纏縛

BD01987號　金光明最勝王經卷一〇　（6–5）

此菩薩慈悲威勢虎無能爲菩薩見即
上高山投身于地復作是念虎今羸瘦不
能食我即起求刀竟不能得即以乾竹刺頸出
血漸近虎邊是時大地六種震動如風激水
涌沒不安日无精明如羅睺障諸方闇蔽无
復光輝天雨名華及妙香末繽紛亂墜遍滿林
中尒時虛空有諸天衆見是事已生隨喜心
歎未曾有咸共讚言善哉大士即說頌曰
大士救護運悲心　等視衆生如一子
勇猛歡喜情無怯　捨身濟苦福難思
定至真常勝妙處　永離生死諸纏縛
不久當獲菩提果　寂靜安樂證無生
是時餓虎既見菩薩頸下血流即便舐血
噉肉皆盡唯留餘骨尒時第一王子見地動已
告其弟曰
大地山河皆震動　諸方闇蔽日无光
天華亂墜遍空下　定是我弟捨身相
第二王子聞兄語已說伽他曰

BD01987號　金光明最勝王經卷一〇　（6–6）

……百年於中……
聞名号若自書或使書能為經卷受持讀誦於舍宅所住之處以種種……
香末香而為供養如其命盡復得延年滿足百歲如是曼殊若有衆生得聞是……
量壽智決定王如来一百八名号者益其長壽若有衆生大命將盡憶念是如来名
号更得增壽如是曼殊若有善男子善女人欲求長壽於是无量壽如来一百八名号
作為聞者或自書若使人書受持讀誦得如是等果報福德具足陁羅尼曰
南謨薄伽勃底一 阿波唎蜜哆二 阿喻紇硯娜三 須毗你悉指陁四 囉佐耶五 怛他羯他耶六 怛姪他
唵七 薩婆桑悉迦囉八 波唎輸底九 達磨底十 伽伽娜十一 莎訶某持伽底十二 薩婆毗輸底十三 摩
訶娜耶十四 波唎婆唎莎訶十五 世尊復告曼殊室利如来一百八名号若有自書或人書寫
成經卷受持讀誦如壽命盡復滿百年壽於此身後得往生无量福智世界无量壽淨土陁羅
尼曰 南謨薄伽勃底一 阿波唎蜜哆二 阿喻紇硯娜三 須毗你悉指陁四 囉佐耶五 怛他羯他耶六 怛姪
他唵七 薩婆桑悉迦囉八 波唎輸底九 達磨底十 伽伽娜十一 莎訶某持伽底十二 薩婆毗輸底十三 摩訶娜
耶十四 波唎婆唎莎訶十五 尒時復有九十九姟佛等一時同聲說是无量壽宗要經陁羅尼曰
南謨薄伽勃底一 阿波唎蜜哆二 阿喻紇硯娜三 須毗你悉指陁四 囉佐耶五 怛他羯他耶六 怛姪他唵
薩婆桑悉迦囉八 波唎輸底九 達磨底十 伽伽娜十一 莎訶某持伽底十二 薩婆毗輸底十三 摩訶
娜耶 波唎婆唎莎訶 尒時復有一百四姟佛一時同聲說是无量壽宗要經陁羅尼曰
南謨薄伽勃底一 阿波唎蜜哆二 阿喻紇硯娜三 須毗你悉指陁四 囉佐耶五 怛他羯他耶六 怛姪他唵
薩婆桑悉迦囉八 波唎輸底九 達磨底十 伽伽娜十一 莎訶某持伽底十二 薩婆毗輸底十三 摩訶娜
耶十四 波唎婆唎莎訶十五 尒時復有七姟佛一時同聲說是无量壽宗要經陁羅尼曰
南謨薄伽勃底一 阿波唎蜜哆二 阿喻紇硯娜三 須毗你悉指陁四 囉佐耶五 怛他羯他耶六 怛姪他唵七
薩婆桑悉迦囉八 波唎輸底九 達磨底十 伽伽娜十一 莎訶某持伽底十二 薩婆毗輸底十三 摩訶娜耶
波唎婆唎莎訶十五 尒時復有六十五姟佛一時同聲說是无量壽宗要經陁羅尼曰
南謨薄伽勃底一 阿波唎蜜哆二 阿喻紇硯娜三 須毗你悉指陁四 囉佐耶五 怛他羯他耶六 怛姪他唵七 薩婆
桑悉迦囉八 波唎輸底九 達磨底十 伽伽娜十一 莎訶某持伽底十二 薩婆毗輸底十三 摩訶娜耶十四

BD01988 號　無量壽宗要經

(5–1)

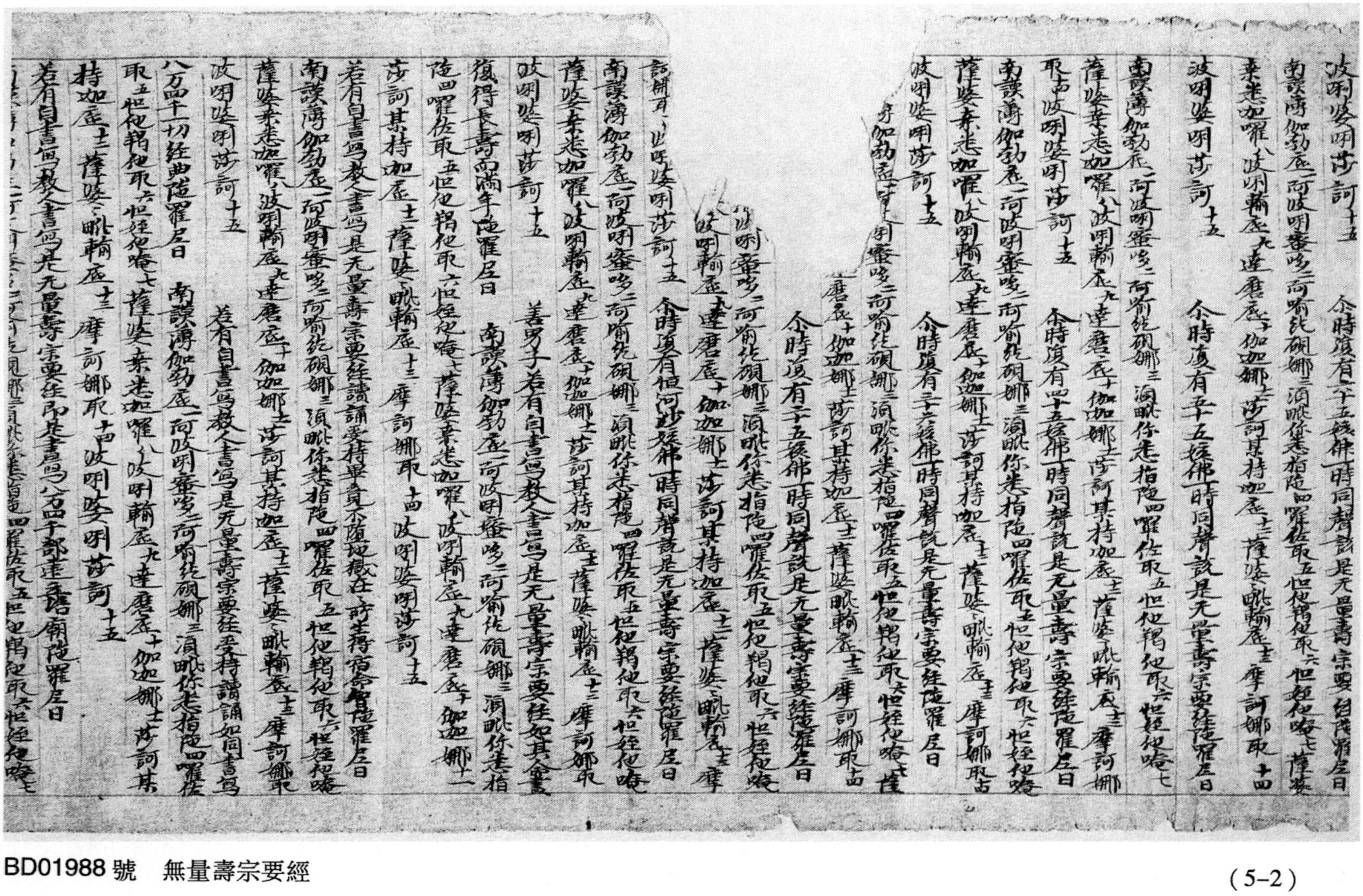

波唎婆唎莎訶十五 尒時復有六十五姟佛一時同聲說是无量壽宗要經陁羅尼曰
南謨薄伽勃底一 阿波唎蜜哆二 阿喻紇硯娜三 須毗你悉指陁四 囉佐耶五 怛他羯他耶六 怛姪他唵七 薩婆
桑悉迦囉八 波唎輸底九 達磨底十 伽伽娜十一 莎訶某持伽底十二 薩婆毗輸底十三 摩訶娜耶十四
波唎婆唎莎訶十五 尒時復有五十五姟佛一時同聲說是无量壽宗要經陁羅尼曰
南謨薄伽勃底一 阿波唎蜜哆二 阿喻紇硯娜三 須毗你悉指陁四 囉佐耶五 怛他羯他耶六 怛姪他唵七
薩婆桑悉迦囉八 波唎輸底九 達磨底十 伽伽娜十一 莎訶某持伽底十二 薩婆毗輸底十三 摩訶娜
耶十四 波唎婆唎莎訶十五 尒時復有四十五姟佛一時同聲說是无量壽宗要經陁羅尼曰
南謨薄伽勃底一 阿波唎蜜哆二 阿喻紇硯娜三 須毗你悉指陁四 囉佐耶五 怛他羯他耶六 怛姪他唵
薩婆桑悉迦囉八 波唎輸底九 達磨底十 伽伽娜十一 莎訶某持伽底十二 薩婆毗輸底十三 摩訶娜耶十四
波唎婆唎莎訶十五 尒時復有三十六姟佛一時同聲說是无量壽宗要經陁羅尼曰
……伽勃底一 ……唎蜜哆二 阿喻紇硯娜三 須毗你悉指陁四 囉佐耶五 怛他羯他耶六 怛姪他唵七 薩
……磨底十 伽伽娜十一 莎訶某持伽底十二 薩婆毗輸底十三 摩訶娜耶十四
尒時復有二十五姟佛一時同聲說是无量壽宗要經陁羅尼曰
……波唎蜜哆二 阿喻紇硯娜三 須毗你悉指陁四 囉佐耶五 怛他羯他耶六 怛姪他唵
……波唎輸底九 達磨底十 伽伽娜十一 莎訶某持伽底十二 薩婆毗輸底十三 摩
訶娜耶十四 波唎婆唎莎訶十五 尒時復有恒河沙姟佛一時同聲說是无量壽宗要經陁羅尼曰
南謨薄伽勃底一 阿波唎蜜哆二 阿喻紇硯娜三 須毗你悉指陁四 囉佐耶五 怛他羯他耶六 怛姪他唵
薩婆桑悉迦囉八 波唎輸底九 達磨底十 伽伽娜十一 莎訶某持伽底十二 薩婆毗輸底十三 摩訶娜耶
波唎婆唎莎訶十五 善男子若有自書寫教人書寫是无量壽宗要經如其命盡
復得長壽而滿年陁羅尼曰 南謨薄伽勃底一 阿波唎蜜哆二 阿喻紇硯娜三 須毗你悉指
陁四 囉佐耶五 怛他羯他耶六 怛姪他唵七 薩婆桑悉迦囉八 波唎輸底九 達磨底十 伽伽娜十一
莎訶某持伽底十二 薩婆毗輸底十三 摩訶娜耶十四 波唎婆唎莎訶十五
若有自書寫教人書寫是无量壽宗要經讀誦受持畢竟不墮地獄在所生得宿命智陁羅尼曰
南謨薄伽勃底一 阿波唎蜜哆二 阿喻紇硯娜三 須毗你悉指陁四 囉佐耶五 怛他羯他耶六 怛姪他唵
薩婆桑悉迦囉八 波唎輸底九 達磨底十 伽伽娜十一 莎訶某持伽底十二 薩婆毗輸底十三 摩訶娜耶
波唎婆唎莎訶十五 若有自書寫教人書寫是无量壽宗要經受持讀誦如同書寫
八万四千一切經典陁羅尼曰 南謨薄伽勃底一 阿波唎蜜哆二 阿喻紇硯娜三 須毗你悉指陁四 囉佐
耶五 怛他羯他耶六 怛姪他唵七 薩婆桑悉迦囉八 波唎輸底九 達磨底十 伽伽娜十一 莎訶某
持伽底十二 薩婆毗輸底十三 摩訶娜耶十四 波唎婆唎莎訶十五
若有自書寫教人書寫是无量壽宗要經即是書寫八万四千部建立塔廟陁羅尼曰
……須毗你悉指陁四 囉佐耶五 怛他羯他耶六 怛姪他唵七

BD01988 號　無量壽宗要經

(5–2)

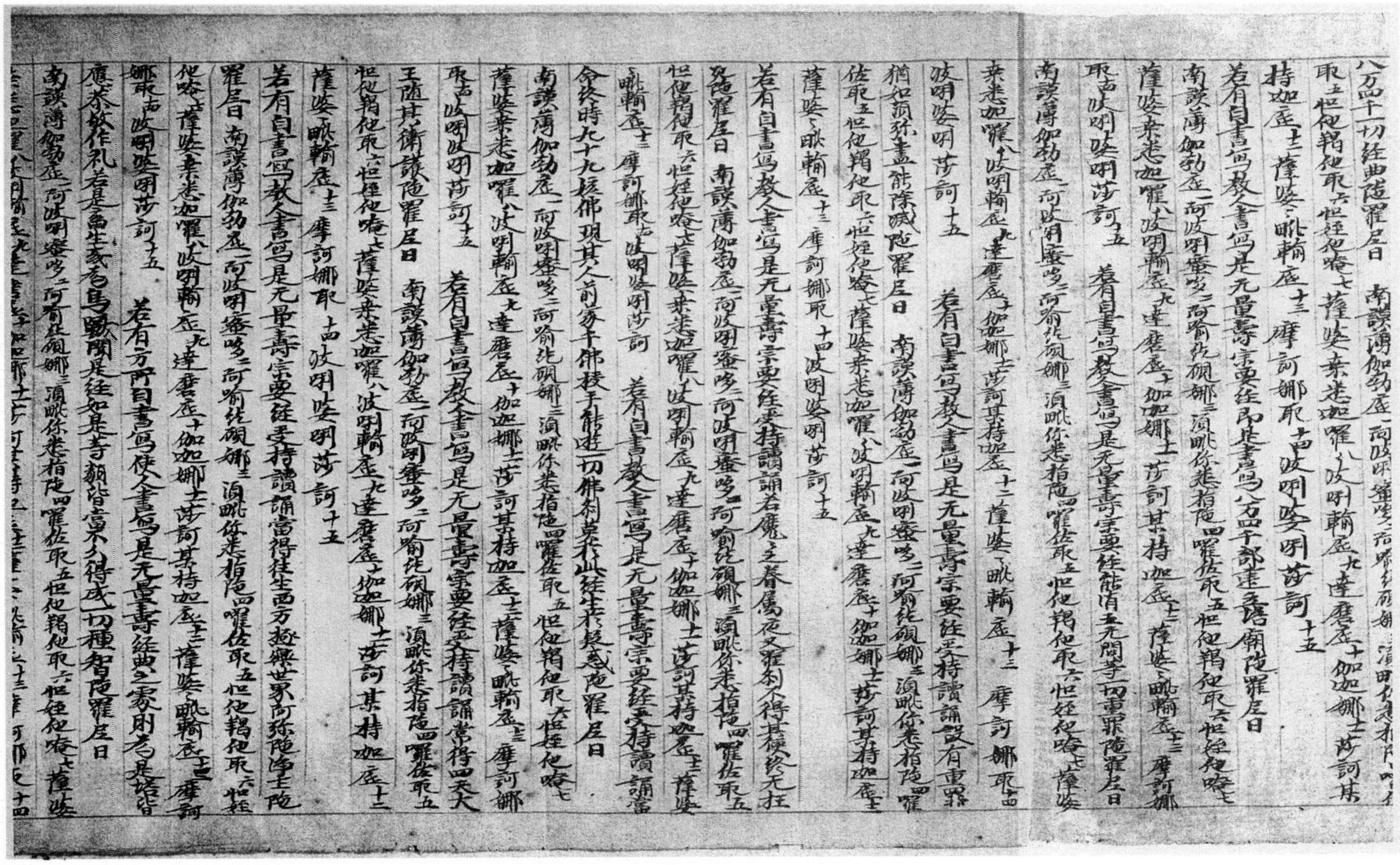

八万四千十切經典陁羅尼日 南謨薄伽勃底一阿波唎蜜哆二阿喻紇硯娜三須毗你悉指陁四囉佐
取五怛他羯他耶六怛姪他唵七薩婆桑悉迦囉八波唎輸底九達磨底十伽迦娜十一莎訶十二其
持伽底十三薩婆毗輸底十三摩訶娜取十四波唎婆唎莎訶十五
若有自書寫教人書寫是无量壽宗要經是書寫八万四千部建立塔廟陁羅尼日
南謨薄伽勃底一阿波唎蜜哆二阿喻紇硯娜三須毗你悉指陁四囉佐取五怛他羯他耶六怛姪他唵七
薩婆桑悉迦囉八波唎輸底九達磨底十伽迦娜十一莎訶十二其持伽底十三薩婆毗輸底十三摩訶娜
取十四波唎婆唎莎訶十五 若有自書寫教人書寫是无量壽宗要經能消五无間等一切重罪陁羅尼日
南謨薄伽勃底一阿波唎蜜哆二阿喻紇硯娜三須毗你悉指陁四囉佐取五怛他羯他耶六怛姪他唵七薩婆
桑悉迦囉八波唎輸底九達磨底十伽迦娜十一莎訶十二其持伽底十三薩婆毗輸底十三摩訶娜取十四
波唎婆唎莎訶十五 若有自書寫教人書寫是无量壽宗要經受持讀誦設有重罪
猶如須弥盡能除滅陁羅尼日 南謨薄伽勃底一阿波唎蜜哆二阿喻紇硯娜三須毗你悉指陁四囉
佐取五怛他羯他耶六怛姪他唵七薩婆桑悉迦囉八波唎輸底九達磨底十伽迦娜十一莎訶十二其持伽底十三
薩婆毗輸底十三摩訶娜取十四波唎婆唎莎訶十五
若有自書寫教人書寫是无量壽宗要經受持讀誦若魔王眷屬夜叉羅剎不得其便終无枉
死陁羅尼日 南謨薄伽勃底一阿波唎蜜哆二阿喻紇硯娜三須毗你悉指陁四囉佐取五
怛他羯他耶六怛姪他唵七薩婆桑悉迦囉八波唎輸底九達磨底十伽迦娜十一莎訶十二其持伽底十三薩婆
毗輸底十三摩訶娜取十四波唎婆唎莎訶 若有自書寫教人書寫是无量壽宗要經受持讀誦
命終時九十九殑伽沙佛現其人前步十佛授手能遊一切佛剎莫疑此經生疑惑陁羅尼日
南謨薄伽勃底一阿波唎蜜哆二阿喻紇硯娜三須毗你悉指陁四囉佐取五怛他羯他耶六怛姪他唵七
薩婆桑悉迦囉八波唎輸底九達磨底十伽迦娜十一莎訶十二其持伽底十三薩婆毗輸底十三摩訶娜
取十四波唎婆唎莎訶十五 若有自書寫教人書寫是无量壽宗要經受持讀誦當得四天大
王隨其衛護陁羅尼日 南謨薄伽勃底一阿波唎蜜哆二阿喻紇硯娜三須毗你悉指陁四囉佐取五
怛他羯他耶六怛姪他唵七薩婆桑悉迦囉八波唎輸底九達磨底十伽迦娜十一莎訶十二其持伽底十三
薩婆毗輸底十三摩訶娜取十四波唎婆唎莎訶十五
若有自書寫教人書寫是无量壽宗要經受持讀誦當得往生西方極樂世界阿弥陁淨土陁
羅尼日 南謨薄伽勃底一阿波唎蜜哆二阿喻紇硯娜三須毗你悉指陁四囉佐取五怛他羯他耶六怛姪
他唵七薩婆桑悉迦囉八波唎輸底九達磨底十伽迦娜十一莎訶十二其持伽底十三薩婆毗輸底十三摩訶
娜取十四波唎婆唎莎訶十五 若有方所自書寫使人書寫是无量壽經典之處則為是諸
應恭敬作礼若是畜生鳥獸聞是經如是等類皆當不久得成一切種智陁羅尼日
南謨薄伽勃底一阿波唎蜜哆二阿喻紇硯娜三須毗你悉指陁四囉佐取五怛他羯他耶六怛姪他唵七薩婆

BD01988 號　無量壽宗要經　（5–3）

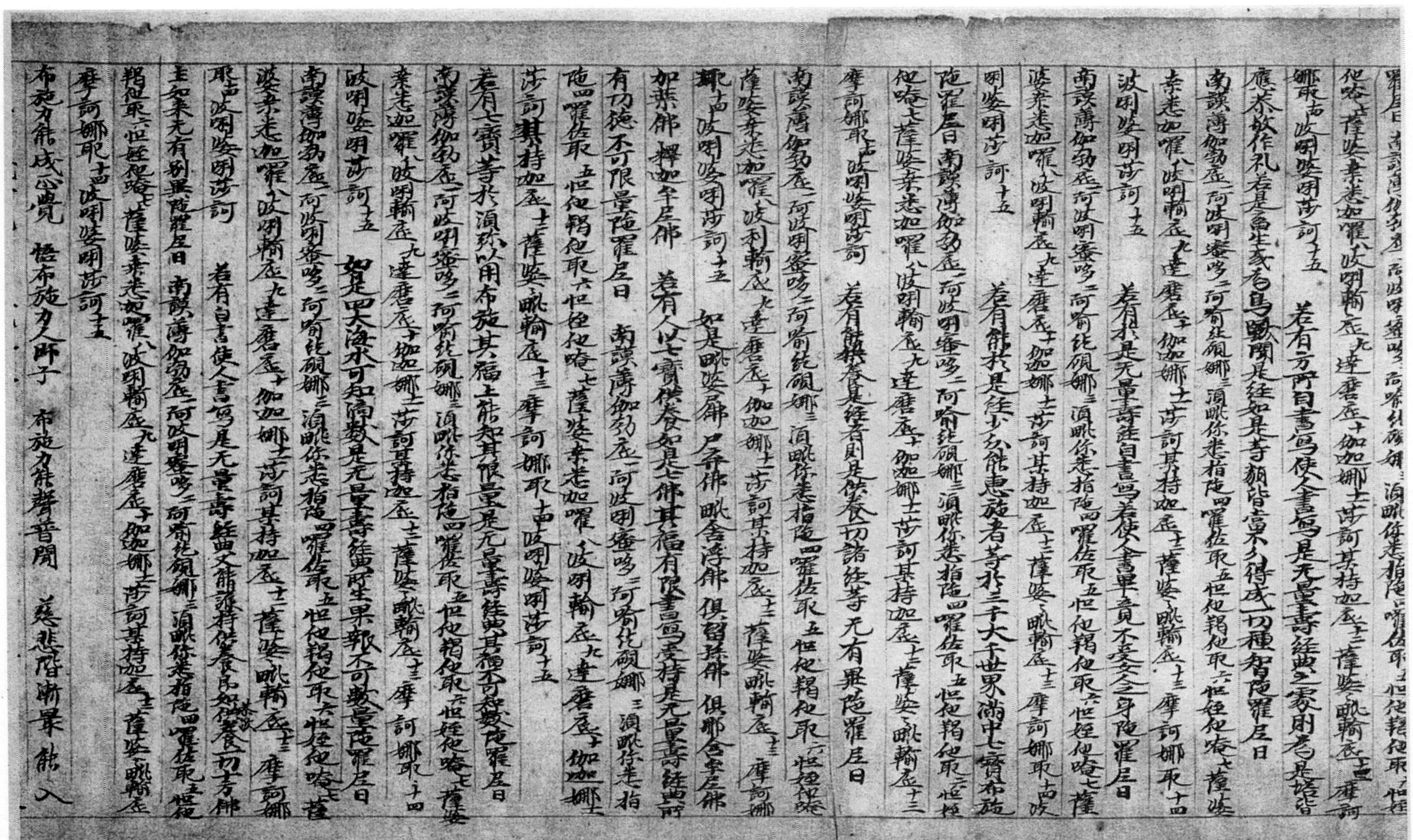

他唵七薩婆桑悉迦囉八波唎輸底九達磨底十伽迦娜十一莎訶十二其持伽底十三薩婆毗輸底十三摩訶
娜取十四波唎婆唎莎訶十五 若有方所自書寫使人書寫是无量壽經典之處則為是諸
應恭敬作礼若是畜生鳥獸聞是經如是等類皆當不久得成一切種智陁羅尼日
南謨薄伽勃底一阿波唎蜜哆二阿喻紇硯娜三須毗你悉指陁四囉佐取五怛他羯他耶六怛姪他唵七薩婆
桑悉迦囉八波唎輸底九達磨底十伽迦娜十一莎訶十二其持伽底十三薩婆毗輸底十三摩訶娜取十四
波唎婆唎莎訶十五 若有自書寫是无量壽經典自書寫若使人書畢竟不受女人之身陁羅尼日
南謨薄伽勃底一阿波唎蜜哆二阿喻紇硯娜三須毗你悉指陁四囉佐取五怛他羯他耶六怛姪他唵七薩
婆桑悉迦囉八波唎輸底九達磨底十伽迦娜十一莎訶十二其持伽底十三薩婆毗輸底十三摩訶娜取十四波
唎婆唎莎訶十五 若有能於是經少分能惠施者當於三千大千世界滿中七寶布施
陁羅尼日 南謨薄伽勃底一阿波唎蜜哆二阿喻紇硯娜三須毗你悉指陁四囉佐取五怛他羯他耶六怛姪
他唵七薩婆桑悉迦囉八波唎輸底九達磨底十伽迦娜十一莎訶十二其持伽底十三薩婆毗輸底十三
摩訶娜取十四波唎婆唎莎訶 若有能供養是經者則是供養一切諸經等无有異陁羅尼日
南謨薄伽勃底一阿波唎蜜哆二阿喻紇硯娜三須毗你悉指陁四囉佐取五怛他羯他耶六怛姪他唵
薩婆桑悉迦囉八波唎輸底九達磨底十伽迦娜十一莎訶十二其持伽底十三薩婆毗輸底十三摩訶娜
取十四波唎婆唎莎訶十五 如是毗婆尸佛尸弃佛毗舍浮佛俱留孫佛俱那含牟尼佛
迦葉佛釋迦牟尼佛 若有人以七寶供養如是七佛其福有限書寫受持是无量壽經典所
有功德不可限量陁羅尼日 南謨薄伽勃底一阿波唎蜜哆二阿喻紇硯娜三須毗你悉指
陁四囉佐取五怛他羯他耶六怛姪他唵七薩婆桑悉迦囉八波唎輸底九達磨底十伽迦娜十一
莎訶十二其持伽底十三薩婆毗輸底十三摩訶娜取十四波唎婆唎莎訶十五
若有七寶等於須弥以用布施其福上能知其限量是无量壽經典其福不可數量陁羅尼日
南謨薄伽勃底一阿波唎蜜哆二阿喻紇硯娜三須毗你悉指陁四囉佐取五怛他羯他耶六怛姪他唵七薩婆
桑悉迦囉八波唎輸底九達磨底十伽迦娜十一莎訶十二其持伽底十三薩婆毗輸底十三摩訶娜取十四
波唎婆唎莎訶十五 如是四大海水可知滴數是无量壽經所生果報不可數量陁羅尼日
南謨薄伽勃底一阿波唎蜜哆二阿喻紇硯娜三須毗你悉指陁四囉佐取五怛他羯他耶六怛姪他唵七薩
婆桑悉迦囉八波唎輸底九達磨底十伽迦娜十一莎訶十二其持伽底十三薩婆毗輸底十三摩訶娜
取十四波唎婆唎莎訶 若有自書使人書寫是无量壽經典受持讀誦供養一切十方佛
土如來无有別異陁羅尼日 南謨薄伽勃底一阿波唎蜜哆二阿喻紇硯娜三須毗你悉指陁四囉佐取五
怛他羯他取六怛姪他唵七薩婆桑悉迦囉八波唎輸底九達磨底十伽迦娜十一莎訶十二其持伽底十三薩婆毗輸底
摩訶娜取十四波唎婆唎莎訶十五
布施力能成正覺 悟布施力人師子 布施力能聲普聞 慈悲階漸畢能入

BD01988 號　無量壽宗要經　（5–4）

南謨薄伽勃底一阿波唎蜜哆二阿喻紇硯娜三須毗你悉指陁四囉佐耶五怛他羯他耶六怛姪他唵七薩婆
桑悉迦囉八波唎輸底九達磨底十伽迦娜十一莎訶某持伽底十二薩婆毗輸底十三摩訶娜耶十四
波唎婆唎莎訶十五　如是四大海水可知滴數，是无量壽經所生果報不可數量。陁羅尼曰
南謨薄伽勃底一阿波唎蜜哆二阿喻紇硯娜三須毗你悉指陁四囉佐耶五怛他羯他耶六怛姪他唵七薩
婆桑悉迦囉八波唎輸底九達磨底十伽迦娜十一莎訶某持伽底十二薩婆毗輸底十三摩訶娜
耶十四波唎婆唎莎訶　若有自書使人書寫是无量壽經，當又能護持供養，如恭敬供養一切諸佛
土如來无有別異。陁羅尼曰　南謨薄伽勃底一阿波唎蜜哆二阿喻紇硯娜三須毗你悉指陁四囉佐耶五怛
羯他耶六怛姪他唵七薩婆桑悉迦囉八波唎輸底九達磨底十伽迦娜十一莎訶某持伽底十二薩婆毗輸底
摩訶娜耶十四波唎婆唎莎訶十五

布施力能成正覺　悟布施力人師子　布施力能聲普聞　慈悲階漸最能入
持戒力能成正覺　悟持戒力人師子　持戒力能聲普聞　慈悲階漸最能入
忍辱力能成正覺　悟忍辱力人師子　忍辱力能聲普聞　慈悲階漸最能入
精進力能成正覺　悟精進力人師子　精進力能聲普聞　慈悲階漸最能入
禪定力能成正覺　悟禪定力人師子　禪定力能聲普聞　慈悲階漸最能入
智慧力能成正覺　悟智慧力人師子　智慧力能聲普聞　慈悲階漸最能入

尒時如來說是經已，一切世間天人阿脩羅揵闥婆等聞佛
所說，皆大歡喜，信受奉行

佛說无量壽宗要經

田廣談

BD01988號　無量壽宗要經　（5–5）

大乘无量壽經
如是我聞一時薄伽梵在……
摩訶薩衆俱同會坐尒時世……
德聚彼土有佛号无量智決定……
示說法曼殊諦聽南閻浮提人……
无量壽如來功德名稱法要……書或使人書能爲
經卷受持讀誦若於舍宅所……瓔珞塗香末香而爲供養
如其命盡復得延年滿百歲……曼殊若有衆生得聞是无量壽智
決定王如來百八名号者益其壽命若有衆生大命將盡憶念是如來名号更
得增壽如是曼殊若有善男子善女人欲求長壽於是无量壽如來一百八
名号有得聞者或自書若使人書受持讀誦得如是等果報福德具足
陁羅尼曰　南謨薄伽勃底一阿波唎蜜多二阿喻紇硯娜三須毗你悉指陁四
囉佐耶五　怛他羯他耶六　怛姪他唵七　薩婆桑悉迦囉八　鉢唎輸底九　達磨底十
伽迦娜十一　莎訶某特迦底十二　莎婆婆毗輸底十三　摩訶娜耶十四　波唎婆唎莎訶十五
世尊復告曼殊室利如是如來百八名号若自書或使人書爲経卷持讀
如壽命盡復滿百年壽終此身後得往生无量福智世界無量壽淨土
陁羅尼曰　南謨薄伽勃底一阿波唎蜜多二阿喻紇硯娜三須
毗你斯指陁四囉佐耶五怛他羯他耶六怛姪他唵七薩婆桑悉迦囉八鉢唎輸
底九達磨底十伽迦娜十一莎訶某特迦底十二莎婆婆毗輸底十三摩訶
娜耶十四波唎婆嚟莎訶十五
尒時有九十九姟佛等一時同聲說是无量壽宗要経陁羅尼曰
南謨薄伽勃底一阿波唎蜜多二阿喻紇硯娜三須毗你悉指陁四囉佐耶五怛
他羯他耶六怛姪他唵七薩婆桑悉迦囉八鉢唎輸底九達磨底十伽迦娜十一
莎訶某特迦底十二莎婆婆毗輸底十三摩訶娜耶十四波唎婆唎莎訶十五
尒時復有百四姟佛一時同聲說是无量壽宗要経陁羅尼曰
南謨薄伽勃底一阿波唎蜜多二阿喻紇硯娜三須毗你悉指陁四囉佐耶五
怛他羯他耶六怛姪他唵七薩婆桑悉迦囉八波唎輸底九達磨底十伽迦娜十一

BD01989號　無量壽宗要經　（6–1）

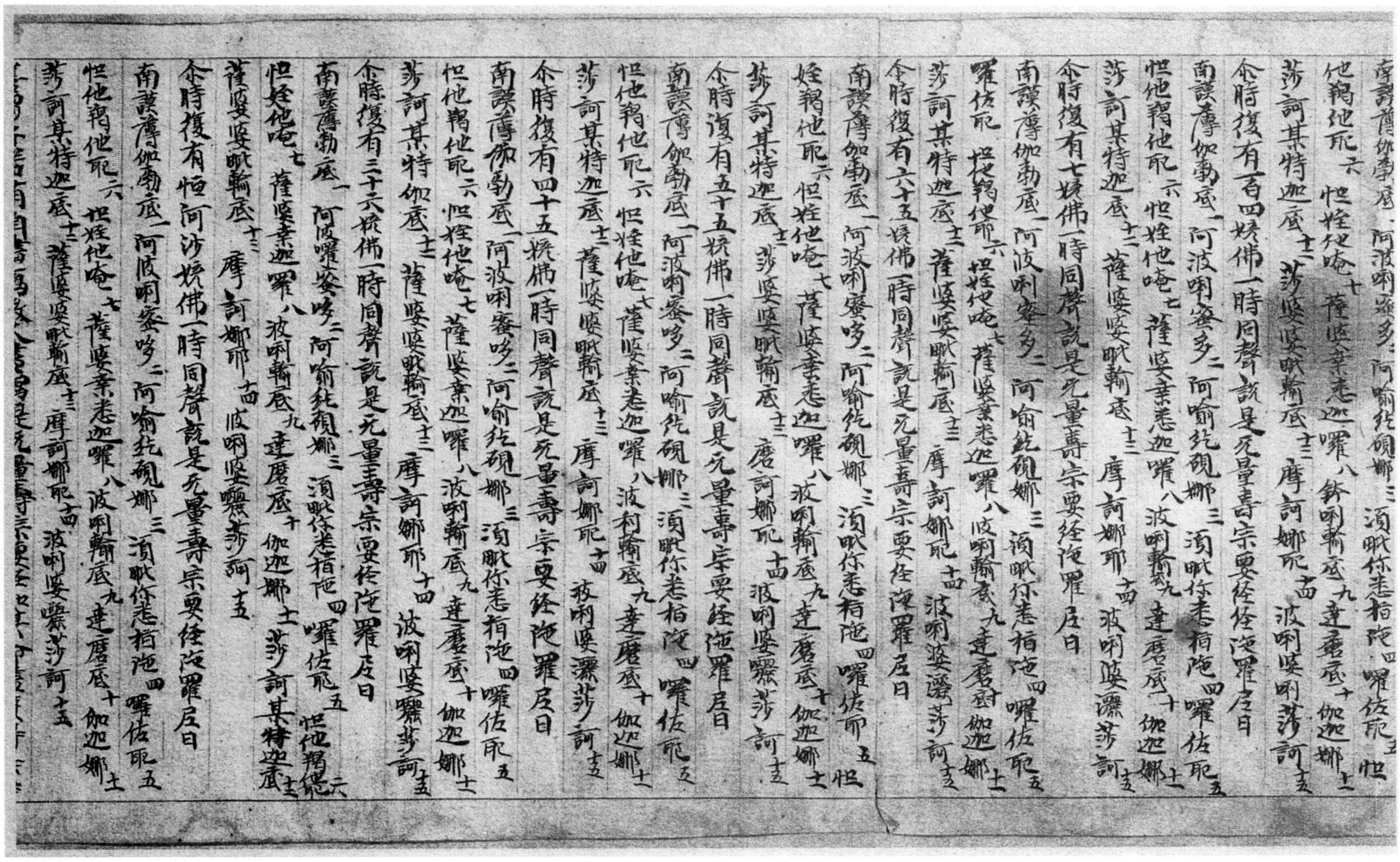

南謨薄伽勃底一阿波唎蜜多二阿喻紇硯娜三須毗你悉指陀四囉佐耶五怛
他羯他耶六怛姪他唵七薩婆桑悉迦囉八鉢唎輸底九達磨底十伽迦娜十一
莎訶某特迦底十二莎婆婆毗輸底十三摩訶娜耶十四波唎婆𠼝莎訶十五
爾時復有百四俱胝佛一時同聲說是無量壽宗要經陀羅尼曰
南謨薄伽勃底一阿波唎蜜多二阿喻紇硯娜三須毗你悉指陀四囉佐耶五
怛他羯他耶六怛姪他唵七薩婆桑悉迦囉八波唎輸底九達磨底十伽迦娜十一
莎訶某特迦底十二薩婆婆毗輸底十三摩訶娜耶十四波唎婆𠼝莎訶十五
爾時復有七俱胝佛一時同聲說是無量壽宗要經陀羅尼曰
南謨薄伽勃底一阿波唎蜜多二阿喻紇硯娜三須毗你悉指陀四囉佐耶五
囉佐耶怛他羯他耶六怛姪他唵七薩婆桑悉迦囉八波唎輸底九達磨底十伽迦娜十一
莎訶某特迦底十二薩婆婆毗輸底十三摩訶娜耶十四波唎婆𠼝莎訶十五
爾時復有六十五俱胝佛一時同聲說是無量壽宗要經陀羅尼曰
南謨薄伽勃底一阿波唎蜜多二阿喻紇硯娜三須毗你悉指陀四囉佐耶五怛
姪羯他耶六怛姪他唵七薩婆桑悉迦囉八波唎輸底九達磨底十伽迦娜十一
莎訶某特迦底十二薩婆婆毗輸底十三摩訶娜耶十四波唎婆𠼝莎訶十五
爾時復有五十五俱胝佛一時同聲說是無量壽宗要經陀羅尼曰
南謨薄伽勃底一阿波唎蜜多二阿喻紇硯娜三須毗你悉指陀四囉佐耶五
怛他羯他耶六怛姪他唵七薩婆桑悉迦囉八波唎輸底九達磨底十伽迦娜十一
莎訶某特迦底十二薩婆婆毗輸底十三摩訶娜耶十四波唎婆𠼝莎訶十五
爾時復有四十五俱胝佛一時同聲說是無量壽宗要經陀羅尼曰
南謨薄伽勃底一阿波唎蜜多二阿喻紇硯娜三須毗你悉指陀四囉佐耶五
怛他羯他耶六怛姪他唵七薩婆桑悉迦囉八波唎輸底九達磨底十伽迦娜十一
莎訶某特伽底十二薩婆婆毗輸底十三摩訶娜耶十四波唎婆𠼝莎訶十五
爾時復有三十六俱胝佛一時同聲說是無量壽宗要經陀羅尼曰
南謨薄伽勃底一阿波囉蜜多二阿喻紇硯娜三須毗你悉指陀四囉佐耶五怛他羯他六
怛姪他唵七薩婆桑悉迦囉八波唎輸底九達磨底十伽迦娜十一莎訶某特迦底十二
薩婆婆毗輸底十三摩訶娜耶十四波唎婆𠼝莎訶十五
爾時復有恒河沙俱胝佛一時同聲說是無量壽宗要經陀羅尼曰
南謨薄伽勃底一阿波唎蜜多二阿喻紇硯娜三須毗你悉指陀四囉佐耶五
怛他羯他耶六怛姪他唵七薩婆桑悉迦囉八波唎輸底九達磨底十伽迦娜十一
莎訶某特迦底十二薩婆婆毗輸底十三摩訶娜耶十四波唎婆𠼝莎訶十五

BD01989號　無量壽宗要經　（6–2）

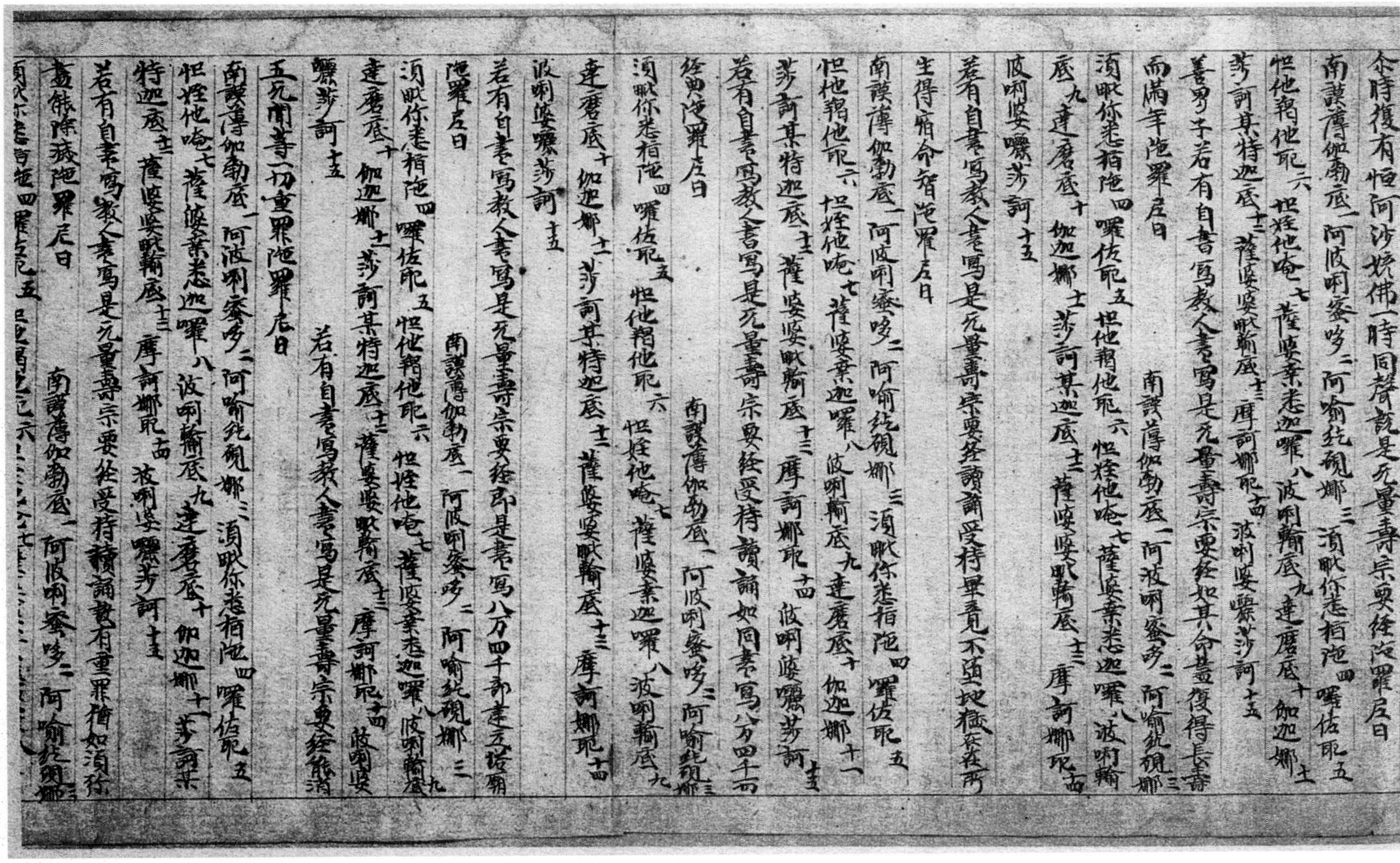

爾時復有恒河沙俱胝佛一時同聲說是無量壽宗要經陀羅尼曰
南謨薄伽勃底一阿波唎蜜多二阿喻紇硯娜三須毗你悉指陀四囉佐耶五
怛他羯他耶六怛姪他唵七薩婆桑悉迦囉八波唎輸底九達磨底十伽迦娜十一
莎訶某特迦底十二薩婆婆毗輸底十三摩訶娜耶十四波唎婆𠼝莎訶十五
善男子若有自書寫教人書寫是無量壽宗要經如其命盡復得長壽
而滿年陀羅尼曰　南謨薄伽勃底一阿波唎蜜多二阿喻紇硯娜三
須毗你悉指陀四囉佐耶五怛他羯他耶六怛姪他唵七薩婆桑悉迦囉八波唎輸
底九達磨底十伽迦娜十一莎訶某迦底十二薩婆婆毗輸底十三摩訶娜耶十四
波唎婆𠼝莎訶十五
若有自書寫教人書寫是無量壽宗要經讀誦受持畢竟不墮地獄在在所
生得宿命智陀羅尼曰
南謨薄伽勃底一阿波唎蜜多二阿喻紇硯娜三須毗你悉指陀四囉佐耶五
怛他羯他耶六怛姪他唵七薩婆桑悉迦囉八波唎輸底九達磨底十伽迦娜十一
莎訶某特迦底十二薩婆婆毗輸底十三摩訶娜耶十四波唎婆𠼝莎訶十五
若有自書寫教人書寫是無量壽宗要經受持讀誦如同書寫八万四千部
經典陀羅尼曰　南謨薄伽勃底一阿波唎蜜多二阿喻紇硯娜三
須毗你悉指陀四囉佐耶五怛他羯他耶六怛姪他唵七薩婆桑悉迦囉八波唎輸底九
達磨底十伽迦娜十一莎訶某特迦底十二薩婆婆毗輸底十三摩訶娜耶十四
波唎婆𠼝莎訶十五
若有自書寫教人書寫是無量壽宗要經即是書寫八万四千部建立塔廟
陀羅尼曰　南謨薄伽勃底一阿波唎蜜多二阿喻紇硯娜三
須毗你悉指陀四囉佐耶五怛他羯他耶六怛姪他唵七薩婆桑悉迦囉八波唎輸底九
達磨底十伽迦娜十一莎訶某特迦底十二薩婆婆毗輸底十三摩訶娜耶十四波唎婆
𠼝莎訶十五　若有自書寫教人書寫是無量壽宗要經能消
五無間等一切重罪陀羅尼曰
南謨薄伽勃底一阿波唎蜜多二阿喻紇硯娜三須毗你悉指陀四囉佐耶五
怛姪他唵七薩婆桑悉迦囉八波唎輸底九達磨底十伽迦娜十一莎訶某
特迦底十二薩婆婆毗輸底十三摩訶娜耶十四波唎婆𠼝莎訶十五
若有自書寫教人書寫是無量壽宗要經受持讀誦能消有重罪猶如須彌
盡能除滅陀羅尼曰　南謨薄伽勃底一阿波唎蜜多二阿喻紇硯娜三

BD01989號　無量壽宗要經　（6–3）

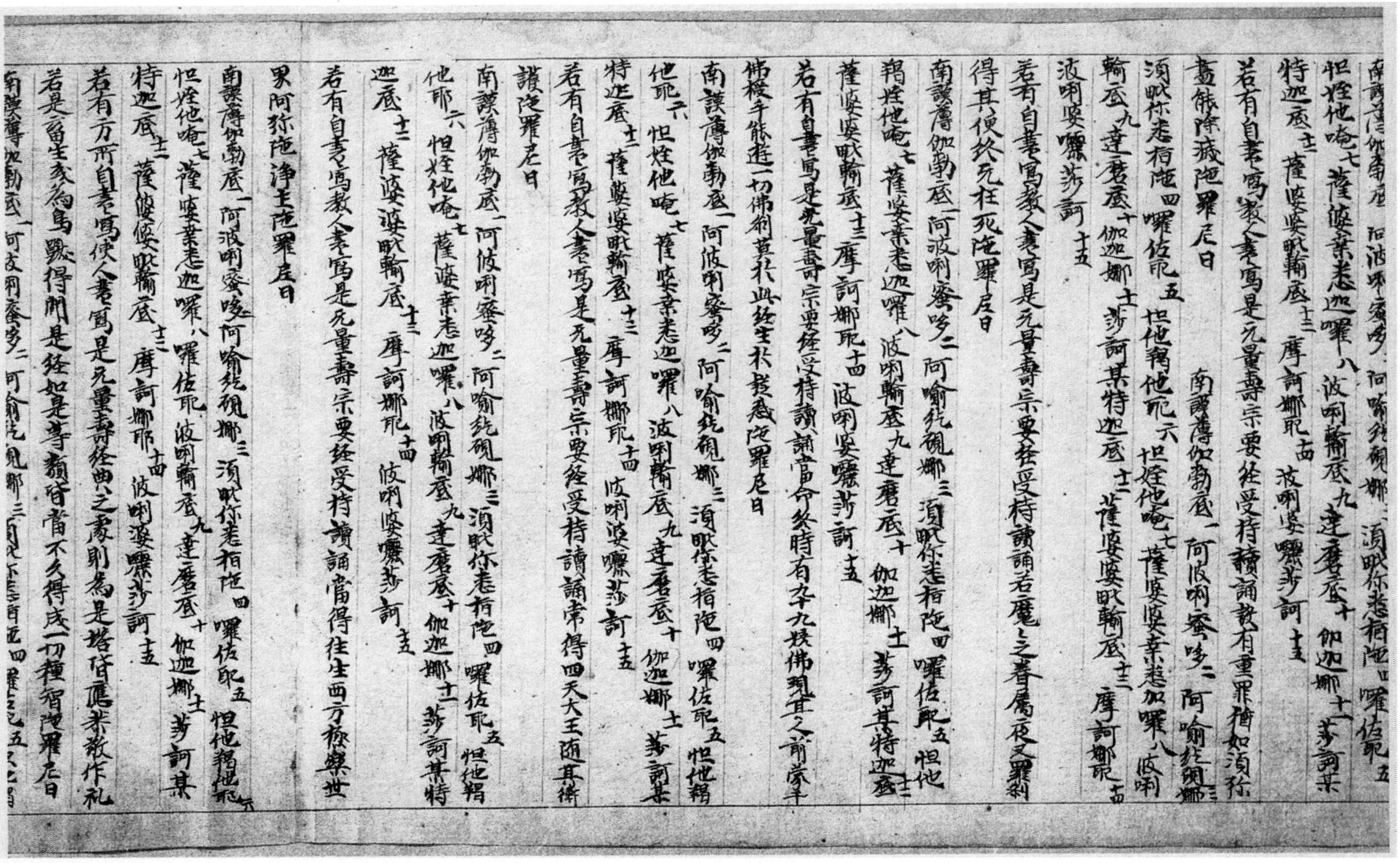

南謨薄伽勃底一 阿波唎蜜哆二 阿喻紇硯娜三 須毗你悉指陀四 囉佐耶五
怛姪他唵七 薩婆桑悉迦囉八 波唎輸底九 達磨底十 伽迦娜十一 莎訶某
特迦底十二 薩婆娑毗輸底十三 摩訶娜耶十四 波唎婆嚩莎訶十五
若有自書寫教人書寫是无量壽宗要經受持讀誦教有重罪猶如須弥
盡能除滅陀羅尼曰 南謨薄伽勃底一 阿波唎蜜哆二 阿喻紇硯娜三
須毗你悉指陀四 囉佐耶五 怛他羯他耶六 怛姪他唵七 薩婆桑悉迦囉八 波唎
輸底九 達磨底十 伽迦娜十一 莎訶某特迦底十二 薩婆娑毗輸底十三 摩訶娜耶十四
波唎婆嚩莎訶十五
若有自書寫教人書寫是无量壽宗要經受持讀誦若魔王之眷屬夜叉羅刹
得其便終无枉死陀羅尼曰
南謨薄伽勃底一 阿波唎蜜哆二 阿喻紇硯娜三 須毗你悉指陀四 囉佐耶五 怛他
羯姪他唵七 薩婆桑悉迦囉八 波唎輸底九 達磨底十 伽迦娜十一 莎訶某特迦底十二
薩婆娑毗輸底十三 摩訶娜耶十四 波唎婆嚩莎訶十五
若有自書寫是无量壽宗要經受持讀誦當命終時有九十九俱胝佛現其人前來
佛授手能遊一切佛剎莫於此經生於疑惑陀羅尼曰
南謨薄伽勃底一 阿波唎蜜哆二 阿喻紇硯娜三 須毗你悉指陀四 囉佐耶五 怛他羯
他耶六 怛姪他唵七 薩婆桑悉迦囉八 波唎輸底九 達磨底十 伽迦娜十一 莎訶某
特迦底十二 薩婆娑毗輸底十三 摩訶娜耶十四 波唎婆嚩莎訶十五
若有自書寫教人書寫是无量壽宗要經受持讀誦常得四天大王隨其衛
護陀羅尼曰
南謨薄伽勃底一 阿波唎蜜哆二 阿喻紇硯娜三 須毗你悉指陀四 囉佐耶五 怛他羯
他耶六 怛姪他唵七 薩婆桑悉迦囉八 波唎輸底九 達磨底十 伽迦娜十一 莎訶某特
迦底十二 薩婆娑毗輸底十三 摩訶娜耶十四 波唎婆嚩莎訶十五
若有自書寫教人書寫是无量壽宗要經受持讀誦當得往生西方極樂世
界阿弥陀淨土陀羅尼曰
南謨薄伽勃底一 阿波唎蜜哆二 阿喻紇硯娜三 須毗你悉指陀四 囉佐耶五 怛他羯他耶六
怛姪他唵七 薩婆桑悉迦囉八 波唎輸底九 達磨底十 伽迦娜十一 莎訶某
特迦底十二 薩婆娑毗輸底十三 摩訶娜耶十四 波唎婆嚩莎訶十五
若有方所自書寫使人書寫是无量壽經典之處則為是塔皆應恭敬作礼
若是畜生衆為鳥獸得聞是經如是等類皆當不久得成无上一切種智陀羅尼曰

BD01989號　無量壽宗要經　（6–4）

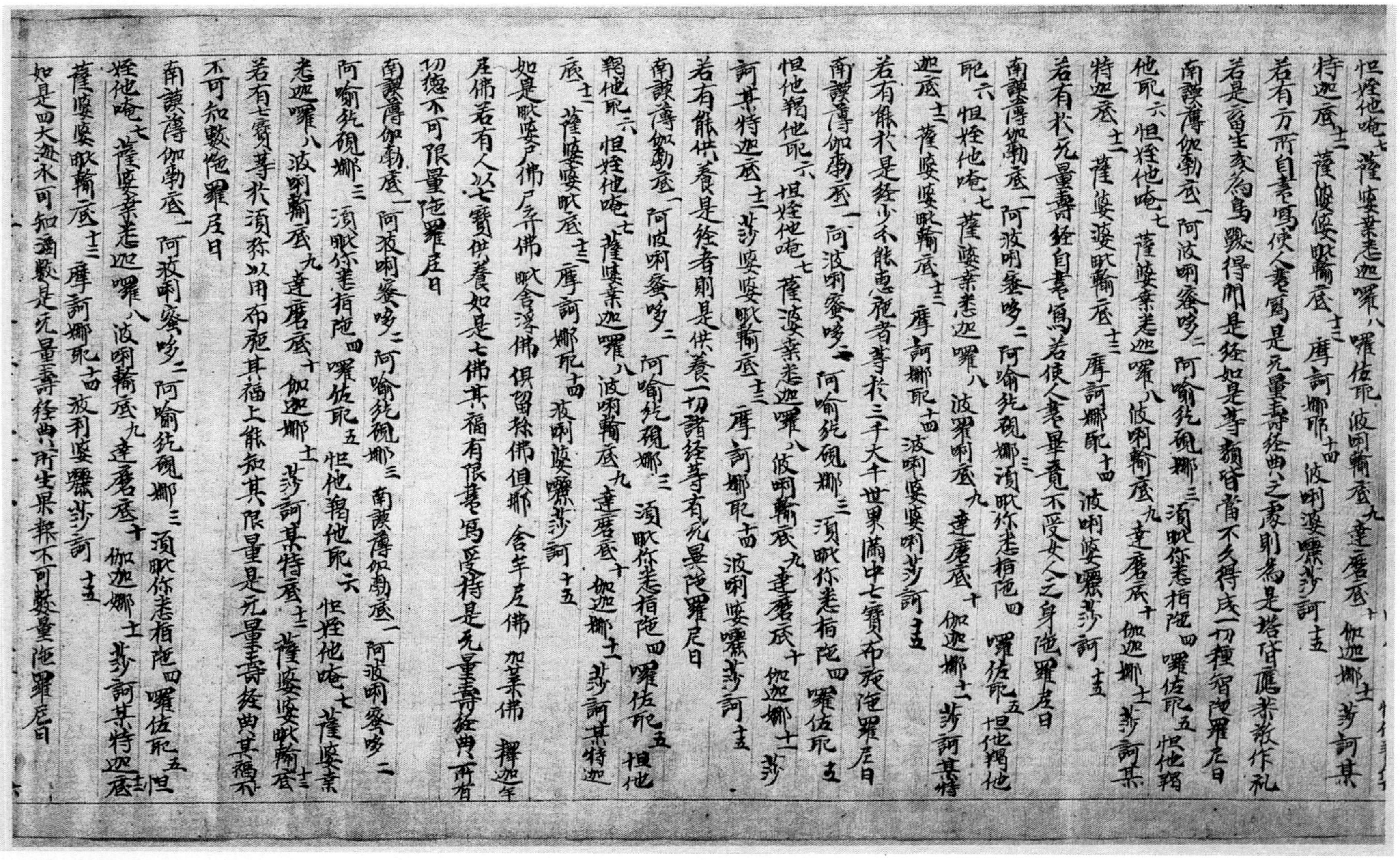

怛姪他唵七 薩婆桑悉迦囉八 波唎輸底九 達磨底十 伽迦娜十一 莎訶某
特迦底十二 薩婆娑毗輸底十三 摩訶娜耶十四 波唎婆嚩莎訶十五
若有方所自書寫使人書寫是无量壽經典之處則為是塔皆應恭敬作礼
若是畜生衆為鳥獸得聞是經如是等類皆當不久得成无上一切種智陀羅尼曰
南謨薄伽勃底一 阿波唎蜜哆二 阿喻紇硯娜三 須毗你悉指陀四 囉佐耶五 怛他羯
他耶六 怛姪他唵七 薩婆桑悉迦囉八 波唎輸底九 達磨底十 伽迦娜十一 莎訶某
特迦底十二 薩婆娑毗輸底十三 摩訶娜耶十四 波唎婆嚩莎訶十五
若有於无量壽經自書寫若使人書寫畢竟不受女人之身陀羅尼曰
南謨薄伽勃底一 阿波唎蜜哆二 阿喻紇硯娜須毗你悉指陀四 囉佐耶五 怛他羯他
耶六 怛姪他唵七 薩婆桑悉迦囉八 波眾唎底九 達磨底十 伽迦娜十一 莎訶某特
迦底十二 薩婆娑毗輸底十三 摩訶娜耶十四 波唎婆嚩莎訶十五
若有能於是經少分能惠施者等於三千大千世界滿中七寶布施陀羅尼曰
南謨薄伽勃底一 阿波唎蜜哆二 阿喻紇硯娜三 須毗你悉指陀四 囉佐耶五
怛他羯他耶六 怛姪他唵七 薩婆桑悉迦囉八 波唎輸底九 達磨底十 伽迦娜十一 莎
訶某特迦底十二 莎娑毗輸底十三 摩訶娜耶十四 波唎婆嚩莎訶十五
若有能供養是經者則是供養一切諸經等有異陀羅尼曰
南謨薄伽勃底一 阿波唎蜜哆二 阿喻紇硯娜三 須毗你悉指陀四 囉佐耶五 怛他
羯他耶六 怛姪他唵七 薩婆桑悉迦囉八 波唎輸底九 達磨底十 伽迦娜十一 莎訶某特迦
底十二 薩婆娑毗底十三 摩訶娜耶十四 波唎婆嚩莎訶十五
如是毗婆尸佛尸棄佛 毗舍浮佛 俱留孫佛 俱那含牟尼佛 迦葉佛 釋迦牟
尼佛若有人以七寶供養如是七佛其福有限其書寫受持是无量壽經典所有
功德不可限量陀羅尼曰
南謨薄伽勃底一 阿波唎蜜哆二 阿喻紇硯娜三 南謨薄伽勃底一 阿波唎蜜哆二
阿喻紇硯娜三 須毗你悉指陀四 囉佐耶五 怛他羯他耶六 怛姪他唵七 薩婆桑
悉迦囉八 波唎輸底九 達磨底十 伽迦娜十一 莎訶某特迦底十二 薩婆娑毗輸底十三
若有七寶等於須弥以用布施其福上能知其限量是无量壽經典其福不
可知數陀羅尼曰
南謨薄伽勃底一 阿波唎蜜哆二 阿喻紇硯娜三 須毗你悉指陀四 囉佐耶五 怛
姪他唵七 薩婆桑悉迦囉八 波唎輸底九 達磨底十 伽迦娜十一 莎訶某特迦底十二
薩婆娑毗輸底十三 摩訶娜耶十四 波利婆嚩莎訶十五
如是四大海水可知滴數是无量壽經典所生果報不可數量陀羅尼曰

BD01989號　無量壽宗要經　（6–5）

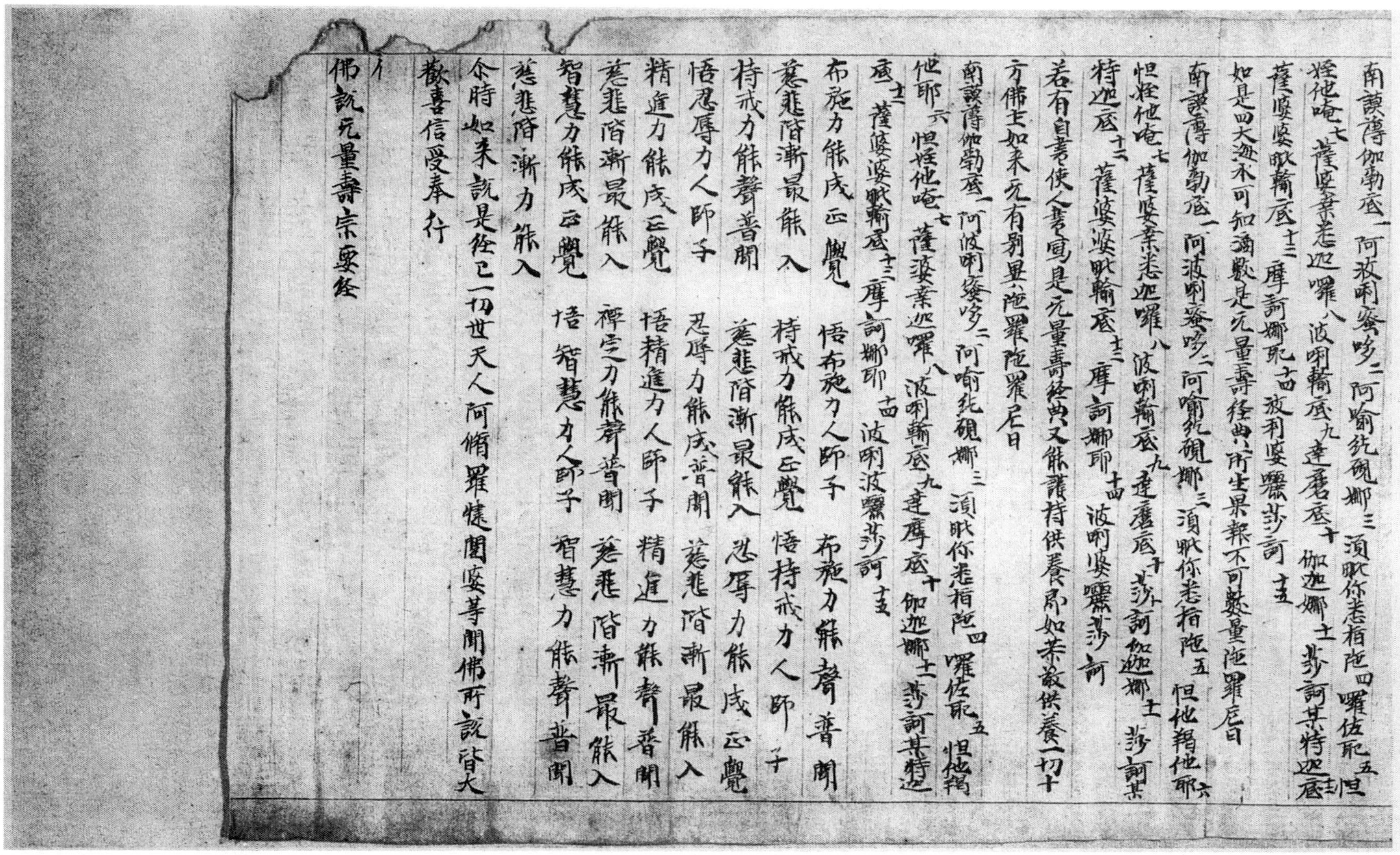
南謨薄伽勃底一　阿波唎蜜哆二　阿喻紇硯娜三　須毗你悉指陁四　囉佐耶五　怛
姪他唵七　薩婆桑悉迦囉八　波唎輸底九　達磨底十　伽迦娜十一　莎訶某特迦底十二
薩婆婆毗輸底十三　摩訶娜耶十四　波利婆囉莎訶　十五
如是四大海水可知滴數是无量壽經典所生果報不可數量陁羅尼曰
南謨薄伽勃底一　阿波唎蜜哆二　阿喻紇硯娜三　須毗你悉指陁五　怛他羯他耶六
怛姪他唵七　薩婆桑悉迦囉八　波唎輸底九　達磨底十　莎訶伽迦娜十一　莎訶某
特迦底十二　薩婆婆毗輸底十三　摩訶娜耶十四　波唎婆囉莎訶
若有自書使人書寫是无量壽經典又能護持供養即如恭敬供養一切十
方佛土如來无有別異陁羅陁羅尼曰
南謨薄伽勃底一　阿波唎蜜哆二　阿喻紇硯娜三　須毗你悉指陁四　囉佐耶五　怛他羯
他耶六　怛姪他唵七　薩婆桑迦囉八　波唎輸底九　達摩底十　伽迦娜十一　莎訶某特迦
底十二　薩婆婆毗輸底十三　摩訶娜耶　十四　波唎波囉莎訶　十五
布施力能成正覺　悟布施力人師子　布施力能聲普聞
慈悲階漸最能入　持戒力能成正覺　悟持戒力人師子
持戒力能聲普聞　慈悲階漸最能入　忍辱力能成正覺
悟忍辱力人師子　忍辱力能成普聞　慈悲階漸最能入
精進力能成正覺　悟精進力人師子　精進力能聲普聞
慈悲階漸最能入　禪定力能聲普聞　慈悲階漸最能入
智慧力能成正覺　悟智慧力人師子　智慧力能聲普聞
慈悲階漸力能入
尒時如來說是經已一切世天人阿脩羅揵闥婆等聞佛所說皆大
歡喜信受奉行

佛說无量壽宗要經

BD01989號　無量壽宗要經　　（6–6）

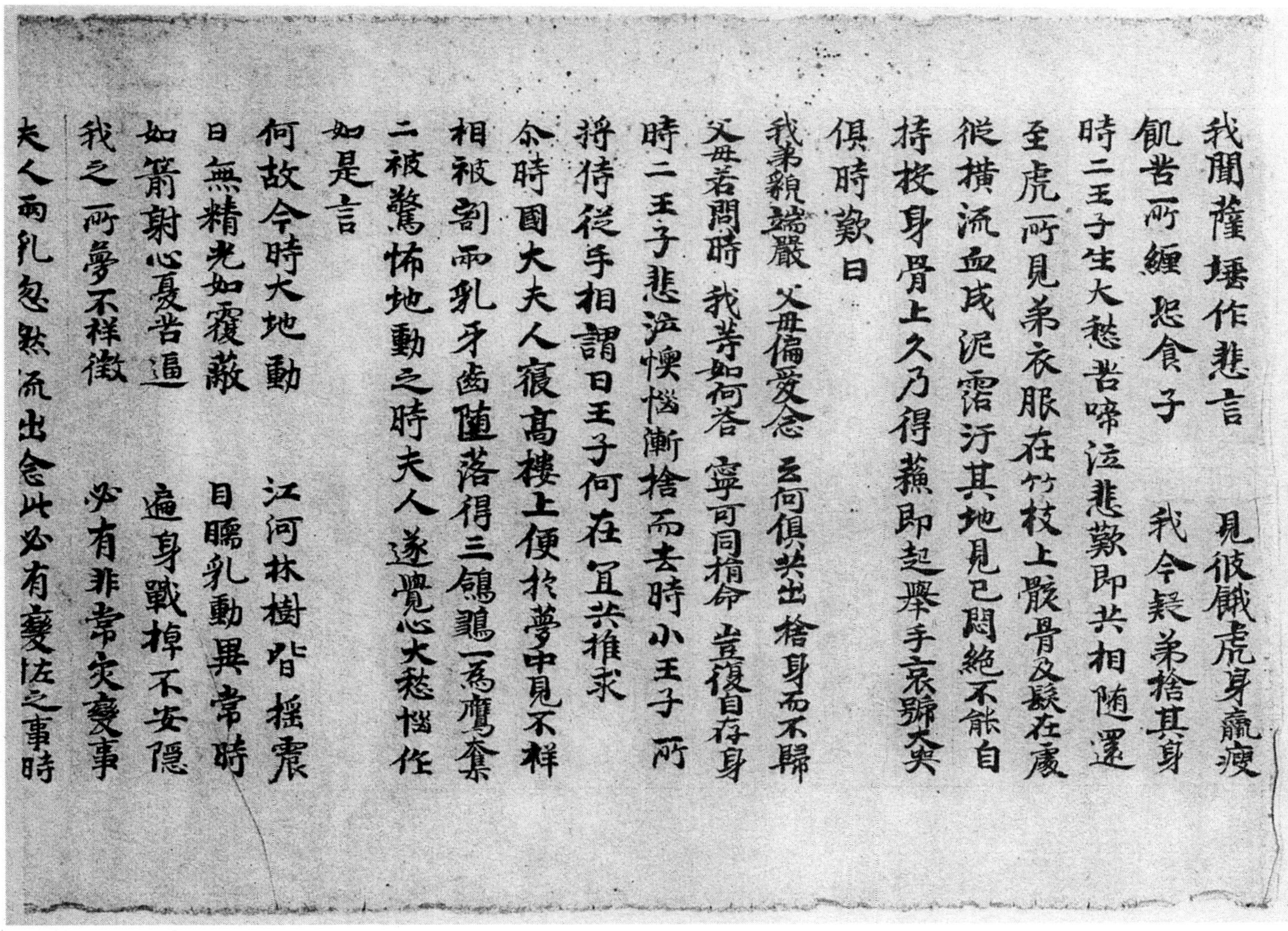
我聞薩埵作悲言　見彼餓虎身羸瘦
飢苦所纏恐食子　我今疑弟捨其身
時二王子生大愁苦啼泣悲歎即共相隨還
至虎所見弟衣服在竹枝上骸骨及髮在處
縱橫流血成泥霑汙其地見已悶絕不能自
持投身骨上久乃得蘇即起舉手哀號大哭
俱時歎曰
我弟貌端嚴　父母偏愛念　云何俱共出　捨身而不歸
父母若問時　我等如何荅　寧可同捐命　豈復自存身
時二王子悲泣懊惱漸捨而去時小王子所
將侍從手相謂曰王子何在宜共推求
尒時國大夫人寢高樓上便於夢中見不祥
相被割兩乳牙齒墮落得三鴿鶵一為鷹奪
二被驚怖地動之時夫人遂覺心大愁惱作
如是言
何故今時大地動　江河林樹皆搖震
日無精光如覆蔽　目瞤乳動異常時
如箭射心憂苦逼　遍身戰掉不安隱
我之所夢不祥徵　必有非常灾變事
夫人兩乳忽然流出念此必有變怪之事時

BD01990號　金光明最勝王經卷一〇　　（15–1）

日無精光如霞蔽　目矚乳動異常時
如箭射心憂苦逼　遍身戰掉不安隱
我之所夢不祥徵　必有非常災變事
夫人兩乳忽然流出念此必有變恠之事時
有侍女聞外人言求覓王子今猶未得心大
驚怖即入宮中白夫人曰大家知不外聞諸
人散覓王子遍求不得時彼夫人聞是語已
生大憂惱悲淚盈目至大王所白言大王我
聞外人作如是語失我最小所愛子王聞語
已驚惶失所悲哽而言苦哉今日失我愛
子即便拭淚慰喻夫人告言賢首汝勿憂慼
吾今共出求覓愛子王与大臣及諸人衆即
共出城各各分散隨處求覓未久之頃有一
大臣前白王曰聞王子在願勿憂愁其最小
者今猶未見王聞是語悲歎而言苦哉苦哉
失我愛子
初有子時歡喜少　後失子時憂苦多
若使我兒重壽命　縱我身亡不為苦
夫人聞已憂惱纏懷如被箭中而嗟歎曰
我之三子并侍從　俱往林中共遊賞
最小愛子獨不還　定有乖離災厄事
次第二臣來至王所王問臣曰愛子何在
第二大臣懊惱啼泣唯舌乾燥口不能言竟
无所荅夫人問曰

BD01990 號　金光明最勝王經卷一〇　（15–2）

次第二臣來至王所王問臣曰愛子何在
第二大臣懊惱啼泣唯舌乾燥口不能言竟
无所荅夫人問曰
速報小子今何在　我身熱惱遍燒然
悶亂荒迷失本心　勿使我胷今破裂
時第二臣即以王子捨身之事具白王知王
及夫人聞其事已不勝悲噎望捨身處驟
駕前行詣竹林所至彼菩薩捨身之地見其骸
骨隨處交橫俱時投地悶絕將死猶如猛風
吹倒大樹心迷失緒都無所知時大臣等以
水遍灑王及夫人良久乃蘇舉手而哭咨嗟
歎曰
禍哉愛子端嚴相　因何死苦先來逼
若我得在汝前亡　豈見如斯大苦事
尒時夫人迷悶稍止頭髮蓬亂兩手搥胷宛
轉于地如魚處陸若牛失子悲泣而言
我子誰屠割　餘骨散于地　失我所愛子　憂悲不自勝
苦哉誰殺子　致斯憂惱事　我心非金剛　云何而不破
我夢中所見　兩乳皆被割　牙齒悉墮落　今遭大苦痛
又夢三鴿鷂　一被鷹擒去　今失所愛子　惡相表非虛
尒時大王及於夫人并二王子盡哀號哭瓔
珞不御与諸人衆共收菩薩遺身舍利為於
供養置窣覩波中阿難陁汝等應知此即是
彼菩薩舍利復告阿難陁我於昔時雖具煩
惱貪瞋癡等能於地獄餓鬼傍生五趣之中

BD01990 號　金光明最勝王經卷一〇　（15–3）

供養置窣覩波中阿難陁汝等應知此即是
彼菩薩舍利復告阿難陁我於昔時雖具煩
惱貪瞋癡等能於地獄餓鬼傍生五趣之中
隨緣救濟令得出離何況今時煩惱都盡无
復餘習号天人師具一切智而不能為一一
衆生經於多劫在地獄中及於餘處代受
衆苦令出生死煩惱輪迴尒時世尊欲重宣
義而說頌言
我念過去世　無量无數劫　或時作國王　或復為王子
常行於大施　及捨所愛身　願出離生死　至妙菩提處
昔時有大國　國主名大車　王子名勇猛　常施心无悋
王子有二兄　号大渠大天　三人同出遊　漸至山林所
見虎飢所逼　便生如是心　此虎飢火燒　更無餘可食
大士覩如斯　恐其將食子　捨身無所顧　救子不令傷
大地及諸山　一時皆震動　江海皆騰躍　驚波水逆流
天地失光明　昏冥无所見　林野諸禽獸　飛奔失所依
二兄恠不還　憂感生悲苦　即与諸侍從　林藪遍尋求
兄弟共籌議　復往深山處　四顧無所有　見虎處空林
其母并七子　口皆有血汙　殘骨并餘髮　縱橫在地中
復見有流血　散在竹林所　二兄既見已　心生大恐怖
悶絕俱躃地　荒迷不覺知　塵土坌其身　六情皆失念
王子諸侍從　啼泣心憂惱　以水灑令穌　舉手號咷哭
菩薩捨身時　慈母在宮內　五百諸婇女　共受於妙樂
夫人之兩乳　忽然自流出　遍體如針刺　苦痛不能安
欶生失子想　憂箭苦傷心　即白大王知　陳斯苦惱事

王子諸侍從　啼泣心憂惱　以水灑令穌　舉手號咷哭
菩薩捨身時　慈母在宮內　五百諸婇女　共受於妙樂
夫人之兩乳　忽然自流出　遍體如針刺　苦痛不能安
欶生失子想　憂箭苦傷心　即白大王知　陳斯苦惱事
悲泣不堪忍　哀聲而白言　大王今當知　我生大苦惱
兩乳忽流出　禁止不隨心　如針遍刺身　煩冤胷欲破
我先夢惡徵　必當失愛子　願王濟我命　知兒存与亡
夢見三鴿鶵　小者是愛子　忽被鷹奪去　悲愁難具陳
我今沒憂海　趣死將不久　恐子命不全　願為速求覓
又聞外人語　小子求不得　我今意不安　願王哀愍我
夫人白王已　舉身而躃地　悲痛心悶絕　荒迷不覺知
婇女見夫人　悶絕在於地　舉聲皆大哭　憂惶失所依
王聞如是語　懷憂不自勝　因命諸群臣　尋求所愛子
皆共出城外　隨處而追覓　涕泣問諸人　王子今何在
今者為存亡　誰知所去處　云何令得見　解我憂惱心
諸人悉共傳　咸言王子死　聞者皆傷悼　悲歎苦難裁
尒時大車王　悲號從座起　即就夫人處　以水灑其身
夫人蒙水灑　久乃得醒悟　悲啼以問王　我兒今在不
王告夫人曰　我已使諸人　四向求王子　尚未有消息
王又告夫人　汝莫生煩惱　且當自安慰　可共出追尋
王即与夫人　嚴駕而前進　號慟聲悽感　憂心若火然
士庶百千万　亦隨王出城　各欲求王子　悲號聲不絕
王求愛子故　目視於四方　見有一人來　被髮身塗血
遍體蒙塵土　悲哭迎前來　王見是惡相　倍復生憂惱
王便舉兩手　哀號不自裁　初有一大臣　急怪至王所

王求愛子故　目視於四方　見有一人來　被髮身塗血
遍體蒙塵土　悲哭逆前來　王見是惡相　倍復生憂惱
王便舉兩手　哀號不自裁　初有一大臣　忩忙至王所
進白大王曰　幸願勿悲哀　王之所愛子　今雖求未獲
不久當來至　以釋大王憂　王復更前行　見次大臣至
其臣詣王所　流淚白王言　二子今現存　被憂火所逼
其第三王子　已被无常吞　見餓虎初生　將欲食其子
彼薩埵王子　見此起悲心　願求無上道　當度一切衆
繫想妙菩提　廣大深如海　即上高山頂　投身餓虎前
虎羸不能食　以竹自傷頸　遂噉王子身　唯有餘骸骨
時王及夫人　聞已俱悶絕　心沒於憂海　煩惱火燒然
臣以栴檀水　灑王及夫人　俱起大悲號　舉手推胸臆
第三大臣來　白王如是語　我見二王子　悶絕在林中
臣以冷水灑　今乃穌醒息　顧視於四方　如猛火周遍
轉起而還伏　悲號不自勝　舉手以哀言　稱歎弟希有
王聞如是言　倍增憂火逼　夫人大號咷　高聲作是語
我之小子偏鍾愛　已為無常羅剎吞
餘有二子今現存　復被憂火所燒逼
我今速可之山下　安慰令其保餘命
即便馳駕望前路　一心詣彼捨身崖
路逢二子行啼泣　推胸懊惱失容儀
父母見已抱憂悲　俱往山林捨身處
既至菩薩捨身地　共聚悲號生大苦
脫去瓔珞盡哀心　收取菩薩身餘骨

BD01990號　金光明最勝王經卷一〇　（15-6）

父母見已抱憂悲　俱往山林捨身處
既至菩薩捨身地　共聚悲號生大苦
脫去瓔珞盡哀心　收取菩薩身餘骨
与諸人衆同供養　共造七寶窣覩波
以彼舍利置函中　整駕懷憂趣城邑
復告阿難陀　往時薩埵者　即我牟尼是　勿生於異念
王是父淨飯　后是母摩耶　太子謂慈氏　次是殊室利
虎是大世主　五兒五苾芻　一是大目連　一是舍利子
我為汝等說　往昔利他緣　如是菩薩行　成佛因當學
菩薩捨身時　發如是弘誓　願我身餘骨　來世益衆生
此是捨身處　七寶窣覩波　以經無量時　遂沉於厚地
由昔本願力　隨緣興濟度　為利於人天　從地而涌出
尒時世尊說是往昔因緣之時无量阿僧企
耶人天大衆皆大悲喜歎未曾有悉發阿耨
多羅三藐三菩提心復告樹神我為報恩故
致礼敬佛攝神力其窣都波還沒于地

金光明最勝王經十方菩薩讚歎品第廿七

尒時釋迦牟尼如來說是經時於十方世界
有無量百千万億諸菩薩衆各從本土詣鷲
峯山至世尊所五輪著地礼世尊已一心合
掌異口同音而讚歎曰
佛身微妙真金色　其光普照等金山
清淨柔爽若蓮華　无量妙彩而嚴飾
三十二相遍莊嚴　八十種好皆圓備

BD01990號　金光明最勝王經卷一〇　（15-7）

掌異口同音而讚歎曰

佛身微妙真金色　其光普照等金山
清淨柔爽若蓮華　无量妙彩而嚴飾
三十二相遍莊嚴　八十種好皆圓備
光明炳著無與等　離垢猶如淨滿月
其聲清徹甚微妙　如師子吼震雷音
八種微妙應群機　超勝迦陵頻伽等
百福妙相以嚴容　光明具足淨無垢
智慧澄明如大海　功德廣大若虛空
圓光遍滿十方界　隨緣普濟諸有情
煩惱愛染習皆除　法炬恒然不休息
哀愍利益諸衆生　現在未來能与樂
常為宣說第一義　令證涅槃真寂靜
佛說甘露殊勝法　能与甘露微妙義
引入甘露涅槃城　令受甘露無為樂
常於生死大海中　解脫一切衆生苦
令彼能住安隱路　恒与難思如意樂
如來德海甚深廣　非諸譬喻所能知
於衆常起大悲心　方便精勤恒不息
如來智海無邊際　一切人天共測量
假使千万億劫中　不能得知其少分
我今略讚佛功德　於德海中唯一渧
迴斯福聚施群生　皆願速證菩提果

尒時世尊告諸菩薩言善哉善哉汝等善
能如是讚功德利益有情廣興佛事能滅諸

我今略讚佛功德　於德海中唯一渧
迴斯福聚施群生　皆願速證菩提果
尒時世尊告諸菩薩言善哉善哉汝等善
能如是讚功德利益有情廣興佛事能滅諸
罪生無量福

金光明最勝王經妙幢菩薩讚歎品第六

尒時妙幢菩薩即從座起偏袒右肩右膝著
地合掌向佛而說讚曰

牟尼百福相圓滿　无量功德以嚴身
廣大清淨人樂觀　猶如千日光明照
燄彩无邊光熾盛　如妙寶聚相端嚴
如日初出暎虛空　紅白分明間金色
亦如金山光普照　悉能周遍百千土
能滅衆生無量苦　皆与無邊勝妙樂
諸相具足悉嚴淨　衆生樂觀無猒足
頭髮柔爽紺青色　猶如黑蜂集妙華
大喜大捨淨莊嚴　大慈大悲皆具足
衆妙相好為嚴飾　菩提分法之所成
如來能施衆福利　令彼常蒙大安樂
種種妙德共莊嚴　光明普照千万土
如來光相極圓滿　猶如赫日遍空中
佛如須弥功德具　示現能周於十方
如來金口妙端嚴　齒白齊密如珂雪
如來面貌無倫疋　眉間毫相常右旋

佛如須彌功德具　亦現能周於十方
如來金口妙端嚴　齒白齊密如珂雪
如來面貌無倫疋　眉間毫相常右旋
光潤鮮白等頗黎　猶如滿月居空界
佛告妙幢菩薩汝能如是讚佛功德不可思
議利益一切令未知者隨順脩學
金光明最勝王經菩提樹神讚歎品第廿九
尒時菩提樹神亦以伽他讚世尊曰
敬礼如來清淨慧　敬礼常求正法慧
敬礼能離非法慧　敬礼恒无分別慧
希有世尊无邊行　希有難見比優曇
希有如海鎮山王　希有善逝光无量
希有調御弘慈願　希有釋種明逾日
能說如是經中寶　哀愍利益諸群生
牟尼寂靜諸根定　能入寂靜涅槃城
能住寂靜等持門　能知寂靜深境界
兩足中尊住空寂　聲聞弟子身亦空
一切法體性皆無　一切衆生悉空寂
我常憶念於諸佛　我常樂見諸世尊
我常發起慇重心　常得值遇如來日
我常頂礼於世尊　願常渴仰心不捨
悲泣流淚情無間　常得奉事不知猒
唯願世尊起悲心　和顏常得令我見
佛及聲聞衆清淨　願常普濟於人天
佛身本淨若虛空　亦如幻焰及水月

佛及聲聞衆清淨　願常普濟於人天
佛身本淨若虛空　亦如幻焰及水月
願說涅槃甘露法　能生一切功德聚
世尊所有淨境界　慈悲正行不思議
聲聞獨覺非所量　大仙菩薩不能測
唯願如來哀愍我　常令覩見大悲身
三業無倦奉慈尊　速出生死歸真際
尒時世尊聞是讚已以梵音聲告樹神曰善
哉善哉善女天汝能於我真實无妄清淨
法身自利利他宣揚妙相以此功德令汝速證
最上菩提一切有情同所脩習若得聞者皆
入甘露無生法門
金光明最勝王經大辯才天女讚歎品第卅
尒時大辯才天女即從座起合掌恭敬以真
言詞讚世尊曰
南謨釋迦牟尼如來應正等覺身真金色咽
如螺貝面如滿月目類青蓮脣口赤好如頗
黎色鼻高脩直如截金鋌齒白齊密如拘物
頭華身光普照如百千日光彩暎徹如贍部
金所有言詞皆無謬失示三解脫門開三菩
提路心常清淨意樂亦然佛所住處及所行
境亦常清淨離非威儀進止无謬六年苦行
三轉法輪度苦衆生令歸彼岸身相圓滿如
拘陀樹六度薰脩三業无失具一切智自他
利滿所有宣說常為衆生言不虛設於釋種

境亦常清淨離非處得進山无說六年苦行
三轉法輪度苦衆生令歸彼岸身相圓滿如
拘陁樹六度薰脩三業无失具一切智自他
利滿所有宣說常爲衆生言不虛設於釋種
中爲大師子堅固勇猛具八解脫我今隨力
稱讚如來少分功德猶如蚊子飲大海水願
以此福廣及有情永離生死成无上道
尒時世尊告大辯天曰善哉善哉汝久脩習
具大辯才今復於我廣陳讚歎令汝速證无
上法門相好圓明普利一切
金光明最勝王經付囑品第卅一
尒時世尊普告无量菩薩及諸人天一切大
衆汝等當知我於无量无數大劫勤脩苦行
獲甚深法菩提正因已爲汝說汝等誰能發
勇猛心恭敬守護我涅槃後於此法門廣宣
流布能令正法久住世間尒時衆中有六十
俱胝諸大菩薩六十俱胝諸天大衆異口同
音作如是語世尊我等咸有欣樂之心於佛
世尊无量大劫勤脩苦行所獲甚深微妙之
法菩提正因恭敬護持不惜身命佛涅槃後
於此法門廣宣流布當令正法久住世間尒
時諸大菩薩即於佛前說伽他曰
世尊真實語　安住於實法　由彼真實故　護持於此經
大悲爲甲冑　安住於大慈　由彼慈悲力　護持於此經
福資糧圓滿　生起智資糧　由資糧滿故　護持於此經

BD01990號　金光明最勝王經卷一〇　（15–12）

時諸大菩薩即於佛前說伽他曰
世尊真實語　安住於實法　由彼真實故　護持於此經
大悲爲甲冑　安住於大慈　由彼慈悲力　護持於此經
福資糧圓滿　生起智資糧　由資糧滿故　護持於此經
降伏一切魔　破滅諸邪論　斷除惡見故　護持於此經
護世并釋梵　乃至阿蘇羅　龍神藥叉等　護持於此經
地上及虛空　久住於斯者　奉持佛教故　護持於此經
四梵住相應　四聖諦嚴飾　降伏四魔故　護持於此經
虛空成質礙　質礙成虛空　諸佛所護持　无能傾動者
尒時四大天王聞佛說此護持妙法各生隨
喜護正法心一時同聲說伽他曰
我今於此經　及男女眷屬　皆一心擁護　令得廣流通
若有持經者　能作菩提因　我常於四方　擁護而承事
尒時天帝釋合掌恭敬說伽他曰
諸佛證此法　爲欲報恩故　饒益菩薩衆　出世演斯法
我於彼諸佛　報恩常供養　護持如是經　及以持經者
尒時覩史多天子合掌恭敬說伽他曰
佛說如是經　若有能持者　當住菩提位　來生覩史天
世尊我慶悅　捨天殊勝報　住於贍部洲　宣揚是經典
尒時索訶世界主梵天王合掌恭敬說伽他曰
諸靜慮無量　諸乘及解脫　皆從此經出　是故演斯經
若說是經處　我捨梵天樂　爲聽如是經　亦常爲擁護
尒時魔王子名曰商主合掌恭敬說伽他曰
若有受持此　正義相應經　不隨魔所行　淨除魔惡業
我等於此經　亦當勤守護　發大精進意　隨處廣流通

BD01990號　金光明最勝王經卷一〇　（15–13）

若說是經處　我持有大善　亦聽如是經　亦當為擁護
尒時魔王子名曰商主合掌恭敬說伽他曰
若有受持此　正義相應經　不隨魔所行　淨除魔惡業
我等於此經　亦當勤守護　發大精進意　隨處廣流通
尒時魔王合掌恭敬說伽他曰
若有持此經　能伏諸煩惱　如是衆生類　擁護令安樂
若有說是經　諸魔不得便　由佛威神故　我當擁護彼
尒時妙吉祥天子亦於佛前說伽他曰
諸佛妙菩提　於此經中說　若持此經者　是供養如來
我當持此經　為俱胝天說　恭敬聽聞者　勸至菩提處
尒時慈氏菩薩合掌恭敬說伽他曰
若見住菩提　互為不請友　乃至捨身命　為護此經王
我聞如是法　當往覩史天　由世尊加護　廣為人天說
尒時上坐大迦攝波合掌恭敬說伽他曰
佛於聲聞乘　說我勘智慧　我今隨自力　護持如是經
若有持此經　我當攝受彼　授其詞辯力　常隨讚善哉
尒時具壽阿難陁合掌向佛說伽他曰
我親從佛聞　无量衆經典　未曾聞如是　深妙法中王
我今聞是經　親於佛前受　諸樂菩提者　當為廣宣通
尒時世尊見諸菩薩人天大衆各各發心於
此經典流通擁護勸進菩薩廣利衆生讚言
善哉善哉汝等能於如是微妙經王虔誠流
布乃至於我般涅槃後不令散滅即是无上
菩提正因所獲功德於恒沙劫說不能盡若
有苾芻苾芻尼鄔波索迦鄔波斯迦及餘善

BD01990號　金光明最勝王經卷一〇　（15–14）

尒時世尊見諸菩薩人天大衆各各發心於
此經典流通擁護勸進菩薩廣利衆生讚言
善哉善哉汝等能於如是微妙經王虔誠流
布乃至於我般涅槃後不令散滅即是无上
菩提正因所獲功德於恒沙劫說不能盡若
有苾芻苾芻尼鄔波索迦鄔波斯迦及餘善
男子善女人等供養恭敬書寫流通為人解
說所獲功德亦復如是是故汝等應勤修習
尒時無量無邊恒沙大衆聞佛說已皆大歡
喜信受奉行

金光明最勝王經卷第十

䳄去例　舧胡郎　鵶于化　揄臣令　鏈亭頂　瘠情昔　哽古杏　枚無敎

BD01990號　金光明最勝王經卷一〇　（15–15）

是實非實 是生非生
安住不動 如須弥山
猶如虛空 无有堅固
常住一相 是名近處
入是行處 及親近處
菩薩有時 入於靜室
從禪定起 為諸國王
文殊師利 是名菩薩
說法華經
後於末法中欲說是經
口宣說 若讀經時 不樂說
亦不輕慢諸餘法師 不說他人好
於聲聞人亦不稱名說其過惡 亦不
讚歎其美 又亦不生怨嫌之心 善脩如
是安樂心故 諸有聽者不逆其意 有所難問
不以小乘法荅 但以大乘而為解說 令得一
切種智 尒時世尊欲重宣此義 而說偈言
菩薩常樂 安隱說法 於清淨地 而施床座
以油塗身 澡浴塵穢 著新淨衣 內外俱淨
安處法座 隨問為說 若有比丘 及比丘尼
諸優婆塞 及優婆夷 國王王子 群臣士民
以微妙義 和顏為說 若有難問 隨義而荅
因緣譬喻 敷演分別 以是方便 皆使發心
漸漸增益 入於佛道 除嬾惰意 及懈怠想

BD01991號　妙法蓮華經卷五 (3–1)

以微妙義 和顏為說 若有難問 隨義而荅
因緣譬喻 敷演分別 以是方便 皆使發心
漸漸增益 入於佛道 除嬾惰意 及懈怠想
離諸憂惱 慈心說法 晝夜常說 无上道教
以諸因緣 无量譬喻 開示衆生 咸令歡喜
衣服卧具 飲食醫藥 而於其中 无所悕望
但一心念 說法因緣 願成佛道 令衆亦尒
是則大利 安樂供養 我滅度後 若有比丘
能演說斯 妙法華經 心无嫉恚 諸惱障礙
亦无憂愁 及罵詈者 又无怖畏 加刀杖等
亦无擯出 安住忍故 智者如是 善脩其心
能住安樂 如我上說 其人功德 千万億劫
筭數譬喻 說不能盡
又文殊師利 菩薩摩訶薩於後末世法欲滅
時 受持讀誦斯經典者 无懷嫉妬諂誑之心
亦勿輕罵學佛道者 求其長短 若比丘比丘
尼優婆塞優婆夷 求聲聞者 求辟支佛者 求
菩薩道者 无得惱之 令其疑悔 語其人言 汝
等去道甚遠 終不能得一切種智 所以者何
汝是放逸之人 於道懈怠故 又亦不應戲論
諸法 有所諍競 當於一切衆生起大悲想 於
諸如來起慈父想 於諸菩薩起大師想 於十
方諸大菩薩 常應深心恭敬礼拜 於一切衆
生平等說法 以順法故 不多不少 乃至深愛
法者 亦不為多說 文殊師利 是菩薩摩訶薩
於後末世法欲滅時 有成就是第三安樂行

BD01991號　妙法蓮華經卷五 (3–2)

尼優婆塞優婆夷求聲聞者求辟支佛者求
菩薩道者无得惱之令其疑悔語其人言汝
等去道甚遠終不能得一切種智所以者何
汝是放逸之人於道懈怠故又亦不應戲論
諸法有所諍競當於一切衆生起大悲想於
諸如來起慈父想於諸菩薩起大師想於十
方諸大菩薩常應深心恭敬礼拜於一切衆
生平等說法以順法故不多不少乃至深愛
法者亦不為多說文殊師利是菩薩摩訶薩
於後末世法欲滅時有成就是第三安樂行
者說是法時无能惱亂得好同學共讀誦是
經亦得大衆而來聽受聽已能持持已能誦
誦已能說說已能書若使人書供養經卷恭
敬尊重讚歎尒時世尊欲重宣此義而說偈
言
若欲說是經　當捨嫉恚慢　諂誑耶偽心　常脩質直行
不輕蔑於人　亦不戲論法　不令他疑悔　云汝不得佛
是佛子說法　常柔和能忍　慈悲於一切　不生懈怠心
十方大菩薩　愍衆故行道　應生恭敬心　是則我大師

BD01991 號　妙法蓮華經卷五　（3–3）

知是人轉下作中能知是
有知是人轉上作中能知是人
轉中作下是故當知衆生根性无有決定以
无定故或斷善根斷已還生若諸衆生根性
之者終不先斷斷已復生之不應說一闡提
輩墮於地獄壽命一劫善男子是故如來說
一切法无有定相迦葉菩薩白佛言世尊如
來具足知諸根力定知善星當斷善根何因
緣故聽其出家佛言善男子我於往昔初出
家時吾弟難陀從弟阿難調婆達多子羅睺
羅如是等輩皆悉隨我出家脩道我若不聽
善星出家其人次當得紹王位其力自在當
壞佛法以是因緣我便聽其出家脩道善男
子善星比丘若不出家亦斷善根於无量世
都无利益今出家已雖斷善根能受持戒供
養恭敬耆舊長宿有德之人脩習初禪乃至
四禪是名善因如是善因能生善法善法既

BD01992 號　大般涅槃經（北本　宮本）卷三四　（24–1）

子善星比丘若不出家亦斷善根於无量世
都无利益今出家已雖斷善根能受持戒供
養恭敬耆舊長宿有德之人脩習初禪乃至
四禪是名善因如是善因能生善法善法既
生能脩習道既脩習道當得阿耨多羅三藐
三菩提是故我聽善星出家善男子若我不
聽善星比丘出家受戒則不得稱我為如來
具足十力善男子佛觀衆生具足善法及不
善法是人雖具如是二法不久能斷一切善
根具不善根何以故如是衆生不親善友不
聽正法不善思惟不如法行以是因緣能斷
善根具不善根善男子如來復知是人現世
若未來世少壯老時當近善友聽受正法苦
集滅道尒時則能還生善根善男子譬如有
泉去村不遠其水甘美具八功德有人熱渴
欲往泉所邊有智者觀是渴人必定无疑當
至水所何以故无異路故如來世尊觀諸衆
生亦復如是是故如來名為具足知諸根力
尒時世尊取地少土置之爪上告迦葉言是
土多耶十方世界地土多乎迦葉菩薩白佛
言世尊爪上土者不比十方所有土也善男
子有人捨身還得人身捨三惡身得受人身
諸根完具生於中國具足正信能脩習道脩

BD01992號　大般涅槃經（北本　宮本）卷三四　（24–2）

言世尊爪上土者不比十方所有土也善男
子有人捨身還得人身捨三惡身得受人身
諸根完具生於中國具足正信能脩習道脩
習道已能脩正道脩正道已能得解脫得解
脫已能入涅槃如爪上土捨人身已得三惡
身捨三惡身得三惡身諸根不具生於邊地
信邪倒見脩習邪道不得解脫常樂涅槃如
十方界所有地土善男子護持禁戒精進不
懈不犯四重不作五逆不用僧鬘物不作一
闡提不斷善根信如是等涅槃經典如爪上
土毀戒懈怠犯四重禁作五逆罪用僧鬘物
作一闡提斷諸善根不信是經如十方界所
有地土善男子如來善知衆生如是上中下
根是故稱佛具知根力迦葉菩薩白佛言世
尊如來具足知是根力是故能知一切衆生
上中下根利鈍差別知現在世衆生諸根亦
知未來衆生諸根如是衆生於佛滅後作如
是說如來畢竟入於涅槃或不畢竟入於
涅槃或說有我或說无我或有中陰或无中
陰或說有退或說无退或言如來身是有
為或言如來身是无為或有說言十二因緣是
有為法或說因緣是无為法或說心是有常
或說心是无常或有說言受五欲樂能鄣聖

BD01992號　大般涅槃經（北本　宮本）卷三四　（24–3）

為或言如來身是无為或有說言十二因緣是
有為法或說因緣是无為法或說心是有常
或說心是无常或有說言受五欲樂能障聖
道或說不遮或說世第一法唯是欲界或說
三界或說布施唯是意業或有說言即是五
陰或有說言有三无為或有說言无三无為
復有說言或有造色復有說言无有造色或
有說言有无作色或有說言无无作色或有
說言有心數法或有說言无心數法或有說
言有五種有或有說言有六種有或有說言
八戒齋法優婆塞戒具足受得或有說言不
具受得或有比丘犯四重已比丘戒在或說不
在或有說言須陁洹人斯陁含人阿那含
人阿羅漢人皆得佛道或言不得或說佛性
即眾生有或說佛性離眾生有或有說四重
禁作五逆罪一闡提等皆有佛性或說言无
或有說言有十方佛或有說言无十方佛如
其如來具足成就知根力者何故今日不決
定說佛告迦葉善男子如是之義非眼
識知乃至非意識知乃是智慧之所能知若
有智者我於是人終不作二是亦謂我不作
二說於无智者作不定說而是无智亦復謂
我作不定說善男子如來所有一切善行
悉為調伏諸眾生故譬如醫王所有醫方悉

BD01992 號　大般涅槃經（北本　宮本）卷三四　　（24–4）

二說於无智者作不定說而是无智亦復謂
我作不定說善男子如來所有一切善行
悉為調伏諸眾生故譬如醫王所有醫方悉
為療治一切病苦善男子如來世尊為國土故
為時節故為他語故為人故為眾根故於一
法中作二種說於一名法說无量名於一義
中說无量名於无量義說无量名云何一
名說无量名猶如涅槃亦名涅槃亦名无生
亦名无出亦名无作亦名无為亦名歸依亦
名窟宅亦名解脫亦名光明亦名燈明亦名
彼岸亦名无畏亦名无退亦名安處亦名寂
靜亦名无相亦名无二亦名一行亦名清涼亦名
无闇亦名无㝵亦名无諍亦名无濁亦名
廣大亦名甘露亦名吉祥是名一名作无量
名云何一義說无量名猶如帝釋亦名帝釋
亦名憍尸迦亦名婆蹉婆亦名富蘭陁羅亦
名摩佉婆亦名因陁羅亦名千眼亦名舍脂
夫亦名金剛亦名寶頂亦名寶幢是名一義
說无量名云何於无量義說无量名如佛如
來亦名如來義異名異亦名阿羅呵義異
名異亦名三藐三佛陁義異名異亦名船
師亦名導師亦名正覺亦名明行足亦名
大師子王亦名沙門亦名婆羅門亦名寂
靜亦名施主亦名到彼岸亦名大醫王亦

BD01992 號　大般涅槃經（北本　宮本）卷三四　　（24–5）

所亦名導所亦名正覺亦名明行足亦名
大師子王亦名沙門亦名婆羅門亦名寂
靜亦名施主亦名到彼岸亦名大醫王亦
名大象王亦名大龍王亦名大施眼亦名
大力士亦名大无畏亦名寶聚亦名商主
亦名得解脫亦名大丈夫亦名天人師亦
名大分陁利亦名獨无等侶亦名大福田
亦名大智慧海亦名无相亦名具足八智
如是一切義異名異善男子是名无量義中
說无量名復有一義說无量名所謂如陰亦
名為陰亦名顛倒亦名為諦亦名四念處亦
名四食亦名四識住處亦名為有亦名為道
亦名為時亦名衆生亦名為世亦名第一義
亦名三脩謂身戒心亦名因果亦名煩惱亦
名解脫亦名十二因緣亦名聲聞辟支佛佛
亦名地獄餓鬼畜生人天亦名過去未來現
在是名一義說无量名善男子如來世尊為
衆生故廣中說略略中說廣第一義諦說為
世諦說世諦法為第一義諦云何名為廣
中說略如告比丘我今宣說十二因緣云
何名為十二因緣所謂因果云何名為略中
說廣如告比丘我今宣說苦集滅道苦者所
說无量諸苦集者所謂煩惱滅者所謂无
量解脫道者所謂无量方便云何名為第

BD01992號　大般涅槃經（北本　宮本）卷三四　（24-6）

說廣如告比丘我今宣說苦集滅道苦者所
說无量諸苦集者所謂煩惱滅者所謂无
量解脫道者所謂无量方便云何名為第
一義諦說為世諦如告比丘吾今此身有
老病死云何名為說世諦為第一義諦如
告憍陳如汝得法利故名阿若憍陳如是故
隨人隨意隨時故名如來知諸根力善男子
我若當於如是等義作定說者則不得稱我
為如來具知根力善男子智人當知香象所
負非驢所勝一切衆生所行无量是故如來
種種為說无量之法何以故衆生多有諸煩
惱故若使如來說於一行不名如來具足成
就知諸根力是故我於餘經中說五種衆生
不應還為說五種法為不信者不讚正法為
毀禁者不讚持戒為慳貪者不讚布施為懈
怠者不讚多聞為愚癡者不讚智慧何以故
智者若為是五種人說是五事當知說者不
得具足知諸根力亦不得名憐愍衆生何以
故是五種人聞是事已生不信心惡心瞋心
以是因緣於无量世受苦果報是故不名憐
愍衆生具知根力是故我先於餘經中告舍
利弗汝慎无為利根之人廣說法語鈍根之
人略說法也舍利弗言世尊我但為憐愍故
說非是具足根力故說善男子廣略說法是
佛境界非是聲聞緣覺所知善男子如汝所

BD01992號　大般涅槃經（北本　宮本）卷三四　（24-7）

人略說法也舍利弗言世尊我但為憐愍故
說非是具足根力故說善男子廣略說法是
佛境界非是聲聞緣覺所知善男子如汝所
言佛涅槃後諸弟子等各異說者是人皆以
顛倒因緣不得正見是故不能自利利他善
男子是諸眾生不唯一性一行一根一種國土
一善知識是故如來為彼種種宣說法要以
是因緣十方三世諸佛如來為眾生故開示
演說十二部經善男子如來說是十二部經
非為自利但為利他是故如來第五力者名
為解力為是二力故如來深知是人現在能
斷善根是人後世能斷善根是人現在能得
解脫是人後世能得解脫是故如來名无上
士善男子若言如來畢竟涅槃不畢竟涅槃
是人不解如來意故作如是說善男子是香
山中有諸仙人五万三千皆於過去迦葉佛
所脩諸功德未得正道親近諸佛聽受正法
如來欲為如是人故告阿難言過三月已吾
當涅槃諸天聞已其聲展轉乃至香山諸
仙聞已即生悔心作如是言云何我等得生
人中不親近佛諸佛如來出世甚難如優曇
華我今當往至世尊所聽受正法善男子尒
時五万三千諸仙即來我所我時即為如應

BD01992號　大般涅槃經（北本　宮本）卷三四　（24–8）

華我今當往至世尊所聽受正法善男子尒
時五万三千諸仙即來我所我時即為如應
說法諸大士色是无常何以故色之因緣是
无常故无常因生色云何常乃至識亦如是
尒時諸仙聞是法已即時獲得阿羅漢果善
男子拘尸那竭有諸力士卅万人无所繫屬
自恃憍恣色力命財狂醉亂心善男子我為
調伏諸力士故告目連言汝當調伏如是力
士時目揵連敬順我教於五年中種種教化
乃至不能令一力士受法調伏是故我復為
彼力士告阿難言過三月已吾當涅槃善男
子時諸力士聞是語已相与集聚平治道路
過三月已我時便從毗舍離國至拘尸那城
中路遙見諸力士輩即自化身為沙門像往
力士所作如是言諸童子作何事耶力士聞
已恚生瞋恨作如是言沙門汝今云何謂我
等輩為童子耶我時語言汝等大眾三十万
人盡其身力不能移此微末小石云何不名
為童子乎諸力士言汝若謂我為童子者當
知汝即是大人也善男子我於尒時以足二
指掘出此石是諸力士見是事已即於己身
生輕劣想復作是言沙門汝今復能移徙此
石令出道不我言童子何因緣故嚴治此道
諸力士言沙門汝不知耶釋迦如來當由此

BD01992號　大般涅槃經（北本　宮本）卷三四　（24–9）

指挃出此石是諸力士見是事已即於己身
生輕易想復作是言沙門汝今復能移從此
石令出道不我言童子何因緣故嚴治此道
諸力士言沙門汝不知耶釋迦如来當由此
路至娑羅林入於涅槃以是因緣我等平治
我時讚言善哉童子汝等已發如是善心吾
當為汝除去此石我時以手舉擲高至阿
迦膩吒時諸力士見石在空皆生驚怖尋欲
四散我復告言諸力士等汝今不應生恐怖心
各欲散去諸力士言沙門若能救護我者我
當安住尒時我復以手接石置之右掌力士
見已心生歡喜復作是言沙門是石常耶是
无常乎我於尒時以口吹之石即散壞猶如
微塵力士見已唱言沙門是石无常即生愧
心而自考責云何我等特怙自在色力命財
而生憍慢我知其心即捨化身還服本形而
為說法力士見已一切皆發菩提之心善男
子拘尸那竭有一工巧名曰純陁是人先於
迦葉佛所發大誓願釋迦如来入涅槃時我
當最後奉施飲食是故我於毗舍離國顧命
比丘憂波摩那善男子過三月已吾當於彼
拘尸那竭娑羅雙樹入般涅槃汝可往告純
陁令知善男子王舍城中有五通仙名須跋
陁年百二十常自稱是一切智人生大憍慢
已於過去无量佛所種諸善根我久為欲調

BD01992號　大般涅槃經（北本　宮本）卷三四　　（24-10）

陁令知善男子王舍城中有五通仙名須跋
陁年百二十常自稱是一切智人生大憍慢
已於過去无量佛所種諸善根我久為欲調
伏彼故告阿難言過三月已吾當涅槃須跋
聞已當来我所生信敬心我當為彼說種種
法其人聞已當得盡漏善男子羅閱耆王頻
婆娑羅其王太子名曰善見業因緣故生惡
逆心欲害其父而不得便尒時惡人提婆達
多亦因過去業因緣故復於我所生不善心
欲害於我即脩五通不久獲得与善見太子
共為親厚為太子故現作種種神通之事從
非門出從門而入從門而出非門而入或時
示現象馬牛羊男女之身善見太子見已即
生愛心喜心信敬之心為是事故嚴設種種
供養之具而供養之又復白言大師聖人我
今欲見曼陁羅華時提婆達多即便往至
三十三天從彼天人而求索之其福盡故都无
与者既不得華作是思惟曼陁羅樹无我
我所我若自取當有何罪即前欲取便失
神通還見己身在王舍城心生慚愧不能復
見善見太子復作是念我今當往至如来所
求索大衆佛若聽者我當隨意教詔勑使舍
利弗等尒時提婆達多便来我所作如是言
唯願如来以此大衆付囑於我我當種種說

BD01992號　大般涅槃經（北本　宮本）卷三四　　（24-11）

見善見太子已作是念我今當往至如來所
求索大衆佛若聽者我當隨意教詔勅使舍
利弗等尒時提婆達多便来我所作如是言
唯願如来以此大衆付囑於我我當種種說
法教化令其調伏我言癡人舍利弗等聰明
大智世所信伏我猶不以大衆付囑况汝癡
人食唾者乎時提婆達多復於我所倍生惡心
作如是言瞿曇汝今雖復調伏大衆勢亦不
久當見磨滅作是語已大地即時六反震動
提婆達多尋時躃地於其身邊出大暴風吹
諸塵土而汙坌之提婆達多見惡相已復作
是言若我此身現世必入阿鼻地獄我要當
報如是大怨時提婆達多尋起往至善見太子
所善見見已即問聖人何故顔容憔悴有憂
色耶提婆達言我常如是汝不知乎善見答
言願說其意何因緣尒提婆達言我今与汝
極成親愛外人罵汝以為非理我聞是事豈
得不憂善見太子復作是言國人云何罵辱
於我提婆達言國人罵汝為未生怨善見復
言何故名我為未生怨誰作此名提婆達言
汝未生時一切相師皆作是言是兒生已當
煞其父是故外人皆悉號汝為未生怨一切
内人護汝心故謂為善見毗提夫人聞是語
已既生汝身於高樓上棄之於地壞汝一指
以是因緣人復号汝為婆羅留枝我聞是已

BD01992 號　大般涅槃經（北本　宮本）卷三四　（24–12）

内人護汝心故謂為善見毗提夫人聞是語
已既生汝身於高樓上棄之於地壞汝一指
以是因緣人復号汝為婆羅留枝我聞是已
心生愁憤而復不能向汝說之提婆達多以
如是等種種惡事教令煞父若汝父死我亦
能煞瞿曇沙門善見太子問一大臣名曰雨
行大王何故為我立字作未生怨大臣即為
說其本末如提婆達所說无異善見聞已即
与大臣收其父王閉之城外以四種兵而守
衛之毗提夫人聞是事已即至王所所守王
人遮不聽入尒時夫人生瞋恚心便呵罵之
時諸守人即告太子大王夫人欲得往見父
王不審聽不善見聞已復生瞋嫉即往母所
前牽母髮拔刀欲斫尒時耆婆白言大王有
國已来罪雖極重不及女人况所生母善見
太子聞是語已為耆婆故即便放捨遮斷父
王衣服臥具飲食湯藥過七日已王命便終
善見太子見父喪已方生悔心雨行大臣復
以種種惡邪之法而為說之大王一切業行
都无有罪何故今者而生悔心耆婆復言大
王當知如是業者罪兼二種一者煞害父王
二者煞須陁洹如是罪者除佛更无能除滅
者善見王言如来清淨无有穢濁我是罪人
云何得見善男子我知是事故告阿難過三

BD01992 號　大般涅槃經（北本　宮本）卷三四　（24–13）

二者致須陁洹如是罪者除佛更无能除滅
者善見王言如来清淨无有穢濁我是罪人
云何得見善男子我如是事故告阿難過三
月已吾當涅槃善見聞已即来我所我為說
法重罪得薄獲无根信善男子我諸弟子聞
是說已不解我意故作是言如来定說畢竟
涅槃善男子菩薩二種一者實義二者假名
假名菩薩聞我三月當入涅槃皆生退心而
作是言如其如来无常不住我等何為是
事故无量世中受大苦惱如来世尊成就具
无量功德尚不能壞如是死魔况我等輩當
壞耶善男子是故我為如是菩薩而作是言
如来常住无有變易善男子我諸弟子聞是
說已不解我意定言如来終不畢竟入於涅
槃善男子有諸衆生生於斷見作如是言一
切衆生身滅之後善惡之業无有受者我為
是人作如是言善惡果報實有受者云何知
有善男子過去之世拘尸那竭有王名曰善見
作童子時逕八万四千歲作太子時八万四千
歲及登王位亦八万四千歲於獨處坐作是
思惟衆生薄福壽命短促常有四怨而隨逐
之不自覺知猶故放逸是故我當出家脩道斷
絶四怨生老病死即勅有司於其城外作七寶
堂作已便告群臣百官宮内妃后諸子眷屬汝
等當知我欲出家能見聽不尒時大臣及其眷
屬各作是言善哉大王今正是時時善見王將

BD01992號　大般涅槃經（北本　宮本）卷三四　（24–14）

絶四怨生老病死即勅有司於其城外作七寶
堂作已便告群臣百官宮内妃后諸子眷屬汝
等當知我欲出家能見聽不尒時大臣及其眷
屬各作是言善哉大王今正是時時善見王將
一使人獨住堂上滿經八万四千歲中脩習
慈心以是因緣於後八万四千世中次第得
作轉輪聖王卅世中作釋提桓因无量世中
作諸小王善男子尒時善見豈異人乎莫作
斯觀即我身是善男子我諸弟子聞說是
已不解我意唱言如来定說有我及有我所
我又一時為諸衆生說言我者即是性也所
謂内外因緣十二因緣衆生五陰心界世間功
德業行自在天世即名為我我諸弟子聞是
說已不解我意唱言如来定說有我善男子
復於異時有一比丘来至我所作如是言世
尊云何名我誰是我耶何緣故我我時即為
比丘說言比丘无我我所眼者即是本无今
有已有還无其生之時无所從来及其滅時
亦无所至雖有業果无有作者无有捨陰及
受陰者如汝所問云何我者我即斯也誰是
我者即是業也何緣我者即是愛也比丘譬
如二手相拍聲出其中我亦如是衆生業愛
三因緣故名之為我比丘一切衆生色不是
我我中无色色中无我乃至識亦如是比丘
諸外道輩雖說有我終不離陰若說離陰

BD01992號　大般涅槃經（北本　宮本）卷三四　（24–15）

如二手[illegible]
三因緣故名之為我比丘一切眾生色不是
我我中无色色中无我乃至識亦如是比丘
諸外道輩雖說有我終不離陰若說離陰
別有我者无有是處一切眾生行如幻化熱
時之炎比丘五陰皆是无常无樂无我无淨
善男子尒時多有无量比丘觀此五陰无我
我所得阿羅漢果善男子我諸弟子聞是說
已不解我意唱言如來定說无我善男子我
於經中復作是言三事和合得受是身一天
二冊三者中陰是三和合得受是身我時復
說阿那含人現般涅槃或於中陰入般涅槃
或復說言中陰身根具足明了皆因往業如
淨醍醐善男子我或時說弊惡眾生所受中
陰如世間中麁澀褐衣善眾生所受中陰
如波羅㮈所出白疊我諸弟子聞是說已不
解我意唱言如來說有中陰善男子我復為
彼逆罪眾生而作是言造五逆者捨身直入
阿鼻地獄我復說言曇摩留支比丘捨身直
入阿鼻地獄於其中間无止宿處我復為彼
犢子梵志說言梵志若有中陰則有六有我
復說言无色眾生无有中陰善男子我諸弟
子聞說是已不解我意唱言佛說定无中陰
善男子我於經中復說有退何以故因於无
量懈怠懶墯諸比丘等不脩道故說退五種
一者樂於多事二者樂說世事三者樂於睡

子聞說[illegible]
善男子我於經中復說有退何以故因於无
量懈怠懶墯諸比丘等不脩道故說退五種
一者樂於多事二者樂說世事三者樂於睡
眠四者樂近在家五者樂多遊行以是因緣
令比丘退說退因緣復有二種一內二外阿
羅漢人雖離內因不離外因以外因緣故生
煩惱生煩惱故則便退失復有比丘名曰瞿
坻六反退失退已慚愧復更進脩第七即得
得已恐失以刀自害我復或說有時解脫或
說六種阿羅漢等我諸弟子聞說是已不解
我意唱言如來定說有退善男子經中復說
譬如燋炭不還為木亦如瓶壞更无瓶用煩
惱亦尒阿羅漢斷終不還生亦說眾生生煩
惱因凡有三種一者未斷煩惱二者不斷因
緣三者不善思惟而阿羅漢无二因緣謂斷
煩惱无不善思惟善男子我諸弟子聞是說
已不解我意唱言如來定說无退善男子我
於經中說如來身凡有二種一者生身二者法
身言生身者即是方便應化之身如是身者
可得言是生老病死長短黑白是此是彼是
學无學我諸弟子聞是說已不解我意唱言
如來定說佛身是有為法法身即是常樂我
淨永離一切生老病死非白非黑非長非短非
彼非此非學非无學若佛出世及不出世常住
不動无有變易善男子我諸弟子聞是說已
不解我意唱言如來定說佛身是无為法善

淨永離一切生老病死非白非黑非長非短非
彼非此非學非无學若佛出世及不出世常住
不動无有變易善男子我諸弟子聞是說已
不解我意唱言如來定說佛身是无為法善
男子我經中說云何名為十二因緣從无明
生行從行生識從識生名色從名色生六入
從六入生觸從觸生受從受生愛從愛生取
從取生有從有生生從生則有老死憂苦善
男子我諸弟子聞說是已不解我意唱言如
來說十二因緣定有是為我又一時告諸比
丘而作是言十二因緣有佛无佛性相常住
善男子有十二緣不從緣生有從緣生非十二
緣有從緣生亦十二緣有非緣生非十二緣有
十二緣非緣生者謂未來世十二枝也有從
緣生非十二緣者謂阿羅漢所有五陰有從
緣生亦十二緣者謂凡夫人所有五陰十二
因緣有非緣生非十二緣者謂虛空涅槃善
男子我諸弟子聞是說已不解我意唱言如
來說十二緣定是无為
善男子我經中說一切眾生作善惡業捨身
之時四大於此即時散壞純善業者心即上
行純惡業者心即下行善男子我諸弟子聞
是說已不解我意唱言如來說心定常善男
子我於一時為頻婆娑羅王而作是言大王
當知色是无常何以故從无常因而得生故
是色若從无常因生智者云何說言是常若

是說已不解我意唱言如來說心定常善男
子我於一時為頻婆娑羅王而作是言大王
當知色是无常何以故從无常因而得生故
是色若從无常因生智者云何說言是常若
色是常不應壞滅生諸苦惱今見是色散滅
破壞是故當知色是无常乃至識亦如是善
男子我諸弟子聞是說已不解我意唱言如
來說心定斷善男子我於經中說諸弟子受
諸香華金銀寶物妻子奴婢及不淨物獲得
正道得正道已亦不捨離我諸弟子聞是說
已不解我意定言如來說受五欲不妨聖道
又我一時復作是說在家之人得正道者无
有是處善男子我諸弟子聞是說已不解我
意唱言如來說受五欲定遮正道
善男子我經中說遠離煩惱未得解脫猶如
欲界脩習世間第一法也善男子我諸弟子
聞作是說不解我意唱言如來說第一法唯
是欲界又復我說暖法頂法忍法世第一法
在於初禪至第四禪我諸弟子聞是說已不
解我意故言如來說如是法在於色界又復
我說諸外道等先已得斷四禪煩惱脩習暖
法頂法忍法世第一法觀四真諦得阿那含
果我諸弟子聞是說已不解我意唱言如來
說第一法在无色界
善男子我經中說四種施中有三種淨一者

法頂法忍法世第一法觀四真諦得阿那含
果我諸弟子聞是說已不解我意唱言如來
說第一法在无色界
善男子我経中說四種施中有三種淨一者
施主信因信果信施受者不信因果与施二
者受者信因果施施主不信因果及施三者
施主受者二俱有信四者施主受者二俱不
信是四種施初三種淨我諸弟子聞是說已
不解我意唱言如來說施唯意善男子我
作一時復作是說施者施時以五事施何等
為五一者施色二者施力三者施安四者施
命五者施辯以是因緣施主還得五事果報
我諸弟子聞是說已不解我意唱言佛說施
即五陰
善男子我於一時宣說涅槃即是遠離煩惱
永盡滅无遺餘猶如燈滅更无法生涅槃亦
尒言虛空者即无所有辟如世間无所有故
名為虛空非智緣滅即无所有如其有者應
有因緣有因緣故應有盡滅以其无故无有
盡滅我諸弟子聞是說已不解我意唱言佛
說无三无為善男子我於一時為目揵連而
作是言目連夫涅槃者即是章句即是足跡
是畢竟處是无所畏即是大師即是大果是
畢竟智即是大忍无㝵三昧是大法界是甘
露味即是難見目連若說无涅槃者云何有

BD01992號　大般涅槃經（北本　宮本）卷三四　（24–20）

是畢竟處是无所畏即是大師即是大果是
畢竟智即是大忍无㝵三昧是大法界是甘
露味即是難見目連若說无涅槃者云何有
人生誹謗者墮於地獄善男子我諸弟子聞
是說已不解我意唱言如來說有涅槃復於
一時我為目連而作是說目連眼不牢固至
身亦尒皆不牢固不牢固故名為虛空食不
迴轉消化之處一切音聲皆名虛空我諸弟
子聞是說已不解我意唱言如來決定說有
虛空无為復於一時為目連說目連有人未
得須陁洹果住忍法時斷於无量三惡道報
當知不從智緣而滅我諸弟子聞是說已不
解我意唱言如來決定說有非智緣滅
善男子我又一時為跋波比丘說跋波若比
丘觀色若過去若未來若現在若近若遠若
麤若細如是等色非我我所若有比丘如是
觀已能斷色愛跋波又言云何名色我言四
大名色四陰名名我諸弟子聞是說已不解
我意唱言如來決定說言色是四大善男子
我復說言辟如因鏡則有像現色亦如是因
四大造所謂麤細澁滑青黃赤白長短方圓
耶角輕重寒熱飢渴烟雲塵霧是名造色猶
如嚮像我諸弟子聞是說已不解我意唱言
如來說有四大則有造色或有四大无有造

BD01992號　大般涅槃經（北本　宮本）卷三四　（24–21）

耶角輕重寒熱飢渴烟雲塵霧是名造色猶
如鏡像我諸弟子聞是說已不解我意唱言
如來說有四大則有造色或有四大无有造
色善男子往昔一時善星王子作如是言若
有比丘誰持禁戒若發惡心當知是時失比
丘戒我時語言善星王子戒有七種從於身
口有无作色以是无作色因緣故其心雖在
惡无記中不名失戒猶名持戒以何因緣名
无作色非異色因不作異色因果善男子我
諸弟子聞是說已不解我意唱言佛說有无
作色善男子我於餘經作如是說戒者即是
遮制惡法若不作惡是名持戒我諸弟子聞
是說已不解我意唱言如來決定宣說无无作
色善男子我於經中作如是說聖人色陰乃
至識陰皆是无明因緣所出一切凡夫亦復
如是從无明生愛當知是愛即是无明從愛
生取當知是取即无明愛從取生有是有即
是无明愛取從有生受當知是受即是行有
從受因緣生於名色无明愛取有行受觸識
六入等是故受者即十二支善男子我諸弟
子聞是說已不解我意唱言如來說无心數
善男子我於經中作如是說從眼色明惡欲
等四則生眼識言惡欲者即是无明欲性求
時即名為愛愛因緣取取名為業業因緣識

BD01992號　大般涅槃經（北本　宮本）卷三四　　（24–22）

[illegible]
六入等是故受者即十二支善男子我諸弟
子聞是說已不解我意唱言如來說无心數
善男子我於經中作如是說從眼色明惡欲
等四則生眼識言惡欲者即是无明欲性求
時即名為愛愛因緣取取名為業業因緣識
識緣名色名色緣六入六入緣觸觸緣想受
愛信精進定慧如是等法因觸而生然非是
觸善男子我諸弟子聞是說已不解我意唱
言如來說有心數善男子我或時說唯有一
有或說二三四五六七八九至廿五有我諸
弟子聞是說已不解我意唱言如來說有五
有或言六有善男子我住一時住迦毗羅衛
尼拘陁林時釋摩男來至我所作如是言云
何名為優婆塞也我即為說若有善男子善女
人諸根完具受三歸依是則名為優婆塞也
釋摩男言世尊云何名為一分優婆塞我
言釋摩男若受三歸及受一戒是名一分優
婆塞也我諸弟子聞是說已不解我意唱言
如來說優婆塞戒不具受得善男子我於
一時住恒河邊尒時迦旃延來至我所作如
是言世尊我教眾生令受齋法或一日或
一夜或一時或一念如是之人成齋不耶我
言比丘是人得善不名得齋我諸弟子聞是
說已不解我意唱言如來說八戒齋具受乃

BD01992號　大般涅槃經（北本　宮本）卷三四　　（24–23）

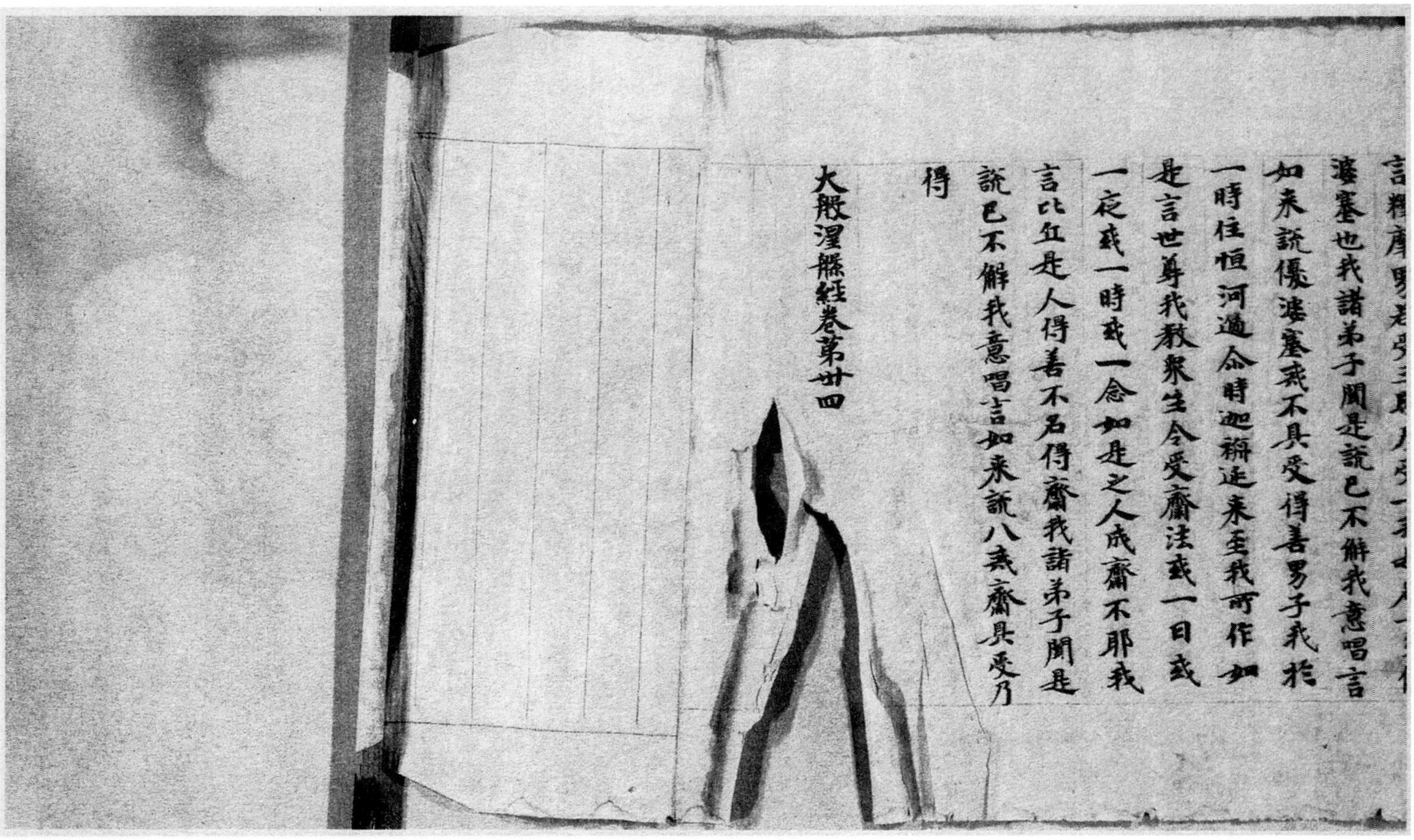
婆塞也我諸弟子聞是說已不解我意唱言
如來說優婆塞戒不具受得善男子我於
一時住恒河邊介時迦旃延來至我所作如
是言世尊我教衆生令受齋法或一日或
一夜或一時或一念如是之人成齋不耶我
言比丘是人得善不名得齋我諸弟子聞是
說已不解我意唱言如來說八戒齋具受乃
得

大般涅槃經卷第卅四

BD01992 號　大般涅槃經（北本　宮本）卷三四　（24–24）

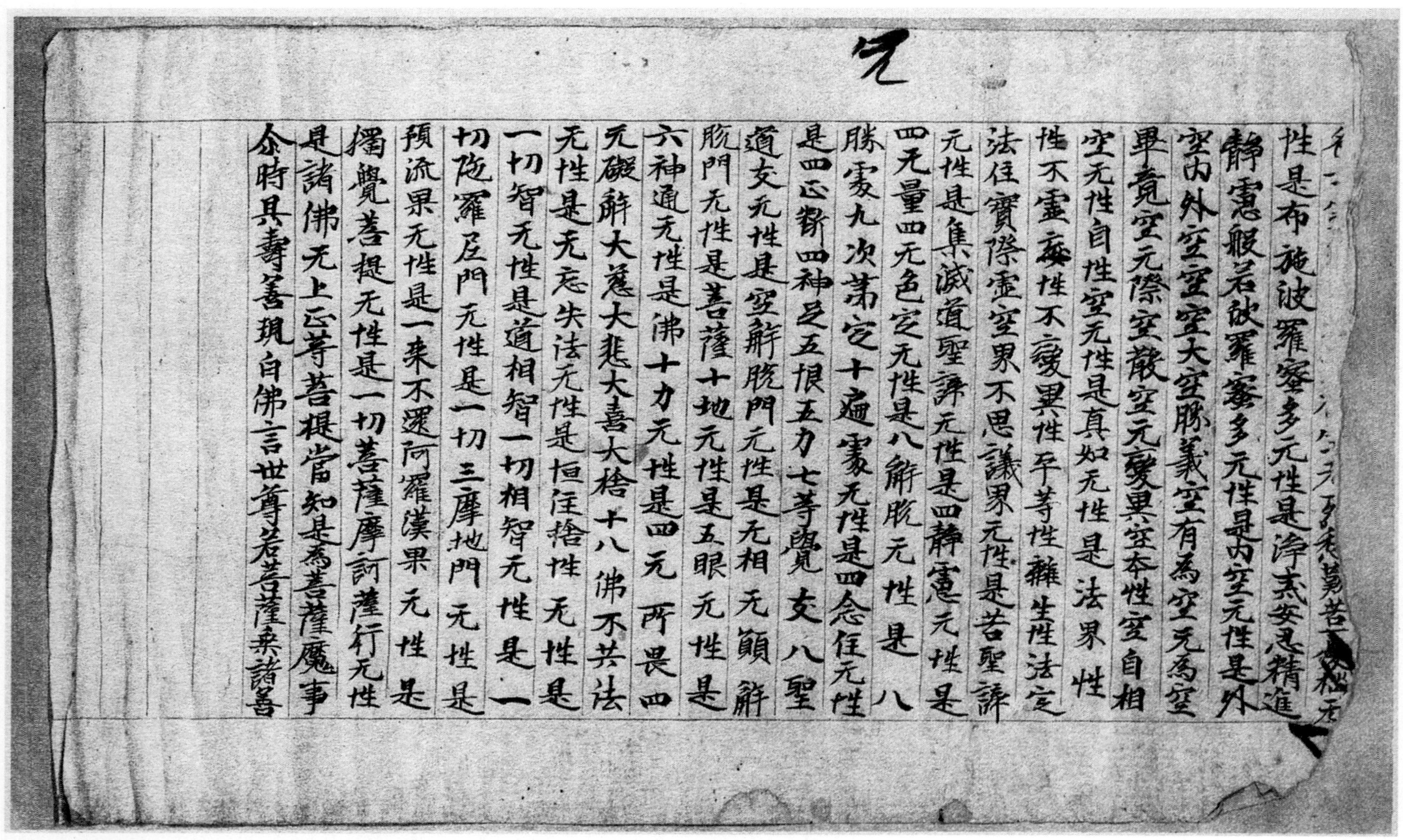
兌

性是布施波羅蜜多无性是淨戒安忍精進
靜慮般若波羅蜜多无性是內空无性是外
空內外空空空大空勝義空有爲空无爲空
畢竟空无際空散空无變異空本性空自相
空无性自性空无性是真如无性是法界性
性不虛妄性不變異性平等性離生性法定
法住實際虛空界不思議界无性是苦聖諦
无性是集滅道聖諦无性是四靜慮无性是
四无量四无色定无性是八解脫无性是八
勝處九次第定十遍處无性是四念住无性
是四正斷四神足五根五力七等覺支八聖
道支无性是空解脫門无性是无相无願解
脫門无性是菩薩十地无性是五眼无性是
六神通无性是佛十力无性是四无所畏四
无礙解大慈大悲大喜大捨十八佛不共法
无性是无忘失法无性是恒住捨性无性是
一切智无性是道相智一切相智无性是一
切陀羅尼門无性是一切三摩地門无性是
預流果无性是一來不還阿羅漢果无性是
獨覺菩提无性是一切菩薩摩訶薩行无性
是諸佛无上正等菩提當知是爲菩薩魔事
介時具壽善現白佛言世尊若菩薩乘諸善

BD01993 號　大般若波羅蜜多經（兌廢稿）卷三〇三　（1–1）

奉劉光新

BD01993 號背　雜寫　（1–1）

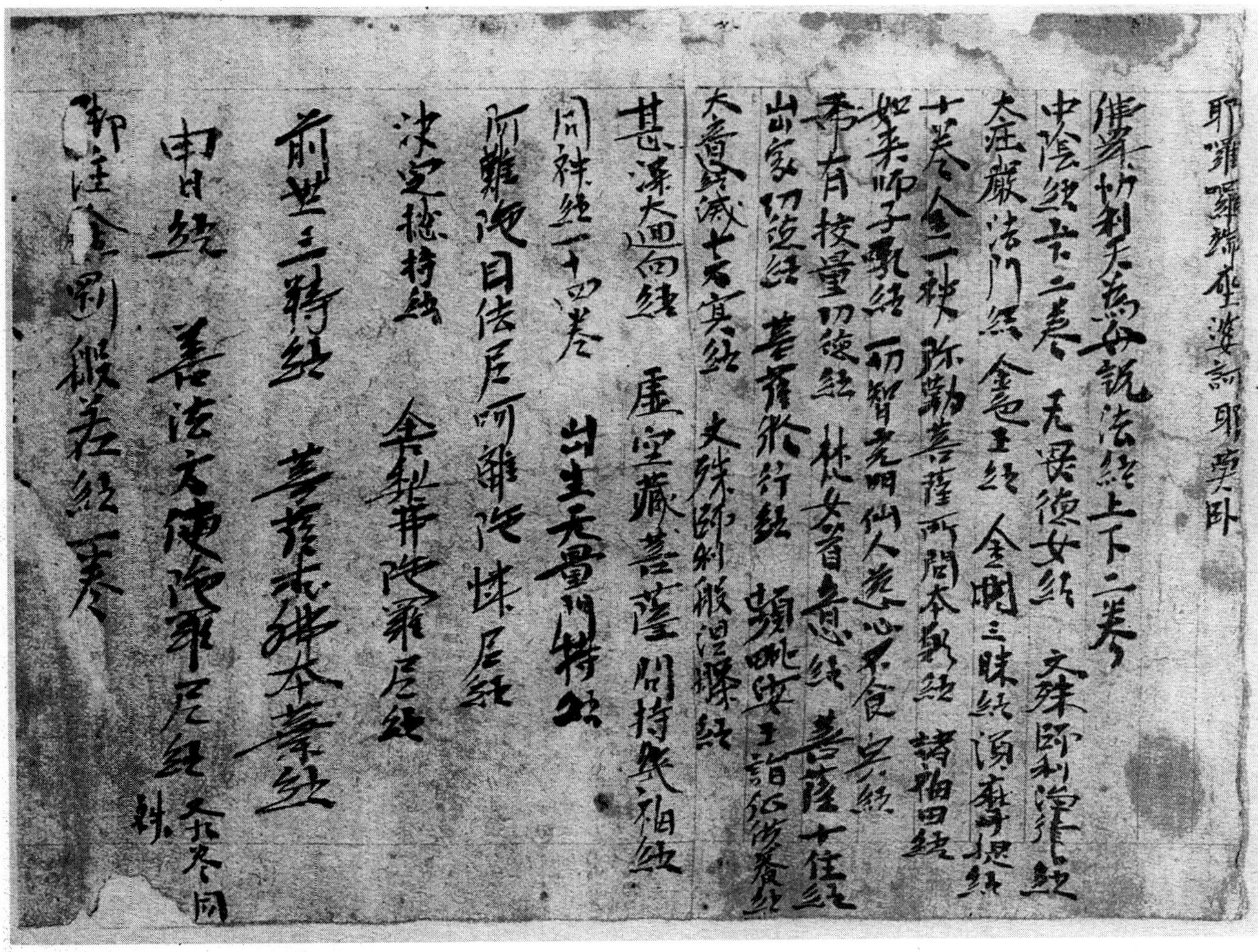
佛為忉利天為母說法經上下二卷
中陰經上下二卷　无垢優婆夷經　文殊師利淨律經
大莊嚴法門經　金色王經　金剛三昧經　須摩提經
十卷合一帙　弥勒菩薩所問本願經　諸福田經
如来師子吼經　一切智光明仙人慈心不食肉經
希有校量功德經　梵女首意經　菩薩十住經
出家功德經　菩薩行經　頻毗娑羅王詣佛供養經
大意經　滅十方冥經　文殊師利般涅槃經
甚深大迴向經　虛空藏菩薩問持經幾福經
問殊經一十四卷　出生無量門持經
阿難陀目佉尼呵離陀隣尼經
決定總持經　舍利弗陀羅尼經
前世三轉經　菩薩逝本業經
中日經　善法方便陀羅尼經　計　又十九卷同
御注金剛般若經一卷

BD01994 號　道真補經錄（擬）　（2–1）

甚深大迴向經　虛空藏菩薩所持神咒經
同袟經一十四卷　出生無量門持經
阿難陀目佉尼呵離陀鄰尼經
決定總持經　舍利弗陀羅尼經
前世三轉經　菩薩求佛本業經
申日經　善法方便陀羅尼經　又九卷同袟
御注金剛般若經一卷
撰集百緣經一卷
夫□尊心學道一卷
請賓頭盧法一卷
千仏像兩卷　七卷同袟
等集衆得三昧經叁卷
理趣般若一卷
華嚴經音日一卷

BD01994號　道真補經錄（擬）　（2–2）

大般若波羅蜜多經一部六百卷　六十袟
大方廣佛花嚴經一部八十卷　八袟
大般涅盤經一部卌二卷　四袟
佛說賢劫經一部一十三卷　一袟
寶雲經一部七卷　一袟　大雲經同袟
佛本行集經一袟十卷
大方便佛報恩經一部不全　有四卷　[illegible]
大比丘三千威儀經上下二卷　在城　同袟
四分律音一卷　大般同袟

BD01994號背　道真補經錄（擬）　（1–1）

尒時具壽善現白佛言世尊若一切法自性
皆空云何菩薩摩訶薩精勤脩學布施淨戒
安忍精進靜慮般若波羅蜜多當得無上正
等菩提佛言善現諸菩薩摩訶薩於此六種
波羅蜜多勤脩學時恒作是念世間有情心
皆顛倒沒生死苦不能自脫我若不脩善巧
方便不能解脫彼生死苦我當為彼諸有情
類精勤脩學布施淨戒安忍精進靜慮般若
波羅蜜多善巧方便善現是菩薩摩訶薩作
是念已為諸有情捨內外物捨已復作如是
思惟我於此物都无所捨何以故此內外物
自性皆空非關於我不可捨故善現是菩薩
摩訶薩由此觀察脩行布施波羅蜜多速得
圓滿疾證无上正等菩提善現是菩薩摩訶
薩為諸有情終不犯戒所以者何是菩薩摩
訶薩恒作是念我為有情求趣无上正等菩
提若斷生命不與而取行欲邪行是所不應
我為有情求趣无上正等菩提作虛誑語作
離間語作麁惡語作雜穢語是所不應我為
有情求趣無上正等菩提發起貪欲瞋恚邪
見是所不應我為有情求趣無上正等菩提

我為有情求趣无上正等菩提作虛誑語作
離間語作麁惡語作雜穢語是所不應我為
有情求趣無上正等菩提發起貪欲瞋恚邪
見是所不應我為有情求趣無上正等菩提
求妙欲境求天富樂求作帝釋魔梵王等是
所不應我為有情求趣無上正等菩提求住
聲聞或獨覺地是所不應善現是菩薩摩
訶薩由此觀察脩行淨戒波羅蜜多速得圓滿
疾證無上正等菩提善現是菩薩摩訶薩為
諸有情不起瞋恨設使恒被毀謗凌辱幸楚苦
言切於心髓終不發起一念瞋恨設復常
遭刀仗瓦石杖瑰等物捶打其身割截斫刺
節節支解亦不發起一念惡心所以者何是
菩薩摩訶薩觀察一切聲如谷響色如聚沫
我為饒益一切有情不應於中妄起瞋恨善
現是菩薩摩訶薩由此觀察脩行安忍波羅
蜜多速得圓滿疾證無上正等菩提善現是
菩薩摩訶薩為諸有情勤求善法乃至無上
正等菩提於其中間常無懈息何以故是菩
薩摩訶薩恒作是念我若懈息不能拔濟
諸有情類生老病死亦不能得所求无上正等
菩提善現是菩薩摩訶薩由此觀察脩行精
進波羅蜜多速得圓滿疾證无上正等菩提
善現是菩薩摩訶薩為諸有情脩諸緣定
乃至無上正等菩提終不發起貪瞋癡等散亂
之心所以者何是菩薩摩訶薩恒作是念若

進彼羅蜜多速得圓滿疾證无上正等菩提
善現是菩薩摩訶薩爲諸有情脩諸勝定
乃至無上正等菩提終不發起貪瞋癡等散亂
之心所以者何是菩薩摩訶薩恒作是念若
我發起貪俱行心瞋俱行心癡俱行心及於餘
事散亂之心則不能成饒益他事亦不能得
所求無上正等菩提善現是菩薩摩訶薩
由此觀察脩行靜慮波羅蜜多速得圓滿疾
證无上正等菩提善現是菩薩摩訶薩爲諸
有情常不遠離甚深般若波羅蜜多乃至无
上正等菩提常勤脩學世出世間微妙勝慧
所以者何是菩薩摩訶薩恒作是念若异般
若波羅蜜多終不能成利樂他事亦不能得
所求无上正等菩提善現是菩薩摩訶薩由
此觀察脩行般若波羅蜜多速得圓滿疾證
无上正等菩提
尒時具壽善現白佛言世尊若六波羅蜜多
无差別相皆是般若波羅蜜多所攝受故皆
由般若波羅蜜多脩成滿故應合成一波羅
蜜多所謂般若波羅蜜多云何可說甚深般
若波羅蜜多於布施等波羅蜜多爲最爲勝
爲長爲尊爲妙爲微妙爲上爲无上佛言善
現如是如是如汝所說布施等六波羅蜜多
无差別相若无般若波羅蜜多布施等五不
得名爲波羅蜜多要因般若波羅蜜多布施
等五乃得名爲波羅蜜多由此前五波羅蜜

BD01995號　大般若波羅蜜多經卷三五一　（16–3）

現如是如是如汝所說布施等六波羅蜜多
无差別相若无般若波羅蜜多布施等五不
得名爲波羅蜜多要因般若波羅蜜多布施
等五乃得名爲波羅蜜多由此前五波羅蜜
多攝在般若波羅蜜多故但有一波羅蜜多
所謂般若波羅蜜多是故一切波羅蜜多无
差別相善現當知如諸有情雖有種種身相
差別若有隣近妙高山王咸同一色布施等
五波羅蜜多亦復如是雖有種種品類差別
而爲般若波羅蜜多所攝受故皆由般若波
羅蜜多脩成滿故依止般若波羅蜜多方能
趣入一切智智乃至名爲到彼岸故皆同一
味相无差別不可施設此是布施波羅蜜多
此是淨戒安忍精進靜慮般若波羅蜜多何
以故善現如是六種波羅蜜多同能趣入一
切智智能到彼岸相无差別由此因緣布施
等六波羅蜜多无差別相具壽善現復白佛
言波羅蜜多及一切法若隨實義皆无此彼
勝劣差別何緣故說甚深般若波羅蜜多於
布施等波羅蜜多爲最爲勝爲長爲尊爲妙
爲微妙爲上爲无上佛言善現如是如是如
汝所說若隨實義波羅蜜多及一切法皆无
此彼勝劣差別但依世俗言說作用說有此
彼勝劣差別施設布施波羅蜜多施設淨戒
安忍精進靜慮般若波羅蜜多爲欲度脫諸
有情類世俗作用生老病死然諸有情生老
病死皆非實有但假施設所以者何有情无

BD01995號　大般若波羅蜜多經卷三五一　（16–4）

彼勝劣善別施設布施波羅蜜多施設淨戒
安忍精進靜慮般若波羅蜜多為欲度脫諸
有情類世俗作用生老病死然諸有情生老
病死皆非實有但假施設所以者何有情无
故當知諸法亦無所有甚深般若波羅蜜多
了達一切都无所有能拔有情世俗作用生
老病死由此故說甚深般若波羅蜜多於布
施等波羅蜜多為最為勝為長為尊為妙為
微妙為上為无上善現當知如轉輪王所有女
寶於人中女為最為勝為長為尊為妙為
微妙為上為无上如是般若波羅蜜多於布
施等波羅蜜多為最為勝為長為尊為妙為
微妙為上為无上具壽善現復白佛言佛以
何意但說般若波羅蜜多於布施等波羅蜜
多為最為勝為長為尊為妙為微妙為上為
无上佛言善現由此般若波羅蜜多能善攝
取一切善法和合趣入一切智智安住不動
以无所住而為方便具壽善現復白佛言如
是般若波羅蜜多於諸善法有取捨不佛言
不也甚深般若波羅蜜多於一切法无取无
捨何以故善現以一切法皆不可取不可捨
故
尒時具壽善現復白佛言世尊甚深般若波
羅蜜多於何等法无取无捨佛言善現甚深
般若波羅蜜多於色无取无捨於受想行識
无取无捨甚深般若波羅蜜多於眼處无取

BD01995號　大般若波羅蜜多經卷三五一　（16–5）

羅蜜多於何等法无取无捨佛言善現甚深
般若波羅蜜多於色无取无捨於受想行識
无取无捨甚深般若波羅蜜多於眼處无取
无捨於耳鼻舌身意處无取无捨甚深般若
波羅蜜多於色處无取无捨於聲香味觸法
處无取无捨甚深般若波羅蜜多於眼界无
取无捨於耳鼻舌身意界无取无捨甚深般
若波羅蜜多於色界无取无捨於聲香味觸
法界无取无捨甚深般若波羅蜜多於眼識
界无取无捨於耳鼻舌身意識界无取无捨
甚深般若波羅蜜多於眼觸无取无捨於耳
鼻舌身意觸无取无捨甚深般若波羅蜜多
於眼觸為緣所生諸受無取無捨於耳鼻舌
身意觸為緣所生諸受無取無捨甚深般若
波羅蜜多於地界无取无捨於水火風空識
界无取无捨甚深般若波羅蜜多於無明無
取無捨於行識名色六處觸受愛取有生老
死愁歎苦憂惱无取无捨甚深般若波羅蜜
多於布施波羅蜜多无取无捨於淨戒安忍
精進靜慮般若波羅蜜多無取無捨甚深般
若波羅蜜多於內空无取无捨於外空內外
空空空大空勝義空有為空无為空畢竟空
无際空散空无變異空本性空自相空共相
空一切法空不可得空无性空自性空无性
自性空无取无捨甚深般若波羅蜜多於真
如无取无捨於法界法性不虛妄性不變異
性平等性離生性法定法住實際虛空界不

BD01995號　大般若波羅蜜多經卷三五一　（16–6）

自性空无取无捨甚深般若波羅蜜多於真
如无取无捨於法界法性不虛妄性不變異
性平等性離生性法定法住實際虛空界不
思議界無取無捨甚深般若波羅蜜多於苦
聖諦无取无捨於集滅道聖諦无取无捨甚
深般若波羅蜜多於四靜慮无取无捨於四
无量四无色定无取无捨甚深般若波羅蜜
多於八解脫无取无捨於八勝處九次第定
十遍處无取无捨甚深般若波羅蜜多於四
念住无取无捨於四正斷四神足五根五力
七等覺支八聖道支无取无捨甚深般若波
羅蜜多於空解脫門無取無捨於无相无願
解脫門无取无捨甚深般若波羅蜜多於
五眼无取无捨於六神通无取无捨甚深般若
波羅蜜多於佛十力无取无捨於四无所畏
四无礙解大慈大悲大喜大捨十八佛不共
法无取无捨甚深般若波羅蜜多於无忘失
法无取无捨於恒住捨性无取无捨甚深般
若波羅蜜多於一切智无取无捨於道相智
一切相智无取无捨甚深般若波羅蜜多於
一切陁羅尼門无取无捨於一切三摩地門
无取无捨甚深般若波羅蜜多於預流果
无取无捨於一來不還阿羅漢果无取无捨甚
深般若波羅蜜多於獨覺菩提无取无捨甚
深般若波羅蜜多於一切菩薩摩訶薩行无
取无捨甚深般若波羅蜜多於諸佛无上

BD01995號　大般若波羅蜜多經卷三五一　（16–7）

无取无捨於一來不還阿羅漢果无取无捨甚
深般若波羅蜜多於獨覺菩提无取无捨甚
深般若波羅蜜多於一切菩薩摩訶薩行无
取无捨甚深般若波羅蜜多於諸佛无上
正等菩提无取无捨
具壽善現復白佛言世尊甚深般若波羅蜜
多云何於色無取無捨云何於受想行識无
取无捨甚深般若波羅蜜多云何於眼處无
取无捨云何於耳鼻舌身意處无取无捨甚
深般若波羅蜜多云何於色處无取无捨云
何於聲香味觸法處無取无捨甚深般若波
羅蜜多云何於眼界无取无捨云何於耳鼻
舌身意界无取无捨甚深般若波羅蜜多云
何於色界无取无捨云何於聲香味觸法界
无取无捨甚深般若波羅蜜多云何於眼識
界无取无捨云何於耳鼻舌身意識界无取
无捨甚深般若波羅蜜多云何於眼觸无取
无捨云何於耳鼻舌身意觸無取无捨甚深
般若波羅蜜多云何於眼觸為緣所生諸受
无取无捨云何於耳鼻舌身意觸為緣所生
諸受无取无捨甚深般若波羅蜜多云何於
地界无取无捨云何於水火風空識界无取
无捨甚深般若波羅蜜多云何於无明无取
无捨云何於行識名色六處觸受愛取有生
老死愁歎苦憂惱无取无捨甚深般若波
羅蜜多云何於布施波羅蜜多无取无捨云

BD01995號　大般若波羅蜜多經卷三五一　（16–8）

无捨云何於行識名色六處觸受愛取有生
老死愁歎苦憂惱无取无捨甚深般若波
羅蜜多云何於布施波羅蜜多无取无捨云
何於淨戒安忍精進靜慮般若波羅蜜多无
取无捨甚深般若波羅蜜多云何於内空無
取无捨云何於外空内外空空空大空勝義
空有為空无為空畢竟空无際空散空无變
異空本性空自相空共相空一切法空不可得
空无性空自性空无性自性空无取无捨甚
深般若波羅蜜多云何於真如无取无捨云
何於法界法性不虛妄性不變異性平等性
離生性法定法住實際虛空界不思議界无
取无捨甚深般若波羅蜜多云何於苦聖諦
无取无捨云何於集滅道聖諦無取无捨甚
深般若波羅蜜多云何於四靜慮无取无捨
云何於四无量四无色定无取无捨甚深般
若波羅蜜多云何於八解脫无取无捨云何
於八勝處九次第定十遍處无取无捨甚深
般若波羅蜜多云何於四念住无取无捨云
何於四正斷四神足五根五力七等覺支八
聖道支無取無捨甚深般若波羅蜜多云
何於空解脫門无取无捨云何於无相无願解
脫門無取無捨甚深般若波羅蜜多云何於
五眼無取無捨云何於六神通无取无捨甚
深般若波羅蜜多云何於佛十力无取无捨
云何於四无所畏四无礙解大慈大悲大喜

BD01995號　大般若波羅蜜多經卷三五一　（16–9）

五眼無取無捨云何於六神通无取无捨甚
深般若波羅蜜多云何於佛十力无取无捨
云何於四无所畏四无礙解大慈大悲大喜
大捨十八佛不共法无取无捨甚深般若波
羅蜜多云何於无忘失法无取无捨云何於
恒住捨性无取无捨甚深般若羅蜜多云
何於一切智无取无捨云何於道相智一切
相智无取无捨甚深般若波羅蜜多云何於
一切陀羅尼門无取无捨云何於一切三摩
地門无取无捨甚深般若波羅蜜多云何於
預流果无取无捨云何於一來不還阿羅漢
果无取无捨甚深般若波羅蜜多云何於獨
覺菩提无取无捨甚深般若波羅蜜多云
何於一切菩薩摩訶薩行无取无捨甚深般
若波羅蜜多云何於諸佛无上正等菩提
无取无捨
佛言善現甚深般若波羅蜜多不思惟色如
是於色無取無捨不思惟受想行識如是於
受想行識無取無捨甚深般若波羅蜜多不
思惟眼處如是於眼處无取无捨不思惟耳
鼻舌身意處如是於耳鼻舌身意處无取无
捨甚深般若波羅蜜多不思惟色處如是於
色處无取无捨不思惟聲香味觸法處如是
於聲香味觸法處无取无捨甚深般若波羅
蜜多不思惟眼界如是於眼界无取无捨不思
惟耳鼻舌身意界如是於耳鼻舌身意界

BD01995號　大般若波羅蜜多經卷三五一　（16–10）

於聲香味觸法處无取无捨甚深般若波羅
蜜多不思惟眼界如是於眼界无取无捨不思
惟耳鼻舌身意界如是於耳鼻舌身意界
无取无捨甚深般若波羅蜜多不思惟色界
如是於色界无取无捨不思惟聲香味觸法
界如是於聲香味觸法界无取无捨甚深般
若波羅蜜多不思惟眼識界如是於眼識界
无取无捨不思惟耳鼻舌身意識界如是於
耳鼻舌身意識界无取无捨甚深般若波羅
蜜多不思惟眼觸如是於眼觸无取无捨不
思惟耳鼻舌身意觸如是於耳鼻舌身意
觸无取无捨甚深般若波羅蜜多不思惟眼觸
為緣所生諸受如是於眼觸為緣所生諸受
无取无捨不思惟耳鼻舌身意觸為緣所生
諸受如是於耳鼻舌身意觸為緣所生諸受
无取无捨甚深般若波羅蜜多不思惟地界
如是於地界无取无捨不思惟水火風空識
界如是於水火風空識界无取无捨甚深般
若波羅蜜多不思惟无明如是於无明无取
无捨不思惟行識名色六處觸受愛取有生
老死愁歎苦憂惱如是於行乃至老死愁歎
苦憂惱无取无捨甚深般若波羅蜜多不思
惟布施波羅蜜多如是於布施波羅蜜多无
取无捨不思惟淨戒安忍精進靜慮般若波
羅蜜多如是於淨戒乃至般若波羅蜜多无
取无捨甚深般若波羅蜜多不思惟內空如

BD01995號　大般若波羅蜜多經卷三五一　（16–11）

取无捨不思惟淨戒安忍精進靜慮般若波
羅蜜多如是於淨戒乃至般若波羅蜜多无
取无捨甚深般若波羅蜜多不思惟內空如
是於內空无取无捨不思惟外空內外空空
空大空勝義空有為空无為空畢竟空无
際空散空无變異空本性空自相空共相空一
切法空不可得空无性空自性空无性自性
空如是於外空乃至无性自性空无取无捨
甚深般若波羅蜜多不思惟真如如是於真
如无取无捨不思惟法界法性不虛妄性不
變異性平等性離生性法定法住實際虛空
界不思議界如是於法界乃至不思議界无
取无捨甚深般若波羅蜜多不思惟苦聖諦
如是於苦聖諦无取无捨不思惟集滅道聖
諦如是於集滅道聖諦无取无捨甚深般若
波羅蜜多不思惟四靜慮如是於四靜慮无
取无捨不思惟四无量四无色定如是於四无
量四无色定无取无捨甚深般若波羅蜜
多不思惟八解脫如是於八解脫无取无捨
不思惟八勝處九次第定十遍處如是於八
勝處九次第定十遍處无取无捨甚深般若
波羅蜜多不思惟四念住如是於四念住无
取无捨不思惟四正斷四神足五根五力七
等覺支八聖道支如是於四正斷乃至八聖
道支无取无捨甚深般若波羅蜜多不思惟
空解脫門如是於空解脫門无取无捨不思

BD01995號　大般若波羅蜜多經卷三五一　（16–12）

等覺支八聖道支如是於四正斷乃至八聖
道支无取无捨甚深般若波羅蜜多不思惟
空解脫門如是於空解脫門无取无捨不思
惟无相无願解脫門如是於无相无願解脫
門无取无捨甚深般若波羅蜜多不思惟五
眼如是於五眼无取无捨不思惟六神通如
是於六神通无取无捨甚深般若波羅蜜多
不思惟佛十力如是於佛十力无取无捨不
思惟四无所畏四无礙解大慈大悲大喜大
捨十八佛不共法如是於四无所畏乃至十八佛
不共法无取无捨甚深般若波羅蜜多不
思惟无忘失法如是於无忘失法无取无捨
不思惟恒住捨性如是於恒住捨性无取无
捨甚深般若波羅蜜多不思惟一切智如是
於一切智无取无捨不思惟道相智一切相
智如是於道相智一切相智无取无捨甚深
般若波羅蜜多不思惟一切陁羅尼門如是
於一切陁羅尼門无取无捨不思惟一切三
摩地門如是於一切三摩地門无取无捨甚
深般若波羅蜜多不思惟預流果如是於預
流果无取无捨不思惟一來不還阿羅漢果
如是於一來不還阿羅漢果无取无捨甚深
般若波羅蜜多不思惟獨覺菩提如是於獨
覺菩提无取无捨甚深般若波羅蜜多不思
惟一切菩薩摩訶薩行如是於一切菩薩摩
訶薩行无取无捨甚深般若波羅蜜多不思

BD01995號　大般若波羅蜜多經卷三五一　　（16–13）

般若波羅蜜多不思惟獨覺菩提如是於獨
覺菩提无取无捨甚深般若波羅蜜多不思
惟一切菩薩摩訶薩行如是於一切菩薩摩
訶薩行无取无捨甚深般若波羅蜜多不思
惟諸佛无上正等菩提如是於諸佛无上正
等菩提无取无捨
具壽善現復白佛言世尊甚深般若波羅
蜜多云何不思惟色云何不思惟受想行識
甚深般若波羅蜜多云何不思惟眼處云何不
思惟耳鼻舌身意處甚深般若波羅蜜多云
何不思惟色處云何不思惟聲香味觸法處
甚深般若波羅蜜多云何不思惟眼界云何
不思惟耳鼻舌身意界甚深般若波羅蜜多
云何不思惟色界云何不思惟聲香味觸法
界甚深般若波羅蜜多云何不思惟眼識界
云何不思惟耳鼻舌身意識界甚深般若波
羅蜜多云何不思惟眼觸云何不思惟耳鼻
舌身意觸甚深般若波羅蜜多云何不思惟
眼觸為緣所生諸受云何不思惟耳鼻舌身
意觸為緣所生諸受甚深般若波羅蜜多云
何不思惟地界云何不思惟水火風空識界
甚深般若波羅蜜多云何不思惟无明云何
不思惟行識名色六處觸受愛取有生老死
愁歎苦憂惱甚深般若波羅蜜多云何不思
惟布施波羅蜜多云何不思惟淨戒安忍精
進靜慮般若波羅蜜多甚深般若波羅蜜多
云何不思惟內空云何不思惟外空內外空

BD01995號　大般若波羅蜜多經卷三五一　　（16–14）

惟布施波羅蜜多云何不思惟淨戒安忍精
進靜慮般若波羅蜜多甚深般若波羅蜜多
云何不思惟內空云何不思惟外空內外空
空空大空勝義空有為空无為空畢竟空
无際空散空无變異空本性空自相空共相
空一切法空不可得空无性空自性空无性自
性空甚深般若波羅蜜多云何不思惟真如
云何不思惟法界法性不虛妄性不變異性
平等性離生性法定法住實際虛空界不思
議界甚深般若波羅蜜多云何不思惟苦聖
諦云何不思惟集滅道聖諦甚深般若波
羅蜜多云何不思惟四靜慮云何不思惟四无
量四无色定甚深般若波羅蜜多云何不思
惟八解脫云何不思惟八勝處九次第定十
遍處甚深般若波羅蜜多云何不思惟四念
住云何不思惟四正斷四神足五根五力七
等覺支八聖道支甚深般若波羅蜜多云何
不思惟空解脫門云何不思惟无相无願解
脫門甚深般若波羅蜜多云何不思惟五眼
云何不思惟六神通甚深般若波羅蜜多云
何不思惟佛十力云何不思惟四无所畏四
無礙解大慈大悲大喜大捨十八佛不共法
甚深般若波羅蜜多云何不思惟无忘失法
云何不思惟恒住捨性甚深般若波羅蜜多
云何不思惟一切智云何不思惟道相智一切
相智甚深般若波羅蜜多云何不思惟一
切陀羅尼門云何不思惟一切三摩地門甚

BD01995號　大般若波羅蜜多經卷三五一　（16–15）

云何不思惟六神通甚深般若波羅蜜多云
何不思惟佛十力云何不思惟四无所畏四
無礙解大慈大悲大喜大捨十八佛不共法
甚深般若波羅蜜多云何不思惟无忘失法
云何不思惟恒住捨性甚深般若波羅蜜多
云何不思惟一切智云何不思惟道相智一切
相智甚深般若波羅蜜多云何不思惟一
切陀羅尼門云何不思惟一切三摩地門甚
深般若波羅蜜多云何不思惟預流果云何
不思惟一來不還阿羅漢果甚深般若波羅
蜜多云何不思惟獨覺菩提甚深般若波
羅蜜多云何不思惟一切菩薩摩訶薩行甚
深般若波羅蜜多云何不思惟諸佛无上正等
菩提

大般若波羅蜜多經卷第三百五十一

佳應

BD01995號　大般若波羅蜜多經卷三五一　（16–16）

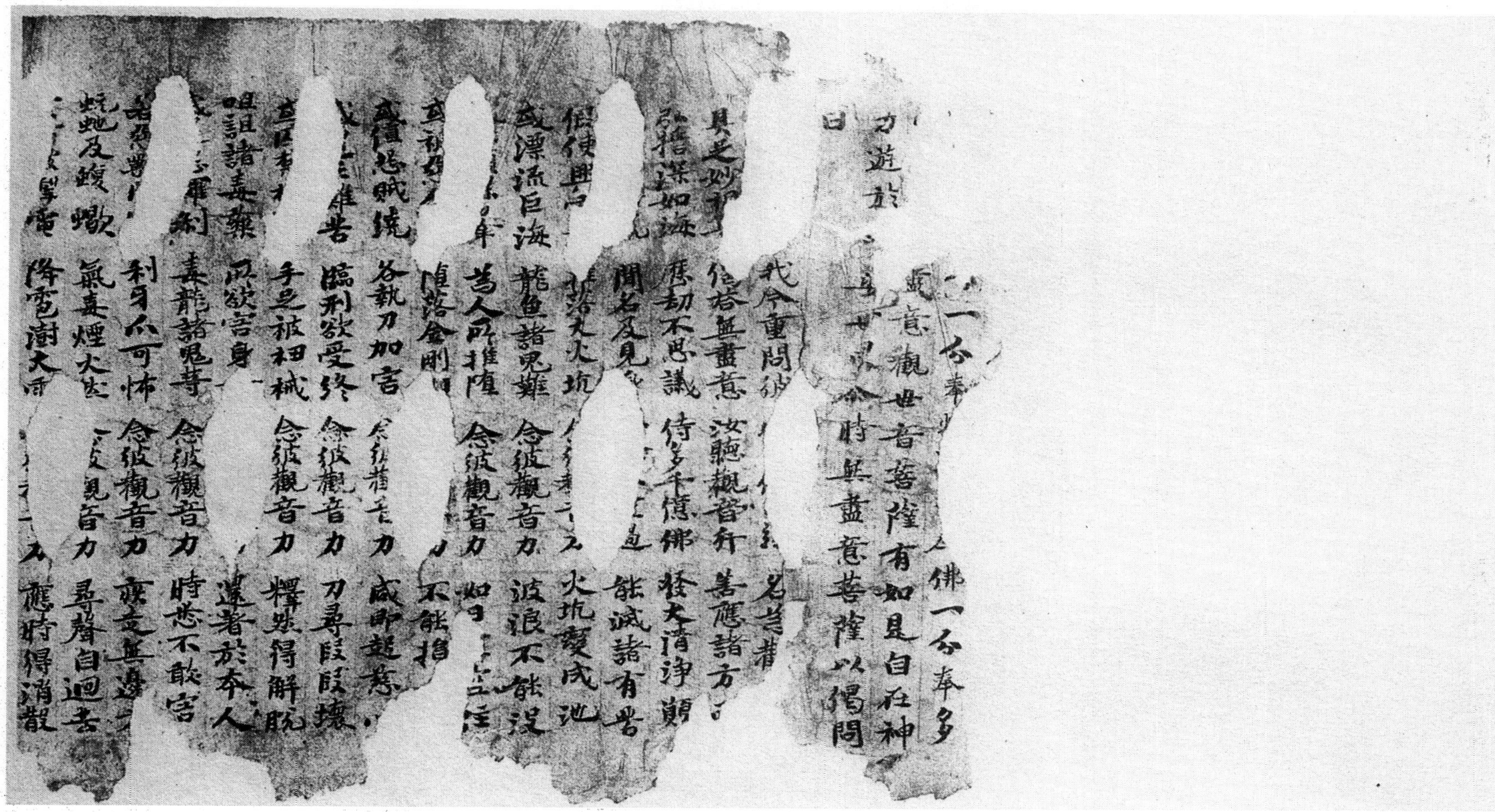

BD01996 號　觀世音經　（3–1）

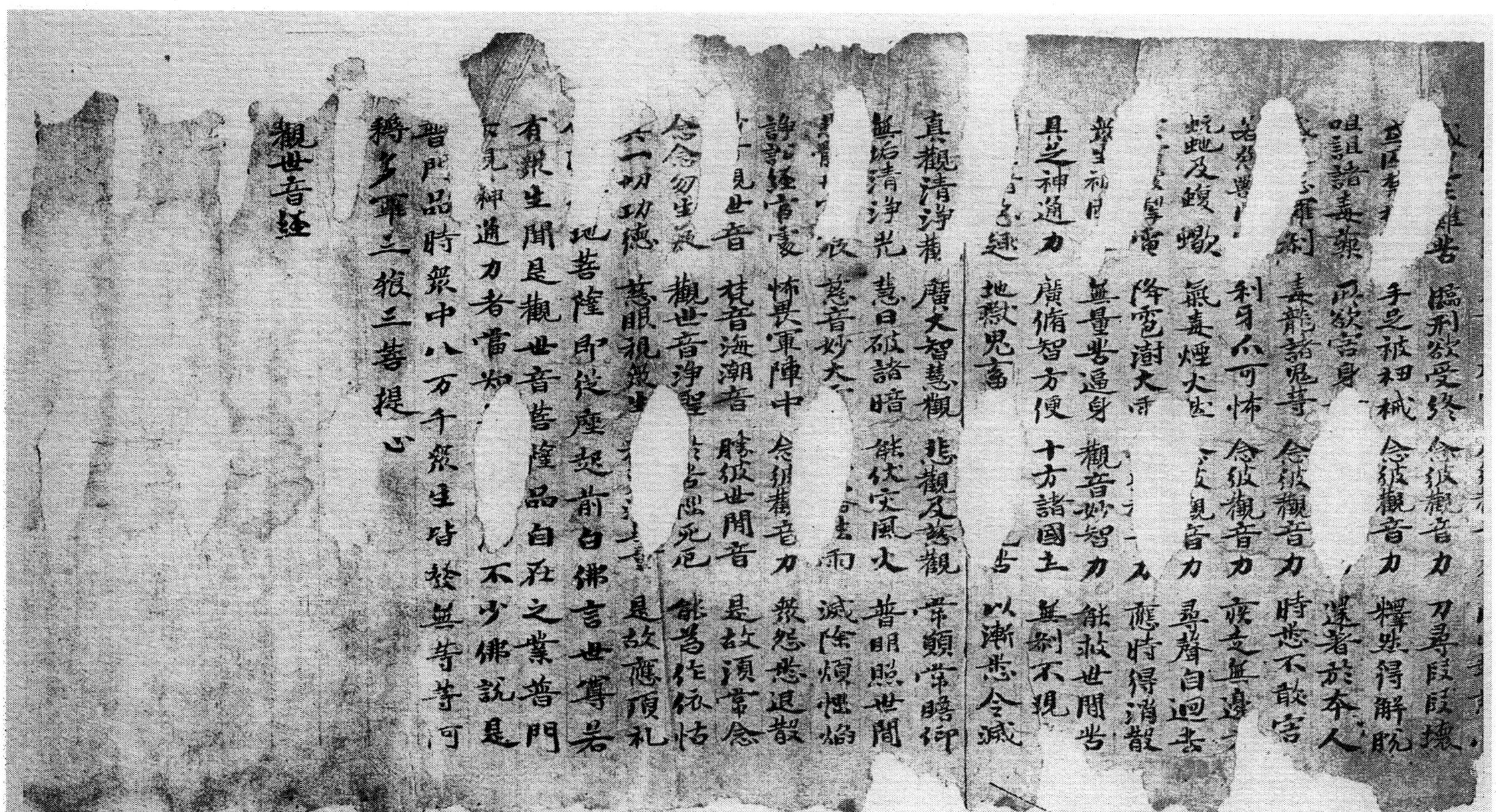

BD01996 號　觀世音經　（3–2）

具一切功德　慈眼視衆生　[illegible]　是故應頂礼
[illegible]地菩薩即從座起前白佛言世尊若
有衆生聞是觀世音菩薩品自在之業普門
示現神通力者當知[illegible]不少佛説是
普門品時衆中八万四千衆生皆發無等等阿
耨多羅三藐三菩提心

觀世音經

BD01996號　觀世音經　（3–3）

[illegible]於人身
快哉我已利　過得金寶聚　值遇調御師　不墮隨畜生
佛如優曇華　值遇生信難　遇已種善根　永滅餓鬼苦
亦復能損減　阿脩羅種類　芥子投針鋒　佛出難於是
我已具足檀　度人天生死　佛不染世法　如蓮華處水
善斷有頂種　永度生死流　生世為人難　值佛世亦難
猶如大海中　盲龜值浮孔　我今所奉食　願得无上果
一切煩惱結　摧破不堅牢　我今於此處　不求人天身
設使得之者　心亦不甘樂　如來受我供　歡喜无有量
猶如伊蘭華　出於栴檀香　我身如伊蘭　如來受我供
如出栴檀香　是故我歡喜　我今得現報　最勝上妙處
釋梵諸天等　悉來供養我　一切諸世間　悉生諸苦惱
以知佛世尊　欲入於涅槃
高聲唱是言　世間无調御　不應捨衆生　應視如一子
如來在僧中　演說无上法　如須弥寶山　安處于大海
佛智能善斷　我等无明闇　猶如虛空中　起雲得清涼
如來能善除　一切諸煩惱　猶如日出時　除雲光普照
是諸衆生等　涕泣面目腫　皆悉為生死　苦水之所漂
以是故世尊　應長衆生信　為斷生死苦　久住於世間

BD01997號　大般涅槃經（北本）卷二　（24–1）

佛智能善斷 我等无明闇 猶如虛空中 起雲得清涼
如來能善除 一切諸煩惱 猶如日出時 除雲光普照
是諸衆生等 涕泣面目腫 皆悉為生死 苦水之所漂
以是故世尊 應長衆生信 為斷生死苦 久住於世間
佛告純陁 如是如是 如汝所說 佛出世難 如
優曇華 值佛生信 亦復甚難 佛臨涅槃 最後
施食 能具足檀 復倍甚難 汝今純陁 莫大愁
苦 應生踊躍 欣自慶幸 得值最後供養如來
成就具足檀波羅蜜 不應請佛久住於世 汝
今當觀諸佛境界 悉皆无常 諸行性相 亦復
如是 即為純陁 而說偈言
一切諸世間 生者皆歸死 壽命雖无量 要必當有盡
夫盛必有衰 合會有別離 壯年不久停 盛色病所侵
命為死所吞 无有法常者 諸王得自在 勢力无等雙
一切皆遷動 壽命亦如是 衆苦輪无際 流轉无休息
三界皆无常 諸有无有樂 有道本性相 一切皆空无
可壞法流動 常有憂患等 恐怖諸過惡 老病死衰惱
是諸有无邊 易壞怨所侵 煩惱所纏裹 猶如蠶處繭
何有智慧者 而當樂是處 此身苦所集 一切皆不淨
扼縛癰瘡等 根本无義利 上至諸天身 皆亦復如是
諸欲皆无常 故我不貪著 離欲善思惟 而證於真實
究竟斷有者 今日當涅槃
我度有彼岸 已得過諸苦 是故於今日 純受上妙樂
尒時純陁白佛言 世尊 如是如是 誠如聖教
我今所有智慧微淺 猶如蚊蝱 何能思議如

諸欲皆无常 故我不貪著 離欲善思惟 而證於真實
究竟斷有者 今日當涅槃
我度有彼岸 已得過諸苦 是故於今日 純受上妙樂
尒時純陁白佛言 世尊 如是如是 誠如聖教
我今所有智慧微淺 猶如蚊蝱 何能思議如
來涅槃深奧之義 世尊 我今已與諸大龍象
菩薩摩訶薩斷諸結漏文殊師利法王子等
世尊 譬如幼年初得出家 雖未受具 即墮僧
數 我亦如是 以佛菩薩神通力故 得在如是
大菩薩數 是故我今欲令如來久住於世 不
入涅槃 譬如飢人終不變吐 願使世尊亦復
如是 常住於世 不入涅槃 尒時文殊師利法
王子告純陁言 純陁 汝今不應發如是言 欲
使如來常住於世 不般涅槃 如彼飢人无所
變吐 汝今當觀諸行性相 如是觀行 具空三
昧 欲求正法 應如是學 純陁問言 文殊師利
夫如來者 天上人中最尊最勝 如是如來 豈
是行耶 若是行者 為生滅法 譬如水泡 速起
速滅 往來流轉 猶如車輪 一切諸行 亦復如
是 我聞諸天壽命極長 云何世尊是天中天
壽命更促 不滿百年 如聚落主 勢得自在 以
自在力 能制他人 是人福盡 其後貧賤 人所
輕慢 為他策使 所以者何 失勢力故 世尊亦
尒 同於諸行 同諸行者 則不得稱為天中天
何以故 諸行即是生死法 故是故文殊勿觀

輕蔑為他策使所以者何失勢力故世尊亦
尒同於諸行同諸行者則不得稱為天中天
何以故諸行即是生死法故是故文殊勿觀
如來同於諸行復次文殊師利為知而說不
知而說而言如來同於諸行設使如來同諸
行者則不得言於三界中為天中天自在法
王譬如人王有大力士其力當千更无有能
降伏之者故稱此人一人當千如是力士王
所愛念繡賜爵祿封賞自然所以得稱當千
人者是人未必力敵於千但以種種伎藝所
能勝千故故稱當千如來亦尒降煩惱魔
陰魔天魔死魔是故如來名三界尊如彼力
士一人當千以是因緣成就具足種種无量
真實功德故稱如來應正遍知文殊師利汝
今不應憶想分別以如來法同於諸行譬如
巨富長者生子相師占之有短壽相父母聞
已知其不任紹繼家嗣不復愛重視如芥草
夫短壽者不為沙門婆羅門善男女大小之所
敬念若使如來同諸行者亦復不為一切世
間人天眾生之所奉敬如來所說不變不異
真實之法亦无受者是故文殊不應說言如
來同於一切諸行
復次文殊譬如貧女无有居家救護之者加
復病苦飢餓所逼遊行乞匄止他客舍寄生
一子是客舍主驅逐令去其產未久攜抱是

BD01997號　大般涅槃經（北本）卷二　（24–4）

復病苦飢餓所逼遊行乞匄止他客舍寄生
一子是客舍主驅逐令去其產未久攜抱是
兒欲至他國於其中路遇惡風雨寒苦並至
多為蚊虻蜂螫毒虫之所唼食逕由恒河抱
兒而渡其水漂疾而不放捨於是母子遂共
俱沒如是女人慈念功德命終之後生於梵
天文殊師利若有善男子欲護正法勿說如
來同於諸行不同諸行唯當自責我今愚癡
未有慧目如來正法不可思議是故不應宣
說如來定是有為定是无為若正見者應說
如來定是无為何以故能為眾生生善法故
生憐愍故如彼貧女在於恒河為愛子故而
捨身命善男子護法菩薩亦應如是寧捨身
命不說如來同於有為當言如來同於无為
以說如來同无為故當得阿耨多羅三藐三
菩提如彼女人得生梵天何以故以護法故
云何護法所謂說言如來同於无為善男子
如是之人雖不求解脫解脫自至如彼貧女
不求梵天梵天自至文殊師利如人遠行中
路疲極寄止他舍臥寐之中其室忽然大火
卒起即時驚寤尋自思惟我於今者定死不
疑具慚愧故以衣纏身即便命終生忉利天
從是以後滿八十反作大梵王滿百千世生
於人中為轉輪王是人不復生三惡趣展轉
常生安樂之處以是緣故文殊師利若善男

BD01997號　大般涅槃經（北本）卷二　（24–5）

疑具慚愧故以衣纏身即便命終生忉利天
從是以後滿八十反作大梵王滿百千世生
於人中為轉輪王是人不復生三惡趣展轉
常生安樂之處以是緣故文殊師利若善男
子有慚愧者不應觀佛同於諸行文殊師利
外道邪見可說如來同於有為持戒比丘不
應如是於如來所生有為想若言如來是有
為者即是妄語當知是人死入地獄如人自
處於己舍宅文殊師利如來真實是无為法
不應復言是有為也汝從今日於生死中應
捨无知求於正智當知如來即是无為若能
如是觀如來者具足當得三十二相速疾成
就阿耨多羅三藐三菩提
尒時文殊師利法王子讚純陀言善哉善哉
善男子汝今已作長壽因緣能知如來是常
住法不變異法无為之法汝今如是善覆如
來有為之相如彼火人為慚愧故以衣覆身
以是善心生忉利天復為梵王轉輪聖王不
至惡趣常受安樂汝亦如是善覆如來有為
相故於未來世必定當得三十二相八十種
好十八不共法无量壽命不在生死常受安
樂不久得成應正遍知純陀如來次後自當
廣說我之與汝俱亦當覆如來有為有為无
為且共置之汝可隨時速施飲食如是施者
諸施中最若比丘比丘尼優婆塞優婆夷

廣說我之與汝俱亦當覆如來有為有為无
為且共置之汝可隨時速施飲食如是施者
諸施中最若比丘比丘尼優婆塞優婆夷
行旅極所須之物應當清淨隨時給與如是
速施即是具足檀波羅蜜根本種子純陀若
有最後施佛及僧若多若少若足不足宜速
及時如來正尒當般涅槃純陀言文殊師利
汝今何故貪為此食而言多少足與不足令
我時施文殊師利如來昔日苦行六年尚自
支持況於今日須臾間耶文殊師利汝今實
謂如來正覺受斯食耶然我定知如來身者
即是法身非為食身
尒時佛告文殊師利如是如是如純陀言善
哉純陀汝已成就微妙大智善入甚深大乘
經典文殊師利語純陀言汝謂如來是无為
者如來之身即是長壽若作是知佛所悅可
純陀復言如來非獨悅可於我亦復悅可一切
衆生文殊師利言如來於汝及以於我一切
衆生皆悉悅可純陀復言汝不應言如來悅
可夫悅可者則是倒想若有倒想則是生死
有生死者即有為法是故文殊勿謂如來是
有為也若言如來是有為者我與仁者俱行
顛倒文殊師利如來无有愛念之想夫愛念
者如彼母牛愛念其子雖復飢渴行求水草
若足不足忽然還歸諸佛世尊无有是念等

有為也若言如来是有為者我与仁者俱行
顛倒文殊師利如来无有愛念之想夫愛念
者如彼母牛愛念其子雖復飢渴行求水草
若足不足忽然還歸諸佛世尊无有是念等
視一切如羅睺羅如是念者即是諸佛智慧
境界文殊師利譬如國王調御駕駟欲令驢
車而及之者无有是處我与仁者亦復如是
欲盡如来微密淵奧亦无是處文殊師利如
金翅鳥昇於虛空无量由旬下觀大海悉見
水性魚鼈黿鼉龍之屬及見已影如於明
鏡見諸色像凡夫少智不能籌量如是所見
我与仁者亦復如是不能籌量如来智慧文
殊師利語純陀言如是如是如汝所說我於
此事非為不達直欲試汝諸菩薩事
尒時世尊從其面門出種種光其光明曜照
文殊身文殊師利遇斯光已即知是事尋告
純陀如来今者現是瑞相不久必當入於涅
槃汝先所設寧後供養宜時奉獻佛及大眾
純陀當知如来放是種種光明非无因緣純
陀聞已情塞嘿然佛告純陀汝所奉施佛及
大眾今正是時如来正尒當般涅槃第二第
三亦復如是尒時純陀聞佛語已舉聲啼哭
悲咽而言苦哉苦哉世間空虛復白大眾我
等今者一切當共五體投地同聲勸佛莫般
涅槃尒時世尊復告純陀莫大啼哭令心惟

BD01997號　大般涅槃經（北本）卷二　（24–8）

悲咽而言苦哉苦哉世間空虛復白大眾我
等今者一切當共五體投地同聲勸佛莫般
涅槃尒時世尊復告純陀莫大啼哭令心惟
悴當觀是身猶如芭蕉熱時之炎水沫幻化
乾闥婆城坏器電光亦如畫水臨死之囚熟
菓段肉如織經盡如碓上下當觀諸行猶雜
毒食有為之法多諸過患於是純陀復白佛
言如来不欲久住於世我當云何而不啼泣
苦哉苦哉世間空虛唯願世尊憐愍我等及
諸眾生久住於世勿般涅槃佛告純陀汝今
不應發如是言憐愍我故久住於世我以憐
愍汝及一切是故今欲入於涅槃何以故諸
佛法尒有為亦然是故諸佛而說是偈
有為之法　其性无常　生已不住　寂滅為樂
純陀汝今當觀一切行雜諸法无我无常不
住此身多有无量過患猶如水泡是故汝今
不應啼泣尒時純陀復白佛言如是如是誠
如尊教雖知如来方便示現入於涅槃而我
不能不懷苦惱復自思惟復生慶悅佛讚純
陀善哉善哉能知如来示同眾生方便涅槃
純陀汝今當聽如娑羅娑鳥春陽之月皆共
集彼阿耨達池諸佛亦尒皆至是處純陀汝
今不應思惟諸佛長壽短壽一切諸法皆如
幻相如来在中以方便力无所染著何以故
諸佛法尒純陀我今受汝所獻供養為欲令

BD01997號　大般涅槃經（北本）卷二　（24–9）

令不應思惟諸佛長壽短壽一切諸法皆如
幻相如來在中以方便力无所染著何以故
諸佛法尒純陀我今受汝所獻供養為欲令
汝度於生死諸有流故若諸人天於此最後
供養我者悉皆當得不動果報常受安樂何
以故我是衆生良福田故汝若復欲為諸衆
生作福田者速辦所施不宜久停尒時純陀
為諸衆生得度脫故低頭飲淚而白佛言善
哉世尊我若堪任為福田時則能了知如來
涅槃及非涅槃我等今者及諸聲聞緣覺智
慧猶如蚉蟻實不能量如來涅槃及非涅槃
尒時純陀及其眷屬愁憂啼泣圍遶如來燒
香散華盡心敬奉尋与文殊從坐而去供辦
食具其去未久是時大地六種震動乃至梵
世亦復如是地動有二或有地動或大地動
小動者名為地動大動者名大地動有小聲
者名曰地動有大聲者名大地動獨地動者
名曰地動山河樹木及大海水一切動者名
大地動一向動者名曰地動周迴旋轉名大
地動動名地動動時能令衆生心動名大地
動菩薩初從兜率天下閻浮提時名大地動
從生出家成阿耨多羅三藐三菩提轉於法
輪及般涅槃名大地動今日如來將入涅槃
是故此地如是大動時諸天龍乾闥婆阿脩

BD01997號　大般涅槃經（北本）卷二

（24–10）

從生出家成阿耨多羅三藐三菩提轉於法
輪及般涅槃名大地動今日如來將入涅槃
是故此地如是大動時諸天龍乾闥婆阿脩
羅迦樓羅緊那羅摩睺羅伽人及非人聞是
語已身毛皆竪同聲哀泣而說偈言
稽首禮調御　我等今勸請　遠離於人仙　故无有救護
今見佛涅槃　我等沒苦水　愁憂懷悲惱　猶如犢失母
貧窮无救護　猶如困病人　无醫隨自心　食所不應食
衆生煩惱病　常為諸見害　遠離法醫師　服食邪毒藥
是故佛世尊　不應見捨離
如國无君主　人民皆飢餓　我等亦如是　失陰及法味
今聞佛涅槃　我等心迷亂　如彼大地動　迷失於諸方
大仙入涅槃　佛日墜於地　法水悉枯涸　我等定當死
如來般涅槃　衆生極苦惱　譬如長者子　新喪於父母
如來入涅槃　如其不還者　我等及衆生　悉无有救護
如來入涅槃　乃至諸畜生　一切皆愁怖　苦惱燒其心
我等於今者　云何不愁怖　如來見放捨　猶如棄涕唾
譬如日初出　光明甚熾炎　既能還自照　亦滅一切闇
如來神通光　能除我苦惱　處在大衆中　譬如須彌山
世尊譬如國王生育諸子形貌端政心常愛
念先教技藝悉令通利然後將付魁膾令殺
世尊我等今日為法王子蒙佛教誨已具正
見願莫放捨如其放捨則同王子唯願久住
不入涅槃世尊譬如有人善學諸論復於此
論而生怖畏如來亦尒通達諸法而於諸法

BD01997號　大般涅槃經（北本）卷二

（24–11）

不入涅槃世尊譬如有人善學諸論復於此
論而生怖畏如來之尒通達諸法而於諸法
復生怖畏若使如來久住於世說甘露味充
足一切如是衆生則不復畏墮於地獄世尊
譬如有人初學作務為官所收閉之囹圄有
人問之汝受何事答言我今受大憂苦若其
得脫則得安樂世尊之尒為我等故脩諸苦
行我等今者猶未得免生死苦惱云何如來
得受安樂世尊譬如醫王善解方藥偏以秘
方教授其子不教其餘外受學者如來之尒
獨以甚深秘密之藏偏教文殊遺棄我等不
見顧念如來於法應无慳悋如彼醫王偏教
其子不教外來諸受學者彼醫所以不能普
教情存勝負故有秘惜如來之心終无勝負
何故如是不見教誨唯願久住莫般涅槃世
尊譬如老少病苦之人離於善住行於嶮路
路嶮疲難多受苦惱更有異人見之憐愍即
便示以平坦好道世尊我之如是所謂少者
喻未增長法身之人老者喻重煩惱病者喻
未脫生死嶮路者喻廿五有唯願如來示導
我等甘露正道久住於世勿般涅槃
尒時世尊告諸比丘汝等比丘莫如凡夫諸
天人等愁憂啼哭當懃精進繫心正念時諸
天人阿脩羅等聞佛所說止不啼哭猶如有
人殯喪子已止不啼哭尒時世尊為諸大衆

BD01997號　大般涅槃經（北本）卷二　（24–12）

尒時世尊告諸比丘汝等比丘莫如凡夫諸
天人等愁憂啼哭當懃精進繫心正念時諸
天人阿脩羅等聞佛所說止不啼哭猶如有
人殯喪子已止不啼哭尒時世尊為諸大衆
說是偈言
汝等當開意　不應大愁苦　諸佛法皆尒　是故當嘿然
樂不放逸行　守心正憶念　遠離諸非法　慰意受歡樂
復次比丘若有疑惑今皆當問若空不空若
常无常若依非依若去不去若歸非歸若恒
非恒若斷若常若衆生非衆生若有若无若
實不實若真不真若滅不滅若密不密若二
不二如是等種種法中有所疑者今應諮問
我當隨順為汝斷之亦當為汝先說甘露然
後乃當入於涅槃諸比丘佛出世難人身難
得值佛生信是事亦難能忍難忍是亦復難
成就禁戒具足无缺得阿羅漢果是事亦難
如求金沙優曇鉢華諸比丘離於八難得人
身難汝等遇我不應空過我於往昔種種苦
行今得如是无上方便為汝等故无量劫中
捨身手足頭目髓腦是故汝等不應放逸汝
等比丘云何莊嚴正法寶城具足種種功德
珎寶戒定智慧為墻壍埤堄汝今遇是佛法
寶城不應取此虛偽之物譬如商主遇真寶
城取諸瓦礫而便還家汝之如是值遇寶城
取虛偽物汝諸比丘勿以下心而生知足汝

BD01997號　大般涅槃經（北本）卷二　（24–13）

寶城不應取此虛偽之物譬如商主遇真寶
城取諸凡礫而便還家汝亦如是值遇寶城
取虛偽物汝諸比丘勿以下心而生知足汝
等今者雖得出家於此大乘不生貪慕汝諸
比丘身雖得服袈裟染衣其心猶未得染大
乘清淨之法汝諸比丘雖行乞食逕歷多處
初未曾乞大乘法食汝諸比丘雖除鬚髮未
為正法除諸結使汝諸比丘今當真實教勅
汝等我今現在大眾和合如來法性真實不
倒是故汝等應當精進攝心勇猛摧諸結使
十力慧日既滅沒已汝等當為无明所覆諸
比丘譬如大地諸山藥草為眾生用我法亦
尒出生妙善甘露法味而為眾生種種煩惱
病之良藥我今當令一切眾生及以我子四
部之眾悉皆安住祕密之藏我亦復當安住
是中入於涅槃何等名為祕密之藏猶如伊
字三點若並則不成伊縱亦不成如摩醯首
羅面上三目乃得成伊三點若別亦不得成
我亦如是解脫之法亦非涅槃如來之身亦
非涅槃摩訶般若亦非涅槃三法各異亦非
涅槃我今安住如是三法為眾生故名入涅
槃如世伊字
尒時諸比丘聞佛世尊定當涅槃皆悉憂愁
身毛為豎涕淚盈目稽首佛足遶无量匝白

BD01997號　大般涅槃經（北本）卷二　（24–14）

槃如世伊字
尒時諸比丘聞佛世尊定當涅槃皆悉憂愁
身毛為豎涕淚盈目稽首佛足遶无量匝白
佛言世尊快說无常苦空无我世尊譬如一
切眾生跡中象跡為上是无常想亦復如是
於諸想中最為第一若有精勤修習之者能
除一切欲界欲愛色无色愛无明憍慢及无
常想世尊如來若離无常想者則不應入於
般涅槃若不離者云何說言脩无常想離三
界愛无明憍慢及无常想世尊譬如農夫秋
月之時深耕其地能除草穢是无常想亦復
如是能除一切欲界欲愛色无色愛无明憍
慢及无常想世尊譬如耕田秋耕為勝如諸
跡中象跡為勝於諸想中无常為勝世尊譬
如帝王知命將終恩赦天下獄囚繫閉悉令
得脫然後捨命如來今者亦應如是度諸眾
生一切无智无明繫閉皆令解脫然後乃入於
般涅槃我等今者皆未得度云何如來便欲
放捨入於涅槃世尊譬如有人為鬼所持遇
良呪師以呪力故便得除差如來亦尒為諸
聲聞除无明鬼令得安住摩訶般若解脫等
法如世伊字世尊譬如香象為人所繫雖有
良師不能禁制頓絕羈靽自恣而去我亦如
是脫五十七煩惱繫縛云何如來便欲放捨
入於涅槃世尊如人病瘧值遇良醫所苦得

BD01997號　大般涅槃經（北本）卷二　（24–15）

良師不能禁制須絕羈靽自恣而去我亦如
是脫五十七煩惱繫縛云何如來便欲放捨
入於涅槃世尊如人病瘥值遇良醫所苦得
除我亦如是多諸患苦邪命熱病雖遇如來
病未除愈未得无上安隱常樂云何如來便
欲放捨入於涅槃世尊譬如醉人不自覺知
不識親踈母女姊妹迷荒婬亂言語放逸臥
糞穢中時有良師与藥令服服已吐酒還自
憶識心懷慚愧深自剋責酒為不善諸惡根
本若能除斷則遠衆罪世尊我亦如是往
昔已來輪轉生死情色所醉貪嗜五欲非母
母想非姊姊想非女女想於非衆生生衆生
想是故輪轉受生死苦如彼醉人臥糞穢中
如來今當施我法藥令我還吐煩惱惡酒而
我未得惺悟之心云何如來便欲放捨入於
涅槃世尊譬如有人嘆芭蕉樹以為堅實无
有是處世尊衆生亦尒若嘆我人衆生壽命
養育知見作者受者是真實者亦无是處我
等如是脩无我想世尊譬如聚沫无所復用
是身亦尒无我无主世尊如七葉華无有香
氣是身亦尒无我无主我等如是心常脩集
无我之想如佛所說一切諸法无我我所汝
諸比丘應當脩集如是脩已則除我慢離我
慢已便入涅槃世尊譬如鳥跡空中現者无
有是處有能脩集无我想者而有諸見亦无

BD01997號　大般涅槃經（北本）卷二　（24–16）

无我之想如佛所說一切諸法无我我所汝
諸比丘應當脩集如是脩已則除我慢離我
慢已便入涅槃世尊譬如鳥跡空中現者无
有是處有能脩集无我想者而有諸見亦无
是處尒時世尊讚諸比丘善哉善哉汝等善
能脩无我想時諸比丘即白佛言世尊我等
不但脩无我想亦更脩集其餘諸想所謂苦
想无常想无我想世尊譬如人醉其心惱恢
見諸山河石壁草木宮殿屋舍日月星辰皆
悉迴轉世尊若有不脩苦无常想无我等想
如是之人不名為聖多諸放逸流轉生死世
尊以是因緣我等善脩如是諸想
尒時佛告諸比丘言諦聽諦聽汝向所引醉
人喻者但知文字未達其義何等為義如彼
醉人見上日月實非迴轉生迴轉想衆生亦
尒為諸煩惱无明所覆生顛倒心我計无我
常計无常淨計不淨樂計為苦以為煩惱之
所覆故雖生此想不達其義如彼醉人於非
轉處而生轉想我者即是佛義常者是法身
義樂者是涅槃義淨者是法義汝等比丘云何
而言有我想者憍慢貢高流轉生死汝等若
言我亦脩集无常苦无我等想是三種脩无
有實事我今當說勝三脩法苦者計樂樂者
計苦是顛倒法无常計常常計无常是顛倒
法无我計我我計无我是顛倒法不淨計淨

BD01997號　大般涅槃經（北本）卷二　（24–17）

有實事我今當說勝三脩法苦者計樂樂者
計苦是顛倒法无常計常常計无常是顛倒
法无我計我我計无我是顛倒法不淨計淨
淨計不淨是顛倒法有如是等四顛倒法是人
不知正脩諸法汝諸比丘於苦法中生於樂
想於无常中生於常想於无我中生於我想
於不淨中生於淨想世間之有常樂我淨出
世之有常樂我淨世間法者有字无義出世
間者有字有義何以故世間之法有四顛倒
故不知義所以者何有想倒心倒見倒以三
倒故世間之人樂中見苦常見无常我見无
我淨見不淨是名顛倒以顛倒故世間知字
而不知義何等為義无我者名為生死我者
名為如來无常者聲聞緣覺常者如來法身
苦者一切外道樂者即是涅槃不淨者即有
為法淨者諸佛菩薩所有正法是名不顛倒
以不倒故知字知義若欲遠離四顛倒者
應知如來是常樂我淨時諸比丘白佛言世
尊如佛所說離四倒者則得了知常樂我淨
如來今者永无四倒則已了知常樂我淨若
已了知常樂我淨何故不住一劫半劫教導
我等令離四倒而見放捨欲入涅槃如來若
見顧念教勑我當至心頂受脩集如來若入
於涅槃者我等云何与是毒身同共止住脩
於梵行我等之當隨佛世尊入於涅槃

BD01997號　大般涅槃經（北本）卷二　（24–18）

見顧念教勑我當至心頂受脩集如來若入
於涅槃者我等云何与是毒身同共止住脩
於梵行我等之當隨佛世尊入於涅槃
尒時佛告諸比丘汝等不應作如是語我今
所有无上正法悉以付囑摩訶迦葉是迦葉
者當為汝等作大依止猶如如來為諸衆生
作依止處摩訶迦葉之復如是當為汝等作
依止處譬如大王多所統領若遊巡時悉以國
事付囑大臣如來之尒所有正法之以付囑
摩訶迦葉汝等當知先所脩集无常苦想非
是真實譬如春時有諸人等在大池浴乘船
遊戲失瑠璃寶沒深水中是時諸人悉共入水
求覓是寶競捉凡石草木沙礫各各自謂得
瑠璃珠歡喜持出乃知非真是時寶珠猶在
水中以珠力故水皆澄清於是大衆乃見寶
珠故在水下猶如仰觀虛空月形是時衆中
有一智人以方便力安徐入水即便得珠汝
等比丘不應如是脩集无常苦无我想不淨
想等以為實義如彼諸人各即凡石草木沙
礫而為寶珠汝等應當善學方便在在處處
常脩我想常樂淨想復應當知先所脩集
四法相貌悉是顛倒欲得真實脩諸想者如
彼智人巧出寶珠所謂我想常樂淨想尒時
諸比丘白佛言世尊如佛先說諸法无我汝
當脩學脩學是已則離我想離我想者則離

BD01997號　大般涅槃經（北本）卷二　（24–19）

彼癡人巧出寶珠所謂我想常樂淨想尒時
諸比丘白佛言世尊如佛先說諸法无我汝
當脩學脩學是已則離我想離我想者則離
憍慢離憍慢者得入涅槃是義云何佛告諸
比丘善哉善哉汝今善能諮問是義為自斷
疑譬如國王闇鈍少智有一醫師性復頑嚚
而王不別厚賜奉祿療治衆病純以乳藥亦
復不知病起根原雖知乳藥復不善解或有
風病冷病熱病一切諸病悉教服乳是王不
別是醫知乳好醜善惡復有明醫曉八種術
善療衆病知諸方藥從遠方來是時舊醫不
知諮受反生貢高輕慢之心彼時明醫即便
依附請以為師諮受醫方祕奧之法語舊醫
言我今請仁以為師範唯願為我宣暢解說
舊醫答言卿今若能為我給使卌八年然後
乃當教汝醫法彼明醫即受其教我當如
是我當如是隨我所能當給走使是時舊醫
即將客醫共入見王是時客醫即為王說種
種醫方及餘伎藝大王當知應善分別此法
如是可以治國此法如是可以療病尒時國
王聞是語已方知舊醫癡騃无智即便驅逐
令出國界然後倍復恭敬客醫是時客醫作
是念言欲教王者今正是時即語王言大王
於我實愛念者當求一願王即答言從此右
臂及餘身分隨意所求一切相与彼客醫言

是念言欲教王者今正是時即語王言大王
於我實愛念者當求一願王即答言從此右
臂及餘身分隨意所求一切相与彼客醫言
王雖許我一切身分然我不敢多有所求今
所求者願王宣令一切國內從今已往不得
復服舊醫乳藥所以者何是藥毒害多傷損
故若故服者當斬其首斷乳藥已終更无有
橫死之人常處安樂故求是願時王答言汝
之所求蓋不足言尋為宣令一切國內有病
之人皆悉不聽以乳為藥若為藥者當斬其
首尒時客醫以種種味和合諸藥謂辛苦醎
甜酢等味以療衆病无不得差其後不久王
復得病即命是醫我今病重困苦欲死當云
何治醫占王病應用乳藥尋白王言如王所
患應當服乳我於先時所斷乳藥是大妄語
今若服者最能除病王今患熱正應服乳時
王語醫汝今狂耶為熱病乎而言服乳能除
此病汝先言毒今云何服欲欺我耶先醫所
讚汝言是毒令我驅遣今復言好最能除病
如汝所言我本舊醫定為勝汝是時客醫復
語王言王今不應作如是語如虫食木有成
字者此虫不知是字非字智人見之終不唱
言是虫解字亦不驚恠大王當知舊醫亦尒
不別諸病悉与乳藥如彼虫道偶成於字是
先舊醫不解乳藥好醜善惡時王問言云何

言是虫解字亦不驚恠大王當知舊醫亦尒
不別諸病悉与乳藥如彼虫道偶成於字是
先舊醫不解乳藥好醜善惡時王問言云何
不解客醫答王是乳藥者亦是毒害亦是甘
露云何是乳復名甘露若是牸牛不食酒糟
滑草麦麩其犢調善放牧之處不在高原亦
不下濕飲以清流不令馳走不与特牛同共
一羣飲餧調適行住得所如是乳者能除諸病
是則名為甘露妙藥除是乳已其餘一切皆名
毒害尒時大王聞是語已讚言大醫善哉善
哉我從今日始知乳藥善惡好醜即便服之病
得除愈尋時宣令一切國內從今已往當服
乳藥國人聞之皆生瞋恨咸共相謂大王今者
為鬼所持為狂顛耶而誑我等復令服乳一
切人民皆懷瞋恨悉集王所王言汝等不應
於我而生瞋恨而此乳藥服与不服悉是醫
教非是我咎尒時大王及諸人民踊躍歡喜
倍共恭敬供養是醫一切病者皆服乳藥病
悉除愈汝等比丘當知如來應正遍知明行
足善逝世間解无上士調御丈夫天人師佛
世尊亦復如是為大醫王出現於世降伏一
切外道耶醫諸王眾中唱如是言我為醫王
欲伏外道故唱是言无我无人眾生壽命養
育知見作者受者比丘當知是諸外道所言
我者如虫食木偶成字耳是故如來於佛法

BD01997號　大般涅槃經（北本）卷二　（24–22）

切外道耶醫諸王眾中唱如是言我為醫王
欲伏外道故唱是言无我无人眾生壽命養
育知見作者受者比丘當知是諸外道所言
我者如虫食木偶成字耳是故如來於佛法
中唱言无我為調眾生故為知時故如是无
我有因緣故亦說有我如彼良醫善知於乳
是藥非藥非如凡夫所計吾我凡夫愚人所
計我者或言大如拇指或如芥子或如微塵
如來說我悉不如是是故說言諸法无我實
非无我何者是我若法是實是真是常是主
是依性不變者是名為我如彼大醫善解乳
藥如來亦尒為眾生故說諸法中真實有我
汝等四眾亦應如是脩集是法

大般涅槃經卷第二

BD01997號　大般涅槃經（北本）卷二　（24–23）

是依性不變者是名爲我如彼大醫善解乳
藥如來之亦爲衆生故説諸法中真實有我
汝等四衆之應如是脩集是法
大般涅槃經卷第二

BD01997 號　大般涅槃經（北本）卷二　　（24–24）

瑜伽師地論卷第卅六　彌勒菩薩說　三藏法師玄奘奉詔譯
本地分中菩薩地第十五初持瑜伽處自他利品第三之餘
若諸菩薩因攝果攝自利利他略說應知三因果何等爲三一者
異熟因異熟果二者福因福果三者智因智果
云何異熟謂略有八一者壽量具足二者形色具足三者族姓具
足四者自在具足五者信言具足六者大勢具足七者人性具足
八者大力具足若諸菩薩長壽久住是名菩薩壽量具足形色端
嚴衆所樂見顏容殊妙是名菩薩形色具足生豪貴家是名菩
薩族姓具足得大財位有大朋翼具大僚屬是名菩薩自在具
足衆所信奉斷訟取則不行諂誑僞斗秤等所受寄物終不
差違於諸有情言無虛妄以是緣故凡有所說無不信受是
名菩薩信言具足有大名稱流聞世間所謂具足勇健精進剛
毅敏捷審悉善戒種種伎藝工巧業處展轉妙解出過餘
人由此因緣世所咨敬爲諸大衆供養恭敬尊重讚嘆是名
菩薩大勢具足具丈夫分成就男根是名菩薩人性具足爲性少
疾或全無病有大堪能是名菩薩大力具足云何異
熟因謂諸菩薩於諸衆生不加傷害意樂是名菩
薩壽量具足因惠施光明鮮淨衣物是名菩薩形色
具足因於諸衆生捨離憍慢是名菩薩族姓具足因於資
生具有所匱乏遊行乞匃諸衆生所隨欲惠施是名菩薩
自在具足因所言誠諦亦不好習乖離麤獷不相應語是
名菩薩信言具足因當來種種功德於自身中發口誓

BD01998 號 A　瑜伽師地論卷三六　　（4–1）

薩壽量具足因惠施光明鮮淨衣服是名菩薩形色
具足因於諸眾生捨離憍慢是名菩薩族姓具足因於資
生具有所遺乏遊行乞匃諸眾生所隨欲惠施是名菩薩
自在具足因所言誠諦亦不好習乖離麤獷不相應語是
名菩薩信言具足因稱揚當來種種功德於自身中發弘誓
願供養三寶及諸尊長是名菩薩大勢具足因樂丈夫體厭
婦女身深見過患由二因緣施他人性一者女人樂女身者勸
令厭離解脫女身二者丈夫將失男根方便護攝令不失壞
及說正法令得男身是名菩薩人性具足因於諸眾生以身供
事隨其所作如法事業皆往營助如己力能以其正法不以卒暴
因能增長身心勢力餅飯麨等種種飲食施諸眾生是名
菩薩大力具足因當知翻說八種果熟即此所說八種為因
又此諸因略由三緣而得增長能感圓滿增上廣大果熟
令起何等三緣一心清淨二加行清淨若於無上正等
菩薩清淨意樂用彼善根決定迴向猛利意樂純厚
廣大淨信脩行見同法者深生歡喜日夜剎那於多隨法
隨尋隨伺名心清淨即於其中長時數習無間所作常委
所作他於此善若未受行讚美令受若已受行讚美令善
即於如是所有善根安處建立名加行清淨當知略說能正
發起如是加行及正安住此加行果名田清淨云何異熟果謂諸
菩薩壽量具足故能於長時脩習善品饒自他利積集增長無
量善根是名菩薩壽量具足果若諸菩薩形色具足故大眾愛
樂眾愛樂故咸共歸仰如是形色可愛樂故一切大眾咸歸仰故
凡所發言無不聽用是名菩薩形色具足果若諸菩薩族姓具
足故大眾尊敬供養稱讚眾所尊敬供養稱讚故於彼彼
事勸諸眾生精勤脩學無不敬用速疾脩行無違無犯是
名菩薩族姓具足果若諸菩薩自在具足故能以布施攝諸
眾生速令成熟是名菩薩自在具足果若諸菩薩信言具足
故能以愛語利行同事攝諸眾生速令成熟是名菩薩信言具
足果若諸菩薩大勢具足故於諸眾生種種事業皆能營

名菩薩族姓具足果若諸菩薩自在具足故能以布施攝諸
眾生速令成熟是名菩薩自在具足果若諸菩薩信言具足
故能以愛語利行同事攝諸眾生速令成熟是名菩薩信言具
足果若諸菩薩大勢具足故於諸眾生種種事業皆能營
助施布恩德由此恩德感眾生心彼知恩故感來歸仰所出言教
速疾隨轉恭敬信用是名菩薩大勢具足果若諸菩薩人
性具足故成就男根堪為一切勝功德器能於一切所作事業思擇
一切所知境界都無所畏無礙而行一切有情於一切時皆來臻
赴同共集會屏處露處言論同止受用飲食皆無嫌礙
是名菩薩人性具足果若諸菩薩大力具足故於能引攝
善法加行及能饒益有情加行皆無厭倦勇猛精進堅
固精進速證通慧是名菩薩大力具足果若諸菩薩成就如
是八種異熟具八種果能善饒益一切有情隨順生起一切佛法
菩薩安住果熟果中於諸有情種種眾多利益事業自有力
十能及善安處所化有情彼於自事隨順而作如是乃名隨其所作
成辦若諸菩薩自有力能不善安處所化有情彼於自事不隨順作
如是於他所作利益不名熾盛不名隨順由因緣不名能作他利益事若
菩薩自無力能而善安處所化有情彼於自事隨順而作如是於他
所作利益不名熾盛不名隨順由是因緣不名能作他利益事是故菩
薩要具二事方於有情所作利益名為熾盛名為隨順由是因緣乃
名能作他利益事如是菩薩住異熟果自能成熟一切佛法亦能令他
於三乘道隨其所應速得成熟又能令自速證無上正等菩提
亦能令他已成熟者速得解脫由諸菩薩安住八種異熟果中能於
有情利益安樂是故一切有情所處空無義利無始生死菩薩處
之能令不空有義利

云何為福云何為智謂略說福即是三種波羅蜜多一施波羅蜜
多二戒波羅蜜多三忍波羅蜜多智唯一種波羅蜜多謂慧波羅蜜多精進靜
慮波羅蜜多應知通二分一者福分二者智分若依精進脩行
布施受護淨戒及脩慈等四種無量如是等類所有精進名
為福分若依精進聞思脩所成三慧脩諸善巧脩果善巧脩處善

多三忍羅蜜多唯一種波羅蜜多謂慧波羅蜜多精進靜
慮波羅蜜多應知通二分一者福分二者知分若依精進脩行
布施受護淨戒及脩慈等四種无量如是等類所有精進名
為福分若依精進聞思脩所成三慧脩蘊善巧脩界善巧脩處善
巧脩處非處善巧脩緣起觀察苦為苦集為集滅為滅道
為道及於一切善不善法有罪无罪若劣若勝若黑若白如是廣
分別緣生法中皆能如實思擇觀察如是等類所有精進名為智
分若依靜慮脩習慈等无量如是等類所有靜慮名為福分若依靜
慮能脩如前精進中說蘊善巧等如是等類所有靜慮名為智分如是福
智略有六種一一分別應知无量云何福因云何智略說應智福因智因
總有三種一者於福於智能得能任能增長欲二者於福於智善能隨
順无違害緣者謂顛倒緣不現在前不會遇性不顛倒緣正現在前正會
遇性若遇惡友倒說福智或倒作意顛倒而取名顛倒緣現前會遇
與此相違所有白品當知名為不顛倒緣現前會遇若於福智能得
能任及能增長勤脩習障遠離不三當知是名无違害緣若諸菩薩
於此三種福智因中隨有所闕當知不能生福生智云何福果云何
智果謂諸菩薩依止福故雖復長時流轉生死不為極苦之所損惱
又隨所求能攝眾生為作義利依止智故所攝受福是正非邪又能
起作種種无量善巧事業乃至究竟當證无上正等菩提如是略說
福果智果如其所應當知四種品類差別復有无量
應知此中若異熟體若異熟因若異熟果如是一切皆依於福從福
所生福復依智從智所起是故二種於證无上正等菩提雖俱是勝
而於其中福為最勝智為无上若諸菩薩於福於智隨闕一種及
之不能證於无上正等菩提是名菩薩四攝自利利他
[illegible]菩薩現法後法自利利他謂諸菩薩以之如正理工巧業處士夫作
[illegible]

BD01998 號 A　瑜伽師地論卷三六　（4–4）

時薄伽梵在舍衛[illegible]獨園與大苾芻僧千二百五十人大菩薩摩訶薩眾
是尒時世尊告曼殊[illegible]上方有世界名无量功德聚彼土有佛号无
量智決定王如来阿耨多羅三藐三菩提現為眾生開示說法曼殊聽南閻浮提人皆[illegible]
年於中夭枉横死者眾曼殊如是无量壽如来功德名稱法要若有眾生得[illegible]
自書或使人書能為經卷受持讀誦若於舍宅所住之處以種種花鬘瓔珞塗香
[illegible]養如其命盡復得延年滿足百歲如是曼殊若有眾生得聞是无量壽智決定王如来
名号者益其長壽若有眾生大命將盡憶念是如来名号更得增壽如是曼殊[illegible]
[illegible]人欲求長壽於是无量壽如来一百八名号有得聞者或自書或使人書
[illegible]具是陀羅尼曰
南謨薄伽勃底一　阿波唎蜜哆二　阿喻紇硯娜[illegible]
[illegible]指陀[illegible]五　怛他羯他耶六　怛姪他唵七　薩婆桑悉迦囉八　鉢唎輸底九　達摩[illegible]
[illegible]十二　薩婆婆娑毗輸底十三　摩訶娜耶十四　波唎婆唎莎訶十五
[illegible]曼殊室利如是如来一百八名号若有自書或使人書為經卷受持讀誦如壽命[illegible]
[illegible]山身後得往生无量福智世界无量壽淨土陀羅尼曰
[illegible]薄伽勃底一　阿波唎蜜哆二　阿喻紇硯娜三　須毗你斯指陀四　囉佐耶五　怛他羯他耶六　怛姪他唵七
[illegible]囉八　鉢唎輸底九　達摩底十　伽迦娜十一　莎訶某特迦底十二　薩婆[illegible]娑毗輸底十三　摩[illegible]
波唎婆曬莎訶十五
尒時有九十九姟佛等一時同聲說是无
量壽宗要經陀羅尼曰
南謨薄伽勃底一　阿波唎蜜哆二　阿喻紇硯娜三　須毗你悉指陀四　囉佐耶五　怛他羯他耶六　怛姪他唵七
薩婆桑悉迦囉八　鉢唎輸底九　達摩底十　伽迦娜十一　莎訶某特迦底十二　薩婆娑毗輸底十三　摩訶娜耶十四　波唎婆唎莎訶十五
尒時復有一百四姟佛一時同聲說是无量壽宗要經陀羅尼曰
南謨薄伽勃底一　阿波唎蜜哆二　阿喻紇硯娜三　須毗你悉指陀四　囉佐耶五　怛他羯他耶六　怛姪他唵七
薩婆桑悉迦囉八　波唎輸底九　達摩底十　伽迦娜十一　莎訶某特迦底十二　薩婆娑毗輸底十三　摩訶
[illegible]波唎婆曬莎訶十五
尒時復有七姟佛一時同聲說是无
量壽宗要經陀羅尼曰
南謨薄伽勃底一　阿波唎蜜哆二　阿喻紇硯娜三
[illegible]指陀四　囉佐耶五　怛他羯他耶六　怛姪他唵七　薩婆桑悉迦囉八　波唎輸底九　達摩底十
[illegible]娜十一　莎訶某特迦底十二　薩婆娑毗輸底十三　摩訶娜耶十四　波唎婆曬莎訶十五

BD01998 號 B　無量壽宗要經　（5–1）

素悉迦羅八波唎輸底九達磨底十伽迦娜十一莎訶某特迦底十二薩婆婆毗輸底十三摩訶
波唎婆囉莎訶十五
尒時復有七姟佛一時同聲說是无量壽宗要經陁羅尼曰
南謨薄伽勃底一阿波唎蜜哆二阿喻紇硯娜三悉指陁四囉佐耶五怛他羯他耶六怛姪他唵七薩婆桑悉迦羅八波唎輸底九達磨底十伽迦娜十一莎訶某特迦底十二薩婆婆毗輸底十三摩訶娜耶十四波唎婆囉莎訶十五
尒時復有六十五姟佛一時同聲說是无量壽宗要經陁羅尼曰
南謨薄伽勃底一阿波唎蜜哆二阿喻紇硯娜三須毗你悉指陁四囉佐耶五怛他羯他耶六怛姪他唵七薩婆桑悉迦羅八波唎輸底九達磨底十伽迦娜十一莎訶某特迦底十二薩婆婆毗輸底十三摩訶娜耶十四波唎婆囉莎訶十五
尒時復有五十五姟佛一時同聲說无量壽宗要經陁羅尼曰
南謨薄伽勃底一阿波唎蜜哆二阿喻紇硯娜三揩陁四囉佐耶五怛他羯他耶六怛姪他唵七薩婆桑悉迦羅八波唎輸底九達磨底十伽迦娜十一莎訶某特迦底十二薩婆婆毗輸底十三摩訶娜耶十四波唎婆囉莎訶十五
尒時復有四十五姟佛一時同聲說是无量壽宗要經陁羅尼曰
南謨薄伽勃底一阿波唎蜜哆二阿喻紇硯娜三須毗你悉指陁四囉佐耶五怛他羯他耶六怛姪他唵七薩婆桑悉迦羅八波唎輸底九達磨底十伽迦娜十一莎訶某特迦底十二薩婆婆毗輸底十三摩訶娜耶十四波唎婆囉莎訶十五
尒時復有三十六姟佛一時同聲說是无量壽宗要經陁羅尼曰
南謨薄伽勃底一阿波唎蜜哆二阿喻紇硯娜三須毗你悉指陁四囉佐耶五怛他羯他耶六怛姪他唵七薩婆桑悉迦羅八波唎輸底九達磨底十伽迦娜十一莎訶某特迦底十二薩婆婆毗輸底十三摩訶娜耶十四波唎婆囉莎訶十五
復有二十五姟佛一時同聲說是无量壽宗要經陁羅尼曰
伽勃底一阿波唎蜜哆二阿喻紇硯娜三須毗你悉指陁四囉佐耶五怛他羯他耶六怛姪他唵七薩婆桑悉迦羅八波唎輸底九達磨底十伽迦娜十一莎訶某特迦底十二薩婆婆毗輸底十三摩訶娜耶十四波唎婆囉莎訶十五
尒時復有恒河沙姟佛一時同聲說是无量壽宗要經陁羅尼曰
南謨薄伽勃底一阿波唎蜜哆二阿喻紇硯娜三須毗你悉指陁四囉佐耶五怛他羯他耶六怛姪他唵七薩婆桑悉迦羅八波唎輸底九達磨底十伽迦娜十一莎訶某特迦底十二薩婆婆毗輸底十三摩訶娜耶十四波唎婆囉莎訶十五
善男子若有自書寫教人書寫是无量壽宗要經如其命盡復得長壽而滿年陁羅尼曰
南謨薄伽勃底一阿波唎蜜哆二阿喻紇硯娜三須毗你悉指陁四囉佐耶五怛他羯他耶六怛姪他唵七薩婆桑悉迦羅八波唎輸底九達磨底十伽迦娜十一莎訶某特迦底十二薩婆婆毗輸底十三摩訶波唎婆囉莎訶十五
若有自書教人書寫是无量壽宗要經讀誦受持畢竟不墮地獄在在所生得宿命智陁羅尼曰
南謨薄伽勃底一阿波唎蜜哆二阿喻紇硯娜三須毗你悉指陁四囉佐耶五怛他羯他耶六怛姪他唵七薩婆桑悉迦羅八波唎輸底九

BD01998 號 B　無量壽宗要經　（5–2）

善男子若有自書寫教人書寫是无量壽宗要經如其命盡復得長壽而滿年陁羅尼曰
南謨薄伽勃底一阿波唎蜜哆二阿喻紇硯娜三須毗你悉指陁四囉佐耶五怛他羯他耶六怛姪他唵七薩婆桑悉迦羅八波唎輸底九達磨底十伽迦娜十一莎訶某特迦底十二薩婆婆毗輸底十三摩訶波唎婆囉莎訶十五
若有自書教人書寫是无量壽宗要經讀誦受持畢竟不墮地獄在在所生得宿命智陁羅尼曰
南謨薄伽勃底一阿波唎蜜哆二阿喻紇硯娜三須毗你悉指陁四囉佐耶五怛他羯他耶六怛姪他唵七薩婆桑悉迦羅八波唎輸底九達磨底十伽迦娜十一莎訶某特迦底十二薩婆婆毗輸底十三摩訶娜耶十四波唎婆囉莎訶十五
若有自書教人書寫是无量壽宗要經受持讀誦如同書寫八万四千一切經典陁羅尼曰
南謨薄伽勃底一阿波唎蜜哆二阿喻紇硯娜三須毗你悉指陁四囉佐耶五怛他羯他耶六怛姪他唵七薩婆桑悉迦羅八波唎輸底九達磨底十伽迦娜十一莎訶某特迦底十二薩婆婆毗輸底十三摩訶娜耶十四波唎婆囉莎訶十五
若有自書寫教人書寫是无量壽宗要經即是書寫八万四千部建立塔廟陁羅尼曰
南謨薄伽勃底一阿波唎蜜哆二阿喻紇硯娜三悉指陁四囉佐耶五怛他羯他耶六怛姪他唵七薩婆桑悉迦羅八波唎輸底九達磨底十伽迦娜十一莎訶某特迦底十二薩婆婆毗輸底十三摩訶娜耶十四波唎婆囉莎訶十五
若有自書寫教人書寫是无量壽宗要經能消五无間等一切重罪陁羅尼曰
南謨薄伽勃底一阿波唎蜜哆二阿喻紇硯娜三須毗你悉指陁四囉佐耶五怛他羯他耶六怛姪他唵七薩婆桑悉迦羅八波唎輸底九達磨底十伽迦娜十一莎訶某特迦底十二薩婆婆毗輸底十三摩訶娜耶十四波唎婆囉莎訶十五
若有自書寫教人書寫是无量壽宗要經受持讀誦設有重罪猶如須彌盡能除滅陁羅尼曰
南謨薄伽勃底一阿波唎蜜哆二阿喻紇硯娜三須毗你悉指陁四囉佐耶五怛他羯他耶六怛姪他唵七素悉迦羅八波唎輸底九達磨底十伽迦娜十一莎訶某特迦底十二薩婆婆毗輸底十三摩訶娜耶十四波唎婆囉莎訶十五
若有自書寫教人書寫是无量壽宗要經受持讀誦若魔魔之眷屬夜叉羅剎不得其便終无枉死陁羅尼曰
南謨薄伽勃底一阿波唎蜜哆二阿喻紇硯娜三須毗你悉指陁四囉佐耶五怛他羯他耶六怛姪他唵七薩婆桑悉迦羅八波唎輸底九達磨底十伽迦娜十一莎訶某特迦底十二薩婆婆毗輸底十三摩訶娜耶十四波唎婆囉莎訶十五
若有自書教人書寫是无量壽宗要經受持讀誦當命終時有九十九姟佛現其人前來千佛授手能遊一切佛剎莫於此經生於疑惑陁羅尼曰
南謨薄伽勃底一阿波唎蜜哆二阿喻紇硯娜三須毗你悉指陁四囉佐耶五怛他羯他耶六怛姪他唵七薩婆桑悉迦羅八波唎輸底九達磨底十伽迦娜十一莎訶某特迦底十二薩婆婆毗輸底十三摩訶娜耶十四波唎婆囉莎訶十五
若有自書寫教人書寫是无量壽宗要經受持讀誦常得四天大王隨其衛護陁羅尼曰
南謨薄伽勃底一阿波唎蜜哆二阿喻紇硯娜三須毗你悉指陁四囉佐耶五怛他羯他耶六怛姪他唵七

BD01998 號 B　無量壽宗要經　（5–3）

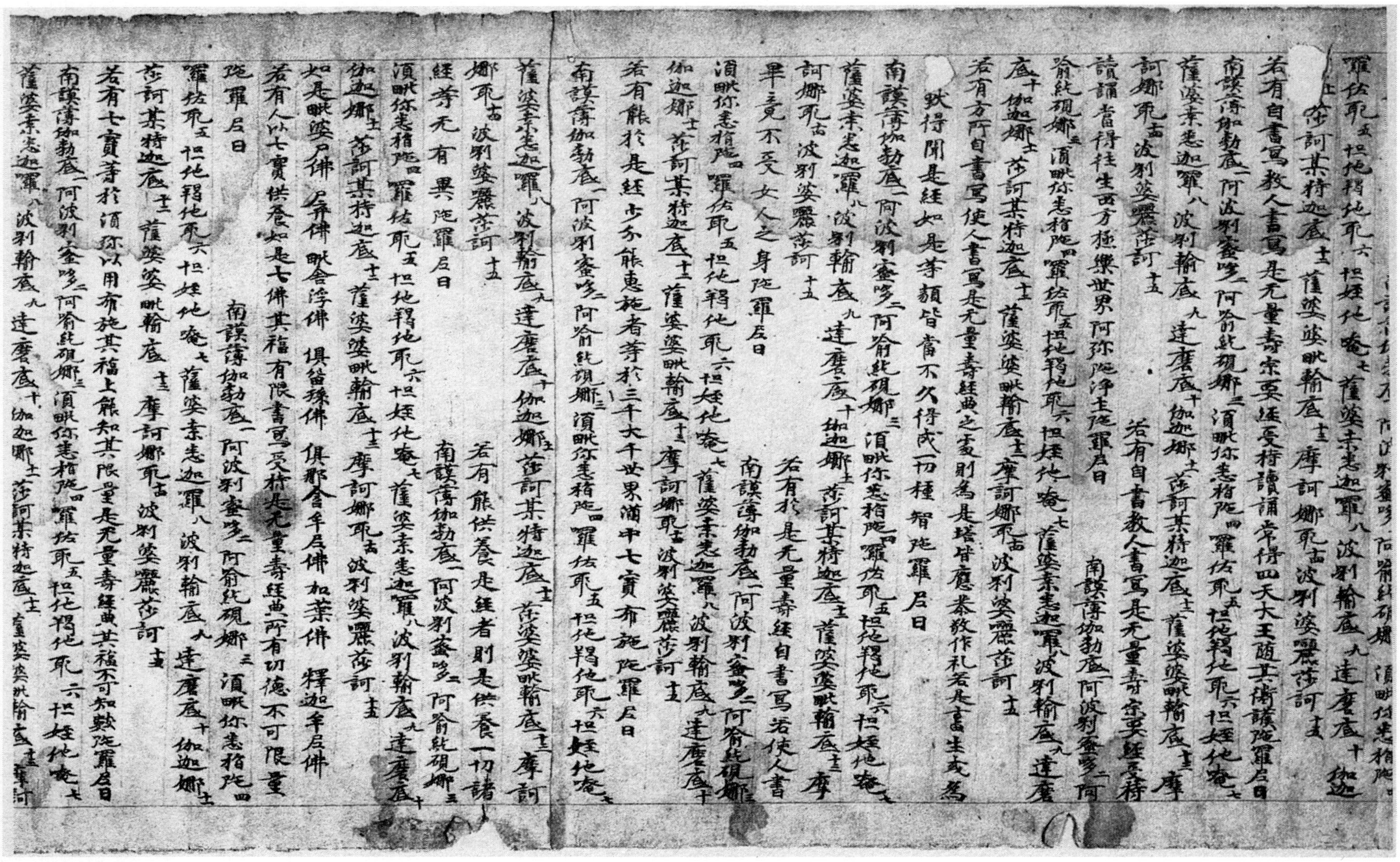

……阿波剎蜜哆二 阿喻紇硯娜三 須毗你恙指陁四
羅佉耶五 怛他羯他耶六 怛姪他唵七 薩婆桑悉迦羅八 波剎輸底九 達摩底十 伽迦
娜十一 莎訶某特迦底十二 薩婆婆毗輸底十三 摩訶娜耶十四 波剎婆羅莎訶十五
若有自書寫教人書寫是无量壽宗要經受持讀誦常得四天大王隨其衛護陁羅尼曰
南謨薄伽勒底一 阿波剎蜜哆二 阿喻紇硯娜三 須毗你恙指陁四 羅佉耶五 怛他羯他耶六 怛姪他唵七
薩婆桑悉迦羅八 波剎輸底九 達摩底十 伽迦娜十一 莎訶某特迦底十二 薩婆婆毗輸底十三 摩
訶娜耶十四 波剎婆羅莎訶十五 若有自書教人書寫是无量壽宗要經受持
讀誦當得往生西方極樂世界阿弥陁淨土陁羅尼曰 南謨薄伽勒底一 阿波剎蜜哆二 阿
喻紇硯娜三 須毗你恙指陁四 羅佉耶五 怛他羯他耶六 怛姪他唵七 薩婆桑悉迦羅八 波剎輸底九 達摩
底十 伽迦娜十一 莎訶某特迦底十二 薩婆婆毗輸底十三 摩訶娜耶十四 波剎婆羅莎訶十五
若有方所自書寫使人書寫是无量壽經典之處則為是塔皆應恭敬作礼若是畜生或為
獸得聞是經如是等類皆當不久得成一切種智陁羅尼曰
南謨薄伽勒底一 阿波剎蜜哆二 阿喻紇硯娜三 須毗你恙指陁四 羅佉耶五 怛他羯他耶六 怛姪他唵七
薩婆桑悉迦羅八 波剎輸底九 達摩底十 伽迦娜十一 莎訶某特迦底十二 薩婆婆毗輸底十三 摩
訶娜耶十四 波剎婆羅莎訶十五 若有於是无量壽經自書寫若使人書
畢竟不受女人之身陁羅尼曰 南謨薄伽勒底一 阿波剎蜜哆二 阿喻紇硯娜三
須毗你恙指陁四 羅佉耶五 怛他羯他耶六 怛姪他唵七 薩婆桑悉迦羅八 波剎輸底九 達摩底十
伽迦娜十一 莎訶某特迦底十二 薩婆婆毗輸底十三 摩訶娜耶十四 波剎婆羅莎訶十五
若有能於是經少分能惠施者等於三千大千世界滿中七寶布施陁羅尼曰
南謨薄伽勒底一 阿波剎蜜哆二 阿喻紇硯娜三 須毗你恙指陁四 羅佉耶五 怛他羯他耶六 怛姪他唵七
薩婆桑悉迦羅八 波剎輸底九 達摩底十 伽迦娜十一 莎訶某特迦底十二 薩婆婆毗輸底十三 摩訶
娜耶十四 波剎婆羅莎訶十五 若有能供養是經者則是供養一切諸
經等无有異陁羅尼曰 南謨薄伽勒底一 阿波剎蜜哆二 阿喻紇硯娜三
須毗你恙指陁四 羅佉耶五 怛他羯他耶六 怛姪他唵七 薩婆桑悉迦羅八 波剎輸底九 達摩底十
伽迦娜十一 莎訶某特迦底十二 薩婆婆毗輸底十三 摩訶娜耶十四 波剎婆羅莎訶十五
如是毗婆尸佛 尸弃佛 毗舍浮佛 俱留孫佛 俱那含牟尼佛 迦葉佛 釋迦牟尼佛
若有人以七寶供養如是七佛其福有限書寫受持是无量壽經典所有功德不可限量
陁羅尼曰 南謨薄伽勒底一 阿波剎蜜哆二 阿喻紇硯娜三 須毗你恙指陁四
羅佉耶五 怛他羯他耶六 怛姪他唵七 薩婆桑悉迦羅八 波剎輸底九 達摩底十 伽迦娜十一
莎訶某特迦底十二 薩婆婆毗輸底十三 摩訶娜耶十四 波剎婆羅莎訶十五
若有七寶等於須弥以用布施其福上能知其限量是无量壽經典其福不可知數陁羅尼曰
南謨薄伽勒底一 阿波剎蜜哆二 阿喻紇硯娜三 須毗你恙指陁四 羅佉耶五 怛他羯他耶六 怛姪他唵七
薩婆桑悉迦羅八 波剎輸底九 達摩底十 伽迦娜十一 莎訶某特迦底十二 薩婆婆毗輸底十三 摩訶

BD01998 號 B　無量壽宗要經　（5–4）

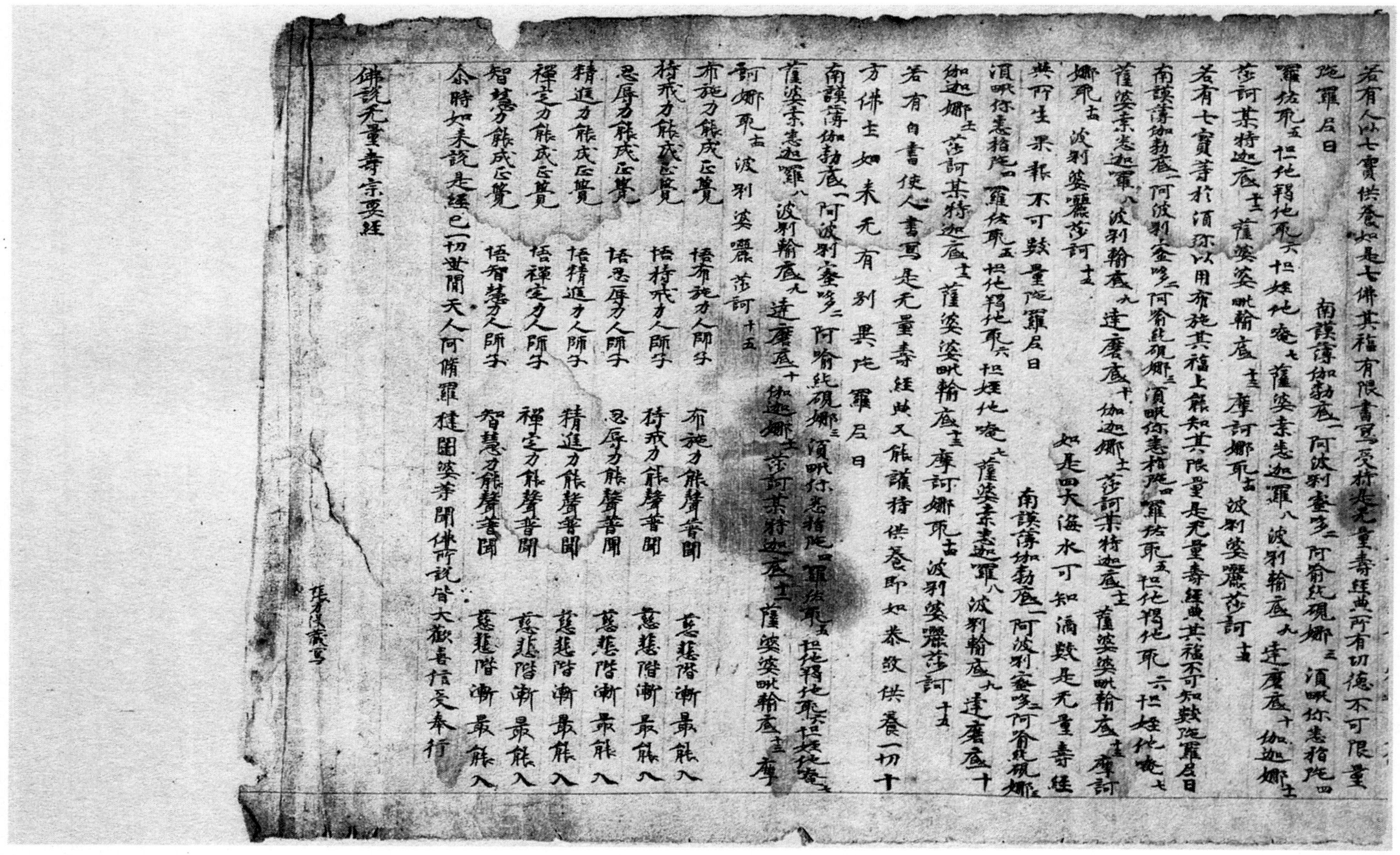

若有人以七寶供養如是七佛其福有限書寫受持是无量壽經典所有功德不可限量
陁羅尼曰 南謨薄伽勒底一 阿波剎蜜哆二 阿喻紇硯娜三 須毗你恙指陁四
羅佉耶五 怛他羯他耶六 怛姪他唵七 薩婆桑悉迦羅八 波剎輸底九 達摩底十 伽迦娜十一
莎訶某特迦底十二 薩婆婆毗輸底十三 摩訶娜耶十四 波剎婆羅莎訶十五
若有七寶等於須弥以用布施其福上能知其限量是无量壽經典其福不可知數陁羅尼曰
南謨薄伽勒底一 阿波剎蜜哆二 阿喻紇硯娜三 須毗你恙指陁四 羅佉耶五 怛他羯他耶六 怛姪他唵七
薩婆桑悉迦羅八 波剎輸底九 達摩底十 伽迦娜十一 莎訶某特迦底十二 薩婆婆毗輸底十三 摩訶
娜耶十四 波剎婆羅莎訶十五 如是四大海水可知滴數是无量壽經
典所生果報不可數量陁羅尼曰 南謨薄伽勒底一 阿波剎蜜哆二 阿喻紇硯娜三
須毗你恙指陁四 羅佉耶五 怛他羯他耶六 怛姪他唵七 薩婆桑悉迦羅八 波剎輸底九 達摩底十
伽迦娜十一 莎訶某特迦底十二 薩婆婆毗輸底十三 摩訶娜耶十四 波剎婆羅莎訶十五
若有自書使人書寫是无量壽經典又能讃持供養即如恭敬供養一切十
方佛土如來无有別異陁羅尼曰
南謨薄伽勒底一 阿波剎蜜哆二 阿喻紇硯娜三 須毗你恙指陁四 羅佉耶五 怛他羯他耶六 怛姪他唵七
薩婆桑悉迦羅八 波剎輸底九 達摩底十 伽迦娜十一 莎訶某特迦底十二 薩婆婆毗輸底十三 摩
訶娜耶十四 波剎婆羅莎訶十五
布施力能成正覺 悟布施力人師子 布施力能聲普聞 慈悲階漸最能入
持戒力能成正覺 悟持戒力人師子 持戒力能聲普聞 慈悲階漸最能入
忍辱力能成正覺 悟忍辱力人師子 忍辱力能聲普聞 慈悲階漸最能入
精進力能成正覺 悟精進力人師子 精進力能聲普聞 慈悲階漸最能入
禪定力能成正覺 悟禪定力人師子 禪定力能聲普聞 慈悲階漸最能入
智慧力能成正覺 悟智慧力人師子 智慧力能聲普聞 慈悲階漸最能入
尒時如來說是經已一切世間天人阿脩羅揵闥婆等聞佛所說皆大歡喜信受奉行
佛說无量壽宗要經
張[illegible]寫

BD01998 號 B　無量壽宗要經　（5–5）

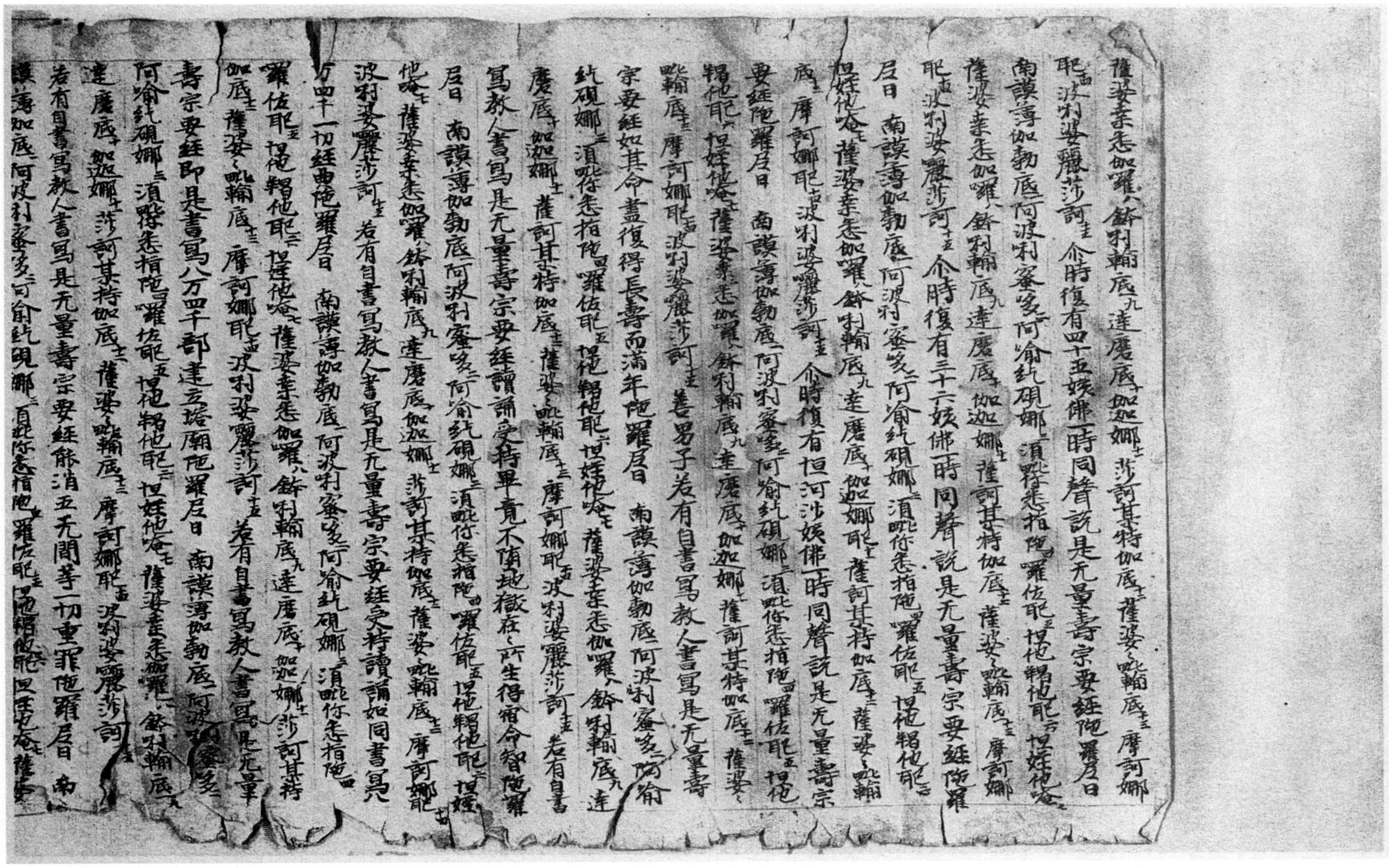

薩婆桒悉伽羅八鉢唎輸底九達磨底十伽迦娜十一莎訶其特伽底十二薩婆毗輸底十三摩訶娜
耶十四波唎婆羅莎訶十五 介時復有四十五殑伽沙佛一時同聲說是无量壽宗要經陁羅尼曰
南謨薄伽勃底一阿波唎蜜多二阿喻紇硯娜三須毗你悉指陁四囉佐耶五怛他羯他耶六怛姪他唵七
薩婆桒悉伽羅八鉢唎輸底九達磨底十伽迦娜十一莎訶其特伽底十二薩婆毗輸底十三摩訶娜
耶十四波唎婆羅莎訶十五 介時復有三十六殑伽沙佛一時同聲說是无量壽宗要經陁羅
尼曰 南謨薄伽勃底一阿波唎蜜多二阿喻紇硯娜三須毗你悉指陁四囉佐耶五怛他羯他耶六
怛姪他唵七薩婆桒悉伽羅八鉢唎輸底九達磨底十伽迦娜十一莎訶其特伽底十二薩婆毗輸
底十三摩訶娜耶十四波唎婆羅莎訶十五 介時復有恒河沙殑伽沙佛一時同聲說是无量壽宗
要經陁羅尼曰 南謨薄伽勃底一阿波唎蜜多二阿喻紇硯娜三須毗你悉指陁四囉佐耶五怛他
羯他耶六怛姪他唵七薩婆桒悉伽羅八鉢唎輸底九達磨底十伽迦娜十一莎訶其特伽底十二薩婆
毗輸底十三摩訶娜耶十四波唎婆羅莎訶十五 善男子若有自書寫教人書寫是无量壽
宗要經如其命盡復得長壽而滿年陁羅尼曰 南謨薄伽勃底一阿波唎蜜多二阿喻
紇硯娜三須毗你悉指陁四囉佐耶五怛他羯他耶六怛姪他唵七薩婆桒悉伽羅八鉢唎輸底九達
磨底十伽迦娜十一莎訶其特伽底十二薩婆毗輸底十三摩訶娜耶十四波唎婆羅莎訶十五 若有書
寫教人書寫是无量壽宗要經讀誦受持畢竟不墮地獄在所生得宿命智陁羅
尼曰 南謨薄伽勃底一阿波唎蜜多二阿喻紇硯娜三須毗你悉指陁四囉佐耶五怛他羯他耶六怛姪
他唵七薩婆桒悉伽羅八鉢唎輸底九達磨底十伽迦娜十一莎訶其特伽底十二薩婆毗輸底十三摩訶娜耶
波唎婆羅莎訶十五 若有自書寫教人書寫是无量壽宗要經受持讀誦如同書寫八
万四千一切經典陁羅尼曰 南謨薄伽勃底一阿波唎蜜多二阿喻紇硯娜三須毗你悉指陁
囉佐耶五怛他羯他耶六怛姪他唵七薩婆桒悉伽羅八鉢唎輸底九達磨底十伽迦娜十一莎訶其特
伽底十二薩婆毗輸底十三摩訶娜耶十四波唎婆羅莎訶十五 若有自書寫教人書寫是无量
壽宗要經即是書寫八万四千部建立塔廟陁羅尼曰 南謨薄伽勃底一阿波唎蜜多
阿喻紇硯娜三須毗你悉指陁四囉佐耶五怛他羯他耶六怛姪他唵七薩婆桒悉伽羅八鉢唎輸底
達磨底十伽迦娜十一莎訶其特伽底十二薩婆毗輸底十三摩訶娜耶十四波唎婆羅莎訶十五
若有自書寫教人書寫是无量壽宗要經能消五无間等一切重罪陁羅尼曰 南
謨薄伽勃底一阿波唎蜜多二阿喻紇硯娜三須毗你悉指陁四囉佐耶五怛他羯他耶六怛姪他唵七薩

BD01999號 無量壽宗要經 （4–1）

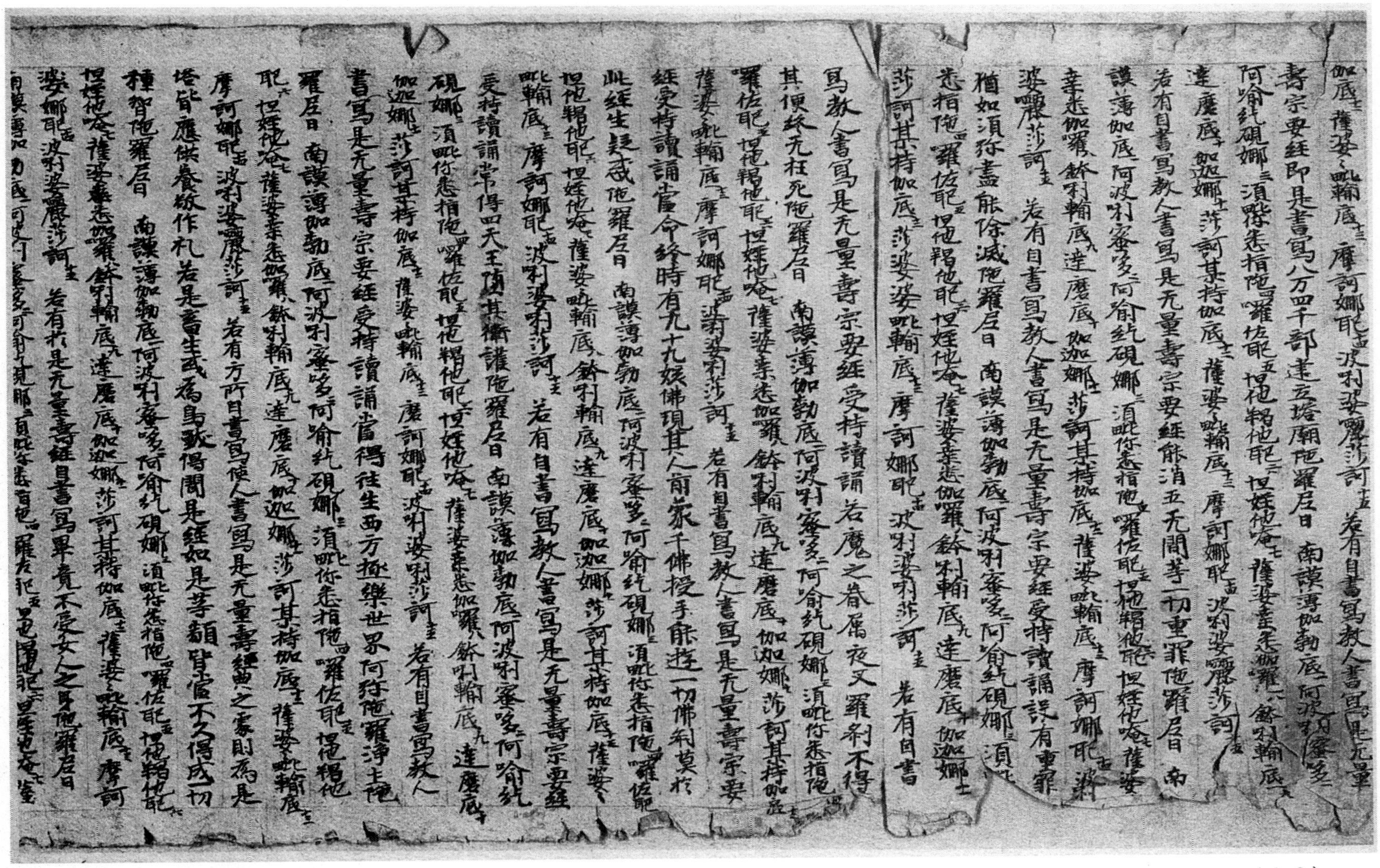

伽底十二薩婆毗輸底十三摩訶娜耶十四波唎婆羅莎訶十五 若有自書寫教人書寫是无量
壽宗要經即是書寫八万四千部建立塔廟陁羅尼曰 南謨薄伽勃底一阿波唎蜜多二
阿喻紇硯娜三須毗你悉指陁四囉佐耶五怛他羯他耶六怛姪他唵七薩婆桒悉伽羅八鉢唎輸底九
達磨底十伽迦娜十一莎訶其特伽底十二薩婆毗輸底十三摩訶娜耶十四波唎婆羅莎訶十五
若有自書寫教人書寫是无量壽宗要經能消五无間等一切重罪陁羅尼曰 南
謨薄伽底一阿波唎蜜多二阿喻紇硯娜三須毗你悉指陁四囉佐耶五怛他羯他耶六怛姪他唵七薩婆
桒悉伽羅八鉢唎輸底九達磨底十伽迦娜十一莎訶其特伽底十二薩婆毗輸底十三摩訶娜耶十四波
婆囉莎訶十五 若有自書寫教人書寫是无量壽宗要經受持讀誦設有重罪
猶如須弥盡能除滅陁羅尼曰 南謨薄伽勃底一阿波唎蜜多二阿喻紇硯娜三須
悉指陁四囉佐耶五怛他羯他耶六怛姪他唵七薩婆桒悉伽羅八鉢唎輸底九達磨底十伽迦娜十一
莎訶其特伽底十二莎婆毗輸底十三摩訶娜耶十四波唎婆唎莎訶十五 若有自書
寫教人書寫是无量壽宗要經受持讀誦若魔之眷屬夜叉羅剎不得
其便終无枉死陁羅尼曰 南謨薄伽勃底一阿波唎蜜多二阿喻紇硯娜三須毗你悉指陁
囉佐耶五怛他羯他耶六怛姪他唵七薩婆桒悉伽羅八鉢唎輸底九達磨底十伽迦娜十一莎訶其特伽底
薩婆毗輸底十三摩訶娜耶十四波唎婆唎莎訶十五 若有自書寫教人書寫是无量壽宗要
經受持讀誦當命終時有九十九殑佛現其人前來千佛授手旋遊一切佛剎莫於
此經生疑惑陁羅尼曰 南謨薄伽勃底一阿波唎蜜多二阿喻紇硯娜三須毗你悉指陁四囉佐耶
怛他羯他耶六怛姪他唵七薩婆桒悉伽羅八鉢唎輸底九達磨底十伽迦娜十一莎訶其特伽底十二薩婆
毗輸底十三摩訶娜耶十四波唎婆唎莎訶十五 若有自書寫教人書寫是无量壽宗要經
受持讀誦常得四天王隨其衛護陁羅尼曰 南謨薄伽勃底一阿波唎蜜多二阿喻紇
硯娜三須毗你悉指陁四囉佐耶五怛他羯他耶六怛姪他唵七薩婆桒悉伽羅八鉢唎輸底九達磨底十
伽迦娜十一莎訶其特伽底十二薩婆毗輸底十三摩訶娜耶十四波唎婆唎莎訶十五 若有自書寫教人
書寫是无量壽宗要經受持讀誦當得往生西方極樂世界阿弥陁羅淨土陁
羅尼曰 南謨薄伽勃底一阿波唎蜜多二阿喻紇硯娜三須毗你悉指陁四囉佐耶五怛他羯他
耶六怛姪他唵七薩婆桒悉伽羅八鉢唎輸底九達磨底十伽迦娜十一莎訶其特伽底十二薩婆毗輸底十三
摩訶娜耶十四波唎婆唎莎訶十五 若有方所自書寫使人書寫是无量壽經典之處則為是
塔皆應供養敬作礼若是畜生或為鳥獸得聞是經如是等類皆當不久得成一切
種智陁羅尼曰 南謨薄伽勃底一阿波唎蜜多二阿喻紇硯娜三須毗你悉指陁四囉佐耶五怛他羯他耶六
怛姪他唵七薩婆桒悉伽羅八鉢唎輸底九達磨底十伽迦娜十一莎訶其特伽底十二薩婆毗輸底十三摩訶
娜耶十四波唎婆囉莎訶十五 若有於是无量壽經自書寫畢竟不受女人之身陁羅尼曰

BD01999號 無量壽宗要經 （4–2）

種智陀羅尼曰　南謨薄伽勃底一阿波唎蜜哆二阿喻紇硯娜三須毗你悉指陀四囉佐耶五怛他羯他耶六
怛姪他唵七薩婆桑悉迦囉八鉢唎輸底九達磨底十伽伽娜十一莎訶其持伽底十二薩婆婆毗輸底十三摩訶
娑娜耶十四波唎婆囉莎訶十五　若有於是无量壽經自書寫畢竟不受女人之身陀羅尼曰
南謨薄伽勃底一阿波唎蜜哆二阿喻紇硯娜三須毗你悉指陀四囉佐耶五怛他羯他耶六怛姪他唵七薩
婆桑悉迦囉八鉢唎輸底九達磨底十伽伽娜十一莎訶其持伽底十二薩婆婆毗輸底十三摩訶娜耶十四
波唎婆唎莎訶十五　若有能於是經少分能惠施者等於三千大千世界滿中七寶布施陀羅
尼曰　南謨薄伽勃底一阿波唎蜜哆二阿喻紇硯娜三須毗你悉指陀四囉佐耶五怛他羯他耶六怛姪
他唵七薩婆桑悉迦囉八鉢唎輸底九達磨底十伽伽娜十一莎訶其持伽底十二薩婆婆毗輸底十三摩
訶娜耶十四波唎婆唎莎訶十五　若有能供養是經者則是供養一切諸經等无有異陀
羅尼曰　南謨薄伽勃底一阿波唎蜜哆二阿喻紇硯娜三須毗你悉指陀四囉佐耶五
怛他羯他耶六怛姪他唵七薩婆桑悉迦囉八鉢唎輸底九伽伽娜十一莎訶其持伽底十二薩
婆毗輸底十三摩訶娜耶十四波唎婆囉莎訶十五
如是毗婆尸佛尸棄佛毗舍浮佛俱留孫佛俱那牟尼佛迦葉佛釋迦牟尼佛
若有人以七寶供養如其是七佛其福有限書寫受持是无量壽經典所
生有功德不可量陀羅尼曰　南謨薄伽勃底一阿波唎蜜哆二阿喻紇
硯娜三須毗你悉指陀四囉佐耶五怛他羯他耶六怛姪他唵七薩婆桑悉迦囉八鉢
唎輸底九達磨底十伽伽娜十一莎訶持其伽底十二薩婆婆毗輸底十三摩訶娜耶十四
波唎婆囉莎訶十五　若有七寶等於須彌以用布施其福上能其限量
是无量壽經典其福不可知數量陀羅尼曰　南謨薄伽勃底一阿波唎蜜哆
阿喻紇硯娜三須毗你悉指陀四囉佐耶五怛他羯他耶六怛姪他唵七薩婆桑悉迦囉八
鉢唎輸底九達磨底十伽伽娜十一莎訶其持伽底十二薩婆婆毗輸底十三摩訶
娜耶十四波唎婆囉莎訶十五　如是大海水可知滴數是无量壽經典所生
果報不可數量陀羅尼曰　南謨薄伽勃底一阿波唎蜜哆二阿喻紇硯娜三
須毗你悉指陀四囉佐耶五怛他羯他耶六怛姪他唵七薩婆桑悉迦囉八鉢唎輸
底九達磨底十伽伽娜十一莎訶其持伽底十二薩婆婆毗輸底十三摩訶娜耶十四波唎
婆囉莎訶十五　若有自書寫是无量壽宗要經典又能護持供養[illegible]如恭
敬供養一切十方佛土如来无有異陀羅尼曰　南謨薄伽勃底一阿波唎蜜
哆二阿喻紇硯娜三須毗你悉指陀四囉佐耶五怛他羯他耶六怛姪他唵七薩婆桑
悉迦囉八鉢唎輸底九達磨底十伽伽娜十一莎訶其持伽底十二薩婆婆毗輸底十三
摩訶娜耶十四波唎婆囉莎訶十五
布施力能成正覺　悟布施力人師　布施力能聲普聞　慈悲悄漸最入
戒持力能成正覺　悟布施力人師　持戒力能聲普聞　慈悲悄漸最入

BD01999號　無量壽宗要經　（4–3）

須毗你悉指陀四囉佐耶五怛他羯他耶六怛姪他唵七薩婆桑悉迦囉八鉢唎輸
底九達磨底十伽伽娜十一莎訶其持伽底十二薩婆婆毗輸底十三摩訶娜耶十四波唎
婆囉莎訶十五　若有自書寫是无量壽宗要經典又能護持供養[illegible]如恭
敬供養一切十方佛土如来无有異陀羅尼曰　南謨薄伽勃底一阿波唎蜜
哆二阿喻紇硯娜三須毗你悉指陀四囉佐耶五怛他羯他耶六怛姪他唵七薩婆桑
悉迦囉八鉢唎輸底九達磨底十伽伽娜十一莎訶其持伽底十二薩婆婆毗輸底十三
摩訶娜耶十四波唎婆囉莎訶十五
布施力能成正覺　悟布施力人師　布施力能聲普聞　慈悲悄漸最入
戒持力能成正覺　悟布施力人師　持戒力能聲普聞　慈悲悄漸最入
忍辱力能成正覺　悟忍辱力人師　忍辱力能聲普聞　慈悲悄漸最入
精進力能成正覺　悟精進力人師　精進力能聲普聞　慈悲悄漸最入
禪定力能成正覺　悟禪定力人師　禪定力能聲普聞　慈悲悄漸最入
智慧力能成正覺　悟智慧力人師　智慧力能聲普聞　慈悲悄漸最入
尒時如来說是經已一切世間天人阿脩羅揵闥婆
等聞佛所說皆大歡喜信受奉行
佛說无量壽宗要經

BD01999號　無量壽宗要經　（4–4）

佛藏經了戒品第九
佛告舍利弗有三種人聞說是經心不喜樂
何等三一者破戒比丘二者增上慢人三者
不淨說法及貪著我者是人遠離於此隨
順寶相深經具足充滿生育部黨是故舍
利弗我以是經重屬累汝所以者何是經於
如來滅後能令清淨持戒比丘心生喜樂如
是深經清淨戒者常所攝持毀破戒者常所
遠離所以者何癡人聞說真實正語則以爲
苦舍利弗破戒比丘所成相貌如來於此已
具廣說舍利弗破戒比丘法應不樂持戒律
儀愚癡之人不喜智慧慳人不欲聞說布施
增上慢者不欲聞此无憍慢法若聞驚畏如
墮深坑好世利者貪著美味聞呵訾食心則
憂惱若人好讀外經書者則於其中生堅實
想貪著語者樂說散亂樂嚴飾辭巧美說
者於佛第一義則无淨心又於此法不敬不
信舍利弗辟如不男之人无男子用至男子
中生不男想而作是念是諸人等如我无異
如是好著外經書者常樂嚴飾巧美辭於
佛第一義心不恭敬舍利弗其中有人說清

BD02000號　佛藏經（四卷本）卷四　（10–1）

信舍利弗辟如不男之人无男子用至男子
中生不男想而作是念是諸人等如我无異
如是好著外經書者常樂嚴飾巧美辭於
佛第一義心不恭敬舍利弗其中有人說清
淨經於此人所亦不恭敬輕慢清淨持戒比
丘何以故舍利弗外道經書無真實語法
應憍慢貢高自大何以故是事不爲猒離不
爲寂滅不爲得道不爲得道是人毀壞信等
根故於一切處不信有功德如不男人於諸人
中皆謂如己舍利弗如生盲人不見諸色所
謂黑色白色不見見黑白色者不見好色
不見醜色不見青黃赤白紅紫縹色不見
長短麁細深淺等色不見日月星宿不見
見日月星宿者如是盲人便作是念無黑白
色者無見黑白色者無好醜色無青黃紫縹
長短麁細深淺日月星宿色無見日月星宿
者餘人皆亦如我盲人心倒於一切處皆謂黑
闇舍利弗破戒比丘增上慢人墮外道論比
丘亦復如是於深佛法心不信樂不能通達
聞諸法空無所有不信不樂不能通達舍利
弗如是諸人畏於汝等入邪際中不得正法
以是正法名爲真實沙門汝所得法是人不
信猶如盲人謂無白黑等色舍利弗是人如
是入於邪際求外道論樂衆內語增長煩惱
惡性惡法是人不能信諸法空何況通達舍

BD02000號　佛藏經（四卷本）卷四　（10–2）

[illegible]
信猶如盲人謂無白黑等色舍利弗是人如
是入於邪際求外道論樂衆內語增長煩惱
惡性惡法是人不能信諸法空何況通達舍
利弗於意云何野干作師子為能師子吼令
當吼作師子行令行當行已行不不也世尊
何以故野干色力音聲不及師子野干但能
作野干聲若欲作聲但有野干聲出非師子
聲如是舍利弗破戒比丘增上慢比丘自以
此事為上不淨說法者受尼揵子論若執一
事堅持不捨貪世利樂讀經書不能通達諸
法實相若能信受無相法者無有是處舍利
弗若有比丘耆年有德比丘中龍有深智慧
是人能信無所有自相空法無我無人法何
以故是人不樂衆丙雜語不樂讀經睡眠多
事不為白衣營執事務不為使命持送文書
不行醫術不讀璺方不為販賣不樂論說世
間語言但樂欲說出世間語是人能信一切
法空於一切法不起不壞是人則能證真實
除則能實正師子吼非野干吼舍利弗若有
比丘着外經義是人為捨微妙佛法誦持外
道語言為大衆說但作野干吼舍利弗如是
惡人名為朽壞沙門何以故是外道義非佛
法故舍利弗着外道法比丘不應自稱是佛
弟子何以故沙門釋子不說尼揵子語於大
衆中但說佛語舍利弗若人着不淨語欲住

BD02000號　佛藏經（四卷本）卷四　（10–3）

惡人名為朽壞沙門何以故是外道義非佛
法故舍利弗着外道法比丘不應自稱是佛
弟子何以故沙門釋子不說尼揵子語於大
衆中但說佛語舍利弗若人着不淨語欲住
師子吼但作野干鳴是人不能解佛法第一
義舍利弗我今明了告汝若人具足持戒禪
定智慧不憍不貪不深恚癡不懷諂曲有馱
惡心言必真常樂獨處不樂睡眠樂空無相
無願無生無滅行生深欲心求解佛法第一
義不好世語樂出世語盡持諸戒一切惡事
及惡知識恚皆遠離住如是法則能解空無
所有法何以故舍利弗是行名為大人所行
非是貪樂利養所行非是愚癡常人所行非
是毀壞沙門所行非是糟糠沙門所行非是
假名沙門所行舍利弗諸法實相畢竟空即
是佛道好世財利貪說不淨法者所不能及
舍利弗是地名為大智者地非是貪樂外道
者地非是我見人見者地舍利弗若實有我
有人者說我人者應有實相如實應爾若有
我者為是何色青黃赤白為在身中為在身
外為遍在身如油在麻舍利弗麻中有油可
出可示若我在內說有我者應說應示如從
麻中出油示油第一義中求我不可得是故
當知若說有我人者是人猶尚無沙門戒況
沙門地舍利弗當知如是邪貪著者所謂我
着衆生着壽命者則為墮頂是人如是邪貪

BD02000號　佛藏經（四卷本）卷四　（10–4）

當知若說有我人者是人猶尚無沙門戒況
沙門地舍利弗當知如是邪貪著者所謂我
著衆生著壽命者則為墮頂是人如是邪貪
著故尚不能除貪利養心況細煩惱舍利弗
通達空者若為貪欲瞋恚愚癡利養所覆無
有是處亦不墮頂舍利弗計我心者謂有壽
命壽命因緣故則為利養所牽鄣礙於道舍
利弗我見者人見者雖於我法出家為道如
是癡人於清淨中則非出家何以故尼揵子
出家皆計我心有所得故舍利弗有所得者
從無始世常有與見若得出家猶有不絕是
名因外道出家不名因聖法出家何以故斯
人不能信樂大法於清淨大法無真實想舍
利弗如是破法重罪因緣餘殃未盡不能信
解諸法實想起不善業或謗八直聖道或於
淨戒比丘而生惡心妄出其過或言破戒破
見破命破威儀或不見他過妄生是非或以
濁恚嫉心說他惡名或不能知佛經義理謂
非佛法如是人成就破法惡業於佛第一義
中心不通達不入不喜如是重罪餘報因緣
雖懃精進猶尚不能取所緣相何況繫心能
得道果又深依止我見人見如是見者乃至
諸佛猶亦不能拔其根本何況聲聞舍利弗
若人有如是貪著不善邪見謂我見人見衆
生見壽者見命者見又於第一義空驚疑畏

BD02000號　佛藏經（四卷本）卷四　（10–5）

諸佛猶亦不能拔其根本何況聲聞舍利弗
若人有如是貪著不善邪見謂我見人見衆
生見壽者見命者見又於第一義空驚疑畏
者當知是人先世成就破法罪緣舍利弗若
人如是貪著惡邪不善謂貪我貪人貪壽命
者是人百千億諸以三輪示現不能令悟使
得道果舍利弗寧以利刀割舌不應不見他
事妄說其過破戒破見破命破威儀舍利弗
於未來世當有比丘善說二百五十戒是人
是人憍慢心生而作是念我是持戒餘人不
尒輕於他人心無恭敬我是多聞彼非多聞
舍利弗尒時多有比丘但貴持戒多行阿蘭
若行能善護戒亦隨所說行懃心讀經求通
佛法如是人等生多聞憍阿練若憍而好瞋
恚心常掉濁深懷慳貪瞋恚毒心頑鈍無知
以小因緣而起大事是人瞋恚覆心手相出
過謂破戒破見破命破威儀舍利弗如是憎
中有好比丘心無偏黨處在中間而亦謂之
在彼惡中互相譏論諍訟不息不得安隱坐
禪讀經在家出家皆亦嬈動如是舍利弗尒
時多有比丘一歲二歲三歲乃至九歲輕慢
上坐無有恭敬是人出家受戒多不如法習
効和上闍梨亦無恭敬舍利弗尒時年少比
丘及先出家無有依止共相輕慢十歲比丘
所畜徒衆其諸徒衆皆無恭敬威儀法則亦

BD02000號　佛藏經（四卷本）卷四　（10–6）

匆和上闍梨亦無恭敬舍利弗尒時年少比
丘及先出家無有依止共相輕慢十歲比丘
所畜徒衆其諸徒衆皆無恭敬威儀法則亦
不如法舍利時諸惡人具足貪欲瞋恚愚癡
平相輕慢無有恭敬相違逆故我法則滅舍
利弗時諸癡人多起破法罪業起此罪已當
墮惡道舍利弗我今明了告汝求自利已
比丘當尒之時不應入衆乃至一宿唯除阿
羅漢煩惱已斷及病比丘於中有緣何以故
舍利弗當尒時人貪欲瞋恚愚癡毒盛不法
怖畏常所遍切求利善人當應自處山林空
靜至畢命如野獸死舍利弗我今明了告汝
我此真法不久住世何以故衆生福德善根
已盡濁世近求自利已善比丘應生如是
厭心我當云何見法破亂見此沙門惡世難
時我當懃心精進早得道果舍利弗我法諸
無難事不念衣食卧具醫藥汝等但當懃行
佛道莫貴世間財利供養舍利弗汝今善聽
我當語汝若有一心行道比丘千億天神皆
共同心以諸藥具欲共供養舍利弗諸人供
養坐禪比丘不及天神是故舍利弗汝勿憂
念不得自供佛真教化當隨順行莫以第一
義空出人過惡何以故舍利弗大嶮難者所
謂空義有比丘因以我法出家受戒於此法
中懃行精進雖諸天神諸人不念但能一心
懃行道者終亦不念衣食所須所以者何如

BD02000號　佛藏經（四卷本）卷四　（10–7）

謂空義有比丘因以我法出家受戒於此法
中懃行精進雖諸天神諸人不念但能一心
懃行道者終亦不念衣食所須所以者何如
来福藏無量難舍利弗如來滅後白毫相中
百千億分其中一分供養舍利及諸弟子舍
利弗設使一切世間人皆共出家隨順法行
於白毫相百千億分不盡其一舍利弗如来
如是無量福德若諸比丘所得飲食及所須
物趣得皆足舍利弗是諸比丘應如是念不
應於所須行諸邪命惡法舍利弗若納衣比
丘於糞掃中拾取弊故應生是心以此鄣寒
及脩聖道我今以此弊故縫作僧伽梨着懃
行精進若以凡夫乃至一夜不應着此是比
丘淨浣縫着若此比丘於此比丘於此納衣
生貪着心即應捨之我不聽着何况餘衣何
以故舍利弗是比丘於此衣中生非比丘法
是比丘不復應着何况餘物舍利弗時是比
丘寧以赤熱鐵鍱自纏其身不應着此納衣
何以故於此衣中深愛心故舍利弗納衣比
丘應作是念着此納衣以遮寒熱以助脩道
我今不復更着餘衣當得須陁洹果斯陁含
果阿那含果阿羅漢果舍利弗如是納衣比
丘專求道者我則聽着舍利弗乞食比丘應
諸法中無所分別常攝其心不令散亂而入
聚落以諸禪定而自莊嚴乞食得已心不染

BD02000號　佛藏經（四卷本）卷四　（10–8）

丘專求道者我貪聽著舍利弗乞食比丘應
諸法中無所分別常攝其心不令散亂而入
聚落以諸禪定而自莊嚴乞食得已心不染
汙持所得食從聚落出在淨水邊可修道處
置食一面洗脚而坐以食著前應生厭離想
不淨想屎尿相臭爛想嘔吐想塗廁想厭惡
想子肉想臭果想沉重想又於身中應生死
想青想膖想爛壞想舍利弗比丘應生如是
想以無貪著心然後乃食但以支身除飢渴
病令得修道應作是念我食此食破先苦惱
不生後苦心得快樂調適無患身體輕便行
步安隱又念食此食已我應當得須陀洹果
斯陀含果阿那含果阿羅漢果無生法忍舍
利弗比丘如是食者我聽乞食舍利弗若乞
食比丘於所得食生貪味心以為甘美而作
是念我食此食當得好色氣力充盛不作是
念我食此食懃行聖道如是比丘我乃不聽
受一飲水何況飯食舍利弗若於食中不見
過惡不見出道而便食者寧自以手割股肉
噉何以故我聽行者得者受他供養不聽餘
人舍利弗云何名為行者若有比丘決定發
心我於今世斷諸結使當入無餘涅槃修習
聖道如救頭然又當除斷不善惡法是名行
者又能一心解空無相無願為得須陀洹果
斯陀含果阿那含果阿羅漢果斷諸煩惱名
為行者求諸善法常行諮聞名為行者又能

BD02000號　佛藏經（四卷本）卷四

（10–9）

利弗比丘如是食者我聽乞食舍利弗若乞
食比丘於所得食生貪味心以為甘美而作
是念我食此食當得好色氣力充盛不作是
念我食此食懃行聖道如是比丘我乃不聽
受一飲水何況飯食舍利弗若於食中不見
過惡不見出道而便食者寧自以手割股肉
噉何以故我聽行者得者受他供養不聽餘
人舍利弗云何名為行者若有比丘決定發
心我於今世斷諸結使當入無餘涅槃修習
聖道如救頭然又當除斷不善惡法是名行
者又能一心解空無相無願為得須陀洹果
斯陀含果阿那含果阿羅漢果斷諸煩惱名
為行者求諸善法常行諮聞名為行者又能
發心度脫一切名為行者懃心修習諸助道
法於諸法中如說而行及有一心求佛道者
舍利弗於佛法中是名行者何謂得者謂得
須陀洹脫三惡道名為得者斯陀含阿那含

BD02000號　佛藏經（四卷本）卷四

（10–10）

著 録 凡 例

本目錄採用條目式著錄法。諸條目意義如下：

1.1　著錄編號。用漢語拼音首字“BD”表示，意為“北京圖書館藏敦煌遺書”，簡稱“北敦號”。文獻寫在背面者，標註為“背”。一件遺書上抄有多個文獻者，用數字1、2、3等標示小號。一號中包括幾件遺書，且遺書形態各自獨立者，用字母A、B、C等區別。

1.2　著錄分類號。本條記目錄暫不分類，該項空缺。

1.3　著錄文獻的名稱、卷本、卷次。

1.4　著錄千字文編號。

1.5　著錄縮微膠卷號。

2.1　著錄遺書的總體數據。包括長度、寬度、紙數、正面抄寫總行數與每行字數、背面抄寫總行數與每行字數。如該遺書首尾有殘破，則對殘破部分單獨度量，用加號加在總長度上。凡屬這種情況，長度用括弧標註。

2.2　著錄每紙數據。包括每紙長度及抄寫行數或界欄數。

2.3　著錄遺書的外觀。包括：（1）裝幀形式。（2）首尾存況。（3）護首、軸、軸頭、天竿、縹帶，經名是書寫還是貼簽，有無經名號，扉頁、扉畫。（4）卷面殘破情況及其位置。（5）尾部情况。（6）有無附加物（蟲繭、油污、線繩及其他）。（7）有無裱補及其年代。（8）界欄。（9）修整。（10）其他需要交待的問題。

2.4　著錄一件遺書抄寫多個文獻的情況。

3.1　著錄文獻首部文字與對照本核對的結果。

3.2　著錄文獻尾部文字與對照本核對的結果。

3.3　著錄錄文。

3.4　著錄對文獻的説明。

4.1　著錄文獻首題。

4.2　著錄文獻尾題。

5　著錄本文獻與對照本的不同之處。

6.1　著錄本遺書首部可與另一遺書綴接的編號。

6.2　著錄本遺書尾部可與另一遺書綴接的編號。

7.1　著錄題記、題名、勘記等。

7.2　著錄印章。

7.3　著錄雜寫。

7.4　著錄護首及扉頁的內容。

8　著錄年代。

9.1　著錄字體。如有武周新字、合體字、避諱字等，予以説明。

9.2　著錄卷面二次加工的情况。包括句讀、點標、科分、間隔號、行間加行、行間加字、硃筆、墨塗、倒乙、刪除、兌廢等。

10　著錄敦煌遺書發現後，近現代人所加內容，裝裱、題記、印章等。

11　備註。著錄揭裱互見、圖版本出處及其他需要説明的問題。

上述諸條，有則著錄，無則空缺。

為避文繁，上述著錄中出現的各種參考、對照文獻，暫且不列版本説明。全目結束時，將統一編制本條記目錄出現的各種參考書目。

本條記目錄為農曆年份標註其公曆紀年時，未經行歲頭年末之換算，請讀者使用時注意自行換算。

條　記　目　録

BD01932—BD02000

1.1　BD01932 號
1.3　維摩詰所説經卷上
1.4　收 032
1.5　070:0876
2.1　(8+770.5)×26.5 厘米；17 紙；446 行，行 17 字。
2.2　01：8+34，25；　02：47.5，28；　03：48.0，28；
04：47.5，28；　05：48.0，28；　06：48.0，28；
07：48.0，28；　08：48.0，28；　09：48.0，28；
10：48.0，28；　11：47.5，28；　12：48.0，28；
13：48.0，28；　14：47.5，28；　15：47.0，28；
16：48.5，28；　17：19.0，01。
2.3　卷軸裝。首殘尾全。首紙中間有等距殘洞，卷面油污，有殘裂破損。有烏絲欄。
3.1　首 5 行下殘→大正 475，14/538C7～12。
3.2　尾全→14/544A19。
4.2　維摩詰所説經卷上（尾）。
8　9～10 世紀。歸義軍時期寫本。
9.1　楷書。
9.2　有刮改。
11　圖版：《敦煌寶藏》，63/360A～370B。

1.1　BD01933 號
1.3　維摩詰所説經卷上
1.4　收 033
1.5　070:0877
2.1　(3+1053.9)×26 厘米；22 紙；588 行，行 17 字。
2.2　01：3+37.5，23；　02：49.0，28；　03：49.0，28；
04：49.0，28；　05：48.5，28；　06：49.0，28；
07：49.0，28；　08：49.0，28；　09：49.0，28；
10：49.0，28；　11：49.0，28；　12：49.0，28；
13：49.0，28；　14：49.0，28；　15：49.0，28；
16：48.8，28；　17：48.8，28；　18：48.8，28；
19：48.5，28；　20：48.5，28；　21：48.5，28；
22：39.0，05。
2.3　卷軸裝。首殘尾全。卷首有殘裂、殘洞。有燕尾。有烏絲欄。
3.1　首行下殘→大正 475，14/537A9～10。
3.2　尾全→14/544A19。
4.2　維摩詰經卷上（尾）。
8　9～10 世紀。歸義軍時期寫本。
9.1　楷書。
11　圖版：《敦煌寶藏》，63/371A～384A。

1.1　BD01934 號
1.3　妙法蓮華經卷二
1.4　收 034
1.5　105:4864
2.1　(1.9+277.7)×28.4 厘米；8 紙；145 行，行 19～21 字不等。
2.2　01：1.9+8，5；　02：38.6，20；　03：48.1，20；
04：38.5，20；　05：38.3，20；　06：39.0，20；
07：38.8，20；　08：38.4，20。
2.3　卷軸裝。首殘尾脱。第 5、6 及 6、7 紙接縫處脱開，全卷脱爲 3 截，通卷下邊有殘損。有烏絲欄。
3.1　首行殘→大正 262，9/11C29。
3.2　尾殘→9/14A4。
8　9～10 世紀。歸義軍時期寫本。
9.1　楷書。
9.2　有倒乙，有行間校加字。
11　圖版：《敦煌寶藏》，87/114B～118A。

1.1　BD01935 號
1.3　妙法蓮華經卷三
1.4　收 035
1.5　105:5093
2.1　(4.8+194.7)×26.1 厘米；4 紙；112 行，行 16～19 字。

2.2 01：4.8+44.1，28； 02：50.1，28； 03：50.1，28；
04：50.4，28。
2.3 卷軸裝。首殘尾脱。首紙殘損嚴重，接縫處有開裂，尾紙有殘洞。多水漬。有烏絲欄。已修整。
3.1 首3行上殘→大正262，9/21A13～17。
3.2 尾殘→9/22C2。
6.2 尾→BD01936號。
8 8世紀。唐寫本。
9.1 楷書。
11 圖版：《敦煌寶藏》，97/518A～519A。

1.1 BD01936號
1.3 妙法蓮華經卷三
1.4 收036
1.5 105:5140
2.1 (533.6+19.8)×26.1厘米；11紙；304行，行17字。
2.2 01：49.0，27； 02：50.7，28； 03：50.6，28；
04：50.3，28； 05：50.6，28； 06：50.7，28；
07：50.6，28； 08：50.5，28； 09：50.3，28；
10：50.2，28； 11：30.1+19.8，25。
2.3 卷軸裝。首脱尾殘。有烏絲欄。
3.1 首殘→大正262，9/22C2。
3.2 尾8行上殘→9/27A21～B7。
6.1 首→BD01935號。
8 8世紀。唐寫本。
9.1 楷書。
11 圖版：《敦煌寶藏》，89/160A～167B。

1.1 BD01937號
1.3 妙法蓮華經卷二
1.4 收037
1.5 105:4771
2.1 672×28.2厘米；17紙；350行，行18～20字。
2.2 01：39.0，20； 02：38.7，21； 03：38.6，20；
04：38.4，20； 05：38.5，20； 06：38.7，20；
07：38.7，20； 08：38.6，20； 09：38.5，19；
10：38.4，20； 11：44.4，22； 12：44.4，23；
13：44.4，24； 14：44.4，23； 15：44.4，23；
16：44.3，24； 17：19.6，11。
2.3 卷軸裝。首脱尾殘。前數紙接縫處上方多有開裂，下邊有殘破。有烏絲欄。
3.1 首殘→大正262，9/14A4。
3.2 尾全→9/19A11。
8 9～10世紀。歸義軍時期寫本。
9.1 楷書。
9.2 有行間校加字，有校改，有倒乙。
11 圖版：《敦煌寶藏》，86/479A～487A。

1.1 BD01938號
1.3 無量壽宗要經
1.4 收038
1.5 275:7733
2.1 (3+172.5+1.5)×32厘米；5紙；111行，行30餘字。
2.2 01：3+5.5，素紙； 02：45.5，32； 03：45.5，32；
04：45.5，33； 05：30.5+1.5，14。
2.3 卷軸裝。首尾均全。有烏絲欄。
3.1 首全→大正936，19/82A3。
3.2 尾全→19/84C29。
4.1 大乘無量壽經（首）。
4.2 佛說無量壽經（尾）。
8 8～9世紀。吐蕃統治時期寫本。
9.1 行楷。
11 圖版：《敦煌寶藏》，107/455B～457B。

1.1 BD01939號
1.3 大般若波羅蜜多經（兌廢稿）卷三五二
1.4 收039
1.5 405:8553
2.1 49×27.4厘米；1紙；28行，行17字。
2.3 卷軸裝。首尾均脱。有烏絲欄。
3.1 首殘→大正220，6/813C19。
3.2 尾殘→6/814A18。
5 與《大正藏》本對照，文字略有參差。
8 7～8世紀。唐寫本。
9.1 楷書。有武周新字“正”、“證”，使用周遍；“聖”用普通字。
9.2 有刮改，有墨筆勾畫。上邊有一“兌”字。
11 圖版：《敦煌寶藏》，110/568B～569A。

1.1 BD01940號
1.3 金有陀羅尼經
1.4 收040
1.5 254:7579
2.1 132.1×26.4厘米；3紙；80行，行17字。
2.2 01：44.2，27； 02：45.0，28； 03：42.9，25。
2.3 卷軸裝。首尾均全。第2紙下部殘破。背有古代裱補。有烏絲欄。
3.1 首全→大正2910，85/1455C16。
3.2 尾全→85/1456C10。
4.1 金有陀羅尼經（首）。
4.2 金有陀羅尼經一卷（尾）。
7.3 首紙背面有一“壽”字，為敦煌永壽寺簡稱。
8 8～9世紀。吐蕃統治時期寫本。
9.1 楷書。
9.2 有行間校加字。

11　圖版：《敦煌寶藏》，107/38B～40A。

1.1　BD01941 號
1.3　大般涅槃經（北本）卷二九
1.4　收 041
1.5　115:6480
2.1　（10＋722.3）×25 厘米；15 紙；420 行，行 17 字。
2.2　01：10＋39.5，28；　02：48.8，28；　03：48.8，28；
04：48.8，28；　05：48.8，28；　06：48.8，28；
07：48.8，28；　08：48.8，28；　09：48.8，28；
10：48.8，28；　11：48.8，28；　12：48.8，28；
13：48.6，28；　14：48.8，28；　15：48.6，28。
2.3　卷軸裝。首尾均脫。經黄紙。首紙下殘，接縫處有開裂。背有古代裱補。有烏絲欄。
3.1　首 5 行下殘→大正 374，12/535C23～28。
3.2　尾殘→12/540C14。
8　7～8 世紀。唐寫本。
9.1　楷書。
11　圖版：《敦煌寶藏》，99/444A～453B。

1.1　BD01942 號
1.3　妙法蓮華經卷五
1.4　收 042
1.5　105:5565
2.1　（513.4＋3.5）×26.1 厘米；11 紙；291 行，行 17 字。
2.2　01：49.4，28；　02：49.8，28；　03：49.9，28；
04：49.7，28；　05：49.8，28；　06：49.8，28；
07：49.8，28；　08：49.8，28；　09：49.7，28；
10：49.7，28；　11：16＋3.5，11。
2.3　卷軸裝。首脫尾殘。經黄紙。首紙有縱横向殘裂。有烏絲欄。
3.1　首殘→大正 262，9/40A16。
3.2　尾 2 行下殘→9/44B28～C1。
7.3　卷背有漢文、藏文雜寫。
漢文雜寫大抵為《千字文》，如“千字文，勅員外散騎侍郎”、“周興嗣次韻，天地玄黄，宇宙洪荒”、“服衣裳，推位”等，文多，不具錄。
藏文雜寫分散在背面各紙，共計 11 行。另有雜亂字詞。
8　7～8 世紀。唐寫本。
9.1　楷書。
9.2　有行間加行，有刮改。
11　圖版：《敦煌寶藏》，93/78B～90B。

1.1　BD01943 號
1.3　妙法蓮華經卷三
1.4　收 043
1.5　105:5149
2.1　（3.8＋456.8）×24.8 厘米；10 紙；正面 259 行，行 17 字。背面 3 行，行字不等。
2.2　01：3.8＋12.7，9；　02：49.2，28；　03：49.1，28；
04：49.3，28；　05：49.6，28；　06：49.3，28；
07：49.6，28；　08：49.3，28；　09：49.4，28；
10：49.3，26。
2.3　卷軸裝。首殘尾全。經黄紙。通卷紙張變色嚴重，首紙上下有撕裂殘損，接縫處多有開裂，尾紙尾端有殘損。背有古代裱補。有燕尾。有烏絲欄。
2.4　本遺書包括 2 個文獻：（一）《妙法蓮華經卷三》，259 行，抄寫在正面，今編為 BD01943 號。（二）《天復九年杜通信便麥粟歷》（擬），3 行，抄寫在背面裱補紙上，今編為 BD01943 號背。
3.1　首 2 行上中殘→大正 262，9/23B7～8。
3.2　尾全→9/27B9。
4.2　妙法蓮華經卷第三（尾）。
8　7～8 世紀。唐寫本。
9.1　楷書。
9.2　有刮改。
11　圖版：《敦煌寶藏》，89/214B～221A。

1.1　BD01943 號背
1.3　天復九年杜通信便麥粟歷（擬）
1.4　收 043
1.5　105:5149
2.4　本遺書由 2 個文獻組成，本號為第 2 個，3 行，抄寫在背面裱補紙上。餘參見 BD01943 號之第 2 項、第 11 項。
3.3　錄文：
□（天）復九年歲次己巳十二月二日，杜通信今緣家/
□（内）闕少年糧，依張安六面上便寄粟兩/
碩，至午［年］秋肆碩；又寄麥兩碩肆斗，至秋/
（錄文完）
8　909 年。歸義軍時期寫本。
9.1　行書。

1.1　BD01944 號
1.3　佛爲首迦長者說業報差別經
1.4　收 044
1.5　135:6660
2.1　（6.7＋617.7）×26 厘米；13 紙；356 行，行 17 字。
2.2　01：6.7＋37.7，25；　02：49.5，28；　03：49.5，28；
04：49.5，28；　05：48.0，28；　06：48.0，28；
07：48.0，28；　08：48.0，28；　09：48.0，28；
10：48.0，28；　11：48.0，28；　12：48.0，28；
13：47.5，23。
2.3　卷軸裝。首殘尾全。卷首殘破，通卷黴爛殘裂。尾有原軸，兩端鑲嵌蓮蓬形軸頭。有烏絲欄。已修整。

3.1　首4行中殘→大正80，1/891A21～23。
3.2　尾全→1/895B21。
4.2　業報差別經（尾）。
8　7～8世紀。唐寫本。
9.1　楷書。
9.2　卷上邊墨筆標記“未”2處、“殘”1處、圓圈3處，均在段落首部。
11　從該件上揭下古代裱補紙10塊，今編爲BD16177號、BD16178號。
圖版：《敦煌寶藏》，101/90A～98B。

1.1　BD01945號
1.3　大般若波羅蜜多經卷三
1.4　收045
1.5　084:2011
2.1　(1.9+731.6)×25.9厘米；17紙；436行，行17字。
2.2　01：01.9，01；　02：46.7，28；　03：46.9，28；
04：46.8，28；　05：46.8，28；　06：47.0，28；
07：46.8，28；　08：46.7，28；　09：47.0，28；
10：47.0，28；　11：47.0，28；　12：47.0，28；
13：47.0，28；　14：47.0，28；　15：47.0，28；
16：46.9，28；　17：28.0，15。
2.3　卷軸裝。首殘尾全。卷尾有等距離紅色污痕及黴斑。有烏絲欄。
3.1　首行下殘→大正220，5/11C29～12A1。
3.2　尾全→5/16C28。
4.2　大般若波羅蜜多經卷第三（尾）。
7.1　第2紙背面有勘記兩處：墨筆“一”字及硃筆“三”字。前者為本文獻所屬袟次，後者為袟内卷次。
8　8～9世紀。吐蕃統治時期寫本。
9.1　楷書。
9.2　有刮改。
11　圖版：《敦煌寶藏》，71/334A～343A。

1.1　BD01946號
1.3　大般涅槃經（北本　宋本）卷四
1.4　收046
1.5　115:6306
2.1　(8+796.3)×26.3厘米；19紙；442行，行17字。
2.2　01：8+6，07；　02：45.0，25；　03：45.3，24；
04：45.3，25；　05：45.5，25；　06：45.5，25；
07：45.3，26；　08：45.5，26；　09：45.2，26；
10：45.4，27；　11：45.4，26；　12：45.5，25；
13：45.5，25；　14：45.3，26；　15：45.4，25；
16：45.5，26；　17：45.5，25；　18：45.5，25；
19：18.7，03。
2.3　卷軸裝。首殘尾全。尾端有撕裂破損。有燕尾。有烏絲欄。
3.1　首4行上下殘→大正374，12/385A13～17。
3.2　尾全→12/390B8。
4.2　大般涅槃經卷第四（尾）。
5　與《大正藏》本對照，分卷不同。相當於卷三名字功德品第三及卷四全文。《資福藏》本經分卷與本件同。
8　7～8世紀。唐寫本。
9.1　楷書。
9.2　有行間校加字。有倒乙符號。有硃筆校改。
11　圖版：《敦煌寶藏》，98/30A～41A。

1.1　BD01947號
1.3　妙法蓮華經卷五
1.4　收047
1.5　105:5449
2.1　(11.5+1088.2)×26厘米；27紙；616行，行17字。
2.2　01：11.5+18.7，18；　02：43.0，24；　03：43.0，25；
04：43.0，24；　05：43.0，24；　06：43.0，24；
07：43.2，24；　08：43.0，24；　09：43.0，24；
10：43.2，25；　11：43.2，24；　12：42.8，24；
13：41.8，23；　14：41.6，23；　15：41.7，23；
16：41.6，23；　17：41.6，23；　18：41.8，23；
19：41.7，24；　20：41.7，24；　21：41.7，24；
22：41.8，24；　23：41.6，24；　24：41.5，24；
25：41.5，24；　26：41.5，24；　27：13.0，02。
2.3　卷軸裝。首殘尾全。尾有原軸，兩端塗棕色漆。接縫處有開裂。有烏絲欄。
3.1　首8行下殘→大正262，9/37A14～22。
3.2　尾全→9/46B14。
4.2　妙法蓮華經卷第五（尾）。
7.1　首紙背端有勘記“第五”。
8　9～10世紀。歸義軍時期寫本。
9.1　楷書。
11　圖版：《敦煌寶藏》，91/626A～641A。

1.1　BD01948號
1.3　大般若波羅蜜多經卷一二三
1.4　收048
1.5　084:2333
2.1　(9.5+751.9)×26厘米；16紙；421行，行17字。
2.2　01：9.5+41，28；　02：50.8，28；　03：50.8，28；
04：51.0，28；　05：50.6，28；　06：50.5，28；
07：50.5，28；　08：50.5，28；　09：50.7，28；
10：50.6，28；　11：50.5，28；　12：50.6，28；
13：49.2，28；　14：49.4，28；　15：49.2，28；
16：06.0，01。
2.3　卷軸裝。首脫尾全。卷首右下殘缺，卷前部下邊殘缺，上下邊有殘裂，卷後部有殘洞，接縫處有開裂。背有古代裱補。有

烏絲欄。
3.1 首5行下殘→大正220，5/672C1~6。
3.2 尾全→5/677B17。
4.2 大般若波羅蜜多經卷第一百廿三（尾）。
8 8~9世紀。吐蕃統治時期寫本。
9.1 楷書。
9.2 有刮改。
11 圖版：《敦煌寶藏》，73/2A~12A。

1.1 BD01949號
1.3 妙法蓮華經卷二
1.4 收049
1.5 105:4729
2.1 （24.4+989.4）×26.2厘米；21紙；580行，行17字。
2.2 01：24.4+24，28； 02：48.4，28； 03：48.3，28；
04：48.3，28； 05：48.2，28； 06：48.3，28；
07：48.3，28； 08：48.2，28； 09：48.2，28；
10：48.3，28； 11：48.4，28； 12：48.3，28；
13：48.4，28； 14：48.2，28； 15：48.4，28；
16：48.3，28； 17：48.3，28； 18：48.3，28；
19：48.5，28； 20：47.8，28； 21：48.0，20。
2.3 卷軸裝。首殘尾全。卷尾上下有蟲繭。首紙背有古代裱補。有烏絲欄。
3.1 首14行下殘→大正262，9/11A9~B6。
3.2 尾全→9/19A12。
4.2 妙法蓮華經卷第二（尾）。
8 8世紀。唐寫本。
9.1 楷書。
11 圖版：《敦煌寶藏》，86/1A~14B。

1.1 BD01950號
1.3 七階佛名經
1.4 收050
1.5 305:8307
2.1 （15.8+108）×29.3厘米；3紙；74行，行20餘字。
2.2 01：15.8+25，25； 02：41.5，25； 03：41.5，24。
2.3 卷軸裝。首尾均殘。卷面殘破，紙張變色，卷面有蟲繭，接縫處有開裂；第2紙下部有殘損。尾有空白未抄文字。
3.4 説明：
本文獻首9行中殘，尾全。未為歷代大藏經所收，形態歧雜多變。
8 9~10世紀。歸義軍時期寫本。
7.1 第2、3紙間接縫處有騎縫簽名，難以辨認。
7.3 背有人名雜寫“曹延昌”。
9.1 楷書。
10 卷首、尾有現代裱補，各鈐長方形“敦煌石室唐人寫經”陽文硃印，6.2×3厘米。

11 圖版：《敦煌寶藏》，109/601B~603A。

1.1 BD01951號
1.3 維摩詰所說經卷下
1.4 收051
1.5 070:1243
2.1 393×26厘米；8紙；230行，行17字。
2.2 01：51.0，29； 02：49.0，29； 03：49.0，29；
04：49.0，29； 05：49.0，29； 06：49.0，29；
07：49.0，28； 08：48.0，28。
2.3 卷軸裝。首殘尾脫。接縫處有開裂，第7紙上下邊有殘裂。有烏絲欄。
3.1 首殘→大正475，14/553A9。
3.2 尾殘→14/555C23。
6.2 尾→BD02043號。
8 8~9世紀。吐蕃統治時期寫本。
9.1 楷書。
11 圖版：《敦煌寶藏》，66/293B~298B。

1.1 BD01952號
1.3 維摩詰所說經卷上
1.4 收052
1.5 070:0878
2.1 （5+885）×27厘米；20紙；540行，行17字。
2.2 01：5+9.5，9； 02：47.0，29； 03：47.0，28；
04：47.5，29； 05：47.5，29； 06：47.5，31；
07：47.5，29； 08：44.5，27； 09：47.5，29；
10：45.5，29； 11：47.5，29； 12：47.5，29；
13：47.5，30； 14：47.5，29； 15：48.0，30；
16：47.5，29； 17：47.5，29； 18：47.5，30；
19：45.0，28； 20：28.5，08。
2.3 卷軸裝。首殘尾全。卷面有殘裂，第2紙有殘洞，尾有蟲繭。背有古代裱補。有烏絲欄。
3.1 首3行殘→大正475，14/537B29~C2。
3.2 尾全→14/544A19。
4.2 維摩詰經卷上（尾）。
7.1 卷下方有題記：“比丘尼蓮華心爲染患得痊，發願寫。”
8 8~9世紀。吐蕃統治時期寫本。
9.1 楷書。
11 圖版：《敦煌寶藏》，63/385B~396B。

1.1 BD01953號
1.3 妙法蓮華經卷二
1.4 收053
1.5 105:4794
2.1 418.4×28.7厘米；10紙；225行，行17字。
2.2 01：42.8，24； 02：42.3，24； 03：42.4，24；

04：41.8，24；　05：41.6，24；　06：41.6，24；
07：41.5，24；　08：41.6，24；　09：41.6，24；
10：41.2，09。
2.3　卷軸裝。首脱尾全。卷面有污漬，接縫處有開裂。有烏絲欄。
3.1　首殘→大正 262，9/16A16。
3.2　尾全→9/19A12。
4.2　妙法蓮華經卷第二（尾）。
8　7～8 世紀。唐寫本。
9.1　楷書。
11　圖版：《敦煌寶藏》，86/606B～611B。

1.1　BD01954 號
1.3　金光明最勝王經卷五
1.4　收 054
1.5　083:1754
2.1　95.2×26 厘米；3 紙；49 行，行 17 字。
2.2　01：15.5，09；　02：46.5，28；　03：33.2，12；
2.3　卷軸裝。首斷尾全。卷面多水漬，上下邊殘破，有殘洞。有燕尾。有烏絲欄。
3.1　首殘→大正 665，16/426C21。
3.2　尾全→16/427B13。
4.2　金光明經卷第五（尾）。
5　尾附音義。
8　8～9 世紀。吐蕃統治時期寫本。
9.1　楷書。
11　圖版：《敦煌寶藏》，69/604B～605B。

1.1　BD01955 號
1.3　天地八陽神咒經
1.4　收 055
1.5　256:7633
2.1　(189.8＋1.6)×25.7 厘米；5 紙；117 行，行 17 字。
2.2　01：46.0，28；　02：45.8，28；　03：45.8，28；
04：45.6，28；　05：6.6＋1.6，05。
2.3　卷軸裝。首脱尾殘。經黄紙。首尾殘破嚴重。有烏絲欄。
3.1　首殘→大正 2897，85/1423B22。
3.2　尾行下殘→85/1425A28。
5　與《大正藏》本對照，文字略有差異，有缺文，參大正 2897，85/1423B25～27。
8　7～8 世紀。唐寫本。
9.1　楷書。
11　圖版：《敦煌寶藏》，107/176A～178B。

1.1　BD01956 號
1.3　大般若波羅蜜多經卷五六〇
1.4　收 056
1.5　084:3351
2.1　(15.7＋561.4)×25.6 厘米；13 紙；335 行，行 17 字。
2.2　01：15.7＋31.7，28；　02：47.0，28；　03：46.9，28；
04：47.1，28；　05：47.0，28；　06：47.2，28；
07：47.0，28；　08：46.9，28；　09：46.9，28；
10：46.8，28；　11：46.9，28；　12：46.7，27；
13：13.3，拖尾。
2.3　卷軸裝。首脱尾全。尾有原軸，上軸頭脱落，下鑲蓮蓬形軸頭，塗棕色漆。首紙右下污染為紅色。背有多層古代裱補。有烏絲欄。
3.1　首 9 行上下殘→大正 220，7/890C2～10。
3.2　尾全→7/894B18。
4.2　大般若波羅蜜多經卷第五百六十（尾）。
8　8～9 世紀。吐蕃統治時期寫本。
9.1　楷書。
9.2　有刮改。
11　圖版：《敦煌寶藏》，77/333A～340B。

1.1　BD01957 號
1.3　諸星母陀羅尼經
1.4　收 057
1.5　253:7536
2.1　168.4×26 厘米；4 紙；正面 97 行，行 16～18 字。背面 80 行，行字不等。
2.2　01：50.0，29；　02：49.3，31；　03：49.6，30；
04：19.5，07。
2.3　卷軸裝。首尾均全。有烏絲欄。
2.4　本遺書包括 5 個文獻：（一）《諸星母陀羅尼經》，97 行，抄寫在正面，今編為 BD01957 號。（二）《大般涅槃經（北本雜寫）卷第三九》，28 行，抄寫在背面，今編為 BD01957 號背 1。（三）《走字旁遊戲詩》（擬），2 行，抄寫在背面，今編為 BD01957 號背 2。（四）《社司轉帖》，7 行，抄寫在背面，今編為 BD01957 號背 3。（五）《大般涅槃經卷（北本）第三八》，31 行，抄寫在背面，今編為 BD01957 號背 4。
3.1　首全→大正 1302，21/420A3。
3.2　尾全→21/421A14。
4.1　諸星母陀羅尼經，沙門法成於甘州修多寺（首）。
4.2　諸星母陀羅尼經一卷（尾）。
5　尾附音義。
8　8～9 世紀。吐蕃統治時期寫本。
9.1　楷書。
11　圖版：《敦煌寶藏》，106/611B～616A。

1.1　BD01957 號背 1
1.3　大般涅槃經（北本雜寫）卷三九
1.4　收 057
1.5　253:7536

2.4　本遺書由5個文獻組成，本號為第2個，28行，抄寫在背面。餘參見BD01957號之第2項、第11項。
3.1　首殘→大正374，12/591A10。
3.2　尾殘→12/591B19。
5　與《大正藏》本對照，部分段落縮寫或省略。
7.3　本文獻中間夾雜《走字旁遊戲詩》一首（BD01957號背2），2行。雜寫“乃”字，1行。殘詩“暫入酒店極甚鬧，僧胡及漢”，1行。
8　9～10世紀。歸義軍時期寫本。
9.1　楷書。

1.1　BD01957號背2
1.3　走字旁遊戲詩（擬）
1.4　收057
1.5　253:7536
2.4　本遺書由5個文獻組成，本號為第3個，2行，抄寫在背面《大般涅槃經（北本雜寫）》卷三九文中。餘參見BD01957號之第2項、第11項。
3.3　錄文：
送遠還通達，道遙近道邊。/
遇逢遐邇過，進退速遊連。/
（錄文完）
8　9～10世紀。歸義軍時期寫本。
9.1　楷書。

1.1　BD01957號背3
1.3　社司轉帖
1.4　收057
1.5　253:7536
2.4　本遺書由5個文獻組成，本號為第4個，7行，抄寫在背面。餘參見BD01957號之第2項、第11項。
3.3　錄文：
社司轉帖/
右緣秋坐局席，人各粟壹㪷，/
麪壹升。幸請諸公等帖至限今/
月五日卯時，於主人康富成家/
送納，捉二人後到罰酒壹角，/
全不來者罰酒半甕。其帖速/
相分付，不得亭（停）滯，如者/
（錄文完）
4.1　社司轉帖（首）
7.3　後有雜寫“敕歸義軍節度使牒”、“竊以慈”、“龍興之乾元之寺”等3行，另有雜寫“之”、“是”、“乃”及雜畫。
8　9～10世紀。歸義軍時期寫本。
9.1　楷書。

1.1　BD01957號背4
1.3　大般涅槃經（北本）卷三八
1.4　收057
1.5　253:7536
2.4　本遺書由5個文獻組成，本號為第4個，31行，抄寫在背面，與BD01957號背1、背2、背3等三個文獻方向相反。餘參見BD01957號之第2項、第11項。
3.1　首殘→大正374，12/588C2。
3.2　尾殘→12/589A11。
7.3　卷首有《觀世音經》與《本願藥師經》的經名、經文雜寫7行。
8　9～10世紀。歸義軍時期寫本。
9.1　楷書。

1.1　BD01958號
1.3　金剛般若波羅蜜經
1.4　收058
1.5　094:4001
2.1　（4.5+326）×24.7厘米；8紙；202行，行17字。
2.2　01：4.5+7，7；　02：45.5，28；　03：46.0，28；
04：46.0，28；　05：45.8，28；　06：45.7，28；
07：46.0，28；　08：44.0，27。
2.3　卷軸裝。首尾均殘。經黃紙。卷首殘破嚴重。接縫處有開裂。有烏絲欄。
3.1　首3行下殘→大正235，8/750A14～17。
3.2　尾全→8/752C2。
8　7～8世紀。唐寫本。
9.1　楷書。
9.2　有硃筆行間校加字。
11　圖版：《敦煌寶藏》，81/464B～468B。

1.1　BD01959號
1.3　大般若波羅蜜多經卷一一一
1.4　收059
1.5　084:2297
2.1　（9+728.1）×26.2厘米；16紙；417行，行17字。
2.2　01：9+3.9，7；　02：48.3，28；　03：48.5，28；
04：48.4，28；　05：48.4，28；　06：48.3，28；
07：48.3，28；　08：48.4，28；　09：48.3，28；
10：48.2，28；　11：48.0，28；　12：48.3，28；
13：48.2，28；　14：48.3，28；　15：48.3，28；
16：48.0，18。
2.3　卷軸裝。首殘尾全。尾有原軸，上軸頭脫落；下邊鑲蓮蓬形軸頭，塗棕色漆，已坏。卷首下邊殘缺，接縫處有開裂，第10、11紙接縫處脫開。有烏絲欄。
3.1　首5行上下殘→大正220，5/610B24～28。
3.2　尾全→5/615B9。
4.2　大般若波羅蜜多經卷第一百一十一（尾）。

7.3　下邊有雜寫 2 處。第 16 紙背有寺院題名“聖”字，為敦煌聖光寺的簡稱。
8　8～9 世紀。吐蕃統治時期寫本。
9.1　楷書。
9.2　有刮改。
11　圖版：《敦煌寶藏》，72/577B～587A。

1.1　BD01960 號
1.3　金光明最勝王經卷一
1.4　收 060
1.5　083:1487
2.1　138.1×25.5 厘米；4 紙；89 行，行 17 字。
2.2　01：44.3，28；　02：43.5，28；　03：43.0，28；
04：07.3，05；
2.3　卷軸裝。首脱尾斷。第 3 紙撕破嚴重。有烏絲欄。已修整。
3.1　首殘→大正 665，16/406B29。
3.2　尾斷→16/407C16。
8　8～9 世紀。吐蕃統治時期寫本。
9.1　楷書。
9.2　有行間校加字。
11　圖版：《敦煌寶藏》，68/88B～90A。
12　此號即 83：1479 缺文部分。

1.1　BD01961 號
1.3　妙法蓮華經卷六
1.4　收 061
1.5　105:5787
2.1　(40.5+574.7)×25 厘米；15 紙；367 行，行 17 字。
2.2　01：11.0，06；　02：39.5，24；　03：38.5，23；
04：39.5，24；　05：39.0，24；　06：39.5，24；
07：47.0，28；　08：47.0，28；　09：47.0，28；
10：47.0，28；　11：47.1，28；　12：47.0，28；
13：47.1，28；　14：47.0，28；　15：42.0，18。
2.3　卷軸裝。首殘尾全。卷首上部有殘洞，中下部殘缺；卷面有殘裂，接縫處多有開裂，第 14、15 紙接縫處脱落爲兩截，尾紙中間有 4 處殘洞。有燕尾。有烏絲欄。已修整。
3.1　首 25 行下殘→大正 262，9/50A26～C3。
3.2　尾全→9/55A9。
4.2　妙法蓮華經卷第六（尾）。
8　7～8 世紀。唐寫本。
9.1　楷書。
11　圖版：《敦煌寶藏》，95/97B～106A。

1.1　BD01962 號
1.3　大般若波羅蜜多經卷六九
1.4　收 062
1.5　084:2195
2.1　(3.2+105)×26 厘米；3 紙；57 行，行 17 字。
2.2　01：3.2+35.2，23；　02：47.0，28；　03：22.8，06。
2.3　卷軸裝。首殘尾全。首紙下邊有殘破，尾紙有殘裂，上下多水漬，卷尾有蟲繭。有烏絲欄。
3.1　首 2 行上中殘→大正 220，5/393A18～19。
3.2　尾全→5/393C17。
4.2　大般若波羅蜜多經卷第六十九（尾）。
7.3　卷尾上邊有雜寫“□□經”。
8　8～9 世紀。吐蕃統治時期寫本。
9.1　楷書。
11　圖版：《敦煌寶藏》，72/232A～233A。

1.1　BD01963 號
1.3　大般若波羅蜜多經卷三六三
1.4　收 063
1.5　084:3001
2.1　(2+728.5)×25.9 厘米；16 紙；419 行，行 17 字。
2.2　01：2+46.3，28；　02：48.2，28；　03：48.4，28；
04：48.5，28；　05：48.6，28；　06：48.5，28；
07：48.5，28；　08：48.5，28；　09：48.4，28；
10：48.6，28；　11：48.5，28；　12：48.6，28；
13：48.5，28；　14：48.5，28；　15：48.3，27；
16：03.6，拖尾。
2.3　卷軸裝。首脱尾全。首紙下邊殘破，接縫處有開裂。背有古代裱補。有烏絲欄。
3.1　首行下殘→大正 220，6/870A10。
3.2　尾全→6/874C25。
4.2　大般若波羅蜜多經卷第三百六十三（尾）。
7.1　第 1 紙背面有勘記“三十七袟，第三，欠二紙”。其中“三十七袟”是本文獻所屬袟次，“第三”是袟内卷次。
8　8～9 世紀。吐蕃統治時期寫本。
9.1　楷書。
11　圖版：《敦煌寶藏》，76/66A～75B。

1.1　BD01964 號
1.3　梵網經盧舍那佛說菩薩心地戒品第十卷下
1.4　收 064
1.5　143:6729
2.1　(22.5+319+1)×25 厘米；8 紙；正面 188 行，行 19 字。背面 6 行，行字不等。
2.2　01：22.5+7，16；　02：51.0，28；　03：51.0，28；
04：51.0，28；　05：51.0，28；　06：51.0，28；
07：51.0，28；　08：6+1，04。
2.3　卷軸裝。首尾均殘。首紙殘缺嚴重，卷中上下有破損、殘裂。通卷背有古代裱補，裱補紙上有藏文。
2.4　本遺書包括 2 個文獻：(一)《梵網經盧舍那佛說菩薩心地戒品第十卷下》，188 行，抄寫在正面，今編為 BD01964 號。

（二）藏文，6 行，抄寫在背面裱補紙上，今編為 BD01964 號背。
3.1　首 6 行上下殘→大正 1484，24/1005B18～23。
3.2　尾 1 行中下殘→24/1008A5～6。
7.3　卷背有雜寫“佛說阿彌經”。
8　9～10 世紀。歸義軍時期寫本。
9.1　楷書。
9.2　有行間校加字。
11　圖版：《敦煌寶藏》，101/370B～375A。缺失卷尾十一行。

1.1　BD01964 號背
1.3　藏文
1.4　收 064
1.5　143:6729
2.4　本遺書由 2 個文獻組成，本號為第 2 個，6 行，抄寫在背面裱補紙上。餘參見 BD01964 號之第 2 項、第 11 項。
3.4　說明：
藏文内容待考。
8　8～9 世紀。吐蕃統治時期寫本。

1.1　BD01965 號
1.3　金剛般若波羅蜜經
1.4　收 065
1.5　094:3793
2.1　(24+463.9)×26 厘米；11 紙；272 行，行 17 字。
2.2　01：24+12.5，21；　02：49.0，28；　03：49.3，28；
04：49.2，28；　05：49.2，28；　06：49.4，28；
07：49.5，28；　08：49.5，28；　09：49.5，28；
10：49.3，27；　11：07.5，拖尾。
2.3　卷軸裝。首殘尾全。經黄紙。首紙有 1 塊殘片脱落，可綴接；第 1 至 8 紙有等距離殘洞，漸次變小。尾有原軸，軸頭嵌花，塗棕色漆。有烏絲欄。已修整。
3.1　首 14 行上下殘→大正 235，8/749A27～B12。
3.2　尾全→8/752C3。
4.2　金剛般若波羅蜜經（尾）。
8　7～8 世紀。唐寫本。
9.1　楷書。
11　圖版：《敦煌寶藏》，80/365B～372A。

1.1　BD01966 號
1.3　千眼千臂觀世音菩薩陀羅尼神咒經（B 本異卷）卷下
1.4　收 066
1.5　235:7377
2.1　(10.1+435.1)×29 厘米；11 紙；208 行，行字不等。
2.2　01：10.1+19.8，15；　02：41.8，19；　03：42.1，20；
04：42.1，20；　05：41.9，18；　06：42.2，19；
07：42.2，20；　08：41.7，20；　09：42.1，20；
10：42.2，20；　11：37+5.2，17。
2.3　卷軸裝。首尾均殘。首紙殘破，前數紙有等距殘損，上邊有殘裂，上下多水漬。有折疊欄。
3.1　首 4 行上下殘→大正 1057b，20/92B8～12。
3.2　尾全→20/96B1。
4.2　佛說千眼千臂觀世音菩薩陀羅尼經卷下（尾）。
5　與《大正藏》本對照，分卷不同，相當於《大正藏》本卷上後半部及卷下全部。行文之文序雖相同，文字有不同。本文獻並有大段缺文，相當於大正 1057b，20/93B14～26；20/94A14～22。
7.3　背有墨筆塗抹。
8　9～10 世紀。歸義軍時期寫本。
9.1　楷書。
9.2　有倒乙符號。
11　圖版：《敦煌寶藏》，105/643A～648B。

1.1　BD01967 號
1.3　維摩詰所說經卷上
1.4　收 067
1.5　070:0898
2.1　438.5×26 厘米；9 紙；251 行，行 17 字。
2.2　01：49.0，28；　02：49.0，28；　03：49.0，28；
04：49.0，28；　05：47.0，27；　06：49.0，28；
07：49.0，28；　08：49.0，28；　09：48.5，28。
2.3　卷軸裝。首尾均脱。卷首上下邊有殘裂，接縫處有開裂。有烏絲欄。
3.1　首殘→大正 475，14/538A3。
3.2　尾殘→14/541A7。
6.2　尾→BD03595 號。
8　8～9 世紀。吐蕃統治時期寫本。
9.1　楷書。
9.2　有刮改。
11　圖版：《敦煌寶藏》，63/617A～623A。

1.1　BD01968 號
1.3　妙法蓮華經卷四
1.4　收 068
1.5　105:5241
2.1　(10.5+562.1)×26 厘米；12 紙；335 行，行 17 字。
2.2　01：10.5+37，27；　02：47.2，28；　03：48.2，28；
04：48.2，28；　05：48.2，28；　06：48.0，28；
07：47.5，28；　08：47.5，28；　09：47.8，28；
10：47.5，28；　11：47.5，28；　12：47.5，28。
2.3　卷軸裝。首全尾脱。首紙殘破嚴重，接縫處有開裂。有烏絲欄。
3.1　首 5 行上下殘→大正 262，9/27B12～20。
3.2　尾缺→9/32B25。
4.1　□（妙）法蓮華經五百弟子受記品第八（首）。

8　8～9 世紀。吐蕃統治時期寫本。
9.1　楷書。
11　圖版：《敦煌寶藏》，90/248A～255B。

1.1　BD01969 號
1.3　金光明最勝王經卷一〇
1.4　收 069
1.5　083:1981
2.1　(2+189.3)×27.2 厘米；4 紙；122 行，行 27 字。
2.2　01：2+47.8，36；　02：49.0，37；　03：49.3，38；
04：43.2，11。
2.3　卷軸裝。首殘尾全。首紙破碎，尾紙殘缺。上下邊為刻劃欄，竪欄為烏絲欄。
3.1　首行上殘→大正 665，16/454A14。
3.2　尾殘→16/456C19。
4.2　金光明經卷第十（尾）。
5　尾附音義。
7.3　第 1 紙背寫“至志智語”四字。
8　8～9 世紀。吐蕃統治時期寫本。
9.1　楷書。
11　圖版：《敦煌寶藏》，71/255B～257B。

1.1　BD01970 號
1.3　妙法蓮華經卷三
1.4　收 070
1.5　105:4991
2.1　(7.7+364.2)×27.3 厘米；8 紙；213 行，行 17 字。
2.2　01：7.7+22.6，17；　02：48.7，28；　03：49.0，28；
04：48.9，28；　05：48.8，28；　06：48.8，28；
07：48.8，28；　08：48.6，28。
2.3　卷軸裝。首殘尾脫。卷首有殘裂，上邊下邊有殘損；卷面污穢，多水漬。有烏絲欄。
3.1　首 4 行下殘→大正 262，9/19A27～B2。
3.2　尾殘→9/22A24。
8　9～10 世紀。歸義軍時期寫本。
9.1　楷書。
11　圖版：《敦煌寶藏》，87/531A～535B。

1.1　BD01971 號
1.3　無量壽宗要經
1.4　收 071
1.5　275:7734
2.1　184.5×31.5 厘米；4 紙；119 行，行 30 餘字。
2.2　01：46.5，29；　02：46.0，32；　03：46.0，32；
04：46.0，26。
2.3　卷軸裝。首尾均全。有烏絲欄。
3.1　首全→大正 936，19/82A3。
3.2　尾全→19/84C24。
4.1　大乘無量壽經（首）。
4.2　佛說無量壽宗要經（尾）。
7.1　尾有題名“氾華”。
8　8～9 世紀。吐蕃統治時期寫本。
9.1　楷書。
9.2　有行間校加字。
11　圖版：《敦煌寶藏》，107/458A～460A。

1.1　BD01972 號 1
1.3　梵網經盧舍那佛說菩薩心地戒品第十序
1.4　收 072
1.5　143:6684
2.1　(5+711.8)×26 厘米；18 紙；447 行，行 17 字。
2.2　01：5+31.4，24；　02：39.3，26；　03：34.4，23；
04：12.7，08；　05：44.0，28；　06：44.3，27；
07：45.5，28；　08：46.0，28；　09：45.5，28；
10：45.7，28；　11：46.0，28；　12：45.6，28；
13：45.5，28；　14：45.2，28；　15：45.2，28；
16：44.5，28；　17：44.5，28；　18：06.5，03；
2.3　卷軸裝。首尾均殘。通卷破碎嚴重。背有古代裱補，裱補紙上有 2 行文字。前 3 紙與後 15 紙紙質、字體皆異，係後補。有烏絲欄。已修整。
2.4　本遺書包括 2 個文獻：（一）《梵網經盧舍那佛說菩薩心地戒品第十序》，14 行，今編為 BD01972 號 1。（二）《梵網經盧舍那佛說菩薩心地戒品第十卷下》，433 行，今編為 BD01972 號 2。
3.1　首 3 行下殘→大正 1484，24/1003A19～20。
3.2　尾全→24/1003B2。
4.1　菩薩戒序，梵網經□…□（首）。
5　與《大正藏》本對照，本文獻缺首部 4 行經文。
7.1　卷首背有勘記“□薩戒並”。
7.3　卷首背面裱補紙有“啓請文一本□…□/奉請□…□/”2 行。背面另有雜寫“春”。
8　7～8 世紀。唐寫本。前 3 紙爲歸義軍時期後補。
9.1　楷書。全卷多處硃筆校改及加行。
11　圖版：《敦煌寶藏》，101/157A～167A。

1.1　BD01972 號 2
1.3　梵網經盧舍那佛說菩薩心地戒品第十卷下
1.4　收 072
1.5　143:6684
2.4　本遺書由 2 個文獻組成，本號為第 2 個，433 行。餘參見 BD01972 號 1 之第 2 項、第 11 項。
3.1　首全→大正 1484，24/1003C29。
3.2　尾 3 行下殘→24/1009C15～18。
5　與《大正藏》本對照，此卷卷首有缺文，相當於 24/1003B7～C28。

8　7～8世紀。唐寫本。前3紙爲歸義軍時期後補。
9.1　楷書。
9.2　有多處硃、墨筆校改，有硃筆行間加行，直寫到下邊。

1.1　BD01973號
1.3　金光明最勝王經卷一〇
1.4　收073
1.5　083:2003
2.1　（2.8+52.8）×26.2厘米；2紙；31行，行17字。
2.2　01：2.8+29.3，18；　02：23.5，13；
2.3　卷軸裝。首殘尾全。有烏絲欄。
3.1　首行下殘→大正665，16/456B5～6。
3.2　尾全→16/456C19。
4.2　金光明最勝王經卷第十（尾）。
5　尾附音義。
6.1　首→BD01241號。
8　7～8世紀。唐寫本。
9.1　楷書。
11　圖版：《敦煌寶藏》，71/310。

1.1　BD01974號
1.3　大般若波羅蜜多經卷四一
1.4　收074
1.5　084:2108
2.1　96.5×25.8厘米；2紙；56行，行17字。
2.2　01：48.5，28；　02：48.0，28；
2.3　卷軸裝。首尾均脱。首紙有殘洞，上邊多黴斑。有烏絲欄。
3.1　首殘→大正220，5/230B22。
3.2　尾殘→5/231A21。
7.3　背面有雜寫10行。大多為經文雜寫與習字雜寫。其中有“逆耳即是真言”云云。
8　8～9世紀。吐蕃統治時期寫本。
9.1　楷書。
11　圖版：《敦煌寶藏》，72/1A～2B。

1.1　BD01975號
1.3　大智度論卷三四
1.4　收075
1.5　218:7281
2.1　（3.5+785.5）×25.6厘米；17紙；444行，行17字。
2.2　01：3.5+28，18；　02：50.5，29；　03：50.5，29；
04：50.5，29；　05：50.5，29；　06：50.5，29；
07：50.5，29；　08：49.0，28；　09：50.5，29；
10：51.0，29；　11：46.0，26；　12：46.0，26；
13：51.0，29；　14：51.0，29；　15：51.0，29；
16：51.0，27；　17：08.0，拖尾。
2.3　卷軸裝。首殘尾全。首紙上部有殘洞，下部殘缺。有燕尾。有烏絲欄。
3.1　首2行下殘→大正1509，25/309A9。
3.2　尾全→25/314B18。
7.1　卷尾下部有題記“一校”。
8　6世紀。南北朝寫本。
9.1　隸楷。
11　圖版：《敦煌寶藏》，105/282A～292A。

1.1　BD01976號
1.3　大般若波羅蜜多經卷一九九
1.4　收076
1.5　084:2498
2.1　48.5×25.3厘米；1紙；28行，行17字。
2.3　卷軸裝。首尾均脱。有殘洞。有烏絲欄。
3.1　首殘→大正220，5/1066A3。
3.2　尾殘→5/1066B2。
8　8～9世紀。吐蕃統治時期寫本。
9.1　楷書。
11　圖版：《敦煌寶藏》，73/498B～499A。

1.1　BD01977號
1.3　妙法蓮華經卷七
1.4　收077
1.5　105:5875
2.1　786.3×25.5厘米；17紙；450行，行17字。
2.2　01：48.0，28；　02：48.2，28；　03：48.0，28；
04：48.4，28；　05：48.3，28；　06：48.4，28；
07：48.2，28；　08：48.3，28；　09：48.2，28；
10：48.1，28；　11：48.2，28；　12：48.2，28；
13：48.2，28；　14：48.3，28；　15：48.3，28；
16：48.2，28；　17：14.8，02。
2.3　卷軸裝。首脱尾全。經黄紙。卷上下邊有殘裂，接縫處有開裂，第3、4紙接縫處脱開爲兩截。有燕尾。有烏絲欄。
3.1　首殘→大正262，9/55C15。
3.2　尾全→9/62B1。
4.2　妙法蓮華經卷第七（尾）。
7.3　卷首背有雜寫1處。
8　7～8世紀。唐寫本。
9.1　楷書。
11　圖版：《敦煌寶藏》，95/516B～527A。

1.1　BD01978號
1.3　妙法蓮華經卷三
1.4　收078
1.5　105:5094
2.1　（4.8+706.7）×25.7厘米；16紙；402行，行17字。
2.2　01：4.8+15.6，11；　02：48.0，28；　03：48.0，28；

04：48.1，28；　05：48.0，28；　06：48.0，28；
07：48.1，28；　08：47.9，28；　09：47.9，28；
10：48.0，28；　11：48.0，28；　12：47.9，28；
13：47.9，28；　14：48.0，28；　15：47.9，27；
16：19.4，拖尾。
2.3　卷軸裝。首殘尾全。經黄打紙。卷面有殘裂，接縫處有開裂。卷尾有原軸，與卷面已脱落，一邊鑲蓮蓬形軸頭，塗棕色漆，另一邊軸頭丟失。有烏絲欄。
3.1　首2行上殘→大正262，9/21B1～2。
3.2　尾全→9/27B9。
4.2　妙法蓮華經卷第三（尾）。
8　7～8世紀。唐寫本。
9.1　楷書。
11　圖版：《敦煌寶藏》，88/629B～640A。

1.1　BD01979號
1.3　天地八陽神咒經
1.4　收079
1.5　256:7612
2.1　（342.3＋23）×26.3（後7紙寬25.4）厘米；9紙；204行，行17字。
2.2　01：46.2，20；　02：46.2，30；　03：38.6，23；
04：42.0，25；　05：42.5，25；　06：42.3，25；
07：42.5，25；　08：42.0，25；　09：23.0，06。
2.3　卷軸裝。首全尾殘。有護首。卷尾上邊破損，中下部殘缺。第1、2紙與後邊紙色不同，字體不一。第3至9紙背皆有古代裱補。有烏絲欄。已修整。
3.1　首全→大正2897，85/1422B14
3.2　尾6行中下殘→85/1425A28～30。
4.1　佛説八陽神咒經，玄法師奉制譯（首）。
4.2　佛説八陽神咒經（尾）。
5　與《大正藏》本對照，文字略有不同。
7.1　卷端扉頁有題記“索法律經卷”。
7.3　卷背有雜寫“見”字。
8　7～8世紀。唐寫本。前2紙為歸義軍時期後補。
9.1　楷書。
11　圖版：《敦煌寶藏》，107/95A～99B。

1.1　BD01980號
1.3　妙法蓮華經（八卷本）卷四
1.4　收080
1.5　105:5245
2.1　（24＋814.4）×25.5厘米；18紙；483行，行17字。
2.2　01：12.0，21；　02：12＋48.5，28；　03：48.5，28；
04：48.7，28；　05：48.7，28；　06：48.7，28；
07：48.7，28；　08：48.7，28；　09：48.7，28；
10：48.8，28；　11：48.7，28；　12：48.8，28；
13：48.8，28；　14：48.7，28；　15：48.7，28；
16：48.7，28；　17：48.5，28；　18：35.5，14。
2.3　卷軸裝。首殘尾全。經黄紙。卷首殘破嚴重。尾有原軸，兩端塗棕色漆。有烏絲欄。
3.1　首14行中下殘→大正262，9/27B21～C6。
3.2　尾全→9/34B22。
4.2　妙法蓮華經卷第四（尾）
5　與《大正藏》本對照，分卷不同，相當於五百弟子受記品第八前部分至見寶塔品第十一終。應為八卷本。
8　7～8世紀。唐寫本。
9.1　楷書。
11　圖版：《敦煌寶藏》，90/285B～298B。

1.1　BD01981號
1.3　妙法蓮華經卷三
1.4　收081
1.5　105:4992
2.1　（11＋494.2）×25.4厘米；11紙；298行，行17字。
2.2　01：11＋20.4，18；　02：47.3，28；　03：47.5，28；
04：47.4，28；　05：47.3，28；　06：47.6，28；
07：47.3，28；　08：47.4，28；　09：47.4，28；
10：47.3，28；　11：47.3，28。
2.3　卷軸裝。首殘尾脱。卷面油污，首紙上邊有殘損。有烏絲欄。
3.1　首6行下殘→大正262，9/19A25～B2。
3.2　尾殘→9/23B18。
8　9～10世紀。歸義軍時期寫本。
9.1　楷書。
11　圖版：《敦煌寶藏》，87/536A～543A。

1.1　BD01982號
1.3　大般涅槃經（北本）卷二
1.4　收082
1.5　115:6294
2.1　（2＋408.6）×26.6厘米；8紙；208行，行17字。
2.2　01：2＋49.2，28；　02：51.3，28；　03：51.4，28；
04：51.5，28；　05：51.4，28；　06：51.5，28；
07：51.3，28；　08：51.0，12。
2.3　卷軸裝。首殘尾全。麻紙，未入潢。首紙前上有殘缺，上邊有水漬。有烏絲欄。
3.1　首行上殘→大正374，12/372A11。
3.2　尾缺→12/374C27。
7.3　卷背有雜寫。
8　7～8世紀。唐寫本。
9.1　楷書。
9.2　有刮改。
11　圖版：《敦煌寶藏》，97/621B～626B。

1.1　BD01983 號
1.3　大般涅槃經（北本　異卷）卷八
1.4　收 083
1.5　115:6330
2.1　(8.5 +816) ×25.6 厘米；18 紙；482 行，行 17 字。
2.2　01：8.5 +38，27；　02：48.5，28；　03：48.0，28；
04：48.0，28；　05：48.3，28；　06：48.0，28；
07：48.0，28；　08：48.0，28；　09：48.0，28；
10：48.2，28；　11：45.8，28；　12：46.0，28；
13：46.0，28；　14：46.0，28；　15：46.0，28；
16：46.0，28；　17：46.0，28；　18：23.2，07。
2.3　卷軸裝。首殘尾全。經黄打紙，砑光上蠟。首紙有殘洞、破裂，卷面有等距離油污，接縫處有開裂。背有古代裱補。有烏絲欄。
3.1　首 5 行上下殘→大正 374，12/411C4 ~9。
3.2　尾全→12/417C1。
4.2　大般涅槃經卷第八（尾）。
5　與《大正藏》本對照，分卷不同，本件不分品，經文相當於卷八如來性品第四之五的大部分至卷九如來性品第四之六的前部。與現知諸藏分卷均不同。
8　7 ~8 世紀。唐寫本。
9.1　楷書。
11　圖版：《敦煌寶藏》，98/208A ~219A。

1.1　BD01984 號
1.3　藥師瑠璃光如來本願功德經
1.4　收 084
1.5　030:0276
2.1　(16 +142.8) ×25.8 厘米；4 紙；88 行，行 17 字。
2.2　01：07.0，04；　02：9 +41.5，28；　03：50.8，28；
04：50.5，28；
2.3　卷軸裝。首殘尾脱。經黄紙。前 2 紙有殘裂，通卷上邊有等距殘缺，卷尾下邊殘缺。有烏絲欄。
3.1　首 9 行上下殘→大正 450，14/405A8 ~16。
3.2　尾殘→14/406A12。
8　7 ~8 世紀。唐寫本。
9.1　楷書。
11　圖版：《敦煌寶藏》，57/576B ~578B。

1.1　BD01985 號 1
1.3　大乘密嚴經（地婆訶羅本）卷上
1.4　收 085
1.5　040:0376
2.1　(4 +955.7) ×28 厘米；20 紙；770 行，行 32 ~33 字。
2.2　01：4 +12.8，13；　02：49.5，40；　03：50.0，40；
04：49.8，40；　05：49.5，40；　06：49.5，40；
07：49.5，40；　08：49.5，40；　09：49.5，40；
10：49.5，40；　11：49.5，40；　12：49.6，40；
13：49.8，40；　14：49.8，40；　15：49.8，40；
16：49.8，40；　17：49.7，40；　18：49.6，40；
19：49.5，40；　20：49.5，37。
2.3　卷軸裝。首殘尾全。卷尾上邊有等距離殘破。有烏絲欄。
2.4　本遺書包括 3 個文獻：（一）《大乘密嚴經卷上》，225 行，今編為 BD01985 號 1。（二）《大乘密嚴經卷中》，283 行，今編為 BD01985 號 2。（三）《大乘密嚴經卷下》，262 行，今編為 BD01985 號 3。
3.1　首 3 行殘→大正 681，16/723C7 ~12。
3.2　尾全→16/730C14。
8　8 ~9 世紀。吐蕃統治時期寫本。
9.1　楷書。
9.2　有硃筆校改、校加字。有刮改、點刪處。
11　圖版：《敦煌寶藏》，58/435A ~446B。

1.1　BD01985 號 2
1.3　大乘密嚴經（地婆訶羅本）卷中
1.4　收 085
1.5　040:0376
2.4　本遺書由 3 個文獻組成，本號為第 2 個，283 行。餘參見 BD01985 號 1 之第 2 項、第 11 項。
3.1　首全→大正 681，16/730C17。
3.2　尾全→16/738C16。
4.1　大乘密嚴經妙身生品之餘，卷中（首）。
4.2　大乘密嚴經卷中（尾）
8　8 ~9 世紀。吐蕃統治時期寫本。
9.1　楷書。
9.2　有硃筆校改、校加字。有刮改、點刪處。

1.1　BD01985 號 3
1.3　大乘密嚴經（地婆訶羅本）卷下
1.4　收 085
1.5　040:0376
2.4　本遺書由 3 個文獻組成，本號為第 3 個，262 行。餘參見 BD01985 號 1 之第 2 項、第 11 項。
3.1　首全→大正 681，16/738C19。
3.2　尾全→16/747B15。
4.1　大乘密嚴經自識境界品第七，卷下（首）。
4.2　大乘密嚴經卷下（尾）。
8　8 ~9 世紀。吐蕃統治時期寫本。
9.1　楷書。
9.2　有硃、墨筆行間校加字。有刮改、倒乙符號。

1.1　BD01986 號
1.3　摩訶般若波羅蜜經卷二三
1.4　收 086

1. 5　088: 3459
2. 1　(4. 6 +479. 6) ×26 厘米；12 紙；286 行，行 17 字。
2. 2　01：4. 6 +25. 2，17；　02：47. 0，28；　03：47. 1，28；
04：47. 1，28；　05：47. 0，28；　06：47. 0，28；
07：43. 0，25；　08：43. 3，25；　09：43. 4，25；
10：32. 7，20；　11：36. 3，22；　12：20. 5，12。
2. 3　卷軸裝。首殘尾斷。前數紙上有等距黴爛，接縫處有開裂，第 8、9 紙接縫處脱開爲 2 截。前 6 紙為經黄紙，後 6 紙紙質不同，末 2 紙極薄。有烏絲欄。
3. 1　首 2 行上中殘→大正 223，8/387A19 ~ 20。
3. 2　尾殘→8/390C1。
5　本文獻中有品名，作“夢化六度品第七十六”，與《大正藏》本對照，品名、品次均不同；與《遼大字藏》品名相同。分卷與《大正藏》相同，與其他諸藏不同。此處按照《大正藏》著錄卷次。
8　7 ~ 8 世紀。唐寫本。
9. 1　楷書。
11　圖版：《敦煌寶藏》，78/82A ~ 88A。

1. 1　BD01987 號
1. 3　金光明最勝王經卷一〇
1. 4　收 087
1. 5　083: 1988
2. 1　(14 +189. 5) ×26 厘米；4 紙；110 行，行 17 字。
2. 2　01：14 +36. 5，26；　02：51. 0，28；　03：51. 0，28；
04：51. 0，28。
2. 3　卷軸裝。首殘尾脱。經黄紙。卷首殘缺嚴重，卷面有墨筆污斑。有烏絲欄。已修整。
3. 1　首 6 行上下殘→大正 665，16/450C20 ~ 26。
3. 2　尾殘→16/452A22。
4. 1　□…□三藏法師義淨奉□…□（首）。
6. 2　尾→BD01990 號。
8　7 ~ 8 世紀。唐寫本。
9. 1　楷書。
9. 2　有行間校加字。
11　圖版：《敦煌寶藏》，71/280B ~ 283A。

1. 1　BD01988 號
1. 3　無量壽宗要經
1. 4　收 088
1. 5　275: 7984
2. 1　(2 +168) ×31 厘米；4 紙；112 行，行 30 餘字。
2. 2　01：2 +35，25；　02：44. 0，30；　03：44. 0，30；
04：45. 0，27。
2. 3　卷軸裝。首殘尾全。卷前部上下邊有破裂殘缺，中間有殘裂。背有古代裱補。前 2 紙與後 2 紙紙質不同。有烏絲欄。
3. 1　首行中上殘→大正 936，19/82A11 ~ 13。
3. 2　尾全→19/84C29。
4. 2　佛說無量壽宗要經（尾）。
7. 1　尾題後有題名“田廣談”。
8　8 ~ 9 世紀。吐蕃統治時期寫本。
9. 1　行楷。
11　圖版：《敦煌寶藏》，108/440B ~ 442B。

1. 1　BD01989 號
1. 3　無量壽宗要經
1. 4　收 089
1. 5　275: 7735
2. 1　(11 +212) ×28 厘米；5 紙；149 行，行 30 餘字。
2. 2　01：11 +36，33；　02：48. 0，32；　03：48. 0，32；
04：48. 0，33；　05：32. 0，19。
2. 3　卷軸裝。首殘尾全。卷首殘破嚴重，尾紙上邊有殘缺。有烏絲欄。
3. 1　首 8 行中下殘→大正 936，19/82A3 ~ 16。
3. 2　尾全→19/84C29。
4. 1　大乘無量壽經（首）。
4. 2　佛說無量壽宗要經（尾）。
7. 3　尾題旁雜寫“亻”。
8　8 ~ 9 世紀。吐蕃統治時期寫本。
9. 1　楷書。
11　圖版：《敦煌寶藏》，107/460B ~ 463A。

1. 1　BD01990 號
1. 3　金光明最勝王經卷一〇
1. 4　收 090
1. 5　083: 1975
2. 1　563. 3 ×26. 3 厘米；11 紙；302 行，行 17 字。
2. 2　01：51. 5，28；　02：51. 4，28；　03：51. 5，28；
04：51. 5，28；　05：51. 5，28；　06：51. 5，28；
07：51. 5，28；　08：51. 4，28；　09：51. 7，28；
10：51. 0，28；　11：48. 8，22；
2. 3　卷軸裝。首脱尾全。經黄打紙。卷面有殘洞，下邊有等距離火灼殘痕，全卷接縫多處脱開，斷爲 5 截。背有古代裱補。有烏絲欄。
3. 1　首殘→大正 665，16/452A23。
3. 2　尾全→16/456C19。
4. 2　金光明最勝王經卷第十（尾）。
5　尾附音義。
6. 1　首→BD01987 號。
8　7 ~ 8 世紀。唐寫本。
9. 1　楷書。
9. 2　第 8 紙行間有粘補加字。
11　圖版：《敦煌寶藏》，71/217B ~ 225A。

1.1 BD01991 號
1.3 妙法蓮華經卷五
1.4 收 091
1.5 105:5550
2.1 (24+68)×25.3 厘米;2 紙;56 行,行 17 字。
2.2 01:24+21.8,28; 02:46.2,28。
2.3 卷軸裝。首尾均脱。經黄紙。卷首上部有殘缺。有烏絲欄。
3.1 首 15 行上殘→大正 262,9/37C16~38A5。
3.2 尾殘→9/38B28。
8 7~8 世紀。唐寫本。
9.1 楷書。
11 圖版:《敦煌寶藏》,93/8B~9B。

1.1 BD01992 號
1.3 大般涅槃經(北本 宮本)卷三四
1.4 收 092
1.5 115:6496
2.1 (4+899.4)×26 厘米;18 紙;483 行,行 17 字。
2.2 01:4+39.5,22; 02:50.0,26; 03:50.0,26;
04:50.0,26; 05:52.0,27; 06:50.0,27;
07:50.1,27; 08:50.0,27; 09:50.0,27;
10:50.2,27; 11:50.2,29; 12:50.1,29;
13:50.2,29; 14:50.0,29; 15:50.0,28;
16:50.3,27; 17:49.8,27; 18:57.0,23。
2.3 卷軸裝。首殘尾全。尾有原軸,兩端塗黑漆,頂端點硃漆。卷上方有殘裂,尾紙下有破損。有烏絲欄。
3.1 首 2 行上殘→大正 374,12/562C22~23。
3.2 尾全→12/568B21。
4.2 大般涅槃經卷第卅四(尾)。
5 與《大正藏》本對照,分卷不同,經文相當於卷三十三迦葉菩薩品第十二之一至卷三十四迦葉菩薩品第十二之二。與日本宮内寮本分卷相同。
8 5~6 世紀。南北朝寫本。
9.1 楷書。
9.2 有緑色塗改。有行間校加字。
11 圖版:《敦煌寶藏》,99/553B~565B。

1.1 BD01993 號
1.3 大般若波羅蜜多經(兑廢稿)卷三〇三
1.4 收 093
1.5 084:2834
2.1 (1.7+34)×26.3 厘米;1 紙;23 行,行 17 字。
2.3 卷軸裝。首殘尾缺。有烏絲欄。尾有餘空。
3.1 首行上下殘→大正 220,6/544C8。
3.2 尾殘→6/545A4。
5 與《大正藏》本對照,有缺文,參見大正 220,6/544C13。
7.3 卷背有雜寫及塗抹。
8 8~9 世紀。吐蕃統治時期寫本。
9.1 楷書。上邊有一“兑”字。
11 圖版:《敦煌寶藏》,75/216A。

1.1 BD01994 號
1.3 道真補經錄(擬)
1.4 收 094
1.5 355:8419
2.1 53.5×25.5 厘米;2 紙;正面 23 行,行字不等。背面 9 行,行字不等。
2.2 01:15.5,09; 02:38.0,14。
2.3 卷軸裝。首殘尾全。第 1、2 紙脱開爲 2 截,第 2 紙有殘裂和殘洞,下邊有殘缺。文字正面與背面相接。有烏絲欄。已修整。
3.1 首殘→《敦煌佛教經錄輯校》,第 934 頁第 3 行。
3.2 尾全→《敦煌佛教經錄輯校》,第 937 頁第 10 行。
3.4 説明:
正背面内容相通,為同一個文獻。對照本錄文先背面,後正面。
8 9~10 世紀。歸義軍時期寫本。
9.1 楷書。
9.2 有塗抹。
11 圖版:《敦煌寶藏》,110/260B~261B。

1.1 BD01995 號
1.3 大般若波羅蜜多經卷三五一
1.4 收 095
1.5 084:2953
2.1 604.1×26.2 厘米;13 紙;349 行,行 17 字。
2.2 01:33.5,19; 02:47.0,28; 03:47.8,28;
04:47.9,28; 05:47.9,28; 06:47.9,28;
07:47.8,28; 08:47.8,28; 09:47.8,28;
10:47.8,28; 11:47.7,28; 12:47.7,28;
13:45.5,22。
2.3 卷軸裝。首斷尾全。尾有原軸,軸上端殘破,兩端塗硃漆。首紙下邊殘破。有烏絲欄。
3.1 首殘→大正 220,6/804B8。
3.2 尾全→6/808B5。
4.2 大般若波羅蜜多經卷第三百五十一(尾)。
6.1 首→BD08623 號。
7.1 尾題之後有題名“法應”。
8 8~9 世紀。吐蕃統治時期寫本。
9.1 楷書。有武周新字“正”。
9.2 有刮改。
11 圖版:《敦煌寶藏》,75/599A~606B。第 9 紙第 28 行至第 10 紙 24 行《敦煌寶藏》未攝入。相當於《大正藏》6/807A17~B6。

1.1　BD01996 號
1.3　觀世音經
1.4　收 096
1.5　111:6279
2.1　(9.5+67.5)×25 厘米；2 紙；36 行，行 17 字。
2.2　01：9.5+25.5，23；　02：42.0，13。
2.3　卷軸裝。首尾均殘。通卷殘破，有上下兩排等距離殘洞、殘損。有燕尾。有烏絲欄。已修整。
3.1　首 6 行上下殘→大正 262，9/57C5～12。
3.2　尾全→9/58B7。
4.2　觀世音經（尾）。
8　7～8 世紀。唐寫本。
9.1　楷書。
11　圖版：《敦煌寶藏》，97/518A～519A。

1.1　BD01997 號
1.3　大般涅槃經（北本）卷二
1.4　收 097
1.5　115:6295
2.1　(2+891.2)×25.8 厘米；18 紙；484 行，行 17 字。
2.2　01：2+8.5，6；　02：51.8，29；　03：51.5，29；
04：51.5，29；　05：51.7，29；　06：52.2，29；
07：52.5，29；　08：52.3，29；　09：52.2，29；
10：52.0，29；　11：52.0，29；　12：52.0，29；
13：52.0，29；　14：52.0，29；　15：52.0，29；
16：52.0，29；　17：52.0，29；　18：51.0，14。
2.3　卷軸裝。首殘尾全。首紙有横向撕裂，卷背有鳥糞。有燕尾。
3.1　首行下殘→大正 374，12/372C11～12。
3.2　尾全→12/379A6。
4.2　大般涅槃經卷第二（尾）。
8　5～6 世紀。南北朝寫本。
9.1　隸書。
11　圖版：《敦煌寶藏》，97/627A～639A。

1.1　BD01998 號 A
1.3　瑜伽師地論卷三六
1.4　收 098
1.5　201:7201
2.1　(148.1+2.3)×26.4 厘米；4 紙；95 行，行 20～25 字。
2.2　01：46.7，27；　02：46.7，31；　03：46.6，31；
04：8.1+2.3，06。
2.3　卷軸裝。首全尾殘。首紙下有撕裂。有烏絲欄。
3.1　首全→大正 1579，30/484B2。
3.2　尾行上殘→30/486A2～4。
4.1　瑜伽師地論卷第卅六，彌勒菩薩說，三藏法師玄奘奉詔譯，/本地分中菩薩地第十五初持瑜伽處自他利品第三之餘/(首)。
8　8～9 世紀。吐蕃統治時期寫本。
9.1　楷書。
9.2　有行間校加字及硃筆行間加行、點標。有刮改。
11　圖版：《敦煌寶藏》，104/505B～507A。

1.1　BD01998 號 B
1.3　無量壽宗要經
1.4　收 098
1.5　275:7736
2.1　(13+164.5)×31.5 厘米；4 紙；125 行，行 30 餘字。
2.2　01：13+30.5，30；　02：44.5，32；　03：44.5，32；
04：45.0，31。
2.3　卷軸裝。首殘尾全。第 1、2 紙上邊殘缺，卷下邊有殘裂，第 3 紙上部有等距離殘洞，尾紙有殘裂。有烏絲欄。
3.1　首 8 行上下殘→大正 936，19/82A5～22。
3.2　尾全→19/84C29。
4.2　佛說無量壽宗要經（尾）。
7.1　卷尾有題記“張力沒藏寫”。
8　8～9 世紀。吐蕃統治時期寫本。
9.1　楷書。
11　圖版：《敦煌寶藏》，107/463B～465B。

1.1　BD01999 號
1.3　無量壽宗要經
1.4　收 099
1.5　275:7985
2.1　137×31.5 厘米；3 紙；86 行，行 30 餘字。
2.2　01：46.0，31；　02：45.5，31；　03：45.5，24。
2.3　卷軸裝。首脫尾全。第 1、2 紙上下邊有殘裂，第 1、2 紙接縫處上部開裂。有烏絲欄。
3.1　首殘→大正 936，19/82C13。
3.2　尾全→19/84C29。
4.2　佛說無量壽宗要經（尾）。
7.1　尾題後有藏文題記：“cang－se－ka－bris（張思鋼寫）。”
8　8～9 世紀。吐蕃統治時期寫本。
9.1　行楷。
11　圖版：《敦煌寶藏》，108/443A～444B。

1.1　BD02000 號
1.3　佛藏經（四卷本）卷四
1.4　收 100
1.5　145:6778
2.1　(7.7+352.1)×26 厘米；8 紙；202 行，行 17 字。
2.2　01：03.2，護首；　02：4.5+45，28；　03：51.4，29；
04：51.0，29；　05：51.3，29；　06：51.0，29；
07：51.4，29；　08：51.0，29；

2.3　卷軸裝。首全尾脱。卷上邊有殘破。背有古代裱補。有烏絲欄。
3.1　首2行下殘→大正653，15/800A24～25。
3.2　尾殘→15/802B26。
4.1　佛藏經了或品第九，四（首）。
5　《大正藏》本所收本經為三卷本，本號則與《思溪藏》、《普寧藏》、《嘉興藏》相同，為四卷本。
6.2　尾→BD01902號。
8　8世紀。唐寫本。
9.1　楷書。
11　圖版：《敦煌寶藏》，101/572B～577A。

新舊編號對照表

一、千字文號與北敦號、縮微膠卷號對照表

千字文號	北敦號	縮微膠卷號
收 032	BD01932 號	070：0876
收 033	BD01933 號	070：0877
收 034	BD01934 號	105：4864
收 035	BD01935 號	105：5093
收 036	BD01936 號	105：5140
收 037	BD01937 號	105：4771
收 038	BD01938 號	275：7733
收 039	BD01939 號	405：8553
收 040	BD01940 號	254：7579
收 041	BD01941 號	115：6480
收 042	BD01942 號	105：5565
收 043	BD01943 號	105：5149
收 043	BD01943 號背	105：5149
收 044	BD01944 號	135：6660
收 045	BD01945 號	084：2011
收 046	BD01946 號	115：6306
收 047	BD01947 號	105：5449
收 048	BD01948 號	084：2333
收 049	BD01949 號	105：4729
收 050	BD01950 號	305：8307
收 051	BD01951 號	070：1243
收 052	BD01952 號	070：0878
收 053	BD01953 號	105：4794
收 054	BD01954 號	083：1754
收 055	BD01955 號	256：7633
收 056	BD01956 號	084：3351
收 057	BD01957 號	253：7536
收 057	BD01957 號背 1	253：7536
收 057	BD01957 號背 2	253：7536
收 057	BD01957 號背 3	253：7536
收 057	BD01957 號背 4	253：7536
收 058	BD01958 號	094：4001
收 059	BD01959 號	084：2297
收 060	BD01960 號	083：1487
收 061	BD01961 號	105：5787
收 062	BD01962 號	084：2195
收 063	BD01963 號	084：3001
收 064	BD01964 號	143：6729
收 064	BD01964 號背	143：6729
收 065	BD01965 號	094：3793
收 066	BD01966 號	235：7377
收 067	BD01967 號	070：0898
收 068	BD01968 號	105：5241
收 069	BD01969 號	083：1981
收 070	BD01970 號	105：4991
收 071	BD01971 號	275：7734
收 072	BD01972 號 1	143：6684
收 072	BD01972 號 2	143：6684
收 073	BD01973 號	083：2003
收 074	BD01974 號	084：2108
收 075	BD01975 號	218：7281
收 076	BD01976 號	084：2498
收 077	BD01977 號	105：5875
收 078	BD01978 號	105：5094
收 079	BD01979 號	256：7612
收 080	BD01980 號	105：5245
收 081	BD01981 號	105：4992
收 082	BD01982 號	115：6294
收 083	BD01983 號	115：6330
收 084	BD01984 號	030：0276
收 085	BD01985 號 1	040：0376
收 085	BD01985 號 2	040：0376
收 085	BD01985 號 3	040：0376
收 086	BD01986 號	088：3459
收 087	BD01987 號	083：1988
收 088	BD01988 號	275：7984
收 089	BD01989 號	275：7735
收 090	BD01990 號	083：1975

收 091	BD01991 號	105：5550
收 092	BD01992 號	115：6496
收 093	BD01993 號	084：2834
收 094	BD01994 號	355：8419
收 095	BD01995 號	084：2953
收 096	BD01996 號	111：6279
收 097	BD01997 號	115：6295
收 098	BD01998 號 A	201：7201
收 098	BD01998 號 B	275：7736
收 099	BD01999 號	275：7985
收 100	BD02000 號	145：6778

二、縮微膠卷號與北敦號、千字文號對照表

縮微膠卷號	北敦號	千字文號
030：0276	BD01984 號	收 084
040：0376	BD01985 號 1	收 085
040：0376	BD01985 號 2	收 085
040：0376	BD01985 號 3	收 085
070：0876	BD01932 號	收 032
070：0877	BD01933 號	收 033
070：0878	BD01952 號	收 052
070：0898	BD01967 號	收 067
070：1243	BD01951 號	收 051
083：1487	BD01960 號	收 060
083：1754	BD01954 號	收 054
083：1975	BD01990 號	收 090
083：1981	BD01969 號	收 069
083：1988	BD01987 號	收 087
083：2003	BD01973 號	收 073
084：2011	BD01945 號	收 045
084：2108	BD01974 號	收 074
084：2195	BD01962 號	收 062
084：2297	BD01959 號	收 059
084：2333	BD01948 號	收 048
084：2498	BD01976 號	收 076
084：2834	BD01993 號	收 093
084：2953	BD01995 號	收 095
084：3001	BD01963 號	收 063
084：3351	BD01956 號	收 056
088：3459	BD01986 號	收 086
094：3793	BD01965 號	收 065
094：4001	BD01958 號	收 058
105：4729	BD01949 號	收 049
105：4771	BD01937 號	收 037
105：4794	BD01953 號	收 053
105：4864	BD01934 號	收 034
105：4991	BD01970 號	收 070
105：4992	BD01981 號	收 081
105：5093	BD01935 號	收 035
105：5094	BD01978 號	收 078
105：5140	BD01936 號	收 036
105：5149	BD01943 號	收 043
105：5149	BD01943 號背	收 043
105：5241	BD01968 號	收 068
105：5245	BD01980 號	收 080
105：5449	BD01947 號	收 047
105：5550	BD01991 號	收 091
105：5565	BD01942 號	收 042
105：5787	BD01961 號	收 061
105：5875	BD01977 號	收 077
111：6279	BD01996 號	收 096
115：6294	BD01982 號	收 082
115：6295	BD01997 號	收 097
115：6306	BD01946 號	收 046
115：6330	BD01983 號	收 083
115：6480	BD01941 號	收 041
115：6496	BD01992 號	收 092
135：6660	BD01944 號	收 044
143：6684	BD01972 號 1	收 072
143：6684	BD01972 號 2	收 072
143：6729	BD01964 號	收 064
143：6729	BD01964 號背	收 064
145：6778	BD02000 號	收 100
201：7201	BD01998 號 A	收 098
218：7281	BD01975 號	收 075
235：7377	BD01966 號	收 066
253：7536	BD01957 號	收 057
253：7536	BD01957 號背 1	收 057
253：7536	BD01957 號背 2	收 057
253：7536	BD01957 號背 3	收 057
253：7536	BD01957 號背 4	收 057
254：7579	BD01940 號	收 040
256：7612	BD01979 號	收 079
256：7633	BD01955 號	收 055

275：7733	BD01938 號	收 038
275：7734	BD01971 號	收 071
275：7735	BD01989 號	收 089
275：7736	BD01998 號 B	收 098
275：7984	BD01988 號	收 088
275：7985	BD01999 號	收 099
305：8307	BD01950 號	收 050
355：8419	BD01994 號	收 094
405：8553	BD01939 號	收 039